WOLFRAM
ZU MONDFELD

MOSE
SOHN DER
VERHEISSUNG

WOLFRAM ZU MONDFELD

MOSE
SOHN DER VERHEISSUNG

ROMAN

Mit Illustrationen von
Axel Bertram

Sonderausgabe für GALERIA Kaufhof GmbH
November 2009

Vollständige Taschenbuchausgabe
der im Gustav Lübbe Verlag erschienenen Hardcoverausgabe

Umschlaggestaltung: Kirstin Osenau
Umschlagmotive: © shutterstock/Andrey Burmakin;
© shutterstock/javarman; © shutterstock/Maugli

Satz: Kremerdruck, Lindlar
Druck und Verarbeitung: CPI – Ebner & Spiegel, Ulm

Printed in Germany
ISBN 978-3-404-77356-5

In tiefer Dankbarkeit gewidmet
meiner Mutter
Eugénie Prinzessin zu Löwenstein-Wertheim-Freudenberg
und meiner Frau
Barbara Prinzessin zu Löwenstein-Wertheim-Freudenberg

Inhalt

Prolog

DER BRENNENDE DORNBUSCH

König Eje Cheper-cheperu-Râ
3. Regierungsjahr

Der Mann trägt den weiten, reich gestickten Mantel eines Anführers der Wüstenreiter, breite Goldreifen an den Armen und gut gearbeitete Sandalen an den Füßen. Der Wind bauscht den Mantel weit auf, während der Mann mit ruhigen, festen, langen Schritten durch Sand und kleines Geröll das langsam enger werdende Tal hinaufschreitet. Hierher, wo es nur noch Steine und vereinzelte dürre, dornige Büsche oder zwischen den Felsen kleine, harte, holzige Stauden mit winzigen gelben oder weißen Blüten gibt, kommt kaum je ein Mensch. Er aber kennt jeden der grauen und ockerfarbenen Felszacken, jeden der rötlichen oder blaugrauen, schwarz gesprenkelten Feldbrocken, jeden Dornbusch.

Er kommt hierher, wann immer es ihm möglich ist. Dann steht er da, oft stundenlang, allein, gestützt auf seinen hohen Stab aus Bronze in Form einer königlichen Kobra, und starrt zu dem heiligen Berg hinauf.

Er weiß, daß manche der Männer und Frauen weiter drunten im Tal, im großen Lager bei den drei Brunnen, über seine Marotte tuscheln und die Köpfe schütteln würden, wenn sie den Mut dazu hätten. Doch den haben sie nicht, denn in den drei Jahren, die er nunmehr unter ihnen lebt, ist er ein mächtiger und reicher Mann geworden, dessen Ansehen nur noch durch das seines Schwiegervaters, des Fürsten Jetro, übertroffen wird. Daß er einst ein ägyptischer Prinz gewesen war, das hatte dieses selbstbewußte Wüstenvolk nur wenig beeindruckt, eher schon, daß er mit seiner Gemahlin Zippora zwei gesunde, starke Söhne gezeugt hatte. Dann hatte sich sein Ruf als großer Arzt und Heiler durch ganz Biau verbreitet, so daß die Schôs, die Nomaden der Wüste, von weither kamen, um sich von ihm behandeln zu lassen. Ihre uneingeschränkte Achtung aber hatte er sich als Viehzüchter erworben, der inzwischen über einhundertfünfzig Kamele, mehr als dreihundert Esel und Maultiere und weit über tausend Schafe sein eigen nennt.

Mit gleichmäßigen Schritten durchmißt der Mann eine letzte Biegung des Tales, verharrt einen Augenblick im Schatten einer Felsgruppe. Dann tritt er hinter den Felsen wieder in das offene Tal hinaus.

Vor ihm ragt die gewaltige rote Pyramide des heiligen Horeb in den dunkelblauen Himmel empor. Über die Felsen und Klüfte des Berghanges steigt der Blick hinauf bis zur Spitze, die in der Sonne leuchtet wie das Gold auf der Spitze der großen Pyramide des Königs Chnum-kufu Medjedu.

Der Mann verneigt sich sehr tief und ehrfurchtsvoll vor dem erwählten Sitz Gottes.

Als er seine Augen wieder zum Gipfel des Berges erheben will, bleibt sein Blick an einem feurig-gelb-roten Lichtschein hängen.

Tatsächlich, dort in etwa zwei Chet Entfernung steht einer der dürren Dornbüsche in hellen Flammen!

Wer mochte ihn angezündet haben? Gewiß keiner seiner Leute. Auch wenn sie ihn manchmal nicht begreifen, sie ehren ihn viel zu sehr, um seinen Wunsch, hier ganz allein zu sein, zu mißachten. Wer also? Es ist niemand zu sehen. Und wozu? Die heftig lodernden Flammen werden das dürre Holz verzehrt haben, ehe man auch nur ein Ei über ihnen braten kann.

Der Mann will seine Augen erneut auf den Gipfel des heiligen Berges richten, doch der brennende Dornbusch hält seinen Blick fest.

Das Feuer müßte ihn inzwischen längst zu Asche verbrannt haben, so daß allenfalls noch ein paar schwarze, verkohlte Äste und eine dünne Rauchfahne von dem Geschehen kündeten.

Doch der Dornbusch verbrennt nicht! Im Gegenteil, seine Äste und Zweige sehen aus, als würden sie sich mit jungem, knospendem Grün bedecken, wie sie es tun, wenn alle paar Jahre einmal ein Regenguß die Erde mit Feuchtigkeit tränkt …

Der Mann ist verblüfft. Langsam schreitet er auf den brennenden Dornbusch zu, um die eigenartige Erscheinung aus der Nähe zu betrachten.

ERSTE
BUCHROLLE

PRINZ
VON ÄGYPTEN

König Amûn-hotep Neb-Maat-Râ
33. bis 34. Regierungsjahr

Ich, Sohn von Niemand, den man ›Hund‹ nennt, schreibe dies.

Und ich schreibe dies im Auftrag und nach dem Diktat meines
Herrn, des Obersten Amûn-hotep, Sohn des Neby, Befehlshaber
der Garde der Großen Königsgemahlin Sat-Amûn, Königin von
Ober- und Unterägypten; Tapferer Seiner Majestät, Peitschen-
und Fächerträger zur Rechten der Königin, ausgezeichnet mit
dem Gold der Belohnung, Der das Ohr des Herrn der Beiden
Länder hat.

Ich schreibe dies am 24. Tag im 2. Monat der Ernte im 34. Jahr der
Regierung unseres Königs Amûn-hotep Neb-Maat-Râ*.

Und mein Herr läßt mich dies schreiben, damit es zu gegebenem Tag
und gegebener Stunde überreicht werde dem königlichen Prinzen
Tehuti-mose, Sohn des Königs Amûn-hotep Neb-Maat-Râ
und der Großen Königsgemahlin Sat-Amûn. Und mein Herr läßt
mich dies schreiben nach seinem Diktat, damit der königliche
Prinz Tehuti-mose zu gegebenem Tag und gegebener Stunde
die Wahrheit kenne über sich, seine Geburt und sein Leben bis
zu jenem Tag und jener Stunde.

Und mein Herr läßt mich dies schreiben nach seinem Diktat, damit
der königliche Prinz Tehuti-mose sich entscheiden könne an diesem Tag und in dieser Stunde, wozu immer er sich entscheiden
will oder entscheiden muß, und der königliche Prinz Tehuti-mose
dies tun kann im Wissen um die Wahrheit, damit Maat, die
Göttin der Wahrheit und Gerechtigkeit, die Göttin der Ordnung
und der Weltachse in seinem Herzen sei und er sich entscheide,
wie es recht ist für einen königlichen Prinzen, den Sohn des
Königs Amûn-hotep Neb-Maat-Râ und der Großen Königsgemahlin Sat-Amûn.

Und ich, Hund, schwöre, daß ich kein Wort an dem verändern,
nichts hinzufügen und nichts weglassen werde von dem, was
mein Herr, der Oberst Amûn-hotep, Sohn des Neby, mir zu
schreiben befiehlt.

1. Papyrus

DER
HEILIGE EID

König Amûn-hotep Neb-Maat-Râ
33. Regierungsjahr

»An den Oberst Amûn-ḥotep, Sohn des Neby.

Sie werden sich unverzüglich bei mir melden!

Amûn-hotep, Sohn des Hapu.«

Der Kurier, ein Leutnant der königlichen Garde, hatte mich –
bis zu diesem Augenblick Hauptmann in der Elitetruppe der
Streitwagenkämpfer – zur 9. Stunde, drei Stunden nach der Tagesmitte, am Bogenschießstand der Militärakademie von Men-
nôfer ausfindig gemacht. Nach einer knappen Ehrenbezeigung
hatte er mir die Tontafel überreicht. Er ließ mir nicht einmal
mehr die Zeit, die Kleider zu wechseln, geschweige denn, meine

persönlichen Habseligkeiten zu einem Bündel zu schnüren. »Gegebenenfalls wird dies für Sie besorgt werden, Oberst«, hatte der Kurierleutnant kurz erklärt.

Wir schrieben den 4. Tag im 4. Monat der Aussaat im 33. Regierungsjahr unseres Königs Amûn-hotep*.

Drei Zeilen und das Wort unverzüglich.

Was, beim Bogen des Neith, konnte an meiner Berufung von Men-nôfer nach Uêset so dringend und zwingend sein, um zu rechtfertigen, daß zweimal vierundzwanzig Ruderer im Takt von sechs Stunden bis zur absoluten Erschöpfung getrieben wurden, ehe man sie gegen eine neue Mannschaft austauschte?

Drei Tage und Nächte hetzte das schlanke, flache Kurierboot den Strom flußaufwärts nach Süden. Keine Pause war länger, als die jeweils vierundzwanzig restlos ausgepumpten Männer brauchten, um von Bord zu taumeln, und die gleiche Anzahl Ruderer, um die Plätze an den Riemen wieder einzunehmen.

Das Boot hatte Tep-jêhu mit seinem prachtvollen Hat-Hôr-Tempel noch nicht erreicht, als die Sonne in der westlichen Wüste versank, an deren Rand immer wieder die Spitzen der Pyramiden längst verstorbener Herrscher aufragen.

Am Morgen hatten wir Sarîrija im Gau ›Fliegender Falke‹ mit seinen geheimnisvollen Grottenheiligtümern bereits passiert und sichteten am Spätnachmittag rechter Hand das ›Haus allen Wissens‹ von Chemenu, die weitläufigen Tempelanlagen und Schulgebäude des ibisköpfigen, Dreimal-heiligen Gottes Tehuti.

Bei Tu-kou im Gau ›Schlange‹ stieg die Sonne erneut hinter den grauen, zackigen Bergen der östlichen Wüste auf, und bei Abôdeu im ›Großen Land‹, dem mächtigen Kultort des Totenrichters Usîre, versank sie zum drittenmal auf unserer Fahrt.

Bei Onet im Gau ›Krokodil‹, dem zweiten bedeutenden Heiligtum der Hat-Hôr, kehrte der Tag zurück, und mittags jagte unser Boot durch den Gau ›Zwei Falken‹, vorüber an der Goldstadt Nubt mit ihrem Setech-Heiligtum, in dem immer noch blutige Riten aus uralten Zeiten praktiziert werden, wie man sagt; vorbei an Nakâda, der Stadt, von der König Meneji Hôr-Aha einst aus-

---

* 14. Januar 1340 v. Chr.

zog, um als erster die ägyptischen Gaue zu einem Reich zu vereinigen; vorbei an Kobtôjeu, von wo aus die Straße hinüber zum Roten Meer führt.

Es war kurz nach Mittag, als das Ziel der Hetzjagd stromaufwärts in Sicht kam:

Uêset!

Stadt der Städte Ägyptens. Herz, Zentrum und Metropole des Reiches. Heimat!

Die Ruderer zogen selbst im wirren Hafenverkehr von Uêset die Riemen mit aller Kraft durch, peitschten das dunkle Wasser und schlängelten sich doch geschickt zwischen Aberhunderten von Lastschiffen, Fähren, Booten, Totenbarken, Frachtkähnen und Luxusjachten hindurch. Der Lotse im Bug brüllte sich unter lästerlichen Flüchen schier die Lunge aus dem Leib, um uns Platz zu schaffen.

Die Stadt ist riesig. Wie ausgedehnt, wie farbig – und auch wie schmutzig –, das wurde mir erst jetzt, nach vielen Jahren der Abwesenheit, bewußt.

Durchsetzt von den sattgrünen Oasen der Dattelpalmen, von graugrünen Weiden und den weißstämmigen Sykomoren mit ihren dichten, ausladenden Kronen, geschmückt mit mächtigen Tempeln, überragt von den staatlichen Kornspeichern und beschützt von königlichen Palästen, breitet sich das Meer der weiß gekalkten, aus Lehmziegeln errichteten Häuser aus, so weit das Auge reicht. Über eine Million Menschen leben und arbeiten hier.

Auf der linken Seite des dahinhastenden Bootes erhob sich nun vor meinen Augen der gewaltige Tempelkomplex des großen Reichsgottes Amûn mit seinen mächtigen, die Tore beschützenden Türmen, den Aberhunderten von Säulen, den schlanken, nadelgleichen Obelisken. Über dem Tempel stieg die Rauchwolke der Opferfeuer senkrecht in den dunkelblauen Himmel. Die Fahnen an den Tortürmen flappten träge an ihren Masten – blau und gelb in den Farben Amûns, weiß und blau in denen des Königs.

Seit der Vertreibung der asiatischen Fremdherrscher vor gut zweihundert Jahren hatte jeder König aus dem Hause des Achmose neue Tortürme aufgerichtet, die Säulenkolonnaden ausgedehnt, Sphinxalleen angelegt, heilige Seen ausgehoben, Obelisken und Schatzhäuser hinzugefügt. Der Reichstempel des Amûn ist im Lauf der Jahre zu einem eigenen Stadtteil angeschwollen und, wie böse Zungen behaupten, zu einer architektonischen Abscheulichkeit.

Aber meine Augen suchten nach den Tortürmen und Fahnen des knapp dreißig Chet südlicher gelegenen, kleineren Amûn-Mut-Chons-Tempels, den unser König in seinen ersten Regierungsjahren hatte errichten lassen und dessen heiliger Bezirk unmittelbar an den Strom grenzt. Den ›Südlichen Palast Amûns‹ oder den ›Südlichen Harem‹ nennt man ihn auch.

In seiner unmittelbaren Nachbarschaft liegt mein Elternhaus.

Als ich einst, zwölf Jahre alt, dieses Haus und Uêset auf Befehl meines Vaters Neby verließ, um auf die Militärakademie von Men-nôfer zu gehen, hatte ich schlimmstenfalls mit fünf Jahren der Abwesenheit gerechnet – und mir nicht vorstellen können, wie ich diese überstehen sollte.

Mit meiner Ausbildung zum Offizier – auf Wunsch meines Vaters verbunden mit der Ausbildung zum Schreiber – verstrich diese Zeit. Später mit Räuberjagden in der Wüste und Grenzkommandos im nördlichen To-Nuter*. Wäre uns dort nicht Rib-Addi, der tapfere Statthalter von Gubla, zu Hilfe gekommen, um ein Haar hätte ich damals samt all meinen Kameraden mein Leben verloren, als wir in einen Hinterhalt der Hatti gerieten. Einem Krieg gegen den Amoriterkönig Abdaschirta und seinen Sohn Azirhû verdanke ich eine häßliche Narbe an meinem linken Unterarm. Mit einer diplomatischen Mission schließlich an den Hof des Minos zu Knossos und zwei Jahren als Lehrer für Strategie wieder an der Akademie in Men-nôfer war mittlerweile mehr als das Doppelte an Jahren vergangen …

War mir auch der Grund für meine überstürzte Berufung nach Uêset ein Rätsel, ein Gutes hatte sie auf jeden Fall: die Be-

* Libanon

förderung zum Obersten. Für einen knapp dreiundzwanzigjährigen Offizier ein durchaus beachtlicher Rang.

Da! Da war er, jener der Dreieinigkeit von Uêset, Amûn-Mut-Chons, geweihte Tempel mit seinen Säulenkolonnaden aus steinernen Papyrusbündeln, in deren Schatten ich meine Kindheit verbracht hatte.

Und daneben glaubte ich das Aufblitzen eines weißen Hauses inmitten eines üppigen Gartens gesehen zu haben.

Heute ist es auch mein Haus. Als meine Eltern vor einigen Jahren hinauszogen auf das große Landgut bei Montu, südlich von Uêset, hatten sie das ›Stadthaus‹, wie es jetzt genannt wurde, meinem Bruder Ptah-mose und mir geschenkt.

Bewegt trat ich an das Heck des Bootes, streifte den goldenen Armreif von meinem linken Arm, hob ihn einen Augenblick in die Höhe und warf ihn dann in die jetzt träger werdenden Wasser des Flusses:

»Hab Dank, großer und heiliger Hapi, Vater und Mutter Ägyptens, der du unsere Brunnen füllst, unsere Felder tränkst, unsere Schiffe trägst, unsere Mühlen treibst. Hab Dank du, durch den wir leben, daß du mich heimgebracht hast!«

Das Boot bog nun nach rechts in einen breiten Kanal ein. Ich blickte über meine Schulter zurück und sah eine Bande braungebrannter, nackter Buben und Mädchen ins Wasser gleiten und jener Stelle zukraulen, wo der Armreif versunken war.

»Heiliger Hapi, schenke ihn dem, der ihn am nötigsten braucht!« betete ich voller Dankbarkeit für mein eigenes Glück.

Das von millionenfachem Leben quirlende Uêset am Ostufer des Stromes blieb zurück.

Ich wandte meine Augen in Fahrtrichtung. Vor mir erhob sich nun, überragt von dem fast 700 Ellen hohen ›Thron des Anûb‹, die bizarre, ockergraue Kulisse der Westlichen Berge, unter deren steilem Ostabbruch sich die Totentempel des zweiten Mentuhotep Nebhepet-Râ und der großen Königin Hat-Schepsut Maat-Ka-Râ, des zweiten, dritten und vierten Tehuti-mose und des zweiten Amûn-hotep ausbreiteten. Das letzte ›Haus von Millionen Jahren‹, an dem wir vorbeiruderten, war das unseres regierenden Königs, wo, eingehüllt in eine riesige Staubwolke, Hunderte von Handwerkern, Künstlern und Handlangern Mauern, Säulen und Statuen aufrichteten.

Nach rund zweitausend Schritt gabelt sich der Kanal. Der linke Arm führt zu einem ausgedehnten, künstlich angelegten See. Der rechte Arm endet nach einem weiten Bogen unmittelbar vor den Toren des Palastes, den sich König Amûn-hotep Neb-Maat-Râ hier hat errichten lassen.

Ich war überwältigt; fast stockte mir der Atem, als ich das Bauwerk sah.

Nicht die Größe des Palastes hielt meinen Blick gefangen, obwohl seine Ausdehnung gewaltig war, und auch nicht die prachtvoll bemalten Fassaden, die Dächer aus massivem Goldblech – nein, dieser Palast war, außer den steinernen Grundmauern, ganz und gar aus Holz erbaut worden! Holz – in einem Land, in dem Holz kostbarer ist als Marmor und Alabaster! Jeder einzelne der wuchtigen Balken, jede der oft über 30 Ellen hohen Säulen war einst ein Baum auf den Hängen von To-nuter gewesen, ehe er in der Blüte seines Wachstums gefällt und auf einem Schiff über das Meer und den Strom herauf bis Uêset transportiert worden war, um als Teil der luxuriösesten Residenz zu dienen, die sich je ein ägyptischer König hatte errichten lassen.

Mit einem letzten Riemenschlag glitten wir auf die Anlegestelle zu. Der Lotse warf ein Seil zum Ufer, wo es von eifrigen Palastdienern aufgefangen wurde, die das Boot ganz an die Mole zogen.

Der Kurierleutnant eilte die breite Treppe der Anlegestelle hinauf und schritt schnell und ohne sich umzusehen durch das mächtige Tor mit Flügeln aus gegossener Bronze, welches von zweimal zwölf gepanzerten Torwächtern der königlichen Garde flankiert wurde, die so reglos standen, als wären sie ebenfalls aus Erz gegossen.

Ich folgte dem Kurier durch Höfe und Hallen; wir durchquerten Zimmer, Säulenkolonnaden, Säle und Gärten, liefen durch Gänge und über Treppen.

Das ›Haus des Freudenfestes‹, wie der König seinen Palast genannt hatte, war wirklich ein freudiges Fest für die Sinne. Selbst die Hast, mit der ich dem Leutnant folgen mußte, und meine erwartungsvolle Unruhe ließen mich noch die Leuchtkraft der Farben, das schimmernde Gold, die glitzernden Edelsteine, die Kostbarkeit der Hölzer, die überschäumende Pracht der Blumen, die kunstvoll angelegten Zierteiche und das Plätschern der Brunnen wahrnehmen.

Ich folgte dem Kurier durch eine weitere Tür – und wich im Reflex dem weißen Gegenstand aus, der mir entgegenflog. Alabaster zersplitterte am Türstock. Wasser spritzte. Rote Lilien klatschten auf den Boden.

Sie war groß für eine Frau. Dabei schlank, mit wohlgeformten Hüften, Brüsten und biegsamer Taille. Das Gesicht war katzenhaft dreieckig. Das Kinn kurz, die Nase klein und schmal. Der Mund weich geschwungen mit leicht vorgeschobener Unterlippe. Die weit auseinanderstehenden Augen groß, dunkel und brennend – die Augen der Skorpiongöttin Selket!

Ein Schwarm Dienerinnen umflatterte sie aufgeregt. Eine ärgerliche Handbewegung wischte zwei allzu Beflissene zur Seite:

»Nein! Ich sagte nein!«

Der prunkvoll mit Ketten, Armbändern, Ringen und einer übergroßen, mit Goldstaub gepuderten Perücke herausgeputzte Hofbeamte knickte ehrerbietig zusammen:

»Prinzessin ...«

»Nein! Ich werde den König nicht heiraten!«

Ihr Blick glitt suchend durch den Raum, blieb an mir haften. Ihre Augenlider senkten sich leicht, während ihre Mundwinkel sich um eine Winzigkeit hoben:

»Wer bist du?«

»Oberst Amûn-hotep, Sohn des Neby, Prinzessin.«

»Ich befehle dir, mich zu entführen! Nach Kusch, zu den Assyrern oder den Libu. Egal wohin! Laß dir etwas einfallen! Auf jeden Fall weg von diesen pflichtversessenen Hofschranzen hier, die ein neues Spielzeug brauchen!«

Ich verneigte mich: »Selbst wenn es gelänge, Prinzessin, Euch aus dem Palast, aus Uêset, aus Ägypten zu bringen – was nicht eben wahrscheinlich ist –, so bedenkt, daß Ihr in jenen Ländern vermutlich als hochwillkommene Geisel nur Euren jetzigen Zustand mit einem Kerker oder dem Bett eines fremden Potentaten vertauschen würdet.«

Meine Worte entzündeten kleine funkelnde Lichter in ihren Augen: »Nun gut, dann befehle ich dir, mich zu verführen! Wenn ich von dir schwanger bin, wird der König zweifellos auf diese Heirat verzichten!«

Sie wandte sich zum Gehen, rief mir über die Schulter zu: »Ich erwarte dich heute abend!«

Gefolgt vom Schwarm ihrer Dienerinnen rauschte sie davon.

»Selbstverständlich dürfen Sie auf keinen Fall wörtlich nehmen, Oberst, was die Prinzessin ...«

Ich nahm eine der roten Lilien auf und folgte dem bereits davoneilenden Kurier.

»Kastration und Verbannung sind das Mildeste, was Sie erwartet!« plärrte die Stimme des Beamten hinter uns drein.

Er war klein, einst stämmig, heute eher fett mit rundem Rücken und Plattfüßen. Sein Gesicht war kurz, die Nase breit, der Mund vorgeschoben und dünnlippig, die Haut in tausend Falten zerknittert, die Augen schmal und sehr dunkel: Amûn-hotep, der Sohn des Hapu.

Schon zu Lebzeiten begann man ihn zu verehren wie Ptah-hotep, den Weisen, und Im-hotep, den Gelehrten aus der Frühgeschichte Ägyptens. Als ich ihm damals zum erstenmal gegenüberstand, war er 102 Jahre alt. Nicht nur die jungen Offiziere auf der Militärakademie in Men-nôfer nannten ihn den ›Alten Pavian‹, ein Spitzname, bei dem, eingedenk des pavianköpfigen Gottes allen Wissens, des Dreimal-heiligen Tehuti, viel Ehrerbietung mitschwang.

Und er war mächtig. Um der Wahrheit die Ehre zu geben, sogar mächtiger als der König selber:

Reichsmarschall, Oberbefehlshaber aller Truppen, Weiser unter den Weisen, Ministerpräsident, Generalgouverneur von Ober- und Unterägypten, Vizekönig von Kusch, Erster Prophet des Amûn, Generalintendant aller Bauten des Königs, Chef der Geheimnisse des Kep, Oberrichter der Richter, Intendant der Goldländer des Herrn der Beiden Länder, Zeremonienmeister des Amûn-Festes, Auge und Ohr des Königs, Oberstaufseher der Arbeiten am Platz der Ewigkeit, Schatzkanzler des Reiches, Stimme des Herrn der Beiden Kronen, Fächerträger zur Rechten des Königs, Eingeweihter in die Mysterien von Chemenu und so weiter und so weiter.

Nie vorher, nie nachher hat es einen Mann mit auch nur ähnlicher Machtfülle in Ägypten gegeben.

Er hockte mit untergeschlagenen Beinen auf einer einfachen Schilfmatte, Schreibzeug und einen Becher Wasser neben sich. In einer Nische stand die aus einem einzigen Bergkristall geschnittene Statue der Kriegsgöttin Sachmet. Die auf eine Wand gemalte Karte des Reiches vom südlichsten Kusch bis zum nördlichsten To-nuter betonte die Strenge des ansonsten unmöblierten Raumes.

»Setz dich, mein Junge.«

Amûn-hotep deutete auf eine Schilfmatte, die seiner gegenüber ausgebreitet war.

Wenn ich mich auf die Matte setzte, hatte ich die Tür im Rücken – und ich mag keine Türen im Rücken, seit meiner Ausbildung in Men-nôfer. Also trat ich etwas zur Seite, kniete auf dem rohen Steinboden nieder, legte die Lilie neben mich und setzte mich auf die Fersen zurück.

Ein flüchtiges Grinsen verzog die Mundwinkel des Alten Pavians:

»Man behauptet, du wärest zuverlässig. Bist du zuverlässig?«

Ich zuckte mit den Schultern:

»Wenn man es behauptet – wer immer ›man‹ sein mag ...«

»Du weißt, daß sich König Amûn-hotep Neb-Maat-Râ und die Große Königsgemahlin Teje zerstritten haben ...«

»Ich habe Gerüchte gehört.«

»Der König ist ein dicker, fauler Mann. Er hat sich sein Lebtag nur für drei Dinge wirklich interessiert: für gutes, vor allem reichliches Essen, für seine zahllosen Bauvorhaben rings im ganzen Land und insbesondere hier in Uêset und für die jungen Hühnchen in seinem Harem. Den Hühnchen kann er seit einiger Zeit nicht mehr so viel abgewinnen, dafür steigert er seine Lust am Essen und Bauen ins Grenzenlose.

Königin Teje ist eigentlich die ideale Ergänzung für ihn. Sie stammt zwar nicht aus dem Königshaus, sondern ist die Tochter des Hohen-Min-Priesters Juja aus Ipu, aber sie ist schnell, energisch und hochintelligent!

Über drei Jahrzehnte hat sie Ägypten im Namen ihres Gatten regiert. Und gut, *sehr* gut regiert!

Aber das reicht ihr nicht.

Der dritte Amûn-hotep Neb-Maat-Râ ist ein ordentlicher König, und seinen Beinamen ›der Prächtige‹ hat er sich redlich verdient. Aber er ist kein *großer* König, keiner, von dem man in fünfhundert oder in tausend Jahren noch voll Ehrfurcht und Staunen sprechen wird.

So versucht nun die Königin Teje ihre Söhne, die Thronfolger, zu dem zu machen, was ihr Gatte nie war, nie sein wird und nie würde sein wollen. Zunächst hat sie all ihren mütterlichen Ehrgeiz auf ihren Ältesten geworfen, hat ihn zum unfehlbaren, unverwundbaren Übermenschen erzogen – und mußte ihn im Sand der Stierjagdarena verbluten sehen.«

Ich konnte mich noch genau daran erinnern: Es war kurz nach Antritt meines Dienstes in Men-nôfer gewesen, als der junge Gardehauptmann Hôr-em-Heb, der Wagenlenker des Prinzen, die Nachricht überbracht hatte. Der Prinz Tehuti-mose hatte sich allein auf seinem Streitwagen, die Zügel um den Leib geschlungen, wie es nur die besten Wagenlenker tun, dem Stier gestellt. War es ein Unfall gewesen, oder hatte ihn der Stolz dazu getrieben, etwas zu versuchen, das über seine Kräfte ging? Man würde es vermutlich nie erfahren.

Der alte Mann atmete ein paarmal langsam mit geschlossenen Augen, ehe er weitersprach:

»Getrieben von ihrer maßlosen Gier nach ewigem Ruhm, ebenso wie dem Entsetzen über den Tod ihres Ältesten hat sie sich nun fast noch vehementer auf ihren zweiten Sohn, den nunmehrigen Hôr-im-Nest, gestürzt.«

Diesen neuen Hôr-im-Nest, wie der Thronfolger Ägyptens traditionell genannt wurde, hatte ich noch nicht kennengelernt. Also lauschte ich gespannt, was der Sohn des Hapu mir dazu sagen konnte:

»In wenigen Monaten feiert der König das zweite Heb-Sed-Fest, das Kronjubiläum, seiner Regierung. Und das Zeremoniell verlangt unabdingbar, daß dabei die Große Königsgemahlin an seiner Seite sitzt und hernach mit ihm die Heilige Hochzeit vollzieht.

Nun hat sich Königin Teje aber in den alten Palast in Uêset am anderen Stromufer zurückgezogen und erklärt, sie werde nur dann am Heb-Sed-Fest teilnehmen, wenn der König den Hôr-im-Nest schon jetzt zum König krönt und zum Mitregenten ernennt.«

Ich hob leicht die Hand und fragte:

»Der König überläßt der Großen Königsgemahlin Teje doch ohnehin das Regieren. Was kann sie also an Macht noch dazugewinnen, wenn ihr Sohn Mitregent wird?«

Der Sohn des Hapu kicherte:

»Im Gegenteil, mein Junge, sie wird sogar gehörig an Macht verlieren; denn der Hôr-im-Nest wird niemandem mehr erlauben, ihm zu widersprechen. Die Priester des Râ in Onû haben ihn der Einweihung für nicht würdig befunden. Nun muß er sich beweisen, daß er die Götter allein beherrschen kann.«

»Niemand kann die Götter beherrschen!« wagte ich einzuwenden.

»Schwächliche Menschen glauben dies aber gerne«, gab der Sohn des Hapu zurück.

»Aber was hat nun Königin Teje davon?« fragte ich nach.

»Königin Teje will ihren Sohn zum bedeutendsten König machen, den Ägypten je gesehen hat! Dazu muß er aber erst einmal König sein.

Der dritte Amûn-hotep Neb-Maat-Râ ist zwar dick und faul, aber nichts spricht dagegen, daß er noch für lange, lange Zeit den Thron besetzt hält. Der Hôr-im-Nest hat die Gier nach Ruhm von seiner Mutter Teje, die Bausucht von seinem Vater Amûn-hotep Neb-Maat-Râ und nach dem Ratschluß der Götter einen schwachen Leib geerbt. Wenn er wartet, bis sein Vater stirbt, damit er die Thronfolge antreten kann, bleibt ihm vielleicht nicht einmal mehr genügend Zeit, um auch nur ein unbedeutender Herrscher zu werden. Königin Teje weiß das. Wenn sie ihren Traum erfüllt sehen will, muß sie ihren Sohn so schnell wie irgend möglich auf den Thron setzen!«

»Also versucht sie den König zu erpressen. Und – wird sich der König erpressen lassen?«

Der Sohn des Hapu schüttelte den Kopf:

»Im Gegenteil. Er wird die flehentlichen Bitten seines Volkes erhören und Ägypten endlich eine würdige Königin von königlichem Blut schenken.«

»Eine *würdige* …«

»Teje mag eine glänzende Regentin sein, aber sie ist und bleibt die Tochter des Min-Priesters Juja aus Ipu. Wenn der König eine königliche Prinzessin heiratet und sie zur Großen Königsgemahlin macht, dann ist Teje von einer Stunde auf die andere nur noch eine Nebenfrau und bestenfalls Erste Dame des Harems ohne irgendein politisches Gewicht.«

Ich wartete einen Augenblick, ehe ich fragte:

»Und wo ist mein Platz in diesem Spiel? Zweifellos wurde ich nicht derart eilig herbeordert, nur um die neuesten politischen Entwicklungen im Königshaus erläutert zu bekommen.«

Wieder schüttelte der alte Mann den Kopf:

»Vergib, ich bin alt und wohl ein wenig weitschweifig. Was nun dich betrifft: Du bist der Kommandant der Leibwache der neuen Großen Königsgemahlin.«

Ich prallte zurück:

»Um aller Götter willen, nur das nicht! Hätte ich Hofbeamter werden wollen wie mein Bruder Ptah-mose, nichts hätte mich daran gehindert. Aber ich bin Soldat geworden. Militär! Krieger! Schicken Sie mich ins südlichste Kusch oder ins nördlichste Tonuter, aber verlangen Sie nicht von mir, daß ich in einem goldenen Panzer, mit einem goldenen Helm auf dem Kopf und einem goldenen Schwert an der Seite einem paar Dutzend Gardisten mit den Körpern von Halbgöttern und dem Verstand von Fröschen einen abgezirkelten Gleichschritt beibringe!«

Der Alte Pavian zwinkerte mir zu. »Genau das aber verlange ich von dir, mein Junge … Gewiß, der Griff deines Schwertes wird aus Gold sein, doch mit einer Klinge so scharf, daß du dich damit rasieren kannst. Die 120 Gardisten unter deinem Befehl sind die Besten der Besten aus ganz Ägypten: ›Wolfsmänner‹ aus der Wächterstadt Sioûti.«

Ich schluckte. Die Wolfsmänner von Sioûti galten seit dem Beginn der ägyptischen Geschichte unter den Königen Meneji und Narmer als die treuesten und besten Kämpfer des Reiches.

Amûn-hotep, der Sohn des Hapu, war plötzlich sehr ernst: »Wenn die neue Große Königsgemahlin aus königlichem Blut ein Kind gebären sollte, das der König als das seine anerkennt, so steht dieses Kind hoch über allen, die Königin Teje je geboren hat! Dieses Kind, gleichgültig ob Sohn oder Tochter, wäre der legitime Erbe der Throne und Kronen von Ober- und Unterägypten. Wahrhaftig, es wird die Besten der Besten erfordern, um die neue Königin und gegebenenfalls ihr Kind zu schützen!«

Ich erhob mich und verneigte mich tief:

»Ich stehe zu Diensten.«

Amûn-hotep, der Sohn des Hapu, griff hinter sich, reichte mir ein Sichelschwert in reich vergoldeter Scheide und goldenem Griff mit einem Wolfskopf als Knauf:

»Die anderen Anzeichen deiner neuen Würde wirst du morgen vom König selber erhalten.«

Als ich die Klinge aus der Scheide zog, stockte mir der Atem. Kunstvoll in die Bronze des Schwertes war eine Schneide aus einem anderen Material eingearbeitet, eine Schneide aus Eisen! Meteoreisen, dem kostbarsten Metall, das es in Ägypten gibt! Ja, mit diesem Schwert würde ich mich tatsächlich rasieren können.

Ich warf einen Blick auf die Inschrift:

»*Ich bin das Schwert von Amûn-hotep, Sohn des Neby, Befehlshaber der Leibwache der Großen Königsgemahlin und Königin von Ober- und Unterägypten Sat-Amûn.*«

»Sat-Amûn?« fragte ich. »Die zweite Tochter des Königs wird seine neue Gemahlin?«

»Da keine heiratsfähige Schwester zur Verfügung steht und seine älteste Tochter Kija, die Witwe des verstorbenen Hôr-im-Nest Tehuti-mose, ein wenig vorschnell mit dem neuen Hôr-im-Nest verheiratet wurde ...«

Langsam ließ ich die Klinge in die Scheide zurückgleiten:

»Sat-Amûn ... ziemlich groß? Mit wilden Selket-Augen?«

»Ja, genau.« Seine Augen streiften die rote Lilie. »Woher kennst du sie?«

»Sie hat mir um ein Haar eine Alabastervase an den Kopf geworfen. Und sie hat mir befohlen, sie heute abend entweder zu entführen oder sie zu schwängern.«

Der Alte Pavian verschob sein Schreibzeug ein wenig, spitzte die Lippen: »Kein besonderes Kompliment für dich, mein Junge. Vor zwei Tagen hat sie erklärt, notfalls mit einem Krokodil ins Bett zu steigen, wenn das den König von seinen Heiratsplänen abhalten würde.«

Langsam, doch voller Würde, erhob sich der alte Mann. Trat auf mich zu. Legte mir die Hände auf die Schultern:

»Beschütze ihr Kind – falls sie je eines haben sollte. Beschütze es, *was immer auch geschehen mag!*«

Für einen Augenblick berührten sich unsere Stirnen:

»Ich schwöre es! Sagen Sie mir, bei was ich schwören soll und ...«

»Mir genügt dein Wort«, unterbrach mich der Sohn des Hapu. »Deinen großen Schwur magst du morgen vor dem König ablegen, wenn er dir die Insignien deiner neuen Würde überreichen läßt.«

»Und wann trete ich meinen Dienst an?«

»Du hast ihn bereits angetreten. Offiziell unterstehst du dem General der königlichen Garden, Mei, Sohn des Ipu-wer, deinem Schwiegervater. Inoffiziell kannst du tun und lassen, was dir richtig erscheint. Rechenschaft bist du nur dem König und Sat-Amûn schuldig.«

»Weiß mein Schwiegervater ...«

»Gewiß weiß er. Aber laß es ihn nicht zu deutlich merken. Er ist ein rechtschaffener, aufrechter Mann, erfüllt vom tiefen Glauben an militärische Befehlsstrukturen.

Und noch etwas: Es werden die verschiedensten Personen, Grüppchen und Gruppen an dich herantreten und versuchen, dich zu gewinnen, um dich vor ihren religiösen, politischen oder sonstigen Karren zu spannen. Ich warne dich nicht. Und ich rate dir nicht. Solange dein Schwur, ein Kind Sat-Amûns mit deinem Leben zu schützen, davon nicht berührt wird, so lange magst du glauben, denken und tun, was dir dein Gewissen oder deine Klugheit vorschreibt.«

Es hatte seine unbestreitbaren Vorzüge, einen hohen Rang am Hof zu bekleiden. Zu diesen Vorteilen gehörte auch eine schnelle Barke mit zehn Ruderern, einem Steuermann und einem Lotsen, die an der Anlegestelle vor dem Palasttor auf mich wartete und mir Tag und Nacht zur Verfügung stehen sollte.

Ich sprang an Bord, der Lotse stieß ab, die Ruderer zogen ihre langen Riemen durch, und das schmale Boot schoß voran, den Kanal hinab zum Strom.

Ich lehnte in meinem Deckstuhl, die Beine übereinandergeschlagen, die Augen halb geschlossen, ganz und gar das Bild gelassener Würde. Dabei hatte ich das Gefühl, die gesamte Bootsmannschaft müsse das Hämmern meines Herzens hören.

Das Boot glitt aus dem Kanal in den Strom hinaus.

Schräg vor mir erhoben sich die Säulen, die Tortürme und die bunten Fahnen des Südlichen Harems des Amûn. Rechts und links davon die dichten Schilf- und Papyrusgebüsche, überragt von gelb blühenden Akazien und den zerzausten Fächern der Dumpalmen, hinter denen sich die Gärten und Villen der Reichen und Mächtigen verbargen, darunter das Haus meiner Kindheit, das nun mir zusammen mit meinem Bruder gehörte.

Ptah-mose, mein zwei Jahre älterer Bruder. Die Erinnerung an ihn war nicht die beste, gemildert freilich durch über zehn Jahre Abstand und das goldene Licht, das irgendwann die Kindheit zu verklären beginnt.

Der Gedanke an meine Gemahlin May, Tochter des Gardegenerals Mei, Sohn des Ipu-wer, machte mich eher unsicher. Knapp einen Monat, ehe mich mein Vater Neby auf die Militärakademie nach Men-nôfer geschickt hatte, war ich mit May verheiratet worden.

Die Zeremonie und das anschließende Fest waren durchaus eindrucksvoll gewesen. Die Hochzeitsnacht des zwölfjährigen Bräutigams mit der elfjährigen Braut weniger. Einige Zeit später durfte mich meine Gattin vier Monate in Men-nôfer besuchen. Das Ergebnis war unsere Tochter Merit-Ptah. Danach hatte ich meine Gemahlin May noch dreimal für ein paar Tage gesehen. Das letzte Mal vor immerhin fast sechs Jahren.

Merit-Ptah, meine Tochter. Auf sie freute ich mich. Doch würde sie diese Freude auch erwidern können? Schließlich war ich für sie nicht mehr als ein Name. Das einzige Mal, als wir uns gesehen hatten, war Merit-Ptah drei Jahre alt gewesen. Vor zwei Jahren dann – ich war eben aus Knossos zurückgekehrt – erhielt ich die Nachricht, meine gerade neunjährige Tochter sei mit meinem soeben verwitweten Bruder Ptah-mose verheiratet worden. Ich konnte nicht behaupten, daß ich beglückt gewesen wäre. Ich konnte freilich auch nicht erklären, daß es irgendein sinnvolles Argument gegen diese Heirat gegeben hätte, allenfalls ihr – auch für ägyptische Verhältnisse – noch sehr zartes Alter. Doch war, wie mir mein Vater Neby mitteilte, zunächst zumindest ohnehin nur an eine formale Ehe gedacht, da ein Mann von der Stellung meines Bruders nicht ohne eine offizielle Erste Gemahlin sein könne.

All dies ging mir durch den Sinn, während mich das Boot, von den kräftigen Riemenschlägen getrieben, den Strom weiter nach Süden hinauftrug. Denn ehe ich mich all diesen durch eine allzu lange Abwesenheit entstandenen Problemen und Fragen stellen konnte, mußte ich meine Sohnespflicht erfüllen. Den Antrittsbesuch bei meinen Eltern.

Vor etlichen Jahren hatte mein Vater Neby den Staub, den Lärm und den Gestank von Uêset, der auch die besten und vornehmsten Viertel der Stadt angeblich unbewohnbar macht, endgültig als unvereinbar mit seiner Würde befunden und war auf sein Landgut bei Montu gezogen. Das heißt, genau gesagt liegt sein Gut ›Weide der Rinder des Amûn‹ auf einer Flußinsel zwischen Uêset und Montu, wo er nun wie ein regierender Fürst über sein kleines Reich zu herrschen beliebt.

Die Insel, auf der ›Weide der Rinder des Amûn‹ liegt, ist lang und schmal. Durch das Wasser des Stromes ist sie auch in der heißesten Jahreszeit mit üppigem Grün bedeckt. Am nördlichsten Punkt des Eilands erhebt sich auf einem flachen Hügel das eigentliche Gut mit seinen zahlreichen Nebengebäuden, Dienerwohnungen, Stallungen, Scheunen und Speichern. Umfriedet von einer hohen, massiven Mauer gegen die Flut zur Zeit der Überschwemmung, wirkt das Gut, das von dem teilweise zweistöckigen Haupthaus überragt wird, fast wie eine kleine Festung im Fluß.

Mit dem letzten Tageslicht machte meine Barke an der steinernen Mole fest. Langsam ging ich den kurzen Weg hinauf zum Tor, aus dem mir Seneb-Ka, der Haushofmeister, eilfertig entgegenwatschelte, als habe er bereits nach mir Ausschau gehalten. Seneb-Ka war nie schlank gewesen. Mittlerweile schien er aus zwei Kugeln zu bestehen, einer kleinen Kopf-Kugel und einer gewaltigen Torso-Kugel mit albern kurzen Armen und Beinchen:

»Amûn-Mut-Chons-Sachmet-Ptah-Usîre-Êset-Chnum-Tehuti-Anûb-Setech-Bast-Râ segne Ihre Heimkehr, junger Herr!«

Er reckte mir ehrerbietig die Handflächen entgegen, knickte dann tatsächlich in die Knie, neigte sich vor und versuchte mit der Stirn den Boden zu berühren. Mit zwei Schritten war ich bei ihm und hatte meine Not, ihm wieder aufzuhelfen.

Durch einen Vorraum betraten wir die Wohnhalle des Hauses mit ihren weichen Polsterbänken, zierlichen Tischen, den hohen Blumenvasen mit den Arrangements von Rittersporn, Mohn und Iris. Hinter der Haremstür hörte ich Tuscheln und das alberne Gicksen junger Mädchenstimmen.

Seneb-Ka verneigte sich für seine Statur schon wieder gefährlich tief:

»Vergebt uns, junger Herr, daß wir nicht alle zu Ihrer freilich etwas überraschenden Heimkehr herbeigeeilt sind. Doch Ihre er-

lauchte Mutter, Prinzessin Apuya, wünschte die Unterweisungs-
stunde bei dem Priester Setech-mose im Mont-Tempel nicht zu
versäumen, um ihr Wissen in der Sternkunde zu vervollkomm-
nen. Und wie immer hat sie Ihrer erhabenen Gattin May und
Ihrer edlen Tochter Merit-Ptah befohlen, sie zu begleiten. Die
hohen Damen lassen Ihnen ihre besten Wünsche zur glücklichen
Heimkehr übermitteln und hoffen, Sie später von Angesicht
sehen zu können. Und Ihr hochedler Bruder, den der König in
seiner Weisheit zum Richter in Uêset eingesetzt hat, ist heute,
wie er zu erklären geruhte, in seinem Amt unabkömmlich.

So ist es denn allein Ihr allerhöchst verehrungswürdiger Vater
Neby, Oberstaufseher über die Rinderherden des Gottes Amûn
und Generalintendant über die Kornspeicher des Herrn der Beiden Länder in Unterägypten und den Deltagauen, der Sie zu empfangen anwesend ist. Er erwartet Sie auf der Dachterrasse des
Hauses.«

Ich stieg also die Treppe hinauf.

Unter einem luftigen Sonnensegel, umgeben von etlichen
bildhübschen Dienerinnen, ruhte mein Vater Neby halb sitzend,
halb liegend auf einem geschnitzten Prunkbett und las. Ich
konnte mich nicht erinnern, meinen Vater je anders als liegend
und lesend angetroffen zu haben, gemäß einer seiner Grund-
überzeugungen, daß Liegen die einzig vernünftige Haltung und
Lesen die einzig sinnvolle Beschäftigung für einen Menschen von
Kultur sei. Wie es ihm bei dieser Lebensführung gelang, kein
Gramm Fett, sondern nur glatte, durchtrainierte Muskeln am
Körper zu haben, war mir schon früher ein Rätsel gewesen.

Die eisengrauen, breit umschminkten Augen lösten sich von
dem Papyrus, fixierten mich:

»Du siehst aus, als habest du in deinen Kleidern geschlafen,
jüngerer Sohn.«

»Seit meiner überstürzten Abreise aus Men-nôfer. Seit drei
Tagen also, um genau zu sein ...«

»Dann wasch dich.«

Ich neigte kurz meinen Kopf und wollte zur Treppe zurückkehren.

»Halt! Ich habe dir nicht erlaubt zu gehen, jüngerer Sohn.«

»Ich deutete Ihre Worte als Befehl, erhabener Vater.«

»Wenn ich etwas als Befehl meine, werde ich dir dies un-mißverständlich mitteilen. Etwa dies: Sorge dafür, daß ich end-lich einen Enkel auch in diesem Hause sehe! Du hast bislang nur eine Tochter zustande gebracht – immerhin ist das schon erheb-lich mehr als dein Bruder. Ich befehle dir, umgehend auch einen Sohn zu zeugen!«

Die eisengrauen Augen meines Vaters senkten sich zurück auf den Papyrus.

Ich war offensichtlich entlassen.

Was für ein Empfang!

Ich lief die Treppe hinunter, durchquerte die Wohnhalle, stürmte zur Tür hinaus und machte mich auf den Weg hinunter zur Mole.

Als ich durch das Tor der Umfassungsmauer eilte, lief ich direkt in die Arme meiner Mutter. Sie umarmte mich; der feine, im Luftzug der Bewegung wehende Stoff der Ärmel ihres Über-gewandes wirbelten um mein Gesicht, als sie mich auf Stirn, Wangen und Mund küßte:

»Wunderbar siehst du aus, mein Sohn! Und so groß und stark bist du geworden! Was ist das für eine grausame Narbe an dei-nem Arm? Hast du die aus To-nuter? Ich bin ja so glücklich, daß unsere Familie jetzt endlich wieder vollzählig ist!«

Apuya ertränkte mich fast im Schwall ihrer Zuneigung:

»Meine liebe Freundin Tiê – sie ist die Gattin Ejes, des Bru-ders der Großen Königsgemahlin Teje – hat mich sofort benach-richtigt, nachdem sie erfahren hatte, daß du nach Uêset abkom-mandiert bist. Sie ist eine reizende Frau; du wirst sie und ihren Gemahl bald kennenlernen. Ihre Tochter Nofret-ête wird in den nächsten Wochen den Hôr-im-Nest heiraten. Der Priester Setech-mose hat dein Kommen schon vor einem halben Jahr vorher-gesagt und …«, ihre Stimme wurde zum Flüstern, »er hat vor-ausgesagt, daß du im Sommer, wahrscheinlich im letzten Monat der Ernte, einen Sohn zeugen wirst. Freust du dich nicht? May, Merit, kommt her und begrüßt euren Gemahl und Vater!«

Aus der inzwischen hereingebrochenen Dunkelheit traten zwei Frauengestalten neben meine Mutter. In der Gruppe bildeten sie ein seltsames Dreigestirn.

In der Mitte meine Mutter Apuya: Bald vierzig, mit einer zur Knochigkeit neigenden Schlankheit, ein wenig hohlwangig und schmallippig, konservativ bis altmodisch geschminkt und gekleidet, in ihren Gedanken sprunghaft wie eine Heuschrecke. Nach außen demonstrativ bescheiden, in Wahrheit jedoch durchaus auf ihre Stellung als leibliche Halbschwester des Königs, als Tochter, Enkelin und Urenkelin von Königen bedacht.

Meine Gattin May, die mir nun einen Begrüßungskuß auf die Wange hauchte: Zwei Jahre jünger als ich und irgendwie ohne Kontur. Weich das Kinn, die Nase, der Mund, die Figur, die Stimme. Weich und ein wenig verschwommen, das sind wohl die Begriffe, die am besten zu May passen. Sehr elegant und leise verachtungsvoll für den so groben Militär vor ihr.

Und Merit-Ptah: Sie war knapp elf Jahre alt. Ihre kleine, zierliche Gestalt wurde von hauchzartem Byssos-Leinen umweht; der kostbare Schmuck und die prachtvolle Perücke schienen sie fast zu erdrücken. Dieses Mädchen mit den blaugrauen Augen, der festen Stirn, den feinen, sichelförmig geschwungenen Augenbrauen, dem ein wenig zu klein geratenen Mund und dem energischen Kinn war also meine Tochter.

Merit-Ptah verneigte sich mit der leicht gekünstelten Würde einer Elfjährigen:

»Willkommen, Vater.«

»Komm herein, mein Sohn!« forderte mich unterdessen meine Mutter auf. »Komm herein, und mache es dir bequem. Ich habe dir schon die Zimmer neben denen von May herrichten lassen. Hoffentlich hat der Alte Pavian daran gedacht, dein Gepäck aus Men-nôfer hierher schaffen zu lassen! Deine Schwiegereltern ...«

Ein heftiger Husten unterbrach ihre Worte, schüttelte ihren Körper durch. Doch schon, noch nach Luft ringend, sprudelte sie weiter:

»Deine Schwiegereltern, Mei und Werel, müssen wir unbedingt morgen oder übermorgen einladen. Wenn du etwas zum

Anziehen brauchst, dann kann dir bestimmt Râ-mose etwas leihen, bis deine Sachen hier sind.«

»Râ-mose?« fragte ich verwirrt.

»So nennt sich dein Bruder Ptah-mose jetzt, um den Sonnengott zu ehren. Und dann müssen wir unbedingt Giluchepa, die Tochter Sutarnas, des Herrschers von Mitanni, besuchen. Sie hat immer noch großen Einfluß auf den König und bemüht sich jetzt, eine Tochter ihres Bruders Tuschratta für den königlichen Harem zu bekommen. Deine Räume hier im Ostflügel werden wir in den nächsten Tagen fertig einrichten. May und ich haben da schon ganz feste Vorstellungen ...«

Ich hatte die Wortkaskaden meiner Mutter bislang höflich schweigend hingenommen, doch nun schien die Zeit gekommen, ihre Träume etwas zu stören:

»Ich danke dir von ganzem Herzen für die liebevolle Aufnahme, die ich nach so vielen Jahren, in denen wir uns alle nicht gesehen haben, hier erleben darf. Du scheinst allerdings, wenn ich deine Worte recht verstehe, davon auszugehen, daß ich hier in ›Weide der Rinder des Amûn‹ wohnen werde.«

»Aber natürlich wirst du hier wohnen!« unterbrach mich meine Mutter Apuya überrascht. »Wir alle wohnen hier! Auch dein Bruder Râ-mose ...«

»Was mein Bruder tut oder auch nicht tut, das ist seine Sache. Ich werde auf jeden Fall nicht hier wohnen. Zum einen habe ich ein Kommando im Palast, ein Kommando von der Art, bei dem ich stets binnen kürzester Frist zur Verfügung stehen muß. Zum anderen ...«

Wieder schüttelte ein schwerer Hustenanfall den Körper meiner Mutter. Der Husten Apuyas durchzog wie ein Echo meine Kindheit, doch so heftig, so häufig hatte ich ihn nicht in Erinnerung. Die besorgten Blicke von May und Merit-Ptah schienen meine Beobachtung zu bestätigen.

»Dein Bruder Râ-mose«, erklärte meine Mutter, als sie sich von dem Anfall erholt hatte, »bekleidet in Uêset ebenfalls ein höchst verantwortungsvolles Amt ...«

»Zum anderen«, fuhr ich unbeirrt fort, »sollte jeder Mann, wie mich mein verehrungswürdiger Vater Neby schon als Kind

gelehrt hat, sein *eigenes* Heim haben! *Ich* werde also in das Stadthaus ziehen, das mein Vater mir und meinem Bruder zu diesem
Zweck geschenkt hat.«

»In diese beengte Hütte?« warf meine Gattin May schnip-
pisch ein.

»In diese beengte Hütte, die für meinen Vater Neby und
meine Mutter Apuya zwanzig Jahre gut genug war«, entgegnete
ich, vielleicht etwas schärfer als notwendig.

May schnappte sichtlich nach Luft, und ich fuhr fort:

»Ich selber werde mich noch heute abend in mein Haus in
Uêset begeben – ich werde morgen am Hof erwartet. Du, May,
wirst deine Sachen hier zusammenpacken und mir in längstens
drei Tagen folgen.«

»Wohl gesprochen, mein Sohn!«

Die Stimme Nebys war nicht laut, doch sie ließ die Frauen
herumfahren. Mein Vater trat auf mich zu:

»Wenn die Schule in Men-nôfer dich gelehrt hat, jüngerer
Sohn, einen eigenen Willen zu haben und ihn auch durchzusetzen, dann war die lange Zeit der Trennung nicht umsonst. Wann
immer du willst, bist du ein gern gesehener Gast in meinem
Haus – und ich hoffentlich auch in deinem.«

Eine kurze, harte Umarmung.

»Der Boden sei fest unter deinen Füßen, jüngerer Sohn!«

Wenig später steuerte meine Barke zielsicher eine der schmalen
Öffnungen in der Pflanzenwand am Strom an. Vielleicht hundert
Schritt oberhalb des Südlichen Harems des Amûn glitt das Boot
mit einem letzten Riemenschlag durch das schwankende Schilf
und legte dumpf polternd an dem Bootssteg an.

Den Garten hatte ich größer in Erinnerung, vielleicht weil ich
selber damals kleiner gewesen war. Vielleicht täuschte mich auch
das diffuse Zwielicht des inzwischen aufgegangenen, fast vollen
Mondes. Die Feigen- und Granatapfelbäume waren zweifellos
ein ganz erhebliches Stück üppiger und ausladender geworden.

Ich ging den gewundenen, mit honigfarbenen Kalksteinplatten

ausgelegten Pfad zum Haus hinauf, bemerkte die überreich wuchernden Stauden, die eleganten Rabatten, wohlgeformten Büsche, farbenfrohen Blumengruppen, scheinbar zufällig blühend und sprießend, in Wahrheit sorgsam und wohlüberlegt von der Hand fleißiger Gärtner angeordnet.

Von der überdachten, nach dem Garten zu offenen Veranda mit den bunt bemalten, dem Papyrus nachempfundenen Säulen eilte mir eine Frau entgegen. Sie war groß gewachsen und knochig, in mittleren Jahren, mit der tiefdunklen Haut einer Kuschitin, reichlich grauen Strähnen im Haar und unergründlich schwarzen Augen, deren Weiß von roten Äderchen durchzogen schien. Sie warf sich vor mir zu Boden:

»Vergeben Sie uns, Herr! Wir haben erst vor zwei Stunden von Ihrer Rückkehr erfahren und dachten zudem, daß Sie, wie alle anderen, in ›Weide der Rinder des Amûn‹ wohnen würden, so daß Ihre Räume in diesem Haus nicht vorbereitet sind.«

»Wer bist du?«

»Ich bin Ihre Haushälterin, Beschließerin, Köchin, Putzfrau und sonst alles, was Aufgabe weiblicher Bediensteter sein mag.«

»Steh auf und sage mir deinen Namen.«

»Mein Name ist Ern.«

»Ern?«

»Eine Abkürzung, Herr, von Beket-Ernûte – ›Dienerin der Schlangengöttin Ernûte‹, der großen Herrin der Kornspeicher. Wenn Sie mir jetzt folgen wollen, Herr.«

Wir betraten das Haus. Ern durchquerte den Gartensaal und wandte sich dann nach links. Die drei Zimmer waren kahl, weiß getüncht, der Boden aus festgestampftem Lehm. In einem der Zimmer stand ein Bett mit ausgeleierten Gurten, darauf zwei leichte Schafwolldecken, alt, aber sauber, und ein wackeliger Hocker. Schon wollte Ern zu einer erneuten Entschuldigung ansetzen, doch ich unterbrach sie:

»War das nicht früher das Quartier der Bediensteten?«

»Ja, Herr. Den Rest des Hauses hat Ihr Bruder …«

»Das hat Zeit bis morgen«, winkte ich ab. »Ich habe in schlechteren Quartieren genächtigt. Bist du meine einzige Bedienung?«

»Nein, Herr, da ist noch er.«

Der klapperdürre Junge, der auf einen Wink Erns heran-schlurfte, mochte 17 Jahre zählen. Aus dem halboffenen Mund ragten vorstehende Karnickelzähne, die linke Schulter hing herab, die rechte Hand zuckte unkontrolliert, die hervorquellen-den Froschaugen glubschten stupid an mir vorbei. Ich wandte mich ab.

»Herr, ich glaube, das ist Ihr Dolch.«

Ich faßte schnell nach dem Gürtel. Die Dolchscheide war leer. Ich drehte mich erneut um. Die rechte Hand des Jungen hielt mir völlig ruhig meinen Dolch entgegen, die linke Schulter war plötzlich gerade, und die Froschaugen fixierten mich genau. In ihrer Tiefe lauerte leiser Spott.

»Du bist …«

»Ein ausgebildeter Bettler und Taschendieb, Herr. Außerdem sehe ich so blöd aus, daß kein Mensch in meiner Gegenwart seine Zunge hütet.«

»Außerdem kann er fließend lesen und trefflich schreiben – nicht die heiligen Zeichen der Priester, wohl aber die alltägliche Schrift«, ergänzte Ern, und zum erstenmal sah ich ein leises Lächeln über ihr Gesicht huschen.

»Und wie lautet dein Name?«

»Wer immer meine Mutter gewesen sein mag, sie hat verges-sen, mir einen Namen zu geben. Man ruft mich ›Hund‹, Herr.«

»Und wie kommst du in dieses Haus?«

»Wir kamen schon vor eineinhalb Jahren hier unter. Ern ist übrigens eine Heilkundige, eine Meisterin der Kräuter, Herr.«

»Kräuter gibt es viele, welche meinst du?«

»Für Salben und Parfüme, und auch zum Heilen«, erwiderte Ern gedehnt.

»Und zum Vergiften?«

»Wenn Sie es wünschen, Herr.«

»Mein Bruder Râ-mose …«

»… ahnt davon nichts. Wir sind in diesem Haus die Letzten unter der Dienerschaft. Deshalb hat Ihr hochedler Bruder uns auch an Sie überstellt, Herr. Zumindest glaubt er dies. Die Wahr-heit lesen Sie in diesem Papyrus.«

Hund zog ein Blatt hervor und überreichte es mir.

»Ich, *Amûn-hotep, Sohn des Hapu, Generalgouverneur von Ober- und Unter-ägypten, du kennst meine Namen, übertrage hiermit Amûn-hotep, Sohn des Neby, Befehlshaber der Leibwache der Prinzessin Sat-Amûn, in allen Rechten und allen Pflichten die Dienerin Beket-Ernûte, genannt Ern, und den Diener Hund aus meinem eigenen Haushalt als persönliche Bedienstete.*

Gegeben zu Uêset im 4. Monat der Aussaat im 33. Regierungsjahr unseres Königs Amûn-hotep Neb-Maat-Râ.

Amûn-hotep, Sohn des Hapu.«

»Bislang habt ihr im Auftrag eures Herrn meinen Bruder Râ-mose im Auge behalten?«

»So könnte man es nennen«, gab Hund mit schiefem Grinsen zu, und Ern schloß sich an: »Er ist ungemein an seinem Fort-kommen interessiert, Ihr Bruder Râ-mose, und daher sehr rege. Der Sohn des Hapu weiß gerne über das Tun und Lassen solcher Leute Bescheid.«

»Und nun werdet ihr dem Sohn des Hapu also über mein Tun und Lassen berichten?«

Ern und Hund wehrten energisch ab:

»Mit dieser Urkunde sind wir rechtens Ihre Diener und damit allein Ihnen verpflichtet!«

»Das glaubte mein Bruder wohl auch«, hakte ich nach.

»Ihr Bruder glaubt viel, wenn es ihm nützlich erscheint«, winkte Ern ab.

Eine gute Stunde später – es ging auf Mitternacht zu –, ge-stärkt durch einen vorzüglichen Imbiß aus kaltem Hähnchen-fleisch, Zwiebeln, Schafskäse, Oliven, noch warmem Brot und einem leichten, jungen Wein, den Hund aus den Vorräten mei-nes Bruders abgezweigt hatte, frisch gebadet und nach den Kräu-tern und Ölen Erns duftend, streckte ich mich auf dem knarren-den Bett aus, zog mir die Decke über die Schultern und war binnen Minuten eingeschlafen.

Am Kopfende meines Bettes stand in einer schlanken Tonvase die rote Lilie.

Ich versuchte eben die Augen zu öffnen, als ein Mann in blauem Schuppenpanzer und mit weißen Federn auf dem blauen, enganliegenden Lederhelm in mein Schlafgemach rumpelte, Ern und Hund zur Seite schob, sich vor meinem Bett aufbaute, salutierte und mit dröhnender Kasernenhofstimme loslegte:

»Oberst Amûn-hotep! Hauptmann Nun von der Leibwache der Prinzessin und königlichen Braut Sat-Amûn meldet sich zur Stelle!«

»Kein Mensch hat Sie darum gebeten!« murrte ich schlaftrunken. »Ich war drei Tage ununterbrochen unterwegs, habe kaum ein Auge zugetan und …«

Der Hauptmann brüllte unerbittlich weiter:

»Ich habe Befehl, Oberst Amûn-hotep zu melden, daß Oberst Amûn-hotep um die 9. Stunde von Seiner Majestät, dem Herrn der Beiden Kronen, König Amûn-hotep Neb-Maat-Râ, im Haus des Freudenfestes zur Audienz befohlen ist.«

»Verdammt, Hauptmann, mäßigen Sie Ihre Stimme! Wie spät ist es jetzt?«

»Wir haben noch zwei Stunden Zeit«, antwortete Hauptmann Nun in vernünftiger Lautstärke. »Ich habe Sie schlafen lassen, Oberst, so lange wie möglich, aber …«

Ich ließ mich auf meine Lagerstatt zurücksinken:

»Ich kann keinesfalls vor Seiner Majestät erscheinen. Alles, was ich an Kleidung bei mir habe, ist das, was ich bis gestern auf dem Lcib trug. Es ist völlig verschwitzt, verdreckt und …«

»Zwei Palastdiener stehen mit allem bereit, was Sie benötigen, Oberst. Erlauben Sie mir, die beiden hereinzurufen. Seine Exzellenz, Amûn-hotep, Sohn des Hapu, hat selbstverständlich dieses Problem bedacht.«

Resigniert rappelte ich mich auf und schwang die Beine aus dem Bett. Während sich der Hauptmann diskret in den Hintergrund zurückzog, traten Ern und Hund in Aktion. Ern knetete vorsichtig und mit großem Geschick die Verkrampfungen und Verspannungen aus meinen Muskeln, massierte wohltuende Öle und Salben in meine Haut. Ich wurde sorgfältig rasiert und geschminkt: die Augenwinkel und Brauen wurden lang ausgezogen, die Wimpern getuscht, die Lider blau getönt. Ein Minimum an Schminke, gewiß, doch ich war nun einmal kein Höfling, sondern ein Krieger.

»Sie kommen aus Sioûti, Hauptmann Nun?« fragte ich unterdessen.

»Nein, ich komme aus Hat-uaret in der ›Ostmark‹.«

Die buschigen Augenbrauen, die wie ein Falkenschnabel gekrümmte Nase, das schwere Kinn, die helle Haut, der blaue Schatten auf Kinn und Wangen, die ihn vermutlich zweimal am Tag zum Rasieren zwangen – ich hätte es mir eigentlich denken können, daß Hauptmann Nun aus dem Grenzgebiet dort oben stammen mußte.

Der Hauptmann hatte meinen prüfenden Blick bemerkt.

»Ja, Oberst«, fuhr er fort, »in meinen Adern fließt eine Menge Blut der Chabiru, freilich nicht das der verhaßten Fremdherrscher, sondern das der Benê-Jisrael. Ich denke, ich bin deshalb kein schlechterer Untertan des Königs als viele reinblütige Ägypter.«

»Der Sohn des Hapu hätte Sie sonst kaum zum Hauptmann in der Garde Sat-Amûns ernannt.«

Hund und die Palastdiener halfen mir beim Ankleiden. Ein knapp knielanger, plissierter, schneeweißer Rock, ein ärmelloses Panzerhemd mit blau emaillierten, goldgefaßten Schuppen, Sandalen aus Antilopenleder, Gürtel, Dolch, Schulterkragen und Armreifen aus schwerem Gold, mit Lapislazuli eingelegt, eine nachtblaue Staatsperücke, das Schwert Amûn-hoteps.

Wenig später überquerte meine Barke den Strom und ruderte den Kanal zum Palast hinauf.

»Sie und ich sind übrigens die einzigen, die nicht aus Sioûti stammen, die einzigen Nicht-Wolfsmänner in der Garde der Prinzessin«, setzte Hauptmann Nun unser Gespräch von vorhin fort.

Ich zog erstaunt die Augenbrauen hoch.

Nun zuckte mit den Schultern. »Die Wölfchen aus Sioûti sind hervorragende Krieger, treu und zuverlässig – aber auch recht eigenwillig.«

»So eigenwillig, daß der Sohn des Hapu ihnen zwei Offiziere vor die Nase setzt, die nicht aus dem Rudel sind?«

Mit einem eleganten Schwung legte die Barke vor dem Palasttor an. Im Aussteigen befahl ich:

»Nach der Audienz hat die gesamte Garde der Prinzessin Sat-Amûn zur Inspektion anzutreten.«

Die volltönende Stimme eines Herolds kündigte mich an: »Amûn-hotep: Sohn des Neby, Oberstaufseher über die Rinderherden des Gottes Amûn und Generalintendant über die Kornspeicher des Herrn der Beiden Länder in Unterägypten und den Deltagauen; Enkel des Rechme-Râ, Graf von Nechab im Gau ›Doppelfeder‹; Sohn der Prinzessin Apuya, Schwester Seiner Majestät; Enkel des Königs Tehuti-mose Men-cheperu-Râ Usîre, erhabener Vater Seiner Majestät; Oberster in den Truppen des Herrn der Beiden Kronen, Lebender Hôr, Starker Stier, glänzend in Wahrheit, König von Ober- und Unterägypten Amûn-hotep Neb-Maat-Râ, Herrscher von Uêset, dem Leben gegeben wurde.«

Ich trat durch die Tür, warf mich zu Boden und berührte mit der Stirn die spiegelglatt polierten Kalksteinfliesen.

In den Sekunden, ehe ich mich niederwarf, hatte ich schnell und ohne zu überlegen, wie man es mir auf der Militärakademie eingedrillt hatte, meine Umgebung registriert. Es war keine Audienzhalle, und Menschen waren es höchstens ein Dutzend. Es war ein Zimmer, etwa 14 mal 14 Ellen groß mit einer breiten Tür, welche in einen üppigen Blumengarten mit einer kleinen Fontäne hinausführte, deren Wasser in einen Zierteich plätscherte. Die Wände waren bunt bemalt und mit Gold eingelegt.

In der Mitte, halb dem Garten zugekehrt, befand sich eine große, vergoldete Prunkliege; darauf in einem langen, blauen Gewand der König. Neben ihm saß auf einem zierlichen Hocker Prinzessin Sat-Amûn.

Links neben der Liege stand ein Tisch mit Obst, Speisen und Getränken. Am Fußende des Bettes erhob sich ein Tisch, auf dem kleine Gebäude aufgebaut waren, die wie das Modell einer Stadt aussahen. Ein älterer Mann hockte mit untergeschlagenen Beinen davor auf dem Boden. Ein paar Dienerinnen und Diener waren um den König beschäftigt. Rechts im Schatten des Prunkbettes kauerte ein Schreiber. Bei ihm stand ein hochgewachsener, herrisch wirkender Priester mit kahl geschorenem Kopf, das Leopardenfell über der Schulter, und zwei Hofbeamte. In der Ecke hinter mir klimperte leise eine Harfe.

»Komm näher, Neffe.«

Die Stimme König Amûn-hotep Neb-Maat-Râs war dunkel und kräftig, aber seine Aussprache so undeutlich, als bewege er beim Sprechen die Lippen nicht.

Wie mich der Herold kurz vor der Audienz eingewiesen hatte, hob ich zwar den Kopf vom Boden, ließ ihn aber tief gebeugt und rutschte auf den Knien näher an die Prunkliege heran.

Ein Fuß mit hennagefärbter Sohle erschien in meinem Gesichtsfeld, wackelte leise. Ich küßte den Spann und bemerkte dabei zwei eingewachsene Nägel.

»Sieh mich an, Neffe.«

Gemäß dem Hofzeremoniell hätte ich mich erst nach der dritten Aufforderung aufrichten dürfen, doch der Ton der Stimme ließ mich sofort gehorchen. Ich blieb auf den Knien, richtete aber den Oberkörper auf und setzte mich auf die Fersen zurück.

Man hatte mir, den Göttern sei Dank, in Men-nôfer nicht nur die Kunst des blitzschnellen Erfassens meiner Umgebung beigebracht, sondern auch die Kunst der unbewegten Miene. Nie hatte ich sie so dringend gebraucht wie in diesem Augenblick!

Daß der König klein und unmäßig dick war, hatte ich gewußt. Aber das, was da auf dem Prunkbett lag, war eine amorphe Masse wabbeligen Fetts. Das lange Gewand – ein Gewand, wie es sonst eigentlich nur Frauen tragen – verhüllte nur unvollständig die ungesund fleckige Haut. Wirklich erschreckend aber war das Haupt. Völlig kahl, obwohl der König erst 41 Jahre zählte, ein verquollenes Gesicht, nur noch die vier oberen Schneidezähne im Mund, dafür rings um den Mund und an den Lippen eine Anzahl nässender, eitriger Abszesse.

Die dunklen Augen des Königs, von den Fettmassen zu schmalen Schlitzen zusammengezwängt, starrten mich an – endlos, wie mir schien.

Dann eine leichte Handbewegung in Richtung des Modells:

»Wie gefällt dir mein neuestes Bauvorhaben? Men, mein Erster Baumeister, hat diese Tempelanlage entworfen. Ich weiß nur noch nicht, wo und für welche Gottheit ich sie bauen lassen soll.«

Ich warf einen kurzen Blick auf die sorgsam angeordneten kleinen Gebäude.

»Verzeiht, Majestät, aber von Tempelbauten verstehe ich nichts. Ich verstehe allenfalls etwas von Burgen und Festungen – und wie man sie erobert oder verteidigt.«

»Dann wird es Zeit, daß du dir etwas Kultur beibringen läßt ...«, warf Sat-Amûn ein und funkelte mich mit ihren Selket-Augen an, »... mein ungehorsamer Vetter!«

Ich verneigte mich leicht in Richtung der Prinzessin. »Manchmal kann Ungehorsam der Wahrheit, Gerechtigkeit und Ordnung der Göttin Maat weit besser dienen als blinder Gehorsam.«

Die Augen des Königs musterten mich lange:

»Wenn der Ungehorsam dem rechten Ziel und der rechten Ordnung dient – dann vielleicht – manchmal ...«

»Nur so habe ich es gemeint, Majestät.«

Amûn-hotep Neb-Maat-Râ beugte sich leicht vor, starrte auf das Tempelmodell:

»Der zweite Säulenhof ist zu schmal in den Proportionen, Men. Setze rechts und links noch eine Säulenkolonnade an.«

Der Baumeister kramte in einer kleinen Kiste und brachte verschiedene vorgefertigte Bauteile zum Vorschein, die er an das Modell anzubauen begann.

»Du hast eine starke Ähnlichkeit mit meinem Vater, deinem Großvater«, stellte der König unvermittelt fest, ohne mich anzusehen. »Das königliche Blut setzt sich offenkundig durch – oft zumindest – leider nicht immer – nein, nicht immer ...«

Wieder senkte sich Stille über den Raum, nur vom Plätschern der Fontäne und dem Klappern der Bauteile des Architekten durchbrochen.

Endlich erneut eine leichte Handbewegung des Königs in Richtung des Priesters:

»Walte deines Amtes, Bruder.«

Mit weit ausgreifenden Schritten trat der Priester vor mich hin, schob sich zwischen den König und mich:

»Sie wissen, weshalb Sie hierhergerufen wurden, Oberst?«

»Amûn-hotep, der Sohn des Hapu, sagte mir, um als Kommandeur der Garde der Prinzessin Sat-Amûn zu dienen.«

»Sie wissen, was das bedeutet?«

»Ich hoffe, daß ich es weiß ...«

»Dann schwören Sie, daß Sie Ihr Amt treulich verwalten werden.«

Ich stand auf, trat einen halben Schritt zur Seite, so daß ich meinen Schwur direkt dem König und Prinzessin Sat-Amûn leistete. Ich hob meine Arme über den Kopf, öffnete meine Hände zum Himmel:

»Ich, Amûn-hotep, Sohn des Neby und der Apuya, schwöre hiermit bei Maat, der Göttin der Wahrheit und Ordnung; bei Amûn, dem Herrscher der Götter; bei Usîre, dem Herrn des Totenreiches, und Êset, der Herrin der Liebe; bei Hôr und Setech, den Herren der fruchtbaren Erde und der Wüste; bei Utô und Nechbet, den Schutzgöttinnen von Ober- und Unterägypten; bei Chnum, dem Schöpfer der Geschöpfe; bei Ptah und Sachmet, den Herrschern von Entstehen und Vergehen; bei Geb, der Erde; bei Nut, dem Himmel; bei Schû, der Luft; bei Tefnut, der Feuchtigkeit; bei Atum, dem Urlicht und bei der *Gott der Götter*, die alles schuf, daß hinfort mein Leben dienen wird dem Schutz der Prinzessin Sat-Amûn und dem Schutz jener, die zu schützen mir die Prinzessin Sat-Amûn befehlen wird. Dies schwöre ich, Amûn-hotep, Sohn des Neby und der Apuya.«

Langsam ließ ich meine Arme heruntersinken.

Wieder drängte sich der Priester zwischen mich und den König:

»Ich, Prinz Ptah-hotep, Großpriester des Reichsgottes Amûn, Fürstpiester des Amûn-Tempels in Uêset, Prophet des Amûn, Generalintendant aller Ländereien des Amûn, Oberbetreuer der Rinderherden des Amûn, Großpriester des Südlichen Harems des Amûn, Erzpriester der Mut, Erzpriester des Chons, Großpriester der Dreiheit von Uêset, habe deinen Schwur gehört und ...«

Ich schob den Schwätzer zur Seite:

»Ich habe nicht Ihnen geschworen, Priester, sondern den Göttern, dem König und seiner Tochter!«

»Ich nehme deinen Schwur an!« klang die helle Stimme Sat-Amûns und die dunkle Stimme Amûn-hotep Neb-Maat-Râs:

»Küß mich, mein Neffe.«

Als sich unsere Wangen berührten, bemerkte ich den übelriechenden Atem des Königs, der mir ins Ohr raunte:

»Du hast so hoch geschworen, wie ein Mensch schwören kann – trotzdem glaube ich nicht deinem Schwur, sondern deinem Herzen, das ich in deinen Augen lese.«

Als ich mich wieder aufrichtete, winkte der König den Hofbeamten. Feierlich wurde mir ein Keulenzepter, der vergoldete Kommandostab des Befehlshabers der Garde, überreicht. Sodann ein goldener Oberarmreif mit einem aus Lapislazuli geschnittenen Skarabäus.

»Wenn Sie diese Spange öffnen«, erklärte mir der Höfling, »so können Sie den Stein zum Siegeln herausnehmen.«

Ich warf einen Blick auf die Inschrift:

»Amûn-hotep, Sohn des Neby, Oberst in den königlichen Truppen, Tapferer in der Garde Seiner Majestät, Befehlshaber der Leibwache der Großen Königsgemahlin und Königin von Ober- und Unterägypten Sat-Amûn, ausgezeichnet mit dem Gold der Belohnung.«

Schließlich wurde mir eine Kette aus runden Goldplättchen um den Hals gelegt, das ›Gold der Belohnung‹.

»Du hast es dir schon lange in To-nuter und anderswo verdient«, bemerkte der König dazu.

Einen Augenblick später hatte sich Amûn-hotep Neb-Maat-Râ wieder völlig in das Tempelmodell vertieft und wies den Architekten an, die eben angesetzten Säulen wieder fortzunehmen.

Als ich mich, dem Zeremoniell entsprechend, mit dreimaligen tiefen Verbeugungen rückwärts schreitend zur Tür zurückzog, folgten mir nur die funkelnden Blicke Sat-Amûns.

2. Papyrus

DIE GROSSE KÖNIGS-GEMAHLIN

König Amûn-hotep Neb-Maat-Râ
33. Regierungsjahr

Der Herold, der mich in das Zeremoniell eingewiesen und mich so unüberhörbar angekündigt hatte, verneigte sich vor mir:

»Ein gewisser Pichuru bittet, eine Botschaft überbringen zu dürfen.«

»Wer ist dieser Pichuru?«

»Ein Niemand, der vielleicht bald ein Jemand sein wird. Vorläufig ist er einer der zahlreichen Speichellecker des Hôr-im-Nest.«

»Muß ich mir seine Botschaft anhören?«

»Nein. Allerdings wäre es klug, falls Sie einigermaßen normale Beziehungen zum Hôr-im-Nest wünschen, Oberst.«

»Wünsche ich die?«

Der Herold verneigte sich erneut:

»Normale Beziehungen sollten stets erwünscht sein.«

»Also gut. Ich werde mir anhören, was dieser Pichuru zu sagen hat.«

Auf einen Wink des Herolds trat ein klotziger Mann mit dünnem Mund, hungrigen Augen und prachtvollen Gewändern vor, reckte mir die breiten, klobigen Hände entgegen, verneigte sich, verneigte sich nochmals und setzte zu einer langen Begrüßungsrede an.

Ich schnitt ihm das Wort ab:

»Wie lautet Ihre Botschaft?«

»Ich habe das unendliche Vergnügen, Erhabener, Sie davon in Kenntnis setzen zu dürfen, daß Ihr Gesuch um eine Audienz morgen um die vierte Stunde bei der Großen Königsgemahlin und Königin von Ober- und Unterägypten, die der König liebt, Teje, nicht abschlägig beschieden wurde.«

»Ist das die ganze Botschaft?«

»Das ist sie, Erhabener.«

»Dann werde ich Sie nicht länger in Anspruch nehmen. Ich danke Ihnen.«

Ich machte mich auf den Weg zu den Gemächern Sat-Amûns, um, wie angekündigt, dort ihre Garde zu inspizieren.

Während mich einer der zahllosen Palastdiener führte, ging es mir durch den Kopf, »... *daß Ihr Gesuch um eine Audienz nicht abschlägig beschieden wurde* ...«.

Eine Meisterleistung diplomatischer Formulierungskunst! Die noch regierende Große Königsgemahlin Teje wollte mich also sehen. Und da sie, aus welchem Grund auch immer, mir nicht befehlen wollte zu erscheinen, sie mich aber darum natürlich auch nicht bitten konnte, ließ sie mir mitteilen, daß mein Audienzgesuch, das ich nie gestellt hatte, gewährt sei.

Ich hatte, ohne nachzudenken, ein flottes Tempo angeschlagen, und der Palastdiener mußte fast laufen, um mit mir Schritt zu halten und mich sicher durch den Irrgarten des Palastes zu dirigieren. Dank meiner militärischen Schulung ging mir die Orientierung in dem Gewirr der Gänge, Treppen, Säle und Hallen wenigstens nicht restlos verloren, und der Palastdiener sorgte zudem für einen groben Überblick:

Im nordwestlichsten Teil des Hauses des Freudenfestes lagen die offiziellen Räumlichkeiten, der große und der kleine Thronsaal und die Audienzsäle, von relativ kleinen, intimen Zimmern angefangen bis zu der riesigen Halle, in der die Empfänge für die ausländischen Gesandtschaften und für die Abordnungen der Gaue stattfanden. Dazwischen befanden sich die Kanzleien der verschiedenen Ministerien und Hofbeamten. Dort residierte auch Amûn-hotep, der Sohn des Hapu.

Der südöstliche Teil war der private Wohnbereich des Herrschers und seiner Familie. Von Nord nach Süd waren dies: Die Wohnung des Hôr-im-Nest mit dem dazugehörigen Harem. Das ›Haus des Herrn der Beiden Länder‹, ein Palast im Palast. Unmittelbar daneben der königliche Harem, in dem über 800 Nebenfrauen, Konkubinen und Dienerinnen dem Starken Stier jeden Wunsch von den Augen ablasen. Dann die Residenzen der königlichen Prinzen. Und schließlich das Haus der Großen Königsgemahlin, an das sich die Räumlichkeiten der königlichen Prinzessinnen anschlossen.

Die Wohnung der Prinzessin Sat-Amûn lag an der südöstlichsten Ecke dieses Komplexes, nach Norden begrenzt von den Ausläufern des Hauses der Großen Königsgemahlin, nach Süden durch eine Mauer, die den eigentlichen Palastbezirk von den Wirtschaftsgebäuden, den Speichern und Stallungen, der Gardekaserne und den Dienerwohnungen abgrenzte.

Wie schon gestern fiel mir neben all dem Prunk und all der Pracht, mit denen das Haus des Freudenfestes ausgestattet war, auf, wie großzügig, luftig, offen alles gebaut war, wie sehr Blumen, Büsche, Teiche und Bäume wesentlicher, unverzichtbarer Teil dieses Palastes waren. Mächtige Dattel- und Dumpalmen, weit ausladende Sykomoren und Akazien spendeten angenehmen Schatten, dazwischen Granatapfel-, saftige Feigen- und duftende Hennabäume. Die Teiche waren bedeckt von Seerosen, blauem und weißem Lotos, eingefaßt von Papyrus und Schilf. Und überall blühten Klatschmohn, Rittersporn, Eisenhut, Mandragora, Kornblumen, Iris und Lilien in allen Farben.

Es schien gerade so, als hätte König Amûn-hotep Neb-Maat-Râ seinen Thron und sein Bett mitten in einen blühenden Garten gestellt.

Hauptmann Nun erwartete mich.

Wir betraten zunächst einen quadratischen, ziemlich kahlen Raum mit Schilfmatten auf dem Boden, wo Bittsteller und Audienzsuchende zu warten hatten. Hinter der nächsten Tür begannen die eigentlichen Gemächer der Prinzessin. Wir durchquerten das Audienzzimmer, zwei weitere Räume und einen größeren Saal, der sich zum Garten öffnete.

Dort waren die Wolfsmänner der Leibwache in Reih und Glied angetreten.

»Vergessen Sie nicht, die Wölfe aus Sioûti sind das Beste vom Besten, was Ägypten an Kriegern zu bieten hat«, raunte mir Hauptmann Nun noch einmal leise zu.

Der Hinweis war nicht ganz unangebracht.

Die Wolfsmänner waren in drei Trupps zu je 36 Mann aufmarschiert, der Trupp jeweils zwölf Mann in die Breite und drei Reihen in die Tiefe gestaffelt. Neben jeder Reihe stand ein Unteroffizier, vor den Trupps jeweils ein Leutnant. Etwas abgesetzt der Standartenträger mit zwei Standartenwachen und drei Hornisten.

Die jeweils erste Reihe der Truppe, die Offiziere und die Gruppe um die Standarte sahen genauso aus, wie man sich Gardisten vorstellt: hochgewachsene Männer in schneeweißen knielangen Röcken, blaugefärbten Lederpanzern und blauen Kopftüchern, die Offiziere mit blauen, enganliegenden Lederhelmen mit weißen Federn, mannslange Spieße mit schimmernden Bronzespitzen in den Händen, im Gürtel Sichelschwerter und kurze Äxte, Dolche an den linken Oberarm geschnallt.

Die beiden Reihen dahinter freilich …

Wären sie nicht ebenso stramm in Reih und Glied gestanden,

den Blick geradeaus gerichtet, man hätte sie für eine Bande von Wüstenräubern halten können! Von Prunk und Uniformierung keine Spur.

Die Kleidung reichte vom schweren Krokodilpanzer, Lederwesten und Hemden in allen möglichen Schnitten und Farben bis zum winzigen Lendentüchlein. Die Köpfe schmückten Helme, Kopftücher, Stirnbinden, Naturhaar, mal lang, mal kurz, zu Zöpfen geflochten, glatt gekämmt oder wild verstrubbelt, etliche Glatzen, dafür einige Schnurrbärte und sogar ein Vollbart.

Gemeinsam schien dieser Bande nur eines zu sein: Fast jeder von ihnen war ein wandelndes Waffenarsenal. Während ich die Reihen abschritt, registrierte ich an Bogen, Speeren, Sichelschwertern, Keulen, Äxten, Dolchen und Steinschleudern so ziemlich jede Form, die irgendwann und irgendwo in den letzten dreihundert Jahren in Ägypten in Gebrauch gewesen war. Dazu kamen zwei hethitische und vier babylonische Langschwerter, Wurfmesser, eine Machaira, wie ich sie in Knossos bei lykischen Piraten gesehen hatte, zwei Leopardenkrallen aus dem südlichsten Kusch und schließlich eine Drosselschlinge. Einer der Gardisten, ein kleinwüchsiger, leicht krummbeiniger Mann mit schlampiger Rasur, hielt sogar als einzige ›Waffe‹ einen knapp mannslangen Stock in der Faust.

Als ich den Rundgang durch die Reihen beendet hatte, erklärte mir Hauptmann Nun:

»Die drei Trupps haben jeweils abwechselnd sieben Stunden Dienst, sieben Stunden Bereitschaft in der Kaserne nebenan und sieben Stunden Freizeit. Der diensttuende Trupp kann jederzeit um die Männer der Bereitschaft verstärkt werden. Alle drei Trupps jedoch sollten nur in den allerdringlichsten Fällen gleichzeitig aufgerufen werden. Die jeweils erste Reihe ist die offizielle Wache, die beiden Reihen dahinter die tatsächliche, wenn auch in der Regel unsichtbare. Ihnen, Oberst, stehen jeweils zwei Mann der offiziellen und, auf Wunsch, zwei Mann der unsichtbaren Wache persönlich zur Verfügung.«

Das Ganze war unbestreitbar tadellos durchorganisiert und zeugte von langer Erfahrung in derlei Dingen.

Die Männer erwarteten nun zweifellos ein paar Worte von

ihrem neuen Kommandeur, möglichst Worte, die sie nicht schon wieder und wieder gehört hatten. Ich beschloß, es kurz zu machen:

»Eure Pflichten, eure Aufgaben, eure Verantwortung hat man euch mehr als einmal klargemacht. *Ich* will euch dazu nur sagen: Ich erwarte von jedem einzelnen von euch, daß er sie erfüllt wie – eben ein Wolfsmann aus Sioûti!«

Keiner der Männer verzog eine Miene, die Augen blieben starr geradeaus gerichtet, aber ich sah in diesen Augen Stolz aufglimmen.

»Sie können abrücken lassen, Leutnants.«

Ein paar knappe Befehle. Die ersten Reihen mit den Leutnants, dem Standartenträger und den Hornisten verließen den Garten in exaktem Gleichschritt, zwei Trupps in Richtung Kaserne, der dritte bezog wieder Posten an den Türen, dem Bootssteg drunten am künstlichen See und auf der Dachterrasse. Die jeweils beiden anderen Reihen folgten ihnen in demonstrativ regellosem Haufen, zwei ebenfalls Richtung Gardekaserne, die dritte verteilte sich in Haus und Garten – Minuten später schien es, als seien sie vom Erdboden verschluckt.

Zurückgeblieben waren nur Hauptmann Nun und die zwei Gardisten zu meiner persönlichen Verfügung.

»Einen davon sollten Sie an der Tür des Bittstellerraumes zu Ihrem Audienzzimmer postieren, wenn Sie nicht wünschen, daß Ihre Wohnung von ungebetenen Gästen überrannt wird«, riet mir Nun.

Ich mußte lachen.

»Ich verfüge derzeit weder über einen Bittstellerraum noch über ein Audienzzimmer«, erklärte ich, »und sollte sich doch jemand zu mir verirren, dann werden Hund und Ern schon mit ihm fertig.«

»Ich meine nicht Ihr Haus in Uêset, Oberst, auch wenn wir dort ebenfalls ein oder zwei der inoffiziellen Wölfchen postieren sollten. Ich meine Ihre Palastwohnung hier.«

»Meine Palastwohnung?«

»Wir sind im Haus des Freudenfestes, Oberst«, schmunzelte der Hauptmann, »nicht in einem Feldlager. Man erwartet nicht von Ihnen, daß Sie in einen Mantel gewickelt im Garten der Prinzessin nächtigen. Wenn Sie mir bitte folgen wollen.«

Wir umrundeten eine Tamariskenhecke, die sich linker Hand etwa zwanzig Schritte in den Garten hineinzog, als uns ein kleines, quirliges Männlein entgegengelaufen kam, sich mit ausgestreckten Armen und hochgehobenen Handflächen vor mir platt auf den Boden warf:

»Willkommen, willkommen, Herr! Mögen die Götter Ägyptens ...«

»Wer bist du?«

»Ich? Ich bin ein Nichts, ein Niemand, ein Staub unter Ihrem Fuß, Herr – und Ihr Haushofmeister, wenn es Ihnen beliebt, Herr.«

»Steh auf, ich rede nicht gerne mit Leuten, die auf dem Bauch liegen. Wie heißt du?«

Das Männlein hüpfte auf die Beine.

»Ich, der ich ein Niemand bin, ein Staub ...«

Ich stoppte mit einer Handbewegung seinen Redeschwall. »Hör zu: Ich verfüge über ein gewisses Maß an Geduld. Solltest du allerdings die Gewohnheit beibehalten, dich gewunden, blumenreich und weitschweifig auszudrücken, so kann ich dir versichern, daß dieses Maß in sehr kurzer Zeit überschritten sein wird. Und jetzt deinen Namen.«

Das Männlein hüpfte nervös von einem Bein auf das andere, eine dunkle Röte begann vom Hals aufzusteigen. »Ich ... ich heiße ... ich meine ... ich ...«

»Was ist? Hast du keinen Namen?«

»Doch, Herr, aber einen, der jedermann zum Lachen reizt: Nefer-Sobek ...«

Ich lachte nicht. Ich wunderte mich nur, was für Namen manche Eltern ihren Kindern zu geben wagen. Nefer-Sobek – ›Schönheit des dicken Krokodilgottes Sobek‹!

»Zeige mir mein Quartier.«

Selbst jemand, der nicht die nüchternen Zellen der Militärakademie, sondern jeden erdenklichen Luxus gewöhnt ist, dürfte an dieser Wohnung kaum etwas gefunden haben, was zu wünschen übrigbliebe. Ich würde mir den Begriff ›Quartier‹ schleunigst abgewöhnen müssen – oder ihn gerade deshalb beibehalten, damit ich nicht überschnappte.

Zentrum meines Quartiers war ein geräumiger Wohnraum, der sich durch eine breite Tür auf eine Veranda mit Lotossäulen und weiter zum Garten hin öffnete. Die bequemen Polsterliegen, die geschnitzten Stühle, die mit Ebenholz und Elfenbein eingelegten Tische, die Blumenvasen voll prachtvoller Gestecke luden ein, oft hier zu verweilen.

»Hier links, Herr«, erklärte Nefer-Sobek unterdessen, »liegt Ihr privates Refugium mit Arbeits- und Schlafzimmer, Bad, Salbraum und Toilette. Vergeben Sie, wenn Arbeits- und Schlafraum im Augenblick nur mit dem Nötigsten eingerichtet sind, doch man dachte, daß Sie da gewiß eigene Wünsche haben werden. Rechts sind die Räume Ihrer Dienerschaft.«

Auf ein Händeklatschen Nefer-Sobeks trat eine freundlich aussehende Frau aus der Tür zu den bezeichneten Räumen, kniete nieder und berührte den Boden mit der Stirn.

»Ihre Beschließerin Sel.«

Sel war eine kleine, muntere Person, etwa dreißig Jahre alt, die den Schritt von drall zu dick wohl schon vor etlichen Jahren vollzogen hatte.

»Neben den Räumen der Dienerschaft kann auch Ihr persönlicher Harem untergebracht werden«, sprudelte Nefer-Sobek inzwischen fort. »Jenseits der Tür gegenüber liegt wie üblich Ihr Audienzimmer und davor der Bittstellerraum mit dem Eingang vom Palast her. Wenn Sie mir nun bitte auf die Dachterrasse folgen wollen, dann ...«

In diesem Augenblick stürmte einer der Gardisten durch die offene Verandatür herein:

»Prinzessin Sat-Amûn wünscht Ihre sofortige Anwesenheit, Oberst!«

Prinzessin Sat-Amûn hatte sich, umringt von einer Schar Dienerinnen, auf der Veranda vor ihren Räumen auf einem reich vergoldeten Ruhebett niedergelassen, das mit Löwenfüßen und
wunderbar modellierten Löwenhäuptern am Kopfende verziert
war. Halb sitzend, halb liegend, den Arm elegant auf das Rücken-
kissen gestützt, mit Daumen und Zeigefinger am Ohrläppchen
zupfend beobachtete sie mein Herankommen mit wachsamen
Augen.

Ich stieg die Stufen hinauf und verneigte mich tief:

»Oberst Amûn-hotep zu Euren Diensten, Hoheit.«

Sat-Amûn scheuchte mit einer herrischen Handbewegung
ihre Dienerinnen ins Innere des Hauses. Wir waren allein – so
allein, wie man sein kann, wenn man weiß, daß viele Augen-
paare irgendwo versteckt hinter Büschen, Bäumen und Blumengruppen jede Regung um die Prinzessin herum mit scharfem
Blick verfolgten.

»Erzählen Sie mir von den Wolfsmännern aus Sioûti, Oberst.
Mein Leben und meine Sicherheit liegen ja nun wohl in ihrer
Hand.«

Sat-Amûn hatte mich nicht aufgefordert, doch da ein Sessel
bereitstand, ließ ich mich unaufgefordert nieder.

»Auch ich weiß eigentlich nur wenig von ihnen. Schon vor
der Gründung des Reiches waren die Wolfsmänner der Wächterstadt Sioûti die Garanten für die Sicherheit des Südens. Als vor etwas über 2000 Jahren König Meneji Hôr-Aha von Nakâda im
Gau ›Zwei Falken‹ auszog, um den Norden zu erobern und das
erste ägyptische Reich zu gründen, waren die Wolfsmänner aus
Sioûti seine Vorhut.

Nach etwa 1000 Jahren brach das Alte Reich auseinander. Als
dann vor gut 700 Jahren König Mentu-hotep Neb-hepet-Râ
erneut nach Norden aufbrach und das Mittlere Reich gründete,
waren es wieder die Wölfe aus Sioûti, die an der Spitze seines
Heeres kämpften.

Sein Reich existierte nur etwa 400 Jahre, dann wurde es von
den Chabiru-Horden überrannt, die in Hat-uaret in der ›Ostmark‹ ihre Hauptstadt gründeten. In der Entscheidungsschlacht
bei Men-nôfer, die mit dem Sieg der Chabiru endete, soll von

tausend Wolfsmännern nur einer am Leben geblieben sein, weil man ihn für tot auf dem Schlachtfeld hatte liegen lassen. So will es zumindest eine Legende.«

»Also doch nur eine Legende«, bemerkte die Prinzessin abschätzig.

»Nun, in den meisten Legenden steckt ein Körnchen Wahrheit. Ob es nun einer oder hundert waren, die überlebten: Tatsache ist, daß ein Wolfsmann niemals flieht. Und wenn er lebend aufhört zu kämpfen, dann hat er entweder gesiegt oder ist so schwer verwundet, daß man ihn für tot halten muß.

Gut 150 Jahre regierten die Fremdherrscher mit eiserner Faust in Hat-uaret, doch es gelang ihnen niemals, auch den Süden gänzlich unter ihre Gewalt zu bringen. Es waren die Grafen von Sioûti mit ihren Wolfskriegern, die eine völlige Unterwerfung vereitelten.

Als vor nunmehr etwa 200 Jahren der Gründer des Neuen Reiches, König Ach-mose Pehty-Râ, Sohn des Seken-en-Râ, Euer unmittelbarer Vorfahr, von Uêset aufbrach und die Chabiru aus dem Land jagte, ihre Hauptstadt Hat-uaret nach drei Jahren Belagerung eroberte und die Fremden schließlich bis nach To-nuter hinauftrieb, da standen wieder die Wolfsmänner aus Sioûti bei allen Schlachten, Belagerungen und Stürmen auf jenem Platz, wo am heftigsten gekämpft und letztlich der Sieg errungen wurde.«

»Und ausgerechnet ein Chabiru oder Halbchabiru wird Offizier bei den Wolfsmännern.«

»Hauptmann Nun – ihn meint Ihr doch, Hoheit – ist ein Benê-Jisrael. Die Benê-Jisrael sind zwar unter den Chabiru eingewandert und mit ihnen wohl auch verwandt, doch unter König Ach-mose stellten sie sich als treue und tapfere Untertanen auf die Seite Ägyptens. Und der Hauptmann ist nicht Offizier bei den Wolfsmännern, sondern in Eurer Leibgarde.«

»Und sein Vorgesetzter ist ein Mann, der sich seine Gehorsamspflicht selber auszulegen beliebt«, bemerkte die Prinzessin spitz.

»Euer Befehl, Hoheit, war, verzeiht die Offenheit, unsinnig. Im übrigen sehe ich doch gar nicht aus wie ein Krokodil, wie Ihr es vor zwei Tagen als Bettgefährten wünschtet …«

»Wünschte ich das?«

»So wurde mir berichtet.«

Sat-Amûn zuckte mit den Schultern.

»Ich wünsche viel. Wenn ich verärgert und erregt bin, wünsche ich auch Dinge, die ich im nächsten Augenblick schon wieder vergessen habe.«

Ich verneigte mich leicht.

»Eine Prinzessin, gar eine Königin sollte aber ihre Wünsche nicht im nächsten Augenblick wieder vergessen – oder sie sollte keine Wünsche aussprechen, die sie nicht auch so meint, wie sie gesagt wurden.«

»Und wenn ich einen Wunsch äußere, den ich durchaus so meine? Wenn ich ihn hundertmal äußere?« brauste Sat-Amûn auf. »Wird er deswegen erfüllt? Ich will meinen Vater nicht heiraten! Ich liebe ihn als Vater und verehre ihn als König. Aber gewiß nicht als Gemahl!«

»Genau das aber scheint Eure Pflicht zu sein, Prinzessin.«

»Pflicht! Pflicht! Pflicht!« Sat-Amûns Selket-Augen funkelten mich so wütend an, daß ich schon fürchtete, sie werde im nächsten Augenblick wieder mit Blumenvasen werfen. »Ich weiß, was meine Pflicht zu sein hat! Alle reden schließlich von Pflicht!«

Doch dann beruhigte sie sich erstaunlich schnell:

»Und wer redet eigentlich von mir? Weshalb mußte der Alte Pavian ausgerechnet darauf verfallen, mich mit meinem Vater verheiraten zu wollen? Weshalb läßt er nicht meine Mutter weiter regieren – sie liebt das Regieren über alles! Weshalb macht er meinen wirrköpfigen Bruder nicht jetzt schon zum Mitkönig – irgendwann erbt der den Thron ja doch. Weshalb müssen mein Vater und der Alte Pavian mein Leben durcheinanderbringen?«

»Euer Leben ... durcheinanderbringen, Hoheit?«

Sat-Amûn seufzte abgrundtief über meine offenkundige Naivität:

»Eine königliche Prinzessin oder auch eine königliche Nebenfrau des Herrschers haben ein höchst angenehmes Leben: Eine Menge Diener, die sich um ihr Wohlbefinden kümmern, ein paar repräsentative Aufgaben und viel, viel Freiheit. Die Große Königsgemahlin aber ist in all dem Zeremoniell ärger eingesperrt als die Frauen im Harem des Starken Stiers. In einen Käfig wollen sie mich sperren, jedem zur Besichtigung preisgegeben. Die Höflinge, Beamten, Priester und Gardisten werden zwar ehrfurchtsvoll vor mir auf dem Bauch kriechen und sind doch nur meine Wärter! Du und Nun und die Wolfsmänner seid nur ein erster Vorgeschmack davon. Glaube mir, zu ertragen ist das nur, wenn man mit jeder Faser seines Herzens an der Macht hängt!« Die Prinzessin ballte ihre Hände zu Fäusten. »Ehrgeiz und Machthunger! Es gibt so viele in meiner Familie, die nichts anderes kennen – meine Mutter; ihre Brüder Aanen und Eje; mein Bruder Tehuti-mose, der wegen seines Ehrgeizes durch einen Wildstier starb; auf seine Weise auch mein Bruder, der Hôr-im-Nest. Nur ausgerechnet ich und meine Schwester Kija sind da auf die Seite unseres Vaters gefallen …«

»Die Seite Eures Vaters, Hoheit?«

»Macht ist ihm herzlich gleichgültig.«

»Das kann man leicht sagen – wenn man sie hat wie der König.«

»Ihm wäre sie auch gleichgültig, wenn er sie *nicht* hätte«, widersprach mir Sat-Amûn. Als sie leise weiterredete, beugte sie sich zu mir herüber. »Aber unterschätze ihn nicht! Mein Vater ist träge, aber er ist klug. Er hat wenig Lust zu regieren; indem er jedoch den Wagen des Staates wohlausgewogen von meiner Mutter und dem Sohn des Hapu lenken läßt, behält er die Zügel eben doch immer in seinen eigenen Händen.«

Sat-Amûn sah mich plötzlich mit gerunzelten Brauen an.

»Weshalb erzähle ich dir das alles? Ich kenne dich doch so gut wie gar nicht. Daß du mein Vetter bist, würde eher gegen dich sprechen. Vielleicht ist es das Fremde an dir, dein Blick, der schweift und doch genau sieht, deine Augen, die mehr widerspiegeln als den Pomp der Paläste und die Ränke und Wünsche der Mächtigen …«

Es war fast Mitternacht, als wir uns auf der Säulenveranda eine gute Nacht wünschten.

Ich bog um die Tamariskenhecke, als mir aus meinem Quartier mein Bruder Ptah-mose – oder wie er sich jetzt ja nannte, Râ-mose – entgegeneilte, mich umarmte und auf die Wangen küßte:

»Willkommen, Amûn-hotep! Vergib, daß ich gestern, bei deiner Ankunft daheim, nicht anwesend sein konnte. Was für alberne Mißverständnisse …«

Mein Bruder war ziemlich genau das, was man einen ›würdigen‹ Mann nennt: Groß, breitschultrig, nicht dick, aber wohlbeleibt, vom Scheitel bis zur Sohle gepflegt, gesalbt und geölt, elegant und bewußt ein klein wenig altmodisch geschminkt und gekleidet, mit einem faustgroßen Karneol-Skarabäus an einer doppelten Halskette auf der Brust als einzigem Schmuck.

Râ-mose war nur zwei Jahre älter als ich, also noch nicht einmal 26, doch mit seinem betont würdevollen, ernsthaften und dabei leutseligen Gehabe wirkte er weit älter. Derzeit war er Oberrichter von Uêset. Bald schon würde er sehr viel mehr sein. Der geborene Erfolgspolitiker.

»Ich habe mit dir zu reden, Amûn-hotep. Dringend! Aber nicht hier, wo die Wände und Sträucher Ohren haben.«

Mein Bruder zog mich durch den Garten hinunter zu einem Landungssteg an dem künstlichen See, den der König für seine Residenz hatte anlegen lassen.

Der See war ein Wunsch Königin Tejes gewesen. Der König, für kolossale Bauten stets weit schneller zu gewinnen als für politische, geschweige denn kriegerische Maßnahmen, hatte eine Viertelmillion Arbeiter zusammengerufen, die zwischen dem 1. und dem 14. Tag des 3. Monats der Überschwemmung das 3700 Ellen lange und 700 Ellen breite Becken aushoben. Am 16. Tag jenes Monats hatte man die Dämme durchstochen, und König und Königin hatten gemeinsam auf ihrem vergoldeten Prunkschiff den Kanal und den See eingeweiht. Das war im 15. Jahr seiner Regierung. Der König war damals 22, die Königin knapp 20 Jahre alt gewesen.

Eine Barke mit vier Ruderern und einem Steuermann erwartete uns. Wir gingen an Bord und ließen uns auf zwei Sesseln im Achterschiff nieder, während das Boot auf den See hinausglitt.

»Hier kann uns kein Mensch belauschen.«

»Außer deinen Leuten, Râ-mose«, spottete ich leise.

Mein Bruder schüttelte den Kopf, winkte einen der Ruderer heran, machte ein Zeichen. Der Mann öffnete den Mund. Ich schaute in eine Höhle – ohne Zunge.

»Die Männer sind taub und stumm – sie haben mich eine Menge Geld gekostet. Bist du nun beruhigt, Amûn-hotep?«

»Ich war nie beunruhigt ...«

Râ-mose rückte näher zu mir:

»Der Alte Pavian hat dich in eine höchst diffizile Situation gebracht. Das ist dir doch klar?«

»Keineswegs.«

»Was bist du?«

»Kommandant der Leibwache der Prinzessin Sat-Amûn.«

»Und weshalb ist Prinzessin Sat-Amûn plötzlich so wichtig, daß sie einer eigenen Leibwache bedarf?«

»Weil sie demnächst wohl die Große Königsgemahlin sein wird.«

»Die Große Königsgemahlin eines unfähigen Königs und die Puppe eines über hundertjährigen Überministers! Wenn Sat-Amûn ihren Vater heiratet, so stellt sie sich auf die Seite von zwei alten, verbrauchten Männern. Gegen ihre leibliche Mutter. Gegen ihren Bruder, den Hôr-im-Nest. Und gegen die Zukunft!

Und du – du – stehst an ihrer Seite und wirst ihr Schicksal teilen! Wenn Sat-Amûn ihren Vater, den König, heiratet, mag sie eine glanzvolle Gegenwart haben. Aber sie hat keine, absolut *keine* Zukunft!«

Ich atmete das schwere, leicht modrige Aroma der Seerosen und der nachts weit geöffneten Blüten des weißen Lotos ringsum ein.

Schon als Knabe mochte ich meinen älteren Bruder nicht, weil er der war, der stets recht haben mußte. Daran hatte sich bis heute nichts geändert. Da war einerseits der Sohn des Hapu, uralt gewiß, aber auch sprichwörtlich weise. Und da war andererseits Sat-Amûn selbst, die gegen die geplante Heirat heftig rebellierte.

»Darin liegt deine Chance, Amûn-hotep«, schien Râ-mose

meine Gedanken mitzulesen. »Hilf ihr! Sie will ja selber vor dieser Heirat mit ihrem Vater entfliehen!«

Ich winkte ungeduldig ab: »Das ist undurchführbar.«

»Falsch, Bruder! Mit deiner Hilfe durchaus durchführbar. Du mußt Prinzessin Sat-Amûn nur aus dem Palast, nur zur Anlegestelle an ihrem – eurem – Garten schaffen. Wir werden sie dann vor dem König in Sicherheit bringen.«

»Wer ist ›wir‹?«

»Der Hôr-im-Nest. Königin Teje. Alle, die ihnen treu ergeben sind. Alle, die an Ägyptens Wohl, Ägyptens Größe, Ägyptens Zukunft denken!«

Ich hörte dem Wasser zu, das leise gurgelnd am Rumpf des Bootes entlangstrich.

»Du stehst auf seiten Königin Tejes und des Hôr-im-Nest, Râ-mose?«

»Mit Leib und Leben! Königin Teje ist die klügste, die weitsichtigste, die politisch bedeutendste Frau, die je in Ägypten lebte. Und der Hôr-im-Nest, er ist ein Seher, ein Prophet, ein Weiser, ein Wissender! Wenn je der Name eines ägyptischen Königs die Jahrtausende überdauern wird, dann wird es sein Name sein!«

Mein sonst eher kühler Bruder hatte sich in Feuer geredet. Seine Augen blitzten:

»Stelle dich auf unsere Seite, Amûn-hotep! Stelle dich auf die Seite der Zukunft Ägyptens! Jener uralte Mann, der so unendlich zäh an seiner Macht und seinem Leben klebt, hat dich im Namen eines regierungsunfähigen Königs an einen ihm – nur ihm – nützlichen Platz geschoben: Kommandant der Leibwache der Prinzessin Sat-Amûn.

Aber du sollst ihren Leib nicht nur bewachen, du sollst den Starken Stier vertreten. Das ist doch deine wahre Aufgabe, dein wahres Amt! Wenn die Hochzeitszeremonie erst vorüber ist, dann bist du es doch, der für den königlichen Nachwuchs zu sorgen hat.«

Râ-mose winkte meinen Protest ab:

»Du hast den König selber gesehen, Bruder. Ich versichere dir, er ist so potent wie der älteste Eunuch seiner Haremswächter.

Man wird ihn mit allerlei Brimborium über die Hochzeitszeremonie und das Heb-Sed-Fest hinwegmogeln. Dann aber bist du an der Reihe.

Die Prinzessin ist keine strahlende Schönheit, aber sie ist sinnlich und temperamentvoll. Deine Aufgabe wird nicht unerträglich sein. Denke doch nach: Weshalb hat dich der Alte Pavian unmittelbar neben der Prinzessin einquartiert? Weshalb dir das Recht, ja, die Pflicht verschafft, bei Tag und Nacht ungehindert und unverdächtig bei ihr ein- und ausgehen zu können? Nur um sie vor irgendwelchen Gefahren zu beschützen? Vor welchen Gefahren denn? Und wenn schon, weshalb ernannte er als Kommandanten dann nicht einen der ungezählten Eunuchen dieses Palastes? Ein paar davon sind höchst tüchtige Soldaten. Weshalb einen jungen, gutaussehenden Offizier?«

»Und wenn dem so wäre, Râ-mose. Weshalb sollte gerade *ich* derjenige sein, dem die Aufgabe zufällt, anstelle des Königs ein königliches Kind zu zeugen?«

»Weil unsere Mutter Apuya eine Schwester des Königs ist. Weil du und ich direkte Neffen des Königs sind. Weil in meinen wie in deinen Adern königliches Blut fließt! Weil dein Same den königlichen Samen weitertragen soll!«

»Würdest du mich zum Bootssteg zurückbringen lassen?«

Râ-mose sah mich verständnislos an, gab aber seiner stummen Bootsmannschaft mit einer Handbewegung den entsprechenden Befehl. Die Riemen tauchten ins Wasser. Wenig später legten wir an.

»Höre mich an, Amûn-hotep! Tue, was deines Amtes ist. Aber tue es *vor* der Hochzeit! Tue es *jetzt!* Noch ist gerade genug Zeit bis zum Heb-Sed-Fest. Wenn sich das Bäuchlein der Prinzessin *vorher* rundet, dann ist es vorbei mit der königlichen Hochzeit ...«

Ich sprang auf den Steg. »Der Boden sei fest unter deinen Füßen, Bruder!«

Ohne mich umzudrehen, ging ich mit raschen Schritten durch den Garten in mein Quartier.

Ich konnte in dieser Nacht lange nicht einschlafen. Das Zusammentreffen mit meinem Bruder Râ-mose und seine Erklärungen für meine Anwesenheit im Palast rumorten in meinem Kopf.

War es wirklich denkbar, daß der König und der Sohn des Hapu mich dazu ausersehen hatten, an Stelle des Königs ein Kind zu zeugen?

Falsch! Nicht nur *irgendein* Kind.

Wie hatte der Sohn des Hapu gesagt?

»Wenn die neue Große Königsgemahlin aus königlichem Blut ein Kind gebären sollte, das der König als das seine anerkennt, so steht dieses Kind hoch über allen, die Königin Teje je geboren hat! Dieses Kind, gleichgültig ob Sohn oder Tochter, wäre der legitime Erbe der Throne und der Kronen von Ober- und Unteräygpten.«

Dieses Kind würde der wahre, königliche Hôr-im-Nest sein, würde kraft seiner doppelten königlichen Abstammung alle Kinder Tejes aus der Erbfolge fegen.

Selbst wenn in Wirklichkeit ich der Vater dieses Kindes wäre – und da hatte mein Bruder Râ-mose recht –, stünde es blutsmäßig als doppelter Enkel König Tehuti-mose Usîres immer noch im Rang über den Kindern Tejes.

Ich ging in Gedanken nochmals die anderen Begegnungen und Gespräche der letzten eineinhalb Tage durch:

Der Sohn des Hapu hatte keine Andeutung in dieser Richtung gemacht, da war ich mir sicher. Aber es zeichneten sich da deutliche Linien eines Planes ab, die wohl bis zum Tod des Hôr-im-Nest Tehuti-mose zurückreichen mußten.

Meine Familie? Die weiblichen Mitglieder ahnten mit Sicherheit nichts. Und mein Vater? *»Sorge dafür, daß ich endlich einen Enkel auch in diesem Hause sehe!«* Das ›auch‹ war es, das mich jetzt stutzig machte. Wenn es solch einen Plan gab, dann war mein Vater offenkundig im Bilde.

Meine unmittelbaren Untergebenen: Ern und Hund im Stadthaus, Nefer-Sobek und Sel hier im Palast, Hauptmann Nun und die Wolfsmänner? Keiner hatte irgendeine Andeutung fallen lassen. Doch wenn es diesen Plan des Königs und des Alten Pavians wirklich gab, dann mußten sie mehr oder minder eingeweiht sein. Auf jeden Fall, und daran gab es gar keinen Zweifel, waren sie vom Sohn des Hapu mit größter Sorgfalt ausgewählt worden.

Schließlich der König selber: »Du hast eine starke Ähnlichkeit mit meinem Vater, deinem Großvater. Das königliche Blut setzt sich offenkundig durch.«

Gesetzt den Fall, mein Bruder hätte in diesem Punkt recht. Wie stand es dann mit all dem anderen, was er gesagt hatte?

War Königin Teje machtgierig und von unsinnigem Ehrgeiz zerfressen, wie der Sohn des Hapu sie schilderte, oder die klügste, weitsichtigste und politisch bedeutendste Frau, die je in Ägypten lebte, wie Râ-mose meinte?

War der Hôr-im-Nest ein Wirrkopf oder ein Seher, Prophet und Weiser?

Lag das Schicksal, die Zukunft, das Wohl, die Größe Ägyptens tatsächlich in meiner Hand?

In meiner allein gewiß nicht. Mehr schon in den offenbar manchmal recht unbeherrschten Händen Prinzessin Sat-Amûns.

Auf der einen Seite schien Sat-Amûn eine durchaus kluge junge Frau zu sein; auf der anderen Seite war sie launisch, unbeherrscht und ichbezogen. Sei gerecht mit ihr, ermahnte ich mich selber. Ihr Temperament war ihr angeboren, und es zu zügeln, hatte man sie offensichtlich nie gelehrt. Von den Beamten und Dienerinnen, in deren Händen ihre Erziehung gelegen hatte, wäre dies wohl auch zu viel verlangt gewesen. Wer protokollgemäß vor einem Kind auf den Knien rutschen muß, der mag sich schon glücklich preisen, wenn es ihm gelingt, dem Prinzeßchen beizubringen, wie man gesittet ißt, eine ausländische Delegation begrüßt, melodisch die Laute zupft und würdevoll den Göttern opfert. Und wenn das Prinzeßchen mit den Füßen aufstampft und notfalls mit Vasen wirft, um seinen augenblicklichen Willen durchzusetzen, dann hatten sich ihre Erzieher bis zur Erde zu verneigen, schweigend die Scherben wegzukehren und nachzugeben.

Mit dem Heiratsbefehl ihres Vaters stieß sie wohl zum erstenmal auf eine Anordnung, die sie nicht einfach wegwischen konnte.

Manche Soldaten klagen zeitlebens über die Nachtwachen. Ich werde mich wohl nie an das frühe Aufstehen gewöhnen. Trotzdem war ich mit dem ersten Morgengrauen auf den Beinen. Einer der Wolfs-Leutnants erschien zum Rapport und meldete, die Prinzessin schlafe, werde dies wohl auch noch drei oder vier Stunden weiter tun, desgleichen die Mehrzahl der Dienerschaft. Außer meinem Bruder Râ-mose habe niemand versucht, sich den Gemächern der Prinzessin oder dem Garten zu nähern. Im übrigen: »Keine weiteren Vorkommnisse.«

»Gibt es eine Planung für den heutigen Tag?« fragte ich.

Der Leutnant gestattete sich ein sekundenlanges Grinsen, wobei er einen fehlenden Schneidezahn entblößte:

»Prinzessin Sat-Amûn pflegt ihre Pläne bis zum Augenblick des Handelns so gut zu verheimlichen, daß es selbst dem Ersten Propheten des Amûn unmöglich sein dürfte, sie im voraus zu erahnen.«

Ich entließ den Leutnant und trabte, nur mit einem kurzen Schurz, Sandalen und einem leichten Kopftuch bekleidet, aus meinem Quartier hinüber zur Grenzmauer, schlüpfte durch das kleine Pförtchen und ließ mich dann von meinem Gehör leiten. Das Gebrüll von Unteroffizieren auf Kasernenhöfen ist unverkennbar und lenkte mich zielsicher durch die Gardeunterkünfte, Stallungen und etliche Wirtschaftsgebäude auf den Übungsplatz der Palastgarden.

Ich hätte in Men-nôfer, im südlichsten Kusch oder im nördlichsten To-nuter sein können: Ein paar Unteroffiziere drillten unter lästerlichen Flüchen und wüsten Beschimpfungen ihre Männer im Gleichschritt und vorschriftsgemäßen Präsentieren der Waffen; Gardisten übten paarweise den Kampf mit Speer, Axt und Schwert; schwarzhäutige kuschitische Bogenschützen ließen ihre Pfeile auf Strohscheiben schwirren; ein Trupp kam keuchend und ausgepumpt von einem Dauerlauf aus der Wüste zurück; Kampfwagen zogen ratternd, von schnaubenden Pferden gezogen, ihre verschlungenen Bahnen; überall rannten Diener umher und verspritzten aus großen Eimern Wasser über den Sand, um wenigstens die dicksten Staubwolken niederzuhalten.

Ich befestigte an meinem linken Unterarm einen Sehnenschutz, nahm mir aus einem der Gestelle einen kuschitischen Langbogen und einen Köcher voller Pfeile, schwang mich auf einen der wartenden Streitwagen und schob meine Füße zwischen die breiten Ledergurte, die den Wagenboden bilden:

»Achtzig Schritt Abstand von der Scheibe, zehn Runden«, wies ich den Wagenlenker an.

»Zu Befehl, Oberst, zehn Runden auf achtzig Schritt«, bestätigte der Mann und ließ die Peitsche knallen. Ich setzte den ersten Pfeil auf die Sehne und spannte den Bogen.

Seit vor 400 Jahren die Chabiru mit ihren schnellen Streitwagen das ägyptische Heer überrannt und gleichzeitig Pferd und Wagen nach Ägypten gebracht hatten, waren die Kampfwagen stets eine Elite in der Elite gewesen. Eine Elite freilich, die nicht nur von ihrer Tapferkeit, schon gar nicht von ihrem standesgemäßen Herkommen bestimmt war. Zum Wagenkämpfer muß man geboren sein.

Natürlich läßt sich jeder König, Prinz oder hohe Adelige und Beamte gerne von der Menge auf einem Streitwagen stehend bewundern, doch diese Wagen werden von lammfrommen Pferden artig im Schritt gezogen, und der Hochgeborene hat stets eine Hand frei, um sich unauffällig am Geländer des Wagens festzuhalten. Um jedoch unter die echten Wagenkämpfer aufgenommen zu werden, muß ein Mann nicht nur seine Kühnheit und kriegerische Erfahrung mitbringen, er muß auch vor allem über einen angeborenen hohen Gleichgewichtssinn und blitzschnelles Reaktionsvermögen verfügen. Denn weder der Lenker, der mit der Rechten mit Zügel und Peitsche die Pferde dirigiert und mit der Linken den Schild hält, um den Kämpfer und sich zu schützen, noch der Kämpfer selbst, der mit Bogen, Speer und Axt hantiert, hat je auch nur einen Finger frei, um sich festzuhalten, während der Wagen in vollem Galopp über Stock und Stein rasselt und die Plattform unter seinen Füßen wie wahnwitzig auf und nieder schwankt, springt und stößt. Zwar sind die Füße zwischen den Gurten des Wagenbodens verankert, doch ohne entsprechende Begabung und Übung würde ein Mann schon nach den ersten Galoppsprüngen entweder vorwärts oder seitlich so heftig gegen die Wagenbrüstung geschleudert, daß ihm die Knochen gebrochen oder die Gedärme zerquetscht würden. Oder, schlimmer noch, er würde rücklings von der Plattform kippen und zu Tode geschleift werden, ehe der Lenker die Pferde wieder zum Stehen bringen könnte.

Inzwischen hatte ich meinen zehnten Pfeil verschossen, der Lenker hielt an, ich bedankte mich kurz und sprang ab.

»Hervorragend! Auf diese Entfernung vom Wagen aus acht Treffer bei zehn Schuß!«

Der Mann, der mir dies aus mindestens dreißig Schritt Entfernung mit dröhnendem Baß zurief, während er auf mich zustapfte, war groß, schwerknochig und mit einem Gesicht, als habe man es mit der Axt geschnitzt: mein Schwiegervater Mei, Kommandant der Garde Seiner Majestät im Haus des Freudenfestes, General in den königlichen Truppen, zweimal ausgezeichnet mit dem Gold der Belohnung, ein Mann, wie sein Ehrentitel lautete, ›Dem der König vertraut‹.

Seine Umarmung hatte etwas von der Tapsigkeit und der ehrlichen Zuneigung eines großen Hundes:

»Wie schön, dich endlich hier in Uêset zu haben, Amûn-hotep! Jetzt werde ich hoffentlich endlich bald nicht nur eine Enkeltochter, sondern auch einen Enkelsohn ...«

»Verzeihen Sie mir«, wehrte ich schleunigst ab und deutete auf die ersten Strahlen der Sonne, die soeben hinter den östlichen Bergen emporschossen. »Wir müssen das alles in Ruhe besprechen – irgendwann in den nächsten Tagen. Jetzt aber muß ich noch mindestens zehn Runden laufen, und dann ruft die Pflicht.«

»Die Pflicht, gewiß!« dröhnte mein Schwiegervater Mei feierlich. »Die Pflicht hat stets an erster Stelle zu stehen im Leben eines Mannes! Laß dich nie davon abhalten, Amûn-hotep! Der Boden sei fest unter deinen Füßen!«

Ein heißes Bad hatte Staub und Schweiß abgespült, eine leichte Mahlzeit aus kaltem Geflügelfleisch, ofenwarmem Brot, Honig, Obst und Kräutertee meinen Hunger gestillt.

Nun lag ich ausgestreckt bäuchlings auf der Liege meines Salbraums unter den massierenden Händen der munteren Sel, die zweifellos geschickt war, an Ern jedoch nicht heranreichte.

»Auuuu!«

Entsetzt sprang Sel zurück, warf sich nieder, berührte mit der Stirn den Boden:

»Herr, vergeben Sie meine Ungeschicklichkeit!«

»Schon gut, es war nicht deine Schuld.«

Vorsichtig versuchte ich mich zu bewegen, während sich Sel ängstlich aufrappelte.

»Mach weiter«, forderte ich sie auf, »aber sei vorsichtig, wenn du in die Nähe der Hals- und vor allem der unteren Lendenwirbel kommst! Meine Wirbelsäule macht mir heute wieder einmal elend zu schaffen.«

»Verzeihen Sie mir, Herr«, stammelte Sel und fing vorsichtig wieder zu massieren an, »ich weiß sehr wohl, daß viele Mitglieder der königlichen Familie unter einer Schwäche des Rückens leiden. Der Vater unseres Herrschers, König Tehuti-mose Mencheperu-Râ Usîre, konnte tagelang kaum stehen oder sitzen. Königin Hat-Schepsut soll sich häufig auf einen Stock gestützt haben, genau wie unser König, der Hôr-im-Nest und …«, ihre Stimme wurde zum Flüstern, »sogar die Prinzessinnen Sat-Amûn und Kija, wenn sie sich unbeobachtet glauben. Aber Sie sind ein Krieger, ein bekannter Bogenschütze und Wagenkämpfer! Niemand konnte ahnen …«

»Und genau so soll es auch bleiben! Bogen und vor allem Wagen sind das pure Gift für meinen Rücken. Aber wenn du das auch nur einem einzigen Menschen verrätst, lasse ich dir die Zunge herausreißen!«

Statt über meine Drohung zu erschrecken, kicherte Sel:

»Das würden Sie nie tun, Herr! Aber ich werde meine Zunge trotzdem zu hüten wissen. Das schwöre ich Ihnen bei Bast, der heiligen Katzengöttin!«

Eine Stunde später rollte ich, wieder angetan mit allen Abzeichen meines Amtes, auf einem ›zahmen‹ Wagen im Schrittempo durch die Hauptstraßen von Uêset. Ich hatte ihn nicht gewollt. Aber als meine Barke am östlichen Stromufer anlegte, stand er, von Königin Teje eigens für mich geschickt, bereit.

Der Lenker war jener grobschlächtige Pichuru, der mir gestern die Botschaft der Königin überbracht hatte. Diesmal war er prächtig als Krieger mit Schuppenpanzer und rotem Helm herausgeputzt – auf einem echten Kampfwagen, so wurde ich den Verdacht nicht los, würde er vermutlich beim ersten Galoppsprung heruntergeschleudert im Dreck landen. Da jedoch die Pferde von zwei Palastdienern am Halfter geführt wurden, bestand für ihn keine Gefahr.

Vor uns her schritt ein Herold, drängte mit seinem Stock die Menschen auseinander und schrie dabei unentwegt meinen Namen und meine Titel:

»Platz! Platz für Amûn-hotep, Sohn des Neby, Enkel des Königs Tehuti-mose Men-cheperu-Râ Usîre! Platz für den Obersten in den Truppen des Königs von Ober- und Unterägypten! Platz für den Befehlshaber der Leibgarde der königlichen Prinzessin Sat-Amûn! Platz für den Tapferen in der Garde Seiner Majestät! Platz für den Träger des Goldes der Belohnung! Platz für …«, und so weiter und so weiter.

Hinter dem Wagen drein marschierte in abgezirkeltem Paradeschritt ein Dutzend Leibgardisten der Königin. Zwei Spielleute hauten auf ihre Handpauken, und zwei andere pfiffen auf einer Doppelflöte und einer Oboe stramme Marschmelodien – es war zweifellos ehrenvoll gemeint, aber in meinen Augen albern.

Wie viel lieber wäre ich durch die krummen Hintergassen zum Palast geschlendert, hätte mich durch die bunte, quirlende Menschenmenge geschoben! Händler hätten mir Strohsandalen, billige Kupferreifen, Schilfmatten, kratzige Stoffe oder geschmacklosen Glasschmuck aufzudrängen versucht. Ein halbes Dutzend Kinder wäre mir halb scheu, halb aufdringlich gefolgt, in der Hoffnung, etwas geschenkt zu bekommen oder mich bestehlen zu können. Hunde undefinierbarer Rasse hätten an meinen Beinen geschnuppert. Wasserverkäufer mit ihren prall gefüllten Lederschläuchen auf der Schulter hätten mir mit ihren klappernden Holzbechern einen lauwarmen Trank angetragen. Marktfrauen hätten sich mit schrillen Stimmen gegenseitig überboten, um mir ihren zarten Lauch, ihre milden Zwiebeln, Gurken, weiße und schwarze Bohnen, knackige Salate, ihre festen Äpfel, süßen Feigen, Datteln und Melonen anzupreisen. Der unvermeidliche Uringestank der Färbereien und der stechende Lohgeruch der Ledermacher hätte mich eingehüllt, durchmischt mit den anregenden Wohlgerüchen der Gewürzhändler und den betörenden Düften der Parfümhersteller. Grell geschminkte Huren hätten versucht, mich auf ihre von Ungeziefer verseuchten Lager hinter zerlöcherten Vorhängen zu locken. Ein scharfes, zwischen den Zähnen hervorgestoßenes Zischen hätte mich rechtzeitig vor heranrollenden Karren gewarnt. Ich wäre an den Marktständen der Fischer vorbeigeschlendert, hätte die glitschige, in der Sonne glitzernde, teilweise noch zappelnde Ausbeute an Barben, Karpfen, Schleien, Hechten, Barschen, sich windenden Aalen und Katzenwelsen begutachtet. Ich wäre mindestens drei dutzendmal von Mitleid heischenden Verkrüppelten, rotznasigen Kindern, beklagenswerten Invaliden und den sonstigen überaus jammervollen Gestalten der wohlorganisierten Bettlerzunft behelligt worden. Myriaden schwarzer Fliegen hätten schon von weitem die vor den Läden der Schlachter aufgehängten Ziegen- und Hammelhälften angekündigt. Meine Ohren hätten gedröhnt vom Hämmern der Kupferschmiede. Ein paar Minuten hätte ich einem Zauberkünstler, einem Feuerschlucker oder einem Jongleur zugesehen oder aber einer Tänzerin, die zum Klang fleißig geschüttelter Klappern und dem Rhythmus einer Handtrommel aufreizend mit Busen und Hüften gewackelt hätte. In der Nähe eines jeden Tempels hätten mir Devotionalienhändler geheimnisvoll flüsternd ihre gewiß und dreimal beschworenen wundertätigen Amulette und ihre immer wirkenden Liebestränke angepriesen. Ich hätte in einer der zahllosen Schnellküchen ein warmes Fladenbrot, gefüllt mit einem Gemisch aus Hammelfleisch, Zwiebeln und Gewürzkräutern verspeist und einen Becher frisch schäumendes Bier dazu getrunken ...

So aber rollte ich, von meiner Eskorte abgeschirmt, durch die besseren Straßen von Uêset, die auch ihre langweiligeren sind, hinauf zu dem ausladenden Komplex des alten Königspalastes.

Ich weiß, nicht verklärt von Kindheitserinnerungen ist Uêset eine planlose, gigantische Ansammlung von Häusern und Hütten, bewohnt von einer Million Männer, Frauen und Kinder, ebenso vielen herrenlosen Hunden, streunenden Katzen, Milliarden Fliegen, Mücken, Flöhen, Kakerlaken, Läusen und Wanzen, halb erstickt in Müll und Unrat, die einfach auf die Straße geworfen werden, bestialisch nach Leben stinkend, umhüllt von einer ewigen Wolke des feinen, alles durchdringenden, alles überpudernden Wüstenstaubes und jedem Versuch eines jeden Königs trotzend, in dieses Chaos irgend so etwas wie Ordnung und Gefüge zu bringen.

Eine letzte Biegung der Straße, und vor uns lag der alte Königspalast.

Mit seiner wuchtigen Pracht und der Weite seiner Anlage übertrifft er das Haus des Freudenfestes bei weitem. Ähnlich dem Reichstempel des Amûn ist auch dieser Palast ein Konglomerat aus vielerlei Baustilen und deren eigenwilliger Umsetzung durch mittlerweile neun Könige. Im Verlauf von zwei Jahrhunderten hatten sie die alte Stadtburg der Könige Seken-en-Râ und Ach-mose Pehty-Râ vergrößert, manchmal verschönt und oft ihre behütende Kraft durch hohlen Pomp ersetzt.

Als wir durch die Räume des Per-aa, des ›Großen Hauses‹, zum Audienzzimmer Königin Tejes schritten, wurde die Verschiedenheit der Baustile noch deutlicher. Die eleganten Galerien und verspielten Gärten Königin Hat-Schepsut Maat-Ka-Râs wechselten mit bombastisch protzigen Hallen des dritten Tehuti-mose. Königin Mut-em-weja, eine Tochter des Mitanni-Königs Artatama, hatte die barbarischen Stilelemente ihrer Heimat beigesteuert, und Teo, die Mutter und Regentin des vierten Tehuti-mose Men-cheperu-Râ, hatte ihre Vorliebe für Babylon durch bunt glasierte Kacheln verewigt.

Eine riesige Wand zeigte die Szenen einer Wildstierjagd. Zum Teil waren die in höchster Meisterschaft ausgeführten Hochreliefs bereits voll ausgearbeitet, andere Stellen nur vom Künstler mit schnellen Kohlestrichen skizziert. Pichuru flüsterte mir zu, Königin Teje habe befohlen, die Arbeiten, die der verstorbene Hôr-im-Nest Tehuti-mose in Auftrag gegeben habe, abzubrechen und die Wand genau in dem Zustand zu belassen, wie sie war, als ihr Sohn ums Leben kam.

Ich hatte geahnt, daß die Menschen, die seinerzeit im alten Palast aus und ein gingen, sich in den weiten Räumen fast verlieren würden. So wunderte es mich nicht, daß wir kaum Hofbeamten oder jemand anderem begegneten. Ich staunte jedoch über die hohe Zahl kahlköpfiger Priester, die ich keinem der großen Tempel zuordnen konnte. Ihr Pektorale, eine Sonnenscheibe, deren Strahlen in Hände ausliefen, hatte ich freilich schon irgendwo gesehen, vermutlich in Onû oder in Teku. Daß sich in einem Königspalast Vertreter aller möglicher Tempel drängelten, war normal, doch weshalb in solcher Menge die Priesterschaft einer unbedeutenden Sonnen-Sekte? Waren sie unter all den stets rivalisierenden Tempelgemeinschaften derzeit die einzigen, die bereit waren, sich mit der Sache der Königin und des Hôr-im-Nest einzulassen?

Vor einer schlichten Holztür hielt Pichuru an. Ein etwas schwammig wirkender Mann trat mir entgegen und verneigte sich tief.

»Ich bin Heje, Haushofmeister der Großen Königsgemahlin und Königin von Ober- und Unteräygpten Teje, die ewig lebe«, verkündete er mit heller Eunuchenstimme. »Ihre Majestät, Königin Teje, erwartet Sie, Oberst Amûn-hotep.«

Mit diesen Worten öffnete sich die Tür für mich.

Das Audienzzimmer war klein, erweckte den Eindruck von Privatheit. Wer hier empfangen wurde, sollte sich einbezogen fühlen in den Kreis der engen Vertrauten um die Große Königsgemahlin.

Als ich eintrat, erhob sich Königin Teje von ihrem leicht erhöht stehenden Sitz, der weder ein einfacher Stuhl noch ein prachtvoller Thron war.

»Tritt näher, Neffe«, waren ihre ersten Worte, »und vergiß das steife Zeremoniell, wenn wir unter uns sind!«

Während ich mich also nur tief verneigte, wies Königin Teje auf einen bequemen Lehnsessel neben einem Tischchen, auf dem eine Schale mit frischen Feigen, ein aus Silber getriebener Weinkrug und zwei dazu passende Becher plaziert waren.

»Schenke mir bitte auch ein. *Löwenblut* von meinem Weingut in Per An-hûret Schû im Gau ›Heseb-Stier‹.«

Der Wein hatte in der Tat die Farbe von Blut, war schwer und süß und voller Feuer. Während wir tranken, betrachtete ich die Königin.

Sie war eine kleine, zierliche Frau, deren Figur durch die Jahre und die zahlreichen Schwangerschaften nur wenig gelitten hatte. Hübsch im landläufigen Sinne war sie mit Sicherheit nie gewesen; dafür waren die Linien, die sich von den schmalen Nasenflügeln zum Mund herabzogen, zu scharf, die Mundwinkel zu sehr abwärts gebogen. Aber von ihren schwarzen, funkelnden, leicht schräg geschnittenen Augen ging eine fast magische Anziehungskraft aus.

Königin Teje musterte mich über den Rand des Bechers hinweg mit ihren durchdringenden Augen ebenso genau wie ich sie. Als sie den Becher auf einem mit Elfenbein eingelegten Beistelltischchen absetzte, nickte sie leicht. Ihre Stimme war tief und warm:

»Der Sohn des Hapu hat eine gute Wahl getroffen. Deine Ähnlichkeit mit meinem Schwiegervater, König Tehuti-mose Mencheperu-Râ Usîre, und meinem Gemahl, als er noch jung war, ist unverkennbar. Ich freue mich, daß du es bist, der meine Tochter und – so es die Götter wollen – bald ihr Kind bewacht.

Der Starke Stier mag alt geworden sein und müde, doch Amûn wird ihm helfen, seine Manneskraft zu beweisen. Unsere kleine Tochter Beket-Amûn hat – ich schwöre es feierlich bei allen Göttern – mein Gemahl ohne Beistand, sogar ohne Hilfe der Mandragorawurzel gezeugt.« Leiser Spott lag jetzt in ihrer Stimme. »Du wirst es nie genau wissen, Neffe – du nicht, aber auch kein anderer –, wer der Vater eines Kindes von Sat-Amûn ist. Das kann gut sein, aber auch schlecht.«

Königin Teje lehnte sich auf ihrem Sessel etwas zurück.

»Ich weiß in etwa«, fuhr sie fort, »was dir dein Bruder Râmose heute nacht erzählt hat. Seine Ruderer mögen zwar keine Zungen zum Reden haben, aber einer davon hat durchaus Hände zum Schreiben, und Taubheit ist mitunter nur schwer nachprüfbar. Dein Bruder ist ein tüchtiger Beamter und ein eifriger Anhänger meines Sohnes, des Hôr-im-Nest. Er hat ein sicheres Gespür dafür, wer ihm auf lange Sicht nützen kann. Aber er hat einen Fehler, nicht abwarten zu wollen. Er versucht grüne Äpfel vom Baum zu reißen, die ihm ohnehin bald darauf reif in den Schoß fallen würden.«

Die Königin trank einen weiteren Schluck Wein. Ich wartete schweigend ab, was sie mir noch zu sagen hatte.

»Der Sohn des Hapu und ich sind alte Rivalen im Spiel um die Macht. Seit bald dreißig Jahren. Diesmal soll mich das Spiel die Doppelfedern auf der Krone der Großen Königsgemahlin kosten und – es wird sie mich kosten. Der König wird nicht nachgeben, weil der Sohn des Hapu nicht nachgibt, und der Hôr-im-Nest wird nicht nachgeben, weil ich nicht nachgebe.

Nun, ich gönne meinem alten Rivalen diesen letzten Triumph, schließlich war er ein interessanter Gegenspieler.« Wieder huschte ein Lächeln über das Gesicht Königin Tejes, und ihre schwarzen Augen funkelten belustigt. »Und außerdem hat er das Spiel letztlich schon verloren!«

Ich hob fragend leicht die Hand, doch die Königin fuhr bereits fort: »Der König nimmt mir also das Diadem der Großen Königsgemahlin weg und setzt es Sat-Amûn auf den Kopf. Sat-Amûn bekommt ein Kind, das in der Rangfolge all die von mir geborenen Kinder übertrifft.

Ich bin darüber nicht glücklich, gewiß nicht. Aber offen bleibt die Frage: *Was dann?*

Mein Gemahl ist leidend, du hast ihn gesehen. Er ist nicht todkrank, nein. Er kann noch lange leben, aber auch bald sterben.

Nun, König Amûn-hotep Neb-Maat-Râ hat mit sechs Jahren die Kronen von Ober- und Unterägypten empfangen, und seine Mutter Mut-em-weja bewachte für ihn den Thron. Nicht zum erstenmal in unserer Dynastie übte eine Mutter die Regentschaft aus. Doch sei ehrlich, Neffe, kannst du dir Sat-Amûn als Regentin vorstellen? Gegen den Hôr-im-Nest? Gegen mich? Gegen eine ganze Reihe der mächtigsten Beamten des Reiches? Oder willst du, Amûn-hotep, Regent werden?«

Ich hob abwehrend die Hände: »Ganz gewiß nicht, Majestät-Tante!«

Königin Teje bedachte mich mit einem warmen, durchaus aufrichtigen Lächeln. »Sei nicht voreilig, Neffe, ich könnte mir schlechtere Regenten vorstellen!«

Ich freilich schüttelte energisch den Kopf. Schon die Vorstellung schien meine Schultern mit der Last von Gebirgen niederzudrücken.

»Nehmen wir sogar an«, spann Teje ihren Faden fort, »daß der König noch fünfzehn Jahre vor sich hat, bis sein Kind mit Sat-Amûn alt genug ist, um sich selber als Thronanwärter durchzusetzen. Aber wer regiert bis dahin? Schon in seinen besten Jahren zeigte Amûn-hotep Neb-Maat-Râ wenig Neigung zum Regieren. Wieviel weniger heute! Auch wenn Anûb, der Öffner der Wege ins Totenreich, der Fährmann der Seelen, der Wäger der Herzen vor dem letzten Gericht Usîres, den Sohn des Hapu vergessen zu haben scheint, irgendwann wird er sich seiner doch erinnern. Und spätestens dann, wenn der Sohn des Hapu für immer die Augen schließt, wird mein Gemahl verzweifelt nach mir rufen. Glaube mir, Neffe, er *wird* rufen! Ich kenne ihn.«

»Und Ihr werdet kommen?«

»Wenn er meine Bedingung erfüllt.«

»Rückgabe der Krone der Großen Königsgemahlin und ...«

Teje winkte ungeduldig ab. »Mag Sat-Amûn die Doppelfedern behalten, wenn ihr daran liegt. Mag eines ihrer Kinder in zwanzig Jahren auf dem Thron Ägyptens sitzen. Nein, meine Bedingung – jene Bedingung, welche diesen ganzen lächerlichen Streit ausgelöst hat – lautet: Krönung des Hôr-im-Nest und seine Ernennung zum Mitregenten!«

»Weshalb ist Euch das so wichtig, Majestät-Tante?«

Ihr Rücken streckte sich; ihr Gesicht schien zu glühen: »Weil ein mittelmäßiger Herrscher nicht einem Menschen im Wege stehen sollte, der die Welt verändern kann und verändern wird!«

Die Königin umklammerte die fein geschnitzten Armlehnen ihres Sitzes so stark, daß die Knöchel weiß hervortraten, als sie weitersprach.

»Mein Erstgeborener, der Hôr-im-Nest Tehuti-mose Usîre, hätte die bekannte Welt unter seinem Zepter vereinen können, von den Quellen des Stromes bis Paphlagonien und Elam. Die seefahrenden Keftiu und die eitlen Babylonier, die kriegerischen Assyrer, die stolzen Hatti, die barbarischen Achaier und selbst die Schôs, die Nomaden der Wüste, und die Bewohner des Weihrauchlandes Punt hätten den Staub vor seinen Füßen geküßt.

Auch mein jüngerer Sohn, der Hôr-im-Nest Akh-en-Aton, wie er sich selber und wie ihn seine Freunde nennen, wird die Welt unter seinem Zepter vereinen. Freilich nicht durch die Macht von Streitwagen, Bogen und Speeren.

Sein Vater Aton wird die Völker dieser Erde unter den Strahlen seiner Göttlichkeit und unter der Krone meines Sohnes versammeln.

Die Strahlen der Sonne Aton sind es, die mit Licht und Wärme alles Leben schaffen, nicht nur in Ägypten, sondern überall, wohin sich Atons segnende Strahlenhände erstrecken!

Dies ist es, was mein Sohn der Welt verkünden wird, und dies ist es, was Paphlagonier, Elamiter, Kuschiten, Achaier und wie die Völker sonst noch heißen mögen zwingen wird, sich ohne Waffengewalt zu unterwerfen. Wer sich vor der Leben spendenden Kraft der Sonne neigt, der muß sich auch neigen vor dem Sohn des Aton!«

Erst als die Königin schwieg, bemerkte ich, daß ich den Atem angehalten hatte. Ganz langsam ließ ich die Luft aus meinen Lungen entweichen. Ein Reich ohne Waffengewalt, zusammengeführt in der Verehrung eines Gottes, der ein Gott aller Menschen sein würde. Die Vision war gewaltig und verlockend zugleich. Stand der weise Sohn des Hapu diesmal vielleicht wirklich auf der falschen Seite? Und damit der König und auch ich?

Die schwarzen, funkelnden Augen schienen meine Gedanken zu lesen, als die Königin leise den Kopf schüttelte:

»Verfalle nicht in den Fehler deines Bruders, übereilt zu handeln, Neffe. Tue deine Pflicht gegenüber meiner Tochter, wie du es geschworen hast. Versuche nicht, sie zu lenken. Sat-Amûn hat ein manchmal ungezügeltes Temperament, aber sie hat auch einen klugen Kopf. Letztlich ist es ganz allein ihre Entscheidung, auf wessen Seite sie stehen will.

Meinen Sohn aber, den Hôr-im-Nest Akh-en-Aton, werden weder mein Gemahl, der König, noch der Sohn des Hapu aufhalten können, so wenig, wie sich die Sonne auf ihrem Weg durch den Himmelsbogen aufhalten oder behindern läßt!«

3. Papyrus

DAS
JUBELFEST

König Amûn-hotep Neb-Maat-Râ
33. Regierungsjahr

10. Tag des 4. Erntemonats*, noch zwei Wochen nebst den fünf
Ausgleichstagen bis zum Heb-Sed-Fest.

Das Land glühte unter der Sommersonne, und selbst die
Nächte brachten kaum noch Abkühlung. Der Strom hatte seinen
tiefsten Stand erreicht und war von Schlamm- und Sandbänken
durchsetzt, der künstliche See fast ausgetrocknet. Eine dicke
Staubwolke hing über Uêset. Und Setechs Atem, der glühend
heiße Wüstenwind, der nur in den fünfzig Tagen vor Beginn der

---

* 20. März 1340 v. Chr.

Überschwemmung aufzutreten pflegt; mit seiner schwefligen Luft, den Hitzeschwaden und Staubwolken quält er die Menschen mit bohrenden Kopfschmerzen und Übelkeit, macht sie reizbar und erzeugt mitunter sogar leichtes Fieber. Endlose Ketten von Dienern schleppten Wasser vom Strom herauf, um die kostbaren Blumen und Stauden, Büsche, Bäumchen und Rabatten der königlichen Gärten wenigstens einigermaßen feucht zu halten. Trotzdem hingen die Blätter schlaff herab, wirkten die Blüten blaß.

Einzig der König schien dies alles nicht zu bemerken. Stunden um Stunden saß er auf seinem Thron, um die ausländischen Delegationen, die Abordnungen der Gaue zu empfangen, die mit jedem Tag zahlreicher ins Haus des Freudenfestes strömten, Amûn-hotep Neb-Maat-Râ ihre Aufwartung zum Heb-Sed-Fest zu machen.

Wie so oft in den letzten Tagen betrat ich am späten Nachmittag die Gemächer Sat-Amûns, um die Prinzessin zum offiziellen Empfang der assyrischen Delegation abzuholen.

Schon zwanzig Schritte vor dem Schminkraum, wo Sat-Amûn letzte Hand an ihre Toilette legen ließ, hörte ich die gereizte Stimme der Prinzessin. So tadellos Sat-Amûn bei all den offiziellen Anlässen in der letzten Zeit die zukünftige Große Königsgemahlin gespielt hatte, sobald kein Fremder sie beobachten konnte, waren ihre Launen, ihre Wutausbrüche schlimmer, ihr zeitweises Aufbegehren gegen die geplante Heirat heftiger denn je.

Heute freilich hatte sie, wie ich schnell herausfand, einen durchaus berechtigten Anlaß. Hoch aufgerichtet, bereits fertig für den Empfang geschminkt und geschmückt, stand Sat-Amûn vor ihrer Schwester Kija, die wie ein Häuflein Elend weinend auf einem Stühlchen kauerte.

»Wer ist eigentlich die Erste Gemahlin des Hôr-im-Nest?« herrschte Sat-Amûn ihre Schwester an. »Du oder diese Nofret-ête? Du doch wohl! Wer ist denn schon Nofret-ête? Die Tochter unseres Onkels Eje. Und wer ist Eje? Der Sohn eines halbbedeutenden Min-Priesters, der das Glück einer klugen, energischen und ehrgeizigen Tochter hatte. Ohne unsere Mutter wäre diese ganze Sippschaft so viel wert ...« Sat-Amûn pustete über ihre leere Handfläche.

»Sie ist so schön«, schnüffelte Prinzessin Kija.

»Wenn man dich ansieht, ist das allerdings kein besonderes Kunststück«, gab Sat-Amûn grob zurück, zog ihre Schwester am Arm in die Höhe, stellte sie vor den großen, polierten Bronzespiegel und drehte sie hin und her. »So wie du im Augenblick aussiehst, Kija, kannst du höchstens eine hundert Jahre alte Mumie reizen: Du bist viel zu mager ...«

»Ich bringe einfach keinen Bissen hinunter«, klagte Prinzessin Kija.

»Du hast keinen Busen mehr«, fuhr Sat-Amûn unerbittlich fort, »keinen Po, dafür Rippen, an denen man sich erstechen kann, Arme und Beine wie Stecken, vom Heulen rote Kaninchenaugen und eine Triefnase.«

»Ich habe mir gerade erst drei neue Perücken und ...«, protestierte Prinzessin Kija kläglich.

»Perücken!« fuhr Sat-Amûn sie an. »Ein Mann will nicht mit einer Perücke ins Bett, sondern mit einer Frau. Sorge dafür, daß du schleunigst wieder wie eine aussiehst!«

Sat-Amûn ließ ihre Schwester los, die kraftlos wieder auf ihrem Stühlchen zusammensank.

»Unser Bruder, der Hôr-im-Nest, schaut mich sowieso nicht mehr an, seit Nofret-ête im Haus ist«, schluchzte Kija laut auf. »Und jetzt, kaum daß sie verheiratet sind, bekommt Nofret-ête auch schon ein Kind von ihm!«

»Und weshalb du nicht? Du bist bald zwei Jahre mit ihm verheiratet. Du hast unserem Bruder Tehuti-mose Usîre seinen Sohn Semench-Ka-Râ geboren. Weshalb hast du von deinem jetzigen Gemahl noch kein Kind, wenn dir das so wichtig erscheint?«

»Ich ... ich kann nicht ... ich ... Tehuti-mose ... du verstehst das nicht«, weinte Kija.

Das Glitzern in den Selket-Augen Sat-Amûns zeigte deutlich, daß sie kurz vor einem ihrer gefürchteten Wutausbrüche stand:

»Ich verstehe sogar ganz hervorragend! Erst gibst du deinem neuen Gemahl deutlich zu verstehen, daß du ihn nicht willst, da er an seinen gepriesenen toten Bruder nie heranreichen wird, und daß er dich deshalb in Ruhe lassen soll. Dann taucht Nofret-ête als Konkurrentin auf, du bekommst genau das, was du willst – und jetzt ist es dir auch wieder nicht recht! Was willst du eigentlich?«

»Ihr seid alle gegen mich!« wimmerte Prinzessin Kija, sprang auf und wollte in Tränen aufgelöst aus dem Raum laufen. Doch Sat-Amûn hielt sie am Arm fest und schubste sie auf ihr Stühl-chen zurück.

»Niemand hier ist gegen dich, du dummes Huhn! Nur wenn du jemanden gesucht hast, der sich hinhockt und mit dir dein schweres Schicksal bejammert, dann bist du bei mir falsch, das solltest du eigentlich wissen. Und höre endlich auf zu flennen!«

»Aber was soll ich denn tun?« seufzte Prinzessin Kija.

»Was *willst* du denn tun?« fragte Sat-Amûn dagegen. »Willst du unseren Bruder, den Hôr-im-Nest, überhaupt zurück – falls du ihn je wirklich gehabt hast?«

»Ich weiß nicht … vielleicht … nicht unbedingt, aber …«

Mit versonnenem Blick steckte Sat-Amûn ein paar ihrer roten Lilien in einer Vase zurecht. Plötzlich kauerte sie vor ihrer Schwe-ster nieder, um ihr voll in die Augen schauen zu können:

»Dann laß dich von ihm scheiden – und heirate unseren Vater! Ihm kommt es nur auf eine Große Königsgemahlin aus königlichem Blut an. Du, ich, das ist egal. Tu es! Werde Große Königsgemahlin und herrsche bis zum Ende deiner Tage! Meinen Segen dazu hast du aus ganzem Herzen!«

»Die assyrische Delegation. Seine Majestät der Herr der Bei-den Kronen wartet auf Euch, Hoheit«, meldete Hauptmann Nun.

Sat-Amûn erhob sich.

»Denke darüber nach, Schwesterlein«, zischte sie. »Und denke schnell! – Komm, Amûn-hotep, lassen wir den König nicht war-ten.«

An diesem Tag, genau zwei Wochen vor dem Thronjubiläum, er-hielt ich einen neuen Titel: ›Der das Ohr des Herrn der Beiden Länder hat‹. Er berechtigte mich nicht nur, jederzeit vor dem

König zu erscheinen, sondern auch, ihn jederzeit direkt ansprechen zu dürfen. In Wahrheit freilich war es weniger so, daß ich das Ohr des Königs hatte als vielmehr er das meine.

Den neuen Titel erhielt ich während des Empfangs der assyrischen Delegation.

Der König hockte, wie meist bei solchen Anlässen, die Doppelkrone auf dem Kopf, Krummstab und Geißel im Schoß, zusammengesunken und mit geschlossenen Augen auf seinem Thron. Drei breite Stufen führten hinauf zu dem würfelförmigen Sitz unter dem geschnitzten Baldachin, der bekrönt wurde mit einem Kranz von Kobras mit aufgeblähten Hälsen: Utô-Schlangen, den Feueraugen des Râ, die den Feind vertilgen.

Eine Stufe niedriger saß Sat-Amûn auf einem kleinen, thronartigen Stuhl. Auf der untersten Stufe hatten einige der höchsten Beamten des Außenministeriums Platz genommen, angeführt von Mereru-Ka, der ›Stimme des Herrschers in allen fremden Ländern‹.

Diener mit riesigen Fächern aus Straußenfedern wedelten uns Luft zu, doch in diesen Tagen brachte auch dies kaum noch Linderung vor der Gluthitze und den Wolken feinsten Wüstenstaubes, der sich binnen Stunden wie Puder über jede eben erst geputzte Fläche legte, unerbittlich in Augen, Ohren, Nase und Hals drang, an manchen Tagen das Atmen zur Qual machte. Manch einer der Beamten und Höflinge sehnte sich nach den dicken Mauern des alten Palastes jenseits des Stromes.

Die Geschenke der assyrischen Delegation, mit großem Aufwand vor dem Thron ausgebreitet, hatten dem König nur ein kurzes Blinzeln abgenötigt. Das Silber war grob verarbeitet, Gold fehlte gänzlich; die Stoffe waren geschmacklos bunt und mit albernen Fransenborten eingefaßt; die Bronze der Waffen war porig, der Wein vermutlich sauer, die Sklaven ungeschlachte Tölpel und die Tänzerinnen sprangen herum wie junge Kühe. Lediglich die acht Pferde, blütenweiße Vollblüter mit schmalen Köpfen und schlanken Fesseln, die unruhig mit den Hufen auf dem Marmorpflaster der Audienzhalle scharrten, waren eine Pracht und eine würdige Gabe für den Herrn der Beiden Kronen.

Wie um die Schäbigkeit seiner Geschenke wettzumachen, redete der assyrische Gesandte, ein untersetzter Mann mit einem gewaltigen, gelockten Bart und ausladender Gestik, um so länger und blumenreicher.

Der Assyrer war dabei, die Friedfertigkeit seines Herrschers und seines Volkes zu preisen, als Amûn-hotep Neb-Maat-Râ erneut blinzelte und mich mit einem kleinen Wink seines Krummstabes an seine Seite rief. Die Augen wieder schließend, murmelte er, nur für mich hörbar:

»Glaubst du nicht manchmal auch, ich mache einen großen Fehler, Sat-Amûn zu heiraten und noch einmal ein Kind zu zeugen?«

Ich schwieg. In den gut vier Monaten, die ich nun im Haus des Freudenfestes lebte, war das Vertrauen Amûn-hotep Neb-Maat-Râs zu mir rasch gewachsen. So saß ich oft stundenlang neben dem König oder kauerte auf dem Boden, während er halblaut in seiner nuschelnden Sprechweise seine Gedanken entwickelte. Die Erfahrung hatte mich schnell gelehrt, daß der König nur in den seltensten Fällen eine Antwort erwartete.

»Ja«, fuhr Amûn-hotep Neb-Maat-Râ fort, »von meinen Nebenfrauen habe ich ein paar ganz nette Töchter und auch ein paar ganz ordentliche Söhne. Ptah-hotep ist immerhin Fürstpriester des Amûn. Und Nacht-Min ist ein tapferer Offizier, ein zuverlässiger Beamter, und vielleicht hätte aus ihm sogar ein brauchbarer König werden können. Wenn er nur nicht so streng und düster wäre.«

Er konnte uns unmöglich gehört haben, trotzdem wandte sich Prinz Nacht-Min, der am Fuß des Thrones unter den hohen Beamten saß, kurz um und starrte einen Herzschlag lang mit seinen kohlschwarzen, weit auseinander stehenden Augen unter den schweren Brauen zu uns herauf.

»Die Gewißheit, stets hinter einem höherrangig geborenen Halbbruder zurückstehen zu müssen, mag einen begabten Prinzen wohl mürrisch machen«, bemerkte ich leise.

Der König schlug die Augen auf, warf mir einen langen Blick zu:

»Es gibt Aufgaben in diesem Land, würdig eines Königs, für die man nicht die Krone tragen muß.«

Ein paar Minuten schwieg Amûn-hotep Neb-Maat-Râ, dann schüttelte er langsam den Kopf.

»Meine Kinder mit der Großen Königsgemahlin Teje hingegen: Nun, die vierjährige Beket-Amûn scheint ein interessantes Mädchen zu sein ...«

Der König schwieg einen Augenblick, in Gedanken versunken, während der assyrische Gesandte von Freundschaft und ewigem Frieden faselte.

»Der Hôr-im-Nest ist ein Träumer, Schwätzer und Wirrkopf. Nur weil alle Menschen das Licht der Sonne sehen, ihre Wärme spüren, sollen sie sich freiwillig seiner Herrschaft unterwerfen. Was für ein Unsinn! Die Râ-Priesterschaft in Onû tat gut daran, ihm die Einweihung zu verweigern.

Und meine älteste Tochter Kija läßt sich von Nofret-ête, der Tochter meines Schwagers Eje, kaum daß diese mit dem Hôr-im-Nest die offiziellen Hochzeitszeremonien hinter sich gebracht hat, in der Gunst meines Sohnes schmollend auf den zweiten Platz verdrängen.«

»Immerhin war der verstorbene Hôr-im-Nest Tehuti-mose«, wandte ich ein, »allgemein hoch geschätzt und verehrt.«

Die dunklen Augen des Königs öffneten sich, starrten mich einen Moment grimmig an:

»Hoch geschätzt und verehrt! Ja, weil er sich für den Pöbel zum Narren machte, ihm mit verwegenen Wagenfahrten und Wildstierjagden zu imponieren suchte! Gewiß, auch ich bin in meiner Jugend auf die Wildstierjagd gegangen, freilich nur, um mir selber meine Kraft und Geschicklichkeit zu beweisen, nicht um ein Schauspiel zu bieten. Ich habe deshalb sogar einmal einen Gedenkskarabäus prägen lassen.« Der König lachte leise.

Der assyrische Gesandte nahm dieses vermeintlich gute Zeichen zum Anlaß und kam auf das Gold zu sprechen, das sein Herrscher von Ägypten wünschte, um die ewige Freundschaft für alle Zeiten recht pflegen zu können. Gold. Sehr viel Gold!

Amûn-hotep Neb-Maat-Râs Blick ruhte unterdessen nachdenklich auf seiner Tochter, die eine Stufe unter ihm saß und versonnen mit einer roten Lilie spielte, die sie aus einer Vase gezogen hatte.

»Die kleine Beket-Amûn zeigt gute Ansätze, darüber hinaus ist sie die Beste unter all meinen Kindern. Sat-Amûn hat den Verstand und die Kraft, nicht aber diesen maßlosen Ehrgeiz von ihrer Mutter geerbt. Sie müßte nur lernen, ihre Unbeherrschtheit zu zügeln!

Ein Kind von mir und ihr: Wenn unsere guten Eigenschaften zusammenkommen, dann könnte dieses Kind ein wahrhaft großer Herrscher und ein Segen für Ägypten werden. Wenn unsere schlechten Eigenschaften zusammentreffen, dann wäre dieses Kind eine Geißel für das Land, wie es kaum eine schlimmere geben könnte!«

Der König seufzte tief, und der Gesandte flocht eilig noch mal einige girlandenreiche Phrasen über den Segen allgemeiner Völkerverständigung in seine Rede ein.

»Ich heiratete Teje nur, wie viele andere meiner Frauen, um Juja, einen der damals wichtigen Beamten und Priester, näher an das Königshaus zu binden. Aber dann schlugen mich ihre Klugheit, ihre Kraft, ihr Wille, Großes zu schaffen, in Bann.«

Der König sah mich lange nachdenklich an. Der Gesandte war unterdessen wieder auf das erhoffte Gold zurückgekommen.

»Wenn ich, statt Teje zur Großen Königsgemahlin zu machen«, fuhr der König schließlich fort, »der Tradition gemäß meine Schwester, deine Mutter Apuya, geheiratet hätte, dann wärest du jetzt mein Sohn, und ich könnte dir den Thron vererben.«

»Ich würde ihn nicht wollen, Majestät«, antwortete ich leise.

»Würdest du ihn denn für deinen Sohn oder deine Tochter wollen?«

»Gewiß – falls dieser Sohn oder diese Tochter ihn wollte ...«

»Dann sei es so. Ich vertraue dir.«

Der König erhob sich schwerfällig, streckte gebieterisch den Krummstab aus:

»Ich, Amûn-hotep Neb-Maat-Râ, König von Ober- und Unterägypten, Herr der Beiden Kronen, verleihe meinem Neffen Amûn-hotep, Sohn des Neby, den Titel ›Der das Ohr des Herrn der Beiden Länder hat‹, zum Zeichen meines unbedingten Vertrauens.«

Sprach es, tappte langsam die breiten Stufen, die zu seinem Thron führten, herab, wandte sich um und schritt davon, gefolgt von Sat-Amûn, mir und der Mehrzahl der Beamten, einen einigermaßen verdatterten assyrischen Gesandten in der weiten Audienzhalle zurücklassend.

Wir hatten den Audienzsaal noch nicht ganz verlassen, als Prinzessin Sat-Amûn ihrem Vater einen Kuß auf die Wange hauchte:

»Danke!«

»Wofür denn?« nuschelte Amûn-hotep Neb-Maat-Râ überrascht.

»Ich hätte diesen assyrischen Zungendrescher keine hundert Herzschläge lang mehr ertragen.«

»Darf ich Eure Hoheit daran erinnern«, mischte sich Mereru-Ka, der Außenminister, ein, »daß in zwei Stunden das Festbankett zu Ehren der assyrischen Delegation …«

»Ich bin unpäßlich«, schnitt ihm Sat-Amûn das Wort ab.

»Hoheit …«, versuchte Mereru-Ka mit tiefer Verbeugung einzuwenden, doch Sat-Amûn zog sich die schwere, kostbare Staatsperücke vom Kopf und ließ sie zu Boden fallen. Dann faßte sie in einen der kleinen Zierbrunnen und klatschte sich zwei, drei Händevoll Wasser ins Gesicht.

»Wie sehe ich aus?« fragte sie den Außenminister, während das Wasser ihre Schminke aufzulösen begann und in dünnen Rinnsalen schwarz, blau und grün über ihr Gesicht herunterrieselte.

Mereru-Ka schluckte, suchte verzweifelt nach einer diplomatisch höflichen Antwort.

»Schrecklich?« half ihm Sat-Amûn.

Der Minister nickte verstört.

»Nun, dann brauchst du ja nicht einmal zu lügen«, lächelte die Prinzessin den Chefdiplomaten an, wandte sich um und schritt hocherhobenen Hauptes ihren Gemächern zu, gefolgt vom Kometenschweif ihrer Beamten, Bediensteten und Leibwächter.

»Noch eine Stunde bärtige Schaumschläger, billige Geschenke und ungeschlachte Tänzerinnen, und ich bin wirklich unpäßlich!« grollte sie auf dem Weg.

Als wir die Gemächer Sat-Amûns wieder erreichten, war Prinzessin Kija nirgendwo mehr zu sehen.

Als ich wenig später die Tamariskenhecke umrundete, die den Garten der Prinzessin von dem meines Quartiers trennte, eilte mir mein Haushofmeister Nefer-Sobek aufgeregt entgegen:

»Herr, in Ihrem Bittstellerraum erwartet Sie der hochedle Neby, Sohn des Rechme-Râ, Grafen von Nechab, Ihr Vater.«

»*Wo* erwartet er mich?«

»In Ihrem Bittstellerraum, Herr.«

Ich stürmte mit langen Schritten über die Terrasse, durch den Wohnraum und mein Audienzzimmer.

Kerzengerade aufgerichtet saß mein Vater mit untergeschlagenen Beinen auf einer der schlichten Schilfmatten auf dem Boden des Bittstellerraumes. Tiefe Sorgenfalten zeichneten sein Gesicht.

»Ihr hirnlosen Narren«, fuhr ich Nefer-Sobek an, »seid Ihr nicht imstande ...«

Mein Vater hob gebieterisch die Hand:

»Beschimpfe nicht deine Leute, jüngerer Sohn! Ich habe darauf bestanden, hier in diesem Raum auf dich zu warten. Ich komme als Bittsteller zu dir, deshalb ist mir dieser Raum auch angemessen.«

Ich verneigte mich:

»Würden Sie mir die Ehre erweisen, Vater, Sie als Gast in meinen Räumen willkommen zu heißen? Was immer Ihre Bitte ist, wenn ich kann, so werde ich sie erfüllen.«

Mein Vater erhob sich, und gemeinsam betraten wir den Wohnraum meines Quartiers. Unter der Tür zum Garten blieb Neby stehen.

»Darf ich Sie bitten, Platz zu nehmen, hier oder auf der Terrasse, und erlauben Sie mir, Ihnen eine Erfrischung anzubieten.«

Mein Vater schien mich nicht gehört zu haben:

»Eigentlich sind es eine Bitte und eine Frage, Amûn-hotep.« Neby horchte hinaus auf den, wenn auch gedämpften, Lärm des beginnenden Festes für die assyrische Delegation. Endlich wandte er sich wieder mir zu.

»Zuerst die Frage: Der König. In knapp zwei Wochen ist das Heb-Sed-Fest. Wird er es überstehen? Lebend?«

»Weshalb denn nicht?« fragte ich überrascht. »Wir leben schließlich nicht mehr in der Zeit der großen Pyramidenbauer, als das Heb-Sed tatsächlich noch eine lebensgefährliche Prüfung war. Damals, als das Reich noch jung und gefährdet war, war es zweifellos eine kluge Idee, den König nach dreißig Regierungsjahren und danach alle drei Jahre wieder in voller Härte zu erproben, ob er überhaupt noch regierungsfähig sei. Ein König, der nicht mehr Herr all seiner geistigen und körperlichen Kräfte war, hätte die Wiederholung der langen und anstrengenden Krönungszeremonien in der Tat nicht überstanden.«

»König Amûn-hotep Neb-Maat-Râ ist nicht mehr Herr zumindest all seiner körperlichen Kräfte«, warf mein Vater besorgt ein.

»Als König Amûn-hotep Neb-Maat-Râ im zarten Alter von sechs Jahren zum erstenmal die Krönungszeremonien durchlaufen mußte, war er weder körperlich *noch* geistig im Vollbesitz seiner Kräfte«, hielt ich dagegen.

»Wenn das Fest wenigstens in den Monaten der Aussaat stattfinden würde«, seufzte mein Vater, »und nicht ausgerechnet am Ende des letzten Erntemonats in der heißesten Jahreszeit!«

»Der König ist kränklich, aber nicht krank. Seine Zähne, seine Abszesse, seine Wirbelsäule, sein Fett werden ihm während der Zeremonien zu schaffen machen, aber sie werden ihn nicht umbringen. Wie vor drei Jahren werden die Priester schon dafür sorgen, daß Amûn-hotep Neb-Maat-Râ das Heb-Sed heil übersteht.«

»Man sagt, daß die Priester während des Heb-Sed beim Tod manchen Königs nachgeholfen haben.«

»Mag sein«, gab ich zu. »Doch was für einen Grund sollten sie haben? Es ist die Priesterschaft des Amûn, die all die Zeremonien des Heb-Sed-Festes maßgeblich leitet. Weshalb sollte gerade diese Priesterschaft einen König, der wie kein anderer ihre Tempel mit Ländereien, Viehherden und Gold beschenkt hat, gegen einen anderen austauschen wollen, der wie der Hôr-im-Nest offen einen Sonnenkult bevorzugt?«

Mein Vater schien nur halb überzeugt:

»Kennst du Prinz Ptah-hotep?«

»Den Fürstpriester des Amûn in Uêset? Ich bin ihm begegnet und fand ihn eitel und hochfahrend. Aber genau er wird am allerwenigsten auf weitere Gaben und Prachtbauten zum Ruhme seines Gottes und zu seinem eigenen Ruhm verzichten wollen.«

»Und Aanen, der Zweite Prophet des Amûn? Immerhin ist er ein Bruder Königin Tejes.«

»Ich kenne ihn nicht, aber wenn ich den Ehrgeiz dieser Familie richtig einschätze, wird Aanen allenfalls Fürstpriester Ptah-hotep ermorden, um seine Stelle einnehmen zu können. Und wenn es Sie beruhigt, Vater: Wir haben durchgesetzt, daß ich bei all den Zeremonien Königin Sat-Amûn keinen Schritt von der Seite weichen werde. Ich werde also auch ständig in der unmittelbaren Nähe des Königs sein und die Augen offenhalten.«

Für einen Augenblick schwiegen wir, ehe ich fragte:

»Sie kamen auch wegen einer Bitte, Vater.«

Als habe er mich nicht gehört, starrte Neby in den Garten hinaus. Endlich wandten sich seine Augen wieder mir zu.

»Nun, die Bitte …«, mein Vater stockte, schien nach den richtigen Worten zu suchen, fuhr dann abrupt fort: »Die Bitte ist: Verzichte auf eine Scheidung von deiner Gemahlin May.«

Ich war verblüfft. »Ich habe nie an eine Scheidung gedacht.«

»Du hättest gute Gründe, um daran zu denken, jüngerer Sohn. May weigert sich schlichtweg, ›Weide der Rinder des Amûn‹ zu verlassen, um endlich ihre Aufgabe als deine Ehefrau und Hausherrin zu erfüllen!«

»Ich war weit fort, war auf Feldzügen, auf diplomatischer Mission …«, versuchte ich meine Gemahlin zu verteidigen, doch Neby schnitt mir kurzerhand das Wort ab:

»Daß May während deiner Ausbildung und deines Dienstes im Grenzland in meinem Haus blieb, erschien mir damals richtig und angemessen. Doch schon auf deiner Mission nach Knossos hätte sie mit dir gehen können, und als du deine Lehrtätigkeit an der Akademie in Men-nôfer antratst, war spätestens der Zeitpunkt gekommen, um ihre Pflichten an deiner Seite aufzunehmen. Gewiß, deine Mutter Apuya trifft ein guter Teil der Schuld. Sie tat – und tut – alles, um May als ihre persönliche Gesellschafterin und Hofdame zu behalten. Aber das ist kein ausreichender Grund für Mays Weigerung, zumal du heute kaum eine Bootsstunde auf dem Fluß von uns entfernt in deinem eigenen Haus lebst!«

Beschwichtigend legte ich meine Hand auf den Arm meines Vaters: »May ist die Mutter meiner Tochter Merit-Ptah, sie ist die Tochter Meis, der ein Freund von Ihnen, Vater, und auch, zumindest offiziell, mein Vorgesetzter ist. Ich habe bislang nicht an Scheidung gedacht, und wenn Sie mich bitten, alles so zu lassen wie es ist – nun, dann sei es so. Ich bin die bisherigen Jahre meiner Ehe schließlich auch ganz gut ohne meine offizielle Ehefrau ausgekommen. Ihre Bitte ist also erfüllt.«

Als mein Vater sich anschickte, mich zu verlassen, hatten sich die tiefen Sorgenfalten in seinem Gesicht etwas geglättet, verschwunden waren sie nicht. Als er noch mal nach dem Festlärm hinauslauschte, vertieften sie sich wieder:

»Auch du, mein Sohn, kannst den König nicht vor der Sonnenglut dieser heißesten Tage des Jahres schützen – und der Hôrim-Nest nennt die Sonne seinen ›Vater‹!«

Der Mann war nicht nur ungewöhnlich groß, sondern auch ungeheuer muskulös. Er hatte sein Obergewand abgelegt und schwang eine runde, etwa zwei Hand durchmessende Holzscheibe mit einem Bronzekern vor und zurück. Sein Gesicht mit dem gerstenblonden Lockenbart war vor Konzentration zusammengekniffen. Ein weiterer Schwung nach hinten und nochmals nach vorn. Die Muskelstränge unter der eingeölten Haut wölbten und streckten sich wie lebendige Tiere.

Auf dem Sockel einer schlanken Säule sitzend sah ich dem ungewohnten Treiben des Gastes zu.

Ein letztes Ausholen, dann schleuderte der Mann die Scheibe mit einer halben Körperdrehung in den Palastgarten hinaus.

Die Scheibe beschrieb eine weite Parabel, sank nieder, mähte eine Rittersporstaude um, hüpfte und schlitterte noch einige Schritte über den Boden weiter und blieb schließlich liegen. Die Zuschauer, vor allem seine gerstenhaarigen, gerstenbärtigen Gefolgsleute aus der archaischen Delegation, brüllten begeistert, feierten den Werfer überschwenglich.

»Hätten Sie nicht Lust, auch einen Wurf mit dem Diskus zu versuchen, Oberst?«

Ich hob die Hände:

»Ich werde mich hüten!«

»O bitte, nicht in Konkurrenz mit Telamon, dem König der Myrmidonen! Ihn vermag allenfalls sein Bruder Peleus, der König von Phthia, der dort drüben steht, im Diskuswurf zu schlagen. Nein, einfach nur so zum Spaß ...«

Der Fragende war einen halben Kopf kleiner als ich, kräftig, jedoch geschmeidig und elegant. In die hellbraunen Haare mischte sich an den Schläfen erstes Grau, und von den Winkeln seiner meerblauen Augen strahlte ein Netz von Lachfältchen aus. Wenn auch mit dem harten Akzent seiner nordischen Heimat sprach er Ägyptisch fast fehlerfrei.

»In drei Tagen ist das Heb-Sed-Fest, und ich will nicht riskieren, nur zum Spaß, dabei meine Aufgaben zu versäumen«, wehrte ich lächelnd ab und erhob mich.

Der Mann, der mich angesprochen hatte, sah mich einen Augenblick lang halb überrascht, halb erschrocken an und verneigte sich dann ehrerbietig:

»Vergebt meine Taktlosigkeit, Oberst, ich übersah, daß Sie zur Herrscherfamilie gehören! Und ich vergaß, mich vorzustellen. Ich bin Nestor von Pylos, Sohn des Neleus.«

»König von Pylos?«

Nestor nickte. Seite an Seite schlenderten wir ein Stück in den Garten hinaus.

Im bunten Gewimmel der Gesandtschaften, die sich mit dem Herannahen des Heb-Sed-Festes immer zahlreicher im Haus des Freudenfestes drängten, fanden sich hin und wieder auch Menschen, deren Bekanntschaft zu machen durchaus lohnte. In dem Sumpf von Eitelkeit und Habgier, Speichelleckerei und Überheblichkeit, Phrasendrescherei und schierer Dummheit glitzerten mitunter Edelsteine von Weisheit, Humor und Lebensart. Die beiden Keftiu-Prinzen, mit denen mich schon eine herzliche Freundschaft während meines Aufenthaltes in Knossos verbunden hatte, gehörten dazu. Der Lykier Hippolochos, Sohn des Bellerophontes, ein verwegener Seefahrer. Takelot, Sohn des Osorkon, der bucklige, hinkende, blitzgescheite und hochgebildete Schreiber der Libu-Delegation. Oder Hiram, der schlitzohrige, weitgereiste Phönizier aus Gubla. Sie machten die ungezählten Bankette, Empfänge und Feste, denen Sat-Amûn und damit auch ich nicht fernbleiben konnten, einigermaßen erträglich.

»Wie kommen Sie darauf«, fragte ich Nestor von Pylos, »mich zur Herrscherfamilie zu rechnen?«

»Nun, auch wenn Schminke und Perücken für unsere Barbarenaugen alle Ägypter ein wenig gleich aussehen lassen, so ist bei näherem Zusehen die Familienähnlichkeit unverkennbar. Vor allem jedoch bewegen Sie sich wie ein Mann, der unauffällig seinen Rücken zu schonen versucht. Und der Rücken ist doch wohl ein bekannter Schwachpunkt Ihrer Familie?«

»Sie sind ein guter Beobachter, Majestät.«

»Um der Götter willen, nicht ›Majestät‹! Ich bin nur einer der vielen unbedeutenden Kleinkönige meiner Heimat«, wehrte Nestor lachend ab und fragte dann: »Sie sind ein Bruder des Königs?«

»Meine Mutter ist eine Schwester des Königs.«

»Dann war der König Tehuti-mose Ihr Vater, und Sie sind …« Nestor verneigte sich erneut höflich.

»Nein«, widersprach ich. »Mein Vater ist Neby, der zweite Sohn des Grafen von Nechab.«

Nestor runzelte nachdenklich die Stirn:

»Das verstehe ich nicht. König Amûn-hotep Neb-Maat-Râ hat Teje, die Tochter des Priesters Juja, geheiratet, obwohl er eine heiratsfähige Schwester hatte? Hätte er denn nicht seine Schwester heiraten müssen?«

»Durchaus nicht. Zugegeben, Geschwisterehen sind im Königshaus und auch im hohen Adel häufig, ein Gesetz sind sie jedoch nicht.«

»Aber erlaubt – und wohl auch erwünscht. Ebenso Ehen zwischen Vater und Tochter, Ehen, wie sie jetzt der König mit seiner Tochter Sat-Amûn eingeht.« Nestor war nachdenklich stehengeblieben. »Was für ein Spiel spielen die Götter eigentlich mit uns Menschen?«

»Wie meinen Sie das?«

»Bei uns ist nichts so verpönt wie Ehen unter Blutsverwandten. Nichts wird so gnadenlos von unseren Göttern verfolgt. Es ist schon etliche Jahre her, da heiratete der König von Theben, Oidipus hieß es, seine Mutter Jokaste. Wohlgemerkt, keiner der beiden ahnte, daß sie Mutter und Sohn waren! Und doch straften sie die Götter gnadenlos. Als die Wahrheit ans Licht kam, blendete sich Oidipus selbst und floh hinaus in die Wildnis. Jokaste erhängte sich. Und die Rache der Götter verfolgte nicht nur ihre Söhne Eteokles und Polyneikes sowie ihre Tochter Antigone bis in den gewaltsamen Tod, sondern die ganze Stadt. Erst als Meneikeus, ein junger, schuldloser Mann sein Leben opferte, indem er sich in eine dem Ares geweihte Schlucht stürzte, nahmen die Götter ihren Fluch von Theben.

Weshalb strafen die Götter so furchtbar etwas bei uns, das sie bei Euch nicht nur dulden, sondern offenbar sogar gutheißen?«

Ich setzte mich auf den Rand eines fast ausgetrockneten Brunnens und lud Nestor ein, es sich ebenfalls bequem zu machen.

»Ich weiß es nicht«, gab ich zu. »Freilich kenne ich etliche durchaus vernünftige Gründe für unser System:

Zum einen die Erbfolge. Haupterbe ist stets das Kind – gleichgültig ob Sohn oder Tochter – eines Mannes mit seiner ranghöchsten Frau. Im Fall des Königs ist die ranghöchste Frau seine Schwester, beziehungsweise, wenn er keine Schwester geheiratet hat, seine Tochter. Das älteste Kind aus dieser Ehe erbt die Krone.«

»Jetzt beginne ich die Aufregung jenseits des Flusses im alten Palast zu verstehen«, stellte Nestor fest. »Ein Kind des Königs mit seiner Tochter Sat-Amûn würde den derzeitigen Kronprinzen die Krone kosten.«

»Zum anderen«, fuhr ich fort, »hat jede Witwe das Recht, von ihrem nächsten Verwandten geheiratet zu werden. Auf diese Weise ist ihr ein würdiges Auskommen und ihre gesellschaftliche Stellung gesichert.«

»Wenn König Amûn-hotep Neb-Maat-Râ stirbt«, versicherte sich Nestor interessiert, »so könnte Sat-Amûn verlangen, daß der Kronprinz sie heiratet?«

»Gewiß. Und da sie bereits Große Königsgemahlin ist, würde sie noch vor ihrer Schwester Kija, der jetzigen Ersten Gemahlin des Hôr-im-Nest, rangieren und Große Königsgemahlin bleiben. Theoretisch hätte sogar Königin Teje das Recht, nach dem Tod König Amûn-hotep Neb-Maat-Râs von ihrem Sohn, dem Hôr-im-Nest, geheiratet zu werden.«

»Damit wäre Königin Teje dann – ihre eigene Schwiegertochter!« lachte Nestor. »Und wenn … Nein, lassen wir das lieber. Ägyptische Verwandtschaftsverhältnisse werde ich wohl nie begreifen!«

»Sie sind selbst für uns Ägypter manchmal kaum noch zu durchschauen«, gab ich zu.

»Die gesellschaftlichen Vorzüge Eures Systems sind nicht zu leugnen«, stimmte Nestor bei. »Aber«, fuhr er behutsam fort, »sind sie nicht mit einem sehr hohen Preis bezahlt? Ihr Rücken und …«

»Sie spielen auf die möglichen Erbschäden an?« fragte ich unverblümt.

»Ich betreibe zu Hause ein wenig Pferdezucht und beschäftige mich daher mit dem Problem schon eine ganze Weile«, versuchte Nestor zu erklären.

»Nun, dann wissen Sie selber, daß gewisse erwünschte Eigenschaften fast nur durch Inzucht über mehrere Generationen hinweg zur vollen Ausprägung gelangen können. Bei Pferden ebenso wie bei Menschen.«

»Erwünschte Eigenschaften – aber auch sehr unerwünschte«, gab Nestor zu bedenken.

»Ein Balanceakt«, räumte ich ein. »Immerhin hat unser System dabei den Vorzug, daß wir recht genau abschätzen können, womit wir im besten und womit wir im schlimmsten Fall zu rechnen haben. Ihr System hingegen hat den Vorteil, daß es mit allen Mitteln versucht, die Verstärkung unerwünschter Erbanteile von Anfang an zu verhindern. Unser Nachteil besteht darin, daß es im schlimmsten Fall wirklich *sehr* schlimm werden kann und daß trotzdem in der Hand solch eines Menschen möglicherweise ein hohes Maß an Macht und Verantwortung liegt. Ihr Nachteil, Nestor, ist, daß Sie sich allein auf das Glück verlassen, wie die Nachkommenschaft zweier Menschen gerät, die wenig voneinander und nichts von ihren Familien wissen.«

»Oh, wir wissen durchaus ...«, versuchte Nestor einzuwenden.

»Nichts!« unterbrach ich ihn. »Hat Jokaste denn danach gefragt, ob ihr zukünftiger Mann etwa eine schwachsinnige Schwester, einen Bruder mit Wasserkopf und einen Onkel mit Klumpfuß hat? Nein. Sie hat noch nicht einmal nachgeforscht, wer seine Eltern sind!«

Ehe Nestor antworten konnte, erhob ich mich, denn einer der Wolfsmänner eilte mit langen Schritten auf uns zu. Salutierend blieb der Gardist vor mir stehen:

»Hauptmann Nun läßt Ihnen melden, Oberst, daß Nofret-ête, die neue Nebenfrau des Hôr-im-Nest, soeben, wie sie sagt, zu einem Höflichkeitsbesuch bei Prinzessin Sat-Amûn erschienen ist. Hauptmann Nun meint, Ihre Anwesenheit, Oberst, wäre wünschenswert.«

»Der Dienst ruft«, entschuldigte ich mich bei Nestor. »Aber ich würde mich freuen, wenn Sie nach dem Fest an einem Abend mein Gast sein könnten, um unser Gespräch fortzusetzen.«

Der König von Pylos verneigte sich höflich. »Ich wäre hoch geehrt, Oberst.«

Für einen Augenblick legte ich die Hand auf Nestors Schulter:

»Und richten Sie Ihren Göttern aus, sie sollten nicht gar so streng mit den Menschen Ihres Volkes sein. Immerhin hat Ihr Göttervater Zeus ebenfalls seine leibliche Schwester Hera geheiratet.«

Nestor sah mich mit großen Augen an und brach dann in schallendes Gelächter aus:

»Noch ein Abend mit Ihnen, Oberst Amûn-hotep, und Sie

haben mich bekehrt! Was für ein Jammer, daß ich weder eine Schwester noch eine Tochter habe, die ich ehelichen könnte!«

»Keine Hast!« empfing mich Hauptmann Nun, als ich in den Vorraum zu den Gemächern meiner Schutzbefohlenen eilte. »Die Damen haben eben erst Platz genommen, tauschen Artigkeiten aus, und die Tür zur Terrasse steht auf meinen Befehl hin trotz der Hitze weit offen. Das Leben Prinzessin Sat-Amûns ist mit Gewißheit nicht in Gefahr. Zehn Pfeile sind auf das Herz Nofret-êtes gerichtet, die losschwirren, falls die Gattin des Hôr-im-Nest auch nur eine einzige falsche Bewegung macht. Auch wenn sie keinen der Männer sieht, halte ich die Dame für klug genug, das zu wissen.«

»Weshalb haben Sie mich dann so eilig rufen lassen, Hauptmann?«

»Die Tochter Ejes und Nichte der derzeitigen Großen Königsgemahlin Teje hat es verstanden, binnen Wochen den Hôr-im-Nest völlig für sich einzunehmen und Prinzessin Kija auf einen unbedeutenden zweiten Platz zu verdrängen. Wenn diese Frau trotz der Spannungen zwischen dem neuen und dem alten Palast über den Strom kommt, um Prinzessin Sat-Amûn einen Besuch abzustatten, dann ist die Triebfeder nicht Höflichkeit. Nofret-ête will etwas. Und das, was sie will, mag wissenswert sein.«

Ich nickte Nun freundschaftlich und anerkennend zu:

»Also gut, hören wir uns an, was die Dame auf dem Herzen hat.«

Das Bild, das sich mir beim Eintreten in das Terrassenzimmer bot, wirkte in der Tat äußerst friedlich und harmonisch. Sat-Amûn ruhte auf ihrem Löwen-Prunkbett in einem enganliegenden, mit den Wurzeln des Labkrautes krapprot gefärbten Kleid aus kuschitischer Baumwolle. Ihre eigenen kurzgeschnittenen, schwarzen Haare umschlossen ihren Kopf wie eine Kappe, und als einziger Schmuck erhob sich drohend über ihrer Stirn die königliche Utô-Schlange mit Smaragdaugen, deren goldener Leib sich um ihr Haar wand.

Ihr gegenüber, getrennt durch ein kleines Tischchen, saß auf einem geschnitzten Hocker Nofret-ête, gehüllt in blütenweißes, duftig leichtes Leinen.

Zwei Dienerinnen wedelten den Damen mit großen Straußenfächern Kühlung zu, während zwei andere kostbare Gläser mit feurigsüßem, granatapfelrotem Shedeh-Likör füllten und eine Anzahl von Schalen mit Süßigkeiten auf dem Tischchen aufbauten: in Olivenöl schwimmende kleine Rosinenkuchen, in Honig eingelegte Früchte, fritierte Nußküchlein in Sirup, eine Art Pastete aus Honig, geriebenen Mandeln, Nüssen und Pistazien – alles Genüsse, die sich bei den älteren Damen des königlichen Harems größter Beliebtheit erfreuten, die aber von den jüngeren, trotz sehnsuchtsvoller Blicke, in aller Regel streng gemieden wurden.

»Amûn-hotep, komm, setz dich zu uns«, winkte mich Sat-Amûn heran. »Du bist der neuesten Nebenfrau meines Bruders, unserer Base Nofret-ête, wohl noch nicht begegnet?«

»Nein, das Vergnügen hatte ich noch nicht«, gab ich mit einer leichten Verbeugung zurück.

»Ich freue mich, Sie kennenzulernen, Amûn-hotep. Ich habe schon von meiner Majestät-Tante viel von Ihnen gehört«, lächelte mir Nofret-ête mit züchtig niedergeschlagenen Augen zu.

Während ich näher trat, mich auf einem bequemen Sessel, ganz nahe am Kopfende von Sat-Amûns Prunkliege, niederließ und die Beine überschlug, hatte ich Muße, die Besucherin zu mustern.

Ich habe vielfach die Schönheit der Eje-Tochter rühmen hören. Keine der Beschreibungen kam der Wahrheit auch nur in etwa nahe. Mittelgroß, schlank, langgliedrig mit schmaler Taille und festen Brüsten, fraulich gerundet, ohne üppig zu sein. Auf einem langen, schlanken Hals thronte ein ovales, zartknochiges Gesicht mit kleinem, festem Kinn, ebenmäßig geschwungenen Lippen, gerader Nase, sichelförmig gebogenen Brauen und glatter Stirn. Nofret-ête war von jenem vollendeten Ebenmaß, das ein begnadeter Künstler für die Statue einer Göttin erträumen mochte. Und wie die Statue mancher Göttin, genauso glatt und kühl und unberührbar wirkte sie.

Doch dann hob sie einen Herzschlag lang die Augen, streifte Sat-Amûn und mich mit ihrem Blick.

Meinen Körper durchzuckte es wie ein eisiger Blitzschlag! Augen wie schwarze Diamanten. Hart. Gierig. Gnadenlos.

Ich spürte, wie sich Sat-Amûns Körper unter diesem Blick anspannte, ihr Puls stockte. Scheinbar zufällig legte ich beruhigend meine Hand auf ihren Arm und fühlte ihren Atem wieder gleichmäßiger werden.

Fast eine Viertelstunde plätscherte das Gespräch der Damen dahin über die neuesten Blumenzüchtungen der Hofgärtner, einen babylonischen Parfümhersteller, der sich unlängst in Uêset niedergelassen hatte, zwei zahme Paviane, die Nofret-êtes Vater Eje erworben hatte. Das Bild höflicher Harmonie wurde durch nichts getrübt, und doch vibrierte die Anspannung zwischen den beiden Frauen wie eine zum Zerreißen gespannte Bogensehne.

»Nehmen Sie, meine Liebe«, forderte Sat-Amûn Nofret-ête lächelnd auf und biß genüßlich in das dritte der von Fett triefenden Rosinenküchlein, während Nofret-ête noch immer an einem winzigen Stückchen eingelegter Birne knabberte.

»Ach, wie töricht von mir«, fuhr Sat-Amûn scheinbar erschrocken fort, »ich vergaß ja ganz, daß Sie im harten Wettstreit mit den anderen Konkubinen meines Bruders stehen, und da können Sie sich natürlich nichts leisten, was der Figur schadet! Was für ein Glück«, strahlte mich Sat-Amûn an und fischte mit einem Holzstäbchen ein fritiertes Nußküchlein aus dem zähen Sirup, »daß ich auf derlei keine Rücksicht zu nehmen brauche. Die hohen Federn der Großen Königsgemahlin überdecken leicht ein paar kleine Polster.«

»Ihr seid also tatsächlich gewillt, Euren Majestät-Vater zu ehelichen?« erkundigte sich Nofret-ête wachsam.

Sat-Amûn tat überrascht. »Hatten Sie da etwa Zweifel?«

»Man hörte recht Widersprüchliches«, antwortete Nofret-ête vorsichtig.

»Ach, meine Liebe«, lächelte Sat-Amûn, »gerade Sie müßten doch wissen, daß die Hauptbeschäftigung von Haremsfrauen Schwätzen und Klatschen ist.«

»Dann ist also nichts an den Gerüchten, daß Ihr Euch dieser

Heirat widersetzen wollt?« fragte Nofret-ête mit schwarz funkelnden Augen nach.

»Wer würde sich schon die Möglichkeit entgehen lassen, die Macht der Großen Königsgemahlin für sich zu erobern?« erwiderte Sat-Amûn scheinbar harmlos.

»Ja, wer würde das schon …?« Nofret-êtes Diamantaugen blitzten, ehe sie den Blick schnell niederschlug, um sich mit ihrem Likörglas zu beschäftigen.

»Trinken Sie, liebe Base«, forderte Sat-Amûn sie sofort auf, »der Likör macht nun wirklich nicht dick!«

Nofret-ête hob gehorsam das Glas an den Mund, berührte jedoch die Flüssigkeit kaum mit den Lippen.

»Dann kann ich Eurer Hoheit wünschen, daß Euer zukünftigen Gemahl-Vater sich eines langen Lebens erfreuen möge, damit Ihr diese Macht auch ein wenig auskosten könnt.«

»Wieso sagen Sie: ›ein wenig‹?« erkundigte sich Sat-Amûn anscheinend überrascht. »Wenn ich erst die Geierhaube mit den hohen Federn auf dem Kopf habe, gedenke ich sie da auch lange, lange zu belassen.«

»Euer Vater-Gemahl ist nicht der Gesündeste«, warf Nofret-ête ein.

»Bedauerlicherweise nicht«, gab Sat-Amûn zu. »Doch was ändert das? Selbst wenn er sterben sollte – er möge tausend Jahre leben –, so werde ich die Pflichten als Regentin unseres Kindes übernehmen müssen.«

»Ihr erwartet ein Kind?« fragte Nofret-ête aufgeschreckt und starrte Sat-Amûn mit glitzernden Augen an.

»Noch nicht«, schränkte Sat-Amûn ein. »Aber bald!«

»Ein Kind, welches der König allerdings als das seine anerkennen müßte«, gab die andere zu bedenken, während mich ein bedeutsamer Blick streifte.

»Aber daran kann es doch überhaupt keinen Zweifel geben!« empörte sich Sat-Amûn. »Oder haben da die Haremsweiber auch schon wieder irgendeinen Unsinn in die Welt gesetzt?«

Die Prinzessin trank einen Schluck von ihrem Likör und plauderte dann fort, als ob ihr der Gedanke erst in diesem Augenblick in den Sinn käme:

»Selbst wenn ich kein Kind des Königs bekäme, so stünde es mir als Witwe Amûn-hotep Neb-Maat-Râs immer noch frei, meinen Bruder, den zukünftigen König zu heiraten.«

»Und – Ihr würdet das tun?« In dem Diamantblick, der Sat-Amûn diesmal traf, loderte unverhüllter Haß.

»Warum nicht?« bemerkte Sat-Amûn fröhlich. »Meiner Schwester Kija würde es gewiß nichts ausmachen, mir weiterhin die Krone der Großen Königsgemahlin zu überlassen.«

Nofret-ête erhob sich jäh:

»Wie schade, daß wir nicht länger Zeit haben zu plaudern, doch ich muß nach Uêset zurück, und Ihr werdet Euch gewiß aufputzen müssen für einen der vielen Empfänge vor dem Heb-Sed-Fest.«

Mit einer höflichen, tiefen Verneigung verabschiedete sich Nofret-ête und schritt aus dem Zimmer.

Kaum hatte sich die Tür hinter Nofret-ête geschlossen, als Sat-Amûn emporschnellte, eine der Schalen mit den klebrigen Süßigkeiten ergriff und zu Boden schmetterte. Splitternd folgte das kostbare Glas, aus dem Nofret-ête getrunken hatte.

»Tochter des Unheils, so lautet dein Name.
Mist an der Mauer, Erbrochenes auf dem Ziegel.
Was aus deinem Mund kommt,
Soll sich gegen dich selber richten!«

Sat-Amûn spie die Worte der Dämonenbeschwörung förmlich aus.

»Nichts, *nichts*, was diese Frau berührt hat, will ich je wiedersehen!« herrschte sie ihre verschreckten Dienerinnen an. »Und nie wieder darf diese Frau näher als hundert Schritte an mich herankommen!«

Mit raschem Griff zog die Prinzessin das Schlangendiadem vom Kopf, warf es auf die Liege und ergriff eine Peitsche.

»Komm, Amûn-hotep!« rief sie mir zu und befahl Hauptmann Nun im Hinausstürmen: »Niemand wage es, uns zu folgen!«

Fast laufend durchquerte sie das kleine Tor und die Gardekasernen hinaus auf den Übungsplatz. Mit einer herrischen Handbewegung winkte sie zwei Wagen herbei, vor die jene blütenweißen Hengste aus den Geschenken der assyrischen Delegation gespannt waren.

»Runter!« befahl sie dem Lenker, stand im nächsten Augenblick selber auf der Wagenfläche, griff nach den Zügeln und ließ die Peitsche über den Pferderücken knallen. Die Schimmel galoppierten schnaubend an, und eine wehende Staubfahne hinter sich herziehend jagte das Gefährt mit Sat-Amûn dem Ausgang des Übungsplatzes zu.

Mit einem Sprung schwang ich mich auf den zweiten Wagen, griff ebenfalls nach den Zügeln, und einen Herzschlag später hetzte ich hinter meiner Schutzbefohlenen her, hinaus in die Wüste südlich des Hauses des Freudenfestes.

Als ich damals solch eine wilde Fahrt Sat-Amûns zum erstenmal erlebte, blieb mir zunächst vor Schreck fast das Herz stehen. Nach wenigen Minuten freilich erkannte ich aufatmend, daß auch die Prinzessin über jenen angeborenen Gleichgewichtssinn verfügte, der offenbar allen Mitgliedern unserer Familie eigen ist. Leichtfüßig stand sie auf dem dahinpreschenden Gefährt, federte die Stöße von Steinen und Bodenwellen weich in den Knien ab, handhabte mit der Linken sicher die Zügel und ließ mit der Rechten ihre Peitsche knallen.

Jetzt zog sie den Wagen in einem scharfen Bogen um eine Felsnase und war verschwunden.

Als ich ihrer wieder ansichtig wurde, hatte sie angehalten, war abgesprungen und hatte die Zügel um einen kurzen Holzpfosten geschlungen. Auch ich hielt und band meine Pferde an.

Als ich mich umwandte, erblickte ich ein Bild, das mich reglos verharren ließ.

Sat-Amûn hatte sich ein paar Schritte entfernt.

Hoch aufgerichtet stand sie da, den Blick auf die abendliche Sonne gerichtet, die wie die Sonnenscheibe einer Göttin auf ihrem Scheitel zu schweben schien, ihren Körper in eine Aureole von orangerotem Licht tauchte.

Sat-Amûn wandte sich ab, und bereits nach wenigen Schritten war sie meinen Blicken entschwunden.

Wie betäubt ging ich ihr nach, und dann sah ich, was der Grund für jenes plötzliche Verschwinden gewesen war. Vor mir öffnete sich ein kleiner, fast kreisrunder Talkessel, in den sie hinabstieg. Ich folgte ihr. Als sie den Boden des Tales erreicht hatte, blieb sie vor einer schmalen Stele aus Rosengranit stehen.

Ich trat näher heran, bis ich die Inschrift deutlich lesen konnte.

»Hier starb der Hôr-im-Nest Tehuti-mose, Sohn des Königs Amûn-hotep Neb-Maat-Râ und der Großen Königsgemahlin Teje in seinem 20. Lebensjahr, dem 31. Regierungsjahr seines Vaters, des Königs Amûn-hotep Neb-Maat-Râ. Möge er ewig leben.«

Ich begriff. Dies war die Stierjagdarena, in der vor zwei Jahren Sat-Amûns Bruder, der älteste Sohn des Königs, zu Tode gekommen war. Seitdem war sie offensichtlich nicht mehr benutzt worden, und die Natur hatte bereits begonnen, sie zurückzuerobern. Nur das Mahnmal erinnerte noch an das Geschehen von damals.

Ich hatte gar nicht geahnt, daß Sat-Amûn ihren Bruder so geliebt hatte, daß sie hier Zuflucht suchte. Oder hatte ihr Besuch an diesem Ort einen anderen Grund?

Wortlos und ohne sich zu mir umzudrehen reichte mir Sat-Amûn ihre Peitsche, schob die schmalen Träger ihres Kleides über die Schultern und zog den Stoff bis zu den Hüften herunter. Mit beiden Händen ergriff sie, leicht vornüber gebeugt, die Kanten der Stele.

»Schlag mit der Peitsche zu, Amûn-hotep! Einmal! Mit aller Kraft!«

Ich war verwirrt, unfähig mich zu bewegen. Wenn Sat-Amûn geschrien, einen ihrer berüchtigten Wutanfälle gehabt hätte, dann hätte ich gewußt, wie ich mich zu verhalten hatte. Aber ihre Stimme war leise, ruhig und von einem tiefen Ernst erfüllt.

»Tu, was ich sage. *Schlag zu!*«

Fast wie unter einem hypnotischen Zwang hob ich langsam den Arm, holte aus – und ließ die Peitsche mit aller Kraft auf Sat-Amûns Rücken heruntersausen.

Mit einem kurzen Keuchen wurde die Luft aus ihren Lungen gepreßt, ihre Hände verkrampften sich schmerzhaft um die Ecken der Stele.

Für einen Augenblick blieb Sat-Amûn reglos stehen. Der Striemen auf ihrem Rücken schwoll blaurot auf, an einigen Stellen sickerten Blutströpfchen hervor. Vorsichtig sog Sat-Amûn wieder Luft in ihre Lungen, löste die verkrampften Finger von dem Stein, richtete sich auf, zog ihr Kleid hoch und schob die Träger wieder über ihre Schultern. Langsam drehte sie sich zu mir herum, sah mir in die Augen:

»Nofret-ête ist atemberaubend schön. Aber hast du ihre Augen gesehen? Diese kalten, harten, bösen Augen? Diese Frau ist zerfressen von Ichsucht und Machtgier. Wenn sie je wirklich Macht in die Hände bekommen sollte, so wird sie eine Katastrophe über Ägypten bringen. Macht bedeutet dieser Frau nicht die Möglichkeit, für das Land Gutes zu bewirken; sie bedeutet ihr einzig die Verherrlichung ihrer selbst. Weder mein Vater noch der Sohn des Hapu werden lange genug leben, um ihr auf Dauer Gegenwehr bieten zu können. Der Hôr-im-Nest ist ein Schwächling und ihr schon jetzt hörig. Meine Mutter Teje ist nicht mehr Große Königsgemahlin, und meine Schwester Kija hat sich widerstandslos zur Seite fegen lassen.

Der einzige Mensch, der auf Dauer diese Frau von der Macht und dem damit verbundenen Unheil für das Land trennen kann, bin also ausgerechnet ich – jetzt als Große Königsgemahlin, später als Regentin für mein Kind oder, wenn gar nichts anderes hilft, als Königsgemahlin meines Bruders. Nofret-ête weiß das, und sie haßt mich dafür!«

»War es dann klug, sie so offen herauszufordern?« fragte ich leise.

»Klug?« Ein kurzes, schmerzliches Lächeln huschte über die Lippen Sat-Amûns. »Klug gewiß nicht, aber notwendig. Ich mußte mir sicher sein. Wirklich sicher!

Doch das ist jetzt nebensächlich.

Amûn-hotep, du kennst inzwischen meine Stärken – und du kennst vor allem auch meine Schwächen: meine Launenhaftigkeit, meine Wutausbrüche, meine Sprunghaftigkeit. Das muß verschwinden, schnell verschwinden, wenn ich eine wahrhaft gute Königin werden soll.

Amûn-hotep, von dieser Stunde an ist es deine erste und heiligste Pflicht, mich zu dem zu erziehen, was ich in Zukunft sein muß: Königin und Regentin. Ich befehle dir – nein, ich *bitte* dich, jedes, aber auch jedes Mittel anzuwenden, um dieses Ziel zu erreichen!« Sat-Amûns Stimme wurde zum Flüstern. »Ich fürchte, ich hasse kaum etwas mehr als körperlichen Schmerz. Wenn es sein muß, nimm also diese Peitsche!«

Die Prinzessin stand jetzt ganz dicht vor mir:

»Neben meinem Vater und dem Sohn des Hapu bist du der einzige Mensch, dem ich vertraue. Ich werde die Gemahlin meines Vaters werden, dann seine königliche Witwe, vielleicht auch die Gemahlin meines Bruders. Trotzdem: Bleibe bei mir – *bitte*!«

Zart strich sie mir mit der Rechten über das Gesicht, ließ ihre Hand auf meiner Wange liegen, während wir uns tief in die Augen blickten. Wir beide wußten, noch ein Wort, noch eine winzige Geste, und wir würden uns in den Armen liegen, würden jene Schranke hinwegfegen, die wir beide Tag um Tag, Woche um Woche um so sorgfältiger aufrechterhalten hatten, je brüchiger sie wurde.

Ewigkeiten vergingen – in Wahrheit waren es Minuten, vielleicht nur Sekunden …

Als sich in den letzten Flammenstrahlen der über den Felsen der westlichen Wüste untergehenden Sonne Sat-Amûn auf die Zehenspitzen erhob und mich sanft auf den Mund küßte, war der Augenblick bereits verflogen.

Wenig später rollten wir in gemächlichem Trab wieder dem Haus des Freudenfestes zu.

Die Hochzeitszeremonie zwischen König Amûn-hotep Neb-Maat-Râ und Sat-Amûn am Vorabend des Heb-Sed-Festes war von ernüchternder Schlichtheit.

Zunächst diktierte der Herrscher, der nicht einmal die Insignien seiner Macht angelegt hatte, Apy, dem fast siebzigjährigen Privatschreiber der Könige Tehuti-mose Men-cheperu-Râ Usîre und Amûn-hotep Neb-Maat-Râ, Weiser unter den Weisen, den Erlaß, mit dem er seine Tochter, Prinzessin Sat-Amûn, zur Ehe nahm und ihr den Titel der Großen Königsgemahlin verlieh.

Prinz Ptah-hotep, der arrogante Fürstpriester des Amûn zu Uêset, und Merit-Maat, die Erzpriesterin der Mut, sprachen einen kurzen Segen.

Dann siegelte der König das Dokument. Die beiden Priester setzten ihre Siegel darunter, schließlich die übrigen geladenen Zeugen: der Sohn des Hapu, Prinz Nacht-Min und ich, als letzter schließlich der königliche Schreiber.

Nur für einen Augenblick kam eine etwas feierliche Stimmung auf, als Amûn-hotep Neb-Maat-Râ die Krone der Großen Königsgemahlin aus den Händen des Bewahrers der Kroninsignien Ipu-Ka entgegennahm und sie vorsichtig Sat-Amûn aufs Haupt setzte. Die Basis der Krone bildete der Körper der Geiergöttin Mut, der Gemahlin Amûns, deren Kopf über der Stirn der Königin emporragte, während ihre Flügel das Haupt bis zum Hals hinab umschlossen. Auf dem Rücken der Geiergöttin war ein Kranz Utô-Schlangen befestigt, über denen sich eine kleine, rote Sonnenscheibe und die beiden hohen goldenen Federn erhoben. Eine Geißel mit leicht gebogenem Griff, ähnlich der des Königs, vervollständigte die Insignien.

»Heil, Glück und Leben der Großen Königsgemahlin und Königin von Ober- und Unterägypten Sat-Amûn, möge sie tausend Jahre regieren!« rief Apy mit seiner etwas zittrigen, krächzenden Greisenstimme.

»Heil, Glück und tausend Jahre Regentschaft der Großen Königsgemahlin Sat-Amûn!« wiederholten wir, warfen uns zu Boden und berührten mit den Stirnen den Boden.

Mit einem genuschelten Gutenachtgruß erhob sich der König und watschelte davon. Auch wir wollten bereits aufbrechen, als uns Sat-Amûn mit einem kleinen Wink der Geißel aufforderte, noch zu bleiben.

»Ich möchte Euch allen für Euer Kommen und für Eure Treue danken«, begann die neue Königin. »Den Tempeln des Amûn und der Mut werden morgen meine Geschenke überreicht werden.«

Prinz Ptah-hotep, der Fürstpriester des Amûn, und Merit-Maat, die Erzpriesterin der Mut, sahen durchaus zufrieden aus.

»Dir Amûn-hotep, Sohn des Hapu, weitere Ehrentitel zu verleihen hieße Wasser in den Strom gießen. Trotzdem bitte ich Dich, offiziell den Rang meines Haushofmeisters zu übernehmen.«

Der Alte Pavian neigte zustimmend seinen Kopf.

»Du Apy, hast stets alle weiteren Ehrentitel abgelehnt, und dir, mein Halbbruder Nacht-Min, wird der König demnächst einen Rang verleihen, der deiner würdig ist. Trotzdem möchte ich dich mit dem Titel eines ›Fächerträgers zur Rechten der Königin‹ auszeichnen.«

Prinz Nacht-Min neigte höflich sein dunkles Haupt.

»Schließlich verleihe ich Amûn-hotep, Sohn des Neby, den Rang eines ›Fächer- und Peitschenträgers zur Rechten der Königin‹.«

Der alte Apy, der die Ernennungen der Großen Königsgemahlin eifrig mitgeschrieben hatte, stockte:

»Majestät, den Titel eines Peitschenträgers gibt es nicht, und ich erlaube mir zu bemerken ...«

»Es wird ihn auch nur ein einziges Mal, und zwar allein für den Sohn des Neby geben«, stellte Sat-Amûn klar und fuhr fort: »Weiter schenke ich Amûn-hotep, Sohn des Neby, ein Grab, das für ihn im Tal der Wildstiere ausgehauen werden wird.«

Dankend berührte ich zeremoniell den Boden mit der Stirn.

Nachdem Sat-Amûn nochmals die Glückwünsche der Anwesenden entgegengenommen hatte, kehrten wir in die Räume der nunmehrigen Großen Königsgemahlin zurück.

Der Große Strom war ein einziges Meer von Menschenleibern, die sich auf ungezählten, mit Blumen und Bändern geschmückten Booten drängten. Hunderttausende aus Uêset und aus ganz Ägypten waren gekommen, teils aus Neugier, teils aus echter Zuneigung, um rund um den riesigen Tempelbezirk dem Herrscherpaar zuzujubeln. Es war ein überwältigendes Bild, wie diese Menschenmassen, angetan mit ihren besten Festtagskleidern, sich mit Palmzweigen und Blumen winkend, schreiend, jubelnd und singend auf dem Fluß drängten, um dem Königspaar zu huldigen.

Unter den ersten Strahlen des im Osten heraufsteigenden Râ querte mit langsamem, feierlichem Riemenschlag die große, goldbeschlagene Staatsbarke mit den bunt bemalten Lotosblüten an Bug und Heck den Fluß, vom Ausgang des Palastkanals bis zum Reichstempel des Amûn. Unter einem kunstvoll geschnitzten und reich vergoldeten Baldachin saßen in der Mitte der Staatsbarke auf ihren Thronen König Amûn-hotep Neb-Maat-Râ und die Große Königsgemahlin Sat-Amûn. Vor und hinter dem Baldachin waren die königlichen Banner und Standarten aufgesteckt worden, glitzernd von Gold und umflattert von weißen und blauen Bändern.

Mit leisem Rumpeln legte die Staatsbarke an den Stufen zum Reichstempel an. Das Königspaar erhob sich und betrat gemessenen, würdevollen Schrittes das Land. Amûn-hotep Neb-Maat-Râ trug auf dem Kopf das blau-goldene Nemset-Kopftuch mit den beiden langen Enden, die über die Schultern herabfallen, während das dritte Ende hinten mit einem Band zusammengehalten wird. An seinem Kinn war der Zeremonialbart mit Mastix angeklebt. Seine Schultern bedeckte ein breiter, schwerer Kragen aus Gold und Edelsteinen. Auf seiner nackten Brust blitzte das große goldene, reich mit Edelsteinen eingelegte Pektorale mit der geflügelten Sonnenscheibe und darunter der großen Namenskartusche des Königs; dazu waren seine Arme mit breiten Goldreifen geschmückt, die ebenfalls die Namens- und Titelkartuschen Seiner Majestät trugen. In den gekreuzten Händen hielt Amûn-hotep Neb-Maat-Râ Krummstab und Geißel, die Symbole als Hirte und Herr des Landes. Am Gürtel des knielangen, weißen Rockes war hinten der Stierschwanz befestigt, und an seinen Füßen trug der König die zeremoniellen Sandalen aus weißem Antilopenleder.

Sat-Amûn neben ihm war in ein langes, weißes, enganliegendes Trägerkleid gehüllt, das die Brüste freiließ, wie es Göttinnen seit alters tragen. Auf ihrer prachtvollen Perücke thronte die Krone mit den hohen Federn der Großen Königsgemahlin. Schulterkragen, Armreifen und Pektorale waren ähnlich denen des Königs, nur ein wenig leichter und zierlicher gearbeitet, und auch sie trug die weißen Sandalen aus Antilopenleder.

Unter dem Taktschlag der Handpauken schritt das Königspaar auf die mächtigen ersten Tortürme des Amûn-Tempels zu, gefolgt von der schier endlosen Prozession der Gaufürsten, der Minister und höchsten Militärs; der Hof- und Tempelbeamten aus dem ganzen Land, darunter auch meinem Vater Neby; der Richter, angeführt von meinem Bruder Râ-mose; der Gaugouverneure; der ausländischen Gesandten und Delegationen; sowie der ranghöchsten Damen des königlichen Harems und der Ehrendamen des Hofes – unter ihnen meine Mutter Apuya, meine Gattin May und meine Tochter Merit-Ptah –, die alle teils auf der Staatsbarke, teils auf einer kleinen Flotte in deren Kielwasser den Strom überquert hatten.

Prinz Ptah-hotep, der Fürstpriester des Amûn, und Amûn-hotep, der Sohn des Hapu, in seiner Eigenschaft als Zeremonienmeister des Amûn, umringt von den Abordnungen aller Priesterschaften Ägyptens, empfingen vor dem Tempel feierlich den König und die Königin.

Milch wurde auf die Steinplatten gespritzt, Weihrauchwolken wirbelten empor, der Gesang eines Chores ging im Jubel der Menschenmassen unter. Nur das rhythmische Klirren der von den Priesterinnen der Mut und Hat-Hôr geschwungenen Sistren und die schmetternden Fanfaren aus den silbernen Trompeten der Bläser oben auf den Tortürmen vermochten das Geschrei zu übertönen.

In weihevollem Zug betraten wir das gut 1000 mal 1000 Ellen messende Areal des Tempels.

Die Prozession wandte sich nach rechts, wo nahe dem heiligen See, auf einer erhöhten Plattform, ein offener Schrein mit einem hölzernen Baldachin errichtet worden war. In der Mitte, getrennt durch eine Bretterwand, stand auf jeder Seite ein würfelförmiger, schlichter Thron.

Hinter dem Schrein war eine etwa zwei Ellen hohe, weißgestrichene Ziegelmauer durch fast die ganze Länge der Tempelanlage aufgemauert worden, die jene ursprüngliche Ineb-Hez, die ›Weiße Mauer‹, darstellte, welche einst bei Men-nôfer das Nord- und Südreich Ägyptens geteilt hatte. Beim Anblick dieser Mauer krampfte sich mein Magen zusammen, und allen anderen Freunden des Königs erging es wohl kaum besser. Entlang dieser Mauer aufgereiht standen die Abordnungen der 42 Gaue mit ihren bunten Standarten.

Vor dem offenen Schrein angekommen, nahm König Amûnhotep Neb-Maat-Râ das Kopftuch ab, und ein weißer, langer Zeremonialmantel wurde um seine Schultern gelegt. Mit Wasser, Milch und Weihrauch führten die Priester eine kultische Reinigung durch.

Dann kündeten die silbernen Trompeten den ersten Teil der Wiederholung der Krönungszeremonien an:

Die Erscheinung der Könige von Ober- und Unterägypten.

Amûn-hotep Neb-Maat-Râ stieg die Stufen zur rechten Hälfte des Schreines empor und setzte sich auf den würfelartigen Thron. Ein Priester, dessen Kopf und Schultern unter einer geschnitzten Maske des Falkengottes Hôr verhüllt waren, und eine Priesterin, die die Maske der Kobragöttin Utô trug, erstiegen die Stufen des Schreines. In ihren Händen hielten sie die Rote Krone, eine Kappe in Form eines abgeschnittenen Kegels mit hochgezogenem Rückenteil und einer vorkragenden Volute, und setzten sie Amûn-hotep Neb-Maat-Râ auf den Kopf.

Mit weit hallender Stimme intonierte Fürstpriester Ptahhotep:

»In diesem Augenblick erscheint und tut sich kund die Majestät des Königs von Unterägypten. Dem Sohn des Râ, Amûn-hotep Neb-Maat-Râ, Leben! Wohlergehen! Gesundheit!«

Der König erhob sich, nahm die Krone ab und stellte sie auf den Thron. Dann stieg er die Stufen herab, begab sich zur linken

Seite des Schreines, stieg dort die Stufen wieder hinauf und setzte sich auf den zweiten Thron. Wieder traten ein Priester und eine Priesterin vor, diesmal in den Masken des Fabeltieres von Setech mit der langen Schnauze und den steilen Ohren und der Geiergöttin Nechbet, und krönten Amûn-hotep Neb-Maat-Râ mit der Weißen Krone, einem birnenförmigen Helm.

»In diesem Augenblick erscheint«, rief Ptah-hotep, »und tut sich kund die Majestät des Königs von Oberägypten. Dem Sohn des Râ, Amûn-hotep Neb-Maat-Râ, Leben! Wohlergehen! Gesundheit!«

Der König nahm nun auch diese Krone wieder ab und stellte sie auf den Thron.

Priester entfernten mit schnellen Griffen die trennende Holzwand und schoben die Throne zusammen.

Die Silberfanfaren verkündeten den Beginn des zweiten Teiles der Zeremonie:

Die Vereinigung der beiden Länder.

Ein hoher, schlanker, quer geripper Holzpfeiler, der in einer herzförmigen Verdickung steckte, war vor dem Schrein aufgerichtet worden. Was dieses uralte Symbol genau bedeutete, wußte niemand mehr so genau. Manche meinten, es stelle eine Luftröhre dar mit den Lungen am Ende; andere sahen in ihm eine Wirbelsäule mit der Gebärmutter beziehungsweise den Hoden; eine dritte Meinung interpretierte den Pfahl hingegen als einen Baumstamm mit seinen Wurzeln; und wieder andere sahen in ihm den Großen Strom mit seinem langen Flußlauf und dem Delta am Ende.

Als erste traten Hôr und Setech, diesmal als Herren der Schwarzen Erde, also des fruchtbaren Landes, und der Roten Erde, der Wüste, an den Stamm. In ihren Händen hielten sie Seile, die mit den Wappenpflanzen von Ober- und Unterägypten, Lilie und Papyrus, geschmückt waren, schlangen die Seile um den Pfahl und verknoteten sie. Das zweite Paar waren Utô und Nechbet, die Schutz- und Wappengöttinnen der beiden Reichshälften, die das gleiche Zeremoniell vollzogen. Das dritte Paar waren zwei alte Priesterinnen mit schwer hängenden Brüsten, nackt bis auf einen winzigen steifen Schurz, der wie ein

Phallus abstand, und angeklebtem Bart, auf dem Kopf Lilien- und Papyruskronen: Hapi, männlich-weiblich, Vater-Mutter Ägyptens. Als letzte legten auch sie die Seile um den Pfahl und verknoteten sie.

Der König hatte unterdessen die Rote und Weiße Krone ergriffen und ineinandergesteckt. Nun traten die sechs Götter auf ihn zu, ergriffen die Doppelkrone und setzten sie dem König erneut aufs Haupt.

Fürstpriester Ptah-hotep erhob wieder seine weittragende Stimme:

»In diesem Augenblick erscheint und tut sich kund die Majestät des Königs von Ober- und Unterägypten, Herr der Beiden Länder. Dem Sohn des Râ, Amûn-hotep Neb-Maat-Râ, Leben! Wohlergehen! Gesundheit!«, und dann ließ er die gesamte Königstitulatur folgen:

»Seine Majestät, Amûn-hotep Neb-Maat-Râ. Lebender Hôr. Starker Stier. Geliebt von Maat. König von Ober- und Unterägypten, Herr der Beiden Länder, Herr der Beiden Kronen. Râ, stark an Wahrheit. Ausgewählt von Râ. Eingesetzt von Utô und Nechbet, den beiden Herrinnen. Der Ägypten schützt. Sohn des Râ, Amûn-hotep Neb-Maat-Râ. Geliebt von Râ. Goldener Hôr. Reich an Jahren. Groß an Siegen.«

Und wieder schmetterten die Fanfaren, kündeten den dritten Teil der Krönungszeremonien an:

Der Lauf um die Mauer.

Dies war der Augenblick, in dem auch dem letzten, der dem König wohlwollte, der Angstschweiß ausbrach.

Amûn-hotep Neb-Maat-Râ würde die Weiße Mauer im Laufschritt umrunden müssen, ohne auch nur einmal anzuhalten – 2000 Ellen. Und bei diesem Lauf gab es niemanden, der dem Herrscher helfen, ihn stützen, ja, ihm auch nur Schatten spenden durfte.

Der Sohn des Hapu und die anderen Verantwortlichen hatten den Beginn der Heb-Sed-Zeremonien so früh am Tag als möglich angesetzt; trotzdem war es jetzt hoher Vormittag, und die glühende Sommersonne brannte gnadenlos auf den riesigen, schattenlosen Tempelbezirk herunter. Schon uns, die wir ja nur dastanden und zuschauten, brannte die inzwischen von Staub geschwängerte Luft in den Lungen, erschien uns kaum etwas so köstlich wie ein Schluck belebenden Wassers.

Der König trat in vollem Ornat an das Südwestende der Mauer. Dicke Schweißperlen rannen schon jetzt unter dem Rand der Doppelkrone hervor über sein verquollenes Gesicht und über seinen Oberkörper herab, durchnäßten den Bund seines knielangen weißen Faltenrocks. Seine dicken Hände krampften sich um Krummstab und Geißel. Rechts von ihm, die Mauer hinab, hatten sich die Vertreter der 20 unterägyptischen Gaue mit ihren Standarten aufgereiht, links, die Mauer wieder herauf, die Abgesandten und Standarten der 22 Gaue von Oberägypten.

Erneut schmetterten die Fanfaren.

König Amûn-hotep Neb-Maat-Râ begann in einen schwerfälligen, watschelnden Trab zu verfallen.

»Der Gau ›Weiße Burg‹ neigt sich in Ehrfurcht vor seinem Herrscher!« verkündete ein Herold, während sich die Gaustandarte senkte und der König das Zeichen mit Krummstab und Geißel berührte.

»Der Gau ›Schenkel‹ neigt sich in Ehrfurcht vor seinem Herrscher!« Die Standarte neigte sich, wurde von den Herrschaftsinsignien berührt.

»Die ›Westmark‹ neigt sich in Ehrfurcht vor ihrem Herrscher! – Der Gau ›Südlicher Schild‹ neigt sich in Ehrfurcht! – Der Gau ›Nördlicher Schild‹. Der Gau ›Bergstier‹. Die ›Westliche Harpune‹, die ›Östliche Harpune‹ neigt sich in Ehrfurcht vor ihrem Herrscher!«

Tap-tap-tap trabte der König die Mauer hinab; kleine Staubwolken wirbelten unter seinen weißen Sandalen empor. Die Fettmassen an Bauch und Gesäß wabbelten im Rhythmus des Laufes; Schweißbäche strömten seinen breiten Rücken und die dicken Schenkel hinab.

»Der ›Anzeti-Flußarm‹ neigt sich in Ehrfurcht vor seinem Herrscher! – Der ›Große schwarze Stier‹ neigt sich in Ehrfurcht! – Der ›Heseb-Stier‹. Die ›Kuh mit Kalb‹. Der ›Beherrscher des Anzeti‹. Die ›Ostmark‹. Der ›Ibis‹. Der ›Erlesene Fisch‹ neigt sich in Ehrfurcht!«

Tap-tap-tap. Die Gestalt des Königs wurde kleiner und kleiner, während er sich dem unteren Ende der Mauer näherte. Jeden Muskel angespannt, die Zähne zusammengebissen, beobachteten wir unseren Herrscher, wie er sich Elle um Elle voranquälte.

»Die ›Östliche Küste‹ neigt sich in Ehrfurcht! – Der ›Vordere Königsknabe‹. Der ›Hintere Königsknabe‹. Der Gau ›Falkenmumie‹ neigt sich in Ehrfurcht vor seinem Herrscher!«

Amûn-hotep Neb-Maat-Râ hatte das untere Ende der Mauer erreicht, umrundete sie und begann den Rückweg entlang den oberägyptischen Gauen zu traben.

»Der Gau ›Bogenland‹ neigt sich in Ehrfurcht vor seinem Herrscher! – Der Gau ›Erhebung des Hôr‹ neigt sich in Ehrfurcht vor seinem Herrscher! – Der Gau ›Doppelfeder‹ neigt sich in Ehrfurcht! – Der Gau ›Zepter‹. Der Gau ›Zwei Falken‹. Das ›Krokodil‹. Das ›Sistrum‹. Das ›Große Land‹. Der Gau ›Meteorstein‹.

Der Gau ›Schlange‹ neigt sich in Ehrfurcht!

Der Gau ›Ruhender Setech‹ neigt sich in Ehrfurcht!

Der Gau ›Berg der Schlange‹ neigt sich in Ehrfurcht vor seinem Herrscher!«

Der König hatte etwa die Hälfte des Rückwegs hinter sich, und wir konnten ihn nun wieder deutlich erkennen. Sein Trab schien mehr ein Taumeln, der weiße Rock klatschte naß vom Schweiß um seine fetten Schenkel, der Mund klaffte nach Atem ringend weit auf.

»Der Gau ›Vorderer Atef-Baum‹ neigt sich in Ehrfurcht vor seinem Herrscher!

Der Gau ›Hinterer Atef-Baum‹ neigt sich in Ehrfurcht!

Der Gau ›Hase‹ neigt sich in Ehrfurcht!«

Schweiß strömte wie in Bächen über das blaurot angelaufene Gesicht des Königs und über seinen Oberkörper. Immerhin, gut drei Viertel der Strecke waren geschafft.

»Der Gau ›Orix-Antilope‹ neigt sich in Ehrfurcht vor seinem Herrscher!

Der Gau ›Hund‹ neigt sich in Ehrfurcht vor seinem Herrscher!«

Der König taumelte weiter, Schritt um Schritt, schien plötzlich zu stolpern. Ein tausendfacher stummer Schrei stieg zu den

Göttern auf: »Laßt ihn nicht jetzt zusammenbrechen! Stärkt ihn mit Eurer Kraft!«

»Der Gau ›Zwei Zepter‹ neigt sich in Ehrfurcht vor seinem Herrscher!

Der Gau ›Fliegender Falke‹ neigt sich in Ehrfurcht vor seinem Herrscher!«

Als wäre das inbrünstige Gebet erhört worden, schien der Schritt des Königs wieder sicherer zu werden; ja, es war, als ob er sogar sein Tempo beschleunigte. Tap-tap-tap – noch 150 Ellen.

»Der Gau ›Hinterer Naret-Baum‹ neigt sich in Ehrfurcht vor seinem Herrscher!«

Jetzt konnten wir ihn keuchen hören. Seine Augen waren weit aufgerissen, schienen irgendwo auf einen fernen Punkt gerichtet, aus ihren Höhlen quellen zu wollen.

Tap-tap-tap – noch hundert Ellen!

»Der Gau ›Vorderer Naret-Baum‹ neigt sich in Ehrfurcht vor seinem Herrscher!«

Tap-tap – noch fünfzig Ellen!

»Der Gau ›Feuersteinmesser‹ neigt sich in Ehrfurcht vor seinem Herrscher!«

Tap-tap – tap!

Die Weiße Mauer war umrundet! War bezwungen!

Keuchend, prustend und triefend blieb Amûn-hotep Neb-Maat-Râ stehen, wandte sich dann um und erhob Krummstab und Geißel hoch über seinen Kopf.

Der Jubelgebrüll der Hunderttausende im Tempelbezirk, auf dem Strom und in der Stadt überdröhnte minutenlang sogar die silbernen Trompeten.

»Dem Sohn des Râ, Amûn-hotep Neb-Maat-Râ, Leben! Wohlergehen! Gesundheit!«

Die Vereinigung von Amûn und Mut, auch ›Heilige Hochzeit‹ genannt.

Dies war die Zeremonie, bei der die Anwesenheit der Großen Königsgemahlin unabdingbar notwendig wurde. Wenn Amûn, der König der regierenden Götter, vertreten durch den regierenden König von Ägypten, im Allerheiligsten des Tempels den heiligen Beischlaf mit der Königin der Götter, Mut, vollzog, so war es die Große Königsgemahlin und nur sie, die als irdische Inkarnation der Mut diesen Akt mitvollziehen konnte.

Im Takt der klirrenden Sistren, umwirbelt von duftenden Weihrauchwolken nahte sich durch die gut sechshundert Ellen lange Widdersphinx-Allee, die den Tempel der Mut mit dem des Amûn verbindet, eine festliche Prozession.

Angeführt von Merit-Maat, der Erzpriesterin der Mut, umringt von Hunderten weiß gewandeter Priesterinnen, die ihre Sistren schwangen, schwankte auf den Schultern kräftiger Priester eine über und über vergoldete Götterbarke heran. Auf dem Deck der Barke hatte man einen Schrein errichtet, der die Statue der Mut enthielt.

Durch das Haupttor zwischen den mächtigen Tortürmen unseres regierenden Königs zog Mut ein in den Tempel ihres Gemahls; vorbei an den Obelisken des ersten und dritten Tehutimose; durch das Tor, das den Tempel im Mittleren Reich abschloß; durch den Säulensaal der Königin Hat-Schepsut Maat-Ka-Râ mit ihren beiden gewaltigen Obelisken; durch das große Tor des ersten und das kleine Tor des dritten Tehuti-mose und schließlich durch den kleinen Vorhof mit den beiden hohen, mit Lilie und Papyrus geschmückten Wappensäulen bis zum Allerheiligsten Amûns.

Behutsam wurde die Statue der Mut aus ihrem Schrein gehoben, in das Allerheiligste getragen und neben dem Standbild ihres Göttergemahls aufgestellt.

Feierlichen Schrittes betraten König Amûn-hotep Neb-Maat-Râ und Königin Sat-Amûn die von hundert Öllampen erhellte Kapelle und hinter ihnen die höchsten Priester und Priesterinnen des Amûn und der Mut.

Gardegeneral Mei, der sich die Sorge um die Sicherheit des Herrscherpaares bis zu diesem Augenblick mit mir geteilt hatte, wurde am Eingang des Allerheiligsten von den Priestern zurückgehalten, doch mir, als Neffen des Königs, konnten sie den Zugang nicht verwehren. In dem kantigen, unbewegten Gesicht meines Schwiegervaters zeichnete sich einen Herzschlag lang Erleichterung, ja, Dankbarkeit ab, als er mich beobachtete, wie ich mich zwischen den weißen Gewändern und Leopardenfellen der Priester ins Innere der Kapelle drängte, die niemand außer den höchsten Priestern und den nächsten Verwandten des Königs betreten darf.

Während die Statuen mit Milch, Wein und geheiligtem Wasser besprengt und mit kostbaren Ölen gesalbt wurden, König und Königin Weihrauch und Blumen opferten, im Feuer der Altäre von Fett triefende Stierschenkel verbrannten, tasteten meine Augen die Kapelle nach Verstecken und heimlichen Zugängen ab. Glatt verfugte, mit feinen Reliefs bedeckte Mauern aus rotem Suêne-Granit, ritzenlose Steinplatten auf dem Boden, die Altäre massive Granitblöcke, das mit goldenen Sternen auf dunkelblauem Grund bemalte Dach ebenfalls fugenlos aus mächtigen Granitbalken gefertigt. Merit-Maat, die Erzpriesterin der Mut, warf mir einen finsteren Blick zu, als ich mit schneller Hand die Matte mit dem blütenweißen Linnen, die nun zu Füßen der Götterstatuen ausgebreitet wurde, auf versteckte scharfe oder spitze Gegenstände abtastete.

Dann forderte uns Prinz Ptah-hotep, der Fürstpriester des Amûn, auf, die Kapelle zu verlassen. Mit einem letzten Blick überzeugte ich mich, daß außer dem König und der Königin niemand im Allerheiligsten zurückgeblieben war.

Der hohe Eingang zum Allerheiligsten wurde mit einem riesigen regenbogenfarbenen und mit unzähligen Blumen und Sternen bestickten Vorhang verschlossen. Davor nahmen Schulter an Schulter die Priester Aufstellung, Ptah-hotep und Merit-Maat in ihrer Mitte.

Die Tempelchöre begannen einen von Sistren und Handpauken rhythmisch untermalten Gesang, der sich langsam in Schnelligkeit und Intensität steigerte.

»Sie übertreiben, junger Freund«, raunte mir mein Nachbar, ein reich gewandeter Amûn-Priester, zu, der sich mit etwa dreißig anderen Würdenträgern nun in dem kleinen Vorhof mit den Wappensäulen zusammendrängte. »Niemand will dem König oder seiner Großen Königsgemahlin etwas Böses – nicht einmal meine Schwester! Nicht einmal dem Kind, das in diesem Augenblick gezeugt werden mag!«

Ich war Aanen, dem älteren Sohn des Juja, Zweiten Propheten des Amûn, Großpriester von Râ-Atum, Ersten Propheten des Min, Betreuer der Ochsen des Min, bislang nicht begegnet. Doch die stolze Haltung, die dunkel funkelnden Augen, die leicht verächtlich abwärts gebogenen Mundwinkel, die scharfen Falten um Nasenflügel und Mund erinnerten unverkennbar an seine Schwester Teje.

»Auch nicht der Hôr-im-Nest?« fragte ich leise zurück.

Aanen schüttelte energisch den Kopf:

»Der Hôr-im-Nest verabscheut jede Gewalt. Er mag ein Narr sein, aber er ist wenigstens ein konsequenter Narr.«

Der Takt des Hymnus wurde schneller und schneller, wurde von hellen, ekstatischen Schreien von Priestern und Priesterinnen durchbrochen.

»Maat sei in Ihren Worten!« raunte ich.

Die Sistren rasselten, die Handpauken hämmerten, der Chor stieg zu einem wilden Aufschrei an – und verstummte.

Für einen Augenblick herrschte lautlose Stille über den hitzeflirrenden Tempelhöfen.

Dann teilte sich die Mauer der Priester vor dem Eingang zum Allerheiligsten.

Langsam, feierlich wurde der regenbogenfarbene Vorhang zurückgezogen, gab den Blick ins Allerheiligste wieder frei.

Hervor traten Hand in Hand Amûn und Mut – König Amûn-hotep Neb-Maat-Râ und die Große Königsgemahlin Sat-Amûn.

Ein abertausendfacher Jubelschrei brach empor, rollte wie eine Woge über den Tempel, den Strom und die Stadt:

»Amûn-hotep Neb-Maat-Râ, König von Ober- und Unterägypten, Leben! Gesundheit! Wohlergehen!«

»Sat-Amûn, Große Königsgemahlin und Königin von Ober- und Unterägypten, Leben! Gesundheit! Wohlergehen!«

4. Papyrus

DER ATEM
DER
GÖTTER

König Amûn-hotep Neb-Maat-Râ
33. Regierungsjahr

Die Woche, die sich dem Heb-Sed-Fest anschloß, war ein einziger Taumel von Festen, Gelagen und Empfängen, nur von Zeit zu Zeit durch langatmige religiöse Zeremonien unterbrochen. An Schlaf war kaum zu denken, und selbst Sat-Amûns schier unerschöpfliche Energie begann mit den Tagen sichtlich zu erlahmen. Der einzige, dem dies alles nicht das mindeste auszumachen schien, war zur allgemeinen Verblüffung der König, der seit seinem Sieg über die Weiße Mauer geradezu aufblühte.

Ich hatte es mir in den vergangenen Monaten zur festen Gewohnheit gemacht, mindestens eine Nacht in der Woche in meinem Haus in Uêset zu verbringen. So luxuriös mein Quartier im Haus des Freudenfestes sein mochte, hier, in der Haushälfte, die mir mein Bruder Râ-mose hatte freiräumen müssen, war ich mein eigener Herr und nicht so leicht erreichbar für das Getöse rauschender Feste und die Anwandlungen königlicher Redseligkeit.

So war ich an diesem Abend, zehn Tage nach dem Heb-Sed, glücklich, meine Barke besteigen und den Strom Richtung Stadt überqueren zu können. Das Boot glitt durch das jetzt knisternd trockene, gelbbraune Schilf an der Einfahrt zu meinem Haus. Seit meiner ersten Ankunft hatte sich mancherlei verändert. Men, der Oberbaumeister des Königs, hatte mir seinen Sohn Bek geschickt, um die notwendigen Änderungen durchzuführen. Bek hatte mich zunächst lange mit seinen leicht vorquellenden Augen gemustert, dann seinen Kugelbauch durch die Räume geschoben und verschmitzt gezwinkert. Am nächsten Tag hatte er mit einem Trupp Maurer angefangen, Wände einzureißen und anderswo neu hochzuziehen, hier Türen zumauern und dort neue aufbrechen zu lassen. Maler und Fliesenleger, Kunstschreiner, Töpfer und Weber hatten unter des Meisters scharfem Blick für die Ausstattung gesorgt.

Ich war verblüfft, als mir Bek schließlich das Ergebnis präsentierte: Klare Linien, sparsame, harmonisch aufeinander abgestimmte Farben, die Einrichtung streng, fast karg und ohne jeden überflüssigen Schnörkel, doch jedes Stück von erlesener Qualität.

»Ihr Bruder Râ-mose verfügt noch immer über den größeren Teil des Hauses, samt der Veranda und dem Garten, während Sie sich mit dem kleineren Hausteil und der Dachterrasse zufrieden geben müssen. Allerdings«, hatte Bek grinsend angemerkt, »liegt der Teil Ihres hochedlen Bruders nach der lauten Straße und den Wirtschaftsgebäuden zu, die Pflege des Gartens ist ebenfalls seine Sache, und jeder, der von der Anlegestelle am Strom kommt, muß notgedrungen durch seinen Garten und über seine Veranda. Zum Ausgleich bleiben Sie völlig ungestört und haben vom Dach aus einen prächtigen Blick auf jenen Garten und weiter über den Strom bis zum Haus des Freudenfestes.«

Ich war zufrieden. Sehr zufrieden. Herzlich hatte ich Bek zu seinem Werk gratuliert, doch der hatte mir wieder zugezwinkert:

»Unter uns, Oberst, mein Vater, Men, oder auch der junge Bildhauer Tehuti-mose, genannt Speckstein-mose, sind mir als Handwerker eindeutig überlegen. Aber ich beherrsche dafür eine Kunst, die sie alle nicht besitzen: Ich schaue meinen Kunden in die Seele, und deshalb bekommen sie stets genau das, was sie sich in ihrem Innersten gewünscht haben.«

Auf der Veranda kamen mir Ern und Hund entgegen, um mich zu begrüßen, und am Eingang zu meiner Haushälfte nickte mir, einen Besen in der Hand, Necht freundlich zu.

Necht galt seit einer Weile als der ›Diener fürs Grobe‹ in meinem Haus, der mit einem Besen oder einer Schaufel herumschlurfte und ein unsichtbares Häuflein Schmutz von einer Ecke in die andere schob. Aufgefallen war mir der untersetzte, wortkarge Mann bereits bei meiner ersten Inspektion der Wolfsmänner im Garten Sat-Amûns, da seine einzige Waffe ein langer Stock war.

»Mir genügt das«, hatte Necht zwei Tage später auf dem Übungsplatz gebrummt, als ich ihn auf seine ›Waffe‹ ansprach, und mir dann binnen zehn Herzschlägen nicht nur das Übungsschwert mit seinem Stab aus der Hand gewirbelt, sondern mich so in den Sand des Platzes genagelt, daß ein letzter, winziger Ruck seines Stockes ausgereicht hätte, mir den Kehlkopf zu zerschmettern.

Also hatte ich Hauptmann Nun gebeten, Necht als ständigen Schutz unter dem Deckmantel eines Dieners in mein Haus in Uêset abzustellen. Bereits nach wenigen Tagen war es dem Witwer Necht offensichtlich nicht nur gelungen, das Bett, sondern auch das Herz Erns zu erobern. So fügte sich alles aufs beste.

Ich hatte soeben den Wohnraum betreten, als mit allen Zeichen der Aufregung mein Bruder Râ-mose auf mich zueilte:

»Endlich hast du es geschafft, herüber nach Uêset zu kommen, Amûn-hotep!«

Aus den Augenwinkeln sah ich, daß Necht den Besen plötzlich in beiden Händen hielt, das stumpfe Ende unauffällig der Brust meines heranstürmenden Bruders zugewandt, und Hund seine Rechte unter seinen Schurz gleiten ließ, wo, wie ich wußte, zwei scharf geschliffene Wurfmesser an seinen Oberschenkel geschnallt waren. Mit einem fast unmerklichen Schütteln des Kopfes bedeutete ich den beiden, sich zurückzuhalten.

Râ-mose hatte mich unterdessen an der Schulter gepackt und wieder in den Garten hinausgezogen, wo er mich in eine dunkle Ecke drängte und hastig auf mich einzuflüstern begann:

»Es ist alles bereit! Unauffällige Kleider, Waffen und Geld bringe ich dir gleich heraus. Du kannst dich hier umziehen. Keine Sorge wegen deiner Dienerschaft; der Knecht und der Blöde merken ohnehin nichts, und die Kuschitin wird denken, du seiest ins Haus des Freudenfestes zurückgerufen worden. Zwei meiner Taubstummen werden dich mit einem Boot nach Kobotôjeu bringen und weiter durch das Tal der Karawanen ans Rote Meer. Dort wartet ein Segler auf dich, der dich nach Punt in Sicherheit bringen wird. In Punt …«

»Was, in Setechs Namen, soll das eigentlich?« unterbrach ich meinen Bruder.

»Du mußt fort, fliehen, noch in dieser Stunde!«

»Als letzte, winzige Chance des Hôr-im-Nest, doch noch ein Kind Königin Sat-Amûns zu verhindern?« fragte ich spöttisch.

»Aber nein, nein!« wehrte Râ-mose heftig ab. »Niemand diesseits oder jenseits des Stromes, nicht einmal der Hôr-im-Nest oder Königin Teje, darf ahnen, daß ich dir bei deiner Flucht geholfen habe! Wenn das aufkommt, dann riskiere ich zumindest meine Karriere!«

»Aber weshalb denn überhaupt?«

»Weil es um dein Leben geht, du Narr!« fuhr mich Râ-mose an. »Wenn Sat-Amûn ein Kind bekommt, glaubst du, man wird dann einen Menschen am Leben lassen, der bezeugen kann, daß dieses Kind vielleicht doch nicht das des Königs ist?«

»Der König und der Sohn des Hapu …«

»… werden dich vielleicht nicht gerne töten lassen«, unterbrach mich mein Bruder heftig, »aber sie werden es tun. Werden es tun müssen! Sie haben keine andere Wahl. Und du hast nur die Wahl, sofort zu fliehen oder zu sterben!«

»Und du wärest tatsächlich bereit, für mich deine Karriere aufs Spiel zu setzen, Râ-mose?«

Mein Bruder hatte mich an den Schultern gepackt, starrte mir unverwandt in die Augen:

»Wir haben uns nie sehr nahe gestanden, Amûn-hotep, dafür sind wir wohl zu verschieden. Trotzdem bleibt: Du bist mein Bruder!«

Tief bewegt und gerührt zog ich Râ-mose an meine Brust, küßte ihn auf beide Wangen.

»So nah oder fern wir uns auch immer stehen mögen, den heutigen Abend werde ich dir nie vergessen!«

Damit wandte ich mich ab, um ins Haus zurückzukehren.

Râ-mose hielt mich am Arm fest.

»Willst du etwa bleiben?« fragte er entsetzt.

»Genau das!« bestätigte ich. »Was immer die Zukunft bringen mag, den heiligen Eid, den ich den Göttern, dem König und Sat-Amûn geschworen habe, werde ich nicht brechen.«

Das Land wartete. Die Erde am Ufer des Stromes lag aufgebrochen, alt, auf das Wunder der jährlichen Erneuerung durch die Wasser aus dem Süden hoffend, unter den glühenden Strahlen Râs.

Selbst die hereinbrechende Dunkelheit versprach keine Linderung; die flirrende Luft hatte die Vorboten von Setechs Atem gehabt.

Königin Sat-Amûn war in den knapp zwei Wochen, die seit dem Heb-Sed-Fest vergangen waren, ungewöhnlich ruhig gewesen. Um sie war etwas, das niemand bestimmen konnte. Wenn sie sich unbeobachtet glaubte, flackerte manchmal eine Spur von Angst in ihren Augen, und ihre Mundwinkel zitterten, als habe sie ekliges Getier gesehen. Doch dann war sie wieder sie selbst, war die Große Königsgemahlin, die ihre Freiheit den Pflichten Ägyptens gegenüber geopfert hatte.

Ich fand sie am Wasserbecken in der Nähe der Veranda. Bis auf einen zarten, goldenen Haarreif, ein paar Ringe und einen schmalen, juwelenbesetzten Gürtel war sie nackt. Zwischen ihren Brüsten hing an einer dünnen Kette golden das heilige Anch, das Kreuz der Weltachsen mit dem Ring der Unendlichkeit darüber – das Zeichen des ewigen Lebens.

Sie sprach mich nicht an. Ihre Augen, ihre Haltung ließen mich in einiger Entfernung verharren.

Sie tauchte ihre Hände ins Wasser, formte eine Schale und hob in einer beinahe flehenden Geste ihre Arme zum Hals. Langsam, sorgsam ließ sie die Flüssigkeit aus ihren Händen über ihren Hals rinnen.

Ihre Arme sanken herab.

Das Wasser rieselte über ihren Hals, fand seinen Weg zwischen ihren Brüsten, schlängelte sich in einem feinen Rinnsal zu ihrem Bauchnabel und sammelte sich dort in einem großen, glitzernden Tropfen.

Gebannt hatte ich den Weg des Leben spendenden Wassers verfolgt.

Der Tropfen wurde größer, wollte wieder zum Rinnsal werden, als uns die Böe des heißen Wüstenwindes erreichte, die schimmernde Perle auf Sat-Amûns Bauch traf und sie zerstieben ließ.

»Setechs Atem wirbelt den Sand der Dünen
Hoch bis zum Himmel.
Der Sonne verleiht er das Aussehen des Mondes.
Feuer und Leidenschaft sind der Atem Setechs«,

zitierte Sat-Amûn eine Strophe aus einem uralten Lied.

Langsam schritt sie auf mich zu, blieb dicht vor mir stehen, blickte mich mit ihren funkelnden Selket-Augen an, als uns ein warmer, feuchter Windstoß von Süden, vom Strom herauf, berührte.

»Doch dann reinigt Hôrs Atem die Luft
Vom hochgewirbelten Sand.

Der Himmel wölbt sich über der Erde klar wie Kristall.
Der Mond glänzt so stark wie die Sonne.
Klarheit, Weisheit und Fruchtbarkeit sind der Atem Hôrs«,

sprach ich leise die zweite Strophe des Liedes.
Sat-Amûns Hand fand die meine.
Gemeinsam betraten wir das Haus.
Wir standen so dicht zusammen, daß ihr Atem mein Gesicht
streifte. Fast behutsam legte Sat-Amûn meine Hände auf ihre Brüste, löste mit einem schnellen Griff meinen Schwertgürtel und
schob meinen Schurz herunter.

Unverwandt mit großen Augen meinen Blick festhaltend, ließ
sie sich zu Boden gleiten, zog mich über sich, während sie ihre
Schenkel öffnete. Ein leiser, kehliger Seufzer entrang sich ihr, als
ich in sie eindrang. Mit Armen und Beinen meinen Körper um-
klammernd, während sich ihre Fingernägel tief in das Fleisch
meiner Schultern und meines Rückens gruben, trieb sie uns
einem schnellen, heftigen Höhepunkt entgegen.

»Hapi kommt!«
Der helle Ruf vom Fluß herauf weckte mich aus meinem ent-
spannten Halbschlaf.

Es war inzwischen Nacht geworden, und den Raum erhellten
nur die Lichter aus den königlichen Gärten nebenan und das
Glimmen der Holzkohle in einer kleinen Räucherschale vor der
Götternische. Wir lagen noch immer auf dem Boden, Sat-Amûn
dicht an mich geschmiegt, den Kopf auf meine Schulter gebettet.

»Hapi kommt!« Der Fluß hatte zu steigen begonnen, würde
in wenigen Tagen mit seinen Wassern und dem mitgeführten
fruchtbaren Schlamm die Äcker Ägyptens überschwemmen und
segnen.

Auch Sat-Amûn hob nun den Kopf, richtete sich halb auf:
»Hapi kommt«, wiederholte sie leise. »Fruchtbarkeit für das
Land und Segen für ganz Ägypten!«

Mit einer schnellen, gleitenden Bewegung war Sat-Amûn auf

den Beinen, trat vor die Götternische, in der, von roten Lilien umgeben, wie an ihrem Hals ein goldenes Anch glänzte. Sie warf eine Handvoll Räucherwerk auf die Glut, das süß duftend zu verbrennen begann.

Während ich dem aufsteigenden Weihrauch zusah, war Sat-Amûn einen Schritt zur Seite getreten, schlüpfte in ein langes, weißes Gewand und zog sich eine kostbare Perücke über den Kopf.

Auf meinen fragenden, leicht verwirrten Blick hin sank sie nochmals neben mir auf die Knie:

»Der König wartet«, flüsterte sie mir zu.

Dann schlang sie plötzlich die Arme um mich. Ihre geöffneten Lippen preßten sich auf meinen Mund, und während sich unsere Zungen leidenschaftlich umspielten, lief es wie ein Beben durch ihren Körper.

Im nächsten Augenblick riß sich Sat-Amûn los. In ihren Augen lag etwas wie Erschrecken, ja, Angst. Dann war sie auf den Füßen, und einen Moment darauf war sie verschwunden.

Vom Fluß herauf schallten die Jubelrufe:

»Hapi kommt! Hapi kommt! Segen für Ägypten! Fruchtbarkeit und Segen!«

Die goldbeschlagene Staatsbarke des Königs lag, von leichten Riemenschlägen am Ort gehalten, mitten im anschwellenden Fluß. Die großen Tempelbarken mit den Priesterschaften an Bord und darum die zahllosen Boote mit den neugierigen Zuschauern aus Uêset umringten das Staatsschiff, alle geschmückt mit Bändern und Blumen. Weihrauch wirbelte in den dunkelblauen Sommerhimmel.

Königin Sat-Amûn in vollem Ornat, die Geierhaube mit den hohen, goldenen Federn der Großen Königsgemahlin auf dem Haupt, erhob sich von ihrem Thron in der Mitte der Staatsbarke, trat auf die kleine Plattform am Bug des Schiffes.

Betend hob sie ihre Hände zum Himmel.

Ein reiches Blumengesteck aus blauem Rittersporn, der Blume der Unvergänglichkeit, und roten Lilien wurde ihr gereicht.

Sat-Amûn hob die Blütenpracht hoch über ihr Haupt, warf sie in den Fluß und rief:

»Hapi, segne die Fluren Ägyptens und mache sie fruchtbar, wie Du mich gesegnet und fruchtbar gemacht hast mit dem Kind des Königs, des Herrn von Ober- und Unterägypten!«

Ein tausendfältiger Jubel brach bei diesen Worten los, während Sat-Amûns Blumen in einem Meer von Blüten, die nun von allen Booten ins Wasser geworfen wurden, langsam den Strom hinabtrieben.

5. Papyrus

DER WAHRE
HÔR-IM-NEST

König Amûn-hotep Neb-Maat-Râ
33. bis 34. Regierungsjahr

»Das ist ungerecht!« fuhr Sat-Amûn den vor ihr auf dem Boden
knienden Landwirtschaftsminister Cha-em-hêt grob an.

Der zwergenwüchsige – er reichte mir eben bis zum Gürtel –,
jedoch schlanke und wohlproportionierte Cha-em-hêt, den man
durchaus zu Recht den ›elegantesten Mann in Uêset‹ nannte,
warf sich mit ausgestreckten Armen nieder und berührte mit der
Stirn den Boden:

»Majestät, vergebt Eurem törichten und unwürdigen Diener ...«

»Richten Sie sich auf und reden Sie keinen Unsinn!« blaffte

Sat-Amûn den Vorsteher aller Scheunen des Herrn der Beiden Länder an. »Sie sind weder dumm noch unwürdig. Sie haben nur übersehen, daß es eine Ungerechtigkeit ist, wenn die Gaue nördlich der Mündung des Großen Kanals die gleichen Steuern zahlen wie diejenigen südlich dieser Stadt.«

»Die Steuergesetze wurden von König Meneji Hôr-Aha bei der ersten Vereinigung des Reiches geschaffen und …«

»Und sind damit reichlich über zweitausend Jahre alt«, unterbrach ihn die Königin ungeduldig.

»Kein König hat bislang an der Richtigkeit dieser Gesetze gezweifelt«, gab Cha-em-hêt zu bedenken.

Doch Sat-Amûn wischte den Einwand ärgerlich weg:

»Ist ehrwürdiges Alter allein denn schon ein Garant für dauerhafte Richtigkeit? Oder ist es einfach ein gutes Argument für die Denkfaulheit von Beamten?«

Ehe sich Cha-em-hêt erneut entschuldigen konnte, fuhr sie fort: »Damals, zur Zeit König Meneji Hôr-Ahas, war ganz Ägypten ausschließlich abhängig von der alljährlichen Überschwemmung des Stromes. Die Bedingungen für die Bauern im südlichsten Gau ›Bogenland‹ waren die gleichen wie im nördlichsten Gau ›Östliche Harpune‹. Doch seit König Se-en-Userhet Cha-Kau-Râ Usîre zur Zeit des Mittleren Reiches den großen Kanal bauen ließ und damit die Gaue nördlich der Stadt Kuset, wo der Kanal in den Strom mündet, das ganze Jahr über genügend Wasser zur Verfügung haben, können die Bauern dort zwei Ernten jährlich einbringen. In den südlichen Gauen hat sich dagegen seit der Zeit Menejis nichts geändert, und die Trockenheit im Sommer gestattet hier noch immer nur eine einzige Ernte. Trotzdem zahlen die Bauern in Nubôt und Onet die gleichen Steuern wie jene in Per-Sopdu oder Zeb-nûter.«

»Das ist wahr, richtig und – wie ich zugeben muß – nicht wahrhaft gerecht«, pflichtete der kleine Landwirtschaftsminister ihr bei.

»Wir sind gewillt, dies zu ändern!« verkündete Sat-Amûn. »Wir halten Traditionen durchaus in Ehren, aber meine – *Unsere* – Regentschaft soll auch eine Regentschaft der Gerechtigkeit sein! Setzen Sie also die Gehirne Ihrer Beamten in Bewegung, Cha-em-hêt! Spätestens Ende des nächsten Monats will ich einen vernünftigen Vorschlag für ein neues Steuersystem auf dem Tisch liegen haben.«

»Ihr befehlt, Majestät, ich gehorche.« Der Vorsteher aller Scheunen des Herrn der Beiden Länder verneigte sich tief.

Mereru-Ka, der Außenminister, Stimme des Herrschers in allen fremden Ländern, sank vor der Prunkliege der Königin ehrfurchtsvoll auf die Knie.

Sat-Amûn zog aus den Papieren, die einen Tisch neben ihrer Liege bedeckten, ein Blatt hervor:

»Weshalb zahlen wir Kadaschman Enlil, dem goldgierigen König von Babylon, Tribute?«

Mereru-Ka, der Chefdiplomat, verneigte sich erneut sehr tief:

»Dies sind keinesfalls Tribute, Majestät. Dies sind Geschenke für einen Freund Ägyptens, der ...«

»›Geschenke‹ für einen ›Freund Ägyptens‹!« äffte ihn Sat-Amûn nach. »›Geschenke‹, die der gierige Babylonier in diesem Wisch recht selbstherrlich einfordert!«

Die Königin wedelte dabei ärgerlich mit dem Schreiben, das sie vom Tisch genommen hatte, dem Außenminister vor dem Gesicht herum.

»Majestät mögen bedenken, daß eine gute Freundschaft zwischen unseren Völkern ...«, setzte Mereru-Ka zu einer längeren Erklärung an, doch Sat-Amûn schnitt ihm kurzerhand das Wort ab:

»Auf Freunde, die wir kaufen und bezahlen müssen, können wir verzichten! Ägypten zahlt keine Tribute! An niemanden! Machen Sie das dem Babylonier klar – und allen anderen ›Freunden‹, die demnächst irgendwelche ›Geschenke‹ anfordern möchten, gleich dazu!«

So ging das Tag für Tag.

Sat-Amûn, die Reizbare, die Launische, die oft Flatterhafte, arbeitete verbissen.

Ganz besonders an sich selber!

Halbe Nächte saß sie beim Schein der Öllampen wach, studierte die Berichte der Gesandten und Ministerien, las Gerichtsprotokolle, arbeitete sich zähneknirschend durch die Abrechnungen der Steuerbehörden und versah die Schriftstücke mit Anmerkungen und Hinweisen. Vom Morgengrauen bis tief in die Nacht hatte ein gutes Dutzend Schreiber und Beamte in ihrem Vorzimmer zu hocken, um sofort, wenn ihr ein Schreiben, eine Abrechnung, eine Aufstellung, ein Urteil unklar war, mit Erklärungen und Erläuterungen zur Verfügung zu stehen oder das Diktat ihrer Befehle und Anweisungen aufzunehmen.

Und immer wieder stürmte sie mit langen Schritten und wehenden Schleiern in die Arbeitsräume des greisen Sohnes des Hapu, suchte Rat und Hilfe, besprach, wie sie sich am besten gegenüber den freiheitsliebenden Schôs verhalten solle; wie sie gerecht das Urteil des Oberrichters von Sarîrija beurteilen müsse; wie sie ein Angebot der achaischen Handelsniederlassung in Behdet beantworten könne; wie hoch das jährliche Geschenk an den Tempel der Ta-ûret, der Beschützerin der Schwangeren, in Permezed ausfallen dürfe.

»Ich muß eine gute Königin und Regentin werden!« Den Satz hörte ich gewiß drei dutzendmal am Tag.

»Diesmal nicht!« fauchte Sat-Amûn und schlug mit ihrer kleinen Faust auf den Tisch. »Ich bereue es immer noch, daß ich mich von dem Geheul seiner Frauen und Kinder habe erweichen, von dir und dem Alten Pavian habe beschwatzen lassen, diesen korrupten Fürsten des Gaues ›Erlesener Fisch‹ nur in Verbannung ins tiefste Kusch zu schicken, statt ihm den Kopf vor die Füße zu legen.«

»Gnade walten zu lassen ist das Vorrecht der Könige«, ermahnte ich Sat-Amûn.

»Und den ob des milden Urteils tief Beleidigten zu spielen ist offenbar das Vorrecht solch edelgeborener Herren!« ärgerte sich die Königin. »Nein, diesen Richter aus Tu-kou, der versucht hat, eine Witwe um ihr Erbe zu prellen – wie hieß er doch gleich …?«

Sat-Amûn wühlte kurz in den Papyri und Tontafeln, die ihren Arbeitstisch übersäten, zog schließlich ein Schreiben hervor:

»… Bakt. Bakt heißt das Schwein. Ihn werden weder seine Weiber noch seine Bälger retten – und wenn sie dreimal auf dem Bauch um das Haus des Freudenfestes rutschen –, ebenso wenig wie die Appelle von dir oder dem Alten Pavian! – *Schreiber!*«

Einer der Schreiber, die im Vorzimmer ausharrten, hastete herein, breitete einen frischen Papyrus vor sich aus, tauchte erwartungsvoll sein Schreibrohr in die Tinte.

»Der Richter Bakt, Sohn des Sowieso – das steht alles in diesem Papyrus«, Sat-Amûn warf dem Schreiber das Dokument zu –, »der versucht hat, eine arme Witwe um ihr bißchen Erbe zu betrügen, wird zunächst all seiner Ämter entkleidet. Sodann ergeht das königliche Urteil: Der ehemalige Richter Bakt wird auf dem öffentlichen Markt durchgeprügelt – ich meine damit wirklich *geprügelt*, nicht nur zwei oder drei höfliche, vorsichtige Stockschläge! Anschließend ist er als Zwangsarbeiter in die königlichen Goldminen zu schicken.«

»Für wie lange?« fragte der Schreiber vorsichtig.

»Bis er verreckt«, fauchte Sat-Amûn.

»Also lebenslänglich«, stellte der Schreiber fest und vermerkte das Urteil auf seinem Papyrus.

Die alljährliche Überschwemmung hatte jetzt, Ende ihres dritten Monats, den Höhepunkt längst überschritten. Die Wasser kehrten in das Flußbett zurück und gaben die schwere, schlammige, schwarze Erde der Äcker wieder frei. Auf den höher gelegenen Feldern gingen die Bauern daran, die durchweichten Schollen für die Aussaat umzubrechen, die etwa in einem Monat beginnen würde. Die königlichen Gärten waren ein einziges überschäumendes Meer aus Grün und tausend Farben, und die Kronen der Granatapfelbäume waren so dicht mit leuchtendroten Blüten übersät, daß die Allee entlang des Kanals zum Haus des Freudenfestes in Flammen zu stehen schien.

Man hatte den königlichen Thron vor den Toren des Hauses des Freudenfestes an der Anlegestelle des Palasthafens aufgebaut. Amûn-hotep Neb-Maat-Râ hockte mit geschlossenen Augen in vollem Ornat auf seinem Sitz und litt sichtlich.

Auch die prächtigen Gewänder Sat-Amûns neben ihm zeigten nasse Flecken an Brust, Rücken und Schenkeln, und ein feines Schweißrinnsal rieselte unter der Krone mit den Doppelfedern über ihr Gesicht und begann die kunstvolle Schminke zu zerstören.

Wir alle, die Palastdiener, die Beamten, die Höflinge, die Priester und Priesterinnen des Amûn- und des Mut-Tempels, die sich unter einem eigenen Sonnendach versammelt hatten, die Gardisten, die Damen des Harems, fühlten uns unwohl, verschwitzt und klebrig. Die unbarmherzige Sommersonne brannte noch immer auf uns nieder. Doch während es vor drei Monaten wenigstens eine trockene und dadurch einigermaßen erträgliche Hitze gewesen war, stieg nun von den durchnäßten Feldern ein schwerer Dampfbrodem auf, der uns wie nasse Tücher einhüllte, jedes Atemholen zum bewußten Willensakt machte. Doch selbst dies war noch nicht das Schlimmste. Die zurückweichenden Wasser hatten Milliarden von Fliegen und Mücken ausgebrütet, die uns nun sirrend, summend und pfeifend in ganzen Wolken umschwärmten, gnadenlos über Menschen und Tiere herfielen.

Gereizt beobachteten wir den langsamen, feierlichen Riemenschlag des großen Staatsschiffes *Stern von Ägypten*, das, gefolgt von sechs kleineren Schiffen, auf dem Kanal zum Palast heraufzog.

Langgezogene Fanfarenstöße, das Rattern der Trommeln und das Rasseln der Sistren begrüßten das Schiff, als es endlich in den Palasthafen einlief und vertäut wurde. Palastdiener verbanden eilig mit einer breiten Rampe sein Deck mit dem Ufer.

Dann wurden die Vorhänge der Deckskajüte zurückgeschlagen.

»Ihre Hoheit, Prinzessin Taduchepa, Tochter des Tuschratta, König von Mitanni, erhabene Braut Seiner Majestät des Königs Amûn-hotep Neb-Maat-Râ, Herr der Beiden Länder und der Beiden Kronen, geliebt von Amûn und Hôr, Starker Stier!« verkündete ein Herold.

Wie eine steife Puppe trippelte die Prinzessin aus der Kajüte, blieb einen Augenblick stehen, bis Frauen aus ihrem Gefolge einen Baldachin aus weißem Stoff, bekrönt mit dem grinsenden Kopf irgendeines barbarischen Gottes, über ihr Haupt hielten. Ihr kleines, weißes Gesicht mit den großen, ängstlichen Augen war von Schweiß überströmt, und die sich auflösende Schminke zeichnete seltsame Muster auf ihre Wangen und ihren Hals.

Die sechs Begleitschiffe hatten unterdessen ebenfalls angelegt und spien eine schnatternde, bunt gekleidete Schar von Frauen an Land, das Gefolge der kleinen Prinzessin, die nun Tücher über die Rampe und die Steinplatten der Anlegestelle bis zum Thron des Königs ausbreiteten, damit der Fuß Taduchepas nicht den Staub des Bodens berühren sollte.

Mit steifen Schrittchen kam, gestützt von zwei ihrer Hofdamen, die Prinzessin die Rampe herunter, tippelte bis vor den Thron, kniete, von dem starren, in vielen grellbunten Farben gehaltenen und mit goldenen Fransen besetzten Rock offensichtlich behindert, langsam nieder, neigte den Kopf und küßte den Fuß ihres zukünftigen Gemahls.

Amûn-hotep Neb-Maat-Râ hatte nicht einmal geblinzelt, um einen Blick auf seine neueste Nebenfrau zu werfen. Er hockte zusammengesunken auf seinem Thron und schien zu schlafen.

Dafür war Sat-Amûn aufgestanden, beugte sich nun zu der kleinen Prinzessin hinab, hob sie auf, umarmte und küßte sie.

»Willkommen in Ägypten und im Haus des Freudenfestes, kleine Schwester. Die Götter mögen dich segnen und dir viele glückliche Jahre in deiner neuen Heimat schenken! Mögest du lange leben und deinen Gemahl mit einer großen Schar an Kindern beglücken!«

Das ängstliche, kleine, buntverschmierte Gesicht unter dem prachtvollen goldenen Kopfputz, dessen lange Quasten bis auf ihre Schultern herabhingen, entspannte sich ein wenig bei diesem freundlichen Empfang durch die Große Königsgemahlin. Mit leiser Stimme und fast unverständlichem Akzent sagte Taduchepa ihre auswendig gelernte Begrüßung auf:

»Mein Vater Tuschratta sendet Euch herzliche Grüße, mein Herr und Gemahl. Er gibt mich vertrauensvoll in Eure erhabenen Hände. Er schickt Euch auch ein wundertätiges Bild der Göttin Ischtar, denn er ist bekümmert zu hören, daß es mit Eurer Gesundheit nicht zum besten steht. Ischtar freut sich, wieder das Land, das sie liebt, zu besuchen.«

Auf einen Wink der Prinzessin trat ein lockenbärtiger Priester vor, enthüllte eine kleine goldene Statuette und überreichte sie Taduchepa, die sie dem König in die Hände legte.

Amûn-hotep Neb-Maat-Râ hatte bei der Nennung Ischtars erstmalig die Augen halb geöffnet. Einen Herzschlag lang hielt er die kleine, goldene Figur in den Händen, dann winkte er Prinz Ptah-hotep, den arroganten Fürstpriester des Amûn, heran:

»Stellen Sie die Göttin in den Schrein neben meinem Schlafgemach und sorgen Sie dafür, daß man ihr Speisen, Wein und Weihrauch bringt.«

Schwerfällig erhob sich der König, stieg die Stufen seines Thrones herab und watschelte, ohne einen weiteren Blick auf seine neue Gattin zu verschwenden, dem Palasttor zu, offensichtlich nur noch daran interessiert, endlich der feuchten Hitze hier im Freien in die schattigen und kühleren Räume des Palastes entkommen zu können.

»Komm, kleine Schwester«, forderte Sat-Amûn Taduchepa freundlich auf und legte ihr den Arm um die schmale Schulter, während sie ebenfalls dem Palasttor zuschritt. »Ich habe für dich die prächtigste Hochzeitsfeier vorbereiten lassen, die das Haus des Freudenfestes seit mindestens zehn Jahren erlebt hat.«

Das Fest war wahrlich prachtvoll mit Tänzern und Sängern, Akrobaten, Stockfechtern, Tierbändigern, Strömen an Wein und Gebirgen an Kuchen und Naschwerk.

»Das arme, kleine Ding«, raunte mir Sat-Amûn zu, »soll wenigstens *einen* glanzvollen Tag in seinem Leben haben – mehr als diesen einen wird es als eine der ungezählten Frauen im Harem des Starken Stiers für sie kaum geben.«

»Ich hasse, hasse, *hasse* diese Art von Leben!«

Sat-Amûn trommelte wütend mit ihren kleinen Fäusten gegen die Wand.

»Ich schufte Tag und Nacht wie die niedrigste Sklavin! Ich bemühe mich, für die Bauern die Steuern zu senken – und die blöken mir die Ohren voll, ich solle doch auf die Steuern ganz verzichten. Ich versuche jedem im Land während der Monate der Dürre und der Überschwemmung Arbeit bei staatlichen Bauten und Tempeln zu verschaffen – und bekomme vorgeheult, daß die Arbeit zu schwer, zu staubig und überhaupt zu unbequem sei. Ich schließe mit ausländischen Delegationen günstige Handelsverträge ab – und das Händlergelichter jammert mir vor, die Transportwege seien so weit, daß ihnen ja kaum ein Gewinn übrigbleibe, so ich nicht auf jegliche Abgaben aus diesen Geschäften verzichte. Ich lasse zwei der miesesten Viertel von Uêset abreißen und auf Staatskosten neu aufbauen – und die Bewohner kreischen, sie wären lieber in ihren alten Stinkhöhlen geblieben, und außerdem solle ich ihnen gefälligst auch noch einen Tempel hinbauen, damit sie zum Gottesdienst nicht so weit laufen müssen!«

»Euer Stärkungstee, Majestät.«

Mit einer leichten Verneigung hielt Sel der Tobenden die Schale entgegen.

»Ich trinke keinen Stärkungstee!« kreischte Sat-Amûn, riß der Dienerin die Schale aus der Hand und schleuderte sie durch die offene Terrassentür hinaus in den Garten. Bebend vor Zorn packte sie eine Vase, die auf einem der Tische stand, hob sie hoch und schmetterte sie zu Boden.

Die anwesenden Dienerinnen und Schreiber zogen furchtsam die Köpfe ein.

Sat-Amûns funkelnder Blick zuckte durch den Raum auf der Suche nach dem nächsten Gegenstand, den sie zertrümmern konnte – und blieb an der Peitsche hängen, die wie stets an meinem linken Handgelenk baumelte.

Sat-Amûn erstarrte, ihre Hände krampften sich zu Fäusten zusammen, so daß die Knöchel weiß hervortraten. Sie preßte die Lippen zusammen, schloß die Augen. Langsam beruhigte sich ihr stoßweise keuchender Atem, das Beben ihres Leibes wurde schwächer, hörte ganz auf, und ihre Hände und Lippen entkrampften sich.

Schließlich schlug sie die Augen wieder auf.

»Verzeiht mir«, flüsterte sie leise. »Und kehrt die Scherben weg – bitte.«

»Ich werde Euch einen neuen Tee holen, Majestät«, sagte Sel freundlich.

»Danke, und …«, Sat-Amûn hielt die Dienerin einen Augenblick fest, streifte einen ihrer kostbaren Ringe vom Finger und drückte ihn Sel in die Hand, »und sei mir nicht böse!«

»Niemand ist Euch böse, Majestät! Wir alle wissen, wie sehr Ihr Euch bemüht, wie schwer das alles für Euch ist und daß Ihr trotzdem immer wieder einmal Undank für Eure guten Bemühungen erntet.«

»So viel Undank, daß ich mich kaum noch aus dem Palast wage«, bestätigte Sat-Amûn traurig.

»Genau das solltet Ihr aber tun!« widersprach Sel. »Fahrt hinüber nach Uêset und laßt Euch durch die Straßen der Stadt tragen. Ihr werdet erleben, daß die große Mehrheit des Volkes sehr wohl zu würdigen weiß, was Ihr für sie leistet. Im Augenblick fürchten die Menschen zwar wohl vor allem noch Eure Strenge. Aber diese Furcht beginnt mehr und mehr echter Zuneigung und Liebe Platz zu machen!«

Sat-Amûn starrte die Dienerin verblüfft an:

»Ist das wirklich wahr?«

»Macht die Probe, Majestät«, lächelte Sel freundlich. »Und jetzt hole ich Euren Tee.«

Die Auseinandersetzung mit Cha-em-hêt um die Steuern führte etliche Wochen später zu einer bemerkenswerten Zusammenkunft.

Das Bild selbst war inzwischen vertraut: König Amûn-hotep Neb-Maat-Râ lag, wie meist, in ein langes Gewand gehüllt, ohne Schminke und Perücke auf seiner Prunkliege, und vor ihm stand auf einem Tischchen das Modell eines seiner zahllosen Bauvorhaben. Neben ihm saß Königin Sat-Amûn.

Das Modell, auf das sich die diesmal ungeteilte Aufmerksamkeit aller Anwesenden richtete, war freilich nicht das eines Tempels oder Palastes, sondern das einer Landschaft mit einem Stück des Großen Stromes.

Fast noch verblüffender war die Versammlung, die Sat-Amûn heute zusammengerufen hatte:

Neben dem Ersten Baumeister Seiner Majestät, Men, kauerten der greise Sohn des Hapu, der mir beim Eintreten freundlich zugenickt hatte, und ein Priester, dessen Kinn dringend einer Rasur bedurft hätte und der mich aus kurzsichtig zusammengekniffenen Augen musterte. »Satet-hotep, Erzpriester des Dreimal-heiligen Tehuti aus Chemenu«, war er mir vorgestellt worden, »derzeit der bedeutendste Mathematiker des Reiches.«

Auf der anderen Seite des Tisches hatten sich vier der höchsten Beamten versammelt. Auf bequemen Stühlen saßen Huja, der Vizekönig von Wawat, ein schwerknochiger, kantiger Mann mit wuchtigem Unterkiefer und harten Augen, sowie sein fast genaues äußerliches Gegenstück, Maja, der erstaunlich junge, dickliche, stets heiter wirkende Generalgouverneur von Oberägypten. Vor ihnen hockte auf dem Boden, die Beine untergeschlagen, sein Schreibzeug auf dem Schoß, der fast siebzigjährige Apy, Privatschreiber des Königs, Weiser unter den Weisen. Hinter ihnen, halb verdeckt, stand Mahû, der Präfekt der Madjai, der Wüstenpolizei, geschätzt wegen seiner unbedingten Zuverlässigkeit, berüchtigt wegen seiner unnötigen Brutalität.

Eine dritte Gruppe, die vor dem Modell, unmittelbar dem König und Sat-Amûn gegenüber, Platz genommen hatte, wurde angeführt von dem eleganten, zwergenhaften Landwirtschaftsminister Cha-em-hêt, Vorsteher aller Scheunen Seiner Majestät. Neben ihm saßen mein Vater Neby und der Generalintendant aller Handwerker von Ober- und Unterägypten, Paren-nefer, dessen aufgedunsenes Gesicht und die reichlich mit roten Äderchen durchzogene Knollennase seine Liebe zum Wein unübersehbar signalisierten.

Ein wenig von den übrigen abgesondert vervollständigte

Prinz Nacht-Min, der mich mit zusammengekniffenem Mund unter gerunzelten Brauen aus seinen schwarzen Augen düster anstarrte, die Runde.

»Das Modell«, erklärte der Sohn des Hapu, »haben Baumeister Men und Erzpriester Satet-hotep an Ort und Stelle angefertigt.«

»Es ist der Strom-Durchbruch am ersten Katarakt«, fuhr Men eifrig fort. »Hier im Norden liegen Swêne und Abu, und hier, unmittelbar südlich des Durchbruchs, die Insel Ilak.«

»Durch das Sand- und Kalksteingebirge im Süden«, führte der Tehuti-Priester weiter aus, »konnte sich der Strom leicht sein Bett graben. Hier aber, zwischen Abu und Ilak, behindert ihn eine Barriere aus hartem Granit und zwingt ihn, in einer engen Rille über tiefe Stufen, Klippen und Riffe hinwegzustürzen.«

»Sie waren Lehrer an der Militärakademie in Men-nôfer, Oberst Amûn-hotep«, mischte sich der Generalgouverneur von Oberägypten ein. »Kann man den Strom-Durchbruch gegen jedermann so abriegeln, daß kein Heer und keine Wüstenmaus unerlaubt in das Gebiet eindringen kann?«

Ich betrachtete das Modell, dann nickte ich:

»Ja, das ist möglich. Ein Festungsgürtel mit entsprechenden Vorwerken und Außenposten, Schiffe auf dem unteren und oberen Teil des Stromes, 600 bis 1000 Mann.«

»Wen würdest du als Befehlshaber dieser Truppen vorschlagen?« fragte Sat-Amûn. »Du kennst sie doch alle, die jungen, ehrgeizigen Offiziere in Men-nôfer.«

»Hauptmann Heri-tjerut«, antwortete ich, ohne zu zögern.

»Den Kuschiten?« schrie Mahû, der Madjai-Präfekt, entsetzt.

»Hauptmann Heri-tjerut ist dem König unverbrüchlich treu ergeben«, erklärte ich ruhig. »Wenn es aber Schwierigkeiten mit den Einheimischen geben sollte, so wird er manches durch Verhandlungen besser regeln können als durch das Schwert, da er einer der ihren ist.«

»Das sind doch belanglose Nebenthemen!« fuhr Cha-em-hêt, der Landwirtschaftsminister, dazwischen. »Die Frage, um die es wirklich geht, ist doch die: Ägypten lebt nicht nur von den Wassern des Stromes, es lebt auch von dem fruchtbaren Schlamm, den diese Wasser bei der Überschwemmung auf unseren Feldern ablagern. Wenn aber dieser Schlamm bereits oberhalb von Ilak auf den Grund des Flusses sinkt und dort liegenbleibt, dann schaden wir unserem Land weit mehr, als wir ihm mit dem Wasser nützen können!«

Der Tehuti-Erzpriester schüttelte ärgerlich den Kopf:

»Ich habe doch dargelegt, daß die Tore in den ersten sechs Wochen der Überschwemmung offenstehen würden. Damit kann auch der Schlamm unbehindert durch die Sperre fließen.«

Ehe Cha-em-hêt zu einer heftigen Antwort ansetzen konnte, mischte sich mein Vater Neby ins Gespräch. Er holte weit aus, um den Gemütern Zeit zum Abkühlen geben:

»Schon unter Königin Hat-Schepsut gab es Überlegungen, den Strom an den Stromschnellen von Ilak aufzustauen. Jedes Kind in Ägypten kennt den Spruch zu den Höhen der Überschwemmung: ›13 Ellen Hunger, 14 Ellen Genüge, 15 Ellen Zufriedenheit, 16 Ellen Glück, 17 Ellen Überfluß, 18 Ellen Gefahr, 19 Ellen Zerstörung‹. Ein Zuviel an Hapi kann ebenso katastrophal sein wie ein Zuwenig an Hapi. Dann ließ König Se-en-Userhet Cha-Kau-Râ den großen Kanal bauen und die überschüssigen Wassermassen während der Überschwemmung in das Aa-nub leiten, so daß sie in Unterägypten keinen Schaden mehr anrichten konnten. Wenn man am Ende der Überschwemmung die Schleusentore des Aa-nub schloß und das Wasser nach und nach in den Monaten der Trockenheit zurück durch den großen Kanal dem Strom zuführte, so war auch die Gefahr eines Zuwenig an Hapi für die nördlichen Gaue gebannt. Seit der Großtat Se-en-Userhets kennt zumindest die Hälfte unseres Landes nur noch in einem ›Jahr der Sandbänke‹ das Schreckgespenst des Hungers. Der Damm bei Ilak könnte ähnliches auch für Oberägypten bewirken.«

Huja, der Vizekönig von Wawat, stieß ein ärgerliches Knurren aus:

»Glauben Sie, die Einheimischen werden sich von einem Hauptmann mit tausend Soldaten beschwatzen oder gar mit Gewalt aus ihren Dörfern und von ihren Äckern vertreiben lassen?«

»An den Ufern des aufgestauten Sees werden fruchtbarere

Äcker entstehen, als sie heute irgendwo dort zu finden sind«, widersprach mein Vater Neby geduldig.

»Und sie werden auch ruhig zusehen«, höhnte Huja, »wenn wir die Heiligtümer der Pfeilschützin Satet auf Abu und der Anûket auf Sehêl überschwemmen! Oder vielleicht auf Ilak den Tempel der Löwin Tefênet unter Wasser setzen – samt den ausschweifenden, lärmenden Festen, die zum Höhepunkt im Festjahr der Wawatiten und Kuschiten gehören!«

»Das sind doch Lappalien«, mischte sich Paren-nefer, der Generalintendant der Handwerker, ins Gespräch. »Wenn ägyptische Handwerker die benötigten Schleusentore erbauen können, wie ich Ihnen versicherte, dann können sie erst recht diese Tempel durch entsprechende Mauern schützen.«

Cha-em-hêt hielt es nicht mehr auf seinem Stuhl:

»Ihr redet wie Kinder und Narren!« platzte der kleine Landwirtschaftsminister heftig gestikulierend dazwischen. »Machbar, durchführbar, herstellbar! Natürlich können der Damm und die Schleusentore und auch die Mauern um die Tempel gebaut und hergestellt werden, wie Erzpriester Satet-hotep, Baumeister Men und Generalintendant Paren-nefer dargelegt haben! Selbstverständlich kann man die nötigen Bauarbeiter beschaffen, organisieren, verpflegen und beaufsichtigen, wie Präfekt Mahû glaubhaft machte. Gewiß kann man die Einheimischen beschwatzen oder mit Gewalt umsiedeln, wie Oberst Amûn-hotep sagte. Alles ist möglich, wenn man nur die nötige Menge an Männern, Wissen und Geld zur Verfügung hat. Aber die Frage, die ich gestellt habe, die hat mir bislang keiner wirklich beantwortet – auch Sie nicht, verehrter Freund Neby: Wird dieser Damm Fluch oder Segen für Ägypten sein? Vielleicht verdoppeln wir auf kurze Zeit sogar die Ernte durch das Wasser – aber laugen auf lange Frist die Böden bis zur Unfruchtbarkeit aus! Muß denn immer alles getan werden eben nur, weil es getan werden kann?«

Schwer atmend starrte uns Cha-em-hêt herausfordernd an.

Ehe sich ein anderer dem aufgebrachten Landwirtschaftsminister entgegenstellen konnte, hob Königin Sat-Amûn beschwichtigend die Hand:

»Ehe König Djoser Netscheri-Chet die erste Pyramide baute,

ehe König Se-en-Userhet den großen Kanal ausheben ließ und das Aa-nub mit Schleusentoren versah, lagen zweifellos viele Jahre des Planens und Bedenkens hinter ihnen. Großtaten wie dieser Damm bedürfen gründlicher Vorarbeit, und es braucht Zeit, um alles, aber auch wirklich alles zu durchdenken.«

»Gut gesprochen!« ergriff König Amûn-hotep Neb-Maat-Râ zum erstenmal an diesem Nachmittag das Wort. »Ich habe beschlossen, die weitere Planung dieses Projekts in die Hände Meines Sohnes, Prinz Nacht-Min, zu legen.«

Auch wenn er keine Miene verzog, sah ich die dunklen Augen des Prinzen aufblitzen.

»Ihm«, fuhr der König fort, »wird jeder berichten, wird ihm seine Vorschläge und Bedenken unterbreiten, und er wird letztlich die Entscheidung treffen. Diesen Damm zum Wohle des ganzen Landes und für ungezählte zukünftige Generationen zu bauen ist eine Aufgabe, die an Größe dem Bau der Pyramiden oder dem Bau des großen Kanals in nichts nachsteht! Sogar diesen Damm nach reiflichen Überlegungen vielleicht nicht zu bauen wird Mir und Meinem Sohn vor Göttern und kommenden Geschlechtern zur Ehre gereichen!«

Das leise Beben neben mir weckte mich sofort.

Sat-Amûn, der man ihre Schwangerschaft jetzt bereits deutlich ansah, hatte sich dicht an mich gekuschelt; ihr Kopf ruhte auf meiner Schulter. Behutsam zog ich die warme Schafwolldecke über ihrem Körper zurecht. Jetzt, im 2. Monat der Aussaat, wurden die Nächte bereits empfindlich kühl. Sanft streichelte ich über ihr Haar, ihre Wange – und spürte Tränen.

»Was ist?« fragte ich leise.

»Ich habe Angst«, flüsterte Sat-Amûn zurück.

»Du brauchst keine Angst zu haben«, versuchte ich sie zu beruhigen. »Außer daß es dir in den ersten Wochen morgens öfter übel wurde – und das ist ganz normal, wie die Ärzte sagen –, ist deine Schwangerschaft bislang ohne jede Schwierigkeit verlaufen. Selbst Ern, die ich aus Uêset herübergeholt habe, damit sie sich um dich kümmert, und die mehr weiß als zehn Ärzte zusammen, ist vollkommen zufrieden und …«

»Es geht nicht um meine Schwangerschaft«, unterbrach mich Sat-Amûn.

»Um was dann?«

»Um das Kind!«

»Das Kind? Ern sagt …«

»Ich weiß, was Ern sagt und was die Ärzte sagen!« fauchte mich Sat-Amûn an und setzte sich mit einem Ruck auf. »Sie erklären im Chor, daß sie selten eine so gesunde Mutter und eine so problemlose Schwangerschaft gesehen hätten. Sie versichern mir sogar, daß die Geburt nicht allzu schwer werden wird. Sie schwören Tag für Tag, daß ich mir nicht die geringsten Sorgen zu machen brauche.«

»Und weshalb sorgst du dich trotzdem?«

Sat-Amûn schwieg lange, ehe sie schließlich fast unhörbar flüsterte: »Ich sorge mich – wegen meiner Sünde.«

»Welcher Sünde?« fragte ich konsterniert.

»Der Sünde des Ehebruchs!«

Ich holte völlig überrascht tief Luft, doch Sat-Amûn ließ mich nicht zu Wort kommen: »Daß ich damals nach dem Heb-Sed-Fest mit dir geschlafen habe, war geplant und notwendig. Um der Staatsraison willen mußte ich unter allen Umständen dafür sorgen, so schnell als möglich schwanger zu werden. Aber …«

»Aber?«

»Ich habe etwas getan, was ich nie hätte tun dürfen: Ich schlafe immer noch mit dir, obwohl ich längst schwanger bin. Während mich mein rechtmäßiger, vor den Göttern und Menschen angetrauter königlicher Gemahl seit damals nicht wieder berührt hat, bin ich Nacht für Nacht mit dir zusammen. Und du bist nicht mein Gemahl! Du kannst es zu entschuldigen versuchen, Amûn-hotep. Aber das, was ich Nacht für Nacht tue, das ist beharrlich fortgesetzter Ehebruch!«

Nun gut, das war wohl die unbestreitbare Wahrheit. Aber …

»Aber was hat das mit deinem Kind zu tun?«

Wieder lief ein Schaudern über Sat-Amûns Körper; ihre Augen füllten sich mit Tränen.

»Die Sünden der Eltern rächen sich in den Kindern …«

»Was ist das für ein entsetzlicher Unsinn!« fuhr ich auf und saß jetzt auch senkrecht auf dem Bett. »Wer hat dir denn diesen Irrwitz eingeblasen?«

»Die Priesterinnen …«

»Vergiß ihr dummes Geschwätz!« polterte ich empört. »Wenn wir denn tatsächlich sündigen, dann werden wir uns einst vor dem ewigen Gericht Usîres dafür verantworten müssen. Wenn Anûb unser Herz aufwiegt gegen die Feder der Maat, der Göttin der Wahrheit und Gerechtigkeit, dann wird das Urteil gesprochen werden über unsere Sünden, und wir – und nur wir – werden dafür die Folgen zu tragen haben. Dein Kind hat mit all dem jedoch nicht das Mindeste zu schaffen!«

»Aber die Götter …«

Blankes Entsetzen hatte sich in die Stimme Sat-Amûns geschlichen.

»Die Götter mögen für uns manchmal unbegreiflich sein, ihre Wege undurchschaubar. Aber eines weiß ich gewiß: Die Götter sind keine bösartigen Ungeheuer, die an einem schuldlosen Kind Rache nehmen würden für die Verfehlungen seiner Eltern. Würden sie das tun, die Menschheit müßte die Berge aufeinandertürmen, um die Himmel zu stürmen und diese Dämonen der Finsternis zu vertreiben!«

Mit einer festen Bewegung zog ich Sat-Amûn an meine Brust, wo das Beben ihres Körpers langsam nachließ, schließlich gänzlich aufhörte und ihre Tränen der Angst versiegten.

Es war ein harter Kampf zweier eigenwilliger Menschen gewesen:

Abgesehen von ihrem Vater-Gemahl-König war der greise Sohn des Hapu der einzige Mensch in ganz Ägypten, bei dem sich Sat-Amûn standhaft weigerte, ihn vor sich erscheinen zu lassen, sondern zu dem sie sich selber begab, wenn sie eine Frage, ein Problem mit ihm besprechen wollte – und das war zwei-, drei-, mitunter fünf- und sechsmal am Tag der Fall.

Auch jetzt, in den späten Wintermonaten, da das wachsende Kind in ihrem Leib die Große Königsgemahlin zunehmend schwerfälliger machte, pilgerte sie mehrmals täglich durch die weiten Hallen und Gänge, um den Weisesten unter den Weisen zu sehen und zu sprechen.

Wieder einmal betraten wir die nüchterne Zelle.

Wie immer hockte der uralte Mann auf seiner Schilfmatte, die auf dem rohen Steinboden ausgebreitet war, einen Becher Wasser und sein Schreibzeug neben sich. Beim Eintreten der Königin neigte er ehrerbietig den Kopf.

Sat-Amûn ließ sich auf einen weichen Pfühl aus Kissen und Decken unter der Nische mit der aus Bergkristall geschnittenen Statue der Sachmet niedersinken.

Das war schließlich ihr Kompromiß gewesen: In ihrem Zustand dürfte die Königin unter gar keinen Umständen mehr auf dem kalten Steinboden, allenfalls durch eine Schilfmatte geschützt, sitzen, hatte der Alte Pavian kategorisch erklärt, und auf eben jenen weichen Kissen und Decken für die Königin in seiner Zelle bestanden. »Du gefährdest dich und das Kind!« hatte er gesagt und gedroht, er werde sich sonst auf seinen wehen, wackligen Beinen täglich auch ein dutzendmal zu ihrem Audienzzimmer schleppen. Im Gegenzug hatte Sat-Amûn darauf bestanden, daß der Sohn des Hapu sich nicht auf seine wehen und wackligen Beine erheben dürfe, sondern sitzen bleiben müsse, wenn sie seine Zelle betrete.

»Was ist es diesmal?« fragte der Uralte, kaum daß wir uns niedergelassen hatten.

»Immer noch Troja«, gab Sat-Amûn Bescheid. »In meinem einen Vorzimmer sitzt Nestor, der Kleinkönig von Pylos, als Abgesandter der Achaier, ein Barbar – freilich ein höchst intelligenter, sympathischer Barbar. Und im anderen Vorzimmer wartet Hektor, der älteste der ehelichen Söhne des Pordakes, genannt Priamos, Sohn des Laomedon, aus Troja, ein sehr junger, aber ebenfalls durchaus sympathischer Mann, samt seiner Gesandtschaft.«

»Die beiden Delegationen würden sich am liebsten sofort, hier und jetzt, an die Gurgel fahren«, fügte ich hinzu. »Ein Freundschafts-, Bündnis- oder Handelsvertrag mit allen beiden ist unmöglich. Wir müssen uns also für einen von ihnen entscheiden.«

Den ganzen Winter über schlugen wir uns schon mit diesem Problem herum: Die Trojaner hatten eine Menge zu bieten, vor allem Handelsbeziehungen bis nach Elam und Paphlagonien und weit darüber hinaus. Der Achaier Nestor dagegen hatte eigentlich gar nichts zu bieten – außer einem jungen, stolzen Volk, das offensichtlich gewillt war, in der Weltpolitik mitzumischen. Außerdem mochte ich Nestor, der mittlerweile mehrfach Gast in meinem Haus in Uêset gewesen war.

»Ja, wir müssen tatsächlich zu einer Entscheidung kommen!« drängte Sat-Amûn.

»Assur und die Libu stehen offen auf der Seite Trojas«, konstatierte ich.

»Und beide sind – vorsichtig ausgedrückt – keine Freunde Ägyptens«, ergänzte der Sohn des Hapu.

»Babylon spielt keine Rolle mehr – wird von den Assyrern wohl demnächst geschluckt«, fuhr Sat-Amûn ungeduldig fort.

Der greise Sohn des Hapu nickte langsam:

»Die lykischen Piraten haben sich mit Troja verbündet – das heißt, daß die Keftiu sich neutral verhalten werden. Die Achaier sind ihnen ebenso unsympathisch wie die Trojer oder gar die Lykier, denn alle drei sind ausgezeichnete Seefahrer und damit Konkurrenten der minoischen Flotte.«

»Die Hatti sind natürlich vor Neid zerfressen bezüglich ihrer trojanischen Nachbarn, mögen uns aber auch nicht sonderlich, da wir mit Mitanni, ihrem südlichen Nachbarn verbündet sind«, rundete ich das Bild ab.

Der Sohn des Hapu hatte seinen Blick unverwandt auf die große Karte an der Wand gerichtet. Nachdenklich schlürfte er einen Schluck Wasser.

»Wenn wir uns mit Troja verbünden«, meinte er dann, »unterstützen wir gleichzeitig Assyrer und Libu, was keinesfalls in unserem Sinne sein kann.«

»Zudem verärgern wir endgültig die Hatti«, fuhr Sat-Amûn fort. »Das mag dann durchaus zu einem Angriff gegen Mitanni führen, dessen Königstöchterlein Taduchepa erst kürzlich mit großem Brimborium im Harem des Starken Stiers verschwunden ist.«

»Ihr Vater, König Tuschratta von Mitanni, wird also nichts Eiligeres zu tun haben«, spann ich den Gedanken weiter, »als bei uns um Hilfe zu schreien. Das bedeutet, daß wir ihm Gold oder Truppen und wahrscheinlich sogar beides werden schicken müssen.«

»Wenn wir uns jedoch gegen Troja stellen«, setzte der Alte Pavian neu an, »werden unsere Kaufleute ein ohrenbetäubendes Geheul anstimmen …«

»… das so laut nicht ausfallen muß, wenn wir die Waren aus Paphlagonien und Elam auf dem Landweg durch das Reich der Hatti bekommen können«, schränkte Sat-Amûn ein.

»Und«, gab ich zu bedenken, »wir isolieren die Assyrer auf der einen, die Libu auf der anderen Seite.«

»Letztlich«, schloß der Sohn des Hapu den Kreis, »ist es wichtig, auf der Seite des zukünftigen Siegers zu stehen.«

»Da steht man bekanntlich immer gut«, lächelte Sat-Amûn, um sofort wieder ernst zu werden. »Falls es denn tatsächlich zum Krieg zwischen Achaiern und Troja kommen sollte …«

»Das wird es!« erklärte der Sohn des Hapu kategorisch. »Ich habe anläßlich des Heb-Sed-Festes diesen Nestor aus Pylos, die Brüder Telamon und Peleus und den jungen König von Mykene, Agamemnon kennengelernt. Sie mögen Barbaren sein, Dummköpfe sind sie gewiß nicht. So bluttriefend ihre Geschichte sein mag mit Geschwister-, Eltern- und Kindermord, die gemeinsame Gefahr von jenseits des Meeres wird sie wohl eher früher als später vereint losschlagen lassen. Täten sie es nicht, dann würde Troja sehr bald seinerseits damit beginnen, eines dieser Zwergkönigreiche nach dem anderen seinem Machtbereich einzuverleiben.«

»Und wenn wir uns für sie erklären, würde dies den Zusammenschluß gegen Troja gewiß entscheidend fördern«, fügte ich hinzu.

»Also ein klares Votum für ein Bündnis mit den Achaiern«, stellte Sat-Amûn fest.

»Wenn wir in diesem Teil der Welt für die nächsten paar Jahrhunderte einigermaßen Ruhe haben wollen, dann sollte in der Tat das macht- und geldgierige Troja möglichst bald verschwinden«, bestätigte der Sohn des Hapu.

Der Schein der Fackeln tanzte über die bunt bemalten Mauern des Hauses des Freudenfestes und spiegelte sich in den mächtigen Bronzetoren und den Brustpanzern der Gardisten, die das Tor bewachten.

Behutsam hoben die acht Wolfsmänner die langen Stangen des Tragsessels auf ihre kräftigen Schultern und schritten die lange Prachtstraße hinab, die vom Haupttor des Palastes zu der knapp 24 Chet oder 2400 Ellen entfernten riesigen Baustelle führte, wo das Haus von Millionen Jahren unseres Königs Amûnhotep Neb-Maat-Râ im Entstehen war. Sat-Amûn lehnte sich in die weichen Kissen zurück, während ich im Schritt auf meinem Streitwagen neben der Sänfte herrollte.

»Ich weiß wirklich nicht, ob es eine so gute Idee war …«, versuchte ich nochmals meine Bedenken vorzubringen, doch die funkelnden Selket-Augen Sat-Amûns ließen mich verstummen.

In den vergangenen Wochen der Schwangerschaft waren die Züge der Königin weicher geworden, jetzt, in den letzten Tagen vor der Niederkunft sogar ein wenig aufgedunsen und verquollen, und der zunehmende Umfang ihres Leibes hatte sie schwerfällig und unbeweglich gemacht. Ihrem Temperament hatte dies freilich nicht das mindeste anhaben können.

»Wann wirst du begreifen, Amûn-hotep, daß ich nicht krank, sondern nur schwanger bin? Oder hast du Angst, daß ich da draußen auf der Baustelle mein Kind bekomme?«

»Die Ärzte rechnen jeden Tag damit«, gab ich zu bedenken.

»Und wenn schon«, lachte Sat-Amûn und deutete mit einer flüchtigen Handbewegung auf Ern, Sel und zwei Wolfsmänner, die in großen Körben alles Notwendige für den Fall der Fälle mit sich schleppten.

»Trotzdem …«, versuchte ich nochmals einzuwenden.

»Hör schon auf!« zischte mich Sat-Amûn an. »Hast du jemals

die Geburt eines königlichen Kindes miterlebt? Dann mache dich auf einiges gefaßt! Bei allen Göttern, jede Frau, die einmal dabei gewesen ist, würde ihr Kind lieber draußen in der Wüste bekommen als dort hinten im Palast!«

»Legst du es etwa darauf an?« versuchte ich zu scherzen.

Sat-Amûn seufzte tief auf.

»Keine Sorge«, sagte sie dann. »Ich werde ganz artig mein Kind mit allem zeremoniellen Pomp zur Welt bringen, wie das für die Große Königsgemahlin nun einmal Brauch und Vorschrift ist: umringt von betulichen Tanten und Basen, schnatternden Haremsdamen, salbadernden Hofärzten und leiernden Priestern. Aber genug davon!« wischte Sat-Amûn energisch jeden weiteren Einwand beiseite. »Das Wunder der singenden Statue meines Vater-Gemahls will ich selber hören und sehen!«

Das Haus von Millionen Jahren König Amûn-hotep Neb-Maat-Râs war gewaltig in seinen Ausmaßen wie alles, was unser König an Bauten plante und ausführen ließ.

Das Wunder sind allerdings und unbestritten die beiden Kolossalstatuen des Königs, die vor dem ersten der vielen Tortürme stehen. Jede von ihnen ist 42 Ellen hoch und aus einem einzigen Stein gehauen. Der Sohn des Hapu als Generalintendant aller Bauten des Königs und Oberstaufseher aller Arbeiten am Platz der Ewigkeit hat sich in ihnen selber ein Denkmal gesetzt. Die Inschrift, auf dem Rücken der Statuen angebracht, dankt freilich vor allem dem König für die Erlaubnis und Ehre, ihm diese Standbilder errichten zu dürfen.

Sat-Amûn las die Zeilen mit leichtem Runzeln der Stirn:

»Der Alte Pavian ist wahrhaftig allzu bescheiden – oder ist das eine ganz besondere Form von Hochmut?« fragte sie. »Ich hätte an seiner Stelle geschrieben: Ich Amûn-hotep, Sohn des Hapu und so weiter und so weiter, habe diese Giganten in den Steinbrüchen südlich von Men-nôfer schlagen, mit Schiffen den Strom herauf nach Uêset bringen und auf Schlittenkufen schließlich an ihren Platz zerren lassen. 20000 Char*, das gewaltigste Gewicht, das bis zu diesem Tag in Ägypten je bewegt wurde.«

»Selbst die beiden riesigen Obelisken der Königin Hat-Schep-

* ca. 950 Tonnen

sut Maat-Ka-Râ sind Leichtgewichte gegen diese Brocken!« warf
Hauptmann Nun, der uns ebenfalls begleitete, staunend ein.

Sat-Amûn schwieg einen Augenblick, ehe sie weiter fragte:
»Und das Singen der Statuen? Wie hat das der Alte Pavian gemacht?«

»Wenn man Satet-hotep, dem Chefmathematiker im Haus
allen Wissens in Chemenu, glaubt, dann ist beim Transport der
rechten, der nördlichen Statue ganz einfach ein Mißgeschick passiert. Ein Riß im Gestein, durch den der nächtlich-morgendliche
Temperaturunterschied nun jene Töne hervorbringt, die derzeit
ganz Ägypten erfreuen – oder beunruhigen«, gab ich Auskunft.

Die Wolfsmänner stellten die Sänfte ab, behutsamer als eine
niederschwebende Vogeldaune.

Sat-Amûn lehnte sich abwartend zurück.

Der Himmel im Osten verfärbte sich über grauen und ockerfarbenen Schleiern langsam rosenrot, orange, zart gelb, leuchtend gelb. Dann plötzlich ein feurig weiß-gelber Punkt, der in
Sekunden größer und größer wurde …

Die Kronen und Gesichter der Statuen strahlten, von den ersten Sonnenstrahlen getroffen, auf, während die drei Frauen zu
Füßen des Königs – rechts seine Mutter Mut-em-weja, links Teje
und in der Mitte Sat-Amûn – noch im Schatten lagen.

»Uuuuuuuuuu …«

Der Ton war leise, schien in der Morgenluft zu schweben.

»Uuuuuuiiiiiiiiii …«

Der Klang wurde ein wenig lauter, schärfer.

»Herr, erbarme Dich! Gott-Göttin erbarme Dich!« flüsterte
Sat-Amûn erschrocken.

»Uuiiiiiiiiiiiiiiii …«

Ein Schrei. Ein klagender Schrei. Ein *jammernder* Schrei!

»Iiiiiiiiiiiiiiiiiii …«

Sat-Amûns Hand krampfte sich um die meine:

»Bring mich weg! Bring mich *sofort* weg! Bring mich in den
Palast. Jetzt! *Jetzt gleich!*«

Während Sat-Amûns Rechte meine Hand umkrampft hielt
und eine Welle des Schmerzes über ihr Gesicht zuckte, preßte sie
die Linke auf ihren Leib.

Ich versuchte ganz tief durchzuatmen:

»Es … du … die ersten Wehen?«

»Schaff mich ganz einfach in den Palast zurück«, keuchte Sat-Amûn. »Und wenn möglich, schnell. Wenn möglich, *sehr* schnell!«

Auf meinen Wink hoben die Wolfsmänner die Sänfte hoch und strebten im Laufschritt zum Haus des Freudenfestes zurück.

»Iiiiiiiiiiiiiiiii …«, hallt uns der Ruf der Statue hinterdrein.

Es wurde noch weit schlimmer, als Sat-Amûn angedeutet hatte!

Kaum hatten wir die Königin, deren Körper sich nun in zunehmend kürzeren Abständen unter den Wehen krümmte, in ihr Bett gebracht, als zu allen Türen Menschen hereinzudrängen begannen: Hochrangige Hofbeamte und ein Schwarm aufgeregter Damen des königlichen Harems nebst einem halben Dutzend Ärzte machten den Anfang. Eine gut zwanzigköpfige Schar Priesterinnen des Mut-Tempels, die Erzpriesterin Merit-Maat an der Spitze, die sofort mit hellen Stimmen und leise klirrenden Sistren einen monotonen Gesang anstimmten, waren die nächsten. Einzeln oder in kleinen Gruppen folgten die Ehrendamen des Hofes; ich erkannte meine Mutter Apuya, meine Gattin May und meine Tochter Merit-Ptah unter ihnen. Prinz Ptah-hotep, der hochfahrende Fürstpriester, erschien mit einer gut dreißig Mann starken Abordnung des Amûn-Tempels, verspritzte geweihtes Wasser, Wein und Milch und hüllte den Raum mit Weihrauchwolken ein, während sein Gefolge mit dunklen Stimmen in den Gesang der Priesterinnen einfiel.

Es reichte! Bislang hatten meine Wolfsmänner zwar die unmittelbare Umgebung des Bettes mit der Gebärenden abgeriegelt, jetzt ließ ich kurzerhand das ganze Zimmer räumen und die Besucher, Zeugen und Neugierigen in den Vorraum und den Garten hinausdrängen.

Zurückbleiben durften einzig Fürstpriester Ptah-hotep und die Erzpriesterin Merit-Maat mit je zwei ihrer Priester und meine Mutter Apuya, die ich allerdings ebenfalls in den entferntesten

Winkel des Zimmers verbannte, während sich Ern und Sel um Sat-Amûn kümmerten.

Es war keinen Augenblick zu früh, denn die nächste Delegation ließ mir einen kalten Schauer über den Rücken rieseln. Angeführt von Prinzessin Kija und Nofret-ête stolzierte ausgerechnet eine Abordnung aus dem alten Palast jenseits des Flusses in den Vorraum!

Während sich Nofret-ête und Kija unter die Damen des königlichen Harems mischten, löste sich eine kleine, schlanke Frau aus der Gruppe und versuchte in das Geburtszimmer zu gelangen.

Energisch vertrat ich ihr den Weg.

»Ich bin Tiê, die königliche Hebamme«, klärte sie mich auf.

»Sie sind«, stellte ich schroff fest, »die Gemahlin des Eje, des wohl einflußreichsten Gefolgsmannes des Hôr-im-Nest Akh-en-Aton, und Mutter der zweiten Gemahlin des Hôr-im-Nest Nofret-ête. Beket-Ernûte gilt als eine der besten Hebammen in ganz Ägypten. Sie ist bei der Königin. Ihre Dienste, werte Dame, werden daher nicht benötigt.«

Tiê legte mir beruhigend die Hand auf den Arm.

»Ich weiß«, sagte sie, »daß Sie dies alles schier zum Wahnsinn treiben muß, Oberst. Sie sind für die Sicherheit der Königin verantwortlich, und genau in diesem Augenblick, in dem die Königin verletzlich ist wie in kaum einem anderen, wimmelt es hier von Menschen, die Sie teilweise kaum kennen, denen Sie mißtrauen, mißtrauen *müssen*. Und nun komme auch noch ich, die Frau eines Mannes, der als unbedingter Anhänger des Hôr-im-Nest Akh-en-Aton gilt, und verlange Zutritt zu Königin Sat-Amûn. Und natürlich mißtrauen Sie mir noch weit mehr als allen anderen.«

»Wenn Ihnen das so bewußt ist, weshalb ...«

Tiê schüttelte leicht den Kopf. »Es muß sein, Oberst. Als königliche Hebamme bin ich verpflichtet, bei der Geburt eines königlichen Kindes anwesend zu sein.«

»Meine Dame ...«

Doch erneut unterbrach mich Tiê, dabei lächelte sie mich beruhigend an:

»Ich sagte ›anwesend‹! Ich werde, wenn Sie es wünschen, die

Königin und ihr Kind nicht berühren, mich ihnen nicht einmal nähern. Ich werde mich still in den hintersten Winkel des Zimmers setzen und nicht von der Stelle rühren. Aber in das Geburtszimmer werden Sie mich einlassen müssen.«

Resigniert gab ich nach, während meine Augen erneut nach Nofret-ête suchten.

Tiê schien meinem Blick gefolgt zu sein. »Ein Akt der Höflichkeit und hoffentlich auch eine Geste der Versöhnung. Meine Tochter wird sich dem Geburtszimmer nicht einmal zu nähern versuchen.«

Damit schlüpfte Tiê an mir vorbei, ließ sich neben meiner Mutter nieder und bewegte sich, dies sei zu ihrer Ehre gesagt, in den nächsten Stunden keinen Fingerbreit mehr von der Stelle.

Nur einmal ging sie kurz ins Vorzimmer hinaus, als dort schon wieder Unruhe entstand.

»Sie kommen reichlich spät!« hörte ich Tiês Stimme.

»Ich komme reichlich früh!« erwiderte ihr ein grollender Baß, dessen Lautstärke gut zu einem Herold gepaßt hätte. Irgend etwas wurde mit kräftigem Knall auf dem Boden abgesetzt.

Die nächsten Worte der königlichen Hebamme konnte ich nicht verstehen, dafür die Antwort um so besser:

»Papperlapapp, wenn mich mein Amt nicht zwingen würde, hier meine Zeit zu vergeuden, dann wäre ich sowieso nicht da. In Uêset werden täglich ein paar hundert Kinder geboren, ohne daß gleich alles nach einem Arzt schreit.«

»Die Große Königsgemahlin …«

»… ist auch nur eine Frau!«

Ich war unter die Durchgangstür getreten, um im Notfall eingreifen zu können. Ich war ihm nie persönlich begegnet, aber der vierschrötige Mann mit dem Stiernacken und der schwarzen Haarwolle auf Brust und Armen, den struppigen Augenbrauen und dem noch struppigeren Schnurrbart, dessen Gesicht gewiß noch nie einem Hauch von Schminke und wohl seit drei Tagen auch kein Rasiermesser gesehen hatte, konnte nur Pentû, der königliche Leibarzt, sein.

»Wenn Sie mehr tun würden, als nur den Titel einer königlichen Hebamme zu führen«, polterte der Arzt unterdessen weiter, »dann wüßten Sie, daß meine einzige Aufgabe hier darin besteht, zuzusehen, wie die Natur wieder einmal das tut, was sie in ungezählten Fällen immer schon getan hat! Und jetzt lassen Sie mich durch und halten sich aus meiner Reichweite!«

Damit stapfte Pentû in das Geburtszimmer herein, wobei er leise »Dummes Huhn!« brummte und mir zublaffte: »Lassen Sie meinen Tinkturenkasten hereinbringen, ehe das blöde Weibervolk da draußen die Medizinen mit irgendwelchen Schönheitsmittelchen verwechselt.«

Einer der Wolfsmänner eilte los und schleppte den reich mit verkorkten Flaschen und Fläschchen, versiegelten Tiegeln, Phiolen und verschlossenen Kästchen gefüllten Holzkasten herein und stellte ihn auf einem Nebentisch ab.

Pentû war unterdessen an das Bett Sat-Amûns getreten.

»Na, wie geht es meiner kleinen Prinzessin?« grollte er.

»Den Umständen entsprechend«, gab Sat-Amûn mit mühsamem Lächeln zurück.

Mit seinen überraschend schlanken, feingliedrigen Händen untersuchte Pentû die Königin kurz, nickte ein paarmal zufrieden und brummte schließlich:

»Nicht verkrampfen und schön gleichmäßig atmen! Mach dir keine Sorgen, kleine Prinzessin, Ern ist die beste Hebamme zwischen Men-nôfer und Abu!«

Damit hockte sich der königliche Leibarzt Pentû in eine Ecke und begann irgendeinen Papyrus zu studieren.

Die Sonne zog langsam ihren Bogen über den Himmel. Die Stunden verrannen. Die Priester und Priesterinnen sangen leise vor sich hin. Die Damen des Hofes schwatzten, kicherten und lachten. In regelmäßigen, kürzer werdenden Abständen hörte ich Sat-Amûn stöhnen, während Ern ständig um sie war, leise mit ihr redete, Anweisungen gab und ich mich entsetzlich hilflos und überflüssig fühlte.

Am späten Nachmittag hörte ich dann Ern:

»Pressen! Ganz fest pressen! – Und atmen! Ruhig atmen! – Und wieder pressen!«

Ich trat neben das Bett Sat-Amûns, tupfte ihr mit einem feinen Linnentuch die Schweißperlen von der Stirn.

»Jetzt ist es bald soweit«, raunte mir Sat-Amûn ein wenig atemlos in einer der kurzen Pausen zwischen den Wehen zu. »Wenn ich wenigstens schreien dürfte wie die anderen Frauen! Aber diesen Gefallen tue ich der Sippschaft da draußen nicht!«

Und schon wieder verzerrte sich ihr Gesicht unter einer Welle des Schmerzes, ballten sich ihre Fäuste zusammen, drang ein Ächzen aus ihrem Mund.

»Und pressen! Und noch mal pressen!« gab Ern die Anweisungen.

Ein kräftiger, ja, energischer Schrei!

Alle Augen richteten sich auf das kleine Wesen, das Ern an den Beinchen hochhielt und mit einem sanften Klaps auf den winzigen Po dazu gebracht hatte, diesen Schrei auszustoßen, um als Folge davon Luft in seine kleinen Lungen zu saugen.

Für einen Augenblick senkte sich absolute Stille über die Räume.

»Ihr habt einem wunderschönen, gesunden Sohn das Leben geschenkt, Majestät!« hörten wir Ern sagen, während sie das Neugeborene behutsam der Mutter auf die Brust bettete.

Die bebenden Hände Sat-Amûns legten sich vorsichtig um das winzige Menschlein. Ihre Augen unter der noch schweißnassen Stirn begannen zu leuchten; auf ihren Lippen erschien ein sanftes Lächeln:

»Willkommen in diesem Leben, mein kleiner Sohn! Möge es ein gutes, ein reiches, ein erfülltes Leben für dich werden!« flüsterte sie.

»Auf viele Jahre, auf viele Jahre, auf viele glückliche Jahre!« begann der Chor der Priester und Priesterinnen zu intonieren.

Wir schrieben den 25. Tag des 2. Erntemonats* im 34. Regierungsjahr unseres Königs Amûn-hotep Neb-Maat-Râ.

* 15. April 1339 v. Chr.

»Seine Majestät, Amûn-hotep Neb-Maat-Râ, Herr der Beiden Kronen und der Beiden Länder!« rief der Herold.

Es war vielleicht eine Viertelstunde vergangen, und die Sonne sank den westlichen Bergen zu.

Ern hatte das Neugeborene gebadet, in blütenweißes, weiches Byssosleinen gehüllt und Sat-Amûn wieder in den Arm gelegt. Pentû, der Leibarzt, hatte in einem Becher aus Wein und dem Inhalt von zwei Phiolen seines Medizinkastens einen Trank gemischt, der die Königin stärken und ihr helfen sollte, den erlittenen Blutverlust schnell auszugleichen.

»Das Zeug schmeckt widerlich«, murrte Sat-Amûn leise zwischen den Schlucken.

»Medizin muß widerlich schmecken«, grinste Pentû, »sonst glaubt man ihr ja nicht, daß sie hilft.«

Mit schweren, tapsigen Schritten trat König Amûn-hotep Neb-Maat-Râ neben das Bett seiner Großen Königsgemahlin.

Sat-Amûn hob ihm das Kind mit beiden Händen entgegen: »Der Sohn des Hapi und des Râ, mein königlicher Gemahl! Ich gebe ihm den Namen Tehuti-mose!«

Ein unruhiges Murmeln durchlief die Anwesenden.

Tehuti-mose.

Ein stolzer Name. Vier Könige des regierenden Herrscherhauses hatten diesen Namen getragen. Der erste Tehuti-mose Aa-Cheper-Ka-Râ war der Sohn des Reichsgründers Ach-mose und Vater der Königin Hat-Schepsut gewesen. Der berühmteste Tehuti-mose Men-cheper-Râ, jener mächtige König und Feldherr, unter dessen Herrschaft Ägypten die größte Ausdehnung seines Reiches erlebt hatte. Der vierte dieses Namens war der Vater Amûn-hotep Neb-Maat-Râs. Doch jeder dachte auch unwillkürlich an den Hôr-im-Nest Tehuti-mose, den ältesten Sohn des Königs, der auf so furchtbare Weise in der Stierjagdarena ums Leben gekommen war.

Behutsam nahm König Amûn-hotep Neb-Maat-Râ das Neugeborene in seine Hände, wandte sich zu den Anwesenden um und hob das Kind hoch:

»Dies ist Mein geliebter Sohn, an dem Ich Mein Wohlgefallen habe!« verkündete der König mit lauter Stimme. »Dies ist der

Sohn von Amûn und Mut des Heb-Sed! Dies ist der Sohn von Râ und Hôr, ewig lebend!

Dies ist der Wahre und einzige Hôr-im-Nest!

Dies ist der einzige und wahre Erbe der Throne und Kronen von Ober- und Unterägypten: Tehuti-mose, Sohn des Amûn-hotep Neb-Maat-Râ!«

Wir sanken auf die Knie, berührten ehrfurchtsvoll mit den Stirnen den Boden, wiederholten:

»Dies ist der Wahre und einzige Hôr-im-Nest, Erbe der Throne und Kronen von Ober- und Unterägypten, Tehuti-mose, Sohn Seiner Majestät des Königs Amûn-hotep Neb-Maat-Râ und seiner Großen Königsgemahlin Sat-Amûn!«

Dann sangen wir laut zusammen mit dem Priesterchor:

»Auf viele Jahre, auf viele Jahre, auf viele glückliche Jahre!«

»Mir ist kalt!« klagte Sat-Amûn.

Vor knapp einer Stunde, nach der offiziellen Anerkennung des neugeborenen Prinzen durch den König und seiner Ernennung zum ›Wahren und einzigen Hôr-im-Nest‹, war die Mehrzahl der plappernden Hof- und Haremsdamen, der singenden Priester und Priesterinnen, der Ärzte und sonstigen Zuschauer, Zeugen und Neugierigen verschwunden. Die Nachgeburt war problemlos verlaufen, und Sat-Amûn hatte dann ein wenig vor sich hingedämmert. Jetzt war sie erwacht.

»Ich fühle mich abscheulich! Meine Hände und Füße sind wie abgestorben, mein Mund und meine Zunge sind gänzlich gefühllos, und mein Magen schmerzt, als würde ich innerlich verbrennen!«

Im nächsten Augenblick krümmte sich ihr Körper unter einem Krampf zusammen. Sie vermochte sich eben noch ein wenig zur Seite zu rollen, ehe sie grünlichen Schleim auf den Boden erbrach.

»Verzeih mir«, flüsterte sie Ern zu, die an ihr Bett geeilt war. Dann griff sie nach meiner Hand. Ihre Finger waren eiskalt. »Ich habe Angst, Amûn-hotep! Ich habe solch schreckliche Angst!«

Auch ich bekam jetzt Angst, schreckliche Angst, vor allem als ich die entsetzten Augen Erns sah.

»Ich werde sofort Pentû rufen lassen«, entschied die Kuschitin.

Wenige Minuten später polterte der königliche Leibarzt, der grußlos nach der Verabreichung des Stärkungstrankes abgezogen war, wieder ins Zimmer. Mit schnellen, sicheren Bewegungen untersuchte er die Königin gründlich.

»Habe ich … habe ich Kindbettfieber?« fragte Sat-Amûn mit bebenden, wachsbleichen Lippen.

»Keinesfalls!« stellte der Arzt energisch fest. »Bei Kindbettfieber würdest du glühen, kleine Prinzessin, nicht frieren.«

»Was ist es dann?«

»Ich – weiß es nicht«, gab Pentû zu. »Noch nicht. Aber das finde ich schon heraus!« setzte er aufmunternd hinzu.

Ein erneuter Krampf schüttelte den Körper der Königin, verdrehte qualvoll ihre Arme und Beine. Sat-Amûn wimmerte leise.

»Sagt dem König Bescheid«, flüsterte Pentû Ern ins Ohr. »Und – auch ihrer Mutter.«

Ern wurde aschfahl unter ihrer schwarzen Haut, dann hastete sie aus dem Zimmer.

Als wenig später Amûn-hotep Neb-Maat-Râ in das Zimmer gewatschelt kam und neben dem Bett seiner Großen Königsgemahlin stehenblieb, ging es Sat-Amûn ausgesprochen schlecht: Ihre Haut war mit kaltem, klebrigem Schweiß bedeckt, ihr Atem ging keuchend, immer wieder wand und krümmte sie sich unter Krämpfen.

»Ihr Puls schlägt viel zu langsam«, knurrte Pentû nervös und begann hastig, aus seinen Tinkturen einen Trank zusammenzumischen, den er der Königin einflößte. Doch diese erbrach ihn sofort wieder.

Als, nicht allzu viel später, Teje in das Zimmer hastete, hatte Sat-Amûn das Bewußtsein verloren. Wie angewurzelt blieb die ehemalige Große Königsgemahlin vor dem Bett stehen, starrte fassungslos auf ihre Tochter:

»Nein! Nein! Nicht auch du!« stöhnte sie auf.

Als ob sie sie gehört hätte, schlug Sat-Amûn die Augen auf.

Ihr Blick zuckte von ihrer Mutter zu ihrem Vater, blieb schließlich an mir hängen:

»Mein ... mein Sohn«, hauchte sie fast unhörbar.

Ern hob den neugeborenen Hôr-im-Nest aus seinem Körbchen, das am Fußende des Bettes stand und hielt ihn hoch, damit Sat-Amûn ihn sehen konnte.

Die Königin richtete sich ein wenig auf. Ein zittriges Lächeln huschte über ihre Lippen, und ihre eiskalten Finger krampften sich um meine Hand.

»Schütze – schütze – *schütze meinen Sohn!*«

Sat-Amûns Kopf fiel zurück.

Teje trat leise neben den König. Mit einer unendlich sanften und schrecklich endgültigen Bewegung ihrer Hand schloß sie ihrer Tochter die Augen. Dann legte sie den Arm Amûn-hotep Neb-Maat-Râ um die Schulter und führte den König, dem dicke Tränen über das aufgedunsene Gesicht zu rollen begannen, aus dem Zimmer hinaus.

6. Papyrus

DIE
FLUCHT

König Amûn-hotep Neb-Maat-Râ
34. Regierungsjahr

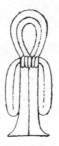

Ich war wie betäubt.

Kaum bemerkte ich, wie die restlichen Frauen, Ärzte, Priester und Höflinge fast fluchtartig aus den Räumen verschwanden, wie die weiß gewandten, tiefernsten Totenpriester, umschwebt von Weihrauchwolken, in dunklem, monotonem Singsang psalmodierend das Geburtszimmer betraten und sich um das Bett der Königin versammelten.

»Herr.«

Die leise, eindringliche Stimme neben mir ließ mich aufblicken.

Ich sah in die dunklen Augen Erns.

»Kann ich allein mit Ihnen sprechen, Herr?«

Ich nickte und trat mit Ern ein paar Schritte in den Garten hinaus, wo uns niemand beobachtete.

»Herr, ich vermag es nicht zu beschwören«, raunte mir Ern zu, »trotzdem bin ich mir nahezu sicher, daß Königin Sat-Amûn keines natürlichen Todes gestorben ist!«

»Keines ...« Ich starrte die Kuschitin entsetzt an.

»Wenn mich meine Kräuterkenntnisse nicht vollständig im Stich gelassen haben, dann wurde die Königin vergiftet – die Symptome deuten auf den Extrakt der Wurzel des Sturmhutes hin, vielleicht mit Mohnsaft gemischt, um die ersten Anzeichen zu verschleiern.«

»Aber ... wer? Wer sollte ...?«

»Sie wissen so gut wie ich, daß es genug Menschen gibt, die durch den Tod der Königin viel zu gewinnen haben – und die Gelegenheit war günstig wie sonst kaum einmal.«

»Aber wer?« wiederholte ich fassungslos.

»Teje, die nun wieder Große Königsgemahlin werden wird«, zählte Ern auf; »der Hôr-im-Nest mitsamt seinem ganzen Anhang; Prinzessin Kija; beleidigte oder machthungrige Höflinge, Beamte und Priester. Königin Sat-Amûn hat sich früher schon nicht viele Freunde geschaffen. Seit sie begonnen hat, die Regierungsgeschäfte in die Hände zu nehmen, ist wohl eine gute Zahl an erbitterten Feinden hinzugekommen.«

Ich schüttelte den Kopf.

»Du magst nur zu recht haben«, pflichtete ich ihr bei. »Aber niemand außer dir, Ern, dem königliche Leibarzt Pentû und mir sind auch nur in die Nähe Sat-Amûns gekommen. Mein erster Verdacht würde sich gegen Nofret-ête richten. Sat-Amûn hat sie gehaßt und vor allem gefürchtet. Aber Nofret-ête saß die ganze Zeit draußen im Vorraum und hat sich nicht von der Stelle gerührt. Das gleiche gilt für Prinzessin Kija. Die Königliche Hebamme Tiê war zwar im Raum, doch sie rührte sich nicht aus ihrer Ecke, und die wenigen Priester und Beamten, die im Zimmer waren, standen weit entfernt auf der anderen Seite des Raumes. Teje erschien erst zu einem Zeitpunkt, als das Gift bereits im Körper Sat-Amûns seine Wirkung zu tun begonnen hatte – wenn es denn tatsächlich Gift war.«

»Bleiben also nur Pentû und ich«, stellte Ern trocken fest.

»Wann und wie könnte Sat-Amûn Gift überhaupt verabreicht worden sein?«

»Eigentlich nur mit dem Stärkungstrank, den ihr Pentû nach der Geburt gab.«

»Dann kommst du nicht in Frage, Ern, denn zu diesem Zeitpunkt hast du dich ausschließlich um den neugeborenen Hôr-im-Nest gekümmert.«

»Und für Pentû lege ich meine Hände ins Feuer«, erklärte Ern fest. »Er mag kein sonderlich sympathischer Mann sein, aber er war jahrelang mein Lehrer und ich kenne ihn: Pentû ist grob und eitel, aber er ist vor allem ein gewissenhafter Arzt und absolut unbestechlich.«

»Damit aber fällt dein Verdacht auf Gift in sich zusammen, Ern!«

»So scheint es tatsächlich – und doch sagen mir all meine Kenntnisse und mein Gespür, daß Königin Sat-Amûn an Gift starb!«

Fast im Laufschritt hastete ich durch die Gänge, Höfe und Hallen des Palastes, wo überall Grüppchen von Beamten, Damen und Dienern beisammenstanden, aufgeregt miteinander tuschelten und mir neugierige Blicke nachwarfen.

Ich nahm sie kaum wahr. Der furchtbare Verdacht Erns hämmerte hinter meiner Stirn. Dazu kam neben der tiefen Trauer um Sat-Amûn das entsetzliche Gefühl, versagt zu haben, wenn es denn wirklich wahr sein sollte, daß Sat-Amûn direkt unter meinen Augen ermordet worden war. Das Wer und Wie war mir zwar völlig unklar, trotzdem durfte ich mich der Möglichkeit nicht völlig verschließen.

Es schienen mir Ewigkeiten, bis ich mein Ziel erreichte.

Als ich die Tür zu den Räumlichkeiten des Alten Pavians durchqueren wollte, hielten mich zwei Gardisten auf:

»Sie können hier nicht eintreten, Oberst.«

»Ich bestehe darauf, auf der Stelle den Sohn des Hapu zu sprechen!« herrschte ich die Soldaten an. Doch diese wichen keinen Zollbreit zur Seite.

»Sie können ihn nicht sprechen!« beharrte einer der Männer.

»Ich *muß*!« blaffte ich zurück und versuchte mich zwischen den Gardisten durchzudrängen.

»Sie *können nicht*! Niemand kann es! Als er die Nachricht vom Tod der Großen Königsgemahlin Sat-Amûn erhielt, traf den Sohn des Hapu ein Schlaganfall. Er ist nicht bei Bewußtsein. Die Ärzte bemühen sich um ihn, doch sie bezweifeln, daß er jemals wieder erwachen wird.«

Als ob man mir mit einer Keule vor die Stirn geschlagen hätte, taumelte ich zurück. Meine Knie zitterten. Kalter Schweiß brach mir aus allen Poren, rann an meinem Körper herab. Ich mußte mich gegen eine Wand lehnen, um nicht zusammenzubrechen.

»Ihr Götter, habt Erbarmen!«

Sat-Amûn tot! Der Sohn des Hapu vielleicht im Sterben! Der König in seiner Trauer nicht ansprechbar. Alle Verantwortung in diesem Augenblick allein auf meinen Schultern ...

»*Schütze meinen Sohn!*« gellten die letzten Worte Sat-Amûns in meinem Geist.

Wenn Sat-Amûn wirklich ermordet worden war, dann schwebte der neugeborene Hôr-im-Nest in höchster Lebensgefahr!

Die Erkenntnis traf mich wie ein Blitzschlag.

»Kann ich irgend etwas für Sie tun, Oberst?« drang die Stimme des einen Gardisten wie von fern an mein Ohr.

Ich riß mich zusammen, stieß mich von der Wand ab, schüttelte mich wie ein nasser Hund, um meine Sinne wieder klar zu bekommen.

Und dann hetzte ich los, diesmal wirklich im Laufschritt, zurück zu den Gemächern Sat-Amûns.

Der neugeborene Wahre und einzige Hôr-im-Nest Tehuti-mose schlief friedlich in seinem Bettchen und nuckelte an seinem winzigen Daumen. Ern, Sel und meine Mutter Apuya kümmerten sich um ihn.

Und rund um das Bettchen in einem Kreis standen, Schulter an Schulter, bis an die Zähne bewaffnete Wolfsmänner, während andere den Garten, die Terrasse, das Dach und die angrenzenden Räume besetzt hielten, so daß sich nicht einmal eine Stechmücke unbemerkt dem kleinen Prinzen nähern konnte.

Die Nacht war unterdessen schon ein gutes Stück vorgerückt. Ich hatte mich mit Hauptmann Nun, Ern, Necht und Hund, die ich aus Uêset herüberbefohlen hatte, ein Stückweit in den Garten zurückgezogen, wo uns niemand belauschen konnte.

Schnelle, energische Schritte kündigten den Fünften an, den ich zu unserer Unterredung gebeten hatte. Nacht-Upuaût, Sohn des Nacht-Upuaût, Graf von Sioûti, war ein kaum mittelgroßer, leicht dicklicher Mann mit einer Nase, gekrümmt wie ein Falkenschnabel, und einer langen Narbe an der linken Wange, die seinen linken Mundwinkel zu einem ständigen schiefen Grinsen emporzog. Das zerzauste Haar und das leicht verquollene Gesicht zeugten davon, daß man den Grafen aus dem Bett geholt hatte, doch seine Augen blitzten hellwach.

Mit knappen Worten berichtete ich von Erns Verdacht und hatte dann reichlich Mühe, den Grafen von Sioûti von der Schuldlosigkeit seiner Männer zu überzeugen.

Als sich Nacht-Upuaût einigermaßen beruhigt hatte, erklärte er kategorisch:

»Der Hôr-im-Nest Tehuti-mose muß unverzüglich aus dem Palast und aus Uêset verschwinden! Wenn seine Mutter ermordet wurde – und davon müssen wir zunächst ausgehen –, dann ist sein Leben tatsächlich in höchster Gefahr! Wenn es jemandem gelungen ist, der Großen Königsgemahlin Gift zu verabreichen – trotz Ihrer Aufmerksamkeit, Oberst Amûn-hotep; trotz Ihrer Fürsorge, Ern; trotz meiner Wölfe – dann ist der neugeborene Hôr-im-Nest hier keine Minute mehr sicher!«

»So sehen wir das auch«, bestätigte ich.

»Wissen Sie schon, wohin Sie den kleinen Prinzen bringen

lassen wollen, Oberst Amûn-hotep?« fragte Nacht-Upuaût.
»Selbstverständlich stehen ich und meine Männer zu Ihrer Verfügung! Sioûti …«

Ich schüttelte den Kopf.

»Vergeben Sie mir, Graf, aber Sioûti wäre nach diesem Palast der unsicherste Ort in ganz Ägypten für den Hôr-im-Nest. Wenn der Prinz verschwindet, wo würde man ihn zuerst suchen?«

Nacht-Upuaût stampfte ärgerlich mit dem Fuß auf.

»Verflucht, Oberst, Sie haben recht. Allerdings, meine Wölfe und ich können höchst verschwiegen sein und …«

»Daran habe ich nie gezweifelt«, beruhigte ich den Grafen. »Aber was ist, wenn Teje, die nunmehr mit Sicherheit wieder ihren Platz als Große Königsgemahlin einnehmen wird, wenn der König selber von Euch die Herausgabe des Kindes fordert?«

»Dann würde ich in einem bösen Gewissenskonflikt stekken«, gab Nacht-Upuaût offen zu.

Ärgerlich stapfte der Graf davon, als hielte ihn hier nichts mehr, dem Ufer des künstlichen Sees zu.

Doch bereits nach wenigen Schritten hielt er inne. Als er sich umdrehte, hatte sich auch sein rechter Mundwinkel zu einem Grinsen hochgezogen:

»Da Sie Sioûti niemals als Versteck für den kleinen Prinzen in Betracht gezogen haben, Oberst, kann dies nicht der Grund sein, weshalb Sie mich heute nacht hierhergebeten haben.«

Ich nickte.

»Darf ich Ihre Gedanken lesen?« fragte Nacht-Upuaût, noch immer grinsend.

»Ich bitte darum.«

»In den Morgenstunden soll eine Gruppe von Wolfsmännern in auffälligster Heimlichkeit Uêset verlassen und nach Sioûti zurückkehren. Wir werden auch weiterhin ungemein verschwiegen und geheimnisvoll sein – eine Kunst, welche die Diener der Wolfsgöttin Upuaût hervorragend beherrschen. Und wenn der König oder die Große Königsgemahlin nach dem Verbleib des Kindes fragt, so könnten wir mit reinstem Gewissen sagen, daß wir keine Ahnung davon hätten. Das ist doch Ihr Plan, Oberst?«

Ich verneigte mich höflich:

»Ja, das ist er – oder zumindest ein Teil davon.«

»Nun, von dem anderen Teil darf und will ich nichts wissen. Die Götter mögen Sie schützen, Sie und den kleinen Prinzen!«

Der Graf verneigte sich knapp, stapfte zur Veranda hinüber und war Augenblicke später im Inneren des Hauses verschwunden.

»Und was hast du weiter vor?« fragte Hauptmann Nun, der in den letzten Monaten zu einem echten Freund geworden war. »Oder muß dies auch vor uns geheim bleiben?«

»Im Gegenteil«, widersprach ich ihm, »denn gerade dir muß ich nicht nur die Hauptlast der Verantwortung aufbürden, ich muß dich auch im Namen des kleinen Hôr-im-Nest und im Namen Sat-Amûns um ein großes Opfer bitten.«

»Ich habe geschworen, der Großen Königsgemahlin und ihrem Kind mit meinem Leben zu dienen. Ich werde meinen Schwur halten, was immer du von mir verlangen magst«, erwiderte Nun mit großem Ernst.

»Das Opfer, um das ich dich bitten muß, ist: Quittiere deinen Dienst und kehre als Privatmann nach Hat-uaret zu deiner Familie zurück. Dein ›Versagen‹ beim Tod Königin Sat-Amûns gibt dir dazu eine brauchbare Erklärung.«

Mein Freund Nun war nur einen winzigen Augenblick zusammengezuckt, als ich davon sprach, daß er seine Militärkarriere aufgeben solle. Im nächsten Moment hatte er sich bereits verneigt:

»Ich gehorche deinem Befehl.«

»Du wirst mit einem Teil deiner Familie reisen«, fuhr ich unterdessen fort. »Deine Schwiegereltern – Ern und Necht – werden dich begleiten, ferner eine deiner Frauen mit ihrem Neugeborenen.«

Ern hatte mir mit immer größer werdenden Augen zugehört. »Sie wollen den kleinen Tehuti-mose bei den Benê-Jisrael verstecken?«

»Wüßtest du einen besseren Platz am anderen Ende des Reiches?« fragte ich dagegen. »Du, Ern, und Nun, Sel, Necht und Hund, von euch weiß ich, daß ich euch unbedingt vertrauen kann. Könnte ich einen besseren Platz für den Sohn Sat-Amûns finden?«

Eine halbe Stunde später war alles vorbereitet. In den Morgenstunden würde eine Gruppe von Wolfsmännern den kleinen Prinzen mit seiner Betreuerin Sel ›entführen‹ und ihn dann Necht übergeben. Irgendwo im Gewirr der Gassen von Uêset würden sie mit Nun und Ern zusammentreffen und dann unauffällig die Reise nach Norden antreten, während die Wolfsmänner die neugierigen Blicke ablenkten.

Kurz ehe wir uns Lebewohl sagten, nahm ich Nun auf die Seite, der doch einen sehr bedrückten Eindruck machte:

»Ich weiß, wie hart es für dich ist, deine Karriere, für die du so viele Opfer gebracht hast, aufzugeben. Wenn ich zu viel von dir verlange, dann sage es geradeheraus – und wir werden eine andere Lösung finden.«

»Ich bin der Großen Königsgemahlin Sat-Amûn und Prinz Tehuti-mose bis in den Tod verschworen. Was immer in ihrem Namen verlangt wird, werde ich tun«, wehrte Nun ab.

»Das weiß ich, aber …«

»Kein Aber!« widersprach mir Nun energisch. »Dein Plan ist die beste aller Möglichkeiten, um für die Sicherheit des Prinzen zu sorgen. Also werden wir ihn auch so ausführen!« Nun zögerte er einen Augenblick, ehe er weitersprach: »Wenn du wirklich etwas für mich tun willst …«

»Was immer in meiner Macht steht, mein Freund!«

»Ich habe dir berichtet, daß meine Frau in Hat-uaret vor etlichen Monaten einen Sohn geboren hat. Es ist für keinen Ägypter leicht, an der Militärakademie in Men-nôfer aufgenommen zu werden; für einen Benê-Jisrael ist es noch schwerer. Sollte mein Sohn überhaupt geeignet sein, dann hilf ihm, daß er dort lernen kann. Je-schua mag dann die Karriere fortsetzen, die ich nun abbreche.«

Wir faßten uns an den Unterarmen, hielten uns für einen Augenblick fest:

»Ich werde für deinen Sohn tun, was immer ich kann.«

In den Morgenstunden des 26. Tages des 2. Erntemonats im 34. Jahr der Regierung König Amûn-hotep Neb-Maat-Râs legte, wie zahllose andere Schiffe an diesem Morgen, ein Frachtsegler von einer der Molen in Uêset ab. Der Schiffer hatte eine Ladung Tongeschirr für Nakâda an Bord und eine Fracht stinkender Tierhäute mit dem Ziel Kobtôjeu. Dort hoffte er eine Ladung Weihrauch, die vom Roten Meer über den großen Karawanenweg herüberkam, zu ergattern, um sie an den Tempel in Onet zu verkaufen. Ein paar Körbe voller Mastenten waren für einen Wirt in Hot-bauet bestimmt, und eine fast lebensgroße Usîre-Statue aus schwarzem Granit, Stiftung eines reichen Getreidehändlers in der Hauptstadt, hatte ebenso wie drei Dutzend Schilfsandalen den Tempel in Abôdeu als Ziel. Zwei Schafe, ein paar Weinkrüge, zehn Ballen feinstes Leinen und vier Körbe voller Kohlköpfe hatten noch keinen festen Abnehmer, aber irgendwo unterwegs würde man sie schon gewinnbringend losschlagen können.

Im Heck des Schiffes hockte eine dicke, freundliche junge Frau, die ihren Säugling sanft auf den Knien wiegte und ihm leise Liedchen ins Ohr summte. Ihrem Mann, einem Kupferschmied aus der Hauptstadt, sah man an der strammen Haltung an, daß er eine Weile beim Militär gewesen sein mußte. Ihre Mutter – wohl eher Stiefmutter –, eine hagere Kuschitin, hatte einzig Augen für das Kind, während ihr Gatte, ein kräftiger, bäurischer Mann, sich trotz seiner Gehbehinderung, die ihn zwang, sich meist auf einen Stock zu stützen, beim Setzen des Segels nützlich machte. Ärgerlich war nur der jüngere Bruder der Frau, ein leicht verkrüppelter, offensichtlich geistig zurückgebliebener Junge, der mit seiner eifrigen Hilfsbereitschaft mehr störte als nützte. Nun, da der Kupferschmied auch für ihn die Reise bar bezahlt hatte, würde man ihn so lange ertragen müssen, bis sich die kleine Gesellschaft in Abôdeu ein anderes Schiff suchte, um weiter zu den Eltern des Schmiedes in der Nähe von Onû reisen zu können.

Ich selber stand seit dem Morgengrauen auf der Dachterrasse der Gemächer, die bis gestern noch der Großen Königsgemahlin Sat-Amûn gehört hatten, und ließ meinen Blick flußabwärts schweifen.

Irgendwo da draußen auf dem Fluß, auf einem der ungezählten Schiffe oder Boote, segelte der Sohn Sat-Amûns – mein Sohn? der Sohn des Königs? – unerkannt nach Norden in ein ungewisses Schicksal, hoffentlich jedoch in Sicherheit!

»Die Götter mögen dich segnen und schützen für immer!« betete ich inbrünstig.

ZWEITE
BUCHROLLE

ATON
LEUCHTET

König Amûn-hotep Neb-Maat-Râ
34. Regierungsjahr bis
König Amûn-hotep Nefer-cheperu-Râ
Akh-en-Aton Ua-en-Râ
6. Regierungsjahr

Ich, Sohn von Niemand, den man Hund nennt, schreibe dies weiter.

Und ich schreibe dies weiter im Auftrag und nach dem Diktat meines Herrn, des Obersten Amûn-hotep, Sohn des Neby, Befehlshaber der Garde der Großen Königsgemahlin Sat-Amûn Königin von Ober- und Unterägypten, Tapferer Seiner Majestät, Peitschen- und Fächerträger zur Rechten der Königin, ausgezeichnet mit dem Gold der Belohnung, der das Ohr des Herrn der Beiden Länder hat.

Ich schreibe dies am 23. Tag im 3. Monat der Ernte im 34. Jahr der Regierung unseres Königs Amûn-hotep Neb-Maat-Râ*.

Und dies ist es, was mir mein Herr, Oberst Amûn-hotep, Sohn des Neby, weiter zu schreiben befiehlt:

* 3. Mai 1339 v. Chr.

1. Papyrus

DIE
REGENTSCHAFT

König Amûn-hotep Neb-Maat-Râ
34. Regierungsjahr

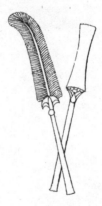

Ich weiß nicht, wie lange ich dort oben auf der Dachterrasse gestanden und auf den Strom hinausgestarrt habe.

Erst nach und nach drangen die Ereignisse der letzten Stunden
wirklich in mein Bewußtsein vor:

Die Geburt des Wahren und einzigen Hôr-im-Nest.

Der Tod – die Ermordung? – Sat-Amûns.

Der Schlaganfall des Sohnes des Hapu.

Die Verschwörung zur Rettung Tehuti-moses.

Die Entführung des kleinen Prinzen.

Damit verbunden das Weggehen meiner engsten Vertrauten

und Freunde Nun, Ern, Necht und Sel. Nur Hund, der als Verbindungsmann zwischen Uêset und Hat-uaret fungieren sollte, würde ich demnächst wiedersehen.

Und wieder und wieder das Bild Sat-Amûns: bleich, kalter, klebriger Schweiß auf ihrer Stirn, ihre eiskalte Hand um die meine gekrallt, die entsetzlichen Krämpfe, die ihren Körper geschüttelt hatten.

Wie konnte Gift unter meinen Augen in ihren Körper gelangen? Tatsächlich in dem Stärkungstrank, den ihr der Arzt Pentû nach der Geburt gereicht hatte? Oder hatte sich Ern ganz einfach getäuscht?

Und dann kamen auch die Bilder Sat-Amûns, keuchend vor Erregung, die Schenkel um meine Hüften geschlungen, die Fingernägel in das Fleisch meines Rückens grabend.

Ich fühlte, wie heiße Tränen über meine Wangen zu rinnen begannen.

Und schließlich immer wieder ihre letzten Worte: »*Schütze meinen Sohn!*«

Hier, wenigstens hier hatte ich nicht versagt.

»*Bis jetzt nicht versagt!*« gellte es in meinem Kopf.

Wie sollte es überhaupt weitergehen?

Ich sah das Bild vor mir, wie Teje den weinenden König aus dem Geburts- und Sterbezimmer hinausgeleitete.

Erst wenige Stunden vorher hatten die Totenpriester den Körper Sat-Amûns aus dem Palast getragen, und schon saß Königin Teje vermutlich wieder fest auf ihrem Thron.

Sei nicht ungerecht, ermahnte ich mich selber, als ich die Stufen der Terrasse hinabstieg, um mich zunächst in mein Quartier zu begeben. Irgend jemand *mußte* sich schließlich um das Land kümmern. Amûn-hotep Neb-Maat-Râ war im Augenblick dazu offenbar nicht in der Lage, und Amûn-hotep, der Sohn des Hapu, erst recht nicht. Wer blieb also außer Königin Teje? Niemand, wie ich mir eingestehen mußte. Und auf jeden Fall besser Teje als ihr wirrköpfiger Sohn, schoß es mir durch den Sinn.

Und wieder und wieder kreisten die widersprüchlichen Gedanken um den Tod Sat-Amûns durch meinen Kopf, liefen im Kreis wie die Ochsen im Joch eines Wasserrades. Irgendwie mußte ich mir Klarheit verschaffen, wenn ich jemals wieder zur Ruhe kommen wollte! Doch all meine engen Vertrauten, all die Menschen, mit denen ich offen sprechen konnte, waren unerreichbar: Der Sohn des Hapu lag wahrscheinlich im Sterben, und Nun, Ern und Hund, schwammen auf irgendeinem Boot unterdessen, hoffentlich viele Meilen von Uêset entfernt, den Großen Strom hinab Richtung Norden.

Mein Vater Neby und meine Mutter Apuya! So kompliziert unsere Beziehung sein mochte, unter der steifen Förmlichkeit einerseits und dem an Wortkaskaden reichen Überschwang andererseits verbarg sich eine echte, tiefe Zuneigung. Zudem, und das gab für mich den Ausschlag, war Neby ohne jeden Zweifel ein enger Vertrauter des Alten Pavians gewesen. Neby war einer jener wenigen, die von Anfang an in die Rolle eingeweiht waren, die mir im Verhältnis zwischen Sat-Amûn und dem König zugedacht gewesen war. Und Apuya war eine der wenigen direkten Augenzeugen beim Tod Sat-Amûns von Anfang bis Ende des ganzen Geschehens.

Mit schnellen, hohl hallenden Schritten durchquerte ich die nun plötzlich so leeren Räume Sat-Amûns, durcheilte die Fluchten der Gänge, Hallen und Gärten des Palastes in Richtung Ausgang, wo, wie stets, mein Boot wartete.

»Es war ein weiser Entschluß, Prinz Tehuti-mose vorläufig bei den Benê-Jisrael zu verstecken.«

Nur die Sanftheit der Stimme hinderte mich, wie vom Blitz getroffen herumzufahren, und ließ mich statt dessen langsam umdrehen.

Sie mochte vielleicht viereinhalb Jahre zählen. Blütenweißes, zartes Leinen umhüllte den schlanken Mädchenkörper. Von der rechten Seite ihres Kopfes baumelte kokett die Prinzenlocke; auf ihrer Brust blitzte als einziger Schmuck ein goldenes Udjat-Auge. Ihre fast übergroßen braunen Augen unter den fein geschwungenen Brauen waren auf mich gerichtet.

Unsere Blicke trafen sich, hielten sich fest. Tauchten tief in die

Seele des anderen. Ließen Raum und Zeit hinter sich. Wurden für Sekunden-Ewigkeiten zu jenem *Du-Ich-Wir*, das Chnum, der uralte Schöpfergott, vor Äonen auf seiner Töpferscheibe formte – und dann in zwei Hälften schnitt.

Ich sank auf die Knie, um mein Gesicht in die gleiche Höhe mit dem ihren zu bringen.

»Von wem, um aller Götter willen, hast du gehört …«

»Von niemandem«, widersprach mir das Mädchen sanft. »Ich *weiß* es einfach. Aber ich werde es gewiß niemandem verraten«, fügte sie sehr ernst hinzu. »Schon gar nicht, solange *sie* in der Nähe ist.«

»Wer ist *sie*?«

»Die Schöne, die meine Schwester Sat-Amûn ermordet hat.«

»Meinst du etwa Nofret-ête, die zweite Gemahlin des Hôr-im-Nest?«

Das Mädchen nickte.

»Aber sie kann es nicht gewesen sein. Sie kam in der ganzen fraglichen Zeit nicht einmal in die Nähe Königin Sat-Amûns.«

»Und doch war sie es!« stellte die Kleine entschieden fest. »Ich *weiß* es ganz einfach!«

»Aber woher weißt du es?« erkundigte ich mich.

Ein leises Schulterzucken:

»Ich scheine öfter Dinge zu wissen, die ich eigentlich gar nicht wissen kann. Wie das mit Tehuti-mose. Oder daß wir in einem guten Dutzend Jahren heiraten werden.«

Zwei aufgeregte Dienerinnen flatterten in den Raum, warfen sich vor dem kleinen Mädchen ehrerbietig zu Boden.

»Prinzessin Beket-Amûn! Wie oft haben wir Eure Hoheit gebeten, nicht ohne Begleitung im Palast herumzulaufen!«

»Ich wünschte mit meinem Vetter, Oberst Amûn-hotep, zu sprechen – allein!«

»Wenn Eure Hoheit nun die Güte hätten …«

Prinzessin Beket-Amûn schnitt den Dienerinnen mit einer kleinen, in diesem Augenblick sehr erwachsen wirkenden Handbewegung das Wort ab:

»Ich komme ja schon.«

Ein letzter Blick aus den großen, warmen Augen, ein winziges, fast verschwörerisches Lächeln, dann war Beket-Amûn mit ihren Wärterinnen fort.

Als mein Boot, von peitschenden Riemenschlägen vorwärtsgejagt, aus dem Palastkanal in den Strom hinausschoß, kollidierte es um ein Haar mit einer entgegenkommenden Barke, in deren Heck ich zu meiner Überraschung meine Eltern sitzen sah.

»Die Götter haben Sie geschickt!« rief ich. »Ich war soeben auf dem Weg zu Ihnen.«

Wenig später saßen wir zu dritt auf einer Steinbank am Ufer des künstlichen Sees in Sat-Amûns und meinem Garten, während die immer noch Dienst tuenden Wolfsmänner den Befehl hatten, uns jeden Störer oder Lauscher fernzuhalten.

Mit kurzen Worten berichtete ich meinen Eltern vom Verdacht Erns, erzählte von der seltsamen Gewißheit der kleinen Prinzessin Beket-Amûn und verschwieg ihnen auch nicht, wie und wohin der kleine Hôr-im-Nest Tehuti-mose verschwunden war.

Mit gespannter Konzentration folgten Neby und Apuya meinen Worten, saßen noch etliche Minuten schweigend, als ich geendet hatte.

Einer der schweren, krampfhaften Hustenanfälle meiner Mutter durchbrach schließlich die Stille, und auf dem Tüchlein, das sie sich schnell vor den Mund gedrückt hatte, entdeckte ich entsetzt winzige Blutströpfchen. *Nicht auch noch meine Mutter!* flehte ich stumm zu den Göttern.

Apuya ließ das Tuch blitzschnell verschwinden und zwinkerte mir beruhigend zu:

»Meine Lunge ist eine viel zu alte Feindin, als daß ich sie nicht kennen und beherrschen würde, Amûn-hotep. Mache dir darüber keine Sorgen – mache dir viel mehr Sorgen um das, was die kleine Beket-Amûn gesagt hat! Sie ist in der Tat ein erstaunliches Kind, und es ist wahr, daß sie immer wieder ihre Wärterinnen und Erzieherinnen mit Aussagen über Dinge verblüfft hat, die sie eigentlich gar nicht wissen kann. Wenn ihre Begabung erst einmal in den Tempelschulen ausgebildet ist, wird sie eine der ganz großen Seherinnen des Landes sein!«

»Mag durchaus sein«, unterbrach mein Vater. »Doch ehe wir zu Sehern und Propheten Zuflucht nehmen, sollten wir unseren Verstand benützen!

Wenn die Große Königsgemahlin Sat-Amûn tatsächlich ermordet wurde, müssen wir die Fragen klären:

Wie konnte das geschehen?

Wann konnte es geschehen?

Wer konnte es tun?

Und *wer hat einen Nutzen aus der Tat?*«

»Das Wie und Wann erscheint klar«, erteilte ich Auskunft. »Es muß Gift gewesen sein – das Gift der Wurzel des Sturmhutes, eventuell vermischt mit Mohnsaft, um die ersten Anzeichen zu verschleiern, wenn sich Ern nicht sehr täuscht. Das Gift muß Sat-Amûn mit dem Stärkungstrank nach der Geburt eingeflößt worden sein.«

»Mohnsaft ist ein beliebtes Beruhigungs- und Schlafmittel bei den Damen des königlichen Harems«, überlegte meine Mutter Apuya. »Es ist kinderleicht zu beschaffen. Und die prachtvollen Stauden von dunkelblau blühendem Sturmhut stehen überall in den königlichen Gärten diesseits und jenseits des Stromes. Wer sich mit solchen Dingen auskennt, dem wächst das Gift förmlich in die Hände.«

»Der königliche Leibarzt Pentû ist ein Ekel«, spann mein Vater den Gedanken weiter, »aber an seiner Redlichkeit kann es nicht den leisesten Zweifel geben! Da Pentû den Trank eigenhändig mischte und sofort der Königin gab, müßte das Gift bereits vorher untergemischt worden sein. Woher kam der Wein, den der Arzt für seinen Trank benützte?«

»Die Karaffe war aus einem Krug in meinem Quartier gefüllt und auf einem Seitentisch im Geburtszimmer bereitgestellt worden. Zugang zu der Karaffe hatten Pentû, Ern, ich und die bewachenden Wolfsmänner, sonst niemand.«

»Und der Arzneikasten des Arztes?« fragte Neby.

»Ich erinnere mich, daß er ihn bei seiner Ankunft kurz im Vorzimmer abgestellt hat ...«

»Doch dort, unmittelbar unter den Augen von mindestens fünf Dutzend Leuten, ungesehen eine der Phiolen zu entnehmen«, wandte meine Mutter sofort ein, »ihren Inhalt zu entleeren, sie neu zu füllen und wieder in den Kasten zu praktizieren wäre unmöglich gewesen!«

»Der Kreis der möglichen Täter weitet sich zwar aus«, sann Neby, »doch auf eine echte Spur bringt uns dies offenkundig nicht, und schon überhaupt nicht in die Nähe Nofret-êtes.«

»Nun denn: Wem nützt der Mord?« versuchte uns Apuya weiterzuhelfen.

»Teje«, platzte ich sofort heraus, »der alten und nunmehr vermutlich wieder neuen Großen Königsgemahlin.«

»Sie ist Sat-Amûns Mutter!« empörte sich Apuya.

Mein Vater winkte ab:

»Die Familie ist ein schwarzer Sumpf! Die meisten Morde geschehen innerhalb von Familien: Ehegatten, Kinder und Eltern, Brüder und Schwestern, Neffen und Nichten, jeder mordet jeden. Frage deinen Sohn Râ-mose, was er als Oberrichter da so Tag um Tag zu hören und zu sehen bekommt, Apuya.«

»Teje erschien aber erst, als Sat-Amûn bereits offensichtlich im Sterben lag«, gab ich zu bedenken.

»Eine so mächtige Frau, Große Königsgemahlin oder nicht, findet immer willige Hände, wenn sie ihrer bedarf«, widersprach mein Vater, fuhr dann allerdings fort: »Freilich ist Teje eben auch eine so mächtige Frau, welchen offiziellen Titel sie führen oder nicht führen mag, daß sie es nicht nötig hatte, ihre Tochter um der Doppelfedern willen zu vergiften. Ich bin davon überzeugt, Königin Teje hat mehr als einmal in ihrem Leben einen Mordauftrag erteilt, wenn nicht gar mit eigener Hand gemordet, doch am Tod von Sat-Amûn halte ich sie für unbedingt schuldlos!«

Meine Mutter und ich nickten beipflichtend.

»Und Nofret-ête?«

»Sie ist eine ebenso schöne wie kalte, ehrgeizige und …«, meine Mutter stockte einen Augenblick, dann sprach sie es aus, »*böse* Frau. Sie versteht es alle Welt zu bezaubern, ja, zu verzaubern, bis … bis …«

»Bis man in ihre Augen schaut«, vollendete ich den Satz.

»Nofret-ête hat den Hôr-im-Nest um den Finger gewickelt und beherrscht ihn nach Belieben«, lenkte mein Vater Neby sachlich zurück. »Aber sie ist nur seine *zweite* Gemahlin. Würde jetzt der Leib von Prinzessin Kija dort drüben von den Balsamierern für den langen Schlaf vorbereitet, ich würde nicht mit einem, ich würde mit allen zehn Fingern auf Nofret-ête zeigen! Doch so?«

»Ich vergesse nie den blanken Haß in ihren schwarzen Diamantaugen«, berichtete ich, »als Sat-Amûn, damals kurz vor dem Heb-Sed-Fest, sagte, sie werde möglicherweise nach dem Tod König Amûn-hotep Neb-Maat-Râs den Hôr-im-Nest zum Gemahl nehmen, um die hohen Federn der Großen Königsgemahlin zu behalten.«

»Das hat sie Nofret-ête ins Gesicht gesagt?« entsetzte sich Apuya.

»Sat-Amûn haßte und fürchtete Nofret-ête wie wohl keinen anderen Menschen auf dieser Welt«, erklärte ich. »Aber sie wollte sicher sein, *ganz* sicher.«

»Damit hat sie ihren Tod selbst heraufbeschworen. Arme kleine Sat-Amûn!« flüsterte meine Mutter.

Etwas später, nachdem ich mich von meinen Eltern verabschiedet hatte, betrat ich tief in Gedanken wieder mein Quartier. Seit der merkwürdigen Begegnung mit der kleinen Prinzessin Beket-Amûn war ich mir eigentlich schon sicher gewesen; jetzt, nach dem Gespräch mit Neby und Apuya, war es zur Gewißheit geworden: Nofret-ête hatte Sat-Amûn vergiftet – auch wenn wir nach wie vor nicht die leiseste Vorstellung davon hatten, wie sie es getan haben könnte.

Und wenn wir recht hatten, dann sollte ich eigentlich ein höchst wachsames Auge auf Prinzessin Kija haben, stand doch sie allein jetzt noch der zweiten Gemahlin des Hôr-im-Nest im Weg, einmal die Hohen Federn der Großen Königsgemahlin zu erlangen.

Auf dem Boden im Wohnraum meines Quartiers kniete eine

junge Frau, die bei meinem Eintreten ehrerbietig mit Händen und Stirn den Boden berührte, wobei sich ihr langes, dunkelblondes Naturhaar wie ein Fächer ausbreitete.

»Wer bist du, und was willst du hier?« herrschte ich sie an.

Geschmeidig richtete die junge Frau den Oberkörper auf, setzte sich auf die Fersen zurück. Dann zog sie zwischen ihren kleinen Brüsten ein Kupferbüchslein hervor, das an einer Schnur um ihren schlanken Hals hing, öffnete es, nestelte vorsichtig ein Stückchen Papyrus heraus und reichte es mir wortlos, wobei sie mich mit ihren großen, dunkelblauen Augen aufmerksam musterte.

»Ich, Serâu, Tochter der Libu-Sklavin Chetem«, las ich, »im Heiligtum des Nefer-têm ausgebildete Sängerin und Harfenistin, war Dienerin von Amûn-hotep, Sohn des Hapu. Jetzt bin ich Dienerin von Amûn-hotep, Sohn des Neby, Befehlshaber der Garde der Großen Königsgemahlin Sat-Amûn.«

Sie blieb stumm.

»Woher hast du das?« fragte ich mißtrauisch.

»Der erhabene Sohn des Hapu gab mir dies.«

»Der Sohn des Hapu gab dir dies? Er ist wieder bei Bewußtsein?« erkundigte ich mich aufgeregt.

Serâu schüttelte traurig den Kopf:

»Mein Herr – vergebt, mein ehemaliger Herr – ist nicht wieder erwacht. Wenn man den Ärzten glauben mag, wird er nie wieder erwachen ...«, flüsterte Serâu. »Er gab mir dies schon vor Monaten für den Fall, daß es einmal notwendig sein sollte. Sel wird man hier kaum vermissen, wohl aber Ernûte und Necht, wenn niemand in Eurem Haus in Uêset nach dem Rechten sieht, Herr.«

»Was weißt du von alledem?« fuhr ich Serâu an.

»Nichts, Herr. Aber ich vermag mir so einiges zusammenzureimen – was andere wohl besser nicht tun sollten«, fügte sie mit einem ehrerbietigen Senken des Kopfes hinzu.

»Der Alte Pavian hat wohl an alle überhaupt möglichen Möglichkeiten gedacht?« fragte ich kopfschüttelnd.

»Gewiß!« bestätigte Serâu eifrig. »Der große Amûn-hotep, Sohn des Hapu, war und ist schließlich der weiseste und gütigste Mensch, der je in Ägypten gelebt hat! Und er trug auch seinen

Titel ›Erster Prophet des Amûn‹ nicht nur um der Höflichkeit willen.«

»Und was kannst du außer Zwitschern und auf der Harfe klimpern, kleiner Vogel?« fragte ich freundlicher, auf die Bedeutung ihres Namens, ›Sperling‹, anspielend.

»Vor allem meinen Schnabel halten«, lächelte Serâu. »Danach Massieren und Schminken. Zwar nicht so gut wie Ern, aber gewiß so gut wie Sel. Und wenn Ihr mehr von mir wollt, Herr …«

Serâu schoß die Röte ins Gesicht, die sie schnell zu verbergen suchte, indem sie ihren Kopf zur Erde neigte.

»Ich muß dich also nach dem Willen des Alten Pavians als meine Sklavin annehmen?« fragte ich, nicht mehr unfreundlich. »Oder habe ich eine andere Wahl?«

Ein leises Lachen schwang in der Stimme Serâus, als sie antwortete:

»Nicht als Sklavin, Herr. Als Dienerin. Und gewiß habt Ihr eine andere Wahl. Freilich kaum eine bessere.«

»Dann zeige mir zunächst deine Künste im Schminken«, gab ich nach.

»Seine Hoheit, Prinz Nacht-Min«, kündigte mein Haushofmeister Nefer-Sobek eifrig an.

Gemessenen Schrittes betrat der Prinz den Hauptwohnraum meines Quartiers, verneigte sich leicht, trat an einen der Tische und legte dort einige Papyri und zwei kleine Schatullen ab, die er im Arm getragen hatte. Sein Gesicht war so düster wie immer, aber die Schatten unter seinen Augen erschienen mir noch tiefer als zuvor.

»Ich habe im Auftrag des Königs mit Ihnen zu sprechen, Oberst Amûn-hotep«, kam er unverzüglich zur Sache, während er mich mit seinen schwarzen Augen aufmerksam musterte.

»Ich stehe zur Verfügung.«

»Seine Majestät Amûn-hotep Neb-Maat-Râ, König von Ober- und Unterägypten, Herr der Beiden Kronen, hat verfügt, daß für die Dauer der Krankheit des großen Amûn-hotep, Sohn des

Hapu, Sie und ich die Regierungsgeschäfte gemeinsam führen werden.«

Prinz Nacht-Min griff nach einer der Papyrusrollen und einer der beiden Schatullen und streckte sie mir entgegen:

»Ihre Ernennungsurkunde, Oberst, und eines der beiden königlichen Siegel.«

Ich war sprachlos.

»Aber …«, brachte ich schließlich heraus, »ich verstehe nichts von Regierungsgeschäften. Ich …«

Die Andeutung eines Lächelns huschte über das ernste Gesicht des Prinzen. »Entweder Sie sind sehr bescheiden – oder sehr töricht!«

Mit einer ruhigen Bewegung drückte mir Nacht-Min die Schatulle und die Papyrusrolle in die Hände.

»Sie waren lange Monate der engste Vertraute und Berater der erhabenen Großen Königsgemahlin Sat-Amûn Usîre«, erklärte er. »Daß meine Halbschwester zu einer guten, ja, zu einer hervorragenden Regentin zu werden begann, dürfte zu einem nicht geringen Teil Ihr Verdienst gewesen sein, Oberst. Es gibt keine wichtige Entscheidung der letzten Monate, die nicht durch Ihre Hände gegangen wäre. Vielleicht ist es Ihnen selber nicht ganz bewußt, aber tatsächlich gibt es kaum einen Menschen, der im Augenblick über unsere Politik und alle wichtigen Fragen besser Bescheid wüßte als Sie! Sat-Amûn hat Ihnen vertraut, der Sohn des Hapu hat Ihnen vertraut, und, am wichtigsten, der König vertraut Ihnen!«

Prinz Nacht-Min legte mir einen Augenblick freundlich die Hand auf den Arm:

»Ich weiß, daß Sie kein Beamter und schon gar kein Politiker sind. Auch auf meine Schultern drückt diese Verantwortung wie die Last eines ganzen Berges! Aber der König hat es nun einmal so bestimmt, und uns bleibt nur, zu gehorchen, getreu unserem Eid, Ägypten zu dienen, wo immer unser Dienst erforderlich sein mag.«

»Ich werde tun, was in meinen Kräften steht«, gab ich seufzend nach. »Aber wie steht die Große Königsgemahlin dazu? Hat auch sie …?«

»Die Große Königsgemahlin ist tot«, korrigierte mich Prinz Nacht-Min.

»Ich meine Königin Teje ...«

»Die Dame Teje sitzt bei ihrem Sohn, dem ehemaligen Hôr-im-Nest, und hat mit der Regierung dieses Landes weniger denn je zu schaffen«, klärte mich Nacht-Min auf und fuhr fort, als es meine erstaunt hochgezogenen Brauen bemerkte: »Die Dame Teje hat sich offenbar verrechnet, als sie glaubte, der König werde sie zurückholen und all ihre Forderungen erfüllen, sobald der Sohn des Hapu ihr nicht mehr im Wege stünde. Seine Majestät hat jedoch beschlossen, alles so zu belassen wie es jetzt ist, und der Dame Teje keinen Zipfel ihrer einstigen Macht zurückzugeben.«

Nacht-Min zog sich einen Stuhl heran und forderte auch mich zum Setzen auf.

»Offiziell haben wir beide kein Amt und keinen Titel«, fuhr er fort, »sondern wir nehmen nur kommissarisch gewisse Aufgaben wahr, bis der Sohn des Hapu wieder gesundet ist.«

»Wird er denn wieder gesund werden?« fragte ich hastig nach.

Der Prinz schüttelte langsam sein dunkles Haupt:

»Ich wage nicht, es zu glauben. Und selbst wenn, so wird er nie mehr die volle Last all seiner Ämter tragen können – vergessen Sie nicht, dieser Schlaganfall traf einen Mann, der mittlerweile 104 Lebensjahre zählt!«

Für einen Augenblick hingen wir schweigend unseren Gedanken nach. Die sichere Hand des Alten Pavians hatte die Geschicke Ägyptens gesteuert, seit wir alle denken konnten: Nacht-Min, ich, auch der König oder Teje, ja, sogar der siebzigjährige Privatschreiber des Königs Apy. Die lenkende Weisheit Amûn-hoteps, des Sohnes des Hapu, schien so unerschütterlich zu Ägypten zu gehören wie die Pyramiden.

»Der Respekt gebietet«, fuhr Prinz Nacht-Min schließlich fort, »daß keines seiner Ämter offiziell neu vergeben wird, solange der Sohn des Hapu lebt. Unsere erste Aufgabe wird es allerdings sein, für eine ganze Reihe von Ämtern kommissarische Verwalter einzusetzen.«

»Also gut«, stimmte ich zu. »Gehen wir also die Liste all seiner Titel, Ämter und Würden durch.«

»»Weiser unter den Weisen‹, ›Auge und Ohr des Königs‹, ›Zeremonienmeister des Amûn-Festes‹, ›Erster Prophet des Amûn‹ und so weiter und so weiter sind entweder Höflichkeitstitel oder Tempelämter, die uns nichts angehen«, begann Nacht-Min aufzuzählen. »Für die Aufgaben des Ministerpräsidenten und Generalgouverneurs von Ober- und Unterägypten hat der König uns beide bestimmt. Weiter: Reichsmarschall und Oberbefehlshaber aller Truppen. Wollen Sie das ebenfalls übernehmen, Oberst?«

Ich schüttelte den Kopf. »Das wird zu viel neben den Aufgaben, die mir jetzt schon aufgeladen werden!«

»Wenn der Sohn des Hapu stirbt, würde Sie der König vermutlich in dem Posten offiziell bestätigen«, gab Nacht-Min zu bedenken. »Würde Sie das nicht reizen?«

»Reizen ja«, gab ich zu. »Vor allem aber will ich das, was ich tue, gut machen! Wenn ich mit Ihnen hier in Uêset die generelle Politik des ganzen Landes festlegen soll, dann kann ich nicht gleichzeitig in Men-nôfer die Armee kommandieren.«

»Wer dann?«

»Hauptmann Hôr-em-Heb, der Leibwächter, Wagenlenker, Freund und Vertraute des verstorbenen Hôr-im-Nest Tehutimose«, antwortete ich sofort.

»Grundsätzlich bin ich ganz Ihrer Meinung«, bestätigte der Prinz. »Nur im Augenblick ist Hôr-em-Heb noch zu jung und nur Hauptmann. Ich würde Ihren Schwiegervater, General Mei, vorschlagen. Er ist zuverlässig, solide, und seine Phantasielosigkeit schadet nicht, da wir ohnehin keine Kriege zu führen gedenken. Hauptmann Hôr-em-Heb sollten wir allerdings umgehend zum Oberst befördern.«

»Einverstanden.«

»Weiter: Vizekönig von Kusch.«

»Huja, der Vizekönig von Wawat, könnte das mit übernehmen. Er ist ein energischer, kluger Mann, der die Probleme der Region kennt.«

»Generalintendant aller Bauten des Königs und Oberstaufseher der Arbeiten am Platz der Ewigkeit.«

»Men, der erste Baumeister des Königs leistet ohnehin seit Jahren die Hauptarbeit, außerdem könnte man seinen Sohn Bek mit heranziehen.«

»Bek scheint ein erklärter Parteigänger von der anderen Seite des Stromes zu sein«, warf Nacht-Min ein.

»Wenn ich nicht irre, dann ist Bek, Sohn des Men, ausschließlicher Parteigänger von Bek, Sohn des Men ...«

In den schwarzen Augen des Prinzen blitzte es eine Sekunde amüsiert auf:

»Da mögen Sie allerdings recht haben. Nun gut, was fehlt denn noch? Oberrichter der Richter und Bürgermeister von Uê-set. Ich dachte da an Ihren Bruder Râ-mose.«

»Der ist nun wirklich ein erklärter Parteigänger des alten Palastes«, gab ich zu bedenken.

»Vor allem aber ist er fähig und unbestechlich«, stellte Nacht-Min fest. »Aber gut, machen wir ihn zum Bürgermeister und laden uns vorläufig die Arbeit des Oberrichters auch noch auf.«

»Ich habe von Juristerei keine Ahnung!« protestierte ich.

»Sie haben gesunden Menschenverstand und ein Gefühl für Gerechtigkeit. Das wird wohl genügen«, würgte der Prinz meinen Einwand ab. »Blieben noch der Intendant der Goldländer des Herrn der beiden Länder und der Schatzkanzler des Reiches.«

»Für Finanzprobleme reicht auch mein gesunder Menschenverstand nicht aus!« wehrte ich mich sofort.

Wieder huschte die Andeutung eines Lächelns über das Gesicht des Prinzen:

»Meiner auch nicht«, gab er zu. »Wen nehmen wir also?«

»Cha-em-hêt«, schlug ich vor.

»Doch nicht diesen engstirnigen Zwerg!« widersprach Nacht-Min vehement. Offenkundig hatte er den Widerstand des Landwirtschaftsministers gegen das Staudamm-Projekt noch nicht verwunden. Vermutlich war Prinz Nacht-Min überhaupt ein Mensch, der nur äußerst schwer – wenn überhaupt je – vergeben und vergessen konnte.

»Was hielten Sie denn von Maja, dem Generalgouverneur von Oberägypten?« fragte ich.

»Hoch intelligent, bestechlich, ein brillanter Geschäftsmann.

Wenn wir ihm die Staatsfinanzen anvertrauen, dann werden wir binnen einer Woche keine Ahnung mehr davon haben, was an Steuern und Tributen nun eigentlich eingegangen oder nicht eingegangen ist. Allerdings werden wir auch immer reichlich Geld in der Staatskasse haben. Also gut, soll der Bock Gärtner spielen, Hauptsache der Garten blüht und bringt reiche Früchte.«

2. Papyrus

DER
MITKÖNIG

König Amûn-hotep Neb-Maat-Râ
36. Regierungsjahr und
König Amûn-hotep Nefer-cheperu-Râ
1. Regierungsjahr

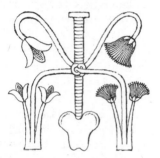

Ich, Sohn von Niemand, den man Hund nennt, schreibe dies.
Und ich schreibe dies im Auftrag und nach dem Diktat meines
    Herrn, des Obersten Amûn-hotep, Sohn des Neby, Befehlshaber
    der Garde der Großen Königsgemahlin Teje, Königin von Ober-
    und Unteräygpten; Oberkommandierender aller königlichen
    Garden im Haus des Freudenfestes, Tapferer Seiner Majestät,
    Peitschen- und Fächerträger zur Rechten der Königin, zweimal
    ausgezeichnet mit dem Gold der Belohnung, Erster Erzieher
    der Kadetten in der Militärakademie zu Men-nôfer, Der das
    Ohr des Herrn der Beiden Länder hat.

Ich schreibe dies am letzten Tag im 3. Monat der Überschwemmung
im 36. Regierungsjahr unseres Königs Amûn-hotep
Neb-Maat-Râ*.

Ehe ich zu schreiben beginne, werde ich einiges nachtragen müssen:

Es sind zwei und ein halbes Jahr vergangen, seit mein Herr, der Oberst Amûn-hotep, Sohn des Neby, mir befohlen hat, die Geschichte der Abstammung, der Zeugung und Geburt des Wahren und einzigen Hôr-im-Nest Tehuti-mose, Sohn des Königs Amûn-hotep Neb-Maat-Râ und der Großen Königsgemahlin Sat-Amûn, aufzuschreiben.

Am 25. Tag des 4. Monats der Überschwemmung im 34. Regierungsjahr des Königs Amûn-hotep Neb-Maat-Râ** starb Amûn-hotep, der Sohn des Hapu, im Alter von 104 Jahren. An den Feierlichkeiten anläßlich seiner Beisetzung nahmen Abordnungen aus dem ganzen Land und eine schier unüberschaubare Menge Volkes teil.

Die Zeremonien wurden mit einer Pracht zelebriert, die der beim Begräbnis eines Königs in nichts nachstand, und die Grabbeigaben waren von einer Kostbarkeit und Fülle, wie man sie in Ägypten bislang kaum je gesehen hatte. In der Nacht nach der Beisetzung öffneten einige wenige Priester, engste Vertraute und Freunde des Sohnes des Hapu, darunter auch mein Herr, Oberst Amûn-hotep, das Grab wieder und schafften die Mumie und die wichtigsten Beigaben fort, um sie in einem kleinen Grab, das sich der Sohn des Hapu in aller Heimlichkeit in einem abgelegenen Seitental der westlichen Berge schon vor langer Zeit hatte aushauen lassen, in aller Stille und sicher vor allen Grabräubern erneut beizusetzen.

An vielen Orten wurden dem Weisesten unter den Weisen mittlerweile Tempel und Schreine errichtet, wo er nun als Gott des Wissens, der Gerechtigkeit, der Heilkunst und Prophetie verehrt wird.

---

* 2. September 1337 v. Chr.
** 7. Oktober 1339 v. Chr.

Fast zur gleichen Stunde, als der Sohn des Hapu starb, gebar Nofret-ête, die zweite Gemahlin des Prinzen Amûn-hotep, der sich selber gern Akh-en-Aton nennt, ihr erstes Kind. Es war eine Tochter, die den Namen Maket-Aton – ›Dienerin des Aton‹ – erhielt.

Was König Amûn-hotep Neb-Maat-Râ anbelangte, so war die Ernennung von Prinz Nacht-Min und Oberst Amûn-hotep für gut zwei Jahre seine letzte politische Handlung. Dies änderte sich auch nicht nach dem Hinscheiden des großen Sohnes des Hapu. König Amûn-hotep Neb-Maat-Râ vollzog nur noch die wichtigsten offiziellen und kultischen Handlungen – auch bei diesen saß er gewöhnlich nur reglos, angetan mit den Insignien seiner Macht, auf seinem Thron und schien zu schlafen. Ansonsten hatte er sich völlig in seine Räume im Haus des Freudenfestes zurückgezogen, kränkelte häufig, vernachlässigte sein Äußeres und schien sogar sein Interesse an lärmenden Festen und kolossalen Bauten verloren zu haben.

So nahte im Sommer des 36. Regierungsjahres ein weiteres Mal das Heb-Sed-Fest des Königs. Das Haus des Freudenfestes füllte sich erneut mit Gästen und Delegationen von überall her sowie einer großen Ratlosigkeit unter den höchsten Beamten des Reiches, denn wiederum stellte sich die Frage, wer beim Heb-Sed als Große Königsgemahlin die Heilige Hochzeit mit dem König vollziehen solle.

*Und dies ist es, was mein Herr, Oberst Amûn-hotep, Sohn des Neby,
    mir nun zu schreiben befiehlt:*

Es war der 29. Tag des 3. Erntemonats.

Bis zum Heb-Sed-Fest, dem dritten Kronjubiläum der Regierung unseres Königs, waren es genau noch zehn Tage.

Wir saßen im Schatten der Veranda des Anwesens von Prinz Nacht-Min, das in einem weitläufigen, ein wenig verwilderten, farbenprächtigen Garten, umfriedet von einer hohen, weiß gekalkten Ziegelmauer, nur ein paar Straßenzüge südlich meines Hauses in Uêset lag.

Auf kleinen Beistelltischen neben unseren bequemen Sesseln

standen Krüge mit frischem Bier, zwei Diener wehten uns mit großen Fächern Kühlung zu, drei Schreiber hockten mit Papyrus, Schreibrohr und Tinte zu unseren Füßen, und zwischen uns türmten sich auf einem großen Tisch die Papyri und Tontafeln mit Bittgesuchen, Abrechnungen, Eingaben, Gerichtsurteilen, Anfragen, Staatsverträgen und diplomatischen Schreiben – kurz, der unendliche politische und verwaltungstechnische Schreib-kram, durch den wir uns seit über zwei Jahren Tag für Tag hin-durchkämpfen mußten. Vor dem zunehmenden Trubel im Haus des Freudenfestes, so kurz vor dem erneuten Heb-Sed-Fest des Königs, hatten wir uns hierher zurückgezogen.

Ich ließ den Papyrus sinken, den ich soeben durchstudiert hatte:

»Ihre Meinung, Nacht-Min?«

»Vermutlich ist der Kleinbauer im Recht«, meinte der Prinz und reichte mir die Tontafel herüber, in der jener Bauer darüber klagte, daß sein Nachbar, ein Großgrundbesitzer aus der Nähe von Per Sopdu im Gau ›Falkenmumie‹, nach jeder Überschwem-mung die Grenzsteine zu seinen Ungunsten verschiebe.

»Allein diese endlose Gegendarstellung des Großgrundbesit-zers, aufgesetzt von einem Winkeladvokaten, der seine blumen-reichen Rechtfertigungen bis in die Zeit des Mittleren Reiches zurückführt, läßt mich zutiefst mißtrauisch werden«, pflichtete ich ihm bei.

»Mit Ihrem Einverständnis, Amûn-hotep, würde ich urteilen: Die Landvermesser sollen die Grenzsteine anhand der Unterlagen im Archiv des Landwirtschaftsministeriums neu vermessen. Der-jenige, der im Unrecht ist, zahlt die Kosten und bekommt auf öffentlichem Markt 30 Stockschläge auf den nackten Hintern ge-zählt.«

»Entweder der Großgrundbesitzer ist ein Dieb, oder der Bauer ist ein Querulant. Ich würde die Zahl der Stockschläge da-her auf 49 erhöhen, Nacht-Min.«

Der Prinz nickte zustimmend, und ich reichte die Unterlagen einem der Schreiber, der sie mit unserem Urteil zusammen bün-delte und ablegte.

Das Verhältnis zwischen Prinz Nacht-Min und mir war eigenartig. Wir schätzten einander aufrichtig, arbeiteten vorzüglich Hand in Hand und vertrauten uns rückhaltlos. Wir hätten durchaus Freunde sein können. Aber der stets ein wenig düstere, zurückhaltende, zu einer gewissen Schwermut neigende Prinz hielt zu jedermann Abstand, errichtete um sich eine Mauer, die er niemandem zu durchdringen erlaubte.

Ich respektierte das, was Nacht-Min damit honorierte, daß wir zwar beim förmlichen Sie blieben, er jedoch vorschlug, daß wir auf die offiziellen Anreden und den Gebrauch der Titel untereinander verzichten sollten.

Gestärkt durch einen kräftigen Schluck Bier wollten wir uns soeben an das nächste Dokument machen, als schneller Hufschlag und das Rollen eines Wagens durch die Gasse zu hören war, der vor dem Anwesen Prinz Nacht-Mins hielt. Minuten später stapfte ein Leutnant der Palastgarde auf die Veranda, salutierte und meldete:

»Seine Majestät Amûn-hotep Neb-Maat-Râ, König von Ober- und Unterägypten, Herr der Beiden Kronen und der Beiden Throne, erwartet Sie, Prinz Nacht-Min, und Sie, Oberst Amûn-hotep, um die sechste Stunde in der großen Audienzhalle im Haus des Freudenfestes.«

Als wir, Prinz Nacht-Min und ich, aufgeputzt mit allen Insignien unserer Ämter, die große Audienzhalle betraten, war diese bereits voller Menschen.

Jedermann, der in Ägypten Rang, Namen und irgendeinen auch nur halbwichtigen Posten hatte, drängte sich zwischen den aufstrebenden Säulenreihen, um einen Blick auf den Thron an der hinteren Wand der Halle zu erhaschen. Ehrerbietig machte man uns Platz, so daß wir ungehindert bis in die erste Reihe der Wartenden gelangen konnten, wo sich die mächtigsten Männer des Reiches aufgestellt hatten.

»Seine Majestät. Lebender Hôr. Starker Stier. Geliebt von Maat«, verkündete ein Herold mit dröhnender Stimme, »König von Ober- und Unterägypten. Herr der Beiden Länder. Herr der

Beiden Kronen. Râ, Stark an Wahrheit. Ausgewählt von Râ. Eingesetzt von Utô und Nechbet, den beiden Herrinnen. Der Ägypten schützt. Sohn des Râ. Geliebt von Râ. Goldener Hôr. Reich an Jahren. Groß an Siegen!«

Die Vorhänge der Tür neben dem Thron, die einen direkten Zugang zum Inneren des Palastes ermöglichten, wurden zurückgeschlagen.

Ipu-Ka, der Bewahrer der Kroninsignien, betrat die Halle, stieß mit seinem langen, vergoldeten Würdenstab auf den Boden.

Wir sanken auf die Knie, berührten mit der Stirn die Marmorfliesen des Bodens.

»Was soll denn das nun wieder?« hörte ich Prinz Nacht-Min neben mir raunen.

Ich blinzelte nach vorne.

Die drei höchsten Beamten des königlichen Haushofmeisteramtes schritten in feierlicher Prozession aus der Tür. Auf blaugefärbten, dick mit Gold bestickten Kissen trugen sie die hohe Doppelkrone, den Krummstab und die Geißel zum Thron des Herrschers unter dem von Utô-Schlangen bekränzten Baldachin hinauf und legten sie dort nieder, wo sie die Königsmacht signalisieren. Von König Amûn-hotep Neb-Maat-Râ selbst jedoch keine Spur!

Das Aufstoßen des Würdenstabes erlaubte uns wieder aufzustehen, während die Beamten mit Ipu-Ka wieder durch die Tür verschwanden.

Ein kurzer Blick nach rechts und links auf die ratlosen Gesichter überzeugte mich, daß auch die anderen höchsten Beamten, Priester und Fürsten in meiner unmittelbaren Umgebung keine Ahnung davon hatten, was hier eigentlich vorging.

»Ihre Majestät«, dröhnte der Herold erneut, »die Große Königsgemahlin. Geliebt von Maat. Lebende Mut. Königin von Ober- und Unterägypten. Herrin der Beiden Länder. Stark an Wahrheit. Ausgewählt von Râ. Eingesetzt von Utô und Nechbet, den beiden Herrinnen. Die Ägypten schützt. Tochter des Râ. Geliebt von Râ. Reich an Jahren. Teje, Tochter des Juja, die der König liebt!«

Als wir erneut niedersanken, registrierte ich Verblüffung, Erstaunen, Verwirrung, ja, Schrecken auf den Gesichtern ringsum, auf einigen aber auch Genugtuung und unverhohlenen Triumph.

Als wir uns wieder erheben durften, hatte sich Teje auf den kaum niedrigeren Thron der Großen Königsgemahlin neben dem Thron des Herrschers niedergelassen. Auf ihrem Haupt trug sie die Krone mit den Doppelfedern der Großen Königsgemahlin, in ihrer Rechten die Geißel. Ihre schwarzen Augen glitten prüfend über die Versammelten, und ihre Mundwinkel waren verächtlich noch ein wenig tiefer herabgebogen als sonst.

»Durch das Hinscheiden des großen Sohnes des Hapu wird es notwendig, eine Reihe von Posten neu zu besetzen«, begann die alt-neue Große Königsgemahlin Teje ohne Umschweife.

»Mereru-Ka, Ihre Dienste als Stimme des Herrschers in allen fremden Ländern sind unverzichtbar. Wir bitten Sie, Ihr Amt weiter so hervorragend auszuüben, wie Sie das bislang schon getan haben.

Zum Generalintendanten aller Bauten des Königs und Oberstaufseher der Arbeiten am Platz der Ewigkeit ernennen Wir Men, bislang schon Erster Baumeister Seiner Majestät, sowie seinen Sohn Bek.«

Es war, als hätte es Sat-Amûn nie gegeben, als wäre der Sohn des Hapu gestern erst gestorben, als hätte Teje nie aufgehört im Namen des Königs die Geschicke des Landes zu lenken.

»Zum Schatzkanzler des Reiches und Intendant der beiden Goldländer des Herrn der Beiden Länder ernennen Wir Maja, den bisherigen Generalgouverneur von Oberägypten.

Sein Amt als Generalgouverneur von Oberägypten tritt der bisherige Oberrichter und Bürgermeister von Uêset, Râ-mose, Sohn des Neby, an.«

Ich fiel in den Applaus ein, der meinen Bruder Râ-mose begleitete, als er sich vor dem Thron niederwarf und mit den Insignien seiner neuen Macht bekleidet wurde. Nicht, daß ich Râ-mose unterdessen persönlich wirklich schätzen gelernt hätte, aber daß er seiner neuen Aufgabe voll gerecht werden würde, daran hatte ich keinen Zweifel.

»Als Ministerpräsidenten und Generalgouverneur von Ober- und Unterägypten bestätigen Wir Unseren Stiefsohn, Prinz Nacht-Min, der in den letzten zwei Jahren die Verwaltung Unseres Reiches so hervorragend gemeistert hat.«

Mein Applaus, als Nacht-Min die Stufen des Thrones hinaufschritt, war voll ehrlicher Überzeugung. Wenn es in diesem Amt einen würdigen und fähigen Nachfolger für den Sohn des Hapu geben konnte, dann war das zweifellos dieser Prinz – vielleicht würde die ehrenvolle Ernennung sogar seine düstere Schwermut ein wenig aufhellen können.

»Zum Reichsmarschall und Oberbefehlshaber aller Truppen ernennen Wir Mei, Sohn des Ipu-wer, Unseren bisherigen stets schon so getreuen General der königlichen Palastgarden.«

Wieder applaudierte ich herzlich mit, als mein Schwiegervater zum Thron hinaufstampfte, um die Zeichen seiner neuen Würde in Empfang zu nehmen. Gewiß war er kein brillanter Stratege, kein großer Feldherr, aber in friedlichen Zeiten, in denen wir uns – den Göttern sei Dank – befanden, war er durchaus der rechte Mann, um die Armee in Ordnung und Zucht bereit zu halten.

»An seiner Stelle zum Oberkommandierenden aller königlichen Garden im Haus des Freudenfestes ernennen Wir, unter Beibehaltung aller seiner bisherigen Titel, Ränge und Ehrenbezeichnungen Unseren Neffen, Amûn-hotep, Sohn des Neby.«

Erst ein freundlicher Stoß in die Rippen von dem neben mir stehenden Mereru-Ka machte mir klar, daß mit diesem Aufruf offensichtlich ich gemeint war. Wie betäubt stieg ich zum Thron empor, warf mich zu Boden und berührte mit der Stirn die kalten Marmorfliesen.

»Steh auf, Neffe«, hörte ich die leise Stimme Königin Tejes. Ich erhob mich langsam, richtete mich auf.

»Was immer geschehen ist, Amûn-hotep, dich trifft keine Schuld!« fuhr Teje mit leiser Stimme fort. »Im Gegenteil: In der Stunde höchster Gefahr hast du treuer und mutiger gehandelt als viele andere, die hier versammelt sind. Zum Zeichen meiner Dankbarkeit bitte ich dich daher, neben deiner Aufgabe als Oberkommandierender aller königlichen Garden im Haus des Freudenfestes meinen persönlichen Schutz in deinem alten Rang als

Befehlshaber der Leibwache der Großen Königsgemahlin zu übernehmen.«

Ich verneigte mich tief:

»Ihr befehlt, Majestät-Tante, ich gehorche.«

»Zudem«, fuhr Königin Teje fort, »verleihen Wir dir zum zweitenmal das Gold der Belohnung und ernennen dich zum Ersten Erzieher der Kadetten der Militärakademie zu Men-nôfer.«

Als ich an meinen Platz zurückkehrte, prasselten weiter Titel, Ämter und Ehrenämter auf die Versammelten nieder, wurden Auszeichnungen verliehen, Geschenke verteilt, Pfründen bestätigt, die verschiedensten Tempel mit weiteren Ländereien und Viehherden ausgestattet. Mit tiefer Beruhigung bemerkte ich, daß fast all jene Ausgezeichneten, in ihren Ämtern Bestätigten, in höhere Positionen Beförderten zu jener alten Garde von zuverlässigen Beamten, Offizieren und Priestern gehörten, die schon seit Jahren dem König und dem Sohn des Hapu treue Dienste geleistet hatten. Bis auf wenige Ausnahmen hatte sich für die Anhänger ihres Sohnes die Speichelleckerei also offenbar nicht ausgezahlt.

Oder doch?

Die Große Königsgemahlin Teje erhob sich von ihrem Thron. Mit einem Wink der Geißel forderte sie Ruhe.

»Mein königlicher Gemahl, Amûn-hotep Neb-Maat-Râ, Herr der Beiden Länder und der Beiden Kronen, Starker Stier, Geliebt von Maat, König von Ober- und Unterägypten, Stark an Wahrheit, Ausgewählt von Râ, Der Ägypten schützt, Sohn des Râ, Goldener Hôr, hat beschlossen«, verkündete Teje mit einer Stimme, die bis in den hintersten Winkel des großen Audienzsaales drang, »anläßlich Seines dritten Heb-Sed-Festes Seinen über alles geliebten Sohn, den Hôr-im-Nest Amûn-hotep, der sich selber Akh-en-Aton nennt, zum König zu krönen und bereits zu Seinen Lebzeiten zu Seinem Mitregenten zu machen!«

Eine Woche später wurde mit allem denkbaren Pomp das dritte Heb-Sed-Fest Königs Amûn-hotep Neb-Maat-Râ gefeiert, das gleichzeitig zum Krönungsfest für seinen Sohn Amûn-hotep wurde. Gemeinsam durchliefen sie die Zeremonien des Erscheinens der Könige von Ober- und Unterägypten und der Vereinigung der beiden Länder.

Amûn-hotep wählte sich den Kronnamen Nefer-cheperu-Râ – ›Schön ist Râ in seinem Aufsteigen‹ –, wie sein Vater den Kronnamen Neb-Maat-Râ – ›Herr der Gerechtigkeit ist Râ‹ – seinerzeit gewählt hatte.

Gemeinsam umrundeten sie die Weiße Mauer.

Ich hatte den Prinzen, Hôr-im-Nest und nunmehrigen König Amûn-hotep Nefer-cheperu-Râ, der sich selber gerne Akh-en-Aton – ›Nützlich für Aton‹ – nannte, bislang nur ein- oder zweimal aus der Ferne gesehen.

Aus der Nähe besehen war der junge König eigentlich eine groteske Erscheinung: Während sein Bauch, seine Hüften, Gesäß und Oberschenkel in ihrem Fett durchaus an seinen Vater Amûn-hotep Neb-Maat-Râ erinnerten, wirkte seine Brust schmal, fast eingefallen, Arme und Unterschenkel lächerlich mager und dürr. Auf einem langen, fleischlosen Hals balancierte ein Haupt, dessen Hinterkopf übertrieben ausgeprägt, ja, aufgebläht erschien. Das schmale Gesicht wurde beherrscht von einem extrem langen Kinn, wulstigen Lippen und schräg geschnittenen Augen, die er offenkundig von seiner Mutter Teje geerbt hatte.

Der neue König Amûn-hotep Nefer-cheperu-Râ hätte womöglich sogar lächerlich gewirkt, wäre da nicht das leidenschaftliche, ja geradezu wilde und fanatische Brennen in seinen Augen gewesen.

Der Lauf um die Mauer an diesem glühendheißen Sommertag trug dem jungen König unter den Großen Ägyptens mehr Sympathien ein, als dies ganze Scheffel voller Gold und die Verleihung höchster Ehrenämter vermocht hätten.

Es war rührend, ja, fast beschämend anzusehen, wie dieser offensichtlich keineswegs gesunde junge Mann seinen königlichen Vater von Station zu Station, von Gaustandarte zu Gaustandarte schleppte, wie er mit bebenden Knien voranwankte, mit zitternden Armen die Hände des Königs mit Krummstab und Geißel zu den Standarten emporhob, damit er diese berühren konnte, wie er förmlich unter die Fleischmassen des Königs kroch, sie, von Schweiß triefend und mit letzter Kraft dahintaumelnd, auf seinem Rücken, seinen ach so schmalen Schultern Schritt um Schritt weiterzerrte.

»Der Gau ›Fliegender Falke‹ neigt sich in Ehrfurcht vor seinen Herrschern!«

»Der Gau ›Hinterer Naret-Baum‹ neigt sich in Ehrfurcht vor seinen Herrschern!«

»Der Gau ›Vorderer Naret-Baum‹ neigt sich in Ehrfurcht vor seinen Herrschern!«

»Der Gau ›Feuersteinmesser‹ neigt sich in Ehrfurcht vor seinen Herrschern!«

Als Vater und Sohn, König Amûn-hotep Neb-Maat-Râ und König Amûn-hotep Nefer-cheperu-Râ, ans obere Ende der Weißen Mauer zurückgekehrt, stehenblieben, schimmerten auch in den Augen vieler bisheriger Gegner des jungen Königs Tränen der Rührung.

Zur Heiligen Hochzeit betraten, Hand in Hand, Amûn-hotep Neb-Maat-Râ und Teje sowie Amûn-hotep Nefer-cheperu-Râ und Kija das Allerheiligste des Amûn.

Als die regenbogenfarbenen Vorhänge wieder zurückgezogen wurden, verkündete Ptah-hotep, der Fürstpriester des Amûn, lautstark:

»Amûn-hotep Neb-Maat-Râ, König von Ober- und Unterägypten, Leben! Gesundheit! Wohlergehen!«

»Teje, Große Königsgemahlin und Königin von Ober- und Unterägypten, Leben! Gesundheit! Wohlergehen!«

Und dann:

»Amûn-hotep Nefer-cheperu-Râ, Mitkönig von Ober- und Unterägypten, Leben! Gesundheit! Wohlergehen!«

»Prinzessin Kija, seiner Gemahlin, Leben! Gesundheit! Wohlergehen!«

Während allgemeiner Jubel aufbrandete, raunte mir Aanen, der Bruder Tejes, der, wie vor drei Jahren, wieder seinen Platz neben mir gefunden hatte, zu:

»Das mag Ärger geben! Teje hat ihrer Tochter Kija nicht nur die hohen Federn der Großen Königsgemahlin, sie hat ihr sogar den Titel einer Königin verweigert.«

»Das mag ihr ein längeres und glücklicheres Leben sichern«, gab ich leise zurück.

Knapp eine Woche später wurde Nofret-ête, die zweite Gemahlin des neuen Königs Amûn-hotep Nefer-cheperu-Râ, im alten Palast zu Uêset von ihrer zweiten Tochter entbunden. Sie erhielt den Namen Merit-Aton − ›Geliebte des Aton‹.

3. Papyrus

JAHR
DER TRAUER

König Amûn-hotep Neb-Maat-Râ
37. Regierungsjahr und
König Amûn-hotep Nefer-cheperu-Râ
2. Regierungsjahr

Der Sommer dieses 37. Regierungsjahres des Königs Amûn-hotep
Neb-Maat-Râ, des 2. des Königs Amûn-hotep Nefer-cheperu-Râ,
war der schlimmste seit Menschengedenken.

Obschon wir seit vier Wochen dem Kalender nach bereits die
Jahreszeit der Überschwemmung schrieben, war der Strom noch
keine Handbreit gestiegen. Das Land glühte unter der unbarm-
herzig herabbrennenden Sommersonne. Selbst das Innere der
Häuser, Paläste und Tempel bot keinen Schutz, keine Abkühlung
mehr; sie hatten sich in dumpfe Backöfen verwandelt.

Zwei Sandstürme waren über Uêset hinweggefegt. Die Wolken pudrigen Staubes schwebten noch nach Wochen in der Luft, erzeugten in glühendem Rot, Gold, Orange und Violett flammende Sonnenuntergänge, verklebten Augen, Ohren, Nasen und Lungen. Ganz Uêset hallte in diesen Wochen wider von qualvollem Husten und Keuchen. Und um unser Elend vollkommen zu machen, hatte uns wieder und wieder Setechs Atem, der schweflige Wüstenwind, mit Kopfschmerzen, Übelkeit, Fieber und Sehstörungen gepeinigt.

»Ein schlimmes Vorzeichen! Ein sehr schlimmes Vorzeichen!« hatten die Menschen gemurmelt, und niemand mochte ihnen widersprechen.

Nur die Händler mit Amuletten, Heiltränken und Wundertinkturen machten das Geschäft ihres Lebens.

Die Ruderer meines Bootes, das mich flußaufwärts brachte, keuchten, ächzten und schwammen in ihrem Schweiß. So dringend der Ruf meines Vaters Neby gewesen war, unverzüglich nach ›Weide der Rinder des Amûn‹ zu kommen, so hatte ich schließlich doch die Schlagzahl der Riemen herabsetzen lassen. Es machte keinen Sinn, die armen Kerle zu Tode zu hetzen; auch war jetzt, wo der Spiegel des Stromes weit unter seinem normalen Tiefststand lag, die Gefahr einfach zu groß, auf eine Sandbank aufzulaufen oder in einer der träge dahintreibenden Schlamm- und Tangbänke steckenzubleiben.

Als sich mein Boot endlich ›Weide der Rinder des Amûn‹ näherte, gellten mir bereits die schrillen Schreie von Frauen entgegen.

Ich war zu spät gekommen.

Langsam stieg ich an Land und ging mit schleppenden Schritten zum Haus hinauf.

Man hatte meine Mutter Apuya bereits gewaschen, geschminkt und frisch gekleidet in der Mitte der Haupthalle aufgebahrt.

Auf der linken Seite des Raumes hatten sich drei Dutzend Klageweiber versammelt, die sich Erde auf den Kopf streuten, ihre Kleider zerrissen und aus voller Kehle heulten und jammerten, meine Gattin Mei und meine Tochter Merit-Ptah mitten unter ihnen. Die dumpf psalmodierenden Stimmen der Totenpriester, die feierlich Weihrauch schwenkend die Bahre umkreisten, bildeten dazu den akustischen Kontrapunkt.

Auf der rechten Seite saß reglos mein Vater Neby, die Augen unverwandt auf meine Mutter gerichtet. Hinter ihm stand mein Bruder Râ-mose.

Als ich eintrat, erhob sich Neby, kam auf mich zu und umarmte mich.

»Ich danke den Göttern dafür, daß sie erlöst ist«, murmelte mir mein Vater dabei zu. »Die letzten Wochen waren eine einzige Folter für sie gewesen. Jetzt hat sie ihren Frieden.«

Gemeinsam standen wir dann neben der Bahre.

Die sanft geschlossenen Lippen und Augenlider, die Andeutung eines Lächelns um die Mundwinkel – ich hatte das Gesicht meiner Mutter schon seit Jahren nicht mehr so entspannt, ja, heiter gesehen wie in diesem Augenblick.

»Anûb und Maat mögen dich willkommen heißen in den ewigen Hallen Usîres!« sang der Totenpriester, ein noch junger Mann mit warmen, freundlichen Augen.

Ich beugte mich nieder, schob eine Rispe Rittersporn, der Blume der Ewigkeit, die ich beim Herweg im Garten gepflückt hatte, zwischen ihre auf der Brust gefalteten Hände, küßte ihre Lippen und Augen.

»Râ möge dich geleiten auf der Fahrt seiner Barke durch die Unterwelt zu einem neuen, glücklichen Leben!« sang der Priester.

»Ich werde ihr und uns allen ein Grabmal bauen, wie es bislang nur Königen vorbehalten war!« verkündete mein Bruder Râ-mose.

»Ein Grabmal, wie es bislang nur Königen vorbehalten war!« wiederholte mein Bruder Râ-mose ein paar Tage später aufgeregt.

Etwa auf halbem Weg zwischen dem Haus von Millionen Jahren unseres Königs Amûn-hotep Neb-Maat-Râ und dem herrlichen Terrassentempel der Königin Hat-Schepsut Maat-Ka-Râ liegt, in die Ausläufer des ›Throns des Anûb‹ eingegraben, ein Feld von Gräbern, das die Könige für ihre verdientesten Beamten zur Verfügung gestellt haben. Hier eine Grabstätte zu erhalten zählt zu den höchsten Ehrungen, die einem Staatsdiener erwiesen werden können. Auch Râ-mose war vor nunmehr gut zwei Jahren als Oberrichter und Bürgermeister von Uêset, dann als Generalgouverneur von Oberägypten dieser Ehre teilhaftig geworden.

Über ausgedehnte Schutthalden kletterten wir bis zu seiner Grabstätte, aus deren Eingang Hilfsarbeiter schwere Körbe voll ausgehauenen Gesteins schleppten.

Über eine großzügig angelegte Treppe stiegen wir hinab und betraten einen 24 Ellen breiten und 36 Ellen tiefen Vorraum, der ein unregelmäßiges Fünfeck bildete. Râ-mose verzog bei seinem Anblick mißmutig den Mund:

»Durch die schon vorhandenen Nachbargräber waren wir gezwungen, diesen Raum so schief auszuhauen. Es ärgert mich, aber was kann ich machen? Doch komm weiter, Amûn-hotep!«

Aufgeregt wie ein kleiner Junge zog mich Râ-mose durch eine Tür am Ende des Vorraumes.

»Und was sagst du nun?«

Das war in der Tat ein Grab würdig eines Königs! Die Decke des 48 Ellen breiten, fast 27 Ellen tiefen und 7,5 Ellen hohen Saales wurde von vier Reihen zu je acht dicken Papyrusbündelsäulen getragen. Im Schein mehrerer Lampen, die jenes nicht rußende, kalte Licht verbreiteten, welches eines der bestgehüteten Geheimnisse der Künstler der Totenstadt ist, arbeitete etwa ein Dutzend Bildhauer an der rechten Seite der Eingangswand.

Ich trat näher. Da stand Râ-mose selbst, weit überlebensgroß, in voller Amtstracht, während zwei jugendliche Priester an ihm die vorgeschriebene Kultreinigung vollzogen. Noch mehr faszinierte mich die festliche Gesellschaft, die dort aufgereiht saß: allen voran ich selber mit dem Kommandostab in der Linken, den zwei Ketten des Goldes der Belohnung um den Hals, und meine Gemahlin Mei, die mir liebevoll die Hände auf Arm und Schulter legte. Dann folgten unser Vater Neby und unsere Mutter Apuya. Das dritte Paar waren mein Schwiegervater General May und seine Gattin Werel und endlich zwei Freunde Râ-moses, von denen ich allerdings nur Keschy, den Obersten der Jäger des Amûn, flüchtig kannte.

»Tehuti-mose, genannt Speckstein-mose, ist der hervorragendste Künstler, der in Ägypten lebt«, verkündete Râ-mose stolz. »Hallo, Speckstein!« rief er einem jungen Mann zu, der, von Steinstaub überpudert, auf einem Gerüst stehend in ein mit dünnen Strichen auf der Wand aufgetragenes Netz von Quadraten eine weitere Zeichnung mit Kohlestift übertrug.

Speckstein-mose kletterte von dem Gerüst herab, und Râ-mose stellte uns vor. Mir war es leicht, dem jungen Künstler von Herzen zu seiner Arbeit zu gratulieren; seine Reliefs waren das Beste und Feinste, was mir bis zu diesem Tag vor die Augen gekommen ist. Und die Porträtähnlichkeit war, bei aller Formalisierung, wahrhaft verblüffend!

»Dort hinten geht es weiter«, drängte Râ-mose ungeduldig.

Durch eine hohe Tür in der Rückwand des Saales gelangte man in einen weiteren, mit vier Säulenpaaren ausgestatteten Raum, hinter dem schließlich die eigentliche Grabkammer lag.

»Hier werde ich eines Tages ruhen!« verkündete mein Bruder stolz. »Aber komm, jetzt zeige ich dir das Grab für unsere Eltern!«

An der linken, hinteren Ecke des großen Säulensaales führte ein rund 70 Ellen langer, gewundener Gang fast hundert Stufen in die Tiefe, wo sich schließlich erneut ein fast 14 auf 14 Ellen messender Raum öffnete, dessen Decke von vier schweren Pfeilern getragen wurde. Etliche Arbeiter waren damit beschäftigt, hinten und auf der rechten Seite weitere Räume aus dem Felsen zu meißeln.

»Würdig eines Königs!« strahlte mich Râ-mose an. Doch während wir wieder empor zum Licht stiegen, wurde er plötzlich unsicher:

»Was ist jetzt mit dir, Amûn-hotep? Ich habe für dich und Mei noch nichts anlegen lassen, weil du ja diese Grabstelle von Sat-Amûn bekommen hast. Allerdings liegt die da irgendwo draußen

im Tal der Wildstiere. Ich könnte dir problemlos hier eine Grabkammer bauen lassen, gegenüber der für unsere Eltern ...«

»Bitte bemühe dich nicht«, warf ich eilig ein, »ich könnte die
verstorbene Große Königsgemahlin Sat-Amûn niemals dadurch
beleidigen, daß ich ihr Geschenk ausschlage!«

Râ-mose nickte verstehend. Meine wahren Gründe verstand
er freilich nicht, und das war ganz gut so: Ein derart protziges
Grab würde binnen Wochen bis zum letzten Amulett ausgeraubt
sein, und ich konnte nur hoffen, daß die Räuber den Zugang
zum Grab unserer Eltern übersahen. Im übrigen drängte mich
wenig dazu, den langen Schlaf in unmittelbarer Nachbarschaft zu
meinem Bruder und zu meiner Gattin Mei zu verbringen – unsere Eltern würden dafür Verständnis haben. Da war mir das
kleine, unauffällige Grab, das ich mir im Tal der Wildstiere habe
inzwischen aushauen lassen, erheblich lieber. Ebenso die Nachbarschaft von Sat-Amûn und dem Sohn des Hapu, die wir, nach
der Beisetzung in ihren offiziellen Gräbern, dort in kleinen,
streng geheimen Grabanlagen in Sicherheit gebracht hatten. Ich
mußte leise schmunzeln, wenn ich daran dachte, daß das Tal der
Wildstiere zu einem zwar bescheidenen, jedoch auch sehr exklu-
siven Gräbertal zu werden begann.

Wieder heulten die Klageweiber, psalmodierten die Totenpriester. Hunderte waren es diesmal. Ihr Geschrei und ihr Gesang
ließen die Grundpfeiler des Hauses des Freudenfestes erbeben.

König Amûn-hotep Neb-Maat-Râ, Herrscher über Ober- und
Unterägypten, Herr der Beiden Throne und der Beiden Kronen,
hatte für immer die Augen geschlossen.

Wir schrieben den 14. Tag im 2. Monat der Überschwemmung*.

Die Große Königsgemahlin Teje hatte sich in ihre Gemächer
zurückgezogen.

»Laßt mich allein!« hatte sie ihr Gefolge angeherrscht.

---

* 29. Juli 1335 v. Chr.

Jetzt wanderte ich, von einer inneren Unruhe getrieben, durch das Haus des Freudenfestes, fand mich schließlich in meinem Quartier wieder, bestieg die Dachterrasse und starrte auf den Fluß hinaus.

Hapi war unterdessen zwar gekommen – wenn man das bißchen Wasser so nennen wollte, das den Spiegel des Stromes kaum über die weiten Sandbänke und stinkenden Sumpflöcher hob, die sich in den letzten Wochen im Strombett gebildet hatten. Er hatte keinen Segen gebracht.

Mein Kopf schmerzte.

Wider jede Erfahrung hatte auch Setechs Atem, der sonst stets mit Beginn der Zeit der Überschwemmung endet, sein quälendes Blasen in diesem Jahr noch immer nicht eingestellt. Alte, Kinder und Kranke starben täglich zu Hunderten. Aber auch unter den Jüngeren, den Kräftigen, den sonst Gesunden hielten unterdessen vor allem fiebrige Durchfälle und Erbrechen mehr und mehr erschreckende Todesernte. Kaum ein Haus in Uêset, in dem man nicht Klagen und Weinen hörte. Die Totenbarken waren Tag und Nacht unterwegs, um die Verstorbenen auf die Westseite des Stromes zu bringen. Auch jetzt sah ich sie zu Dutzenden den Fluß überqueren. Sie sahen aus wie dunkle Ameisen, die ihre Eier auf dem Rücken schleppten. Die Riemen waren die Beine, die Eier die in helle Tücher gewickelten Mumien.

»Ein böses, böses Vorzeichen!« jammerte das Volk.

Es hätte vermutlich noch viel lauter gejammert, wenn es gewußt hätte, daß auch König Amûn-hotep Nefer-cheperu-Râ mit schier unerträglichen Kopfschmerzen auf seinem Bett lag, während sein Körper immer wieder von Brechreiz geschüttelt wurde; wenn es geahnt hätte, daß selbst die Große Königsgemahlin Teje von schweren Fieber- und Schwindelanfällen heimgesucht wurde.

Und jetzt war der König tot. Nicht, daß Amûn-hotep Neb-Maat-Râ in den letzten Jahren sein Land noch in irgendeiner Form tatsächlich regiert hätte, aber die 37 Jahre seiner Herrschaft, einer Epoche des Friedens und Wohlstandes, hatten den Menschen ein Gefühl der Sicherheit gegeben, ein Gefühl, das alle jetzt bitter vermißten.

Der leise Akkord einer Harfe schlug an mein Ohr, eine glockenreine Stimme sang leise:

»Bewirkt hat dein Sohn Hôr, daß die großen Sternbilder
    erzittern.
Sie haben das große Messer gesehen in deiner Hand, als Du
    aus Duat, dem Totenreich, hervorgetreten bist.
Heil Dir, Weiser! Heil Dir, Usîre!
Geb wird Dich neu schaffen! Die Achtheit der Götter wird
    Dich neu gebären!
Hôr ist glücklich über seinen Vater!
Atum ist glücklich über seine Jahre!
Die Götter des Westens und Ostens sind glücklich über das
    große Ereignis des erneuten Aufganges,
Das geschehen ist in den Armen der Göttin, die den Gott
    wiedergebären wird!«

Ich wandte mich langsam um. Serâu hob den blonden Kopf, sah mich mit ihren großen, blauen Libu-Augen an.

»Setechs Atem, vor allem aber das hysterische Gekreische der Klageweiber macht mich noch wahnsinnig!« murrte ich.

Serâu senkte traurig ihren Blick:

»Ich wollte, ich hätte das Wissen Erns, um einen Kräutersud gegen Ihre Kopfschmerzen bereiten zu können, Herr!«

Ich strich freundlich über ihr blondes Haar:

»Mach dir keine Gedanken darüber, kleiner Vogel.«

»Aber das ist meine Aufgabe, Herr!« widersprach mir Serâu leise. Dabei begannen ihre feingliedrigen, jedoch kräftigen Hände an meinen Oberschenkeln sanft, gleichwohl höchst erregend emporzuwandern.

Ich hatte nicht die Beherrschung, die Gefaßtheit für ein zärtliches Vorspiel. Ungeduldig zerrte, ja, riß ich ihr das Kleid herunter, warf mich über sie. Serâu zog mich liebevoll an sich, öffnete sich mir bereitwillig.

»Verzeih mir«, brummte ich, als ich mich kurz darauf, noch schwer atmend, von ihr herabrollte, »aber ich …«

Serâus schlanke Finger verschlossen mir den Mund:

»Ich werde immer für Euch da sein, Herr! Wann immer Ihr mich braucht, wie immer Ihr mich braucht. Es ist …«

»Deine Aufgabe«, versuchte ich ihren Satz zu beenden, doch Serâu schüttelte ihren blonden Kopf.

»Es ist mehr als das. Viel mehr, Herr!« flüsterte sie in mein Ohr.

Sanft zog ich den schlanken Mädchenkörper Serâus wieder an mich, streichelte ihren Rücken, ihre Schultern, ihre kleinen Brüste. Als ich erneut in sie eindrang, war ich bemüht, auch ihr Lust und Erfüllung zu schenken.

Ipu-Ka, der Bewahrer der Kroninsignien, betrat feierlichen Schrittes die große Audienzhalle im Haus des Freudenfestes. Ihm folgte ebenso würdevoll die Schar seiner Beamten. Sie traten vor den Thron unter dem Baldachin mit dem Kranz von Utô-Schlangen, warfen sich mit ausgestreckten Händen zu Boden, berührten mit ihren Stirnen ehrerbietig den Boden.

Teje, die Große Königsgemahlin-Witwe, saß reglos auf ihrem Thron, gehüllt in die blauen Gewänder der Trauer, ohne ein einziges Schmuckstück, nur die Krone mit den hohen Doppelfedern auf dem Haupt und die kleine Geißel in der Rechten, die Insignien ihrer Macht.

Die knapp hundert Höflinge, Beamte und Damen, die zum engeren Gefolge der Großen Königswitwe Teje zählten, verloren sich fast in den Weiten des Saales.

Ein Wink von Heje, dem getreuen Haushofmeister Tejes, erlaubte den Beamten, sich wieder zu erheben.

»Sie dürfen sprechen, Ipu-Ka«, richtete Teje das Wort an den Führer der Delegation.

Erneut verneigte sich der Bewahrer der Kroninsignien fast bis zum Boden:

»Gemäß dem Brauch werden Euer Majestät Königin-Witwe gebeten, mir die Abzeichen der Großen Königsgemahlin, die Krone mit den Doppelfedern und die königliche Geißel, auszuhändigen.«

»König Amûn-hotep Neb-Maat-Râ ist erst vor zehn Tagen zu den Göttern heimgegangen«, antwortete ihm Heje mit seiner hellen Eunuchenstimme scharf. »Erst nach den siebzig Tagen der Trauer, wenn der verstorbene König offiziell beigesetzt ist und der neue König gekrönt wird ...«

»Es wird keine neue Krönungszeremonie mehr abgehalten werden«, unterbrach ihn Ipu-Ka, »da König Amûn-hotep Nefer-cheperu-Râ bereits im letzten Sommer, anläßlich des dritten Heb-Sed-Festes von König Amûn-hotep Neb-Maat-Râ Usîre gekrönt wurde. Es wird lediglich in drei Tagen vor dem gesamten Hof und vor versammeltem Volk eine Thronproklamation des Königs geben. Zu diesem Anlaß wird auch die neue Große Königsgemahlin gekrönt werden.«

Während der Worte Ipu-Kas zeichnete sich eine immer schärfer werdende Falte zwischen den Augenbrauen Königin Tejes ab:

»Dieses – wie ich meine, sehr unkluge – Verhalten ist tatsächlich der ausdrückliche Wunsch meines Sohnes, des Königs Amûn-hotep Nefer-cheperu-Râ?«

»Er ist es!« bestätigte Ipu-Ka mit einer erneuten Verneigung.

»Und er hat Sie geschickt, die Insignien der Großen Königsgemahlin abzuholen?«

»Nicht er persönlich«, gab Ipu-Ka zu.

»Wer dann?«

»Da Seine Majestät, König Amûn-hotep Nefer-cheperu-Râ, ebenso wie seine Erste Gemahlin, Prinzessin Kija, zu tief in der Trauer um ihren Vater, König Amûn-hotep Neb-Maat-Râ Usîre, versunken sind, hat die zweite Gemahlin Seiner Majestät, Nofret-ête ...«

Ein knapper Wink mit der Geißel ließ Ipu-Ka verstummen.

»Die Gesetze unseres Landes räumen einer Witwe das Recht ein, von ihrem nächsten Verwandten geheiratet zu werden. So ist es doch?« fragte Königin Teje mit ruhiger Stimme.

Ipu-Ka und die anderen Beamten nickten zustimmend.

»Dann«, fuhr Königin Teje fort, »beanspruche auch ich dieses Recht für mich. Ich werde meinen nächsten Verwandten zum Gemahl nehmen, nämlich meinen Sohn, König Amûn-hotep Nefer-cheperu-Râ!«

Wir alle waren sprachlos. Gewiß, daß eine verwitwete Frau ihren Schwager, ihren Bruder, auch ihren Vater heiratete, das war durchaus üblich. Daß aber eine Mutter ihren Sohn heiratete, war zwar rechtlich möglich, doch es geschah so gut wie nie ...

Heje, der Haushofmeister der Königin, war der erste, der seine Sprache wiederfand:

»Da Ihre Majestät, Königin Teje, bereits Große Königsgemahlin ist, rückt sie mit ihrer Heirat unverzüglich an die erste Stelle der Gemahlinnen des neuen Königs und behält den Rang und alle Abzeichen einer Großen Königsgemahlin. Ihr Auftrag, Ipu-Ka, hat sich damit erledigt. Die alte und neue Große Königsgemahlin Teje wird in drei Tagen zur Thronproklamation von König Amûn-hotep Nefer-cheperu-Râ zur Rechten des Königs sitzen.«

König Amûn-hotep Nefer-cheperu-Râ hatte unter dem Baldachin mit den Utô-Schlangen auf dem würfelartigen Thron Platz genommen. Neben ihm saß auf dem nur wenig kleineren Thron der Großen Königsgemahlin Teje, reglos wie eine Statue. Während der König in vollem Ornat mit Doppelkrone, Krummstab, Geißel, Zeremonialbart, der sein langes Kinn noch länger erscheinen ließ, Stierschwanz und dem gesamten, massiv goldenen, mit Edelsteinen überkrusteten Königsschmuck glänzte, trug Teje wiederum nur ihre Insignien zu ansonsten schmucklosem Trauer-Blau.

In der riesigen, von König Tehuti-mose Men-cheper-Râ erbauten Audienzhalle des alten Palastes drängten sich gewiß dreitausend Beamte, Priester und Würdenträger des ganzen Landes, und vor dem alten Palast staute sich zu Zehntausenden das Volk.

Zur Linken des Königs, eine Stufe niedriger als sein Thron und etwas vor ihm, saßen seine nunmehr zweite und dritte Gemahlin auf kleineren Thronen, Kija und Nofret-ête. Der Kopfputz Nofret-êtes hatte einiges Tuscheln unter den Anwesenden ausgelöst. Auf ihrem Haupt erhob sich ein hoher, blauer Hut in Form eines abgeschnittenen Kegels, ähnlich der Roten Krone

Unterägyptens, um den sie ein buntes Band gewunden hatte und an dessen Stirnseite sich eine Utô-Schlange aufbäumte.

»Soll das lächerliche Ding etwa eine Krone darstellen?« spottete Cha-em-hêt, der zwergenwüchsige Landwirtschaftsminister.

»Was auch immer«, knurrte Prinz Nacht-Min, »die Utô-Schlange an ihrer Stirn ist eine Anmaßung! Sie steht allein den engsten Mitgliedern der Königsfamilie zu, nicht irgendwelchen Haremsweibern!«

Ein dreifacher Ruf der Herolde und das Schmettern von silbernen Trompeten sorgten für Ruhe.

Der König erhob sich und kreuzte zeremoniell die Fäuste mit Krummstab und Geißel vor der eingefallenen Brust:

»Ich, König von Ober- und Unterägypten, Herr der Beiden Kronen, der Beiden Throne und der Beiden Länder, Einziger des Aton, Sohn des Aton, Der von der Wahrheit lebt, verkünde und bestimme hiermit:

Es ist nur ein Gott, Aton, die göttliche Sonnenscheibe, mein göttlicher Vater!

Es ist Aton, die göttliche Sonnenscheibe, der alles geschaffen hat, und nichts ist, was Er nicht geschaffen hat!

Ich bin Sein einziger Sohn, der Sohn der göttlichen Sonnenscheibe Aton!

Ich bin es, durch den allein sich die göttliche Sonnenscheibe Aton kundtut!

Ich allein kenne die Wahrheit meines göttlichen Vaters Aton, und niemand außer mir kennt Seine Wahrheit, denn ich bin es, der durch Seine Wahrheit lebt für immer und ewig!

Und dies ist es, was Aton, mein göttlicher Vater, durch mich zu Seinem Volke spricht, zu Seinem Volke in Ägypten und zu all Seinen Völkern auf dem ganzen Erdkreis:

Ich allein bin Gott, vor dem ihr euch niederwerfen, den ihr anbeten und dem ihr opfern sollt!

Niederwerfen sollt ihr euch vor meinem einzigen Sohn, der von der Wahrheit lebt, denn er ist der einzige, der mich kennt und den ich kenne!

Alle Völker sollen sich vor ihm niederwerfen!

Und es wird kein Krieg mehr sein und keine Zwietracht unter

den Völkern, denn mein Sohn allein wird sie in meinem Namen regieren in Frieden in Ewigkeit!

Weil ich aber der einzige Sohn bin von Aton, der göttlichen Sonnenscheibe, meinem Vater, der lebt in Wahrheit, werde ich meinen alten Namen ablegen und annehmen einen neuen Namen, den Namen meines göttlichen Vaters Aton.

Und so sollt Ihr mich nennen für immer:

Akh-en-Aton — ›Nützlich für Aton‹!

Als Königsnamen aber wähle ich den Namen Ua-en-Râ — ›Einziger des Râ‹ —, denn Râ ist Aton.

Und dies bestimme ich, Akh-en-Aton Ua-en-Râ, König von Ober- und Unterägypten, Herr der beiden Länder, der Beiden Kronen und Throne, Einziger des Aton, Geliebt von Aton, Der von der Wahrheit lebt:

Es wird kein Krieg sein in meinem Reich, denn alle werden leben im Frieden des Aton und seines Sohnes.

Es wird keine Lüge sein in meinem Reich und keine Falschheit, denn der Sohn des Aton lebt allein in der Wahrheit.

Es wird keine Armut sein in meinem Reich und kein Hunger, denn Aton geht auf über allen Menschen, und er ernährt alle, die seinen göttlichen Namen anrufen und ihm dienen.

Weil aber Aton, mein göttlicher Vater, ein Gott aller Menschen ist, so werde auch ich ein König aller Menschen sein, und alle werden gleich sein vor meinem Thron, wie sie gleich sind vor meinem Vater Aton, der über allen aufgeht und untergeht und leuchtet und sie mit Leben erfüllt. Und es wird kein Unterschied sein zwischen Ägyptern und Babyloniern, zwischen Keftiu und Achaiern und Elamitern, zwischen Kuschiten und Libu und Hatti und Schôs.

Um all diesen meinen geliebten Untertanen aus allen Gegenden der Welt nahe zu sein, werde ich mich Tag für Tag am ›Fenster der Erscheinung‹, das ich in diesem Palast und an all meinen Palästen bauen lassen werde, meinem Volk zeigen, um seine Nöte und Sorgen zu hören, treue Diener meines Vaters Aton zu belohnen und seine Feinde zu bestrafen.

Und um meinen göttlichen Vater Aton zu ehren, werde ich östlich des alten Amûn-Tempels zu Uêset einen Tempel bauen für meinen göttlichen Vater Aton, und dieser Tempel wird größer und prachtvoller sein als alle Tempel der Welt. Und ich werde Tempel bauen für meinen göttlichen Vater Aton in Onû und Chemenu und an vielen Orten dieser Welt, und sie werden größer und prachtvoller sein als alle Tempel, die bis zu diesem Tag irgendwo gebaut worden sind, und größer und prachtvoller als alle Tempel, die jemals noch gebaut werden könnten, weil Aton der einzige Gott ist und ich sein einziger Sohn bin, der von der Wahrheit lebt!«

»Er ist vollkommen verrückt!«

Mit hochrotem Gesicht, den Kopf gesenkt wie ein angreifender Stier, die Füße breit auf den Boden gerammt, die Fäuste geballt, stand Aanen, der Zweite Prophet des Amûn und Großpriester des Râ-Atum, Betreuer der Ochsen des Min, vor seiner Schwester.

Sie befanden sich in einer der zahlreichen Nebenräume der großen Audienzhalle.

Königin Teje hob die schwere Krone von ihrem Haupt, reichte sie einer Dienerin, die sie behutsam in eine mit weichen Tüchern ausgeschlagene Schatulle legte.

»Du mußt sofort einschreiten, Teje!« forderte Aanen ungestüm. »Dein Sohn hat sich und uns vor aller Welt lächerlich gemacht mit dieser Proklamation soeben! Dieses wirre Gefasel von Aton, seinem ›Vater‹!«

»Alle Könige nennen Amûn und Râ und Hôr ihren Vater«, gab Teje zurück, nahm durstig einen langen Schluck Fruchtsaft aus einem silbernen Becher und ließ sich auf ihrem kleinen, privaten, thronartigen Sessel nieder.

»Ja, gewiß«, schimpfte Aanen, »aber doch nur symbolisch. Bei deinem Sohn klang es allerdings so, als meine er das wirklich ernst! Jeder vernünftige Mensch weiß, daß es Amûn-hotep Neb-Maat-Râ Usîre war, der deine Kinder gezeugt hat, und nicht Amûn oder Râ oder …«

»Weiß man das?« fragte Königin Teje spöttisch zurück.

»Du wirst doch nicht auch noch mit solchem Unfug anfangen und behaupten, du habest mit Amûn oder Hôr oder ... oder ... Aton tatsächlich herumgevögelt!« polterte der Großpriester.

Die Große Königsgemahlin Teje zog sehr hoheitsvoll die Augenbrauen hoch:

»Mein lieber Bruder, ich verstehe zwar deine Erregung, aber mit wem ich intimen Umgang pflege, geht niemanden etwas an − dich am wenigsten! Außerdem darf ich dich doch bitten, deine Wortwahl etwas zu überprüfen.«

»Gut, gut«, versuchte Aanen zu beschwichtigen. »Aber gegen diese Erklärung von Aton als einzigem Gott mußt du wirklich einschreiten!«

»Muß ich?« fragte Teje verächtlich.

»Im Laufe der Jahrhunderte haben Könige immer wieder einmal mehr Amûn, einmal mehr Râ, einmal mehr einem der anderen Götter den Vorzug gegeben. Aber noch nie ist es einem König eingefallen, einen einzelnen Gott einfach über alle anderen zu setzen, ja, zu erklären, sein Gott habe nun der Einzige und Ausschließliche für Ägypten zu sein! Und nicht bloß für Ägypten, für den ganzen Rest der Welt gleich dazu! Wenn die Gesandten so etwas an ihre Herrscher in Babylon, Troja, Knossos oder Hattusa melden, machen wir uns doch unsterblich lächerlich! Vielleicht beabsichtigt dein Sohn auch noch Botschaften an alle fremden Völker zu verschicken, sie mögen sich unverzüglich unterwerfen und auf dem Bauch nach Uêset gekrochen kommen, um seinem Vater Aton und dessen Einzigem Sohn als Weltherrscher zu huldigen!«

»Denkbar«, gab Königin Teje trocken zu. »Durchaus wahrscheinlich sogar.«

»Das kannst du, das darfst du nicht zulassen!« schrie Aanen entsetzt. »Genausowenig wie du diesen geplanten Tempelbau zulassen kannst! Auf jeden Fall nicht unmittelbar östlich des Amûn-Reichstempels!«

»Weil du dort deine Villa hast?« fragte Teje spöttisch. »Du und all die anderen oberen Amûn-Priester?«

»Weil dort eines der wichtigsten Marktviertel von ganz Ägypten liegt!« zeterte der Großpriester. »Meinst du etwa, die ganzen

reichen Kaufleute und Händler dort werden es einfach hinnehmen …?«

»Was ist wichtiger?« schnitt ihm die Große Königsgemahlin
das Wort ab. »Ein Tempel zu Ehren Gottes oder irgendwelche
Verkaufsbuden? Und jetzt, werter Bruder, bitte ich dich zu gehen – ich bin beschäftigt.«

Kaum war Aanen grollend abgezogen, erschien Heje, um zu
melden:

»Prinz Ptah-hotep, der Fürstpriester des Amûn, der Ministerpräsident Prinz Nacht-Min, der Landwirtschaftsminister Cha-em-
hêt, der Vizekönig von Kusch und Wawat Huja, der Finanzminister Maja …«

»Ich bin nicht zu sprechen. Für niemanden!« unterbrach ihn
Königin Teje, fügte dann aber freundlicher hinzu: »Im Augenblick schlagen die Wellen hoch. Laß sie schlagen. In zwei oder
drei Monaten werden sie sich alle wieder beruhigt haben, und
alles wird in Ägypten wieder seinen gewohnten Gang gehen.«

Die Große Königsgemahlin Teje irrte selten.

Doch diesmal irrte sie!

Mir freilich wollte in jenen Stunden jemand ganz anderer nicht
mehr aus dem Kopf gehen: Der ›Gottvater‹ Eje.

Der Hohe-Min-Priester Juja aus Ipu hatte drei Kinder gehabt:

Sein Ältester war Aanen, der sich unbeirrbar als Zweiter Prophet des Amûn neben dem Fürstpriester des Amûn-Tempels
in Uêset, Prinz Ptah-hotep, zum beherrschenden Priester des
Reichsgottes und damit zu einem der mächtigsten Männer in
ganz Ägypten emporgearbeitet hatte.

Seine Tochter Teje hatte mit ihrer Klugheit, ihrer Tatkraft und
ihrem Ehrgeiz im Sturm den jungen König Amûn-hotep Neb-
Maat-Râ erobert, hatte viele Jahre lang, mit dem und gegen den
Sohn des Hapu, Ägypten regiert und saß nun wieder als Große
Königsgemahlin ihres Sohnes Akh-en-Aton Ua-en-Râ an den
Hebeln der Macht.

Für Nefer-Min, den jüngsten, spät geborenen Sohn des Juja,

hatte Königin Teje eine militärische Karriere vorgesehen. Er wurde zum Oberst der Wagenkämpfer Seiner Majestät und zum Oberstmarschall aller Pferde des Königs ernannt. Doch er zeigte kein Interesse an diesen Posten, trat vielmehr in den Tempel des Râ in Onû als Priesterschüler ein.

Dort lernte er den jungen Prinzen Amûn-hotep näher kennen. Als Neter-duai, der Große Seher und Hohepriester des Râ in Onû, dem Prinzen Amûn-hotep die Einweihung verweigerte, verließ Eje, wie er sich nun nannte, mit ihm zusammen den Tempel und wurde zum Freund, engsten Vertrauten und Schatten des Prinzen, des späteren Hôr-im-Nest und nunmehrigen Königs Akh-en-Aton.

Doch noch immer schien es Eje an jenem persönlichen Ehrgeiz zu mangeln, der seine beiden älteren Geschwister so sehr auszeichnete. Seine einzige bemerkenswerte Tat der nächsten Jahre bestand darin, den Hôr-im-Nest mit seiner schöne Tochter Nofret-ête zu verheiraten, wofür ihm der Titel ›Gottvater‹ verliehen wurde.

Als Eje heute während der Proklamation des Königs reglos, wie nun fast immer, halb verdeckt hinter dem Thron Akh-en-Aton Ua-en-Râs stand, hatte ich Muße, diesen Mann genauer zu beobachten.

Der jüngere Sohn des Juja war nur mittelgroß, doch schlank, sehnig und wohlproportioniert. Das ovale Gesicht mit der gerade vorspringenden Nase, dem energischen Kinn und den vollen, fest gezeichneten Lippen war von männlicher Schönheit. Doch unter den wie die Klingen eines Sichelschwertes gebogenen Brauen verbargen sich hinter schweren, fast stets halb geschlossenen Lidern die gleichen schwarzen, harten, gnadenlosen Diamantaugen wie bei seiner Tochter Nofret-ête!

Ein eisiger Schauer war mir über den Rücken gelaufen, als mich diese Augen einen Herzschlag lang streiften!

Ich hatte wispern hören, Eje habe beim Tod des Hôr-im-Nest Tehuti-mose in der Wildstierarena seine Finger im Spiel gehabt. Jetzt erschien mir dieses Wispern durchaus erwägenswert. Daß Nofret-ête eine fanatische Anhängerin des Aton-Kultes war, daß sie ihren Gemahl tiefer und tiefer in den Glauben an seinen

›Vater‹ Aton hineintrieb, war nicht zu übersehen. Daß die wahre Kraft dahinter jedoch ihrem Vater Eje gehörte, wurde nur gemunkelt. Daß Eje in Wahrheit sogar der Erfinder des Aton-Glaubens gewesen sei, und keineswegs der König, wagte man nur hinter vorgehaltener Hand zu flüstern. Jetzt vermochte ich mich diesem Raunen und Munkeln und Flüstern nicht mehr völlig zu entziehen …

Ein kurzer Blick aus den Diamantaugen des ›Gottvaters‹ Eje hatte mich unerschütterlich davon überzeugt, daß der Ehrgeiz dieses Mannes größer war als der seiner Schwester Teje, seines Bruders Aanen und seiner Tochter Nofret-ête zusammen.

Doch weshalb verzichtete er darauf, nach der realen Macht zu greifen?

Weshalb gab er sich mit Höflichkeitstiteln, wie sie ihm Akhen-Aton Ua-en-Râ jetzt verlieh, wie ›Privatschreiber des Herrn der Beiden Länder‹, ›Fächerträger zur Rechten des Königs‹, ›Einziger Freund des Königs Ua-en-Râ‹ oder ›Der Gepriesene seines Herrn‹, zufrieden?

Oder war seine Macht in aller Stille unterdessen schon so angewachsen, daß es ihm genügte, der Schatten des Königs zu sein? Ein Schatten, der längst weit größer war als der, der ihn zu werfen vermeinte?

4. Papyrus

DIE GESCHICHTE
VON JO-SÊPH

König Akh-en-Aton Ua-en-Râ
3. Regierungsjahr

Mit gemächlichem Riemenschlag zog mein Boot seine Bahn
durch einen der ungezählten Kanäle, welche die verästelten
Arme des Stromes hier verbinden. Obwohl wir den letzten Tag
des 4. Erntemonats schrieben, führten die Flußläufe und Kanäle
reichlich Wasser, das aus dem Aa-nub durch den großen Se-en-
Userhet-Kanal nach wie vor dem Strom zugeleitet wurde. Die
Ufer waren üppig bewachsen mit Schilf- und Papyrusdickichten,
Ochsen trotteten unermüdlich im Kreis, um die Wasserräder in
Gang zu halten. Auf den Feldern reifte die zweite Kornernte her-
an. Kleine, aus graubraunen Lehmziegeln erbaute Dörfer däm-

merten in der Mittagshitze; nur da und dort war das Bellen eines Hundes oder der Schrei eines Esels zu hören. Rinder, Schafe und Ziegen lagen faul im Schatten der hohen Dattelpalmen und dösten vor sich hin. Unter Gruppen dicht belaubter Akazien und Sykomoren saßen Landarbeiter und Bauern, aßen Fladenbrot, rohe Zwiebeln und frische Feigen und tranken dazu Bier oder mit Wasser verdünnten Wein.

Gegen Nachmittag gab eine weite Biegung des Kanals den Blick auf unser Ziel frei.

Hat-uaret war eine freundliche, emsige Provinzstadt, die sich um einen großzügigen Tempelbezirk gruppierte. Einhundertfünfzig Jahre lang war Hat-uaret die Hauptstadt der Chabiru gewesen, eine von Mauern und Gräben umschlossene Festung, in der sich die Könige der Fremdherrscher mit ihren treuesten Gefolgsleuten verschanzt hatten. Drei Jahre hatte der Gründer unseres regierenden Herrscherhauses, König Ach-mose, Hat-uaret belagert, ehe er die Stadt einnehmen und die Fremdherrscher endgültig aus Ägypten vertreiben konnte. Hat-uaret war damals bis auf die Grundmauern niedergebrannt und zerstört worden.

In den letzten zweihundert Jahren war die Stadt nach und nach wieder aufgebaut worden, und Königin Hat-Schepsut hatte der Gemeinde einen Tempel gestiftet, den König Amûn-hotep Neb-Maat-Râ dann beträchtlich erweitern und verschönern ließ. Während die beiden anderen Städte dort oben im Nordosten des Gaues ›Ostmark‹, Sinu und Zaru, vor allem Grenzgarnisonen waren, hatte sich Hat-uaret zum wichtigsten Umschlagplatz für Waren entwickelt, die durch die Negeb-Wüste aus Kanaan und weiter aus To-nuter, Babylon, Mitanni und dem Reich der Hatti herüberkamen. Andererseits war Hat-uaret der Ausgangspunkt vieler Bergwerksexpeditionen, die Jahr um Jahr in den Wintermonaten nach Biau hinüberzogen, um dort die reichen Kupfer-, Türkis- und Malachitminen auszubeuten.

»Onkel Amûn-hotep ist angekommen!«

Jubelnd stürmte mir ein gutes halbes Dutzend Kinder entgegen, als ich mit meinen Bootsleuten die schmale Straße vom Ufer des Stromarmes, der Hat-uaret im Westen begrenzt, zum Haus meines Freundes Nun heraufschritt.

»Der Friede sei mit dir!« empfing mich mein ehemaliger Hauptmann unter der Eingangstür seines stattlichen Anwesens und umarmte mich herzlich. Ebenso freundlich, ja, liebevoll war die Begrüßung durch Nuns Frau, durch Ern, Necht, Sel und die herbeieilenden Nachbarn und Verwandten. Im Innenhof, unter dem von Jahr zu Jahr mächtiger und ausladender werdenden Feigenbaum, verneigte ich mich vor Aram, dem fast blinden Vater Nuns, und hörte wiederum den Segensgruß:

»Der Friede sei mit Ihnen!«

Obschon die Mehrzahl der Menschen, die mich so freundschaftlich begrüßten, einst zu der Sippschaft der verhaßten Fremdherrscher gehört hatten – einige der Männer trugen sogar immer noch Bärte, und auch Necht, der ehemalige Wolfsmann, hatte sich solch ein Gestrüpp am Kinn wachsen lassen –, war es für mich fast wie ein Nachhausekommen. Hier lebten seit fast fünf Jahren nicht nur meine engsten Vertrauten, Nun, Ern, Necht, Sel und zeitweise Hund, umhegten und umsorgten den Wahren und einzigen Hôr-im-Nest, Tehuti-mose; auch die Verwandten, Freunde, Bekannten und Nachbarn Nuns traten mir mit einer so offenen Freundlichkeit und Herzlichkeit entgegen, wie ich sie sonst nur selten angetroffen habe.

Während die Frauen eilig eine üppige Abendmahlzeit zubereiteten, badete ich und ließ mich von Ern massieren, wobei die Kuschitin brummte:

»Serâu mag von allerlei Künsten etwas verstehen, aber von dem, was Ihrem Rücken not tut, Herr, davon hat sie offensichtlich keine Ahnung!«

»Das mag sich vielleicht bald ändern«, orakelte ich, aber jetzt war der Zeitpunkt noch nicht gekommen, ihr den wahren Grund meines diesmaligen Besuches zu offenbaren.

Gegen Abend, nach dem Essen, versammelten wir uns alle im Hauptraum des Hauses. Es war ein weiter, hoher Raum, dessen Decke in der Mitte von zwei schlanken Säulen gestützt wurde und der durch ein Dutzend schmaler Fenster, welche ringsum oben in den Wänden eingelassen waren, frische Luft erhielt. An der hinteren Rückwand verbreitete ein flackerndes Feuer sein warmes Licht, und daneben stand ein mächtiger, fast thronartiger Sessel.

Während sich Ern, Sel, Necht, Hund, die anderen Mitglieder des Hauses, meine Rudermannschaft und die Kinder auf den ausgebreiteten Schilfmatten am Boden niederließen, bot mir Nun einen Stuhl neben dem seinen an.

Inzwischen drängten auch etliche der umwohnenden Verwandten und Freunde Nuns in den Raum und begrüßten mich herzlich, ehe auch sie es sich bequem machten: Kehat, der Vater von Aaron und Korach; Jezer, der Sohn des Guni, den man den ›Starken‹ nennt, ein Riese von einem Mann; Elon, ein begnadeter Bildhauer, der bei Speckstein-mose gelernt hatte, mit seinem jungen Schüler Bezalel, dem Sohn des Uri; und Uri selbst, der lange beim Militär gedient hatte und den man ob seines Mutes den ›Löwen‹ nannte; schließlich Bela, der Sohn des Rosch, dem man den Spitznamen der ›Duftende‹ gegeben hatte, da ihn und seine beiden Frauen stets die Wohlgerüche seines Parfüm- und Salbölhandels zu umwehen pflegten.

»Erzähle uns weiter die Geschichte von Jo-sêph, dem Sohn des Jisrael, der von seinen Brüdern nach Ägypten verkauft worden ist!« bettelten die Kinder Aram, den Vater Nuns, an.

Der fast blinde Mann ließ sich nahe der Feuerstelle nieder, lehnte sich zurück und streckte seine langen Beine aus.

»Wißt ihr denn überhaupt noch, was bisher passiert ist?« fragte er freundlich, während eine der Frauen ihm einen großen Becher frisches Bier einschenkte.

»Aber natürlich!« beeilte sich die Kinderschar, die es sich zu seinen Füßen bequem machte, zu versichern. »Die anderen Söhne des Jisrael waren neidisch auf ihren jüngsten Bruder Jo-sêph, weil er geträumt hatte, daß sie sich alle vor ihm verneigen müßten.«

»Und weil der Vater ihm ein besonders schönes Gewand geschenkt hat!« ergänzte eines der Mädchen.

»Sie haben ihn in eine Grube geworfen und wollten ihn dort verhungern und verdursten lassen. Seine Brüder Ru-ben und Juda haben sich aber für ihn eingesetzt, und so haben sie ihn nur an ismaelitische Händler, die nach Ägypten zogen, als Sklaven verkauft«, fügte der dünne, ein wenig altklug aussehende Aaron hinzu.

»Den schönen bunten Rock haben sie allerdings mit Blut beschmiert«, meldete sich das Mädchen wieder zu Wort, »und seinem Vater erzählt, daß ihn ein wildes Tier gefressen habe!«

Aram nickte zufrieden und begann weiter zu erzählen:

»So ward Jo-sêph also nach Ägypten gebracht. Der Hofbeamte des Königs, Potiphar, der Oberste des Leibwache, kaufte ihn von den Ismaelitern, welche ihn dorthin gebracht hatten.«

Gebannt hing die Schar der Kinder an den Lippen des Erzählers. Auch wir, Ern, Sel, Necht, Hund, mein Freund Nun, seine Frau, seine Brüder und Vettern, die sich in Nuns Haus versammelt hatten, und nicht zuletzt ich selber, lauschten aufmerksam der alten Volkslegende. Selbst mein Bootsführer und die Rudermannschaft lauschten gespannt. Eine spannende Geschichte, von einem guten Erzähler vorgetragen, das wollte sich niemand entgehen lassen!

»Der Herr aber war mit Jo-sêph, so daß er in allem Erfolg hatte«, fuhr Aram fort. »Er blieb im Haus seines ägyptischen Herrn. Sein Dienstherr aber sah, daß der Herr mit Jo-sêph war und alles, was dieser tat, ihm gelingen ließ. Jo-sêph fand Gnade in seinen Augen, und er erkor ihn zu seinem Leibdiener – ja, er machte ihn zu seinem Hausverwalter und übergab ihm alles, was er hatte. Von der Zeit an, als er ihn über sein Haus und all seinen Besitz gesetzt hatte, segnete der Herr das Haus des Ägypters um Jo-sêphs willen. Der Segen des Herrn war über allem, was er hatte, im Haus und auf dem Felde.

Jo-sêph aber war schön von Gestalt und Aussehen.

Kurz darauf warf das Weib seines Herrn ihre Augen auf Jo-sêph und sprach:

›Lege dich zu mir hin!‹

Er aber weigerte sich und sagte zum Weibe seines Herrn:

›Siehe, mein Herr kümmert sich neben mir um nichts, was in seinem Haus ist, und sein ganzes Besitztum hat er mir übergeben. Er selbst ist in diesem Hause nicht größer als ich. Nichts hat er mir vorenthalten als dich, weil du sein Weib bist. Wie soll ich dieses große Unrecht tun und wider Gott sündigen?‹

Und obwohl sie tagtäglich auf Jo-sêph einredete, hörte er nicht auf sie und legte sich nicht zu ihr, um mit ihr Umgang zu pflegen.

Eines Tages nun kam Jo-sêph in das Haus zur Arbeit. Niemand von den Hausangestellten war im Gebäude. Da faßte sie ihn an seinem Rock und sprach wieder:

›Lege dich zu mir!‹

Er aber ließ seinen Rock unter ihrer Hand und floh ins Freie.

Als sie nun sah, daß er seinen Rock in ihrer Hand gelassen hatte und hinausgeflohen war, da rief sie die Hausangestellten und sprach zu ihnen:

›Seht, da hat er uns einen Hebräer gebracht, daß er seinen Mutwillen mit uns treibe! Er kam nämlich zu mir, um bei mir zu liegen, ich aber habe mit lauter Stimme geschrien. Als er nun hörte, daß ich meine Stimme erhob und schrie, da ließ er seinen Rock bei mir und floh hinaus ins Freie.‹

Sie ließ sein Kleid neben sich liegen, bis sein Herr nach Hause kam. Da erzählte sie ihm die gleiche Geschichte:

›Kam doch dieser hebräische Sklave, den du uns gebracht hast, um seinen Mutwillen mit mir zu treiben! Als ich aber meine Stimme erhob und schrie, da ließ er seinen Rock neben mir und floh ins Freie.‹

Als sein Herr die Worte seines Weibes gehört hatte: ›Ganz so, wie ich erzählte, hat an mir dein Sklave getan!‹, da war er sehr zornig. Er nahm Jo-sêph und ließ ihn ins Gefängnis an den Ort werfen, wo die Gefangenen des Königs eingesperrt waren. Dort saß er im Gefängnis.

Der Herr aber war mit Jo-sêph. Er machte ihn beliebt und ließ ihn Gnade finden beim Obersten des Gefängnisses. Dieser gab bald alle Gefangenen, die im Kerker waren, in die Hand Josêphs. Der Gefängnisvorsteher kümmerte sich um nichts, was durch Jo-sêph geschah. Denn der Herr war mit ihm, und alles, was Jo-sêph tat, ließ er wohl geraten.

Einige Zeit darauf vergingen sich der Mundschenk des Königs und der Bäcker wider ihren Herrn, den König von Ägypten«, nahm Aram den Faden wieder auf. »Der König wurde über beide Hofbeamte zornig, über den obersten Mundschenk und den obersten Bäcker. Er legte sie in Gewahrsam, in das Haus des Obersten der Leibwache, ins Gefängnis, dorthin, wo Jo-sêph in Haft saß. Der Oberste der Leibwache gab ihnen den Jo-sêph bei, und er leistete Dienste für sie. So waren sie eine Zeitlang im Gefängnis.

Nun hatten die beiden Männer, der Mundschenk und der Bäcker des Königs, die im Gefängnis in Haft saßen, in derselben Nacht einen unterschiedlichen Traum.

Jo-sêph kam am anderen Morgen zu ihnen hinein und sah, daß sie sehr niedergeschlagen waren. Er fragte die Hofbeamten des Königs, die mit ihm im Hause seines Herrn in Haft lagen:

›Warum seht ihr denn heute so mißmutig aus?‹

Sie antworteten ihm:

›Wir haben einen Traum gehabt, und niemand ist da, der ihn deuten kann.‹

Er sagte zu ihnen:

›Ist nicht das Deuten von Träumen Gottes Sache? Doch erzählt mir einmal!‹

Da erzählte der oberste Mundschenk seinen Traum und sprach zu ihm:

›In meinem Traum sah ich einen Weinstock vor mir. An dem Weinstock waren drei Ranken. Er begann zu treiben, seine Blüten sprossen empor, seine Trauben bekamen reife Beeren. Ich hielt den Becher des Königs in meiner Hand, nahm die Beeren und preßte sie aus in den Becher des Königs. Sodann gab ich den Becher dem König in die Hand.‹

Jo-sêph antwortete ihm:

›Dies die Deutung: Drei Ranken sind drei Tage. Noch drei Tage, dann wird der König dein Haupt erheben und dich wieder in dein Amt einsetzen. Du wirst nach der früheren Ordnung dem König den Becher reichen wie zur Zeit, als du sein Mundschenk warst. Wenn es dir aber wieder gutgeht, so erinnere dich bitte meiner! Tu mir doch die Liebe an, erinnere den König an mich und befreie mich aus diesem Haus! Denn schmählich bin ich aus dem Land der Hebräer gestohlen worden! Und auch hier habe ich nicht das getan, dessentwegen man mich ins Gefängnis geworfen hat.‹

Der Oberbäcker sah, daß er Gutes gedeutet hatte. Er sprach zu Jo-sêph:

›Auch ich hatte einen Traum: Ich hatte drei Körbe mit weißem Brot auf meinem Haupte. In dem obersten Korb war allerlei Backwerk für den König. Aber die Vögel fraßen es aus dem Korb auf meinem Haupt.‹

Jo-sêph antwortete und sprach:

›Dies ist die Deutung: Die drei Körbe bedeuten drei Tage. Nur noch drei Tage, dann wird der König dein Haupt erheben. Er wird dich an einem Baum aufhängen lassen, und die Vögel werden von dir das Fleisch abfressen.‹

Am dritten Tage aber, es war der Geburtstag des Königs, veranstaltete dieser all seinen Dienern ein Mahl. Er erhob das Haupt des Obermundschenken und das Haupt des Oberbäckers inmitten seiner Diener. Den Obermundschenk setzte er wieder in sein Amt ein, so daß er dem König den Becher reichen durfte. Den Oberbäcker aber ließ er aufhängen, so wie es ihnen Jo-sêph gedeutet hatte.

Doch der Obermundschenk dachte nicht mehr an Jo-sêph. Er vergaß ihn.«

»Typisch!« bemerkte der kleine Aaron vorlaut. Die Kinder kicherten, und auch der Erzähler schmunzelte einen Augenblick, ehe er fortfuhr:

»Es war zwei Jahre später. Da hatte der König einen Traum:

Er stand am Großen Strom. Aus dem Wasser stiegen sieben schön aussehende und fettfleischige Kühe und weideten im Riedgras. Nach ihnen aber stiegen aus dem Wasser sieben schlecht aussehende und magere Kühe. Sie traten neben die Kühe, die schon am Flußufer standen. Dann fraßen die schlecht aussehenden und mageren die sieben schön aussehenden und fetten Tiere.

Hierauf erwachte der König. Er schlief wieder ein, und es träumte ihm ein zweites Mal:

Siehe, sieben Ähren wuchsen empor auf einem Halm, dick und schön. Da sprossen nach ihnen sieben magere und vom Ostwind ausgetrocknete Ähren empor. Es verschlangen die sieben mageren die sieben fetten und vollen Ähren.

Der König erwachte, und siehe, es war nur ein Traum.

Am Morgen aber ward sein Geist ruhelos hin und her getrieben. Er schickte hin und ließ alle Wahrsagepriester und Weisen Ägyptens zusammenrufen.

Dann erzählte er ihnen seine Träume; keiner aber war da, der sie dem König deuten konnte.

Da sagte der Obermundschenk dem König:

›Ich muß heute meine Verfehlung in Erinnerung bringen. Als der König auf seine Diener erzürnt war und sie in das Haus des Obersten der Leibwache in Gewahrsam bringen ließ, nämlich mich und den Oberbäcker, da hatten wir in ein und derselben Nacht einen Traum, ich und er, ein jeder einen Traum von besonderer Bedeutung. Dort war bei uns ein hebräischer Jüngling, ein Sklave des Obersten der Leibwache. Wir erzählten ihm unsere Träume, und einem jedem von uns gab er die seinem Traum entsprechende Deutung. Und so wie er es uns gedeutet hat, so ist es geschehen. Mich hat man wieder in meine Stellung eingesetzt, den Oberbäcker hat man aufgehängt.‹

Der König ließ Jo-sêph rufen, und man holte ihn schleunigst aus dem Gefängnis. Jo-sêph schor sich, wechselte seine Kleider und kam zum König.

Der König sprach zu Jo-sêph:

›Ich hatte einen Traum. Keiner ist da, der ihn mir zu deuten vermag. Doch ich erfuhr von dir, daß du einen Traum nur zu hören brauchst, um ihn deuten zu können.‹

Jo-sêph erwiderte dem König:

›Ich keineswegs! Gott selbst wird dem König zum Heile eine Antwort geben.‹

Da erzählte der König dem Jo-sêph seinen Traum von den sieben fetten Kühen, welche die sieben mageren Kühe aufgefressen hatten. Und er erzählte ihm den Traum von den sieben fetten

Ähren, die von den sieben mageren Ähren verschlungen worden waren. Und der König sprach:

›Dies erzählte ich den Wahrsagepriestern, niemand aber konnte mir Bescheid geben.‹

Jo-sêph sprach zum König:

›Was Gott nun tun will, das hat er dem König aufgezeigt: Die sieben schönen Kühe, das sind sieben Jahre; die sieben schönen Ähren sind ebenfalls sieben Jahre. Es ist ein und derselbe Traum. Die sieben mageren und häßlichen Kühe, die hinter ihnen heraufsteigen, sind sieben Jahre; die sieben leeren, vom Ostwind vertrockneten Ähren werden sieben Jahre sein.

Folgendes ist der Inhalt: Siehe, es kommen sieben Jahre, da wird in ganz Ägypten großer Überfluß sein. Danach werden sieben Hungerjahre kommen, da wird all die Fülle in Ägypten vergessen sein, und der Hunger wird das Land aufreiben. Man wird nichts mehr wissen von der Fülle im Lande angesichts des Hungers, der danach kommt, denn er wird überaus drückend sein. Daß sich aber der Traum des Königs zweimal wiederholt hat, bedeutet: Fest beschlossen ist die Sache bei Gott. Gott wird es wahrhaft verwirklichen.

Nun sehe sich der König nach einem verständigen und weisen Manne um und setze ihn über Ägypten! Der König möge auch Aufseher über das Land einsetzen und überall den fünften Teil in den sieben Jahren der Fülle erheben lassen. Diese Aufseher sollen den gesamten Speisevorrat der sieben kommenden guten Jahre sammeln und das Getreide zur Verfügung des Königs als Vorrat in den Städten aufspeichern und gut aufbewahren. Dieser Vorrat wird dann dem Lande für die sieben Hungerjahre, die über Ägypten kommen, als Rücklage dienen. So wird das Land durch Hungersnot nicht umkommen.‹

Die Rede gefiel dem König und seinen Dienern. Der König sprach zu seinen Dienern:

›Finden wir wohl einen Mann, in dem Gottes Geist so wäre wie in diesem?‹

Zu Jo-sêph gewandt sagte er:

›Nachdem dich Gott dies alles wissen ließ, gibt es niemand, der so verständig und weise wäre wie du! Du sollst über meinem

Hause stehen, deinem Mund soll mein ganzes Volk gehorchen, nur um den Thron will ich größer sein als du!‹

Dann zog der König seinen Siegelring vom Finger und steckte ihn an Jo-sêphs Finger. Er ließ ihm linnene Gewänder anziehen und legte ihm eine goldene Kette um den Hals. Auf seinem zweiten Wagen ließ er ihn fahren. Vor ihm her rief man: ›Achtung!‹.

Der König wandte sich wieder an Jo-sêph:

›Siehe, ich setze dich über ganz Ägypten. König bin ich! Doch ohne dich soll niemand in ganz Ägypten seinen Arm oder seinen Fuß regen!‹

Sodann gab der König Jo-sêph einen anderen Namen: Zaphenat Paneach. Er gab ihm die Asenat, die Tochter des Potiphera, des Hohenpriesters von Onû, zum Weibe.

So stieg Jo-sêph empor über das ganze Land Ägypten.«

Am nächsten Morgen weckte mich ein Gebrüll, das jedem Unteroffizier auf jedem Kasernenhof der Welt zur Ehre gereicht wäre.

»Schlag! Parade! Schlag! Los, los! – Abducken, Je-schua! Beweg deine Beine, Mose! – Und Schlag! Gut so! Weiter!«

Ich rollte mich von meinem Bett herunter und trat in den Innenhof. Unter dem mächtigen Feigenbaum stand Necht und beobachtete mit kritisch zusammengekniffenen Augen zwei kleine Bürschlein, die vor ihm durch den Sand tanzten.

Kopf und Rumpf, Arme, Hände und Beine der beiden Jungen waren in weich gefütterte Lederpanzer gehüllt. In den Händen hielten sie lange Holzstäbe, und um sie in ihrer Vermummung kenntlich zu machen, hatte man dem einen eine blaue, dem anderen eine weiße Binde um den linken Oberarm geknotet.

Jetzt umschlichen sie sich vorsichtig.

Ein plötzlicher Ausfall des Weißen. Das obere Ende des Stabes knallte auf den parierenden Stock des Blauen. Ein blitzartiger Schwung mit dem unteren Stockende, doch der Blaue hatte aufgepaßt und fing den Schlag ab, ripostierte seinerseits. Der Weiße duckte sich geschickt weg. Der Schlag ging ins Leere.

Erneut umkreisten sich die beiden.

Der Blaue ließ jetzt seinen Stab so schnell in den Händen kreisen, so daß er eine schwirrende, mit den Augen kaum noch wahrnehmbare Scheibe bildete.

Der Weiße fintete nach dem Kopf seines Gegners, stieß dann nach den Beinen.

Mit einem harten Knall wurde der Stab abgefangen. Das obere Stabende des Blauen zuckte nach dem Kopf des Weißen, doch der duckte sich wieder blitzartig weg.

»Onkel Amûn-hotep!« rief der Blaue.

Der Weiße wandte seinen Kopf – und schon knallte ihm der Stab des Blauen in den Rücken, schleuderte ihn in den Sand.

»Nie ablenken lassen!« ermahnte Necht das Bürschlein, während er ihm freundlich wieder auf die Beine half.

Während die beiden Buben ihren Kopfschutz abnahmen, eilten sie strahlend auf mich zu.

»Je-schua ist der schnellere und beweglichere«, berichtete Necht freundlich, wobei er über den Kopf des Weißen strich. »Aber er läßt sich zu leicht ablenken. Mose ist der bessere Techniker«, deutete er auf den Blauen, »und er ist konzentrierter. Da er wohl später, wie alle seiner Familie, mit dem Rücken Probleme haben wird, trainiere ich ihn vor allem darauf, nicht allein mit dem Körper, sondern auch mit dem Verstand zu kämpfen.«

Während sich die beiden Jungen aus ihren Lederpanzern schälten, kehrten Necht und ich in das Haus zurück.

»Sie haben mit den beiden früh das Kampftraining begonnen, Necht«, stellte ich fest.

»Gar nicht so früh«, entgegnete der ehemalige Wolfsmann. »Mose – so nennen wir Prinz Tehuti-mose hier kurz, und daß er ein königlicher Prinz ist, das wissen ohnehin ja nur wir wenigen Eingeweihten – ist fast fünfeinhalb Jahre, und der kleine Sohn Nuns, Je-schua, wird bald sechs. Es sind zwei bemerkenswerte Jungen, und sie sind höchst reif für ihr Alter!«

»Schauen wir uns heute die Reste der alten Chabiru-Festung an?« fragte der kleine Je-schua, der uns nachgeeilt war und dem noch das Wasser, mit dem er sich eben den Schweiß und Staub abgewaschen hatte, übers Gesicht tropfte. »Du hast es das letzte Mal versprochen, Onkel Amûn-hotep!«

»Nein! Besser den großen Markt?« schrie Korach, ein stämmiger, kraushaariger Junge dazwischen, der sich jetzt mit einer Schar von rund einem Dutzend Kinder aus der Verwandt- und Nachbarschaft Nuns um mich drängte.

»O ja!« rief Bilha, Je-schuas um ein Jahr jüngere Schwester, begeistert. »Es gibt dort einen Feuerschlucker, den müssen wir unbedingt angucken!«

»Es sollen auch Händler aus dem fernen Elam angekommen sein!« rief Korach.

»Und welche aus Babylon!« ergänzte Bilha eifrig.

»Wir könnten auch die Bibliothek des Tempels anschauen, das würde mich interessieren!« meldete sich Aaron, der dünne Neffe Nuns, zu Wort.

»Wie lange bleibst du überhaupt, Onkel Amûn-hotep?« fragte Tehuti-mose dazwischen.

»Leider nur bis übermorgen«, gab ich Bescheid. Was ich sonst noch plante, sagte ich nicht.

»Onkel Amûn-hotep darf eben seinen Verpflichtungen am Hof nicht so lange fernbleiben. Schließlich muß er die Königin beschützen!« klärte Aaron die Kinderschar ein wenig von oben herab auf.

»Aber wir gehen doch auf den großen Markt?« bohrte Korach.

»Nein, zuerst zur alten Festung! Du hast es versprochen!« beharrte Je-schua.

»Versprochen ist versprochen«, gab ich nach. »Also gut, erst zur Festung – und dann auf den Markt.«

Es wurde ein langer, unbeschwert fröhlicher Tag. In den Ruinen der alten Festung spielten die Jungen fast zwei Stunden unter dem Kommando Je-schuas »Chabiru und Ägypter«, auf dem Markt bewunderten wir den Feuerschlucker und betrachteten die absonderlichen Waren, welche die Elamiter und Babylonier auf großen Tischen ausgebreitet hatten. Wir naschten süße Feigen und Honigkuchen, löschten unseren Durst mit riesigen Melonenscheiben, wobei Mose, Je-schua und Korach mit den schwarzen Kernen ein Wettspucken veranstalteten. Nur Aaron sah ein wenig sauertöpfisch drein, denn für die Tempelbibliothek war wirklich keine Zeit mehr geblieben, ehe wir am späten Nachmittag in das Haus Nuns zurückkehrten.

Am Abend saßen wir dann wieder alle um Aram versammelt und lauschten der Fortsetzung der Geschichte von Jo-sêph, dem Sohn des Jisrael.

»Jo-sêph war aber dreißig Jahre alt, als er vor den König von Ägypten trat. Jo-sêph ging von ihm fort und durchzog das ganze Ägypterland. Das Land aber trug in den sieben Jahren des Überflusses in Mengen. Jo-sêph ließ allen Speisevorrat der sieben Jahre, den es im Lande Ägypten gab, sammeln und legte den Vorrat in den Städten nieder, und zwar in jeder Stadt den Vorrat von den Feldern rings um sie her. So speicherte denn Jo-sêph das Getreide auf in überaus großer Menge wie den Meeressand, so daß er schließlich aufhörte zu messen, denn es gab kein Maß dafür.

Dem Jo-sêph wurden zwei Söhne geboren, bevor die Hungersnot kam. Asenat, die Tochter Potipheras, des Hohenpriesters von Onû, hatte sie ihm geschenkt. Jo-sêph nannte den Erstgeborenen Manasse. Als Namen des Zweiten wählte er Ephraim.«

»Das ist unser direkter Stammvater!« warf Je-schua stolz dazwischen.

Aram nickte zustimmend und fuhr dann fort:

»Die sieben Jahre des Überflusses, die im Land geherrscht hatten, gingen zu Ende. Und es nahten gemäß der Verheißung des Jo-sêph die sieben Jahre des Hungers. Die Hungersnot aber wütete in allen Ländern. Nur im ganzen Land Ägypten gab es Brot.

Sobald nun das Volk in Ägypten zu hungern anfing und alles zum König um Brot schrie, sagte dieser zu allen Ägyptern:

›Geht zu Jo-sêph, und alles, was er euch sagt, das tut!‹

Der Hunger dehnte sich über die ganze Erde aus. Jo-sêph öffnete alle Speicher und verkaufte den Ägyptern Getreide. Und alle Welt kam nach Ägypten, um bei Jo-sêph Getreide zu kaufen, denn stark war der Hunger auf der ganzen Erde.«

Aram tastete nach seinem Becher Bier, der neben ihm stand, und trank, um seine vom Erzählen trockene Kehle anzufeuchten.

»War die Hungersnot auch in Kanaan?« nützte die kleine Bilha die Pause zu einer Frage.

»Ganz schlimm sogar!« gab ihr Aram Auskunft. »Aber davon wollte ich sowieso gerade erzählen:

Die Hungersnot wütete auf der ganzen Welt, und natürlich auch in Kanaan, wo ja immer noch der Vater des Jo-sêph und seine Brüder mit ihren Familien lebten. Und auch die litten immer schlimmeren Hunger.

Yakov, den man auch Jisrael nannte, erfuhr, daß es in Ägypten Getreide gäbe. Er sprach zu seinen Söhnen:

›Warum zögert ihr?‹ Dann sagte er: ›Seht, ich habe gehört, daß es in Ägypten noch Korn gibt. Zieht dorthin und kauft uns von dorther Getreide, damit wir am Leben bleiben und nicht sterben!‹

Die Brüder Jo-sêphs, es waren ihrer zehn, zogen fort, um von Ägypten Getreide zu kaufen. Jo-sêphs Bruder Ben-jamin aber schickte Yakov nicht mit seinen Brüdern; denn er dachte, es könne ihm etwa ein Unfall zustoßen.

Die Söhne Jisraels kamen also mitten unter allen anderen zum Getreidekauf nach Ägypten, wo Jo-sêph an alle Bewohner des Landes Getreide verkaufte.

Die Brüder Jo-sêphs kamen und warfen sich mit dem Angesicht vor Jo-sêph zur Erde nieder. Jo-sêph erblickte seine Brüder, und er erkannte sie. Er stellte sich aber fremd gegen sie und redete gar streng mit ihnen. Er sprach zu ihnen: ›Woher seid ihr gekommen?‹

Sie antworteten:

›Vom Lande Kanaan, um Nahrung zu kaufen.‹

Jo-sêph erkannte seine Brüder, sie aber erkannten ihn nicht. Da erinnerte sich Jo-sêph an die Träume, die er von ihnen gehabt hatte, und er erinnerte sich, was sie ihm angetan hatten. Er sprach zu ihnen:

›Spione seid ihr! Die Schwächen des Landes auszuspähen seid ihr gekommen!‹

Sie antworteten ihm:

›Nicht doch, mein Herr! Deine Knechte kamen, um Nahrung zu kaufen. Alle miteinander sind wir die Söhne eines einzigen

Mannes. Ehrliche Leute sind wir! Deine Knechte sind keine Spione!‹

Er sagte ihnen:

›Nein, ihr seid gekommen, die Schwächen des Landes auszuspähen.‹

Sie antworteten:

›Wir, deine Knechte, waren unser zwölf Brüder, Söhne eines einzigen Mannes in Kanaan. Der Jüngste ist jetzt bei unserem Vater – und einer ist nicht mehr da.‹

Jo-sêph erwiderte ihnen: ›Und doch ist es, wie ich gesagt habe, Spione seid ihr!‹«

»Au wei! Jetzt kriegen sie ihr Fett!« grinste Je-schua, war aber gleich wieder still, um nur ja nichts von der Geschichte zu versäumen.

»Und Jo-sêph sprach weiter zu ihnen«, fuhr Aram fort: »»Beim Leben des Königs! Es sollen eure Worte geprüft werden, ob es sich so mit euch verhält oder nicht.‹

Er ließ sie drei Tage in Gewahrsam bringen.«

»Recht geschieht ihnen!« stimmte der Chor der Kinder eifrig zu, und auch viele der Erwachsenen nickten eifrig.

»Am dritten Tag sprach Jo-sêph zu ihnen: ›Tuet dieses, und ihr bleibt am Leben! Denn ich bin gottesfürchtig! Wenn ihr wirklich ehrliche Leute seid, so soll einer von euch Brüdern im Kerker als Gefangener dableiben. Ihr anderen aber geht und schafft das Korn heim, um den Hunger in euren Familien zu stillen. Euren jüngsten Bruder aber bringt her zu mir, damit sich eure Worte als wahr erweisen und ihr nicht sterben müßt!‹

Da stimmten sie zu.

Dann sagten sie unter sich:

›Wehe, schuldig sind wir an unserem Bruder geworden! Wir haben seine Herzensangst miterlebt, als er uns um Erbarmen anflehte, wir aber achteten nicht darauf. Darum ist jetzt diese Drangsal über uns gekommen.‹

Ru-ben erklärte ihnen:

›Habe ich es euch nicht gesagt: »Versündigt euch nicht an diesem Knaben!«? Ihr aber wolltet nicht hören. Nun wird sein Blut gefordert.‹

Sie aber merkten nicht, daß Jo-sêph sie verstand. Denn es war ein Dolmetscher zwischen ihnen. Er wandte sich von ihnen ab und weinte. Dann kam er wieder hinzu und redete mit ihnen. Er ließ von ihnen den Simeon festnehmen und vor ihren Augen fesseln.

Dann gab Jo-sêph den Befehl, die Behälter sollten mit Getreide gefüllt, das Geld eines jeden sollte in seinen Sack zurückgelegt und Reiseproviant ihnen mitgegeben werden. Sie aber luden ihr Korn auf ihre Esel und zogen von dannen.

Unterwegs öffnete einer von ihnen seinen Sack, um seinem Esel in der Herberge Futter zu geben. Er erblickte sein Geld – es lag oben in seinem Kornsack. Er rief seinen Brüdern zu:

›Zurückgetan ist mein Geld; hier in meinem Kornsack ist es!‹

Ihr Herz begann zu beben, und zitternd sprachen sie zueinander: ›Was hat Gott uns da angetan?‹

Sie kamen zu ihrem Vater Yakov in das Land Kanaan und berichteten ihm alles, was sich mit ihnen zugetragen hatte. Sie leerten ihre Säcke, und ein jeder fand seinen Geldbeutel in seinem Sack. Sie sahen ihre Geldbeutel, sie selbst und ihr Vater, und sie fürchteten sich.

Ihr Vater Yakov wandte sich an sie:

›Ihr macht mich kinderlos! Jo-sêph ist nicht mehr! Simeon ist nicht mehr! Den Ben-jamin wollt ihr mir auch fortnehmen!‹

Ru-ben antwortete seinem Vater:

›Meine beiden Söhne magst du töten, wenn ich dir Ben-jamin nicht zurückbringe! Vertraue ihn meiner Hand an! Ich bringe ihn dir bestimmt wieder!‹

Yakov aber sagte:

›Mein Sohn wird nicht mit euch hinabziehen! Sein Bruder ist tot, und er allein ist noch übrig. Stieße ihm aber auf dem Wege, den ihr zieht, ein Unfall zu, dann würdet ihr mein graues Haar mit Kummer in das Totenland stürzen.‹«

Aufseufzend lehnte sich Aram zurück und befeuchtete seine Kehle.

»Genug für heute«, bestimmte er dann, doch die Kinder bettelten: »Bitte, bitte weiter, Großvater! Es ist gerade so spannend!«, und auch wir Erwachsenen schlossen uns den Bitten an.

»Also gut«, gab Aram nach und fuhr, nach einem weiteren tiefen Schluck, in der Erzählung fort:

»Der Hunger lastete schwer auf dem Lande. Als sie nun das aus Ägypten mitgebrachte Getreide ganz aufgezehrt hatten, sprach ihr Vater zu ihnen:

›Geht noch einmal, und kauft uns etwas Nahrungsvorrat.‹

Juda antwortete ihm:

›Der Ägypter hat uns nachdrücklichst eingeschärft: »Ihr dürft nicht mehr vor mein Antlitz treten, es sei denn, euer Bruder ist bei euch.« Wenn du also unseren Bruder mit uns schickst, dann wollen wir hinabziehen und Nahrung besorgen. Wenn du ihn aber nicht mitschickst, dann ziehen wir auch nicht hinab, denn jener Mann hat zu uns gesagt: »Ihr dürft mein Angesicht nicht wieder sehen, es sei denn, daß euer Bruder bei euch ist.«‹

Jisrael entgegnete darauf:

›Warum habt ihr mir dieses Leid zugefügt und dem Mann überhaupt gesagt, daß ihr noch einen Bruder habt?‹

Sie antworteten:

›Neugierig hat der Mann nach uns und der Verwandtschaft gefragt: »Lebt euer Vater noch? Habt ihr noch einen Bruder?« Da haben wir ihm der Wahrheit gemäß Auskunft gegeben. Konnten wir denn ahnen, daß er sagen würde: »Bringt mir euren Bruder her!«?‹

Juda bat seinen Vater Jisrael:

›Schicke doch den Knaben mit mir, dann wollen wir aufbrechen und hinziehen. Wir werden alsdann am Leben bleiben und nicht sterben, weder wir selber noch du, noch die Kinder. Ich verbürge mich für ihn. Von meiner Hand magst du ihn zurückfordern. Wenn ich ihn dir nicht zurückbringe und vor dein Angesicht stelle, dann will ich immerdar vor dir in Schuld sein!‹

Ihr Vater Jisrael sprach zu ihnen:

›Wenn es so steht, dann tut folgendes: Nehmt von den besten Erzeugnissen des Landes in eure Säcke und bringt sie dem Mann als ein Geschenk: etwas Balsam, etwas Honig; Tragakant und Ladanum; Pistazien und Mandeln! Nehmt auch Geld entsprechend dem Kaufpreis mit. Das Geld, das man oben in eure Säcke gelegt hat, bringt auch wieder zurück! Vielleicht war es ein Irrtum.

Dann nehmt euren Bruder, brecht auf und tretet wieder hin vor jenen Mann. Der höchste Gott schenke euch Barmherzigkeit! Er übergebe euch euren anderen Bruder und auch Ben-jamin. Ich aber bin jetzt kinderlos, kinderlos!‹

Die Brüder nahmen das Huldigungsgeschenk und den doppelten Geldbetrag, dazu den Ben-jamin. Dann brachen sie auf, zogen nach Ägypten hinab und traten vor Jo-sêph hin.

Jo-sêph sah bei ihnen den Ben-jamin. Er sagte zu seinem Hausverwalter:

›Führe die Leute ins Haus, laß schlachten und zurüsten! Die Männer sollen am Mittag mit mir speisen.‹

Der Mann tat, wie Jo-sêph befohlen hatte, und führte die Brüder in Jo-sêphs Haus.

Da gerieten die Brüder in Angst, weil sie in Jo-sêphs Haus geschafft wurden, und sprachen:

›Es geschieht des Geldes wegen, das vordem in unsere Säcke gekommen ist, daß man uns dorthin bringt. Man wird sich auf uns stürzen und über uns herfallen und uns zu Sklaven machen mitsamt unseren Eseln.‹

Sie traten also an den Hausverwalter Jo-sêphs heran und verhandelten mit ihm im Hauseingang. Sie sprachen:

›Bitte, Herr! Schon früher einmal sind wir hergekommen, um Nahrungsmittel zu kaufen. Wir kamen zur Herberge, öffneten unsere Kornsäcke, und siehe da, eines jeden Geldbetrag lag oben in seinem Sack, unser Geld nach seinem vollen Gewicht. Wir brachten es wieder zurück! Wir haben jetzt auch noch anderes Geld bei uns, Getreide zu besorgen. Wir wissen nicht, wer unser Geld wieder in unsere Säcke hineingelegt hat.‹

Er antwortete:

›Es ist schon gut. Seid nicht bange, euer Gott und der Gott eures Vaters hat einen Schatz in eure Säcke hineingetan. Das Geld kam damals richtig an mich.‹

Dann brachte er ihnen den Simeon heraus. Die Brüder führte er in Jo-sêphs Haus, reichte ihnen Wasser zum Füßewaschen und gab ihren Eseln Futter. Sie aber richteten bis zu Jo-sêphs Ankunft um die Tagesmitte das Huldigungsgeschenk her; denn sie hatten erfahren, daß sie dort essen sollten.

Jo-sêph kam in das Haus, sie brachten ihm das Geschenk, das sie bei sich hatten, und verneigten sich bis zum Boden. Er aber erkundigte sich nach ihrem Befinden und fragte:

›Geht es eurem greisen Vater, von dem ihr mir erzählt habt, gut? Ist er noch am Leben?‹

Sie antworteten:

›Es geht deinem Knechte, unserem Vater, gut; er ist noch am Leben.‹ Dabei verneigten sie sich und warfen sich nieder. Er blickte empor und sah seinen Bruder Ben-jamin, den Sohn seiner Mutter, und sprach:

›Ist dies euer jüngster Bruder, von dem ihr mir erzählt habt?‹

Er sprach:

›Gott erweise seine Huld an dir, mein Sohn!‹

Dann eilte Jo-sêph davon, denn sein Inneres war wegen seiner Brüder aufgewühlt. Die Tränen kamen ihm; er ging in die Kammer und weinte dort. Dann wusch er sein Antlitz, kam wieder heraus und beherrschte sich. Dann sprach er:

›Tragt das Essen auf!‹

Man trug auf, und zwar ihm besonders, und ihnen besonders, und den Ägyptern, die mit ihnen aßen, wieder besonders. Sie nahmen nun vor ihm Platz: der Erstgeborene nach seiner Erstgeburt und der Jüngste nach seiner Jugend. Da ließ er ihnen Gerichte von dem, was vor ihm stand, bringen. Der Anteil Ben-jamins war fünfmal so groß wie die Anteile aller übrigen. Sie tranken mit ihm und wurden sehr angeheitert.

Er aber gebot seinem Hausverwalter:

›Fülle die Kornsäcke der Männer mit Nahrungsmitteln, soviel sie fassen können. Lege das Geld eines jeden in seinen Sack. Und meinen Becher, den Becher aus Silber, sollst du oben in den Sack des Jüngsten legen und dazu das Geld für sein Getreide.‹

Dieser tat nach Jo-sêphs Anordnung. Beim Aufleuchten der Morgenröte wurden die Männer verabschiedet und zogen mit ihren Eseln los.

Die Brüder waren aber noch nicht allzu weit aus der Stadt hinaus, da gebot Jo-sêph seinem Hausverwalter:

›Auf, jage den Männern nach, hole sie ein und sprich zu ihnen: »Warum habt ihr Gutes mit Schlechtem vergolten?

Warum habt ihr mir den Silberbecher gestohlen? Ist das nicht der, aus dem mein Herr trinkt und mit dem er wahrsagt? Da habt ihr etwas Schlimmes angerichtet!«‹«

In dem Raum war es jetzt so still, daß man hätte eine Nadel zu Boden fallen hören, so gespannt waren wir alle zusammen, wie die Geschichte wohl ausgehen mochte.

»Der Hausverwalter holte sie ein und redete mit ihnen in diesem Sinne.

Sie antworteten ihm:

›Warum spricht dein Herr solche Worte? Fern liegt es deinen Knechten, solches zu tun. Siehe, das Geld, das wir oben in unseren Säcken fanden, haben wir dir aus dem Land Kanaan zurückgebracht. Wie sollten wir also aus dem Hause deines Herrn Silber oder Gold stehlen? Bei welchem von deinen Knechten es sich findet, der soll sterben, wir anderen wollen deinem Herrn Sklaven sein!‹

Er antwortete: ›Gut denn, es sei: Bei wem der Becher gefunden wird, der sei mein Sklave. Ihr anderen aber seid straffrei!‹

Eilends ließ ein jeder seinen Sack auf die Erde herunter und öffnete ihn. Der Hausverwalter durchstöberte alles. Beim Ältesten fing er an, und beim Jüngsten hörte er auf. Der Becher fand sich im Sacke Ben-jamins.«

»Warum ausgerechnet Ben-jamin?« flüsterte die kleine Bilha. »Der war doch der einzige, der Jo-sêph nichts angetan hatte!«

Aram ging diesmal nicht auf den Zwischenruf ein und erzählte weiter:

»Die Brüder zerrissen nunmehr ihre Gewänder. Ein jeder belud wieder seinen Esel. Sie kehrten in die Stadt zurück und kamen in das Haus Jo-sêphs, als er noch dort war. Sie warfen sich vor ihm auf den Boden nieder.

Jo-sêph herrschte sie an:

›Was ist das für eine Untat, die ihr begingt? Wußtet ihr denn nicht, daß ein Mann wie ich wahrsagen kann?‹

Juda sprach:

›Was sollen wir unserem Herrn sagen? Was sollen wir sprechen? Womit uns rechtfertigen? Gott hat die Schuld deiner Knechte zu finden gewußt. Siehe, als Sklaven sind wir Eigentum unseres Herrn, sowohl wir alle als auch der, bei dem der Becher sich fand.‹

Er antwortete:

›Fern sei es von mir, so zu handeln! Derjenige, bei dem der Becher sich fand, soll mein Sklave sein! Ihr anderen aber zieht unbehelligt zu eurem Vater.‹

Da trat Juda vor ihn hin und sprach:

›Bitte, mein Herr, dein Knecht darf ein Wort vor deinem Ohr sprechen: Dein Zorn entbrenne nicht wider deinen Knecht, denn du bist dem König gleich!

Mein Herr fragte seine Knechte einst: »Habt ihr noch einen Vater und Bruder?« Wir sprachen zu unserem Herrn: »Wir haben noch einen Vater und einen kleinen, ihm im Greisenalter geborenen Bruder. Da sein anderer Bruder tot ist, blieb er von seiner Mutter allein übrig, und sein Vater liebt ihn besonders.« Du aber sagtest zu deinen Knechten: »Bringt ihn her zu mir! Ich möchte ihn zu Gesicht bekommen!« Wir sprachen darauf zu unserem Herrn: »Der Knabe kann seinen Vater nicht verlassen; täte er es, dann würde dieser sterben.« Du aber sagtest zu deinen Knechten: »Kommt euer jüngster Bruder nicht mit euch, dann dürft ihr nicht mehr vor mein Angesicht treten!«

Als wir nun zu deinem Knecht, unserem Vater, hinaufkamen, erzählten wir ihm die Worte unseres Herrn.

Und wieder sprach unser Vater: »Macht euch von neuem auf, und kauft uns etwas Nahrungsvorrat!« Wir antworteten: »Wir können nicht hinunterziehen! Wenn unser kleiner Bruder nicht mit uns ist, denn wir können vor das Angesicht dieses Mannes nicht hintreten, ohne daß unser jüngster Bruder bei uns ist.«

Darauf entgegnete unser Vater: »Ihr wißt es, daß mir dieses mein Weib zwei Söhne geboren hat. Der eine, Jo-sêph, ging von mir; gewiß ist er von den wilden Tieren zerrissen worden. Gesehen habe ich ihn bis heute nicht mehr. Nehmt ihr mir nun auch noch diesen, Ben-jamin, fort, und stieße ihm ein Unheil zu, dann würdet ihr mein graues Haar mit Leid in das Totenland hinunterbringen.«

Wenn ich jetzt also zu deinem Knecht, meinem Vater, käme, und der Knabe Ben-jamin wäre nicht bei uns, so wäre das sein

Tod. Deine Knechte hätten dann das graue Haar deines Knechtes, unseres Vaters, mit Kummer in das Totenland gebracht. Denn ich, dein Knecht, hat sich ja vor seinem Vater verbürgt, indem er sagte: »Wenn ich ihn dir nicht wiederbringe, dann will ich dauernd schuldig sein vor meinem Vater!« Deswegen möge ich anstatt des Knaben dableiben und als Sklave meinem Herrn gehören. Der Knabe aber soll wieder hinaufziehen mit seinen Brüdern! Wie könnte ich denn heimkehren zu meinem Vater, ohne daß der Knabe bei mir ist? Ich könnte das Leid nicht anschauen, das meinen Vater dann trifft!'«

Aram hielt inne, und dann erklärte er fest:

»Und jetzt Schluß für heute! Es ist viel zu spät geworden, und ihr solltet längst auf euren Betten liegen und schlafen!«

Ein wahrer Sturm des Protestes brach unter den Kindern los, aber Aram war diesmal unerbittlich:

»Wenn ich mein Bier ausgetrunken habe, und ihr schlaft noch nicht, dann erzähle ich auch morgen nicht die Geschichte zu Ende!«

Die Drohung wirkte augenblicklich.

»Und vergeßt nicht, euch zu waschen!« rief Aram hinter den Kindern her, die aus dem Raum stoben.

Später am Abend saßen wir noch auf der Dachterrasse von Nuns Haus. Die Kinder schliefen schon, und wir genossen den milden Abend. Hier oben, in der nordöstlichen Ecke des Deltas, war das Klima auch in den Sommermonaten angenehm ausgeglichen. Ein steter Wind vom Meer herüber vertrieb die glühende Hitze, wie wir sie aus Uêset kannten, und ließ auch die schweißtreibende Dumpfheit der zentral gelegenen Gebiete des Deltas nicht aufkommen. Nur die unzähligen Fliegen und Mücken, welche, angelockt vom Licht, um uns herumschwirrten, -summten, -brummten und -pfiffen, waren höchst lästig und trieben uns nach einer Weile wieder ins Innere des Hauses.

»Wie viel an dieser Geschichte von Jo-sêph ist eigentlich Wahrheit?« fragte Hund neugierig.

»Das eine oder andere«, gab Aram Auskunft, »mag im Laufe der Generationen ausgeschmückt worden sein, doch der Kern entspricht den Tatsachen. Es ist die Geschichte des Einzuges der Benê-Jisrael nach Ägypten.«

»Und diesen Jo-sêph hat es wirklich gegeben?«

»Ohne ihn gäbe es weder mich noch meinen Sohn Nun. Wir sind direkte Nachkommen von Ephraim, dem jüngeren der beiden Söhne des Jo-sêph mit der Tochter des Hohenpriesters von Onû.«

»Also, daß ein ägyptischer König unter solch besonderen Umständen einem Fremden auch einen verantwortungsvollen Posten gibt, das kann ich mir schon vorstellen«, merkte mein Bootsführer, der bei uns saß, an. »Aber daß er Jo-sêph eine Machtfülle gegeben haben soll, wie sie nicht einmal der Sohn des Hapu hatte, das halte ich denn doch für übertrieben!«

»Vergessen Sie die Zeit nicht, in der das alles geschehen ist«, belehrte ihn Aram freundlich. »Es war die Epoche der Fremdherrschaft. Die Chabiru bildeten nie mehr als eine kleine, wenn auch gewalttätige Oberschicht in Ägypten. Fremden, wie Sie es nennen, mochten sie vermutlich sehr viel mehr vertrauen als dem Volk, über das sie herrschten. Ein Zuzug von Leuten aus dem Land, aus dem sie selber kamen, mag ihnen dabei durchaus erwünscht gewesen sein.«

»Also seid ihr eigentlich Chabiru?« fragte mein Bootsführer.

»Verwandte der Chabiru zweifellos, wenn auch nicht vom gleichen Stamm«, gab Aram zu. »Allerdings begannen sich die Benê-Jisrael recht schnell mit den Ägyptern zu vermischen – manche mehr wie die Jo-sêph-Stämme Ephraim und Manasse, andere weniger wie die Stämme Juda und Levi. Tatsächlich waren wir schon so sehr Ägypter geworden, daß sich die Benê-Jisrael sofort auf die Seite König Ach-moses stellten, als dieser sich gegen die Chabiru erhob und sie vertrieb. Was uns heute von den Ägyptern unterscheidet, ist eigentlich nur noch eine Familientradition, die sich auf Abraham und Yakov, auf Jo-sêph und seine Brüder gründet, dazu ein paar Geschichten und Überlieferungen, wie ich sie erzähle.«

»Und der Glaube an nur einen Gott«, fügte Necht hinzu.

»Mehr Götter«, schmunzelte Aram, »konnten sich die Schaf-
und Ziegenhirten, die unsere Vorfahren waren, wohl nicht leisten. Aber dieser Gott war gut zu unserem Stamm! Weshalb sollten wir ihn also nicht auch dann weiter verehren, als wir seßhaft
und wohlhabend wurden?«

Ich liebte diese Tage in Hat-uaret im Haus meines Freundes Nun.

Aus Angst um das Leben des kleinen Wahren und einzigen
Hôr-im-Nest Tehuti-mose hatte ich es im ersten Jahr nur einmal
gewagt, mich für eine Nacht nach Hat-uaret zu schleichen. Seit
mich Königin Teje zum Ersten Erzieher der Kadetten der Militärakademie in Men-nôfer ernannt hatte, waren die Besuche häufiger geworden, lieferte mir doch mein Amt in Men-nôfer eine
Möglichkeit, ohne Verdacht zu erregen, immer wieder einmal
meinen nur wenige Bootsstunden entfernten alten Freund Nun
zu besuchen.

Ob Königin Teje den Hintergrund dieser Besuche ahnte, vielleicht sogar wußte – ich vermochte es nicht zu sagen. Tatsache
war, daß sie mich niemals und mit keinem Wort nach dem kleinen Sohn ihrer verstorbenen Tochter Sat-Amûn gefragt hatte.

Für Königin Teje war dies höchst ungewöhnlich, kannte sie
doch sehr genau den dynastischen Rang dieses Sohnes. Mir blieb
also nur zu rätseln, ob sie nicht fragte, um mich nicht zum Lügen
zu zwingen, ob ihr das Kind schlichtweg gleichgültig war oder
ob sie so genau Bescheid wußte, daß sie gar nicht zu fragen
brauchte.

So sehr ich die unbeschwerten Tage in Hat-uaret mit meinen
Freunden und den Kindern genoß, heute, am Tag vor meiner Abreise, mußte ich auf den Grund meiner diesmaligen Anwesenheit
zu sprechen kommen.

Wir hatten uns auf der Dachterrasse von Nuns Haus versammelt, wo uns niemand belauschen konnte: meine Vertrauten, dazu
der Vater Nuns, Aram.

»Ich habe Prinz Tehuti-mose und Je-schua die letzten beiden
Tage genau beobachtet«, begann ich das Gespräch, »und ich bin

von ihren Fortschritten begeistert! So sehr ich ihnen noch viele Tage unbeschwerter Kindheit hier in deinem Hause gönnen würde, Nun, dein Sohn Je-schua ist fast sechs Jahre alt, Tehuti-mose wird es bald sein. Es ist an der Zeit, daß sie den nächsten Schritt tun auf das Ziel hin, das ihnen ihr Leben vorgeben wird.«

Mein Freund Nun nickte langsam:

»Ich wußte, daß du das sagen würdest, schon als du kamst. Und du hast recht, auch wenn mir das Herz dabei blutet.«

»Zunächst zu deinem Sohn Je-schua: Damals, in der Nacht bevor du Tehuti-mose nach Hat-uaret gebracht hast, habe ich dir etwas versprochen. Ich wollte dafür sorgen, daß dein Sohn einen Platz an der Militärakademie in Men-nôfer bekommen würde, wenn er überhaupt geeignet wäre, um jene Karriere fort-zuführen, die du damals dem kleinen Hôr-im-Nest zuliebe ab-brechen mußtest. Um es kurz zu sagen: Wenn ich je einen Jun-gen gesehen habe, der geeignet wäre, als Kadett in die Akademie aufgenommen zu werden, dann ist das dein Sohn. Falls du das immer noch für ihn willst, dann stehen die Tore der Akademie für Je-schua offen!«

Nun ergriff meine Hand, drückte sie fest:

»Ich danke dir aus ganzem Herzen! Und ich verspreche dir: Je-schua wird dir und mir alle Ehre machen!«

»Und was haben Sie für Mose geplant?« fragte Aram.

»Er wird die vierfache Ausbildung eines Königs antreten, die Ausbildung als Beamter und Wissenschaftler, als Priester und als Krieger«, gab ich zur Antwort und fuhr fort: »Die Ausbildung zum Priester wird noch ein paar Jahre warten müssen. Seine Aus-bildung als Beamter und Wissenschaftler wird er jedoch in weni-gen Tagen beginnen. Ich werde ihn in das Haus allen Wissens im Tempel des Dreimal-heiligen Tehuti in Chemenu bringen. Seine Ferien in der heißen Jahreszeit wird er in Men-nôfer an der Militärakademie verleben, um sich dort die notwendigen Kennt-nisse als Krieger anzueignen.«

»Der arme Junge!« bedauerte Aram. »Wann bleibt ihm denn da noch ein bißchen Erholung?«

Nun stieg unterdessen ins Haus hinab und rief die beiden Jun-gen zu uns.

Je-schua quittierte die Ankündigung, daß er nach Men-nôfer geschickt würde, mit wildem Triumphgeheul:

»In ein paar Jahren werde ich als siegreicher General nach Hat-uaret zurückkehren, wenn ich Babylon erobert habe!« erklärte er strahlend.

»Nur das verweichlichte Babylon?« neckte ihn Necht.

»Dann eben Assur!« schrie Je-schua und stürmte davon, sein Bündelchen zu schnüren.

Tehuti-mose nahm die Ankündigung dessen, was ihm bevorstand, sehr viel ruhiger und gelassener auf:

»Ich werde meiner Bestimmung folgen, was immer diese von mir fordern mag!« erklärte er mit einem Ernst, der ihn in diesem Augenblick um viele Jahre älter und reifer erscheinen ließ. »Ich werde euch nie vergessen, Vater Nun und Großvater Aram!« fuhr er fort und setzte bestimmt hinzu: »Ich werde wieder zurückkommen zu euch allen!«

Als auch er gegangen war, um sich von seinen Freunden zu verabschieden, fragte Nun:

»Wirst du in Chemenu jetzt seinen wahren Rang und Titel offenbaren?«

Ich schüttelte energisch den Kopf:

»Ich habe in den letzten Jahren zwar gelernt, Königin Teje zu vertrauen, doch deshalb ist sein Leben noch keineswegs sicher! Den Leiter des Hauses allen Wissens, den Erzpriester Satet-hotep, werde ich in die wahre Identität des jungen Prinzen einweihen müssen, ansonsten aber ist er ganz einfach mein Neffe Tehuti-mose, Sohn des Amûn-hotep – was ja nicht gelogen ist …«

An diesem Abend, dem letzten vor unserer Abreise, stopften sich die Kinder ihr Essen mit vollen Händen in den Mund, und ich bemerkte, daß auch wir Erwachsenen mit fast unwürdiger Hast aßen. Wir alle wollten so schnell als möglich das Ende von Arams Geschichte erfahren.

Als wir uns schließlich wieder im Hauptraum des Hauses versammelten, bestürmten die Kinder den Vater Nuns:

»Jo-sêph kann doch nicht den unschuldigen Ben-jamin bestrafen!« erklärte Mose bestimmt.

»Und erst recht nicht seinen Vater, Jisrael!« pflichtete Bilha ihm bei.

»Ja, das wäre ungerecht!« fiel auch Je-schua ein. »Seine Brüder soll er zu Sklaven machen, die haben ihn erst umbringen wollen und dann in die Sklaverei verkauft!«

»Vielleicht gerade noch mit Ausnahme von Ru-ben und Juda«, gab Aaron zu bedenken, »die haben ihn immerhin wenigstens damals vor dem sicheren Tod gerettet.«

»Und damit haben sie, wenn auch unwissentlich, ja eigentlich auch ihren Vater Jisrael, sich selbst und ihre Familien vor dem Hungertod gerettet«, sann Mose nach.

»Also Jo-sêph ist doch eigentlich ein guter Mensch«, setzte sich die kleine Bilha ein. »Daß er seinen Brüdern einen gründlichen Denkzettel verpaßt, das ist richtig! Aber daß er seinen Vater weiter leiden läßt oder den unschuldigen Ben-jamin, das glaube ich nicht! Auch nicht Juda, der benimmt sich nämlich jetzt wirklich anständig, wenn er sich selbst als Sklave statt Benjamin anbietet! Ich meine, es wird sich alles doch noch zum Guten wenden!«

»Du hast ganz recht, Bilha«, gab Aram zu, und dann nahm er den Faden seiner Erzählung wieder auf:

»Da konnte sich Jo-sêph vor allen, die um ihn herumstanden, nicht länger beherrschen. Er rief:

›Laßt alle von mir wegtreten!‹

Niemand war dabei, als Jo-sêph sich seinen Brüdern zu erkennen gab. Er hob weinend seine Stimme. Doch die Ägypter hörten es. Es hörte davon der Palast des Königs.

Jo-sêph sprach zu seinen Brüdern:

›Ich bin Jo-sêph! Lebt mein Vater noch?‹

Seine Brüder konnten ihm aber keine Antwort geben, denn sie waren verwirrt.

Jo-sêph sagte zu seinen Brüdern:

›Kommt näher zu mir heran.‹

Sie kamen näher. Er sprach:

›Ich bin euer Bruder Jo-sêph, den ihr nach Ägypten verkauft

habt. Nun aber grämt euch nicht und regt euch nicht auf, daß ihr mich hierher verkauft habt; denn euer Leben zu retten hat Gott mich vor euch her gesandt. Zwei Jahre wütet schon die Hungersnot im Lande, und noch fünf Jahre wird es weder Pflügen noch Ernten geben. Gott hat mich vor euch her gesandt, um euer Fortbestehen zu sichern und euer Leben für die große Rettung zu bewahren. Nicht ihr habt mich also hierher gesandt, sondern Gott. Er selbst hat mich zum Erretter für den König gemacht, zum Herrn über sein ganzes Haus und zum Gebieter über ganz Ägypten. Eilet! Zieht hinauf zu meinem Vater und sagt ihm, so spricht dein Sohn Jo-sêph:

»Gott hat mich zum Herrn über ganz Ägypten gesetzt; komm zu mir und zögere nicht! Wohnen sollst du im Lande Gosen! Mir nahe sollst du sein – du selbst, deine Söhne, deine Enkel, dein Klein- und Großvieh und alles, was dir gehört! Ich will dich dort versorgen! Denn noch fünf Jahre lang wird die Hungersnot wüten. Aber du, dein Haus und alles, was du hast, sollen nicht zugrunde gehen!«

Eure Augen und die meines Bruders Ben-jamin sehen es ja selbst, daß ich es bin, dessen Mund zu euch redet! Beeilt euch und bringt meinen Vater hierher!‹

Dann fiel er seinem Bruder Ben-jamin um den Hals und weinte, und auch Ben-jamin weinte an seinem Hals. Er küßte all seine Brüder und schloß sie weinend in seine Arme.

Die Kunde durchdrang den Palast des Königs: ›Die Brüder Jo-sêphs sind gekommen!‹

Der König und seine Diener sahen dies gern.

Der König sprach zu Jo-sêph:

›Befiehl deinen Brüdern: »Tut folgendes! Beladet eure Esel, und zieht dann ins Land Kanaan. Holt euren Vater und eure Familien und kommt zu mir! Ich will euch das Beste des Ägypterlandes geben. Ihr sollt das Fett des Landes verzehren!« Dies ist mein Auftrag an dich: »Handelt also: Nehmt euch aus Ägypten Wagen für eure Kleinkinder und eure Weiber, bringt euren Vater und kommt! Laßt eure Augen nicht betrübt sein wegen der alten Heimat, denn die Güter des ganzen Ägypterlandes gehören euch!««

Und die Söhne Jisraels taten so.

Jo-sêph stellte ihnen auf den Befehl des Königs Reisewagen zur Verfügung und gab ihnen Reiseproviant. Allen schenkte er Festtagskleider, dem Ben-jamin aber schenkte er dreihundert Silberstücke und fünf Festtagsgewänder. Seinem Vater sandte er folgendes: zehn Esel, beladen mit den besten Erzeugnissen Ägyptens, und zehn Eselstuten, beladen mit Getreide, Nahrung und Zehrung für seines Vaters Reise.

Er entließ seine Brüder, und sie zogen fort; er aber sagte noch zu ihnen:

›Habt keine Angst auf der Reise!‹

So zogen sie aus Ägypten hinauf und kamen ins Land Kanaan zu ihrem Vater Yakov. Sie berichteten ihm:

›Jo-sêph lebt noch! Er ist Gebieter über ganz Ägypten!‹

Sein Herz aber blieb kalt, denn er glaubte ihnen nicht. Sie erzählten ihm nun alles, was Jo-sêph zu ihnen gesprochen hatte. Da sah er die Wagen, die Jo-sêph geschickt hatte, um ihn abzuholen. Da lebte der Geist ihres Vaters Yakov wieder auf.

Und Jisrael rief aus:

›Es ist genug! Mein Sohn Jo-sêph lebt! Ich will hingehen und ihn schauen, bevor ich sterbe!‹

So brach Jisrael auf mit allem, was ihm gehörte. Er kam nach Beerseba und brachte dem Gott seines Vaters Opfer dar.

Gott sprach zu Jisrael in Nachtgesichten:

›Yakov! Yakov!‹

Er erwiderte:

›Hier bin ich.‹

Da fuhr dieser fort:

›Ich bin Gott, der Gott deines Vaters. Hab keine Furcht, nach Ägypten zu ziehen, denn zu einem großen Volke werde ich dich dort machen. Ich werde mit dir hinabziehen nach Ägypten, und ich werde dich auch wieder aus Ägypten herausführen!‹

Yakov brach von Beerseba auf, und die Söhne Jisraels hoben ihren Vater Yakov, ihre Kleinkinder und ihre Weiber auf die Wagen, die der König geschickt hatte, um sie zu holen. Sie nahmen ihre Herden und ihre Habe, die sie im Land Kanaan erworben hatten, mit sich.

So kamen sie in Ägypten an, Yakov und seine gesamte Nachkommenschaft mit ihm. Seine Söhne und seine Enkel, seine Töchter und seine Enkelinnen, ja, seinen ganzen Stamm brachte er mit nach Ägypten.

Die Zahl aller Personen, die mit Yakov nach Ägypten zogen und aus seinen Lenden hervorgegangen waren, betrug insgesamt 66 Personen.

Den Juda sandte er aber vor sich her zu Jo-sêph, damit dieser im voraus Weisung gebe. So kamen sie in Ägypten an.

Jo-sêph ließ seinen Wagen anspannen und reiste seinem Vater Jisrael nach Gosen entgegen. Als er ihn sah, fiel er ihm um den Hals, und der weinte an seinem Halse.

Jisrael sprach zu Jo-sêph:

›Jetzt will ich gerne sterben, nachdem ich dein Angesicht gesehen habe, denn du bist noch am Leben!‹

Jo-sêph kam dann, machte dem König Mitteilung und sprach:

›Mein Vater, meine Brüder, ihr Kleinvieh und ihr Großvieh, mit allem, was ihnen gehört, sind aus dem Land Kanaan angekommen. Sie sind jetzt im Land Gosen.‹

Aus der Zahl seiner Brüder nahm er fünf und stellte sie dem König vor.

Der König sprach zu den Brüdern:

›Was ist euer Beruf?‹

Sie antworteten dem König:

›Kleinviehhirten sind deine Knechte, wie auch unsere Väter.‹ Sie fuhren fort: ›Um als Schutzbürger im Lande zu weilen, sind wir gekommen, denn es gab für das Kleinvieh deiner Knechte keine Weide mehr, weil Hunger auf dem Lande Kanaan lastet. Jetzt möchten deine Knechte sich im Gebiet von Gosen niederlassen.‹

Der König sprach zu Jo-sêph:

›Dein Vater und deine Brüder sind zu dir gekommen. Ägypten steht dir zur Verfügung. Im besten Landesteil siedle deinen Vater und deine Brüder an. Sie mögen sich ansiedeln im Gefilde von Gosen. Und wenn du weißt, daß unter ihnen besonders tüchtige Männer sind, dann setze sie zu Aufsehern über meinen Herdenbesitz!‹

Dann führte Jo-sêph seinen Vater hinein und stellte ihn dem König vor.

Yakov erbot dem König seinen Segensgruß.

Jo-sêph siedelte seinen Vater und seine Brüder an und gab ihnen Grundbesitz in Ägypten, im besten Teil des Landes, wie es der König gebot.

So wurde Jisrael in Ägypten seßhaft, im Lande Gosen. Sie setzten sich darin fest, wurden fruchtbar und mehrten sich sehr.«

5. Papyrus

DER
OBELISK

König Akh-en-Aton Ua-en-Râ
6. Regierungsjahr

»Schön ist Dein Erscheinen im Lichtort des Himmels,
Du lebender Aton, der von Anbeginn lebte!
Dein leuchtendes Aufgehen im östlichen Lichtort
Erfüllt alle Lande mit deiner Schönheit;
Du bist gütig und groß, glanzvoll und hoch über allen
    Landen,
Deine Strahlen umfassen die Länder bis zum Rand deiner
    Schöpfung!
Du bist fern, und doch ist Dein Strahlen auf Erden –

Man hat Dich vor Augen und begreift doch nicht
    Deinen Gang!
Gehst Du unter im westlichen Lichtort,
Liegt die Erde im Dunkeln, als sei sie erstorben.
Es ruhen die Schlummernden in der Kammer,
Ihr Antlitz ist wie mit einem Schleier bedeckt;
Nicht kann ein Auge ein anderes sehen.
Nähme man all ihre Habe unter ihren Häuptern,
Sie merkten es nicht.
Alles Raubzeug schleicht sich aus seiner Höhle,
Alles Gewürm hebt zu beißen an.
Die Finsternis lockt es, wie andere eine Feuerstatt.
Die Welt liegt im Schweigen,
Denn ihr Schöpfer ging zur Ruhe in seinem Lichtort.
Wenn Du morgens im Horizonte aufsteigst,
Als Aton am Tage erglänzend,
So weicht Dir die Finsternis,
Sobald Du Deine Strahlen spendest.
Die beiden Länder sind festlich gestimmt,
Sie erwachen und stellen sich auf die Füße.
Sie waschen den Leib, sie legen Kleider an,
Ihre Arme heben sich, Dein Erscheinen preisend;
Die ganze Welt verrichtet ihre Arbeit.
Alles Vieh ist befriedigt durch seine Weide,
Die Bäume und Kräuter ergrünen.
Die Vögel entflattern ihren Nestern,
Ihre Flügel erhebend zum Preise deiner Kraft!
Alles Jungwild springt auf seinen Füßen,
Alles, was da fliegt und sich niederläßt,
Es lebt, denn Du bist über ihm aufgegangen!
Die Schiffe fahren stromab und stromauf,
Jeder Weg ist geöffnet, weil Du leuchtest.
Die Fische im Strom springen vor deinem Angesicht;
Deine Strahlen dringen bis ins Innere des Meeres!
Der Du der Frauen Leib fruchtbar machst
Und aus Samen Menschen bereitest,
Der Du das Kind ernährst im Leibe seiner Mutter

Und es beruhigst, auf daß es nicht weine.
Verläßt es den Leib, um zu atmen am Tage seiner Geburt,
So öffnest Du seinen Mund und spendest, was es benötigt.
Das Vöglein im Ei, es spricht im Stein seiner Schale,
Du gibst ihm Luft darin, es am Leben zu halten;
Du hast ihm im Ei seine Frist gesetzt, es zu zerbrechen,
es kommt zur Zeit heraus, zu reden, soviel es kann,
Es läuft auf seinen Füßchen, sobald es hervorkommt.
Wie unermeßlich sind Deine Werke,
Du einziger Gott, der nicht seinesgleichen hat!
Du hast die Erde geschaffen nach Deinem Herzen,
Du einzig und allein,
Mit Menschen, Herden und allem anderen Getier:
Was auf der Erde weilt, gehend auf Füßen,
Was in der Höhe schwebt, fliegend mit Flügeln,
Die bergigen Länder To-nuter und Kusch
Und das Flachland Ägypten.
Du setzest jeglichen an seine Stelle,
Allen schaffend, wessen sie bedürfen;
Die Zungen sind verschieden im Sprechen,
Gestalt und Farbe sind unterschiedlich;
Du bist es, der die Völker unterscheidet!
Du schaffest den Fluß in der Unterwelt,
Du führst ihn herauf nach Deinem Belieben,
Um das Volk am Leben zu erhalten,
Du, ihrer aller Herr, der sich abmüht an ihnen,
Du Herr aller Lande, der für sie aufleuchtet,
Du Aton des Tages, Allkräftiger!
All die fernen Gebirgsländer lässest Du leben;
Du hast auch einen Fluß am Himmel geschaffen,
Daß er zu ihnen herabflute
Und die Wellen schlagen auf den Bergen gleichwie das Meer,
Um ihre Äcker zu tränken nach ihrem Bedürfnis;
Wie wohltätig sind Deine Pläne, Du Herr der Ewigkeit!
Ägyptens Strom jedoch quillt aus der Unterwelt.
Deine Strahlen tränken mütterlich jegliche Flur,
Wenn Du aufleuchtest, lebt sie und sprießt für Dich!

Du machst die Jahreszeiten, Deine Werke zu vollbringen,
Den Winter, um sie zu kühlen,
Die Sommerhitze, damit sie Dich kosten!
Du machtest den Himmel fern, um an ihm aufzugehen
Und all das zu schauen, was Du allein schufest,
Erstrahlend in deiner Gestalt als lebender Aton,
Aufdämmernd, leuchtend, Dich entfernend und wieder-
    kehrend.
Du bildest Millionen Gestalten aus Dir allein,
Jedes Auge sieht Dich sich gegenüber
Als Aton des Tages über der Erde.
Wenn Du aber davongegangen bist,
So bist Du doch noch in meinem Herzen.
Kein anderer ist, der Dich kennt,
Außer deinem Sohne Akh-en-Aton, dem Einzigen des Râ!
Ihn ließest Du Dein Wesen begreifen und Deine Allmacht!
Die Erde ist in Deiner Hand
Und die Menschen, wie Du sie geschaffen hast;
Bist Du aufgegangen, so leben sie,
Sinkst Du hinab, so sterben sie:
Du selbst bist die Lebenszeit,
Die Menschen leben durch Dich.
Die Augen schauen auf Deine Schönheit.
Seit Du die Erde gegründet hast,
Hast Du sie aufgerichtet für Deinen Sohn,
Der aus Dir selber hervorging,
Den König von Ober- und Unterägypten,
Der von der Wahrheit lebt,
Den Herrn der Beiden Kronen,
Akh-en-Aton Ua-en-Râ, dessen Leben lang sei,
Und für die königliche Gemahlin,
Die von ihm geliebte,
Nefer-nefru-Aton Nofret-ête,
Die lebe und jung sei immer und ewiglich.«

Der gigantische Komplex des Tempels, den König Akh-en-Aton Ua-en-Râ unmittelbar östlich neben dem großen Reichstempel des Amûn für sich und seine Gemahlin Nofret-ête zu Ehren seines ›Vaters‹, des Einzigen und Ewigen Aton, Der lebt und Leben verleiht, binnen der letzten fünf Jahre hatte hochziehen lassen, war erfüllt von den Rauchwolken der Opferfeuer, in denen Weihrauch, aber auch Blumen, Früchte und das Fleisch von Tauben, Gänsen, Hammeln und Stieren verbrannten.

Der Hochaltar, wo der König selber als Erster und Höchster Priester seines ›Vaters‹ Aton amtete, stand nicht wie in anderen Tempeln im mystischen Halbdunkel eines allerheiligsten Schreines verborgen, sondern offen in der Mitte der Tempelanlage, dargeboten den Strahlen der Gott-Sonne. Rund um ihn scharten sich Tausende kleinerer Altäre, an denen die Gläubigen des Aton – jeder sein eigener Priester – ihre Gaben darbrachten.

Ein mehr als dreihundert Sänger starker Männerchor jubelte den großen Hymnus an den ›Vater‹ des Herrschers, den ewigen, den allmächtigen, den alleinzigen Aton in den strahlendblauen Frühlingshimmel hinaus, ließ seine Stimmen zusammenfließen mit dem kaum minder starken Frauenchor um den zweiten Hauptaltar, wo Nofret-ête, obwohl schon zum fünftenmal hochschwanger, als Erste Priesterin zeitgleich mit ihrem Gatten die Riten für den allewigen Aton vollzog.

Ein Höchster Herr für alle Menschen – nicht Amûn und Mut für die Ägypter, Ba-al und Ischtar für die Babylonier, Zeus und Hera für die Achaier –, ein Schöpfer aller Menschen und Geschöpfe, ein Gott für alle und alles!

Viele des Hofes bekannten sich mittlerweile lautstark zum Glauben an Aton – viele davon sogar aus echter Überzeugung.

Zu ihnen gehörte ich bislang nicht.

Noch nicht?

Die Idee des Königs eines alleinzigen Gottes aller Menschen, gleichgültig ob Ägypter oder Elamiter, Keftiu oder Achaier, Schôs, Libu, Assyrer oder Benê-Jisrael, hatte allerdings inzwischen auch in meinem Herzen tiefe Wurzeln geschlagen.

So stand ich an jenem Tag vor meinem Altar und warf eine Handvoll Körner Weihrauch und ein Büschel Kornähren der jüngsten Ernte in die Opferflamme, um Den zu ehren, der alle und alles geschaffen hatte und erhielt, wie immer sein Name auch lauten mochte.

Schon fast zu Beginn der Zeremonie hatte ein dumpfes Dröhnen von außerhalb der Tempelanlage den Gesang der Chöre untermalt.

Was zunächst nur wie das Brausen eines fernen Wasserstromes geklungen hatte, war nach und nach zum Brummen eines aufgestörten Hornissenschwarms geworden und klang jetzt, nahe gekommen, unzweifelhaft wie die Stimme einer aufgebrachten Menschenmasse!

»O Scheiße! Scheiße! *Scheiße!*« fluchte Bek, der Sohn des Men, seit fünf Jahren Erster Baumeister Seiner Majestät des Herrn der Beiden Kronen und der Beiden Länder, leise vor sich hin und warf hastig einen letzten Blumenstrauß und einen Hammelschlegel in sein Opferfeuer. Dann trat er eilig von seinem Altar zurück, schwang seinen Kugelbauch herum und versuchte, auf seinen Plattfüßen den nächsten Nebeneingang des Tempels zu erreichen.

Mit einem schnellen Griff hielt ich ihn an der Schulter fest.

»Was ist los?«

»Scheiße ist los!« fauchte Bek und versuchte, meinem Griff zu entkommen.

Ich hielt ihn unerbittlich fest:

»Könnten Sie das, bitte, etwas exakter beschreiben, Bek?«

»Tun Sie doch nicht so ahnungslos!« zischte mich Bek an. »Das Volk von Uêset hat die Schnauze voll! Daß für den Tempel des Aton das östliche Villenviertel und der große Markt niedergerissen wurden, das hat man geschluckt – da traf es schließlich nur die Reichen. Daß dann der Stadtteil ›Krokodil‹ und mit ihm die Werkstätten und Häuser der Sandalenmacher, der Mattenflechter, der Geschirrtöpfer, der Strohhacker, Lehmstampfer und Ziegelformer verschwinden mußte, das hat man auch noch geschluckt – da traf es eher Arme. Der Aton-Tempel mißt jetzt schon 2000 auf 1000 Ellen und ist damit um die Hälfte größer als der Reichstempel des Amûn. Doch jetzt hat der König verkündet, er wolle ihn auf das Doppelte verbreitern lassen! Und dafür hätten die Gold- und Silber- und Kupferschmiede im Stadtteil ›Hat-Hôr‹ gefälligst Platz zu machen, dazu die Bronzegießer und Schreiner im angrenzenden Stadtteil ›Sonnen-Falke‹ samt dem oberen Speisemarkt mit all seinen Fischverkäufern, Bäckern, Metzgern und Gemüsehändlern – und das sind weder die Wohlbetuchten noch die Armen, sondern jener gesunde Mittelstand, von dem Uêset lebt!«

Wir hatten unterdessen unsere Altäre verlassen, doch ich hielt Bek nach wie vor an der Schulter gepackt und zog ihn hinter mir her durch ein kleines Pförtchen und die schmale Stiege hinauf auf das Dach des östlichen Torturmes. Von dort oben hatten wir einen weiten Rundblick.

Hinter uns lag das riesige Areal des Aton-Tempels mit den beiden großen Hauptaltären und den ungezählten kleinen Nebenaltären, die freilich nur knapp ein Viertel der Fläche bedeckten. Die umgebenden Hallen und Säulenkolonnaden waren erst im Entstehen begriffen, und sogar die Umfassungsmauer brach bereits nach ein paar hundert Ellen wieder ab. Nach Norden zu dehnte sich eine weite, offene Fläche aus, teilweise schon eingeebnet, zum größeren Teil jedoch mit den Ruinen der Häuser übersät, die vor kurzem dort noch gestanden hatten.

»Es wird Jahre dauern, diese Fläche zu bebauen«, stellte ich fest. »Weshalb dann schon wieder Erweiterungspläne?«

»Anfangs wollte der König seinem ›Vater‹ Aton nur einen Tempel bauen, der den des Amûn an Größe und Pracht übertreffen sollte«, brummte Bek, während sich unser Blick unwillkürlich nach rechts wandte, wo sich der nicht eben klein geratene Komplex des Reichstempels bis zum Strom hinab erstreckte. »Dann«, fuhr Bek fort, »kam dem König der Einfall, jede Familie in Uêset solle hier ihren eigenen Altar haben. Jetzt soll es sogar jede Familie in ganz Ägypten sein! Und dazu braucht er eben noch ein bißchen mehr Platz«, schloß der Erste Baumeister und wedelte mit seiner Hand nach links hinüber, wo sich vom Steilabbruch der östlichen Wüste die Stadtteile ›Hat-Hôr‹ und ›Sonnen-Falke‹ mit ihren soliden, weiß gekalkten Häusern, den kleinen, grünen Gärten, den weitläufigen Höfen, Werkstätten und Lagern der Metallhandwerker und Schreiner bis zum oberen Speisemarkt mit seinen Hunderten bunter Buden und Stände hinzogen.

Ein weiteres Anschwellen des Stimmengewirrs ließ uns nach vorne blicken.

Auf dem weiten Vorplatz südlich des Tempels ragte zwischen wahren Gebirgen von erst roh behauenen Steinblöcken, Sandhaufen, gestapelten Stangen, Balken und sonstigen Baumaterialien ein erster von vier geplanten Obelisken aus rotem Abu-Granit, einer Nadel gleich, siebzig Ellen in den dunkelblauen Himmel. Auf diesen Platz begannen nun wie ein Heer von Ameisen Menschen zu strömen: Männer in kurzem, weißem Schurz, Frauen in schlichten Leinenkleidern, dazwischen nackte Kinder und bellende Hunde.

Wie eine Woge brandeten sie heran, stauten sich vor den Tortürmen des Tempels. Gestikulieren. Rufe. Ein Sprechchor »Sonnen-Fal-ke! Son-nen-Fal-ke!«. Ein paar Schilder an langen Stangen wurden geschwungen. In etwas ungelenken Schriftzeichen stand da zu lesen »Rettet Hat-Hôr!« oder »Kupfer! Nicht Aton!« oder »Unser Markt bleibt!«, aber auch »Ewig Amûn!« und »Amûn! Niemals Aton!«. Ein anderer Chor skandierte »Ent-schä-di-gung! Ent-schä-di-gung! Ent-schä-di-gung!«. Eine Statue der Hat-Hôr, gestützt von den starken Schultern junger Burschen, schwankte auf den Vorplatz. Etwas beunruhigt sah ich die kahlgeschorenen Köpfe und Leopardenfelle von Priestern, die zwischen den Menschen umherhasteten und auf sie einredeten.

»Verdammter Mob!« keuchte Bek neben mir.

Doch das war kein Mob! An den Armen vieler Männer und Frauen dort unten steckten Reifen aus Kupfer, Bronze, ja, Silber, auf ihrer Brust hingen sorgfältig gearbeitete Amulette und Ketten aus Glasperlen und Halbedelsteinen, da und dort blitzte sogar Gold. Nein, das war kein Mob, das waren brave Handwerker und Händler, die um ihre Existenz fürchteten!

»Der-Markt-bleibt! Der-Markt-bleibt!« und »Hat-Hôr! Hat-Hôr! Hat-Hôr!« und »Ent-schä-di-gung! Ent-schä-di-gung!«.

Die Sprechchöre hatten ihren Rhythmus gefunden, schrien gegeneinander an. Auch kleinere Gruppen mischten sich ein mit Parolen wie »A-ton weg! A-ton weg!« oder »Brecht-ihn-ab! Brecht-ihn-ab! Brecht-ihn-ab!«, doch sie waren eindeutig in der Unterzahl.

Dann wurde er auf den Platz getragen. An seinem Kugelbauch, den Glubschaugen und der struppig abstehenden Perücke war er unzweifelhaft zu erkennen: Bek, der Erste Baumeister Seiner Majestät.

Der Bek neben mir wurde aschfahl, rang nach Luft.

Wahrscheinlich wäre es mir an seiner Stelle nicht anders ergangen. Der Bek dort unten, aus bemalten Leintüchern genäht und mit Stroh ausgestopft, baumelte mit einem Strick um seinen Hals an einem Galgen. Jetzt riß ihm einer der Männer auch noch den Schurz herunter, säbelte mit großer Geste seinen dicken Phallus ab, steckte schließlich die Strohpuppe in Brand.

»Ich bin es, auf den sie es abgesehen haben!« winselte Bek neben mir und klammerte sich verzweifelt an mich. »Ich führe doch nur die Befehle des Königs aus! Ich bin unschuldig! Ich liebe das Volk! Glaube mir, Amûn-hotep, ich *liebe* es! Ich tue doch nur, was der König will! Ich glaube nicht an Aton! Ich glaube an gar nichts! Ich glaube doch nur an … an … an ….«

»… an Bek?« half ich dem schlotternden Ersten Baumeister Seiner Majestät.

Einen Augenblick starrte mich Bek verständnislos an, dann huschte ein verzerrtes Grinsen über sein Gesicht:

»Der Fresser der Seelen im Duat möge mich zerreißen, wenn ich in den nächsten drei Monaten in Achet-Aton, der Sonnenstadt, die unser König vor zwei Jahren in Mittelägypten gegründet hat, nicht unabkömmlich bin!«

Sprach es und hastete, so schnell ihn seine Plattfüße trugen, die enge Treppe des Torturmes hinab und verschwand aus dem Tempel des Aton und aus Uêset.

König Akh-en-Aton Ua-en-Râ trat an das Fenster der Erscheinung.

Dieses Fenster war auf Befehl Seiner Majestät in die südliche Fassade des Per-aa, des Alten Palastes, gebrochen worden, von wo aus man auf einen weiten Platz hinabsehen konnte. Das Fenster selbst, etwa sieben mal sieben Ellen groß, glich einem überdachten, von Uto-Schlangen bekränzten Balkon mit einer etwa hüfthohen, gepolsterten Balustrade. Über dem Fenster der Erscheinung strahlte eine mächtige, schwer goldene Aton-Scheibe, deren Strahlenhände segnend auf den Fensterausschnitt und den Vorplatz herabdeuteten.

Dort zeigte sich der König fast jeden Nachmittag, um sich von seinen Anhängern zujubeln zu lassen, Audienzen für seine Minister zu gewähren und seine neuesten Befehle zu erteilen. Begleitet wurde Akh-en-Aton Ua-en-Râ auch diesmal von Nofret-ête und drei seiner kleinen Töchter, der fünfjährigen Prinzessin Maket-Aton, der vierjährigen Prinzessin Merit-Aton und der zweijährigen Prinzessin Anchesen-pa-Aton. Dieses öffentlich zur Schau gestellte Familienidyll war inzwischen jedermann in Uêset vertraut.

Daß Nofret-ête, obwohl dem Rang nach nur dritte Gemahlin, die erklärte Lieblingsfrau des Königs war und ihn nach Herzenslust beherrschte, war ebenso bekannt. Ihre unbestrittene Schönheit hatte nicht nur ihr, sondern auch ihrem Gemahl so manchen Anhänger gewonnen. Eine Weile hatte sogar seine zweite Gemahlin, Prinzessin Kija, den König begleitet, doch seit feststand, daß sie endlich schwanger geworden war, hatte sich die Prinzessin wieder in die Stille ihrer Räume im Innern des Alten Palastes zurückgezogen.

Mein Bruder Râ-mose, der heute, wider all seine sonstigen Gewohnheiten, einen nervösen, ja, zappligen Eindruck machte, bedachte mich mit einem schnellen Blick, während wir uns in den Staub warfen, als Seine Majestät an das Fenster der Erscheinung trat. Râ-mose war offensichtlich an diesem Nachmittag ebenso wie einige andere hohe Beamte, die einen kaum minder nervösen Eindruck machten, nicht freiwillig anwesend, sondern herbeizitiert worden. Auch mich hatte ein Kurier des Per-aa kurz angebunden aufgefordert, auf dem Vorplatz des Alten Palastes zu erscheinen.

»Strafe wird treffen die Schuldigen für den Tumult von heute morgen!« donnerte König Akh-en-Aton Ua-en-Râ mit weit hallender Stimme auf uns herab.

Während wir uns auf das Zeichen eines Herolds erhoben, krabbelte mein Bruder Râ-mose auf allen vieren nach vorne, schlug mit der Stirn wieder und wieder auf den Boden:

»Euer Majestät, Den Aton liebt, Der von der Wahrheit lebt, Der ...«

»Nicht du!« erklang die Stimme des Königs gebieterisch. »Du hast mir stets treu gedient, mein lieber Râ-mose! Dafür soll Dir auch gerechter Lohn werden!«

Der König griff hinter sich. In seiner Hand erschien eine Kette mit aufgereihten Goldplättchen, das Gold der Belohnung! Mit leichter Hand warf er sie Râ-mose hinab, der sie glücklich aufraffte.

»Es waren die Priester des Amûn, der Mut, des Chons und der anderen Götzentempel!« Der ›Gottvater‹ Eje trat aus der Gruppe der Höflinge des Königs hervor, das stolze Haupt hoch erhoben, den Blick unverwandt auf den König gerichtet:

»Die Priester der falschen Götter waren es, die diesen Aufruhr angezettelt haben!«

»Wahr ist, was du sprichst«, antwortete der König, griff erneut hinter sich und warf zwei Ketten des Goldes der Belohnung herab. Und offenbar, weil diese beim Fliegen so lustig blinkten, ließ die kleine Prinzessin Anchesen-pa-Aton vergnügt krähend gleich noch eine dritte Kette folgen und patschte glücklich in ihre kleinen Händchen.

»Dreimal das Gold der Belohnung! Für ... für was denn eigentlich?« fauchte der zwergenhafte Landwirtschaftsminister Cha-em-hêt, der sich neben mich geschoben hatte. »Was ist unser Gold der Belohnung noch wert, wenn man es sich neuerdings derart leicht verdient?«

Dabei deutete er auf die zwei Ketten, die um seinen Hals lagen und die beiden, die mir verliehen worden waren.

»Daß wir dieses Gold für wahre Verdienste von einem großen

König erhalten haben«, antwortete ich leise, »und nicht von einem Kind, das nur spielen möchte.«

»Es ist wahr! Die Priester des Amûn, der Mut und der anderen Götzen haben diesen Aufruhr angezettelt!« rief der König unterdessen. »Aber die Schuld – die alleinige Schuld! – trage ich – ich – ICH! Ich, Akh-en-Aton Ua-en-Râ, lebe allein von Seiner Wahrheit, der Wahrheit Meines Vaters Aton! Ich allein kenne Seine Ratschlüsse! Ich allein vollziehe Seinen Willen!«

Der sonst klare, melodische, weiche Tenor des Königs schlug über in ein schrilles Kreischen:

»Ich bin schuld! Ich bin schuld! Ich allein bin schuld! Der Tempel Meines Vaters in Uêset! Die Tempel Meines Vaters in Onû und Chemenu! Die Stadt des Lichtortes Meines Vaters in Achet-Aton! Sie wachsen zu langsam! Zu langsam! Viel zu langsam!«

König Akh-en-Aton Ua-en-Râ lehnte sich über die Balustrade des Fensters der Erscheinung, zeterte mit seinen dürren Armen fuchtelnd auf die Anwesenden herab:

»Sie müssen arbeiten! Viel mehr arbeiten! – Mein Volk! – Das Volk Meines Vaters Aton! – Arbeiten! – Jetzt! – Sofort! – Alle! – Vom Knaben von acht Jahren! – Bis zum Mann von fünfundsechzig! – Arbeiten! – Ziegel backen! – Jeder! – Steine brechen! Steine schleppen! – Jeder! – Das will Aton!! – Schiffe müssen bereit gestellt werden! – Alle Schiffe! – Steine transportieren! Ziegel transportieren! – Alle Menschen preisen Aton! Meinen Vater! Meinen Vater! – Alle Menschen arbeiten an den Tempeln! – Alle Bauern machen Ziegel! – Tausendmal tausend Ziegel! – Zehntausendmal zehntausend Ziegel! – Und Steinblöcke! – Alle Bauern machen Steinblöcke! – Alle Schiffer transportieren Steinblöcke! – Alle! Alle! – Für die Tempel! – Die Aton-Tempel! – Aton! – Vater! – Einziger Gott! – Einziger! – Gott! – Mein Gott! – Aton! – Aton! – ATON!!«

Das Gesicht des Königs war purpurfarben angelaufen, sein Körper zuckte. Er riß sich den blauen Kronhelm herunter, preßte seine Hände gegen die Schläfen, als drohe sein Kopf zu zerspringen. Tränen liefen über sein Antlitz. Aus seinem weit offen stehenden Mund drang ein klägliches Wimmern.

Während Nofret-ête die Kinder eilig beiseite zog, eilten aus dem Raum hinter dem Fenster der Erscheinung Bedienstete heran, stützten den König. Der Leibarzt Pentû gab Anweisungen, ließ den König ins Innere des Palastes bringen.

Wir unten auf dem Vorplatz standen wie erstarrt.

Zwei Tage später kam es vor dem Tor zum Südlichen Harem des Amûn zu einem Auftritt, den Wort für Wort mitzuhören ich vom Dach meines Stadthauses ebenso wenig vermeiden konnte wie fast hundert Bürger und Handwerker aus Uêset, die von den schreienden Stimmen angelockt worden waren. Die Kontrahenten waren auf der einen Seite Aanen, der Bruder der Königin und Zweite Prophet des Amûn, auf der anderen Seite Amûn-em-Hat, der junge Zeremonienmeister der Amûn-Feste. Beide Streithähne wurden von je gut einem Dutzend niedrigerer Priester des Amûn begleitet und höchst lautstark unterstützt.

»Du weißt, welch schweren Stand ich habe gegen diesen König!« brüllte Aanen sein Gegenüber an. »Du weißt, daß er die jährlichen Geschenke an den Tempel verweigert! Daß er unsere Kupferminen in Biau besetzt hat! Und jetzt trittst auch du noch gegen mich auf, Amûn-em-Hat, um mich zu bekämpfen! Ich weiß, daß du mich haßt, weil du aus der alten Familie der Großpriester des Amûn stammst! Weil du glaubst, du seiest mehr berechtigt, an meinem Platz zu stehen!«

»Nicht der Vorrang der Geburt ist es, was ich Ihnen vorwerfe«, hielt der junge Priester, ein schmaler, hohlwangiger Mann mit brennenden Augen, dagegen.

»Was dann?« schrie Aanen.

»Ich werfe Ihnen Ihren Machthunger vor! Ihre Eitelkeit! Ich werfe Ihnen Ihre Prunksucht und Ihre Habgier vor! Sie haben nicht für den Tempel Schätze gesammelt. Sie haben sie gesammelt für Ihren eigenen Reichtum, Ihre eigene Macht! Nicht dem Gott, *Ihnen* sollte der König Geschenke machen! Nicht für den Tempel, für *sich* beklagen Sie den Verlust der Kupferminen! Nicht daß der König sich von Amûn abgewendet hat – daß Sie *Ihren* Einfluß verlieren, fürchten Sie! Das werfe ich Ihnen vor!«

»Das ist doch lächerlich!« brüllte Aanen, doch der junge Priester war noch nicht zu Ende.

»Wer sollte denn auch noch einer Priesterschaft vertrauen«, schrie Amûn-em-Hat weiß vor Wut, »an deren Spitze ein Mann steht, der nur an sich und seinen Vorteil denkt? Wer wollte einem Priester glauben, dessen nächtliche Orgien durch halb Uêset hallen? Der die von seinen Freß- und Saufgelagen übriggebliebenen Leckerbissen körbeweise in den Fluß kippen läßt, während hungrige Bettler von den Türen des Tempels mit Nilpferdpeitschen weggeprügelt werden? Wer wollte sich noch auf einen Menschen verlassen, von dem bekannt ist, daß er von den Opferrindern die fettesten auf seine eigenen Weiden treiben läßt?«

»Ach«, höhnte Aanen, »du rechnest es dir zum Verdienst an, Amûn-em-Hat, daß du in einem kleinen Raum auf nackter Erde schläfst, daß du nur Wasser trinkst und trockenes Brot ißt, daß du fastest und keine Frau berührst?«

»Wäre es nötig zu leben wie Sie, ich würde es tun, so schwer es mir fiele!« gab Amûn-em-Hat zurück. »Doch ich sagte Ihnen: Sie und Ihre Art zu leben sind schuld daran, daß sich der König von Amûn abgewendet hat! Und ich sage: *Er tat es mit Recht!*«

»Willst du dich wahrhaft gegen mich auflehnen?« tobte Aanen. »Gegen mich, den Zweiten Propheten des Amûn, den Großpriester von Râ-Atum, den Ersten Propheten des Min? Oder willst du dich gar gegen Prinz Ptah-hotep auflehnen, den erhabenen Fürst- und Großpriester des Amûn?«

»Ich lehne mich nicht auf«, winkte Amûn-em-Hat ab. »Ich habe jahrelang geschwiegen — zu lange, wie ich jetzt mit Schrecken feststellen muß. Es gibt noch genug Priester des Amûn, die denken wie ich. Wir lehnen uns nicht auf, aber wir werden den Reichstempel verlassen und uns hier in den Südlichen Harem des Amûn zurückziehen. Hier werden wir fasten, opfern und beten — für den König, für Ägypten und für die Größe Amûns, die Sie mit Füßen treten, wo Sie sie zu verherrlichen behaupten!«

Jeder in Ägypten wußte, daß der König von Zeit zu Zeit von Anfällen schier unerträglicher Kopfschmerzen heimgesucht wurde. Sie waren oftmals von Fieber und Erbrechen begleitet, aber auch von Anwandlungen überschäumender Euphorie oder wütenden Tobsuchtsausbrüchen. Zwei, drei Tage mußte der König dann in einem abgedunkelten Raum das Bett hüten, die bitteren Medizinen von Pentû und den anderen Leibärzten schlucken. Danach kehrte Seine Majestät auf ihren Thron zurück, als sei nichts geschehen. Von den Befehlen, die er während seiner Anfälle gegeben hatte, war in der Regel nicht mehr die Rede.

Diesmal dauerte es fast eine Woche, bis der Herr der Beiden Kronen, begleitet von Nofret-éte und dem ›Gottvater‹ Eje, wieder an sein Fenster der Erscheinung trat. Blaß war er noch, sichtlich von dem kaum überstandenen Anfall gezeichnet, doch in seinen dunklen, schräg geschnittenen Augen, die finster auf uns herab starrten, flackerte ein fanatisches, fiebriges Feuer.

»Weshalb sehe Ich noch Bauern auf den Feldern? Weshalb laufen noch junge Burschen sinnlos durch die Straßen der Stadt? Weshalb hocken die älteren Männer im Schatten der Akazien und Palmen und saufen Bier und Wein? Weshalb sehe Ich auf dem Strom noch Schiffe mit Vieh und Gemüse und allerlei Krempel beladen? Weshalb stehen noch die Stadtteile ›Hat-Hôr‹ und ›Sonnen-Falke‹? Wo sind die Ziegel? Wo sind die neuen Steine für den Tempel des Aton, Der einzig lebt und Leben verleiht?«

Diesmal hatte der König offensichtlich nichts vergessen, sondern er fuhr genau da fort, wo er vor einer Woche geendet hatte.

Es war Cha-em-hêt, der vortrat und sich zeremoniell zu Boden warf. Als er sich wieder erhob, richtete er seine kleine Gestalt so hoch auf, wie er konnte:

»Majestät!« rief er zum Fenster der Erscheinung hinauf. »Jeder weiß, wie sehr Euch der schnelle Weiterbau der Tempel Eures Vaters, des Einzigen Aton, am Herzen liegt. Trotzdem kann es nicht angehen, mitten in der Zeit der Aussaat Zehntausende von Bauern, vom achtjährigen Knaben bis zum fünfundsechzigjährigen Großvater, von ihren Feldern fernzuhalten, damit sie für den neuen Tempel des Aton Lehmziegel backen und Steine schleppen!«

»Ich habe es befohlen!« schrie Akh-en-Aton Ua-en-Râ zu dem kleinen Landwirtschaftsminister hinunter.

»Wenn die Bauern nicht jetzt ihre Felder bestellen, ihre Saat ausbringen können, dann wird es in ein paar Monaten keine Ernte geben!« beharrte Cha-em-hêt. »Sobald die Arbeit auf den Feldern getan ist, in den Monaten der Trockenheit und der Überschwemmung werden alle Bauern Ägyptens …«

»Ich habe befohlen: Jetzt!« schrie der König. »Sie sind unfähig, Cha-em-hêt! Sie sind *entlassen*!«

Einen Augenblick hielt Akh-en-Aton Ua-en-Râ inne, während ihm der Gottvater Eje etwas zuflüsterte, dann rief er:

»Zum neuen Vorsteher aller Scheunen Meiner Majestät berufe Ich unseren treuen Freund Panhasa!«

Ein junger, untersetzter Mann stürzte aus der Gruppe der Höflinge des Königs hervor, warf sich vor dem Fenster der Erscheinung in den Staub des Vorplatzes und begann in endloser, blumenreicher Rede den König und seinen ›Vater‹ Aton zu preisen.

»Eine treffliche Wahl!« lästerte der neben mir stehende Prinz Nacht-Min leise. »Sehen Sie sich seinen Körperbau und seine groben Hände an – vermutlich hat dieser Panhasa vor kurzem selbst noch auf irgendwelchen Feldern gearbeitet.«

»Majestät!«

Der für seine Klugheit, Besonnenheit und Redlichkeit weit gerühmte Generalgouverneur von Unterägypten, Mer-en-Hôr, zweiter Sohn des Fürsten Hôr-Wêr des Gaues »Schenkel«, war neben den soeben abgesetzten Landwirtschaftsminister getreten:

»Majestät! Cha-em-hêt spricht die Wahrheit! Wenn die Bauern zur rechten Zeit nicht säen und ernten dürfen, dann wird in ein paar Monaten bitterer Hunger herrschen in ganz Ägypten!«

»Und wenn für Wochen und Wochen alle Flußschiffe ohne Entschädigung für ihre Eigentümer requiriert werden, um ausschließlich Steine und Ziegel zu transportieren, so wird die Wirtschaft dieses Landes zusammenbrechen!«

Maja, der dickliche, stets vergnügte, geniale Finanzminister, hatte sich als dritter zu Cha-em-hêt und Mer-en-Hôr gesellt.

»Hinaus! Hinaus aus euren Ämtern!« donnerte der König auf die beiden herunter. »Generalgouverneur von Unterägypten ist von dieser Stunde an der Priester Pane-hesi, und zum Schatzkanzler des Reiches und Intendant der Goldländer des Herrn der Beiden Länder ernenne Ich Meinen Vertrauten Janch-Aton!«

Janch-Aton, ein rattengesichtiges Individuum ungewisser Herkunft, wälzte sich, die Weisheit des Königs preisend, im Staub vor dem Fenster der Erscheinung, während der korpulente Aton-Priester Pane-hesi mit voller, tragender Stimme zu singen begann:

»Groß ist Aton und über alles Leben erhaben! Weise ist Aton, der König Akh-en-Aton Ua-en-Râ zu Seinem einzigen geliebten Sohn gemacht hat, auf daß Ägypten allein der Wahrheit lebe! Herrlich ist Aton, wenn Er erscheint in seinem Lichtort! Und herrlich ist König Akh-en-Aton Ua-en-Râ, wenn er schreitet unter den Strahlen des ewigen Aton ...«

»Fort! Fort mit allen, die nicht an Meinen Vater, den Einzigen Aton, glauben wollen!« rief der König. »Niemand, der nicht an Ihn glaubt, Meinen Vater, kann Macht haben in Ägypten! Ich aber werde Seine Tempel bauen und Seine Altäre schützen! Dazu berufe Ich Paatem-em-Heb zum Befehlshaber Meiner persönlichen Garde und der Garde der Tempel Meines Vaters!«

»Wer ist denn das schon wieder?« fragte mich Prinz Nacht-Min, leise, während Paatem-em-Heb voll gepanzert mit schwerem Schritt aus der Gruppe der Höflinge hervorstapfte und sich niederwarf.

»Ich habe keine Ahnung«, informierte ich den Prinzen leise. »Auf der Militärakademie in Men-nôfer habe ich ihn jedenfalls noch nie gesehen.«

»Und weil Aton der Gott aller Menschen ist«, fuhr der König unterdessen fort, »wird Mein General Paatem-em-Heb Meine Garde und die Garde Meines Vaters Aton ausheben aus allen Völkern dieser Erde! Es werden in ihr dienen Ägypter und Elamiter, Achaier und Babylonier, Libu und Schôs, Hatti und Kanaaniter und Kuschiten und Männer aus Troja, und es wird kein Unterschied sein zwischen ihnen!«

»Das wird ja ein schöner Sauhaufen werden!« murrte Prinz Nacht-Min verächtlich.

»Aton aber ist Gott!« verkündete König Akh-en-Aton Ua-en-

Râ. »Aton wird Ägypten erhalten und ernähren, wie er alle Welt erhält und ernährt. Er allein vermag es, auch wenn die Bauern nicht säen und ernten, die Schiffer nicht Vieh und Korn transportieren, die Händler keine Geschäfte abschließen! Denn die Bauern und die Schiffer und die Händler werden Seine Tempel bauen! Und Aton wird sie erhalten und nähren, denn Er hat alles geschaffen, was erschaffen ist.

Nur Mich hat er nicht geschaffen, Mich, Seinen geliebten Sohn, Der allein von Seiner Wahrheit lebt! Mich hat Er nicht geschaffen, denn Mich allein hat Er *gezeugt*!

Weil aber Aton alles geschaffen hat, was erschaffen ist, deshalb soll man hinfort auch Ihn allein ehren und anbeten und Ihm allein dienen in Ewigkeit! Weil Er der einzige Gott ist. In Ägypten und auf der ganzen Welt!«

Umu-hanko, der Herold und Zeremonienmeister des Königs, rollte auf einem prächtigen Streitwagen, gezogen von zwei Schimmeln aus den Ställen Seiner Majestät, daher.

Vor und hinter ihm marschierte ein Trupp von einhundert Mann der neu geschaffenen ›Internationalen Garde Seiner Majestät‹ – Assyrer, Libu, Kuschiten, Kanaaniter, Schôs, Hatti.

Auf jedem größeren Platz von Uêset hielt der Zug an. Fanfaren forderten schmetternd Aufmerksamkeit.

Gleiches geschah in allen Städten und Gemeinden vom Gau ›Bogenland‹ bis zum Gau ›Ostmark‹, von südlichsten Kusch bis zum nördlichsten To-nuter.

»So wahr Mein Vater Aton lebt«, ließ König Akh-en-Aton Ua-en-Râ verkünden. »Er, der große Aton. Der Leben verleiht. Kraftvoll an Leben. Mein Vater. Mein Schutzwall von Millionen Ellen. Er, der Meiner in Ewigkeit gedenkt. Er, der für Mich zeugt in Ewigkeit. Er, der Sich Selbst mit eigenen Händen bildet. Er, der täglich fest bleibt ohne Ende. Ob Er im Himmel oder durch Seine Strahlen auf Erde ist, jedes Auge schaut Ihn ohne Aufhören, während Er Sein Land mit Seinen Strahlen erfüllt und jedes Wesen lebend macht.

Nicht länger sollen Amûn und Usîre oder einer der anderen Götter herrschen neben Ihm! Ihre Tempel sollen geschlossen werden! Keine Opfer sollen ihnen mehr dargebracht werden! Nicht länger sollen ihre Namen gehört werden! Schließen will Ich ihre Tempel, und austilgen will Ich ihre Namen! Nicht länger sollen noch gehört werden der Name Amûns oder eines der anderen Götter!

Ich will einzig Tempel des Lichtortes für Meinen Vater Aton schaffen! Dort soll man Ihn verehren! Ihn allein, Aton, den einzigen Gott!

Gegeben im sechsten Jahr Meiner Regierung, Akh-en-Aton Ua-en-Râ, König von Ober- und Unterägypten, Herr der Beiden Kronen, Herr der Beiden Länder, Der von der Wahrheit lebt!«

»Unzählige Jahre lebe König Akh-en-Aton Ua-en-Râ!« brüllten die Gardisten. »Du bist der Einzige, o König in Aton, der im Besitz Seiner Vorschriften ist! Es lebe, lebe und lebe König Akhen-Aton Ua-en-Râ, der Sohn des lebenden Aton, Der von der Wahrheit lebt!«

Die große Audienzhalle im Haus des Freudenfestes war fast bis zum letzten Winkel gefüllt mit weißen Röcken und Schurzen, Leopardenfellen und kahlrasierten Priesterschädeln. Aus ganz Ägypten waren sie zusammengeströmt, um vor der Großen Königsgemahlin und Königin Teje ihre Beschwerden vorzubringen. Schon seit Monaten bemühten sich beständig größere und kleine Gruppen von Priestern und die verschiedensten Tempel um eine Audienz. Zunächst hatte sie Teje auch einzeln empfangen, doch als sich die Listen ihrer Klagen allzu sehr glichen, hatte die Königin für den heutigen Tag eine Audienz für alle angesetzt, zu der jede Priesterschaft und jeder Tempel nun seine Abgesandten schicken mochte.

Die Königin und auch ich hatten eine geschlossene Front von Kahlköpfen erwartet, doch das Bild, das sich nun vor uns darbot, schien eine andere Sprache zu sprechen. Gewiß, alle, die sich hier versammelt hatten, waren offenkundig empört und aufgebracht gegen König Akh-en-Aton Ua-en-Râ und die Bevorzugung seines ›Vaters‹, des Einzigen Aton. Doch damit schien die Gemeinsamkeit auch schon beendet.

Daß die anderen Priesterschaften deutlich Abstand hielten zu der kleinen Delegation aus Onû war verständlich, denn der Tempel des Râ dort war der einzige, den der König in seinem Schließungsdekret ausgenommen hatte. Ja, er hatte sogar immer wieder zu verstehen gegeben, daß er Râ als Sonnengott nur zu gerne mit seinem ›Vater‹ Aton verschmelzen würde. Dem hatte sich bislang allerdings Neter-duai, der Hohepriester des Râ in Onû, Großer Seher und Erster Prophet des Râ, vehement widersetzt. Neter-duai, ein schlanker, hoch gewachsener Mann unbestimmbaren Alters, stand jetzt, gestützt auf seinen langen, vergoldeten Amtsstab und mit geschlossen Augen an der Spitze seiner Delegation, die sich am rechten Rand der großen Audienzhalle versammelt hatte.

Auf der linken Hallenseite hatte sich die Amûn-Priesterschaft eingefunden. Angeführt wurde sie von Prinz Ptah-hotep, dem hochmütigen Fürstpriester und Halbbruder des Königs, und Aanen, dem Bruder der Königin. Doch gerade dieses Lager, das von dem neuesten Erlaß des Königs wohl am härtesten betroffen wurde, war offenkundig gründlich gespalten. Daß Amûn-em-Hat, der junge, asketische Erzpriester des Amûn und Zeremonienmeister der Amûn-Feste, mit etlichen seiner Anhänger unmißverständlich Abstand zur Hauptgruppe seines Tempels hielt, wunderte mich nach dem Auftritt, den ich selber miterlebt hatte, eigentlich nicht. Doch auch die Tempelbeamten des Amûn, die sich um meinen Vater Neby scharten, hatten sich vor den Priestern in den Hintergrund der Halle zurückgezogen.

In der Mitte, mit sichtlicher Distanz nach rechts wie links, drängten sich die Priesterschaften und Delegationen der übrigen Tempel und Götter. Satet-hotep, der kurzsichtige und wie immer schlecht rasierte Erzpriester des Dreimal-heiligen Tehuti aus Chemenu und Vorsteher des Hauses allen Wissens, sowie Hy-sebaû, der Hohepriester der Dreiheit von Men-nôfer, ein falkennasiger Greis mit fast farblos hellen Libu-Augen, waren offenbar zu ihren Sprechern bestimmt worden.

Hy-sebaû war es denn auch, der, nachdem Königin Teje auf ihrem Thron Platz genommen und sich die Priester von der zeremoniellen Begrüßung wieder erhoben hatten, als erster das Wort ergriff:

»Majestät, erhabene Königin von Ober- und Unterägypten, Große Königsgemahlin des von uns allen verehrten und geliebten Königs Amûn-hotep Neb-Maat-Râ Usîre und Große Königsgemahlin des regierenden Königs Amûn-hotep Nefer-cheperu-Râ, der sich selbst nun Akh-en-Aton Ua-en-Râ nennt. Schon länger flehten wir Eure Majestät an, uns diese Audienz zu gewähren, doch die Götter bestimmten, daß diese erst heute stattfinden konnte. Und das war gut so! Voller Sorgen sind wir nach Uêset geeilt. Doch als uns auf dem Weg der neueste Erlaß Eures Sohn-Gemahls erreichte, wandelten sich unsere Sorgen in blankes Entsetzen!

Niemand hier hat das Recht, den König, den Herrn der Beiden Kronen und der Beiden Länder, zu kritisieren. Niemand wird sich jemals das Recht herausnehmen, ihm vorschreiben zu wollen, welche Gottheit er verehrt, welche er bevorzugen und welche er vernachlässigen will.«

Ein Murmeln vor allem auf der linken Seite der Halle, dort wo die Amûn-Priesterschaft stand, machte deutlich, daß hier keineswegs jeder mit den Ansichten des Hohenpriesters des Ptah und der Sachmet aus Men-nôfer übereinstimmte. Doch Hy-sebaû fuhr unbeirrt fort:

»Welche Gottheiten Seine Majestät zu verehren und nicht zu verehren wünscht, darüber haben nicht wir zu richten. Dies werden jene Richter des Duat einst tun, wenn des Königs Herz wie das Herz eines jeden Menschen von Anûb vor dem Gericht des Usîre gewogen wird gegen die Feder der Wahrheit und Gerechtigkeit der Maat.

Doch was wir heute fragen – fragen *müssen* –, ist: Wie konnte dieses Dekret erlassen werden? Wie konnte der König wagen, Seinen Gott Aton über alle anderen Götter zu setzen? Wie durfte er sich erdreisten, die anderen Götter zu verbieten? Keinem sterblichen Menschen – auch dem König nicht – ist es gestattet, über die Götter zu gebieten! Über die Leiber seiner Untertanen mag er bestimmen, doch keinem sterblichen Menschen – auch dem König nicht – steht es an, über ihre Seelen gebieten zu wollen!

Und so frage ich noch einmal: Wie konnte dieses Dekret erlassen werden?«

Aanen, den Zweiten Propheten des Amûn und Bruder der Königin, hielt es nicht länger:

»Ja!« brüllte er. »Wie konnte dieses Dekret erlassen werden? Nicht nur, daß dein Sohn, Teje, seit Jahren dem Tempel die üblichen Geschenke an Land, an Vieh, an Korn, an Gold vorenthält …«

»Deshalb! Eben deshalb hat sich der König abgewandt von Amûn!« fuhr Amûn-em-Hat, der asketische Erzpriester, mit wild funkelnden Augen auf Aanen los. »Weil der Tempel des Amûn unersättlich ist! Weil seine Priesterschaft nur nach Land und Macht und Gold giert! Deshalb wurden wir gestraft von den Göttern! Deshalb mußte es zu diesem Dekret kommen!«

»Es geht hier nicht um Besitztümer und Geschenke, nicht um Rinderherden und Gold!« wies der Hohepriester des Ptah und der Sachmet in Men-nôfer, Hy-sebaû, die Streithähne scharf zurecht und funkelte sie mit seinen hellen Libu-Augen an. »Hier geht es zunächst und allein um die Frage: *Wie konnte dieses Dekret erlassen werden?*«

»Weil«, ergriff Königin Teje zum erstenmal das Wort, »mein Sohn, König Akh-en-Aton Ua-en-Râ, der einzig aus der Wahrheit und für die Wahrheit lebt, nicht länger schweigen durfte von dem, was ihm der große und Leben spendende Aton geoffenbart hat!«

Ptah-hotep, der Fürstpriester des Amûn, schrie dazwischen:

»Was ist denn die Sonnenscheibe Aton, daß der König sie über alle anderen Götter stellt? Daß er diesen Gott erhebt über Amûn, den Gott unseres Reiches? Wer ist Aton, daß er ihn sogar als *einzigen* Gott zu bezeichnen wagt?«

Königin Teje maß den arroganten Fürstpriester mit einem abschätzenden, ja, leicht verächtlichen Blick:

»Hast du, Ptah-hotep«, fragte sie, »jemals Amûn oder Mut, Hôr, Setech, Usîre oder einen der anderen Götter gesehen außer in ihren Bildern aus Stein und Holz?«

»In diesem kurzen, körperlichen Dasein nicht – zumindest nicht mit unseren leiblichen, irdischen Augen, Majestät«, gab Neter-duai, der Hohepriester des Râ in Onû, der Königin zu.

»So tritt hinaus und blicke nach oben!« rief Teje, streckte ihre Hand aus und deutete nach draußen. »Tretet alle hinaus vor diese Halle und blickt zum Himmel, und ihr alle *erlebt* Aton, die göttliche Sonnenscheibe! Geht hinaus – und ihr seht Aton! Ihr seid in Aton! Ihr fühlt Aton, der Kraft und Leben spendet durch seine Strahlen! Durch seine Wärme! Durch sein Licht!«

Ehe Neter-duai oder Hy-sebaû etwas einwenden konnten, fuhr die Große Königsgemahlin leidenschaftlich fort:

»Er, Aton, ist es, der bis in die fernste Gegend der Erde dringt! Hell ist die Erde, wenn Er am Himmel erstrahlt. Alle Pflanzen und Tiere und Menschen leben und atmen durch Ihn! Durch Ihn liegen Glanz und Licht und Schönheit über der Welt! Sind denn nicht Wärme und Licht die Kräfte, durch die die Welt entstanden ist und durch die sie erhalten wird?

Aton, die Sonne, ist es, Der die Welt erschaffen hat! Durch Den die Welt erhalten wird!«

»Mit gleichem Recht könnte man dann das Wasser, die Erde, die Luft zum einzigen Gott ausrufen«, brummte Satet-hotep, der schlecht rasierte Erzpriester des Dreimal-heiligen Tehuti aus Chemenu und Vorsteher des Hauses allen Wissens.

Doch Königin Teje hörte ihn nicht.

»Das«, rief sie aus, »was mein Sohn und Gemahl, König Akhen-Aton Ua-en-Râ, Ägypten und der ganzen Welt geben will sind drei Dinge:

Einen Gott, den alle sehen und begreifen können mit einem allgemein verständlichen Zeichen!

Ein wahres Verstehen der Natur und ihrer Kräfte, in denen man nicht das Wirken irgendwelcher Gottheiten sehen muß!

Und eine neue sittliche Grundlage ihres Lebens!«

»Ein gefährliches Ziel, das nahe am Irrtum liegt!« gab Neter-duai, der Hohepriester von Onû, sehr ernst zu bedenken.

Königin Teje wischt den Einwand weg:

»Mein Sohn-Gemahl wird nicht irren! Aton selbst ist es, der Ihn leitet und der Ihm die Wege zeigt, die Er zu gehen hat! Er lebt allein der Wahrheit! Und die Wahrheit lebt durch ihn! Er ist es, der das Reich der Gerechtigkeit und Wahrhaftigkeit aufrichten wird! Ihr alle kennt sie, die Prophezeiungen des Nefer-Râhu, die vor fast tausend Jahren niedergeschrieben wurden!«

Neter-duai trat zwei Schritte vor, wobei er mit dem unteren Ende seines goldenen Stabes schnell und geschickt den Boden vor sich abtastete. Blitzartig traf mich die Erkenntnis: Der ›Große Seher‹, wie der Titel des Ersten Propheten des Râ zu Onû und Ersten Sehers des Reiches lautete, war in diesem, seinem irdischen Leben blind!

»»Ein König soll kommen aus dem Süden‹«, zitierte er. »»Er soll die Weiße Krone ergreifen, Er soll die Rote Krone auf sein Haupt setzen, zum doppelten Diadem vereint. Er soll die zwei Länder Ägyptens befrieden und ihnen geben nach ihrem Wunsche. Die Menschen zu Seiner Zeit sollen frohlocken, Er wird Seinen Namen aufrichten für immer und immer. Die Böses planen und Aufruhr im Schilde führen, ihre Münder sollen schweigen aus Furcht vor Ihm. Die Kanaanäer sollen durch Sein Schwert fallen, die Libu durch Seine Flamme. Die Unruhestifter sollen weichen vor Seinem Rat und die Rebellen vor Seiner Macht. Das Zeichen der Utô-Schlange auf Seiner Stirn soll Ihm die Widersacher gefügig machen! Man wird die Mauer des Herrschers errichten, daß die Kanaanäer nicht nach Ägypten eindringen können. Rechtschaffenheit soll an ihren Platz zurückkehren, Unrecht soll verbannt werden. Möge der frohlocken, der es sehen und dem König dienen wird!‹«

»Wir kennen die alten Verheißungen sehr wohl«, bestätigte Hy-sebaû. »Die Prophezeiung von einem Herrscher, der das Unrecht vertreiben und das Recht aufrichten soll, der ein Reich der Gerechtigkeit und der Liebe, ein Reicht des Friedens und der Wahrheit gründen wird.«

»Und genau das will und wird mein Sohn-Gemahl erfüllen!« verkündete Königin Teje hoheitsvoll.

Doch Neter-duai, der blinde Hohepriester des Râ zu Onû, mahnte:

»Gefährlich ist es, Prophezeiungen zu deuten. Jeder will sie deuten auf *sein* Land und auf *seine* Zeit …«

Die Große Königsgemahlin hatte sich von ihrem Thron erhoben: »Wenn je ein König aufgetreten ist, der das Recht hatte, diese Verheißungen auf sich zu beziehen, so ist es mein Sohn-Gemahl, König Akh-en-Aton Ua-en-Râ! Strahlend, ein Wesen der Sonne gleich, ist er aufgetreten unter uns!« verkündete Teje mit blitzenden Augen. »Er ist es, der die Wahrheit und Gerechtigkeit liebt! Er ist es, der uns die verworrene Vielfalt der Götter ersetzt durch einen Gott! Er ist es, der den Frieden liebt! Er ist es, der seinem Volk die Klarheit des Verstandes schenken will, so daß es nicht länger nur in Bildern und Gleichnissen zu reden braucht! Sein Volk soll die Welt und die Natur erkennen, wie sie ist! Es soll erkennen, wie Aton, die göttliche Sonnenscheibe, allein auf der Erde wirkt und daher auch der alleinige Gott ist! Weil alles durch Aton geworden ist! Durch Seine Strahlen! Durch Seine Wärme! Durch Sein Licht! Durch Seine Kraft!«

»Das Reich dessen, der verheißen ist, wird keine Grenzen haben!« schrie einer der Priester dazwischen.

»Das Reich Atons *hat* keine Grenzen!« antwortete Königin Teje. »Die göttliche Sonnenscheibe geht auf über allen Menschen und leuchtet ihnen! Im Reiche Atons sind alle gleich: Libu und Ägypter, Kuschiten und Achaier, Hatti und Elamiter! Die Wahrheit meines Sohn-Gemahls ist nicht nur die Wahrheit für Ägypten! Es ist die Wahrheit für alle Menschen! So wie Aton aufgeht und erscheint und strahlt über allen Menschen!«

Hoch aufgerichtet, beide Hände zum Himmel erhoben, stand die Große Königsgemahlin mit leuchtenden Augen vor den Priestern.

»Und darum *mußte* auch dieses Dekret meines Sohnes und Gemahls verkündet werden!« donnerte sie auf die geneigten Kahlköpfe hernieder. »Darum«, fuhr sie fort, »muß noch manches andere geschehen, was denen, die noch im Alten verhaftet sind, als Frevel gelten mag! Wir stehen an der Wende der Zeiten! Das Alte wird sterben. Das Neue wird die Fackel ergreifen, um sie weiterzutragen bis in ferne Zeiten!«

Der hochfahrende Ptah-hotep war ebenso still wie der fanatische Amûn-em-Hat und der Rest der Priesterschaften. Einzig Hy-sebaû wagte zu warnen:

»Die Götter sind nicht nur Gebilde aus Stein und Holz. Sie sind mächtige Wesenheiten, die den Willen Dessen zu den Menschen bringen, Der über allen Göttern thront.«

Und Neter-duai fügte den Spruch des großen Sehers aus der Pyramidenzeit, Ptah-hotep, hinzu:

»Nicht die Pläne der Menschen sind es, die sich verwirklichen, sondern der Wille des Gottes der Götter!«

Zwei Tage nachdem in Uêset und ganz Ägypten das neueste Manifest des Königs verkündet worden war, führte mich mein Weg von meinem Haus am Südlichen Harem des Amûn vorbei.

Überrascht blieb ich stehen.

An den Fassaden der mächtigen Tortürme hatte man lange Leitern aufgerichtet, und droben in luftiger Höhe stand gewiß ein Dutzend Männer, die mit Kellen dicke, weiche Lehmklumpen auf die Reliefs und die Inschriften klatschten, welche die Außenwände überzogen.

Als ich eines Kugelbauches ansichtig wurde, der ohne jeden Zweifel Bek, dem Ersten Baumeister Seiner Majestät, gehörte, eilte ich auf ihn zu.

»Was machen die Leute da?«

»Das sehen Sie doch. Sie tilgen«, grinste Bek schief.

»Was *tilgen* sie?«

»Die Namen.«

Ich trat näher, sah nach oben:

»Aber – das ist ja …!«

»Der Name von König Amûn-hotep Neb-Maat-Râ«, bestätigte Bek. »Sie sehen schon richtig, Oberst. Befehl des Königs!«

Ich war schockiert.

»Der König läßt den Namen seines Vaters austilgen?«

Der Erste Baumeister zuckte nur mit den Schultern.

»Nach dem neuesten Dekret wird überall der Name ›Amûn‹ getilgt. Amûn-hotep heißt ›Friede des Amûn‹, also fällt eben auch dieser Name unter den Erlaß. Im übrigen braucht der König seinen Vater nicht mehr; er hat ja inzwischen einen neuen, den glanzvollen, ewigen, unübertrefflichen, einzigen und so weiter Bla-bla-bla *Aton*!«

»Und Sie, Bek?«

»Ich beaufsichtige die Tilgungsarbeiten«, gab der Baumeister gleichmütig zurück. »Weshalb auch nicht? Vom To-nuter im höchsten Norden bis in die südlichsten Tempel in Kusch sind Männer damit beschäftigt, den Namen ›Amûn‹ in ewige Vergessenheit zu bringen …«

»Das ist die schlimmste Tempel- und Namensschändung, die jemals in Ägypten gehört wurde!« empörte ich mich.

Einer der Schreiber Beks kam eiligen Schrittes auf seinen Meister zu:

»Am Südtor des Chons-Tempels steht Aanen mit seiner Priesterschaft und überschüttet jeden mit Flüchen, der es wagt, eine Leiter an die Mauern zu stellen.«

Bek winkte ab:

»Lasse die Priester mit Söldnern der glorreichen Internationalen Garde des Königs in den Tempel zurücktreiben. Die Kerle verstehen kein Ägyptisch und daher auch nicht die Flüche.«

»Aber wenn die Flüche wirken – dann …«, stotterte der Schreiber ängstlich.

»… treffen sie auch nur dieses Ausländer-Geschmeiß, und wen kümmert das schon?« wischte Bek das Problem weg. »Sonst noch etwas?«

Der Schreiber nickte eifrig:

»Ja, nach welcher Seite sollen wir die großen Obelisken der Königin Hat-Schepsut und des dritten Tehuti-mose Men-cheper-Râ stürzen?«

Bek war jetzt aufgeschreckt. »Seid ihr des Wahnsinns? Laßt sie stehen! Es ist viel zu schwer, sie wieder aufzurichten; vermutlich zerbrechen sie dabei sogar – und dann haben wir demnächst ein ernstes Problem! Baut eine Mauer um sie herum, damit man sie nicht sieht.«

Der Schreiber nickte und eilte davon.

»Und weshalb denken Sie«, fragte ich bissig, »daß die großen Obelisken zu Ehren Amûns jemals wieder aufgerichtet werden könnten, wenn sie jetzt gestürzt werden?«

Der Blick Beks, den er mir zuwarf, war voll tiefstem Mitleid ob solcher Naivität:

»Glauben Sie, daß dieser König ewig regieren wird? Und was wird geschehen, wenn er tot ist?«

»Sie meinen, mit dem Tod Königs Akh-en-Aton Ua-en-Râ wird ...«

»... der ganze Aton-Spuk ein Ende haben«, ergänzte der Baumeister meinen Satz. »Wir werden ganz brav zu Amûn und den anderen Göttern zurückkehren. Wir werden die Tempel restaurieren und den Lehm aus den Namenskartuschen wieder herauskratzen.«

»Und das sagt ausgerechnet der Mann, der die neue Aton-Stadt des Königs in Mittelägypten baut?«

Bek blinzelte mir verschwörerisch zu:

»Die reißen wir eben wieder ein. Für die Ewigkeit ist diese Stadt ohnehin nicht gebaut. Man *sieht* es nicht. Aber ich *weiß* es ...«

»Ich bin nicht länger bereit, diese Politik mitzutragen, Majestät, und lege daher mit sofortiger Wirkung mein Amt als Ministerpräsident und Generalgouverneur von Ober- und Unterägypten nieder!«

Prinz Nacht-Min legte die Abzeichen seiner Ämter auf die Stufen des Thrones in der kleinen Audienzhalle im Haus des Freudenfestes. Dann warf er sich zeremoniell mit ausgestreckten Händen vor Königin Teje zu Boden.

Die Große Königsgemahlin gab ihm ungeduldig ein Zeichen, sich wieder zu erheben:

»Du weißt, Seine Majestät der König und ich, Wir können und Wir wollen nicht auf deine vortrefflichen Dienste verzichten! Bitte hebe die Zeichen deiner Würden wieder auf!

Du hast geschworen, Uns und Ägypten zu dienen an jedem Platz, an den Wir dich stellen werden.«

Doch Nacht-Min blieb hart:

»Als ich diesen Schwur geleistet habe, Majestät-Stiefmutter, stand fest, daß diese Dienste stets für das Land, für das Volk eingesetzt werden würden. Was immer Ihr und Seine Majestät, der König, mir zu tun befehlen, ich werde es tun. Allerdings nur dann, wenn sich diese Befehle nicht *gegen* unser Land und *gegen* unser Volk richten! Das *kann* ich nicht! Und das *werde* ich nicht!«

»Ich weiß«, gab Königin Teje zu, »daß in den letzten Monaten manches nicht zur allgemeinen Zufriedenheit verlaufen ist. Mit deiner Hilfe jedoch, Nacht-Min ...«

»Ich kann Euch nicht helfen – so gerne ich es tun würde!« erklärte der Prinz und starrte Teje mit seinen schwarzen, düsteren Augen an. Dann fuhr er leiser fort:

»Ihr selbst, Majestät, vermögt doch Euren Sohn längst nicht mehr zu zügeln! Seine Majestät König Akh-en-Aton Ua-en-Râ ist wie ein durchgegangenes Pferd, das den Wagen Ägyptens unaufhaltsam einem Abgrund zu reißt, während seine Dritte Gattin Nofret-ête, Eure Nichte, Majestät-Stiefmutter, dazu noch mit der Peitsche knallt!«

Königin Teje runzelte ärgerlich die Brauen:

»Selbst du, Nacht-Min, solltest so nicht über Seine Majestät, meinen Sohn-Gemahl, sprechen! Ich schätze deine Offenheit, und von all meinen Stiefsöhnen warst stets du derjenige, auf den ich meine größten Hoffnungen gesetzt, den ich als den fähigsten und zuverlässigsten eingeschätzt habe!«

Prinz Nacht-Min verneigte sich sehr tief:

»Wenn dem wirklich so ist, dann nehmt bitte meinen Rücktritt an – und erspart mir die Demütigung, in den nächsten Tagen aus meinem Amt hinausgeworfen zu werden!«

»Der König wird niemals ...«, begann Teje, doch Nacht-Min fiel ihr ins Wort:

»O doch, er wird! Wenn ich vor Seine Majestät, den ›Sohn des lebenden Aton‹, hintrete und ihm die Wahrheit sage – und wenn ich im Amt bleibe, dann muß ich das tun – so wird mich Seine Majestät, Der von der Wahrheit lebt, unverzüglich aus meinem Amt davonjagen, wie er es mit Cha-em-hêt, Maja, Mer-en-Hôr und etlichen anderen hohen Beamten schon gemacht hat.«

Königin Teje biß sich auf die Lippen. Die Entlassungen von Cha-em-hêt, dem zwergenwüchsigen, temperamentvollen, unbeugsamen Landwirtschaftsminister, von Maja, dem dicklichen, genialen Finanzminister, von Mer-en-Hôr, dem tüchtigen, aufrechten Generalgouverneur von Unterägypten hatten sie tief verletzt, mehr noch, erschreckt.

»Cha-em-hêt« fuhr Prinz Nacht-Min unterdessen fort, »ist gewiß nicht mein Freund, aber er ist ein außerordentlich gewissenhafter Mann. Maja mag ein Schlitzohr sein, aber seine Fähigkeiten sind überragend. Und Mer-en-Hôr ist schlicht über jeden Zweifel erhaben. Alle drei, und nicht nur sie, wurden unverzüglich aus ihren Ämtern hinausgeworfen, als sie ein erstes, leises Wort des Zweifels an den Maßnahmen des Königs Akh-en-Aton Ua-en-Râ laut werden ließen!«

»Diese Zweifel …«

»Sind nur allzu berechtigt!« unterbrach Nacht-Min die Große Königsgemahlin erneut voller Zorn. »Ihr wißt, wie sehr mir das Projekt des großen Staudamms zwischen Abu und Ilak am Herzen liegt. Ich war traurig, ja verärgert, als der König die Arbeiten an dem Damm einstellen ließ, um die Leute zum Bau seines hiesigen Tempels und seiner Stadt Achet-Aton zu verwenden. Doch diese Männer waren berufsmäßige Maurer und Steinmetze, die Seine Majestät dort einsetzen kann, wo immer es ihm beliebt. Irrwitz ist es jedoch, mitten in der Zeit der Aussaat Zehntausende von Bauern von ihren Feldern fernzuhalten, damit sie für den neuen Tempel des Aton Lehmziegel backen und Steine schleppen! Es ist wirtschaftlicher Selbstmord, alle Flußschiffe ohne Entschädigung zu requirieren, um Baumaterial für die Aton-Tempel heranzuschaffen! Es kann nicht angehen, daß der König einen Stadtbezirk von Uêset nach dem anderen mit Spitzhacke, Beil und Schaufel niederreißen und dem Erdboden gleichmachen läßt, um Platz für seinen Tempel zu bekommen!«

»Der Tempel des Aton …«

Prinz Nacht-Min war jetzt so sehr in Fahrt, daß ihn weder Zeremoniell noch Höflichkeit mehr daran hinderten, einen Einwand der Königin einfach zu überrollen:

»Der letzte, schon wieder erweiterte Plan dieses Tempels sieht nunmehr eine Länge von über 3000 Ellen, eine Breite von 2200

Ellen vor! Das ist das Fünffache der Fläche, die heute der große Reichstempel des Amûn einnimmt! Das ist Größenwahn!«

»Der Tempel des Gottes aller Menschen sollte wohl auch in seiner Ausdehnung der größte Tempel sein, den Menschen je erbaut haben«, warf Königin Teje kalt ein.

»Ich bin kein Priester, dem es anstünde, über den ›Gott aller Menschen‹ zu streiten«, gab Prinz Nacht-Min zornig zurück. »Ich vermag dazu nur zu sagen, daß für diesen Tempel mittlerweile nicht nur die Villen der Amûn-Priester – sie sind reich genug, sich ihre Villen anderenorts neu aufbauen zu lassen –, sowie der Große Markt, das Herz und Zentrum des gesamten Handels in unserem ganzen Land, der Spitzhacke zum Opfer gefallen sind. Die Abriß-kolonnen im Auftrag des Königs haben sich unterdessen erbarmungslos in die Viertel der tüchtigen Händler und Handwerker hineingefressen, haben diese aus ihren oft seit Jahrhunderten angestammten Häusern und Werkstätten vertrieben, ihren mühsam ersparten Besitz vernichtet, ihre Existenz zerstört, und das alles, ohne ihnen dafür auch nur eine Quadratelle Boden, einen einzigen Kupferring an Entschädigung zu überlassen!«

»König Amûn-hotep Neb-Maat-Râ hat …«

»Euer verstorbener Gemahl, Majestät-Stiefmutter, König Amûn-hotep Neb-Maat-Râ Usîre, hat für den Bau des Südlichen Harems des Amûn und anderer Tempel ebenfalls Hunderte von Menschen – Villenbesitzer, Handwerker, Händler, Bauern – enteignen lassen. Gewiß! Doch die Entschädigungen, die er ihnen zahlte, waren so hoch, daß ihn die Enteigneten dafür begeistert gefeiert und heimlich zu Amûn gebetet haben, der König möge noch einmal auf ihren Grund und Boden einen Tempel bauen lassen.

König Amûn-hotep Neb-Maat-Râ war ein weiser, großzügiger und gerechter Herrscher, Majestät-Stiefmutter! Euer Sohn hingegen fordert, ohne auszugleichen, nimmt, ohne zu geben, reißt nieder, ohne aufzubauen. Euren verstorbenen Gemahl hat das Volk geliebt. Euren Sohn wird es, wenn er sich nicht bald ändert, hassen lernen – ihn oder zumindest seinen ›Vater‹ Aton.«

»Willst du Uns drohen, Nacht-Min?« fragte die Königin mit eisiger Schärfe in der Stimme.

»Ich will nur warnen! Zu all dem kommt diese fanatische Verfolgung aller anderen Götter.

Daß der König die Tempel enteignet, kümmert niemand außer den Priestern – im Falle Amûns mag das manchen im geheimen sogar freuen, denn seine Priesterschaften waren wohl wirklich allzu reich und allzu mächtig geworden.

Die Tilgung des Namens seines Vaters, des Königs Amûn-hotep Neb-Maat-Râ, ist eine Pietätlosigkeit, die Tilgung aller anderen Götternamen eine Torheit! Aton ist ein Gott seines Hofes, aber gewiß kein Gott seines Volkes!

Majestät-Stiefmutter! Ihr kennt unser Land, unser Volk weit besser als ich. Ägypten gleicht in diesen Tagen einem riesigen offenen Kornspeicher, und der König ist wie ein zündelndes Kind! Ein Funke, ein leichter Windstoß, und alles, was Euer verstorbener Gemahl, was seine Vorfahren auf dem Thron, was Ihr selbst, was wir alle in Jahrhunderten aufgebaut haben, kann in hellen Flammen aufgehen!

Wenn ein Mensch dies noch verhindern kann, dann seid Ihr das, Majestät-Stiefmutter – falls Ihr es noch könnt!

Ich aber will keinen Anteil haben am Unheil, das ich über unser Land kommen sehe! Darum laßt mich gehen! Bitte!«

»Langsam! Langsam, Kamerad Oberst!«

Der Mann, der mich am Arm festhielt, trug einen schweren Krokodilpanzer, einen buschigen Vollbart und ebenfalls die Abzeichen eines Oberst.

»Langsam! Langsam!« wiederholte er.

Mit einem kurzen Handzeichen stoppte ich den Vormarsch meiner dreihundert Gardisten.

»Du Kommandant Haus Freudenfest?« erkundigte sich der vollbärtige Oberst.

»Ja. Ich habe den Befehl des Königs erhalten, unverzüglich mit allen verfügbaren Truppen ans östliche Ufer des Stromes zu kommen, um den Tempel des Aton und den Alten Palast zu schützen!«

»Du Ägypter? Deine Männer Ägypter? – Gehen Nordseite Per-aa schützen! Vielleicht auch Westseite oder Ostseite Per-aa schützen. Gehen!«

»Ich habe den Befehl …«

»Befehl Dung!« erklärte mir Vollbart freundlich. »Du Ägypter? Ja? – Du wollen hauen auf Ägypter? Nein? – Dann gehen Nordseite und Westseite oder Ostseite Palast. Verstehen? Dann Du nix hauen auf Ägypter! Verstehen?«

»Also, um genau zu sein, verstehe ich überhaupt nichts«, gab ich unumwunden zu.

Vollbart grinste mich an, wobei er zwischen seinem Bartgestrüpp mehrere abgebrochene Schneidezähne entblößte:

»Ich *Chrkrallildrl*«, der Name, den er nannte war ebenso unverständlich wie unaussprechlich, »seien Oberst in Internationaler Garde von König. Verstehen? Ägyptisch ich heißen Seben-hesequ-schut – ›Der, welcher die Schatten köpft‹ – kurz: *Schut.*« Vollbart lachte dröhnend. »Du Oberst Garde Große Königsgemahlin. Ja?«

Ich nickte.

»Du Amûn-hotep, Neby-Sohn? Ja?«

Wieder nickte ich.

»Deine Ägypter-Männer schützen Per-aa! Ja?« erklärte Vollbart-Schut. »Meine Libu-Hatti-Schôs-Assur-Kusch-Männer schützen Aton-Tempel, Kamerad. Gut?«

»Gut«, gab ich nach und erteilte meinen Leutnants und Unteroffizieren die entsprechenden Anweisungen. Dann wandte ich mich wieder an Oberst Vollbart-Schut mit der Frage:

»Was ist hier eigentlich wirklich los?«

»Gerührter – ich meinen: schnell und heftig gerührter – wie man sagen?«

»Gequirlter?« versuchte ich Schut auszuhelfen.

»Gequirlter!« strahlte Vollbart. »*Gequirlter* Dung hier los! Ägypter-Volk sehr böse wegen Aton. Verstehen?«

Ja, ich verstand ausgezeichnet, aber …

»Komm! Schauen!« forderte mich Schut auf.

Gedeckt von Sandhaufen und Bretterstapeln, Ziegeltürmen und Steinstapeln näherte ich mich, geführt von Schut, dem zornigen Gebrüll, das ich bereits bis zum Haus des Freudenfestes vernommen und das sich während der Überfahrt über den Strom zu einem unüberhörbar wutentbrannten Getöse entwickelt hatte.

Dann hatten wir über einen Bretterstapel hinweg teilweise freie Sicht.

Der riesige Platz vor dem Aton-Tempel war schwarz vor Menschen. Und das waren nicht mehr jene braven Bürger, die kürzlich nur mit Sprechchören und ein paar Schrifttafeln ihrem Unmut Luft gemacht hatten. Diesmal schwangen die Männer Fischerspeere, Sicheln, Mistgabeln, Hämmer oder Fleischerbeile.

Am Südende des Platzes sah ich zwei oder drei Hundertschaften der neuen Internationalen Garde des Königs, tief geduckt hinter ihre Schilde, fast fluchtartig unter einem Hagel von Steinen und Ziegelbrocken in die Gassen des angrenzenden Viertels zurückweichen.

Und überall sah ich die weißen Röcke, rasierten Köpfe und Leopardenfelle von Priestern, die schrien, hetzten, die Menge aufstachelten.

Schut winkte mich ein paar Schritt weiter. Um die Ecke eines gewaltigen, erst roh behauenen Steinblocks öffnete sich vor mir der Blick auf die Fassade des Aton-Tempels.

Mir stockte der Atem.

»Mächtig gequirlter Dung!« hörte ich Schut neben mir.

Es war die Untertreibung des Jahres!

Die riesigen Stangen mit den weiß-blauen Bannern des Königs, den rot-gelben Bannern Atons waren abgesägt worden. Die zerfetzten Banner lagen im Dreck. Männer und Frauen trampelten darauf herum oder schwangen Fetzen davon wie Trophäen über ihren Köpfen. Das war harmlos.

Die Fassade mit den Reliefs des opfernden, des seine Untertanen empfangenden, des feiernden, des betenden, des seine Anhänger überreich belohnenden Königs triefte von weichem Lehm und Farbe, die man daraufgeschmiert und -geworfen hatte. Zumal die Darstellungen Nofret-êtes – unverkennbar an ihrem seltsamen, albernen Kronhut und mindestens ebenso oft auf den Reliefs zu sehen wie ihr königlicher Gemahl – Ziel dieser Angriffe der Volkswut gewesen waren. Auch das war harmlos.

Um der Wahrheit die Ehre zu geben, die Darstellungen Nofretêtes hätte ich selber durchaus gerne mit Straßenkot beworfen.

Drei der Kolossalstatuen Seiner Majestät, die vor den Eingangstürmen des Tempels Seines ›Vaters‹ Aton standen, hatte die empörte Menge umgerissen. Zertrümmerte sie mit Hämmern und Brecheisen.

Nicht, daß es um die Statuen schade gewesen wäre. Sie zeigten König Akh-en-Aton Ua-en-Râ mit allen Abzeichen seiner königlichen Würde – Doppelkrone, Zeremonialbart, Krummstab und Geißel. Aber sie zeigte den König auch nackt. Ohne Geschlecht! Oder mit weiblichem Geschlecht? Der fehlende Phallus zwischen seinen Beinen war mehrdeutig – und lächerlich!

Akh-en-Aton Ua-en-Râ als Vater-Mutter Ägyptens? Männliche-weibliche Inkarnation – wessen? Zeugung-Empfängnis – von was? Er-Sie – Es? – Seines ›Vaters‹ Aton …?

»Vielleicht bevorzugt der Starke Stier nur starke Stiere …?« schrie Schut in mein Ohr.

Aber daß da Männer mit Hämmern und anderen Werkzeugen auf Abbilder des Königs eindroschen, war nicht mehr harmlos!

Doch was mir wahrhaft kalte Schauer über den Rücken jagte, war der Obelisk, der vor dem westlichen Torturm des Tempels schon aufgerichtet stand: Ein paar Burschen hatten ihn erklettert, vier – nein fünf – Tauschlingen um seine vergoldete Spitze geworfen. Drunten auf dem Platz zerrten unter rhythmischen Schreien Hunderte von Menschen an den Tauen, brachten die siebzig Ellen hohe Nadel aus rotem Abu-Granit mehr und mehr ins Schwanken. Priester hatten sich überall unter die Menschen gemischt, feuerten sie an, zerrten selbst an den Seilen.

Droben auf dem Westturm erkannte ich Aanen. In seiner vollen, prunkenden Priestertracht stand der Bruder der Königin dort oben, leitete mit weit ausholenden Gesten die zerrenden Massen.

»Wenn der Obelisk stürzt, wird er Dutzende erschlagen!« stieß ich entsetzt hervor.

»Märtyrer für eure Götter«, gab Schut zurück, und ein schneller Seitenblick überzeugte mich, daß der Kanaaniter, Assyrer oder was immer er von Geburt war, dies durchaus ernst und keineswegs ironisch meinte.

Ein tausendfacher Schrei.

Der Obelisk war aus dem Gleichgewicht!

Wie eine Tänzerin drehte er sich für einen Herzschlag lang auf seinem Fundament.

Kreischend stoben die Menschen an seinem Fuß auseinander.

Dann kippte die riesige Granitnadel.

Schmetterte in die Fassade des Westturmes.

Zerbrach.

Steine und Ziegel mit sich reißend, krachte die Granitmasse auf den Vorplatz herunter.

Obwohl gut 500 Ellen entfernt, warf die Erschütterung des Aufpralls Schut und mich fast von den Beinen.

Als sich die hoch aufgewirbelte Staubwolke zu legen begann, bot sich uns ein Bild des Schreckens:

Entsetzt über die eigene Tat, versuchte die Mehrzahl der Menschen zu fliehen, rannte kopflos schreiend nach allen Seiten auseinander, trampelte sich in ihrer Panik gegenseitig nieder. Andere stürzten sich zwischen die Trümmer, suchten wehklagend zwischen reglosen Leichen und wimmernden Verletzten nach Verwandten und Freunden. Im westlichen Torturm des Aton-Tempels klaffte eine breite Bresche. Aus den Gassen südlich des Vorplatzes brachen ungestüm die Hundertschaften der Internationalen Garde hervor und hieben und stachen auf alles ein, was ihnen vor die Waffen kam.

»526 Tote! 42 durch den Sturz des Obelisken, darunter mein Bruder Aanen!«

Mit wild blitzenden Augen und geballten Fäusten stand Königin Teje vor dem Thron ihres Sohnes.

»Die Strafe Atons für die Frevler an seinem Heiligtum!« gab König Akh-en-Aton Ua-en-Râ kalt zurück.

»11 durch die Panik zu Tode getrampelt. Und 484 brutal niedergemacht durch deine Söldlinge!«

»Feinde meines Vaters Aton!« schrie König Akh-en-Aton Ua-en-Râ.

»97 brave Handwerker, Händler und Bauern. 35 Männer über siebzig! 273 Frauen! 68 Kinder unter zehn Jahren! Erschlagen, erstochen, abgeschlachtet durch deine Garde! Dazu weit über zweitausend Verletzte, von denen viele für ihr Leben gezeichnet sind!«

»Aufständisches Gesindel!«

»Menschen, deren Häuser, deren Werkstätten, deren Existenzen du zerstört hast!«

»Rebellen! Mein Vater Aton …«

»Dein Vater ist König Amûn-hotep!« fuhr Königin Teje ihren Sohn an.

»Nenne nicht vor meinen Ohren den Namen ›Amûn‹!« zeterte Akh-en-Aton Ua-en-Râ.

»Amûn! Amûn! Amûn-hotep Neb-Maat-Râ! Amûn-hotep der Prächtige! Amûn-hotep der Große! Amûn-hotep der Gerechte! Amûn-hotep, dessen Namen du in unsäglicher Weise geschändet hast! Ich bin deine Mutter! Ich *weiß*, wer dein Vater ist!«

Königin Teje riß sich die Krone mit den hohen Doppelfedern vom Kopf, schleuderte sie auf die Erde, schlug für einen Augenblick die Hände vor ihr Gesicht.

»Ich habe euch so sehr geliebt! Ich habe euch zu sehr geliebt! Tehuti-mose, den der Wildstier zerfetzte. Und dich, der du nun Ägypten zerfetzt!«

Die Königin ließ die Hände sinken, starrte ihren Sohn an, während Tränen über ihre Wangen liefen:

»Ich wollte, ich hätte mich Aton hingegeben! Ich wollte, ich hätte meine Schenkel geöffnet für seine glühenden Strahlen, damit sie meinen Leib hätten verdorren, die Frucht meines Leibes hätten verbrennen können!«

Mit einer zornigen Bewegung wischte sich Teje die Tränen ab:

»Von dieser Stunde an habe ich nichts mehr zu schaffen mit dem, was du befiehlst und tust! Und wenn das Mordgesindel, das du deine Garde nennst, wieder Ausschau hält nach Rebellen wider deinen ›Vater‹ Aton, dann lasse sie im Haus des Freudenfestes mit mir beginnen!«

»6. Regierungsjahr, 2. Monat der Jahreszeit der Ernte, 13. Tag*«, verkündete das Dokument, das überall im Land verlesen wurde.

»An diesem Tag erschien Seine Majestät in der Stadt des Lichtortes des Aton, die Er in Seinem 4. Regierungsjahr gegründet hatte für Aton, Seinen Vater, und die Er genannt hatte Achet-Aton, das ist ›Horizont des Aton‹.

Seine Majestät kam auf Seinem goldenen Schiff mit dem Namen *Aton leuchtet* nach Achet-Aton. Und mit ihm kamen Seine Gemahlinnen Prinzessin Kija und Nofret-ête, die Tochter des ›Gottvaters‹ Eje. Und mit Ihm kamen Seine Töchter, die Prinzessinnen Maket-Aton, Merit-Aton und Anchesen-pa-Aton, die Ihm seine Gemahlin Nofret-ête geboren hat. Und mit Ihm kamen Sein ganzer Hofstaat und all Seine Beamten und Offiziere und alle Großen des Reiches nach Achet-Aton, dem Lichtort des Aton.

Seine Majestät bestieg einen großen Wagen aus Silbergold, erscheinend wie Aton, wenn Er aus Seinem Lichtort emporsteigt und das Land mit Seiner Liebe erfüllt. Der Himmel war in Freude, die Erde fröhlich, und alle Herzen waren glücklich, wenn sie Ihn sahen.

Seine Majestät veranstaltete ein großes Opfer für Aton von Brot, Bier, gehörnten Stieren, hornlosen Rindern, Kleinvieh, Vögeln, Wein, Weihrauch, Räucherwerk und allen schönen Kräutern an diesem Tag des Einzuges in Seine Stadt des Lichtortes Achet-Aton.

Danach nun, nachdem man dem Aton Wohlgefallen erwiesen hatte, ließ sich Seine Majestät auf Seinem großen Thron nieder, mit dem Er sehr zufrieden ist und der Seine Schönheit trägt. Seine Majestät verweilte angesichts Seines Vaters Aton, und Aton stand über Ihm mit Leben und Kraft, indem er Seinen Körper ewiglich stärkt.

Nun sagte Seine Majestät:

›Bringt die Gefolgsleute des Königs herbei, die großen und Mächtigen, die Anführer der Soldaten und die Vornehmen des ganzen Landes.‹

* 27. März 1361 v. Chr.

Da wurden sie sogleich vor Ihn geführt, und sie lagen vor Ihm auf ihren Bäuchen, vor Seiner Majestät, indem sie die Erde ob Seines mächtigen Willens küßten.

Seine Majestät sprach zu ihnen:

›Schaut die Stadt des Lichtortes des Aton, die Aton gewünscht hat, daß Ich sie Ihm schaffen soll als ein Denkmal für den großen Namen Meiner Majestät in Ewigkeit. Denn es war Aton, Mein Vater, der mich zu der Stadt des Lichtortes brachte. Kein Vornehmer war es, der Mich dazu bestimmte; es war niemand im ganzen Land, der Mich zu ihr führte. Nein, sondern es war Aton, Mein Vater, der Mich dazu veranlaßte, es für Ihn zu tun!

Ich habe die Stadt des Lichtortes des Aton an dieser Stelle geschaffen. Ich habe an dieser Stelle einen Tempel des Aton für Aton, Meinen Vater, und für Mich geschaffen. Ich habe einen Tempel des Aton für Aton, Meinen Vater, für meine Gemahlinnen Prinzessin Kija und Nofret-ête, die Tochter des ›Gottvaters‹ Eje, geschaffen. Ich habe einen Festtempel des Aton für Aton, Meinen Vater, auf der Insel ›Aton berühmt an Jubiläen‹ geschaffen. Ich habe an dieser Stelle alle Werke, die für Aton, Meinen Vater, notwendig sind, geschaffen!

Ich habe an dieser Stelle für Mich selber einen Königspalast geschaffen. Ich habe an dieser Stelle einen Palast für die Königin geschaffen. Ich habe in den östlichen Hügeln ein Grab für Mich anlegen lassen, und Mein Begräbnis soll in ihm bereitet werden in unzähligen Jubiläen, die Aton, Mein Vater, Mir bestimmt hat. Ich habe in den östlichen Hügeln Gräber anlegen lassen für Meine Gemahlinnen Prinzessin Kija und Nofret-ête, und ihr Begräbnis soll dort bereitet werden in unzähligen Jahren. Ich habe Gräber anlegen lassen für Meine Töchter Maket-Aton und Merit-Aton und Anchesen-pa-Aton, die Mir Meine Gemahlin Nofret-ête geboren hat, und ihr Begräbnis soll dort bereitet werden in unzähligen Jahren.

Ich habe an diesem Lichtort des Aton Häuser und Villen bauen lassen und Ställe und Kornspeicher für die Großen und die Vornehmen Meines Hofes und die Priester des Aton, und ich habe ihnen erlaubt, sich Gräber anlegen zu lassen in den östlichen Hügeln.

Ich habe an diesem Lichtort des Aton Häuser und Werkstätten und Verkaufsgeschäfte und Lagerhallen und Speicher und Boots-werften bauen lassen für die Handwerker und Händler und all das Volk, das leben wird in dem Lichtort des Aton, dem Aton, Mein Vater, den Namen Achet-Aton gegeben hat.‹

Dann erhob Seine Majestät Seine Hand zum Himmel unter Dem, der Ihn zeugte, und sprach:

›So wahr Mein Vater der beiden Lichtorte, Aton, lebt. Der große und lebende Aton. Der Leben verleiht. Kraftvoll an Leben. Mein Vater. Mein Schutzwall von Millionen Ellen. Der Meiner in Ewigkeit gedenkt. Der für Mich zeugt bis in Ewigkeit. Der Sich Selbst mit eigenen Händen bildet. Den kein Künstler erkannt hat. Der täglich im Aufgehen und Untergehen fest bleibt ohne Ende. Ob Er im Himmel oder durch Seine Strahlen auf Erden ist, jedes Auge schaut Ihn ohne Aufhören, während Er das Land mit Seinen Strahlen erfüllt und jedes Wesen leben macht. Ihn zu sehen sät-tigt täglich Meine Augen, wenn Er in diesem Aton-Tempel in der Stadt des Lichtortes erscheint und ihn durch Seine Strahlen mit Sich Selbst erfüllt und sie auf Mich richtet mit Leben und Kraft für immer und ewiglich.

Für immer will Ich hier bleiben, im Lichtort Meines Vaters Aton. Nicht mehr werde Ich zurückkehren nach Uêset oder an einen anderen Ort. Ich werde in der Stadt des Lichtortes bleiben für immer und ewig!

Denn dies ist der Wille Meines Vaters, des großen und Leben spendenden Aton, der Meiner gedenkt und für Mich zeugt in Ewigkeit!‹

So ließ sich Seine Majestät nieder im Lichtort des Aton, der Achet-Aton heißt, und Er bestimmte, daß diese Stadt für alle Zei-ten die Hauptstadt des Reiches sein solle. Nicht mehr Uêset oder Men-nôfer oder eine andere Stadt solle Hauptstadt sein, sondern nur Achet-Aton für alle Zeiten und alle künftigen Generationen; denn dies ist der Wille des großen Aton, des Vaters Seiner Maje-stät.«

Drei Wochen später verkündeten Herolde im ganzen Land:

»Ägypten, freue dich und juble! Seiner Majestät Akh-en-Aton Ua-en-Râ, Herr der Beiden Länder und der Beiden Kronen, Geliebt von Aton, Einziger des Aton, Der von der Wahrheit lebt, wurde von seiner zweiten Gemahlin, Prinzessin Kija, Tochter Ihrer Majestät der Großen Königsgemahlin Teje und Schwester Seiner Majestät des Königs, ein gesunder Sohn geboren! Jauchze, Ägypten, und frohlocke über die Geburt des Prinzen Tut-anch-Aton, des erstgeborenen Sohnes Seiner Majestät!«

Keine Stunde später verkündete ein zweiter Herold:

»Ägypten, weine und wehklage! Bei der Geburt des Prinzen Tut-anch-Aton, des erstgeborenen Sohnes Seiner Majestät, ist die zweite Gemahlin Seiner Majestät, Prinzessin Kija, Tochter Ihrer Majestät der Großen Königsgemahlin Teje und Schwester Seiner Majestät des Königs, verschieden. Trauere Ägypten um Prinzessin Kija, die Große Geliebte Seiner Majestät, des Einzigen Sohnes des Aton, Der von der Wahrheit lebt!«

Wieder keine zwei Stunden später warf sich der königliche Leibarzt Pentû vor Königin Teje zu Boden:

»Majestät, ich schwöre Euch, ich habe alles in meiner Macht Stehende getan, aber ich konnte Eure Tochter, Prinzessin Kija, nicht retten!«

Die Große Königsgemahlin saß leichenblaß auf ihrem kleinen, aus Elfenbein und Ebenholz geschnitzten, thronartigen Stuhl und starrte mit vom Weinen geröteten Augen auf den Arzt herunter. Außer mir war nur noch der getreue Haushofmeister der Königin, Heje, anwesend. Lange Minuten lastete drückendes Schweigen in dem privaten Audienzimmer. Dann sagte Königin Teje ruhig und äußerlich gefaßt:

»Ich glaube Ihnen, Pentû. Erheben Sie sich und berichten Sie!«

Der vierschrötige königliche Leibarzt rappelte sich vom Boden auf. Mit leiser, stockender Stimme erzählte er:

»Die Geburt verlief normal und ohne Probleme. Ganz so wie vor acht Jahren, als die Prinzessin ihrem damaligen Gemahl, dem Hôr-im-Nest Tehuti-mose Usîre, Prinz Semench-Ka-Râ geboren hat. Doch etwa eine Stunde später traten Schüttelfrost, brennende Magenschmerzen und Erbrechen auf. Wenig später Angstzustände, kalter Schweiß, Lähmung der Gliedmaßen, schließlich Atem- und Herzstillstand.«

»Die gleichen Anzeichen wie beim Tod meiner Tochter Sat-Amûn?« fragte Königin Teje leise.

»Exakt die gleichen!« bestätigte der Leibarzt. »Und es war auf keinen Fall Kindbettfieber!« fügte er hinzu.

Ich mußte die Frage aussprechen, so schmerzlich, so erschreckend die Antwort auch sein mochte:

»Gift?«

Pentûs struppige Augenbrauen zogen sich ruckartig zusammen, er biß sich einen Augenblick auf die Lippen, doch dann nickte er langsam:

»Es gibt keine andere Erklärung …«

»Wer war anwesend?« hakte Heje mit seiner hellen Eunuchenstimme sofort nach.

»Die schnatternden Damen des Hofes, die leiernden Priester, die anderen Ärzte«, gab Pentû Bescheid, wobei sein grollender Baß ein wenig lauter wurde, »der ganze Haufen, der bei der Geburt eines königliches Kindes überflüssig, störend und offenbar unvermeidlich ist.«

»Wer −«, setzte Heje nach, doch der Leibarzt schnitt ihm das Wort ab:

»Wenn Sie nach einer Parallele zum Tod der Großen Königsgemahlin Sat-Amûn suchen − die einzige Parallele bin *ich*!«

Der Arzt starrte uns der Reihe nach herausfordernd an, doch ich bemerkte, wie sein ungepflegter Schnurrbart und seine Fingerspitzen bebten.

»Die Königliche Hebamme Tiê? Die dritte Gemahlin des Königs Nofret-ête?« bohrte ich nach.

»Die eine saß still in einer Ecke, die andere draußen in einem Vorzimmer. Wie damals. Ganz wie damals!«

Plötzlich brach der stämmige Mann auf die Knie, schlug mit der Stirn auf den Boden:

»*Ich allein* habe Prinzessin Kija behandelt! Gewarnt durch den Tod der Großen Königsgemahlin Sat-Amûn habe ich nicht einmal eine Hebamme zu ihr gelassen! *Ich, nur ich allein* bin in der ganzen Zeit in ihre Nähe gekommen! Ich weiß nicht wie, aber nur *ich allein* kann Prinzessin Kija getötet haben!«

Königin Teje hatte sich von ihrem Stuhl erhoben, berührte mit leichter Hand die Schulter des Arztes:

»Ich weiß, daß Sie meinen Töchtern kein Leid zugefügt haben.«

Pentû hob langsam sein Haupt, starrte die Königin aus verzweifelten Augen an:

»Und doch *kann* nur ich es gewesen sein!«

Teje streichelte dem Arzt sanft über die unrasierte Wange:

»Hätten Sie versucht, sich herauszureden, Pentû, Sie hätten das Haus des Freudenfestes nicht lebend verlassen. Doch weil Sie eine Schuld auf sich nehmen, die nicht Ihre Schuld ist, vertraue ich Ihnen. Ich ernenne Sie hiermit zum Leibarzt der Großen Königsgemahlin, zu meinem persönlichen Arzt.«

Königin Teje griff hinter sich, nahm von einem Tischchen eine Kette mit aufgereihten Goldplättchen, legte sie Pentû um den Hals:

»Tragen Sie das Gold der Belohnung dafür, daß Sie zwei königlichen Prinzen geholfen haben, gesund das Licht der Welt zu erblicken, auch wenn Sie ihre Mütter nicht vor der Hand eines Mörders retten konnten.«

Teje beugte sich nieder, küßte den Arzt sanft auf die Stirn:

»Nach Amûn-hotep und Heje sind Sie nun der dritte Mensch, dem ich in Ägypten noch traue! Gehen Sie in Frieden mit den Göttern und in Frieden mit sich selbst!«

DRITTE
BUCHROLLE

DOLCHE
VOM
HIMMEL

König Akh-en-Aton Ua-en-Râ
12. bis 14. Regierungsjahr

*Ich, Hund, einst Sohn von Niemand, nunmehr ehrerbietiger und
dankbarer Adoptivsohn der weisen Beket-Ernûte und des
starken Necht, schreibe dies nach dem Diktat meines Herrn,
des Obersten Amûn-hotep, Sohn des Neby, Befehlshaber der
Garde der Großen Königsgemahlin Teje, Königin von Ober-
und Unterägypten; Oberkommandierender aller königlichen
Garden im Haus des Freudenfestes, Tapferer Seiner Majestät,
Peitschen- und Fächerträger zur Rechten der Königin, zweimal
ausgezeichnet mit dem Gold der Belohnung, Erster Erzieher
der Kadetten in der Militärakademie zu Men-nôfer.*

Sechs Jahre sind vergangen, seit mein Herr, der Oberst Amûn-hotep, mir befahl, etwas nach seinem Diktat zu schreiben.

Sechs Jahre sind vergangen, seit König Akh-en-Aton Ua-en-
Râ seine Residenz nach dem Lichtort Seines ›Vaters‹ Aton, in die
Stadt Achet-Aton im Gau ›Hase‹, verlegte, während die Große Königsgemahlin Teje in Uêset im Haus des Freudenfestes zurück-
blieb.

Zunächst war so die Gewalt im Lande geteilt.

König Akh-en-Aton Ua-en-Râ kümmerte sich ausschließlich
um den Aufbau seiner Residenzstadt und der verschiedenen
Aton-Tempel im Land, und jeden weiteren Gedanken richtete er
allein auf seine Familie. Seine zweite Gemahlin Nofret-ête hat
ihm unterdessen drei weitere Töchter geboren. Prinz Tut-anch-
Aton, das Kind der verstorbenen Prinzessin Kija, ist jedoch nach
wie vor sein einziger Sohn.

Doch jene Entwicklung, tüchtige, zuverlässige und in langen
Jahren erprobte Beamte durch seine Günstlinge zu ersetzen,
wenn sich diese nur laut genug zu Aton bekannten, griff mehr
und mehr um sich.

Das ärgste Beispiel ist wohl Pichuru, einer der beharrlichsten
Speichellecker des Königs:

Nach dem Rücktritt des Prinzen Nacht-Min wurde der Bruder
meines Herrn, Râ-mose, von Königin Teje zum Ministerpräsidenten und Generalgouverneur von Ober- und Unterägypten ernannt. Obwohl ein überzeugter Anhänger des Aton, war dies

eine gute Wahl. Doch bereits zwei Jahre später starb Râ-mose unter Umständen, die den Gedanken an Gift keineswegs ausschließen.

Ihm folgte zunächst der schlaue Maja, der allerdings noch im gleichen Jahr wieder entlassen wurde. Erneut wurde Prinz Nacht-Min zum Ministerpräsidenten berufen, jedoch knapp ein Jahr später ebenfalls wieder abgesetzt.

Seither hält eben jener Pichuru den Posten des Ministerpräsidenten und Generalgouverneurs von Ober- und Unterägypten besetzt.

Und damit nicht genug! Knapp drei Jahre nach seinem Umzug nach Achet-Aton hatte Seine Majestät den Schwiegervater meines Herrn, den tüchtigen, wenn auch phantasielosen General Mei, in den Ruhestand geschickt.

An seine Stelle trat nun ebenfalls jener Pichuru, den es offensichtlich auch nach militärischen Ehren gelüstete, »um«, wie offiziell verlautbart wurde, »die Friedfertigkeit des Militärs ganz im Sinne Seiner Majestät und Seines Vaters Aton zu gewährleisten«!

> *Ich beginne dies zu schreiben am 14. Tag des 1. Monats der*
> *Aussaat im 12. Regierungsjahr unseres Königs Akh-en-Aton*
> *Ua-en-Râ* auf der Fahrt von Uêset nach Achet-Aton.*
> *Und dies ist es, was mein Herr, Oberst Amûn-hotep, Sohn des*
> *Neby, mir zu schreiben befiehlt:*

---

* 28. Oktober 1355 v. Chr.

1. Papyrus

DAS HAUS
ALLEN
WISSENS

König Akh-en-Aton Ua-en-Râ
12. Regierungsjahr

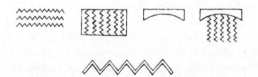

»Zehn Silberringe? Du hast wirklich zehn Silberringe gesagt, Hem?«

Dem korpulenten Händler schienen vor Entsetzen die Augen aus dem Kopf zu quellen, doch sein Gegenüber, ein breitschultriger Schiffsführer, nickte nachdrücklich:

»Ja, das habe ich gesagt, edler Tetj.«

»Hilfe! Polizei! Ich bin unter die Räuber gefallen!« zeterte der Händler los und fuchtelte mit den Händen in der Luft herum. »Zehn Silberringe für fünfzig verrottete, halb verfaulte Schilfmatten und sechs Krüge voll ranzigem Öl!«

»Also gut«, begütigte der Schiffsführer, »neun Ringe, und ich gebe dir noch ein Dutzend Paar Sandalen drauf.«

»Du ruinierst mich!« schrie der Händler. »Meine Kinder hungern! Meine Frauen weinen! Ich werde sie in die Sklaverei verkaufen müssen! Fünf Ringe, das ist das äußerste! Dabei zahle ich bereits drauf!«

Der Schiffsführer schüttelte bedauernd den Kopf. Doch dann schloß er den dicklichen Händler in die Arme:

»Du bist für mich wie ein Bruder, Hem! Wie könnte ich da die Schuld an deinem Unglück auf mich laden? Wie könnte ich mir je verzeihen, wenn du Frauen und Kinder verkaufen mußt? Ich werde eben zu Sahu-Râ gehen müssen. Der zahlt mir mindestens acht Ringe – und seine Tochter Bat bekomme ich für die Nacht obendrein.«

Damit wandte sich der Schiffsführer um und stapfte auf seinen Lastkahn zurück.

»Seine Tochter Bat?« schrie ihm der Händler entsetzt nach. »Hast du sie je gesehen? Dein Schwanz wird dir abfaulen, wenn du sie erblickst, so häßlich ist sie!« Dann stürzte er hinter dem Schiffsführer her. »Bei Tehuti und Aton! Ich kann niemals zulassen, daß meinem alten Freund so etwas widerfährt …«

Überall an der Anlegestelle, an der meine Reisebarke festgemacht hatte, feilschten Städter und Schiffsleute, schleppten muskulöse Träger hunderterlei Waren, spielten Kinder, luden Fischer ihre glitschige Fracht in großen Körben aus, priesen fliegende Händler ihre erfrischenden Getränke und Süßigkeiten, boten Eselstreiber und Fuhrleute mit Ochsenkarren ihre Dienste an.

Ich mußte schmunzeln. Diese bunte, von Leben quirlende Anlegestelle war eigentlich vom König geschlossen, gesperrt und verboten worden. Verboten, weil von ihr aus eine lange, von einer prachtvollen Palmenallee überschattete Straße in weitem Bogen direkt bis zum Tor des berühmten Tempels des Dreimalheiligen Tehuti von Chemenu führte. Hinter dem Tempel lag das Haus allen Wissens, die größte und bedeutendste naturwissenschaftliche Schule Ägyptens.

Die ›erlaubte‹ Anlegestelle freilich, etwa 300 Schritt flußaufwärts mit der Straße zum neuen Aton-Tempel, döste verlassen unter der Sonne vor sich hin, und an ihrer bereits leicht eingesunkenen Mole dümpelten einzig ein paar halb verfaulte, aufgegebene Binsenboote.

»Eine Sänfte für die edlen Herren?« bedrängte mich ein hochgewachsener Kuschit, kaum daß ich meinen Fuß auf festen Boden gesetzt hatte.

»Ich zeige Ihnen den neuen Aton-Tempel und das Haus allen Wissens!« kam das Angebot eines eifrigen Fremdenführers. »Und wenn Sie wollen«, fügte er leiser hinzu, »auch den alten Tempel des Dreimal-heiligen Tehuti!«

»Sie brauchen Räume für die Nacht, Herr? Ich bringe Sie zu meiner Schwester! Die Zimmer sind sauber – ohne Wanzen, Flöhe und Kakerlaken!« rief ein schiefnasiges Individuum. »Und meine Schwester ist lieblich wie Hat-Hôr! Mit Brüsten prall wie die Euter einer Kuh ...«

»Hat sie auch einen Kuhkopf?« fragte der junge Mann an meiner Seite schnell.

Das schiefnasige Individuum schnappte, aus dem Konzept gebracht, nach Luft.

»Kamel! Kamel!« versuchte sich ein Vierter aufzudrängen.

Mein junger Begleiter neben mir verzog angewidert sein Gesicht:

»Ich hasse diese Viecher!« murmelte er zwischen zusammengebissenen Zähnen. »Außerdem stinken sie!«.

Vor etwa zehn Jahren hatte ich Schôs aus Biau erstmals in Hatuaret mit Kamelen gesehen. Inzwischen haben sich diese langbeinigen, langhalsigen Tiere mit dem schläfrigen Blick und dem seltsamen Höcker auf dem Rücken über Men-nôfer, Chemenu und Sioûti bis Uêset ausgebreitet. Auch ich mochte sie nicht. Mahû, der Präfekt der Madjai, der Wüstenpolizei, meinte allerdings, daß sie bei seinen Leuten durchaus brauchbare Dienste leisteten. Nun, Mahû mochte ich schließlich auch nicht.

»Wenn Sie einen hübschen Knaben für die Nacht suchen, Herr ...«, flüsterte mir eine Frau mit heiserer Stimme ins Ohr.

Meine Bootsleute hatten unterdessen ein Eselchen gemietet, das Gepäck meines jungen Begleiters auf seinen Rücken geladen und befreiten uns nun von den zudringlichen Menschen ringsum.

Wenig später schritten wir, gefolgt von meinen Männern und dem Esel, im angenehmen Schatten der mächtigen Palmen die Straße entlang auf den Tempel des Dreimal-heiligen Tehuti und das Haus allen Wissens zu.

»Ich habe alle Prüfungen der Militärakademie in Men-nôfer mit Auszeichnung bestanden. Ich kann zudem sowohl die alltägliche Schrift als auch die heiligen Zeichen fließend lesen und schreiben«, führte mein junger Begleiter das Gespräch fort, das wir schon auf der Fahrt von Men-nôfer nach Chemenu begonnen hatten. Gedankenverloren strich er über seine Abzeichen, die ihn als Leutnant in der Elitetruppe der Wagenkämpfer auswiesen. »Ich würde niemals an der Richtigkeit deiner Entscheidungen zweifeln, Onkel Amûn-hotep. Doch daß ich jetzt zunächst für drei Jahre im Haus allen Wissens ...«

Für einen Augenblick legte ich ihm freundschaftlich die Hand auf die Schulter, sah ihm in seine überraschend blauen Augen unter den im Moment finster gerunzelten, schwarzen Brauen:

»Ich weiß, Je-schua, daß du jetzt am liebsten nach Kusch oder noch lieber nach Kanaan oder To-nuter gehen würdest. Aber ...«

Mit seiner hellen Haut, der kräftigen, leicht gebogenen Nase, den schweren Augenbrauen, dem klar gezeichneten Mund, dem energischen Kinn, den sehr kurz geschnittenen dunklen Haaren, dem hochgewachsenen, trainierten Körperbau glich Je-schua, obwohl erst 14 Jahre alt, fast vollkommen seinem Vater, meinem Freund Nun, wie ich ihn vor Jahren als Hauptmann der Garde der Großen Königsbraut Sat-Amûn kennengelernt hatte.

»Aber«, fuhr ich fort, »du bist nicht nur der jüngste und beste Absolvent der Militärakademie in Men-nôfer seit Menschengedenken. Du hast das Zeug zu einem wahrhaft ganz großen Feldherrn, Je-schua!«

»Und deshalb muß ich lernen, lernen, *lernen* – ich weiß«, gab der junge Mann nach. »Eigentlich, Onkel Amûn-hotep, ärgert mich ja auch nur«, brummelte er, »daß ausgerechnet jetzt, wo ich hierher komme, mein Freund Mose nach Men-nôfer gehen wird.«

»Allerdings nicht an die Akademie«, schränkte ich ein. »Sondern in den Tempel der Dreiheit von Men-nôfer, um dort den zweiten Schritt auf seinem Weg der Einweihung zu tun.«

»Den *zweiten?*« fragte Je-schua neugierig. »Was war der erste dieser Schritte?«

»Der erste Schritt war Chemenu – jener Schritt, den jetzt auch du hier gehen sollst! Im Haus allen Wissens kann man alles lernen, was über Jahrtausende hinweg in Ägypten an Kenntnissen über Arithmetik und Geometrie, über Astronomie, Biologie und Medizin angesammelt wurde. Das Heiligtum des Dreimal-heiligen Tehuti ist das erste der vier großen Einweihungszentren Ägyptens. Gewiß, nichts von dem, was du hier von den besten Wissenschaftlern des Reiches lernen kannst, ist wirklich geheim – wenn auch oftmals nur wenigen Menschen bekannt. Doch dieses Wissen um die Natur und ihre inneren Zusammenhänge ist unabdingbar, ehe du weitergehen kannst zu den eigentlichen Mysterien der ›Weltenschöpfer‹ in Men-nôfer, des ›All-Einzigen‹ in Onû und schließlich des ›Siebenfachen Ich‹ in Per-Uzôjet.«

Während des Gespräches hatten wir den uralten Tempel des Dreimal-heiligen Tehuti erreicht.

Zwar hatte König Akh-en-Aton Ua-en-Râ seinen Haupteingang mit dicken Kalksteinblöcken vermauern und die hohen Fahnenstangen vor seinen Tortürmen entfernen lassen, doch durch die Nebeneingänge sahen wir eifrig Menschen ein und aus gehen, hinter den Mauern des Tempels erklang ein getragener Choral, und über seinen Dächern schwebte eine dünne, nach Weihrauch duftende Wolke.

»Der neue Tempel des Aton dort drüben macht einen viel geschlosseneren Eindruck als der ›geschlossene‹ Tempel des Tehuti«, bemerkte Je-schua spöttisch und deutete nach links hinüber.

Nun, der erst vor wenigen Jahren errichtete Aton-Tempel wirkte in der Tat bereits leicht verwahrlost. Eine flache Sanddüne hatte den Haupteingang zum Teil verschüttet, die rot-gelben Fahnen flappten verblichen und ausgefranst an ihren hohen Masten, und außer einem dürren, struppigen Hund war kein lebendes Wesen in seiner Nähe zu entdecken.

Wir schritten an der Westseite des Tehuti-Tempels entlang dem niedrigen Tor zu, das zum Haus allen Wissens führte. Ein ältlicher Priesterdiener kam uns strahlend auf seinen kurzen Beinen entgegengeeilt:

»Willkommen, edler Oberst Amûn-hotep! Willkommen, junger Herr! Unser Hoher Lehrer und Erzpriester Satet-hotep, Weiser unter den Weisen, hat Ihr Kommen bereits angekündigt. Derzeit hält er noch eine Vorlesung in der großen Halle, doch danach steht er ganz zu Ihrer Verfügung.«

»Und mein Freund Mose – Tehuti-mose?« fragte Je-schua schnell.

»Den finden Sie um diese Zeit im Schrein des vergöttlichten Arztes Im-hotep, gleich hinter der Halle der Göttin der Schreiber, Seschat«, erteilte uns der Mann freundlich Auskunft.

»Und Beket-Ernûte?« erkundigte ich mich.

»Im Kräutergarten – wo sonst?« lachte der Priesterdiener. »Gehen Sie nur los!« forderte er uns auf. »Ich kümmere mich unterdessen darum, daß Ihr Gepäck in eines der Gästehäuser gebracht wird.«

Das Haus allen Wissens ist kein einzelnes Gebäude, wie man aus dem Namen hätte vermuten können, sondern eine Ansammlung von flachen Häusern, von kleinen Tempeln und Schreinen, offenen Hallen und Sälen, die verstreut in einem weitläufigen, von einer Ziegelmauer umfriedeten Park liegen, gesäumt von weichem, grünem Rasen, farbenfrohen Blumenrabatten und überschattet von Dattel-, Dum- und Argunpalmen, Akazien, Sykomoren und Ölbäumen.

Wir machten uns auf den Weg.

Überall sahen wir Schüler mit untergeschlagenen Beinen auf Schilfmatten sitzen, Papyrusblätter oder Tontafeln auf dem Schoß, Schreibzeug in den Händen, und ihren Lehrern lauschen. Die Mehrzahl von ihnen war jung − zwischen acht und vierundzwanzig Jahre alt − männlich und Ägypter. Doch unter Schülern wie Lehrern fanden sich auch eine ganze Reihe von Mädchen und Frauen ebenso wie Kanaaniter, dunkelhäutige Kuschiten und blonde, blauäugige Libu, und mancher Student hatte längst die Fünfzig überschritten.

Unter einem weit ausladenden Feigenbaum schritt ein Babylonier mit gesalbtem, gelocktem Bart auf und ab und diktierte einen mir unverständlichen Text. Eine kleine Schülergruppe drückte die Worte eifrig in Keilschrift in den noch weichen Ton ihrer Schreibtafeln − zukünftige Beamte des Außenministeriums.

Das Haus allen Wissens zu Chemenu hatte noch nie nach Alter, Geschlecht, Religion oder Herkunft gefragt. Wer die strenge Aufnahmeprüfung bestand, der war willkommen, durfte lernen oder, bei entsprechenden Kenntnissen, sogar lehren.

»Daß die Erde eine Kugel sein muß, das haben wir in der letzten Vorlesung bewiesen. Weshalb − Henti?«

»Weil alle Materie, die sich vermöge der Schwerkraft auf ein Zentrum ausrichtet, kugelförmig sein muß«, ratterte einer der Schüler herunter.

»Und wie können wir das sehen? − Net?«

Der lange Finger des Dozenten schien die junge Frau förmlich aufzuspießen.

»Durch ... durch ... den Erdschatten ... den Erdschatten bei einer Verfinsterung des Mondes ...«

»Ja! Ja! Trau dich doch, Mädchen!« strahlte der Lehrer.

Je-schua war fasziniert stehengeblieben.

Ich kannte den Lehrer: Setech-mose. Ehe sein Tempel in Montu durch königliches Dekret geschlossen wurde, war er dort Erster Astronom und Astrologe gewesen. Meine Mutter Apuya hatte zu seinen begeisterten Schülern gezählt.

»Nun, dann wollen wir doch einmal einen Ausflug in den Bereich unseres Großen Weisen Satet-hotep wagen und zu berechnen versuchen, wie groß denn unsere Erdkugel ist.«

Ein leises Stöhnen ging durch die Klasse.

»Nicht so zaghaft!« Setech-mose schüttelte mißbilligend sein Haupt. »Die ursprünglichen Messungen und Berechnungen werden natürlich den vergöttlichten Weisen und Lehrern Im-hotep oder Ptah-hotep zugeschrieben. Manchmal sogar Gott Tehuti selbst! In Wirklichkeit war es vermutlich nur ein kleiner, neugieriger Mathematiker oder Astronom wie Sie, oder Sie – oder Sie – oder ich …«

Die Klasse kicherte.

»Also: Einmal im Jahr zum Mittsommer steht die Sonne über Abu – genauer gesagt knapp 6 Iteru südlich von Abu – exakt senkrecht. Wer nun immer es gewesen sein mag, er maß genau an diesem Tag am Meer, am nördlichsten Punkt des Gaues ›Westliche Harpune‹, den Winkel zur Sonne und stellte fest, daß dieser ein Fünfzigstel eines Kreisumfanges betrug. Da die Strecke zwischen dem nördlichsten Meeresstrand im Gau ›Westliche Harpune‹ und jenem Punkt südlich von Abu laut unseren Landvermessern 79 Iteru beträgt, können wir daraus den Erdumfang berechnen mit – mit? – mit?«

Griffel und Rohrfedern flogen über Tontafeln und Papyrus.

»50 mal 79 Iteru sind 3950 Iteru?« flüsterte Net.

»Ja! Ja, Mädchen!« schrie Setech-mose. »Genau 3950 Iteru!* Trau dich!«

Die anderen Schüler spendeten der blutrot anlaufenden jungen Frau begeistert Beifall.

»Was ist eigentlich davon zu halten, daß einige Gelehrte behaupten, nicht die Erde, sondern die Sonne sei der Mittelpunkt des Universums?« fragte ein dunkelhäutiger Student vorsichtig.

Setech-mose massierte nachdenklich sein Kinn:

»Wenn – ich sage *wenn* – die Sonne der Mittelpunkt wäre, die Erde sich in einem Jahr um die Sonne und in 24 Stunden um sich

---

* 3950 Iteru = 41475 Kilometer. Der tatsächliche Meridianumfang der Erde beträgt tatsächlich 40009 Kilometer. Der im nordafrikanischen Kyrene geborene Grieche Eratosthenes hat diese Berechnung 235 v. Chr. nachvollzogen und überliefert.

selber drehte, ihre Achse zudem geneigt zur Sonne stünde, dann – ja, dann würden eine ganze Reihe von Berechnungen des Jahreslaufes, zumal auch der Wandelsterne sehr viel klarer und logischer …«, sann Setech-mose nach.

»Sie sind also der Überzeugung …«, bohrte der dunkelhäutige Student sofort nach.

»Ja … nein … ja – doch – schon – eigentlich schon …«, wand sich Setech-mose.

»Also: ja!« versuchte der Dunkelhäutige zu entscheiden.

»Mein Gefühl sagt: Meine Erde ist der Mittelpunkt!« analysierte Setech-mose. »Mein Verstand sagt freilich etwas ganz anderes …«

Ich hatte Mühe, Je-schua weiterzuziehen.

»Noch immer Angst, deine Zeit im Haus allen Wissens zu vergeuden?« fragte ich freundlich.

Je-schua grinste nur wie ein Kater, den man zusammen mit dem Sahnetopf eingesperrt hat.

Im Schatten der Halle der Schreibergöttin Seschat hatte sich eine größere Gruppe zumeist noch recht junger Schüler versammelt. Ihr Lehrer hatte eine Holztafel an die Wand gelehnt und zeichnete mit einem Stück Holzkohle darauf eine waagerechte Zickzacklinie.

»Das Zeichen für ›Wasser‹ haben wir schon kennengelernt«, bemerkte er dabei. »Und was mag das nun bedeuten?«

Dabei zeichnete er mit einem schnellen Kohlestrich um ›Wasser‹ ein schmales Quadrat.

»Ein eingeschlossenes Wasser?« – »Ein Wasser mit Ufer?« – »Ein See?« versuchten sich die Schüler.

»Richtig! Ein See! – Und das?«

Ein kräftiger, flacher Halbbogen, das Zeichen für Himmel, und darunter senkrecht eine Reihe von Wasserlinien.

»Regen?« piepste ein höchstens sechsjähriger Knirps.

»Sehr gut!« lobte der Lehrer und wischte gleichzeitig die beiden unteren Zeichen wieder fort:

»Das Zeichen für Wasser kann aber auch noch etwas ganz anderes bedeuten. Was?«

»Das Zeichen für den Buchstaben ›N‹!« schrie ein blonder Libu-Junge eifrig.

»Und das?«

Ein leichter Aufwärtshaken und ein breit nach rechts gezogener Strich.

»Auch ein N?« versuchte der Libu vorsichtig.

»Auch ein N – allerdings in der alltäglichen Schreibschrift«, bestätigte der Lehrer.

»Die armen Hunde!« brummte Je-schua vor sich hin. »Da sind sie nun Jahre und Jahre damit beschäftigt, sich drei verschiedene Schriften merken zu müssen: Die Hieroglyphen mit ein paar tausend Zeichen, die Hieroglyphen-Buchstaben und auch noch die Buchstaben der Schreibschrift!«

»Was hast du gegen die heiligen Zeichen?« fragte ich streng.

»Nichts«, wehrte mein junger Begleiter ab. »Die ›heiligen‹ Hieroglyphen der Priester sind hübsch und dekorativ. Aber wozu braucht man Tausende von Wort- und Silbensymbolen? Würden denn nicht allein die Buchstaben-Hieroglyphen den gleichen Zweck erfüllen?«

Einen Moment grübelte Je-schua vor sich hin, dann fuhr er fort: »Wenn es nach mir ginge, dann würde ich die Buchstaben-Schreibschrift als Grundlage nehmen und weiterentwickeln – wie etwa manche phönizischen Bewohner der Küsten von Kanaan und To-nuter.«

»Chabiru-Barbar!« knurrte ich.

Je-schua warf mir einen schnellen Seitenblick zu – dann mußten wir beide lachen.

Im Weitergehen verklang die Stimme des Schreiber-Lehrers und seiner Schüler hinter uns, während wir auf ein von einer niedrigen Mauer umgebenes Areal zuschritten. In säuberlich abgesteckten Beeten grünte und blühte dort eine Vielzahl von Kräutern und Stauden, Büschen und kleinen Bäumen: Ackerwinde und Klatschmohn, Dill, Erdmantel, Basilikum, Portulak, Kreuzkümmel und Lupinie, kleine Weihrauch- und Myrrhenbäumchen, schwarzer Senf, Bilsenkraut und Sellerie – es schien kein Gewürz, keine Heilpflanze zu geben, die in diesem Garten nicht vertreten gewesen wäre.

»Vorsicht mit Rizinus! Das aus den Samen gewonnene Öl ist zwar das unbestritten beste Abführmittel. Aber wirklich Vorsicht! Das Zeug ist in größeren Mengen eindeutig giftig – und Sie sollen schließlich Ihre Patienten heilen, nicht umbringen!«

Selbstbewußt aufgerichtet stand die dunkelhäutige Kuschitin vor einer kleinen Schülergruppe.

»Wenn einer Ihrer Patienten unter Verstopfung leidet, dann sollten Sie ihm zunächst Olivenöl einflößen und ihm Datteln und frische oder getrocknete Feigen zu essen geben – das hilft fast immer!

Oder getrockneten Saft der Aloe-Blätter – übrigens auch gut zum Entwöhnen der Kinder von der Mutterbrust. Die Früchte des sogenannten Zahnbaumes, mehrmals täglich als Tee getrunken – und ebenso gut gegen Leber- und Milzbeschwerden. Die Blätter der Jute, der Wegewarte oder der Sand- oder Gänsedistel, als Salat gegessen. Leinsamenöl vor dem Schlafengehen. Ackerwinde oder auch die Blätter der Runkelrübe als Tee. Ein mindestens einen Tag lang kalt angesetzter Aufguß des Wurzelstockes des Rhabarber – aber Vorsicht! Das ist nichts für Nierenkranke!

All das sollte eigentlich Ihren Patienten zum Sch...en bringen. Erst wenn diese Mittel beharrlich versagen, sollten Sie zu Rizinus greifen …«

Necht, der ehemalige Wolfsmann von Sioûti, gestützt auf eine Grabschaufel, hatte uns im gleichen Augenblick erspäht, als wir den Kräutergarten hinter dem Schrein des Im-hotep betraten. Wie durch ein unhörbares Signal gerufen, wandte sich auch Beket-Ernûte um. Mit schnellen Schritten eilte Ern auf uns zu, verneigte sich vor mir tief, schloß Je-schua in die Arme:

»Wir haben Sie schon erwartet, Herr!«

Mit einer schnellen Handbewegung entließ sie ihre Schüler.

»Ich wollte dich nicht stören, Ern!« warf ich hastig ein. »Du mußt …«

»… packen und alles für die Abreise von Prinz Tehuti-mose, Necht und mir vorbereiten.«

»Ern«, widersprach ich ihr sehr ernst, »du hast hier eine große und lohnende Aufgabe gefunden! Erzpriester Satet-hotep hat dich schon vor Jahren nicht nur die beste Hebamme zwischen Men-nôfer und Abu genannt, sondern auch die beste Kräuterkennerin des Landes! Auf deine Mitarbeit hier im Haus allen Wissens …«

»… wird Satet-hotep in Zukunft verzichten müssen!« schnitt mir Ern energisch das Wort ab. »Meine erste und wichtigste Aufgabe ist der Wahre und einzige Hôr-im-Nest Tehuti-mose! Wo immer er ist, dort werden auch Necht und ich und unser Adoptivsohn Hund sein!«

Der wortkarge, ehemalige Wolfsmann nickte nachdrücklich, dann fragte er:

»Wo steckt der Schlingel eigentlich?«

»Auf meinem Reiseboot.«

»Und wo ist Mose?« mischte sich Je-schua ein.

»Drinnen im Schrein des vergöttlichten Arztes Im-hotep«, gab Necht Auskunft.

Es war schon ein eigenartiges Bild:

Gestützt auf einen gut schulterhohen, bronzenen Stab, der dem Leib einer Utô-Schlange, einer königlichen Kobra, nachgebildet war, stand da ein knapp 14 Jahre junger Mann und unterrichtete eine Gruppe von Studenten, die in der Regel mindestens doppelt so alt waren wie er. Doch niemand in der kleinen Halle mit den bunt ausgemalten Reliefs an den Wänden schien dies außergewöhnlich zu finden. Der hoch aufgeschossene Körper mit den schmalen Schultern und den langen Beinen war noch fast der eines Knaben. Das feinknochige Gesicht mit der breiten Stirn, der fast mädchenhaft zart modellierten Nase, den klar gezeichneten Lippen, dem kurzen, festen Kinn war das eines Jünglings. Doch die fast übergroßen, dunkelbraunen Augen unter den hoch geschwungenen Brauen strahlten eine Ruhe, eine innere Sicherheit, ein tiefes Wissen, ja, eine Macht aus, die zeitlos, alterslos war, die jeden in ihren Bann zog, der sich diesem Blick auszusetzen wagte.

In meinem Innersten fühlte ich einen heiß brennenden Stich, als ich ihn da stehen sah. Die schlanke Gestalt, das fein gezeichnete Gesicht, die alles beherrschenden Augen erinnerten mich schmerzhaft an seine Mutter. Sat-Amûn war genau im gleichen Alter gewesen, als ich ihr zum erstenmal begegnet war …

»»Du darfst kein Schweinefleisch essen! Du darfst kein fremdes Blut zu dir nehmen! Du darfst kein Wassergetier essen, das keine Flossen und Schuppen hat!«« zitierte er. »Weshalb?«

»Weil … weil die Götter …«, versuchte einer der Studenten zu antworten.

»Götter? Quatsch!« blaffte er den Studenten an. »Weil wir in einem heißen Land leben! Die Reinheitsgesetze der Speisen sind nicht von den Göttern! Sie sind *von* Menschen für Menschen gemacht! O ja, sie sind klug, sie sind vernünftig, diese Gesetze! Muscheln beispielsweise verderben in unserem Klima binnen Stunden. Es ist weise, sie zu verbieten, damit sich nicht Hunderte an ihrem verdorbenen Fleisch vergiften. Aber fangfrisch an der Küste – ich habe sie probiert – sind sie ein reiner Genuß!«

Er hielt einen Augenblick inne, bis sich die Unruhe unter den Zuhörern wieder legte.

»Ihr müßt zwischen göttlichen und menschlichen Gesetzen unterscheiden lernen!« fuhr er schließlich fort. »Göttliche Gesetze sind absolut! Göttliche Gesetze gelten immer und überall und unter jedweden Umständen:

›Ich bin Gott! Der Alleinzige, Allewige, Allmächtige! Ich bin alles was ist! Ich *bin*, der Ich *bin*, weil Ich *bin*!‹ – Das ist göttliches Gesetz!

Jedoch ›Du sollst nicht töten!‹, ›Du sollst nur mit einer einzigen Frau schlafen!‹, ›Du sollst keine Muscheln essen!‹ – all das sind menschliche Gesetze.

Sie sind zumeist weise, klug und richtig!

Befolgenswert? – Durchaus! Aber unumstößlich? – Nein!

In Ägypten ist Schweinefleisch verpönt – in Mitanni und Tonuter gehört es zum täglichen Speisezettel. Die Achaier verabscheuen nichts so sehr wie die Ehe unter nahen Verwandten – bei uns ist sie ein Teil des gesellschaftlichen Systems. Ich könnte die Beispiele stundenlang fortführen.«

»Aber«, fragte einer der Studenten verschüchtert, »an was sollen wir uns dann überhaupt halten?«

»An das göttliche Gesetz! Es ist ewig und unumstößlich!«

»Und bei menschlichen Gesetzen?«

»An das, was den vorgegebenen Umständen angemessen ist. An das, was am besten dazu geeignet ist, die Menschen in Frieden, Freundschaft, Glück und Zufriedenheit zusammenleben zu lassen.«

»Eine wahre, jedoch gefährliche These!« konnte ich mich nicht mehr zurückhalten einzuwerfen.

Der junge Lehrer sah auf. Ein Strahlen ging über sein Gesicht, als er mich und Je-schua erblickte, während sich seine Studenten überrascht umdrehten.

»Höchst gefährlich! Ich weiß!« gab er sofort zu. »Doch was ich mit dieser These sagen will, ist dies:

Ägypten hat das wohl höchste ethische und moralische Gesetz entwickelt, das in der bekannten Welt existiert. Ich bin davon überzeugt, daß große Teile dieses Gesetzes für zahllose Völker und Menschen noch in Jahrtausenden ihre Gültigkeit behalten werden!

Trotzdem muß ich auch warnen, denn auch das beste menschliche Gesetz kann zum *Ungesetz* werden, wenn man es kleinlich starr nur seinem Buchstaben, nicht seinem Geiste gemäß auslegt!«

Die Sonne war soeben hinter den Bergen der westlichen Wüste versunken, und der Himmel färbte sich langsam von rosa über amethystfarben zu dunkelblau im Osten, wo erste Sterne zu blinken begannen. In den Bäumen ringsum zwitscherten, piepsten und tschilpten die Vögel lautstark ihr Abendlied, und erste Frösche erprobten laut quarrend ihre Stimmen.

Wir waren dabei, uns gemütlich auf der Terrasse vor dem

reinlich weiß gekalkten Häuschen niederzulassen, das Satet-hotep, der Erzpriester des Dreimal-heiligen Tehuti und Vorsteher des Hauses allen Wissens, dort zusammen mit seinen beiden Frauen bewohnte.

»Ich habe schon seit einiger Zeit damit gerechnet«, gestand Satet-hotep, »daß Hy-sebaû, der Hohepriester der Dreiheit Ptah, Sachmet und Nefer-tem, unseren Tehuti-mose rufen wird.«

»Die Erste Prophetin soll ihm die Mysterien der Dreiheit von Men-nôfer eröffnen und ihn durch die Einweihung der Weltenschöpfer führen«, gab ich Auskunft.

»Und ich verliere einen trotz seiner Jugend bereits hervorragenden Arzt«, brummte Satet-hotep und blinzelte freundlich mit seinen kurzsichtigen Augen zu Tehuti-mose hinüber, der es sich zusammen mit Je-schua im weichen Gras bequem gemacht hatte. »Zudem verliere ich auch noch mit Ern meine beste Kräuterkundige«, murrte der Erzpriester weiter. »Und was bekomme ich dafür? Einen Soldaten! Im übrigen«, wandte er sich an Je-schua, »ist das Tragen von Waffen im Haus allen Wissens nicht gerne gesehen.«

»Mose trägt seine auch ständig mit sich herum«, protestierte Je-schua und deutete auf den bronzenen, wie Gold glänzenden Schlangenstab, den sein Freund neben sich ins Gras gelegt hatte.

»Ich weiß«, gab Satet-hotep zu. »Nur sieht man es dem Stab nicht an, daß er eine höchst gefährliche Waffe ist.«

Gedankenverloren kratzte sich Satet-hotep die knirschenden Bartstoppeln.

»Vielleicht wirst du das Geheimnis ergründen«, flüsterte Tehuti-mose seinem Freund zu, »wie es dem Vorsteher des Hauses allen Wissen gelingt, stets so gleichmäßig unrasiert zu sein.«

So leise er gesprochen hatte, die feinen Ohren des Erzpriesters hatten ihn genau gehört:

»Auch wenn Chemenu nur die geringste der vier großen Mysterienstätten ist, ein unlösbares Geheimnis muß sie schließlich haben! Und hüte deine Zunge, junger Prinz!« warnte Satet-hotep freundlich. »Auch wenn seine Residenz nur wenig über zwei Iteru entfernt liegt, ist der Arm Seiner Majestät nach Chemenu recht kurz. Wir genießen hier Narrenfreiheit – wer sollte dem

König auch sonst seine Schreiber, seine Landvermesser und Beamten ausbilden? Doch nicht überall in Ägypten ist das so!«

Ehe der Erzpriester fortfahren konnte, sah ich Hund, der auf meiner Reisebarke zurückgeblieben war, mit langen Schritten über den Rasen auf uns zulaufen, gefolgt von einem Leutnant der Garde. Noch völlig außer Atem salutierte der Leutnant knapp und überreichte mir eine kleine Papyrusrolle, verschlossen mit dem Siegel der Großen Königsgemahlin Teje.

Ich erbrach die Rolle, überflog den knappen Text, las den letzten Satz laut vor:

»... und so erwarte ich, daß du den Wahren und einzigen Hôr-im-Nest Tehutimose, den Sohn meiner königlichen Tochter Sat-Amûn, unverzüglich zu mir nach Uêset in das Haus des Freudenfestes bringst!«

2. Papyrus

STERN VON ÄGYPTEN

König Akh-en-Aton Ua-en-Râ
12. Regierungsjahr

Knapp zwei Tage benötigte meine Reisebarke, getrieben von milden Nordwinden, flußaufwärts bis Uêset.

Der Abschied in Chemenu war kurz gewesen. Der Erzpriester
Satet-hotep hatte Prinz Tehuti-mose und Ern umarmt und ihnen
von ganzem Herzen den Segen aller Götter gewünscht. Die
Freunde Tehuti-mose und Je-schua hatten sich auf die Schulter
geklopft, sich in die Seite geknufft und ein paar letzte, leise Bemerkungen ausgetauscht. Ihre rotgeränderten, verquollenen Augen und alle Anzeichen eines beachtlichen Katers ließen den
Schluß zu, daß sie die Nacht kaum mit Schlafen, sondern mit Er-

zählen und ganz gewiß mit nicht nur einem einzigen Becher Wein verbracht hatten.

Dann hatte meine Barke ihr breites, weiß und blau gestreiftes Segel gesetzt, und wir hatten die Fahrt nach Süden angetreten, anstatt, wie eigentlich vorgesehen, nach Norden zu reisen.

In Sioûti waren wir für zwei Stunden an Land gegangen, um bei Graf Nacht-Upuaût vorzusprechen. Eine zumindest kleine Eskorte der zuverlässigen Wolfsmänner für den Wahren und einzigen Hôr-im-Nest erschien mir durchaus ratsam. Graf Nacht-Upuaût hatte uns strahlend empfangen. Auf die Frage des Grafen an seine Wölfe, wer mit uns gehen wolle, hatten sich unverzüglich fast hundert Mann gemeldet. Nacht-Upuaût und ich hatten schließlich zwölf Krieger und einen Leutnant ausgewählt, durchgehend Männer, die schon in der Leibgarde Sat-Amûns gedient hatten. Sie reisten nun mit uns weiter nach Süden.

»Wir konnten die Große Königsgemahlin Sat-Amûn nicht schützen«, erklärte mir der Leutnant Men-kau-Hôr sehr ernst. »Wir danken unserer Göttin Upuaût, daß wir nun die Gelegenheit haben, als Leibwächter des Wahren und einzigen Hôr-im-Nest unsere Ehre wiederherzustellen.«

Als wir Uêset erreichten, ließ mein Lotse das Segel einholen, und die Bootsleute legten sich in die Riemen, wobei die Wolfsmänner tatkräftig halfen.

Obwohl Uêset nun nicht mehr Hauptstadt des Reiches war, hatte sich an dem vielfältigen, kunterbunten, hektischen Leben und Treiben auf dem Fluß und in der Stadt kaum etwas geändert.

Ern bemerkte freilich sofort entsetzt und grollend die gewaltige Schneise der Zerstörung, die König Akh-en-Aton Ua-en-Râ für seinen gigantischen Aton-Tempel in die Stadt hatte schlagen lassen. Der Tempelbau selbst hatte seit dem Auszug des Königs nach Achet-Aton allerdings kaum noch Fortschritte gemacht. Zwar klopften noch immer rund hundert Männer lustlos an irgendwelchen Steinblöcken herum, und die Umfassungsmauer war ein Stück weiter aufgerichtet worden. Der Tempel machte jedoch, alles in allem, den Eindruck einer Bauruine, die da in der Nachmittagssonne dumpf vor sich hin brütete und wohl nie mehr ihre Vollendung erleben würde.

»Schauen Sie sich diese Sauerei an!« schimpfte die Kuschitin und deutete auf ein wirres Konglomerat von Schuppen, schlampig gebauten Lehmhäusern und windschiefen Hütten, die sich vor allem im noch gänzlich unbebauten Nordteil des Tempelareals wieder in die freie Fläche vorzuschieben begannen. »Noch ein paar Jahre weiter so«, ärgerte sie sich, »und das, was einst einige der besten Stadtteile von Uêset waren, verkommt zu einem stinkenden Elendsviertel!«

Ich mochte ihr nicht widersprechen.

Prinz Tehuti-mose freilich war von Uêset restlos hingerissen. Die riesige Ausdehnung des Häusermeeres, die nach wie vor prachtvollen Tempelanlagen, die gewaltigen königlichen Kornspeicher, das quirlende Leben ringsum, die eleganten Villen der Mächtigen und Reichen, die bunten Geschäftsstraßen, die sich bis zum Strom hinab öffneten, alles überragt von dem trutzigen Koloß des Per-aa, der alten Königsburg, und dem weitläufigen Komplex des Reichstempels. Das alles war so viel größer, so viel farbenprächtiger, so viel lebendiger als die freundlichen Provinzstädte Hat-uaret, Chemenu oder sogar Men-nôfer, die er bislang kennengelernt hatte.

Ich sah es ihm an: Am liebsten hätte sich Tehuti-mose mit ausgebreiteten Armen in diese Stadt gestürzt – und wäre für die mindestens nächsten drei Wochen aus ihr nicht wieder aufgetaucht.

Die Sonne war soeben versunken, als mein Reiseboot in den kleinen Hafen vor dem Haus des Freudenfestes einlief und von eifrigen Palastdienern an der Mole festgemacht wurde.

Auf den ersten Blick erschien alles wie gewohnt. Die zwölf schwergepanzerten Torwächter der königlichen Garde vor dem großen Bronzetor des Palastes salutierten vor Tehuti-mose mit dem großen, kunstvoll abgezirkelten Salut, der ausschließlich den Mitgliedern der unmittelbaren Königsfamilie vorbehalten ist. Doch schon als ich meinen Fuß auf die polierten Steinplatten der Anlegestelle gesetzt hatte, war ich mir der Unruhe hinter diesen Mauern bewußt geworden. Das Haus des Freudenfestes summte und brummte wie ein Bienenstock, und es war nicht nur die Ankunft des Wahren und einzigen Hôr-im-Nest, welche diese Unrast ausgelöst hatte.

Kaum hatten wir die Schwelle überschritten, da eilte uns auch schon Heje, der getreue Haushofmeister der Großen Königsgemahlin, entgegen:

»Den Göttern sei Dank, daß Ihr wohlbehalten angekommen seid!«

Dann warf sich Heje vor Tehuti-mose ehrerbietig mit ausgestreckten Händen zu Boden, berührte die Steinplatten mit seiner Stirn und verkündete mit seiner hellen Eunuchenstimme:

»Hoheit, ich bin allzeit und bis in den Tod Euer ergebener Diener! Gebietet, und ich werde gehorchen!«

Tehuti-mose warf mir einen ziemlich ratlosen Blick zu.

»Erheben Sie sich, Heje«, sprang ich deshalb ein. »Der Wahre und einzige Hôr-im-Nest Tehuti-mose, Sohn des Königs Amûn-hotep Neb-Maat-Râ Usîre und seiner Großen Königsgemahlin Sat-Amûn Usîre, dankt Ihnen für Ihre Treue und für die Dienste, die Sie ihm anbieten.«

Heje erhob sich, verneigte sich jedoch nochmals tief und zeremoniell vor Tehuti-mose:

»Ich danke für die Gnade, Euch zu Diensten sein zu dürfen, Hoheit! Verfügt über mich nach Belieben!«

»Jener Brief, den wir von der Großen Königsgemahlin Teje erhielten, besagte, daß wir unverzüglich …«

Wieder verneigte sich Heje:

»Hoheit mögen Ihrem ergebensten Diener gestatten …«

»Hör auf mit diesen zeremoniell gewundenen Schnörkeln, Heje«, fiel ich dem Haushofmeister ins Wort, »du machst unseren Wahren und einzigen Hôr-im-Nest damit nur verlegen. Rede wie ein normaler Mensch, denn Tehuti-mose ist ein Mensch, der es verdient, auch wie einer behandelt zu werden.«

Heje ließ es sich nicht nehmen, sich nochmals tief zu verneigen:

»Um so lieber werde ich ihm dienen!« erklärte er. Dann fuhr er fort: »Königin Teje bittet Sie beide morgen um die dritte Vormittagsstunde zu sich zur Audienz. Heute abend ist die Große Königsgemahlin zu einer großen Opferfeier im Südlichen Harem des Amûn.«

»Ist der Tempel denn nicht geschlossen?« fragte Tehuti-mose überrascht.

»So geschlossen wie der Tempel des Dreimal-heiligen Tehuti in Chemenu«, gab ich Auskunft, und als wir einen Schritt aus dem großen Portal des Palastes traten und nach Süden schauten, erkannten wir in der Abenddämmerung die hohe Rauchwolke eines Opferfeuers über den vergoldeten Dächern des Tempels.

»Dann«, stellte ich fest, »haben wir nur noch einen Wunsch für diesen Abend: ein erfrischendes Bad, etwas zu essen und ein Bett für die Nacht. Ich werde Prinz Tehuti-mose mit in mein Quartier nehmen und ...«

»Nicht doch!« schrie Heje entsetzt auf. »Für den Prinzen wurden selbstverständlich alle Räume des Hôr-im-Nest gebührend vorbereitet! Die köstlichsten Speisen, die kostbarsten Salböle, die prächtigsten Kleider, die erlesensten Schminken, der kostbarste Schmuck, die hübschesten Dienerinnen stehen bereit, um den Wahren und einzigen Hôr-im-Nest zu erfreuen!«

»Dann solltest du dir diese Genüsse wirklich nicht entgehen lassen!« riet ich Tehuti-mose lachend.

Während der junge Prinz von Heje in die Räume des Hôr-im-Nest geleitet wurde, machte ich mich auf in mein Quartier. Nefer-Sobek empfing mich strahlend und schaffte blitzschnell ein leichtes, bekömmliches Abendessen herbei. Baden mußte ich freilich allein, und an Massieren war nicht zu denken. Sel war zwar vor sechs Jahren, als Tehuti-mose nach Chemenu ging, wieder nach Uêset zurückgekehrt. Sie verwaltete inzwischen jedoch mein Stadthaus. Ern war an der Mündung des Kanals, der zum Haus des Freudenfestes führte, zusammen mit Necht und Hund von Bord meiner Reisebarke gegangen, um sich zum Stadthaus hinüberrudern zu lassen, und Serâu weilte im Augenblick ebenfalls als Gast Sels dort drüben.

So stieg ich denn gesäubert und gesättigt, jedoch mit wieder einmal schmerzendem Rücken, die Stufen zur Dachterrasse meines Quartiers hinauf, streckte mich auf der Liege, die dort oben stand, aus, zog eine weiche Schafwolldecke gegen die beginnende herbstliche Kühle der Nächte über mich und verfiel fast unverzüglich in einen leichten Schlummer.

Die leisen Schritte ließen mich sofort wieder hellwach werden.

Ich hatte Prinzessin Beket-Amûn seit einem guten Dutzend Jahre nicht mehr gesehen, und doch erkannte ich sie augenblicklich wieder. Das kleine Mädchen von damals war zu einer schlanken jungen Frau von ein wenig herber Schönheit herangewachsen, doch ihre übergroßen, klaren, braunen Augen unter den zart geschwungenen Brauen waren immer noch die gleichen, drangen wie damals ein in die tiefsten Tiefen meiner Seele.

Mit einer sanften Bewegung ihrer schmalen Hand hinderte sie mich am Aufspringen. Sie setzte sich auf den Rand meiner Liege. Aus den Augenwinkeln beobachtete ich eine große, schlanke Katze mit endlos langen Beinen, schmalem Kopf und schwarzen Flecken auf dem wüstenfarbenen Fell – einen Geparden, der lautlos seiner Herrin gefolgt war und sich nun nur wenige Schritte von uns entfernt auf den Boden legte, wobei mich seine grüngoldenen Augen unverwandt musterten.

»Ich habe erwartet, dich und Tehuti-mose in Men-nôfer begrüßen zu können, doch nun kam der Ruf meiner königlichen Mutter dazwischen. Und hier bin ich also.«

»Man sagte mir, die Erste Prophetin würde Prinz Tehuti-mose durch die Einweihung der Dreiheit von Men-nôfer führen.«

»Ja, ich sollte dies tun. Und wenn die Zeit gekommen ist, werde ich auch euch beide führen, Tehuti-mose und dich«, bestätigte Prinzessin Beket-Amûn, wobei sie kurz auf das goldene Pektorale mit den Insignien der Ersten Prophetin der Dreiheit deutete, das zwischen ihren Brüsten blitzte.

»Du bist …«, fragte ich verblüfft.

»Die Jüngste, welche dieses Amt je bekleidete«, nickte Beket-Amûn. »Die Gabe des *Sehens* ist vielen unserer Familie eigen und einer der Gründe, um derentwillen wir den Preis für Jahrhunderte der Inzucht zahlen.«

Ich griff nach Beket-Amûns schmalen Händen, hielt sie in den meinen fest.

Sanft entzog sie ihre Hände meinem Griff. Ein leises Grollen des sich halb aufrichtenden Geparden begleitete die Geste.

»Ruhig, Mâ-au!« wies Beket-Amûn das Tier zurecht, das sich mit einem scharfen Fauchen wieder niederlegte. »Mâ-au faucht oft nur, um zu erproben, ob sie es noch kann«, meinte die Prinzessin mit einem Lächeln. »Sie liebt mich über alles – sie wird auch lernen, dich zu lieben.«

»Sie?« fragte ich.

»Mâ-au ist eine Dame«, klärte mich die Prinzessin auf.

»Auf jeden Fall bin ich glücklich, dich nach all den Jahren wiederzusehen!« gestand ich offen.

»Auch ich wäre gerne glücklich darüber«, sagte Beket-Amûn leise.

»Aber?«

»Ich habe dir damals gesagt, ich weiß, daß wir in einem Dutzend Jahren heiraten würden – erinnerst du dich?«

»Ja, ich erinnere mich nur zu gut daran«, gab ich lächelnd zurück.

»Nun«, fuhr Beket-Amûn fort, »es hat sich viel verändert in diesen Jahren. Ich habe mich verändert.«

»Das war zu erwarten«, räumte ich ein. »Du bist kein kleines Mädchen mehr von vier oder fünf Jahren. Aber wenn du es damals wirklich gewußt hast, wirklich gesehen hast, dann wird es wohl auch so kommen?«

Beket-Amûn schüttelte langsam den Kopf:

»Nichts, was man weiß oder sieht, ist unabdingbar zwingend bis zu dem Augenblick, wo es tatsächlich geschieht. Die Sterne, die Schicksalslinien – nenne es wie du willst – zeichnen einen Weg vor. Doch ihn zu beschreiten ist allein dein eigener, freier Wille!«

Ich konnte es mir selber nicht erklären, weshalb sich bei Beket-Amûns Worten in meinem Inneren eine eisige Leere auszubreiten begann. Vor einem Dutzend Jahren hatte mir ein kleines Mädchen erklärt, mich heiraten zu wollen. Zu der jungen Frau, die nun auf dem Rand meiner Liege saß, fühlte ich mich zwar seltsam hingezogen, doch in Wahrheit, so war mir durchaus bewußt, war sie eine fast völlig Fremde.

»Ich habe nie ...«, versuchte ich meine unerklärliche Enttäuschung zu überspielen, doch mit einer schnellen, sanften Bewegung verschlossen mir Beket-Amûns Finger meinen Mund:

»Sei nicht so vorschnell, Amûn-hotep! Ich möchte nur, daß du dir darüber genau klar bist, auf was du dich einläßt – falls du dich darauf einlassen willst:

Ich habe inzwischen erfahren, daß ich niemals eigene Kinder haben werde. Und auch das Leben einer normalen Frau in einer normalen Familie ist nicht der Weg, den ich gehen muß und gehen werde. Was immer das kleine Mädchen von damals *gewußt* hat, zwischen uns wird es in diesem Leben keine Ehe geben. Und keine leiblichen Kinder. Es gab Nächte, in denen ich bittere Tränen darüber vergossen habe. Aber so ist es nun einmal, und weder du noch ich werden daran etwas ändern können.

Jedoch: so du es willst, dann werden wir einen gemeinsamen Weg gehen, der dein Leben mehr verändern wird, als du es dir jemals vorstellen kannst.«

Ich weiß nicht, wie lange sich wieder unsere Hände, unsere Blicke festhielten, einer in die Seele des anderen eintauchte.

»Dann sei es so!« sagte ich schließlich fest.

Doch noch zögerte Beket-Amûn:

»Auch das sollst und mußt du wissen: Am Ende eines gemeinsamen Weges werden Blut und Gewalt stehen.«

»An diesen Gedanken habe ich mich als Soldat längst gewöhnt«, lächelte ich zurück.

Beket-Amûn beugte sich über mich, berührte mit ihren Lippen meinen Mund. Erst fast scheu, dann heftiger, dann mit der Gewalt einer auflodernden Flamme.

Ich schlang meine Arme um ihren Körper und zog sie an mich.

»Es sei so, wie das Schicksal und die Götter es bestimmt haben, und wie du es *gesehen* hast!« bestätigte ich noch einmal.

Als wir beide nach Atem ringend einen Herzschlag lang unsere Umarmung lockerten, streifte Beket-Amûn ihr Kleid ab, wischte die leichte Decke von meinem Körper, glitt über mich.

Als ich in sie eindrang, bäumte sie sich hoch auf, warf mit einem langen Stöhnen den stolzen Kopf zurück, bot mir ihren nackten Leib mit dem geschmeidigen Hals, die sanft gerundeten, vollen, festen Brüste, zwischen denen das goldene Pektorale blitzte, den flachen Bauch, das dunkle Dreieck zwischen ihren gespreizten Schenkeln dar.

Kaum noch Herr unserer Sinne, umschlangen sich unsere Hände, Arme und Körper. Bedeckte der eine Gesicht, Schultern und Brust des anderen mit Küssen. Versuchten unsere Körper zu jener Einheit zu verschmelzen, die wir einst auf der Töpferscheibe Chnums gewesen waren. Ritten wir hinauf zu einem alles verzehrenden, alles verbrennenden Höhepunkt, den wir im selben Augenblick zu den Göttern über den funkelnden Sternen über uns hinaufschrien.

Als wir am nächsten Morgen das kleine, private Audienzzimmer der Großen Königsgemahlin betraten, empfing uns Teje mit leicht gerunzelten Brauen:

»Ich kenne deine Vorliebe für Katzen, Tochter«, wandte sie sich sofort an Beket-Amûn und warf einen eher ungnädigen Blick auf Mâ-au, die uns lautlos folgte. »Aber war es wirklich unbedingt nötig, es deinen Lieblingen gleichzutun und das ganze Haus des Freudenfestes mit deinem Gemaunze zu wecken?«

Eine tiefe Röte stieg Beket-Amûns Hals empor, erreichte ihre kleinen Ohren. Doch gleichzeitig richtete sie sich stolz auf.

»Ich bin die Erste Prophetin der Dreiheit von Men-nôfer und Erzpriesterin des Râ in Onû. Ich bin niemandem Rechenschaft schuldig – auch nicht dem König oder seiner Großen Königsgemahlin!« stieß sie heftig hervor.

Für einen Augenblick wurden Königin Tejes scharf geschnittene Züge weicher, und die Andeutung eines Lächelns umspielte ihre Lippen:

»Niemand, meine kleine Tochter, versucht dich zu bevormunden oder dein Tun zu kritisieren. Aber eine *Frage* wird deiner Mutter doch noch gestattet sein?«

Beket-Amûn entspannte sich sichtlich. Auch ich merkte, wie ich langsam den angehaltenen Atem aus meinen Lungen entließ.

»Dürfen wir denn wenigstens demnächst mit einer Hochzeit rechnen? Der König ...«

»Nein, Majestät-Mutter«, stellte Beket-Amûn bestimmt fest, »an eine Heirat habe ich nicht gedacht. Ich habe diese Möglichkeit – vorläufig zumindest und, wie ich fürchte, durchaus nicht im Sinne Amûn-hoteps – ausgeschlossen! Das wird uns allerdings nicht hindern, in Zukunft wie ein Ehepaar zusammenzuleben.«

Königin Teje zuckte leicht mit den Schultern:

»Auch wenn ich nicht ganz verstehe, weshalb ihr nicht rechtmäßig heiraten wollt – Oberst Amûn-hotep wäre als Enkel König Tehuti-mose Men-cheperu-Râ Usîres ein durchaus standesgemäßer Gemahl für dich, Beket-Amûn –, so respektiere ich selbstverständlich deine Entscheidung.«

In diesem Moment öffnete sich die Tür, Heje, der treue Haushofmeister Königin Tejes, trat ein und verkündete mit seiner hellen Stimme:

»Seine Hoheit Tehuti-mose. Sohn des Königs Amûn-hotep Neb-Maat-Râ Usîre und der Großen Königsgemahlin Sat-Amûn Usîre. Leiblicher Bruder Seiner Majestät König Akh-en-Aton Ua-en-Râs, Der von der Wahrheit lebt. Enkel der Großen Königsgemahlin Teje. Eingeweihter in das Wissen im Haus allen Wissens zu Chemenu. Wahrer und einziger Hôr-im-Nest!«

Mit schnellen Schritten betrat Tehuti-mose das Audienzzimmer.

Königin Teje, aber auch Beket-Amûn und ich sogen überrascht die Luft ein bei seinem Anblick. Er trug einen knapp knielangen Schurz aus feinstem Leinen mit einem Gürtel aus vergoldetem Leder. Der breite Schulterkragen und die schweren Armreifen waren aus Gold und reich mit blauem Lapislazuli, rotem Jaspis, orangenen Karneol und grünem Malachit eingelegt. Auf seiner Brust blitzte das Pektorale mit den Insignien eines Eingeweihten des Dreimal-heiligen Tehuti von Chemenu. Auf die rechte Seite seines nach Priesterart kahl geschorenen Schädels hatte er mit Mastix die aus schwarzblau gefärbtem Frauenhaar gefertigte und mit Goldbändern durchwirkte Prinzenlocke geklebt, und in seiner Linken führte er seinen goldenen Schlangenstab. Die lang ausgeschminkten Brauen und Augenwinkel, das dunkle Blau auf seinen Lidern betonten den intensiven, machtvollen Blick seiner großen, dunklen Augen.

Zeremoniell tief verneigte er sich vor seiner Großmutter. Doch dann sprudelte es aus ihm heraus:

»Muß ich mich eigentlich daran gewöhnen, daß jedesmal, wenn ich einen Raum betrete, irgendein Zeremonienmensch eine derart lange Titulatur herunter betet?«

»Durchaus nicht«, lächelte ihm Königin Teje freundlich zu. »Du solltest dich daran gewöhnen, daß deine Titulatur im Laufe der Jahre noch ganz erheblich länger werden dürfte …«

»O nein!« ächzte der junge Prinz leise und schüttelte sich.

»Setzt Euch«, forderte uns die Königin auf, »macht es Euch bequem und bedient Euch mit Wein, Früchten und Gebäck, die dort drüben auf dem Tisch stehen. Wir haben viele und sehr ernste Dinge zu besprechen, um derentwillen ich Euch nach Uêset gerufen habe.«

Wir saßen noch kaum, als Königin Teje uns ihre Neuigkeit eröffnete: »Ich habe beschlossen, meine Residenz nach Achet-Aton zu verlegen.«

Mit einer schnellen, abwehrenden Geste versuchte die Königin unser erschrecktes Erstaunen zu beruhigen. »Nein, von meinem bösen Irrtum der ›Berufung‹ meines Sohnes durch seinen göttlichen ›Vater‹ Aton bin ich gründlich und für immer geheilt!

Der Grund für meinen Entschluß ist doppelter Natur. Zum einen hat mir mein Sohn-Gemahl vor kurzem mitgeteilt, ich solle seinen Neffen, den nunmehr neunzehnjährigen Semench-Ka-Râ nach Achet-Aton schicken. Er will ihn mit seiner ältesten Tochter Maket-Aton verheiraten, um die Thronfolge zu regeln. Selbst wenn du, Tehuti-mose, nicht weit höherrangige Ansprüche auf den Thron hättest, würde ich alles daran setzen, um Semench-Ka-Râ von der Krone fernzuhalten! Leider haben sich bei meinem Enkel die schlechtesten Eigenschaften seiner Eltern verbunden: die Eitelkeit seines Vaters, des Hôr-im-Nest Tehuti-mose Usîre, mit der Schwächlichkeit seiner Mutter Kija Usîre. Du, Amûn-hotep, kennst ja Semench-Ka-Râ, und ihr anderen werdet ihn nur zu bald kennenlernen ...

Der andere Grund für meinen Entschluß ist kurz gesagt:

Der Zustand des Reiches ist erbärmlich!

Die letzten Jahre waren gute Jahre mit reichen Ernten – doch die königlichen Kornspeicher sind fast leer! Nie in den letzten dreißig Jahren lasteten so hohe Steuern auf Händlern und Handwerkern wie jetzt – und in der Staatskasse herrscht erschreckende Ebbe!

Die Tempel der alten Götter wurden geschlossen, ihre Güter eingezogen, ihre Schätze beschlagnahmt – und wo sind alle diese Reichtümer geblieben? Der breite Strom der Steuern und Tribute, die zu Lebzeiten meines königlichen Gemahls Amûn-hotep Neb-Maat-Râ in unseren Staatsschatz flossen, ist zu einem lächerlichen Rinnsal verkommen!«

Königin Teje hielt einen Augenblick inne, ehe sie fortfuhr:

»Beträfe dieser Zustand allein die öffentlichen Mittel, wir könnten damit leben. Aber dieser Mangel hat längst auf das Land, auf das Volk übergegriffen! Felder werden nicht mehr bestellt, weil die Bauern kein Saatgut kaufen können – entweder weil sie kein Geld haben, um es zu bezahlen, oder weil aus den königlichen Kornspeichern das Saatgut verschwunden ist. Weinberge verwildern, weil sich die Leute keinen Wein mehr leisten wollen. Handwerksbetriebe und Geschäfte schließen, weil die Käufer fehlen. Wer noch ein wenig Geld hat, der vergräbt es lieber in der Erde, als es den allgegenwärtigen Steuerfahndern in die Hände fallen zu lassen. Ein paar Jahre noch weiter so, und das einst so reiche, mächtige und blühende Ägypten wird zu einem Armenhaus!«

Die Augen Königin Tejes funkelten zornig:

»Und mein Sohn, der König, thront unerreichbar über all dem Elend, glotzt in den Himmel, dichtet erbauliche Hymnen oder erdenkt neue Rituale und Feste für seinen ›Vater‹ Aton, während das Land, das Reich, das er regieren soll und für das er die Verantwortung trägt, vor die Hunde geht!«

»Du solltest nicht ihm allein die Schuld geben«, versuchte

Beket-Amûn ihren Bruder zu verteidigen. »Seine Minister, seine Berater ...«

»Dieses Lumpenpack!« fauchte Königin Teje. »Doch wer hat sie denn eingesetzt in ihre Ämter, wenn nicht mein königlicher Sohn und Gemahl? Den machtgeilen Pichuru als Ministerpräsidenten, Generalgouverneur der Beiden Länder und neuen Oberbefehlshaber aller Truppen des Reiches? Den schmierigen Janch-Aton als Finanzminister? Den braven, aber unfähigen Panhasa als Landwirtschaftsminister? Den Aton-Hymnen jodelnden Panehesi als Generalgouverneur von Oberägypten und den davongelaufenen Amûn-Priester Menna als Generalgouverneur von Unterägypten und den Delta-Gauen? Den zwielichtigen Tutu als Außenminister?

Nur sie und der König sonnen sich in den Strahlen Atons, der ein Gott aller Menschen, aller Völker sein sollte und heute seine spärlichen Gaben höchstens noch über Achet-Aton ausschüttet, den Rest des Reiches jedoch verdorren läßt!«

Mit einer knappen Handbewegung schnitt Teje jeden weiteren Einwand ab:

»Ich habe lange gezögert, in diesen Sumpf der Dummheit, der Selbstüberschätzung, der Lüge und der Intrigen hinabzusteigen. Lange, zu lange, viel, viel zu lange! Mein großer königlicher Gemahl Amûn-hotep Neb-Maat-Râ und der Sohn des Hapu – ja gerade auch er, ich gebe es nicht gerne, aber offen zu – haben meinem Sohn ein reiches, großes und gefestigtes Reich hinterlassen. Er hat damit nichts Besseres anzufangen gewußt, als es in Leid, Armut und Unglück zu stürzen!

Aber daß er dies konnte, das ist *meine* Schuld!«

Beket-Amûn und ich fuhren auf:

»Nein! Es war ...«

»... das Geschmeiß der Hofschranzen, das dieses Unheil angerichtet hat. Wohl wahr«, schnitt uns Königin Teje das Wort ab. »Aber *ich*, die ich dies durchaus rechtzeitig gesehen habe, *ich*, die ich dies hätte verhindern können, hätte verhindern müssen, *ich* habe es *zugelassen*!«

Königin Teje schlug bei jedem Wort in hilfloser Wut auf die Armlehne ihres thronartigen Sessels, sprang schließlich auf:

»Ich bin die Große Königsgemahlin. Es ist meine Pflicht, wenigstens zu versuchen, noch größeres Unheil, noch größeres Leid von unserem Land und unserem Volk abzuwenden!

Und deshalb habe ich beschlossen, meine Residenz nach Achet-Aton zu verlegen! Mein Enkelsohn, der nunmehr neunzehnjährige Semench-Ka-Râ, wird mich natürlich begleiten müssen; der König hat ihn nun einmal zu sich befohlen. Auch all meine Beamten und mein Hofstaat werden mit mir gehen.«

Tejes schwarze Augen blieben nachdenklich auf uns ruhen:

»Dir, meine Tochter Beket-Amûn, kann und will ich nichts befehlen, ich kann dich allenfalls bitten, mit uns in diesen Sumpf hinabzusteigen.«

»Ich werde selbstverständlich mitkommen«, gab Beket-Amûn der Bitte sofort statt.

»Dir, Tehuti-mose, hätte ich gerne noch einige Jahre des friedlichen Lernens in Chemenu oder Men-nôfer gegönnt, aber deine Pflicht als Wahrer und einziger Hôr-im-Nest ruft dich an den Hof des Königs. Und du, Amûn-hotep, wirst ihn vermutlich begleiten wollen.«

»Ihn und Euch, Majestät«, bestätigte ich. »Vor allem aber Euch! Ihr seid die Große Königsgemahlin!«

Ein kurzes, freudloses Lächeln huschte über das Gesicht der Königin. »Über das gebärfähige, offenkundig so gefährliche Alter bin ich ja wohl inzwischen hinaus ...«

Und dann kam ihr Befehl:

»In drei Tagen, am Morgen des 10. Tages im 1. Monat der Aussaat werden wir Uêset auf dem Staatsschiff *Stern von Ägypten* verlassen!«

Wir waren soeben aufgestanden, um uns zu verabschieden, als ein junger Mann durch die offene Gartentür hereingestürzt kam und Königin Teje seinen rechten Mittelfinger entgegenreckte:

»Schau her, Omi!« schrie er mit weinerlicher Stimme. »Die Bogensehne hat mir den Finger zerfleischt!«

Teje war von dem Auftritt peinlich berührt, und der Titel

›Omi‹ ließ sie sichtlich zusammenzucken. Nach einem kurzen Blick auf den Finger meinte sie knapp:

»Es ist nur eine winzige Hautabschürfung, Semench-Ka-Râ.«

»Ich hasse Bogenschießen!« klagte der junge Mann weiter. »Befiehl, daß ich nie mehr ...«

»Heiße lieber deine Tante Beket-Amûn und deinen Vetter Tehuti-mose willkommen!« herrschte die Große Königsgemahlin ihren Enkelsohn an.

Semench-Ka-Râ hätte durchaus gut aussehen können, hätte er nicht bereits in seinem Alter zu einer gewissen Dicklichkeit geneigt, wären seine Muskeln nicht so schlaff und die Schminke in seinem Gesicht nicht so grell gewesen. Die prachtvolle Rüstung, mit der er sich offenbar zum Bogenschießen als Krieger herausgeputzt hatte, wirkte an ihm lächerlich.

Semench-Ka-Râ wandte seinen Blick anklagend auf uns. Sein weicher Mund mit den grämlich herabgezogenen Winkeln zuckte leise. Doch dann weiteten sich seine Augen entsetzt. Er hatte Mâ-au entdeckt, die auf leisen Pfoten neben ihre Herrin geglitten war.

»Zu Hilfe!« kreischte Semench-Ka-Râ. »Rettet mich! Tötet diese Bestie!«

Augenblicklich stürmten aus dem Garten mehrere Gardisten mit gezückten Waffen herbei.

Beket-Amûn schlang blitzschnell ihre Arme um den Hals von Mâ-au, die grollend zu knurren begann, und versuchte, die Gepardin mit ihrem eigenen Körper zu decken.

»Runter mit den Waffen!« brüllte ich die Gardisten an, die sich auf einen Wink Tejes langsam wieder zurückzogen.

»Mâ-au ist völlig zahm«, erklärte Beket-Amûn und dann, mit einem kurzen Aufblitzen in ihren Augen: »Außerdem ist sie satt – sie hat heute zum Frühstück schon einen jungen Mann gefressen ...«

Semench-Ka-Râ beäugte die Katze mit vorsichtigem Interesse. Dann schien sich in seinem Kopf eine Idee breitzumachen.

»Ist das Tier zur Jagd abgerichtet?« fragte er.

Beket-Amûn verneinte.

»Oh, das macht nichts«, beeilte sich der Enkelsohn Tejes zu

versichern. »Wir werden trotzdem morgen eine Antilopenjagd veranstalten!«

»Ich dachte«, warf ich ein, »Sie wollten nie mehr mit einem Bogen schießen?«

»Nicht mit dem Bogen!« widersprach mir Semench-Ka-Râ, der sich mehr und mehr für seine Idee begeisterte. »Nicht mit Bögen! Wir jagen mit Hunden und dieser Katze da! Glaubt mir, das wird ein faszinierendes Schauspiel werden! Wenn sich dieses Untier in den Hals einer Antilope verbeißt, sie niederreißt und ...«

»Es würde allenfalls ein widerliches Schauspiel!« stellte Tehuti-mose angeekelt fest.

»Verstehst du etwas von der Jagd?« fragte ihn sein Vetter ein wenig von oben herab.

»Nein, und ich habe auch kein Bedürfnis danach.«

»Wie solltest du auch?« bemerkte Semench-Ka-Râ. »Du bist ja aufgewachsen in den stinkenden Höhlen dieser ... *Aauuuu!*«

Semench-Ka-Râ war höchst unsanft auf seinen Hintern geplumpst, weil ihm Tehuti-mose mit seinem Schlangenstab blitzschnell die Füße unter dem Leib weggefegt hatte. Jetzt schwebte die Schwanzspitze der Schlange über der Brust des Gestürzten.

»Schreie ja nicht um Hilfe!« warnte Tehuti-mose leise. »Und merke dir gut: Ich mag es nicht, wenn man die Menschen beleidigt, die mich viele Jahre lang beherbergt und beschützt haben!«

»Er bringt mich um, Omi!« flüsterte Semench-Ka-Râ mit vor Entsetzen schier aus dem Kopf quellenden Augen.

Königin Teje schnaubte nur verächtlich.

»Wenn ich dich umbringen will«, belehrte Tehuti-mose seinen Vetter unterdessen, »dann setze ich meinen Stab *da* an ...«
Das Ende des Schlangenstabes drückte leicht gegen den Kehlkopf Semench-Ka-Râs, »und wenn ich dir so richtig weh tun will, *da!*«
Das Ende des Stabes wischte zwischen den Schenkeln des vor Angst Schlotternden bis zum Schritt hinauf. »Überlege also in Zukunft gründlich, was du in meiner Gegenwart sagst!«

Später schlenderten Beket-Amûn und ich durch die üppig blühenden Gärten des Hauses des Freudenfestes, treu gefolgt von Mâ-au. Der reiche Segen Hapis und die warme Herbstsonne ließen Blumen, Stauden und Bäume üppig wuchern, überschütteten sie mit einem Meer von Blüten in allen Farben des Regenbogens.

»Weshalb?« fragte ich.

»Weshalb *was*?« lächelte Beket-Amûn zurück.

»Du hast heute nacht und vorhin bei Königin Teje gesagt, daß du die Möglichkeit einer Heirat zwischen uns – vorläufig zumindest – ausschließt. *Weshalb* eigentlich?«

»Aus zwei Gründen, Amûn-hotep. Der eine Grund ist rein privat: deine Gemahlin May. Wenn du eine königliche Prinzessin heiratest, dann müßte sie rangmäßig an den zweiten Platz zurücktreten …«

»Du lieber Himmel!« platzte es aus mir heraus. »Als ich May heiratete, war ich zwölf Jahre alt. Ich habe damals vielleicht zwei dutzendmal mit ihr geschlafen – und das war es. Nur weil mein Vater Neby, um seines alten Freundes, General Meis, willen, mich um die offizielle Fortsetzung der Ehe gebeten hat, sind wir nicht längst geschieden. Und was meine inzwischen zweite Gemahlin, meine Tochter Merit-Ptah, anbelangt, so habe ich sie als ihr nächster Verwandter vor vier Jahren nach dem Tod meines Bruders Râ-mose geheiratet. Weshalb Merit-Ptah auf dieser Ehe bestand, weiß ich nicht. Also vergiß die beiden! Merit-Ptah ist als Witwe Râ-moses wohlhabend genug, um bis an ihr Lebensende in Reichtum und Luxus leben zu können. Und May ist seit gut fünfundzwanzig Jahren nach ihrem eigenen Willen nur auf dem Papier meine Gemahlin! Meine kleine Libu-Dienerin Serâu ist mehr meine Gemahlin, als die beiden es je waren. Jetzt werde ich Serâu natürlich …«

»Nicht doch!« unterbrach mich Beket-Amûn schnell. »Ich bin nicht eifersüchtig, Amûn-hotep.«

»Wenn du es sagst … Aber was ist dein zweiter Grund, der gegen unsere Heirat spricht?« fragte ich weiter.

»Hast du schon darüber nachgedacht, wer du bist? Wer ich bin?«

Ich sah Beket-Amûn verständnislos an.

»Ich bin die älteste noch lebende Tochter König Amûn-hotep Neb-Maat-Râs und der Großen Königsgemahlin Teje. Du bist der Sohn der Prinzessin Apuya, Tochter König Tehuti-mose Men-che-peru-Râs, und eines Sohnes des Grafen von Nechab. Da Königin Teje nur die Tochter des Min-Priesters Juja ist, fließt in deinen Adern wohl sogar vornehmeres Blut als in den meinen ...«

»Was, wie deine Mutter vorhin sagte, nur bedeutet, daß unsere Verbindung eine durchaus standesgemäße Ehe wäre«, stellte ich fest.

Beket-Amûn war stehengeblieben und sah mir mit tiefem Ernst in die Augen:

»Willst du König werden, Amûn-hotep?«

Ich schüttelte überrascht den Kopf:

»Seltsam, die gleiche Frage hat mir vor Jahren schon einmal dein Vater Amûn-hotep Neb-Maat-Râ gestellt ...«

»Und was hast du damals geantwortet?«

»Ganz gewiß nicht!«

»Und heute? Willst du immer noch nicht König werden?«

Ehe ich erneut verneinen konnte, verschlossen mir Beket-Amûns schlanke Finger den Mund:

»Antworte jetzt nicht! Aber denke darüber nach. Es wird der Tag kommen, an dem du antworten mußt!«

Beket-Amûn legte ihren Arm um meine Hüfte, und wir nahmen unseren Spaziergang wieder auf. Mâ-au war in ein Gebüsch eingedrungen, aus dem entsetzt schnatternd ein halbes Dutzend Wildenten aufflatterte. Mit weit ausgreifenden Sprüngen jagte Mâ-au in schier unglaublichem Tempo dem davonfliegenden Federvieh nach, bis sie nach etlichen hundert Ellen die hoffnungslose Verfolgung aufgab und in weitem Bogen zu uns zurückkehrte.

»Wie kommst du überhaupt auf diese Frage?« erkundigte ich mich.

»Denke nach! König Akh-en-Aton ist krank. Er wird nicht alt werden. Wer soll seine Nachfolge antreten?« fragte Beket-Amûn dagegen.

»Prinz Tehuti-mose selbstverständlich!« rief ich.

Doch Beket-Amûn schüttelte langsam den Kopf:

»Ich *sehe* keine Krone auf seinem Haupt.«

Ein eisiger Schreck durchfuhr mich:

»Willst du damit sagen ... ?«

»Nein! Nicht was du fürchtest! Ihm wird kein Leid geschehen!« beruhigte mich Beket-Amûn sofort. »Ich *sehe* Tehuti-mose in durchaus fortgeschrittenem Alter. Er ist ein großer Mann. Bedeutender, als irgendein König es je war oder je sein wird. Und doch wird er niemals eine Krone tragen!«

Eine Weile schritten wir in Gedanken versunken nebeneinander her. Schließlich nahm Beket-Amûn den Faden wieder auf:

»Wer wird dann Nachfolger Akh-en-Atons auf den Beiden Thronen?«

»Prinz Semench-Ka-Râ, der Sohn deiner Geschwister Tehuti-mose und Kija Usîre, oder der Sohn Akh-en-Atons, Prinz Tut-anch-Aton.«

»Ein launischer Weichling oder ein fünfjähriges Kind«, stellte Beket-Amûn trocken fest und fuhr fort:

»Wenn die Dinge so schlimm stehen um Ägypten, wie meine Mutter sagt – und ich fürchte, sie stehen noch viel schlimmer –, wird dann nicht das Volk versucht sein, einen König zu finden, der alt genug, der erfahren genug, der stark genug ist, um es aus diesem Elend wieder herauszuführen?«

»Wer könnte es dem Volk verdenken?« gab ich zu.

»Im Augenblick bin ich nur eine Frau«, spann Beket-Amûn den Gedanken weiter, »und du nur der Sohn des Neby. Heiraten wir jedoch, dann wird sich eben dieses Volk daran erinnern, daß ich nach Prinz Tehuti-mose die rechtmäßig nächste Anwärterin auf den Thron bin, verheiratet mit dem Sohn der Prinzessin Apuya, einem erfahrenen, starken und weisen General des Reiches!«

»Ich bin nur Oberst ...«, versuchte ich abzuschwächen.

»Du wirst aber sehr bald General sein«, widersprach mir Beket-Amûn sofort.

»*Siehst* du denn die Krone auf unseren Köpfen?« fragte ich geradeheraus.

»Nein. Ich *sehe* nichts ...«, gab Beket-Amûn zu.

»Wenn du nichts *siehst*, dann sind deine Überlegungen ...«

»Ich *sehe* nichts«, unterbrach mich Beket-Amûn, »weil fast allen Sehern und Propheten der Blick in die eigene Zukunft verwehrt ist.«

»Wenn nicht in deine, so müßtest du doch in *meine* Zukunft schauen können?« fragte ich.

Beket-Amûn war erneut stehengeblieben:

»Dein Schicksal und mein Schicksal sind seit Äonen so eng miteinander verwoben, daß ich auch das deine nur bruchstückhaft zu erkennen vermag. Ich *weiß*, daß du zum General, zum Feldmarschall aufsteigen wirst. Ich *weiß*, daß man dir die Rote und die Weiße Krone der Beiden Länder zu Füßen legen wird. Aber ich *weiß* nicht, wann das geschehen wird, wo das geschehen wird, wie das geschehen wird oder ob du annehmen oder ablehnen wirst.

Das einzige, was ich noch *weiß*, ist nur ...« Beket-Amûn stockte plötzlich, Tränen schossen in ihre Augen.

»*Blut und Gewalt*, von denen du heute nacht sprachst?« fragte ich leise.

Sanft zog ich Beket-Amûn an mich, hielt sie fest in meinen Armen.

»Wenn es je dazu kommen sollte«, raunte ich ihr leise ins Ohr, »dann werde ich bei dir sein! Wie ich immer bei dir war! Wie ich immer bei dir sein werde!«

Bei Sonnenaufgang am 9. Tag im 1. Monat der Aussaat des 12. Regierungsjahres des Königs Akh-en-Aton Ua-en-Râ* verließ die Große Königswitwe, Königsmutter und regierende Königsgemahlin Teje das Haus des Freudenfestes in Uêset.

Gefolgt von ihrem Stiefsohn, dem Wahren und einzigen Hôr-im-Nest Tehuti-mose, ihrer Tochter Beket-Amûn, der Ersten Prophetin der Dreiheit von Men-nôfer und Erzpriesterin des Râ in Onû, und ihrem Enkelsohn, dem Prinzen Semench-Ka-Râ, be-

* 21. Oktober 1325 v. Chr.

stieg sie ihr mit Gold und kostbarem Schnitzwerk reich verziertes Staatsschiff *Stern von Ägypten*.

Und mit ihr verließen all ihre Großen und Beamten und Schreiber, die Offiziere und Soldaten ihrer Garde, all ihre Diener und Dienerinnen das Haus des Freudenfestes. Sie bestiegen das Staatsschiff *Stern von Ägypten* und acht andere große Schiffe, die am Kai und im Kanal zum Palast bereitlagen und in die man schon am Vorabend und in der Nacht all das Gepäck der Großen Königsgemahlin und ihres Gefolges verladen hatte.

Dann legten die Bootsleute die Riemen aus und ruderten die Schiffe den Kanal hinab und in den Großen Strom hinaus. Dort setzte die Flotte ihre Segel und zog mit der Strömung nach Norden.

3. Papyrus

DER HORIZONT
DES ATON

König Akh-en-Aton Ua-en-Râ
12. Regierungsjahr

Wie in einer feierlichen Prozession schwamm unsere Flottille langsam flußabwärts, angeführt von der *Stern von Ägypten*, deren vergoldete Schnitzereien und große, bunt bemalte hölzerne Lotusblüten an Vorder- und Achtersteven sich im Wasser widerspiegelten. Ihr folgten die acht großen Frachtschiffe, die Königin Teje ihrem Hofstaat zur Verfügung gestellt hatte. Doch noch während wir durch Uêset zogen, schlossen sich uns Dutzende weiterer Fahrzeuge an, von der eleganten Jacht bis zum einfachen Boot – Schiffe, welche dem Gefolge der Großen Königsgemahlin gehörten und die man auch in Achet-Aton nicht missen wollte.

Auch mein schnelles Ruderboot und meine bequeme Reisebarke waren dabei, an Bord Ern und Necht, ihr nunmehriger Adoptivsohn Hund sowie Serâu.

»Wozu hat man uns eigentlich erst nach Uêset gehetzt«, hatte Ern gebrummelt, »wenn wir ein paar Tage später die gleiche Strecke zurückgescheucht werden?«

»Immerhin bist du in Achet-Aton deinen Kräuterbeeten in Chemenu wieder ganz nahe«, hatte ich die Kuschitin getröstet.

Sel war in Uêset zurückgeblieben. Seit vor sechs Jahren Tehuti-mose nach Chemenu gegangen war, hatte auch Sel Hat-uaret verlassen und verwaltete seither mein Stadthaus. Hund hatte dieses Verbleiben Sels in Uêset mit gerunzelten Augenbrauen zur Kenntnis genommen. Der nach wie vor klapperdürre, schlaue Hund und die dicke, gutmütige Sel waren auf den ersten Blick ein geradezu unmögliches Paar. Doch die praktische Klugheit ihrer Köpfe und die tiefe Treue ihrer großen Herzen ließ ihre Seelen in so harmonischem Gleichklang schwingen, daß Äußerlichkeiten daneben unwichtig wurden. Wie lange Jahre zwischen Hat-uaret und Uêset, so würde Hund nun den Kontakt zwischen Uêset und Achet-Aton halten.

In Uêset zurückgeblieben war auch Nefer-Sobek, mein eifriger, manchmal allzu wortreicher Haushofmeister. Königin Teje hatte ihn, mit meiner Zustimmung, als Ersten aller Haushofmeister und Ersten Verwalter Ihrer Majestät der Großen Königsgemahlin im Haus des Freudenfestes eingesetzt.

Eine kurze, fast heftige Debatte hatte es um Serâu gegeben. Ich wollte die kleine Libu-Sängerin und Harfenistin, die in den letzten sechs Jahren nicht nur meine Dienerin, sondern auch meine Geliebte – genau gesagt, meine Nebenfrau – gewesen war, aus meinen Diensten entlassen. Doch Beket-Amûn hatte mir energisch widersprochen:

»Das kannst du Serâu nicht antun! Wäre sie nur offiziell deine Frau – ganz gleich, ob Haupt- oder Nebenfrau –, so wäre gegen deine Entscheidung nichts einzuwenden. Aber Serâu liebt dich! Du bist Sinn und Mittelpunkt ihres Lebens! Irgendwann in einer zukünftigen Wiederverkörperung wird sie sich von dir lösen können, doch sie heute zu entlassen würde bedeuten, sie in eine seelische Wüste zu verstoßen, in der sie nicht überleben könnte!« Und dann wurde Beket-Amûn sehr praktisch. »Du und ich sind eins! Nichts und niemand wird uns je trennen können! Aber es wird Tage, Wochen, Monate, vielleicht sogar Jahre geben, in denen wir nicht zusammenleben können – und dann ist es mir lieber, ich weiß, mit wem du das Lager teilst, als daß ich rätseln müßte!«

So kam es, daß Serâu mit uns nach Achet-Aton reiste.

Mit langsamem Riemenschlag und geschwellten Segeln zog unsere Flottille den Strom hinab. Tausende von Menschen hatten sich zu beiden Seiten des Ufers versammelt und starrten uns schweigend nach.

Und dann heulte irgendwo eine Frau laut auf wie in einer Totenklage.

Der Schrei wurde aufgegriffen. Lief die Ufer entlang. Verfolgte uns noch, als wir schon längst das Stadtgebiet von Uêset verlassen hatten.

So heftig die Große Königsgemahlin Teje zu einem schnellen Aufbruch gedrängt hatte, jetzt, wo wir erst einmal unterwegs waren, schien sie plötzlich alle Zeit der Welt zu haben. Oder war es ganz einfach so, daß sich Teje selbst mit aller Energie zu dieser ungeliebten Reise gezwungen hatte? Daß sie sich selber mit ihrer Eile die Möglichkeit eines Rückzugs hatte abschneiden wollen? Daß sie nun jedoch, da die Entscheidung endgültig gefallen war, die vermutlich recht unerquickliche Begegnung mit ihrem Sohn ganz gerne noch ein bißchen vor sich her schob?

Schon gegen Mittag hatten wir unser erstes Zwischenziel erreicht.

Nakâda im Gau ›Zwei Falken‹ war die Keimzelle des ägyptischen Reiches gewesen. Vor rund 2000 Jahren war von hier aus König Meneji Hôr-Aha ausgezogen, um die Weiße Mauer von Men-nôfer zu überwinden und zum ersten König von Ober- und Unterägypten, Herr der Beiden Länder, der Beiden Kronen und der Beiden Throne zu werden.

Königin Teje nahm gerne die Gelegenheit wahr, mit ihrem Besuch von Nakâda die Kontinuität des Reiches und der das Reich regierenden Könige öffentlich zur Schau zu stellen – eine Kontinuität, die im Laufe der Geschichte zwar einige Male unterbrochen, nie jedoch völlig zerbrochen worden war.

Vor der schlanken Stele des Königs Meneji Hôr-Aha, aus gelblichem Kalkstein gefertigt und vom Falken Nakâdas und dem Setech-Tier der benachbarten Goldstadt Nubt gekrönt, brachte die Königin ein reiches Opfer dar, dem sich die Männer und Frauen ihres Gefolges anschlossen.

Der nächste Tag führte unsere Flottille weiter bis Onet im Gau ›Krokodil‹, das wir am späten Nachmittag erreichten. Hat-Hôr, die kuhköpfige, schönäugige Göttin der Liebe, ist die berühmte Herrin des Ortes, und so brachte auch ihr die Königin ein ehrfurchtsvolles Opfer dar.

Doch in Wirklichkeit war es nicht Hat-Hôr, der die Große Königsgemahlin hier ihre Aufwartung machen wollte.

Die Sonne war bereits untergegangen, und wir hatten auf unseren Schiffen damit begonnen, uns für die Nacht einzurichten, als die Königin Beket-Amûn, Tehuti-mose und mich zu sich rufen ließ. Nur von einer kleinen Leibwache begleitet, kehrten wir zu dem Tempel zurück.

Am Eingang des Tempels, dessen wuchtige Mauern und Säulen aus der Zeit des Mittleren Reiches stammten, empfingen uns zwei Priester. Durch ein kleines Pförtchen geleiteten sie uns in jenen Tempel, der sich hinter dem Heiligtum der Hat-Hôr verbirgt und nur den Eingeweihten und den Mitgliedern der königlichen Familie zugänglich ist. Hinter Hat-Hôr, der Göttin der Liebe, erhob sich die Riesengestalt von Nut, der Göttin des Himmels und der alles umfassenden Mutterschaft. Ihr Leib, der sich über die Erde wölbt, ist bedeckt von den Sternen, ihren Brüsten entströmt der Leben spendende Regen, aus ihrem Mund wird die feurige, goldene Sonne geboren und aus ihrem Schoß der milde, silbrige Mond.

Königin Teje zog sich fast sofort mit dem älteren der beiden Priester zurück, während wir Muße hatten, die Malereien und Reliefs an den Wänden zu studieren. Mit ihren etwas eckigen,

339

jedoch klaren Zeichnungen und der Sparsamkeit ihrer Farben stammten sie ohne jeden Zweifel aus uralten Zeiten, in ihren frühesten Teilen wohl sogar aus der Epoche König Meneji Hôr-Ahas.

Wir erkannten die 36 Dekangestirne – Anûb und Setech, den ibisköpfigen Tehuti und den pavianköpfigen Tehuti, Sachmet und Chons und Ihi und wie sie sonst noch alle hießen. Tehuti-mose wußte auch ihre wahren Namen zu nennen, die den Einge-weihten von Chemenu bekannt sind: Ka-hemhemet – ›Stier mit der Donnerstimme‹, Pauti-nenti – ›Urzeitlicher des Gegenhim-mels‹, Tepit-bes-es – ›Die über ihrer Flamme ist‹, Chemit-herit-denet-metu – ›Umstürzende beim Zerschneiden der Toten‹, Neru-ta – ›Hüter der Erde‹, Upi-teri – ›Der die Jahreszeiten schei-det‹, Herit-nemut-es – ›Die über ihren Schlachtbänken ist‹ oder Sechem-o-hui-cheftiu-ef – ›Mächtiger Arm, der seine Feinde schlägt‹.

An den vier Kardinalpunkten standen Êset und Neith, Selket und Nebet-hut. Nach diesen Gestirnen werden die Stunden der Nacht berechnet und der genaue Tag im Jahr; denn unabhängig von jedem Kalender erscheinen sie pünktlich zum gleichen Zeit-punkt am östlichen Horizont, steigen zehn Tage empor und ma-chen dann dem nächsten Stern der Folge Platz.

Auch die zwölf Sternbilder des Tierkreises waren hier abge-bildet, der ›Stier‹ und der ›Löwe‹, der ›betende Mann‹, ›Krokodil‹, ›Falke‹ und ›Nilpferd‹, die ›Gabenträgerin‹ und all die ande-ren, die jeweils über einen der zwölf Monate die Herrschaft ausüben.

Auf einer anderen Wand entdeckten wir die Wandelsterne, die neben Sonne und Mond nicht fest an Nuts Leib verankert sind, sondern die sich frei bewegen, oder, wie manche Astrono-men glauben, auf eigenen kristallenen Sphären ihre Bahnen zie-hen: der schnelle Tehuti und die am Abend- oder Morgenhim-mel erstrahlende, liebenswürdige Hat-Hôr. Der kriegerische Rote Hôr, der königlich leuchtende Amûn und der düstere, schicksals-schwere Usîre – ich nenne ihre Namen, wie sie im Volk ge-bräuchlich sind. Die Astronomen und Astrologen kennen zwei-fellos noch andere Namen für sie.

»Da! Schaut!« rief Tehuti-mose plötzlich aufgeregt und deutete auf eine weitere Gestalt in der Reihe der Wandelsterne. »Der *Verschleierte!* Also haben ihn die Astronomen schon vor Jahrhunderten gekannt und errechnet!«

»Habt die Güte, Hoheit«, bat ich lächelnd, »einem primitiven Soldaten Eure Erkenntnisse ein wenig zu erläutern.«

Tehuti-mose glühte förmlich vor Aufregung:

»Der Astronom Setech-mose in Chemenu lehrt …« Tehuti-mose stockte und korrigierte sich dann: »Nein, er lehrt *nicht*, er flüstert es seinen besten Studenten ins Ohr: nicht die Erde, die Sonne sei der Mittelpunkt des Universums. Alle anderen Sterne drehten sich um sie. Auch die Erde. Auch der Mond, der sich zudem um die Erde drehe. Allein nur so seien die ansonsten recht abstrusen Planetenbahnen erklärbar und mathematisch logisch zu berechnen.«

»Ich erinnere mich, bei meinem letzten Besuch in Chemenu vor einigen Tagen etwas dieser Art gehört zu haben«, warf ich ein.

»Wenn dem aber so ist«, fuhrt Tehuti-mose fort, »dann müssen die Planeten auch den Gesetzen der gegenseitigen Anziehung von Massen unterliegen. Wenn also der Rote Hôr am leuchtenden Amûn vorüberzieht, so wird sich sein Lauf ein wenig in Richtung Amûns verschieben. Steht er Hat-Hôr nahe, so wird seine Bahn eine Ausbuchtung nach dieser Seite erfahren.«

»Ja, das leuchtet ein«, gab Beket-Amûn zu, und Tehuti-mose fuhr fort:

»Nun wurden in der Bahn des bleichen Usîre Abweichungen festgestellt, die von keinem der bekannten Wandelsterne verursacht sein können! Was schließen wir also daraus?« fragte er ein wenig lehrerhaft.

»Daß da irgendwo noch eine Masse sein muß, welche diese Abweichungen verursacht – ein weiterer Planet vermutlich …«, antwortete Beket-Amûn.

»Genau!« jubelte Tehuti-mose begeistert. »Und diesen Planeten, den man den ›Verschleierten‹ nennt, oder auch den ›Unsichtbaren‹ oder den ›Magier‹, der ist hier abgebildet!« dabei pochte er mit dem Kopf seines Schlangenstabes gegen eine der

Relieffiguren. »Vor vielen Jahrhunderten haben die Astronomen den Verschleierten bereits berechnet, und da ist der Beweis!*«

Tief bewegte uns freilich eine ganz andere Darstellung: der Kreislauf der Sonne.

»Ich bin *Chepri am Morgen, Râ am Mittag, Atum am Abend und Usîre um Mitternacht.*«

Chepri, der Aufsteigende im Osten, Râ, der Leuchtende im Süden, Atum, das Urlicht im Westen und Usîre, der Herr des Nachtreiches im Norden.

Doch auch eine andere, mystische Deutung wurde geboten:

»Ich bin *Râ, der ewig lebende Râ, der stirbt in Usîre und der wiedergeboren wird als Chepri-Hôr aus dem Schoße der Êset.*«

Râ, der Leuchtende als Herrscher der Außenwelt, des Tages und des Südens stirbt am Abend im Westen mit Usîre, dem gemordeten Gott. Im nördlichen, mitternächtlichen Schoß der Innenwelt Êsets, der Urmutter, fügte sich sein Leib wieder zusammen und wird neu als Chepri-Hôr, das Kind, der Sohn, im Osten wiedergeboren.

Ägyptens ganzer Glaube um Leben, Sterben und neue Geburt war in diesem Bild enthalten.

Es war lang nach Mitternacht, als Königin Teje wieder zu uns stieß und wir auf unsere Schiffe zurückkehrten.

Hot-bauet im Gau ›Sistrum‹, das wir am Nachmittag des dritten Tages unserer Reise erreichten, um dort die Nacht zu verbringen, war eine freundliche, betriebsame Kleinstadt.

Sollte Königin Teje dort irgend etwas Besonderes vorgehabt haben, so fiel es aus. Seit wir den Tempel von Hat-Hôr und Nut verlassen hatten, war Teje auffallend schweigsam, blieb fast die ganze Zeit allein in ihrer geräumigen und luxuriösen Kajüte, die einen Großteil des Decks der *Stern von Ägypten* einnahm. Die eingeweihten Priester von Onet galten nicht nur als ausgezeichnete

---

* Die Berechnung des Uranus ist um 900 v. Chr. in Indien gesichert. Es gibt jedoch Hinweise, die darauf schließen lassen, daß Ägypter und Babylonier diese Entdeckung schon sehr viel früher gemacht hatten.

Sternkundige, ihnen hing auch der Ruf an, hervorragende Sterndeuter zu sein. Die Verschlossenheit der Großen Königsgemahlin ließ uns fürchten, daß die Voraussagen der Priester nicht allzu erfreulich gewesen waren.

Der nächste Tag brachte uns nach Abôdeu im Gau ›Großes Land‹. Seit Urzeiten ist Abôdeu das wichtigste Heiligtum des Usîre, des ermordeten und wiederauferstandenen Gottes. Neben dem großen Usîre-Tempel mit seinen geheimnisvollen Krypten besuchten wir das Grab des ersten Herrn der Beiden Länder, Meneji Hôr-Aha, einen mächtigen, prismatisch aus Ziegeln geformten, schmucklosen Hügel, der von den kleineren Grabhügeln seiner Vornehmen, Frauen und Diener umringt ist. Erneut ließ Königin Teje dem Gründer Ägyptens ein ehrfurchtsvolles Opfer darbringen, ebenso Usîre, dem Totenrichter und Herrn der Unterwelt, der gleichzeitig aber auch ein Gott der Fruchtbarkeit und des aufblühenden Lebens ist.

»Usîre, Du im Tode Lebender, Du bist das Samenkorn, das in die Erde fällt und stirbt, um tausendfältige Frucht zu bringen!« sang ein Priester während der Zeremonie.

Daß das Dekret des Königs Akh-en-Aton Ua-en-Râ zur Schließung aller Tempel der Götter nicht allzu genau befolgt wurde, das hatten wir in Chemenu, in Uêset, in Onet und an anderen Orten immer wieder beobachten können. In Abôdeu wurde es schlicht ignoriert. Nicht einmal ein paar symbolische Steine versperrten das Tor des großen Usîre-Tempels, und an hundert Altären brannten die Opferfeuer, sangen, beteten und segneten die Priester.

Seit alters pilgerten die Menschen, die ein Familienmitglied oder einen guten Freund durch den Tod verloren hatten, nach Abôdeu zu Usîre, um vor dem höchsten und letzten Richter aller für ihre Verstorbenen zu beten und von ihm ein mildes Urteil zu erflehen. Viele brachten sogar die Mumien ihrer Verstorbenen mit, um sie hier segnen zu lassen.

»Zu wem sollten die Menschen auch gehen mit ihren Verstorbenen, wenn nicht zu Usîre?« fragte Beket-Amûn. »Aton, die Sonnenscheibe, ist ein Gott der Lebenden – und nur der Lebenden! An wen sollen sich die Menschen wenden, wenn sie an einem Ort sind, den die Wärme seiner Strahlen nicht mehr zu erreichen vermag?«

Nicht wenige, die es sich leisten konnten, versuchten in Abôdeu eine Grabstelle zu ergattern oder zumindest einen Platz für eine Stele, einen Schrein oder eine Statue. So war der westliche Wüstenrand hinter dem Tempel ein einziger riesiger Friedhof, eine wirre Ansammlung von kleinen Grabanlagen, Miniaturtempeln, privaten Altären, behauenen Steinplatten, Monumenten und Statuen aus über fünfzehn Jahrhunderten, großenteils längst zerbrochen, vom Wüstenwind bis zur Unkenntlichkeit abgeschliffen und vom Sand verschüttet. Es war eine kunterbunte Mischung aus erhabener Feierlichkeit, hohlem Pomp, vornehmer Schlichtheit, gläubiger Demut, schierer Protzerei und manchmal sogar Lächerlichkeit.

Gerührt bemerkte ich die bescheidene Stele eines kleinen, offenbar gewaltsam ums Leben gekommenen Mädchens, die mit den frischen Blüten des Rittersporns, der ›Blume der Ewigkeit‹, bekränzt war. Daneben ragte die imposante, weit überlebensgroße Statue eines halbbedeutenden, fetten Gaubeamten auf, der freilich der Kopf fehlte. Ein kleines, kubisches Tempelchen erinnerte an König Amûn-em-Hat Ni-Maat-Râ, einen der bedeutendsten Herrscher des Mittleren Reiches. Und gleich daneben stand ein nur roh in Menschenform gehauener Steinblock, bei dem lediglich das Gesicht und ein steifer, dicker Phallus deutlich herausgearbeitet waren – zu mehr hatte das Geld des Auftraggebers wohl nicht gereicht; mehr schien ihm aber auch nicht wichtig gewesen zu sein.

Am nächsten Tag gelangte unsere Flottille nach Ipu im Gau ›Meteorstein‹. Königin Tejes Vater Juja war hier Großpriester des Min gewesen, und hier hatte die Königin ihre Kindheit verbracht.

Drei Tage blieben wir in Ipu, die Teje damit verbrachte, ihre verschiedenen, rund um die Stadt verteilten Güter zu besuchen, sich die Berichte ihrer Verwalter anzuhören, neue Anweisungen zu geben und leicht melancholisch Erinnerungen nachzuhängen.

Am 9. Tag unserer Reise erreichten wir dann Tu-kou im Gau ›Ruhender Setech‹ und am nächsten Tag Sioûti, wo wir zwei Tage als Gäste des Grafen Nacht-Upuaût blieben.

Hier wurde mir die Ehre zuteil, in dem unterirdischen Felsentempel an einer großen Opferfeier der Wolfsgöttin Upuaût, der ›Öffnerin der Wege‹, teilnehmen zu dürfen. Nacht-Upuaût, nicht nur Graf der Stadt, sondern auch Hoherpriester seiner Göttin, weihte in einer besonderen Zeremonie die Klinge meines Sichelschwertes – jenes Schwertes mit der Schneide aus Meteoreisen und dem Wolfskopf am Knauf, das mir der Sohn des Hapu einst geschenkt hatte und das seither stets an meiner Seite hing. Das Schwert wurde im frisch dampfenden Blut eines Opferstieres gebadet, über wirbelndem Weihrauch und lodernder Opferflamme getrocknet und schließlich mit geweihtem Wasser gereinigt, während mir Nacht-Upuaût Stirn, Mund, Herz, Hände und Füße mit Opferblut und heiligem Öl salbte.

Die Zeremonie machte mich nicht zum Wolfsmann. Als, wenn auch nur entfernteres, Mitglied des Königshauses konnte ich nicht Gefolgsmann eines Gaugrafen werden. Doch als dann einer nach dem anderen der anwesenden Wolfsmänner, mein treuer Necht an ihrer Spitze, vor mir niederknieten, sich bis zur Erde verneigten und mit ihren Zungen das Opferblut an meinen Füßen berührten, wurde mir klar, daß ich von dieser Stunde an mit dem unbedingten Gehorsam aller Diener der Öffnerin der Wege rechnen konnte, was immer ich ihnen auch befehlen mochte.

Am 13. Tag trafen wir schließlich in unserer vorletzten Station ein, Kuset, nur noch wenige Stunden von Achet-Aton entfernt, dort, wo der große Kanal König Se-en-Userhets vom Strom abzweigt – oder in ihn mündet, je nachdem, ob man ihn in der Jahreszeit der Überschwemmung oder in der Jahreszeit der Trockenheit betrachtet. Hier trafen wir die letzten Vorbereitungen für unseren Einzug in die Stadt der göttlichen Sonnenscheibe Aton und ihres ›Sohnes‹, des Königs Akh-en-Aton Ua-en-Râ.

Ich weiß nicht, was ich für einen Empfang in Achet-Aton eigentlich erwartet hatte. Kalte Ablehnung? Notgedrungene Duldung? Vielleicht zeremonielle Höflichkeit?

Auch Königin Teje schien es nicht zu ahnen. Im vollen Ornat der Großen Königsgemahlin, die Krone mit der hohen Doppelfeder auf dem Haupt, stand sie hoch aufgerichtet ganz vorne am Bug der *Stern von Ägypten* auf der kleinen, überdachten Plattform, die sonst der Platz des Lotsen war. Hinter ihr, auf dem Deck des Schiffes, hatten sich Beket-Amûn, Tehuti-mose, Semench-Ka-Râ, ich und alle anderen wichtigen Herren und Damen ihres Gefolges versammelt, angetan mit den besten Gewändern und mit allen Abzeichen der verliehenen Ämter und Würden.

Die *Stern von Ägypten* hatte sich von der begleitenden Flottille ein wenig abgesetzt und rauschte nun mit feierlichem Riemenschlag auf Achet-Aton zu, den Lichtort des Aton, jene Stadt, die seit sechs Jahren nach dem Willen des Königs die Hauptstadt des Reiches war.

Ich war zwar oftmals auf dem Strom an Achet-Aton vorübergekommen, hatte die Stadt selber jedoch nie betreten, die sich entlang des Flusses auf eine Länge von über einem Iteru und einer Breite von zehn Chet in einem sanft geschwungenen Talkessel des Ostufers ausbreitete.

Uêset und Achet-Aton, die alte und die neue Residenzstadt – schon vom Fluß aus gesehen könnte man sich kaum größere Unterschiede vorstellen. Beide Städte werden beherrscht von ihren mächtigen, ausgedehnten Tempel- und Palastbauten, doch damit endet jede Gemeinsamkeit. Im krassen Gegensatz zu Uêset, wo sich auf engem Raum eine Unmasse von Menschen zusammendrängt, ist Achet-Aton für eine Stadt recht dünn besiedelt. Der erste Eindruck von Uêset ist eine schier endlose, kompakte Masse an ockerfarbenen Häusern aller Formen und Größen, umwogt von einer ewigen Wolke aus Staub, Lärm und Gestank. Achet-Aton hingegen erscheint wie eine offene, üppig grünende und blühende Oase, in welche die Villen der Reichen und die sauberen, weiß gekalkten Häuser des einfachen Volks eingebettet liegen, umschwebt von den Wohlgerüchen des Weihrauches aus den Tempeln und dem Duft Abertausender von Blumen.

Wie gesagt, niemand von uns hatte eine Vorstellung davon, was für ein Empfang uns erwartete, doch was dann geschah, das übertraf bei weitem alles, was wir hätten erahnen können!

Die Stern von Ägypten war noch etwa zehn Chet entfernt, als wir bereits erkannten, daß das Ufer des Stromes schwarz von Menschen war, die uns mit Händen und bunten Tüchern entgegenwinkten. Halb Achet-Aton schien auf den Beinen, um uns zu empfangen. Vom Ufer lösten sich Dutzende von Binsenbooten und Barken, geschmückt mit frischen Blumen und gefüllt mit Menschen, die lange Bänder fröhlich in den Händen schwangen, ruderten uns entgegen, umringten uns, geleiteten uns zu dem südlichen Anlegeplatz beim Ufertempel des Aton. Und dort sahen wir bereits den König in vollem Ornat, umringt von seiner Familie und seinem gesamten Hofstaat, auf seinem hohen Thron unter einem luftigen Sonnensegel sitzen warten.

Kaum hatte die Stern von Ägypten an der Mole festgemacht und eifrige Diener eine Laufplanke vom Ufer zum Deck des Schiffes gelegt, als Seine Majestät von seinem Thron aufsprang und die Stufen heruntereilte, um seine Mutter und Große Königsgemahlin zu begrüßen. Strahlend umarmte König Akh-en-Aton Ua-en-Râ Königin Teje, küßte sie auf Wangen und Hände. Dann fiel er nicht minder herzlich Beket-Amûn um den Hals, dann Tehutimose, Semench-Ka-Râ und schließlich sogar mir, wobei er mich seinen »lieben, lieben Vetter« nannte.

In feierlicher Prozession wurden wir vom König selbst die Stufen hinaufgeführt, wobei er Teje bat, den hohen Thron der Großen Königsgemahlin unmittelbar neben seinem einzunehmen, den sie »viel zu lange!« nicht besetzt hatte. Eine Stufe niedriger war ein kleinerer Thronsitz für Tehuti-mose vorbereitet, und nochmals eine Stufe tiefer wurden schließlich Beket-Amûn, Semench-Ka-Râ und ich aufgereiht.

Mâ-au, die wie ein großer, geschmeidiger Schatten ihrer Herrin gefolgt war, setzte sich zwischen Beket-Amûn und mir auf ihre Hinterbacken, legte nach Katzenart ihren Schwanz ordentlich um ihre Pfoten, fauchte kurz, was Semench-Ka-Râ und einige Höflinge zusammenzucken ließ, und beobachtete dann mit ihren großen grünlich-goldenen Augen das weitere Geschehen.

Ein gut fünfhundert Personen umfassender Chor sang eine Jubelhymne auf die Familie Seiner Majestät, die nun »endlich wieder vereint« war.

»Kommt, begrüßt und verehrt die Große Königsmutter und Große Königsgemahlin, Königin von Ober- und Unteräygpten, Teje!« rief Umu-hanko, der Zeremonienmeister Seiner Majestät, mit dröhnendem Baß und fuhr fort:

»Kommt, begrüßt und verehrt den in Aton erstrahlenden Hôr-im-Nest, Prinz …«, Umu-hanko stockte einen Augenblick, dröhnte dann weiter: »… Mose, den Halbbruder Seiner Majestät und Eingeweihten in die Geheimnisse des Hauses allen Wissens zu Chemenu!«

»Begrüßt und verehrt den leiblichen Neffen Seiner Majestät, Prinz Semench-Ka-Râ, und die leibliche Schwester Seiner Majestät, Prinzessin Beket- …«, den Rest des Namens verschliff der Zeremonienmeister zu einem undeutlichen Gemurmel.

»Kommt und begrüßt den Vetter Seiner Majestät, den erhabenen murmelmurmel-hotep, den streng gebietenden General aller Garden der Großen Königsgemahlin und aller Streitwagen Seiner Majestät!«

Überrascht wandte ich mich zum König um, doch Akh-en-Aton Ua-en-Râ nickte mir breit lächelnd zu und winkte einigen Palastdienern, mir Siegel, Kommandostab und die übrigen Abzeichen meiner neuen Würde feierlich zu überreichen.

Die erste, die der Aufforderung des Herolds Folge leistete, war keine andere als Nofret-ête – heute ohne ihren bekannten blauen Hut. Ehrfürchtig sank sie vor Königin Teje auf die Knie, streckte die Arme aus, berührte mit der Stirn den Boden, küßte schließlich die Füße der Großen Königsgemahlin.

»Willkommen und dreimal willkommen, Majestät-Tante, in Achet-Aton! Möge der Ewige und Einzige Aton all Sein Licht, all Sein Leben, all Seine Kraft, all Seine Freude, all Seinen Glanz über Euch ausgießen, solange Ihr hier in Seinem Lichtort verweilt!«

Dann warf sich Nofret-ête vor Tehuti-mose zu Boden und hieß ihn willkommen, vollzog das Zeremoniell schließlich vor Semench-Ka-Râ, Beket-Amûn und schließlich sogar vor mir, wobei sie flüsterte:

»Laßt die Vergangenheit vergangen sein! Ich bitte Sie von ganzem Herzen! Laßt uns einen neuen Anfang machen hier in der Stadt des Lichtortes des Aton!«

Dann folgten die Töchter des Königs, die kleine dreijährige Sepet-en-Râ und die sechsjährige Nefer-nefru-Râ an der Hand ihrer Mutter Nofret-ête. Ihnen folgte die achtjährige Nefer-nefru-Aton, ein vorläufig noch etwas pummeliges Mädchen, das aber bereits zukünftige Schönheit erahnen ließ.

Mein Augenmerk richtete sich freilich vor allem auf die drei älteren Töchter des Königs. Sie waren groß genug, um im Spiel der Kräfte an diesem Hof durchaus schon jetzt oder zumindest in sehr absehbarer Zeit Gewicht zu haben!

Alle drei waren schlank, langbeinig und feingliedrig und hatten unzweifelhaft die erlesene Schönheit ihrer Mutter geerbt.

Die älteste, die dreizehnjährige Kronprinzessin Maket-Aton, war mir auf den ersten Blick sympathisch, und ich bemerkte, daß auch Tehuti-mose sie mit lebhaftem Interesse musterte. Ihre breite Stirn und die hoch angesetzten Wangenknochen erinnerten stark an ihre Großmutter Teje, von ihrem Vater hatte sie das längliche Kinn und den vollen, herzförmigen Mund. Sie war die am wenigsten hübsche der drei, doch ihre großen, braunen Augen strahlten eine Wärme aus, der sich niemand entziehen konnte. Liebevoll dirigierte sie einen sechsjährigen Jungen, ihren kleinen Halbbruder Tut-anch-Aton, den Sohn der verstorbenen Prinzessin Kija. Tut-anch-Aton war ein zartes Kind mit feinen Gesichtszügen und ernsten, ein wenig traurigen Augen.

Nachdem Maket-Aton ihre Großmutter, Tehuti-mose, Beket-Amûn, Semench-Ka-Râ und mich protokollgemäß begrüßt hatte, blieb ihr Blick unverwandt an Mâ-au hängen.

»Darf ich sie streicheln?« fragte Maket-Aton vorsichtig.

»Versuche es«, erwiderte Beket-Amûn freundlich.

Vorsichtig streckte Maket-Aton ihre schmale Hand aus und begann Mâ-au sanft über den runden Kopf zu streichen. Nach etwa einer Minute drehte die Gepardin mit halb geschlossenen Augen den Kopf ein wenig zur Seite.

»Sie möchte hinter den Ohren gekrault werden«, erklärte Beket-Amûn. Maket-Aton folgte eifrig der Anweisung, und bald schon produzierte Mâ-au irgendwo tief in ihrer Kehle ein sanftes, freundliches Grollen.

»Wenn es nach Mâ-au ginge«, lächelte Beket-Amûn, »dann könntest du jetzt mindestens eine halbe Stunde lang so weitermachen.«

»Aber gerne!« strahlte Maket-Aton, kauerte sich neben der Geparden-Dame nieder und begann sie hingebungsvoll zu streicheln und zu kraulen.

Unterdessen waren auch die beiden anderen, größeren Töchter des Königs mit ihrer Begrüßungsrunde bei uns angelangt.

Die elfjährige Merit-Aton mit ihren wachen Augen galt als die Klügste der drei. Die breite Stirn, die hohen Wangenknochen, das feste, kleine Kinn, die leicht abwärts gebogenen Mundwinkel erinnerten mich lebhaft an ihre Großmutter – so mochte Teje einst ausgesehen haben, als sie Amûn-hotep Neb-Maat-Râ heiratete und so sehr für sich gewann, daß er ihr die Hohen Federn der Großen Königsgemahlin aufs Haupt setzte. Merit-Atons Begrüßung war so zeremoniell formvollendet, daß nur ein sehr aufmerksamer Beobachter die vorsichtige, ja, fast schüchterne Zurückhaltung dahinter bemerken mochte.

Ihr genaues Gegenteil war Anchesen-pa-Aton. Lebhaft, selbstsicher und kokett, wirkte sie entschieden erwachsener, als dies ihre zehn Lebensjahre hätten erwarten lassen. Sie hatte das schmale Gesicht mit dem langen Kinn, den leicht schrägen Augenschnitt und die vollen Lippen ihres Vaters geerbt – vielleicht nicht eben die glücklichsten Voraussetzungen für eine Frau. Trotzdem war Anchesen-pa-Aton die unbestritten Hübscheste der Schwestern. Ihr Temperament erinnerte mich an Sat-Amûn, und die schwarzen Diamantaugen ihrer Mutter versprachen, daß man mit Anchesen-pa-Aton, obwohl nur die Drittgeborene, in Zukunft sehr wohl würde rechnen müssen. Die Art, wie sich Anchesen-pa-Atons Augen weiteten, als sie zur offiziellen Begrüßung vor Tehuti-mose hintrat, die Blicke, mit denen sie ihn förmlich verschlang, hatten sogar etwas sehr Erwachsenes an sich.

Den Reigen der Großen führten der ›Gottvater‹ Eje, Nofretêtes Vater, und Merie-Râ, der Großpriester und Zweite Prophet des Aton an.

Es dauerte Stunden, bis die großen Großen, die nicht ganz so großen Großen und die kleinen Großen des Hofes, der Tempel und der Stadt an uns vorübergezogen waren, um uns zu begrüßen, willkommen zu heißen und mit ihren ausführlichsten Segenswünschen zu überschütten.

Endlich rollten wir in einer farbenprächtigen, gold- und silberblitzenden Kavalkade über die breite Königsstraße hinauf zum Palast, den sich Akh-en-Aton Ua-en-Râ unmittelbar neben dem Haupttempel des Aton hatte errichten lassen.

Mit einem üppigen Festbankett war der Tage zu Ende gegangen, und längst blitzen die Sterne über Achet-Aton, als ich auf meinem leichten Streitwagen, gezogen von zwei Rappen aus Libu-Zucht, über die immer noch mit Öllampen und Schilffackeln hell erleuchtete Königsstraße hinabrollte. Tehuti-mose war im Palast geblieben – dies war schließlich jetzt sein Zuhause. Auch Beket-Amûn schlief dort zumindest für diese Nacht, denn ich hatte in Achet-Aton zwar ein Haus – aber auch zwei Ehefrauen …

Vor mir her rannte ein Palastdiener, der in einem fort schrie:

»Platz für den edlen und erhabenen Vetter des Königs! Macht Platz für den gestrengen General aller Streitwagen, Hotep, den Sohn des Neby!«

»*Hotep*«. Die Namen der Götter, und ganz besonders der Name ›Amûn‹, waren in der Stadt des Aton natürlich verpönt und verboten. Man legte uns dringend nahe, unsere Namen in Beket-Aton oder Beket-Râ, Aton-mose und Râ-hotep zu ändern; unter solchen Namen müsse man uns auch in den offiziellen Dokumenten führen. Ich verehre Râ, bete zu ihm, und Beket-Amûn, die Erzpriesterin des Râ in Onû, hätte vermutlich noch weit weniger gegen einen mit »Râ« zusammengesetzten Namen einzuwenden gehabt. Aber ein Name ist eben auch Teil der Persönlichkeit, Teil des Ich – man ändert dergleichen nicht einfach aus einer Laune oder aus Opportunismus!

Vor allem aber hatte Tehuti-mose dieses Ansinnen scharf zurückgewiesen:

»Wenn der Dreimal-heilige Tehuti hier unerwünscht ist«, hatte er erklärt, »dann nennt mich einfach ›Mose‹! An diese Kurzform bin ich aus meiner Kindheit bei den Benê-Jisrael ohnehin weit mehr gewöhnt als an meinen vollständigen Namen.«

So wurden wir denn zu »Mose«, »Beket« und »Hotep«. In den nächsten Tagen stellte ich fest, daß es in Achet-Aton noch eine ganze Menge anderer Hoteps, Merits, Bekets, Nachts, Moses und Nefers gab – Leute, die wie wir nicht bereit gewesen waren, ihre Namen aufzugeben.

Mein Führer war inzwischen von der breiten Königsstraße abgebogen, dirigierte mich durch eine lange Quergasse und weiter hinaus auf eine parallele, fast ebenso breite Straße.

»Das ist die Straße der Großpriester«, erklärte er im Lauf keuchend. »Dort vorne – das weitläufige Anwesen mit den Werkstätten – gehört Speckstein-mose. Dem Künstler. Es ist das östliche Ende dieses Blocks. Links die südliche Wadi-Gasse. Rechts die nördliche Wadi-Gasse. Das westliche Ende des Blocks gehört Ihnen, Herr. Links das Anwesen Râ-moses – des Ministerpräsidenten – ihres verstorbenen Bruders. Rechts Ihr eigenes Haus, Herr.«

Wir bogen in die nördliche Wadi-Gasse ein, rollten am Haus Speckstein-moses vorbei – ich erinnerte mich noch lebhaft an den jungen Bildhauer, der das Grab meines Bruders in Uêset ausgestattet hatte. Das nächste, weiträumige Anwesen gehörte Panhasa, dem bäurischen Landwirtschaftsminister. Dann folgte die über 60 Ellen lange Umfassungsmauer jenes Hauses, das ich in Achet-Aton besaß und bis zu dieser Stunde noch nie gesehen hatte.

Ich bog nach links in eine Nebenstraße ab, die mein Anwesen von einem weiteren Block Häuser trennte – und zog scharf die Zügel meiner Libu-Rappen an. Vor mir standen eine wutschnaubende Ern und ein dümmlich grinsender Hund. Das Gepäck, das ich von Uêset mitgebracht hatte, lag, die Straße blockierend, um sie herum. Serâu saß auf einer Truhe und klimperte auf einer Laute. Necht hatte ein schwabbelbäuchiges, glubschäugiges Individuum mit seinem knotigen Stock an der Umfassungsmauer meines Anwesens festgenagelt.

Ringsum beglotzten gut drei Dutzend Nachbarn und Neugierige das interessante Schauspiel.

Ich stieg von meinem Wagen ab, zog fragend die Augenbraue hoch.

»Das da«, erklärte Ern, wobei Necht mit seinem Stock ein wenig auf den Kehlkopf des Individuums drückte, damit dessen verzweifeltes Röcheln mir andeutete, wer gemeint war, »*das da* hat sich erlaubt, uns den Zugang zu Ihrem Eigentum zu verwehren.«

»Die Herrin hat befohlen, keinen Menschen einzulassen in ihr Eigentum und … grrpsch!«

»Das Eigentum meines Herrn Amûn-hotep meinst du wohl?« korrigierte Necht.

»Die Herrin oder die Herrin*nen*?« fragte ich.

»Gchrrr.«

Necht lockerte etwas den Druck auf den Kehlkopf des Individuums.

»Die Herrin Merit residiert allein im Südhaus, dem Haus ihres verstorbenen Gemahls Râ-mose. Hier gebietet … glllrrrch …«

Ich hatte genug gehört.

Die Tür zum Grundstück war verschlossen. Drei gezielte Tritte von Necht und mir sprengten sie auf. Den Garten, rund 900 Quadratellen groß, beherrschte ein weit ausladender Granatapfelbaum, darum gruppiert blühende Büsche und Stauden und ein Meer an Blumen, wie ich aus den Augenwinkeln bemerkte.

Das teilweise zweistöckige Haus mit der großzügigen Dachterrasse lag im hinteren Teil des Grundstücks*.

Ich sprang die sechs Stufen zum Eingang mit drei Schritten empor, stürmte durch die Vorräume und den Bittstellerraum, rempelte einen Diener, der mich aufhalten wollte, zur Seite und stand im großen Wohnraum, dessen Decke von zwei schlanken Säulen getragen wurde.

---

* In Ludwig Borchardt und Herbert Ricke »Die Wohnhäuser in Tell-el-Amarna«,
Berlin 1980, unter der Numer P 47.28 aufgeführt. Das Nachbarhaus des Râ-mose trägt
die Nummer P 47.19-20.

Und ich erschrak.

Weich, konturlos, ein wenig verschwommen, das waren die Charakteristika meiner Ersten Gemahlin May gewesen, als ich sie vor fast einem Dutzend Jahren zum letztenmal im Haus meines Vaters Neby, ›Weide der Rinder des Amûn‹, gesehen hatte. In den seither vergangenen Jahren war May einfach zerlaufen. Das, was damals, mit 22 Jahren, noch weich und sanft erschienen war, das war nun, mit 35, eine wabbelige Masse.

Umgekehrt zu ihrem Körper hatte sich die Stimme Mays entwickelt. Sie war jetzt, obwohl im Grundton weinerlich, laut, fordernd und dominierend:

»Hält es der gnädigste Herr tatsächlich einmal für angebracht, in Achet-Aton zu erscheinen und seinen längst fälligen Generalsrang abzuholen, um mich nicht länger als Gemahlin eines überalterten Oberst lächerlich zu machen?«

»Wenn das alles ist, was dich in den letzten Jahren beschäftigt hat, dann ist das Problem ja inzwischen gelöst«, knurrte ich.

»Keineswegs!« schrillte May. »Wie ich dich kenne, willst du jetzt wohl hier in mein Haus dein derzeitiges Betthäschen Beket-Amûn ...«

»Halte dein ungewaschenes Schandmaul!« brüllte ich sie an – und stockte. Unter der Tür stand Merit-Ptah, meine Tochter, Witwe meines Bruders Râ-mose und nunmehr meine zweite Gemahlin.

Obschon erst knapp Mitte Zwanzig, waren die Jahre, die ich auch Merit-Ptah nicht gesehen hatte, mit ihr ebenfalls nicht schonungsvoll umgegangen. Schlank war sie immer noch, tendierte offenbar zu der eher knochigen Figur ihrer Großmutter Apuya. Doch ihre einst feinen, sichelförmig geschwungenen Augenbrauen hatten sich inzwischen mißmutig nach unten gebogen. Ihre damals klaren, blaugrauen Augen waren rot umrändert. Die Winkel ihres kleinen Mundes hingen verdrießlich herab. Das früher kleine, energische Kinn war verschwunden.

Immerhin war Merit-Ptah im Gegensatz zu May eine gepflegte Erscheinung, tadellos geschminkt und sorgfältig gekleidet, auch wenn sie um mindestens 20 Jahre älter aussah, als ihr eigentlich zustand.

»Unser Herr Gemahl wird sich schon weiterhin, wie üblich, im Palast oder sonstwo herumtreiben und uns in Frieden lassen«, merkte Merit-Ptah spitz an.

»Dort sollte er dann auch seine erlesene Dienerschaft unterbringen«, fügte May hinzu. »Die herrschsüchtige Kuschitin, den faulen Knecht, den Blöden und die kleine Klimper-Hure!«

Ich hatte May stets respektiert als Tochter General Meis, eines Mannes, den ich achtete, und als Mutter meiner Tochter Merit-Ptah, und das, obwohl sie sich all die Jahre unserer Ehe geweigert hatte, ihren Pflichten als meine Frau auch nur im Ansatz nachzukommen. Sogar Beket-Amûn war bereit gewesen, auf sie als meine offizielle Erste Gemahlin Rücksicht zu nehmen. Auf der Reise nach Achet-Aton hatte ich beschlossen, gemeinsam nach einer für alle tragbare Lösung zu suchen. Doch daß May jetzt die Menschen, denen ich vertraute, die ich liebte, reihum beleidigte, das ging entschieden zu weit! Langsam stieg in mir eine eisige Wut auf.

Mays Stimme schraubte sich unterdessen in kreischende Höhen:

»In das Haus, in dem ich lebe, kommt mir dieses Gesindel auf jeden Fall nicht! Und auch nicht irgendwelche anderen Weiber, mögen sie nun Prinzessinnen sein oder nicht!«

»Das wird es auch nicht«, stellte ich mit eiserner Selbstbeherrschung fest, »denn du wirst dieses Haus verlassen!«

»Ich werde *was*?« schrie May mit überschnappender Stimme.

»Dieses Haus verlassen!«

»Ich denke überhaupt nicht daran! Ich werde …«

Mit zwei langen Schritten stand ich unmittelbar vor ihr:

»*Dein Antlitz ist mir wie dein Hintern. Hebe dich hinweg!*« schmetterte ich ihr die uralten Worte der Scheidungsformel ins Gesicht. »Und jetzt *raus*! Ern und Serâu werden dir beim Zusammenpacken deiner Sachen helfen. Die Scheidung werde ich morgen offiziell beim königlichen Oberrichter von Achet-Aton bestätigen lassen.«

»Du kannst doch nicht einfach kommen«, mischte sich Merit-Ptah ein, »und solch einen Skandal …«

Ich fuhr zu meiner Tochter-Gemahlin herum. Für ein paar

Sekunden bohrten sich unsere Blicke ineinander, dann wich Merit-Ptah zurück.

»Glaube bloß nicht«, maulte sie dabei, »daß du mich genauso leicht los wirst! Nach dem Tod deines Bruders mußtest du mich als mein nächster Verwandter heiraten, und ich habe nicht die Absicht ...«

»Du hast das Haus nebenan und alle anderen Güter Râ-moses geerbt. Für deinen standesgemäßen Unterhalt ist also reichlich gesorgt«, unterbrach ich Merit-Ptah. »Ich verzichte auf den Anteil, der mir als deine Mitgift rechtens zustünde. Lebe dort drüben oder wo immer du willst. Lebe in Frieden und nenne dich, wenn dir so viel daran liegt, auch weiterhin meine Gemahlin. Nur mische dich bitte nie mehr in meine Angelegenheiten, und maße dir bitte keine Rechte an, die ich dir ohnehin verweigern würde!«

»Ich werde keinen Schritt tun, um mein Haus zu verlassen!« zeterte May unterdessen.

»Dann werden wir Sie eben hinaustragen«, antwortete Necht, der mir mit Hund gefolgt war.

»Und wohin soll ich gehen, jetzt mitten in der Nacht?« begann May zu flennen.

»Für zwei oder drei Tage kannst du bei mir wohnen – länger freilich nicht«, gab Merit-Ptah Bescheid, und der Blick, den sie ihrer Mutter dabei zuwarf, war auch nicht eben von töchterlicher Liebe geprägt.

»Dies ist es, was Aton spricht!« intonierte Merie-Râ, der Großpriester des Aton. »Dies ist es, was Aton redet zu Seinem einzigen Sohn, dem König Akh-en-Aton Ua-en-Râ!«

Die vier Chöre, aufgestellt an den vier Seiten des Tempels, begannen einen langsamen, getragenen Gesang. Für uns, die wir in der Mitte des Tempels verweilten, entstand so fast der Eindruck, als singe der Tempel selbst, als spräche die Stimme Atons tatsächlich zu unserem König.

»Ich bin Aton, der Ewige, der Einzige, der Wahrhaftige
    Aton!
Du kommst zu Mir und jubelst, wenn du Meine Schönheit
    siehst,
Du, Mein Sohn, Mein Helfer, der aus der Wahrheit lebt
    für ewig!
Ich gehe auf um deinetwillen!
Mein Herz ist froh bei deiner schönen Ankunft in Meinem
    Tempel!
Meine Arme vereinigen sich mit deinen Gliedern,
Wie süß ist deine Anmut an Meiner Brust!
Ich lasse dich dauern in Meiner Wohnung!
Ich tue Wunder für dich!
Ich gebe deinen Ruhm in alle Länder der Erde,
Ich verbreite Ehrfurcht vor dir bis an die Stützen des
    Himmels!
Ich mache dein Ansehen groß in allen Menschen!
Ich habe dir das Land in seiner Länge und Breite gegeben,
Die westlichen und östlichen Völker sind unter deiner
    Aufsicht!
Du hast Meine Wohnung errichtet als ewig dauerndes Werk.
Größer sind deine Denkmäler als die irgendeines Königs,
    der gewesen ist.
Dafür lasse ich dich sitzen auf dem Königsthron unendliche
    Jahre,
    damit du die Lebenden leitest in Ewigkeit!«

Die Opferfeier zu Ehren der Ankunft der Großen Königsgemahlin Teje in Achet-Aton war von überwältigender Pracht – und
endlos.

Immer wieder wurden neue Opferstiere herbeigeführt. Immer wieder wurden die Flammen auf dem hohen Hauptaltar, wo
König Akh-en-Aton Ua-en-Râ als höchster Priester seines ›Vaters‹
Aton waltete, ebenso wie auf unseren ungezählten Nebenaltären
von diensteifrigen Tempeldienern neu angefacht. Von Fett und
Blut triefende Stierschenkel, ganze Hammel und Antilopen,
dicke Garbenbündel von Weizen, Hafer, Roggen und Gerste,

zahllose geschlachtete Tauben, Enten und Gänse, farbenprächtige Blumengestecke und Kränze, Körbe voll Brotfladen, ganze Hände voll der kostbaren Weihrauchkörner wurden wieder und wieder und wieder in die Opferflammen geworfen. Ströme von geweihtem Wasser, Milch, Wein und Öl überschwemmten den Tempelboden, durchnäßten unsere Sandalen, während die Tempelchöre Hymne um Hymne zu Lob und Ruhm des Einzigen Aton und seines Einzigen Sohnes Akh-en-Aton Ua-en-Râ sangen.

Ich weiß nicht, wie lange dieses vom König geradezu ekstatisch gefeierte Opferfest noch hätte dauern sollen. Die Sonne hatte ihren Zenit längst überschritten und brannte gnadenlos auf uns nieder. Wir alle – mit Ausnahme des Königs – waren restlos erschöpft, durchgeschwitzt, im Rauch der Opferfeuer halb erstickt.

Da erlöste uns die Große Königsgemahlin Teje. Offenbar am Ende ihrer Kräfte trat sie von ihrem Altar zurück, wandte sich um und verließ den Tempel. Fast alle anderen Anwesenden schlossen sich ihr unverzüglich an. Nur Merie-Râ, der Großpriester, mit seinen anderen Priestern, Nofret-ête und der ›Gottvater‹ Eje blieben bei dem ob unseres vorzeitigen Auszuges verblüfften König zurück.

Der große Tempel des Aton ist unbestritten das Zentrum der Sonnenstadt.

Mit einer Länge von 1500 Ellen und einer Breite von rund 600 Ellen umfaßt er ein Areal, das noch immer den bebauten Teil des Amûn-Reichstempels deutlich übertrifft, doch hat der König – den Göttern sei Dank – hier auf eine Anlage von überdimensionalen Ausmaßen, wie er sie seinerzeit in Uêset begonnen hatte, verzichtet.

Das Konzept war freilich gleich geblieben: Zentrum des Tempels ist der auf einem hohen, gemauerten Podest aufgebaute Altar des Königs, wo er unter freiem Himmel und den Strahlen seines ›Vaters‹ Aton die Opferriten vollziehen kann. Umgeben ist dieser Hochaltar von vielen kleineren Altären für die Großen seines Hofstaates und den ungezählten kleinen Altären für das Volk von Achet-Aton. Daß jeder sein eigener Priester sein sollte und er, der König, höchster Priester aller Priester Atons, das hatte Akh-en-Aton Ua-en-Râ beibehalten. Merie-Râ, der Großpriester, und sein Gefolge dienten eigentlich nur als Verwalter und Zeremonienmeister eines Mysteriums, das einerseits jedwedem zugänglich war, das andererseits jedoch nur einen einzigen Eingeweihten duldete, nämlich den König selbst.

Bek, der kugelbäuchige Sohn des Men und Erste Baumeister Seiner Majestät, der zweifellos auch diese Tempelanlage entworfen hatte, war mit den riesigen Tortürmen und den teilweise vorgesetzten Hallen, in denen sich gigantische Säulen mit noch gigantischeren Standbildern des Königs abwechseln, den Wünschen Akh-en-Aton Ua-en-Râs gefolgt. Wo man ihm allerdings freie Hand gelassen hatte, sind die Außenwände und Umfassungsmauern fein gegliedert durch vor- und zurückgesetzte Bauelemente, wie er sie wohl in Men-nôfer an dem herrlichen Tempel König Djoser Netscheri-Chets aus dem Alten Reich gesehen hatte. Schlank aufstrebende Büschel von Papyrus gliedern die größeren Flächen bis hinauf zu der ausgekehlten Mauerkrone, die mit einem umlaufenden Fries von Uto-Schlangen geschmückt ist. Überall auf den Flächen der Mauern, der Tortürme, der Säulen ist wieder und wieder und wieder König Akh-en-Aton Ua-en-Râ abgebildet, wie er seinem ›Vater‹ Aton Opfergaben darbringt, während die göttliche Sonnenscheibe dem König segnend ihre Strahlenhände entgegenstreckt. Fast immer wird er von einigen seiner Töchter begleitet und stets und überall von Nofret-ête. Deren Haltung und Größe in den Darstellungen, ihre selbstbewußte Namenskartusche neben der des Königs nebst ihrem Königsnamen Nefer-nefru-Aton – ›Die Schönste der Schönen in Aton‹ –, läßt keinen Zweifel offen, daß sie hier in der Stadt des Lichtortes des Aton die Königin ist.

Beket-Amûn, die neben mir auf meinem leichten Streitwagen stand, mit dem ich an diesem Abend gemächlich durch die Straßen und Gassen von Achet-Aton meinem Haus zurollte, bemerkte es vor mir:

»Ist dir aufgefallen, daß der größte Teil nicht nur des Palastes, sondern sogar des Aton-Tempels nicht aus haltbaren Kalk- oder sogar Granitquadern aufgebaut ist, sondern aus Lehmziegeln, die mit einer Schicht Gipsstuck überzogen wurden?«

Augenblicklich fiel mir die Bemerkung Beks ein: »*Die Stadt ist nicht für die Ewigkeit gebaut. Man sieht es nicht, aber ich weiß es.*«

Trotzdem ist es eine wunderschöne Stadt! Die unbestreitbar schönste in ganz Ägypten!

Großzügig geplant gibt es in Achet-Aton bei weitem mehr blühende Gärten, offene Parkanlagen, künstlich angelegte Teiche und kleine Seen, eifrig bewässerte grüne Rasenflächen und schattenspendende Baumgruppen als bebaute Flächen. Auffallend auch, daß es keine abgegrenzten Viertel der Reichen und Armen, der Handwerker, Händler und Tagelöhner gibt. Um die großen, manchmal recht protzigen Villen und Anwesen der Großen des Hofes reihen sich die Wohnstätten gewöhnlicher Leute. Die Häuschen einfacher Fischer oder Bediensteter stehen unmittelbar neben den Geschäften von Großkaufleuten. Auf den Straßen tratschen die Frauen von kanaanitischen oder kuschitischen Söldnern der Internationalen Garde mit ihren ägyptischen Nachbarinnen, und in einer gemütlichen Straßenschenke lachen ein paar Schreiber des Außenministeriums und ein Aton-Priester schallend über einen Witz, den ein vierschrötiger Bootsmann gerissen hat.

Der Block, in dem mein Haus steht, ist eigentlich typisch: Da gibt es zunächst die beiden riesigen Anwesen des Landwirtschaftsministers Panhasa und des verstorbenen Ministerpräsidenten Râ-mose. Dazu, nur halb so groß, mein eigenes Haus. Die ganze Ostseite nehmen das Haus und die Werkstätten Specksteinmoses ein – fast so ausgedehnt wie die Grundstücke von Panhasa und Râ-mose zusammen. In dem freien Geviert zwischen Speckstein-mose, Panhasa und Râ-mose haben sich jedoch ein Maurer, ein Mattenflechter, ein Tempelschreiber und ein Kuchenbäcker mit ihren Familien angesiedelt. Dazu noch die Witwe eines Hatti-Söldners und eine resolute Waschfrau mit lustigen Augen und roten Armen, von deren vier Kinder niemand so recht zu sagen wußte, wer die Väter waren.

»Eigentlich sehr konsequent«, stellte Beket-Amûn fest. »Aton sendet gleichermaßen seine Strahlen nieder auf Arm und Reich, auf Hoch und Niedrig. Weshalb sollte also in seiner Stadt der schlichte Sandalenmacher nicht in Eintracht neben dem Ministerpräsidenten wohnen?«

Eintracht.

Auch das ist ein Charakteristikum für Achet-Aton. Nie habe ich in einer Stadt mehr höfliche, hilfsbereite, liebenswürdige Menschen erlebt als hier. Wer denn unbedingt streiten will, der zieht sich dazu offenbar in den hintersten Winkel seines Hauses zurück, auf der Straße jedoch fällt kein lautes, kein unfreundliches Wort.

Und noch etwas: Achet-Aton ist blitzsauber! Auch in den besseren Vierteln von Uêset wirft man den Abfall einfach vor die Tür – irgendwie würde er von dort schon verschwinden oder festgetreten werden. Durch Achet-Aton rollen von Eseln gezogene Wägelchen, die den Unrat von Tür zu Tür einsammeln und ihn vor die Stadt hinausbringen, wo alles Verrottbare kompostiert, der Rest zum Aufschütten von Sumpfflächen verwendet wird. Auch könnte man hier bei absoluter Dunkelheit durch die kleinste Nebengasse schreiten, ohne Gefahr zu laufen, in Haufen menschlicher oder tierischer Exkremente zu treten, in Pfützen oder Bäche von Urin zu patschen – ein Unterfangen, das in Uêset selbst am hellichten Tag und in den Hauptstraßen durchaus Probleme bereiten kann.

Am Eingang meines Hauses wurden wir strahlend von Ern, Necht, Hund und Serâu begrüßt, die alle vier freilich einen reichlich müden und abgearbeiteten Eindruck machten. Weshalb, das wurde uns klar, als wir das Haus selber betraten: Es war eine einzige Baustelle. In den Vorräumen, dem Bittstellerraum, der großen Wohnhalle und den angrenzenden Nebenräumen hatten Necht und Hund den Verputz von den Wänden geschlagen, sogar die Böden herausgerissen.

»Nichts, aber auch gar nichts soll hier mehr an Ihre Exgemahlin May erinnern!« erklärte Ern bestimmt. »Und auch ihren Geist werden wir aus diesen Räumen austreiben!«

»Und wo können wir heute nächtigen?« fragte Beket-Amûn amüsiert.

»Im rückwärtigen Teil des Hauses haben wir einen unbenutzten Raum als Schlafzimmer hergerichtet. Auch das Badezimmer und der Schmink- und Salbraum stehen bereit. Wenn Ihr mir folgen wollt, Hoheit ...«

Der Schlafraum war mit einem Doppelbett, zwei geschnitzten und intarsierten Truhen und einem hohen Bronzespiegel ausgestattet. Stoffe in sanften Farben verhüllten teilweise die Wände, eine dreiflammige Öllampe aus Alabaster verbreitete ein warmes Licht, überall standen frische Blumen, und es roch wunderbar nach Weihrauch und verbrannten Dufthölzern.

»Seid Ihr zufrieden, Hoheit?« fragte Ern vorsichtig.

»Ich bin begeistert! Ich bin glücklich!« strahlte Beket-Amûn und schloß die grauhaarige Kuschitin in die Arme. »Und reden Sie mich bitte nicht mit ›Hoheit‹ an, sondern mit meinem Namen!«

Nach diesem anstrengenden Tag waren wir bald zur Ruhe gegangen und schnell eingeschlafen.

Irgendwann gegen Morgen träumte ich, König Akh-en-Aton habe befohlen, absolut lebensechte, *wahre* Statuen von Königin Teje, von Beket-Amûn, Tehuti-mose, mir und noch einigen anderen Personen, die ich im Traum jedoch nicht erkennen konnte, zu errichten.

Wir standen auf hohen Podesten, den Rücken an die Pfeiler eines Tempels oder Palastes gelehnt, und der König selbst, Nofret-ête, Eje, Pichuru und andere Höflinge begannen Steine und Lehmziegel herbeizuschleppen und um uns herum aufzumauern, um unsere Körper exakt nachzubilden.

Schon steckte mein Körper bis zu den Hüften in der entstehenden Statue, als ich begriff, daß wir auf dieser Art lebendig eingemauert werden sollten!

Entsetzt versuchte ich meine Beine und Füße zu befreien, doch der Panzer aus Stein und Ziegel hielt mich unerbittlich gefangen.

Ein stechender Schmerz im Rücken weckte mich, und gleichzeitig spürte ich meine verkrampften Beine, die sich noch immer nicht bewegen ließen, noch immer *eingemauert* waren.

Falls ich je eine Anlage dazu gehabt haben sollte, in Panik zu verfallen, so hatte man mir diese bei meiner Ausbildung an der Militärakademie gründlich ausgetrieben. Also untersuchte ich mit kühlem Kopf meine unbequeme Situation.

In meinem linken Arm schlief Beket-Amûn, den Kopf auf meine Schulter gebettet und dicht an mich gekuschelt. Soweit gut. Doch weshalb konnte ich meine Beine auch nach rechts nicht bewegen?

Ich versuchte es nochmals, und ein leises Fauchen lieferte die Erklärung.

Mâ-au, am vergangenen Tag notgedrungen von ihrer Herrin getrennt, hatte uns am Abend mit beleidigter Verachtung gestraft. Jetzt aber ruhte sie, dicht an mich geschmiegt, auf meiner rechten Seite.

Beket-Amûn war von meinen Befreiungsversuchen erwacht.

»Sie liebt dich inzwischen offenbar wirklich!« lachte sie leise, als sie meine Lage erkannte.

»Ich würde eine Form der Liebe vorziehen, die nicht mit Rückenschmerzen und Krämpfen in den Beinen verbunden wäre«, murrte ich.

Beket-Amûn rückte bereitwillig an den äußersten linken Rand unseres Bettes, um mir ein wenig Platz zu verschaffen, doch Mâ-au fühlte offenbar den verringerten Widerstand, streckte ihre langen Beine und preßte meine Schenkel erneut fest gegen Beket-Amûn.

»Es gibt wohl kaum eine Möglichkeit, Ihre erhabene Katzlichkeit davon zu überzeugen, uns ein wenig mehr Platz von unserem Bett zu überlassen?« fragte ich leise.

»Ich fürchte, nein«, gab Beket-Amûn kichernd zu.

»Dann«, beschloß ich, »werde ich heute in aller Frühe einen Schreiner aufsuchen und ein Bett bestellen, in dem genug Platz für drei – besser gleich vier Personen ist!«

Der Schreiner, den ich tatsächlich noch vor Sonnenaufgang aufsuchte, warf mir einen staunend anerkennenden Blick zu, als ich meine Bestellung aufgab. Vermutlich dachte er, ich wolle mich auf dem Riesenbett mit einem kleinen Harem an Frauen gleichzeitig vergnügen, und bewunderte meine Manneskraft. Er versprach unverzügliche Lieferung.

Etwas später an diesem Morgen ließ ich zwei meiner sechs Libu-Rappen anspannen und rollte gemächlich auf meinem Streitwagen durch die Einfahrt des großen Hauses meines verstorbenen Bruders hinaus in die südliche Wadi-Gasse. Obwohl ich das Haus meines verstorbenen Bruders Râ-mose meiner Immer-noch-Gemahlin Merit-Ptah überlassen hatte, war sie damit einverstanden gewesen, daß ich meine Pferde in den weiten und jetzt leeren Stallungen unterbrachte.

»Irgendwie kommt mir diese Stadt unwirklich vor«, stellte Beket-Amûn fest, die neben mir auf der Fläche des Wagens stand, ihre Zehen fest zwischen den Ledergurten verankert und Mâ-au dicht neben sich. »Wohin man schaut, all die grünen Bäume und blühenden Gärten, dazwischen die eleganten Villen der Reichen und die blitzsauberen Häuschen der einfachen Leute, die prächtigen Tempel, die gepflasterten Straßen, kein Dreck, überall freundliche Leute. Achet-Aton ist so unwirklich wie ein Märchen!«

»Können denn nicht auch Märchen manchmal Wirklichkeit werden?« fragte ich gut gelaunt zurück.

An der Einmündung der Wadi-Gasse in die Straße der Großpriester, dort, wo das weitläufige Grundstück Speckstein-moses unteren Häuserblock abschließt, kam es zu einem Stau. Zwar ließen mich die herumstehenden Leute freundlich passieren, doch die Straße selbst war gesperrt.

Von Süden herauf rollte eine farbenfrohe, überreich von Gold und Silber blitzende Kavalkade. Voran ein gutes Dutzend Wagen mit aufgesteckten bunten Standarten, besetzt mit Kriegern der Internationalen Garde. Ihnen folgte in leichtem Trab der goldbeschlagene Wagen Seiner Majestät. Akh-en-Aton Ua-en-Râ führte wie stets selber die Zügel der beiden leichtfüßigen Schecken mit den blau-weiß-roten Büschen aus Straußenfedern auf den Köpfen. Hinter ihm auf einem fast ebenso reich geschmückten Wagen rollte Nofret-ête einher.

»Sie sollte es besser unterlassen, es ihrem Gemahl gleichtun zu wollen«, raunte mir Beket-Amûn zu. »Schau nur, wie verkrampft sie auf der Plattform steht und wie sie die Zügel ängstlich viel zu straff an die Brust zerrt! Und ein Gesicht macht sie dabei, als habe man ihr zum Frühstück mit Essig vermischte Galle serviert!«

Hinter den beiden königlichen Wagen ratterten gut zwei Dutzend Gespanne hoher und höchster Beamter einher, und den Abschluß bildete erneut ein Dutzend der Internationalen Garde.

An der Einmündung der Wadi-Gasse parierte Akh-en-Aton Ua-en-Râ plötzlich seine Pferde durch, hielt an, sprang von der Plattform und eilte auf uns zu.

Während sich die Umstehenden ehrfurchtsvoll zu Boden warfen und Beket-Amûn und ich uns tief verneigten, war der König an meine Pferde herangetreten. Aus einer Tasche, die an seinem Gürtel hing, förderte er zwei Rüben hervor, die er den Rappen auf der flachen Hand zu fressen anbot, wobei er liebevoll ihre straffen, schwarzen Hälse klopfte.

»Ein herrliches Paar!« begeisterte er sich. »Woher hast du sie, Hotep?«

Beket-Amûn und ich waren inzwischen ebenfalls abgestiegen und neben den König getreten.

»Der Libu Osorkon hat sie mir im letzten Jahr geschenkt, als er mit einer Delegation in Uêset war«, gab ich Auskunft.

»Meine Schecken sind aus To-nuter«, plauderte Akh-en-Aton Ua-en-Râ weiter, während er mit Kennerblick meine beiden Rappen musterte und einschätzte. »Meine Schecken sind etwas gedrungener, erscheinen mir auch stärker – ob sie auch schneller sind?«

»Das käme auf einen Versuch an«, meinte ich.

Das Gesicht Akh-en-Aton Ua-en-Râs strahlte auf, seine schräg geschnittenen Augen begannen zu funkeln.

»O ja!« rief der König vergnügt. »Machen wir eine Wettfahrt! Kennt ihr beide schon meinen nördlichen Palast?«

Beket-Amûn und ich verneinten.

»Dann müßt ihr ihn sowieso ansehen! – Macht die Straßen frei bis zum nördlichen Palast!« rief der König den Männern der Internationalen Garde zu, die eilig mit ihren Wagen losrumpelten. »Und ihr kommt langsam nach«, wies er den Rest seines Gefolges an.

Beket-Amûn und ich stiegen wieder auf und rollten auf die Straße der Großpriester hinaus neben den Wagen des Königs.

Akh-en-Aton Ua-en-Râ stand ebenfalls wieder auf seinem Wagen und lockerte die Zügel, als wir Nofret-ête neben ihn auf die Plattform steigen sahen. Der König schien etwas einwenden zu wollen, doch Nofret-ête schmiegte sich schnell an ihn und gurrte:

»Du weißt, daß ich immer und überall bei dir sein muß! Außerdem willst du doch sicherlich keinen ungerechten Vorteil gegenüber Hotep, da seine Pferde ja offensichtlich zwei Personen durch die Straßen zerren müssen!«

Der König gab schweigend nach.

»Und los!« rief er.

Unsere Peitschen knallten, die Pferde zogen an, und schon rasselten wir in vollem Galopp die Straße der Großpriester entlang. Etwa nach zehn Chet, knapp oberhalb des protzigen Landsitzes, den sich Pane-hesi dort hingebaut hatte, jener stimmgewaltige Aton-Priester, der nicht nur den Titel eines Generalgouverneurs von Oberägypten trug, sondern sich zudem Oberaufseher über die Kornspeicher und Rinderherden des Aton nennen durfte, verlangsamte ich etwas das Tempo.

Meine Libu-Rappen hatten temperamentvoller angezogen, und der König lag fast augenblicklich eine knappe Pferdelänge hinter mir. So konnte ich ungehindert die erste Kurve nehmen, um in jene schmalere Seitengasse einzufahren, die mich auf die große Königsstraße bringen würde, welche sich der Länge nach durch ganz Achet-Aton zieht.

Beket-Amûn, eine ebenso hervorragende Wagenfahrerin wie ihre Schwester Sat-Amûn und die Mehrzahl unserer Familie, zog die schlanken Füße aus den Gurten, hielt sich locker mit einer Hand am Geländer des Wagens fest und trat hinaus auf die linke Wagenachse. Durch das zusätzliche Gewicht dort draußen war es ein Kinderspiel, den Wagen um die enge Linkskurve zu steuern.

Während wir die neun Chet der Gasse hinunterpreschten, glitt Beket-Amûn leichtfüßig hinter meinem Rücken vorbei und stand lachend, von den Schleiern ihres Gewandes umflattert, auf der rechten Achse, als ich in voller Fahrt das Gespann auf die Königsstraße hinauslenkte.

Aus den Augenwinkeln beobachtete ich, wie Akh-en-Aton Ua-en-Râ erst jetzt die erste Kurve und die Hälfte der Gasse gemeistert hatte, offensichtlich massiv behindert von Nofret-ête, die sich, kreidebleich im Gesicht, mit beiden Händen an das Geländer des Wagens klammerte.

Wir hatten schon fast den Palastbezirk erreicht, als der Wagen des Königs endlich ebenfalls in die Königstraße einbog. Doch jetzt, auf der schnurgeraden Strecke, ließ auch Akh-en-Aton Ua-en-Râ seine Pferde laufen, was deren Beine hergaben.

Als ich unter dem Erscheinungsfenster hindurchbrauste, das in der Mitte einer hohen, gedeckten Brücke angebracht ist, welche den östlichen mit dem westlichen Teil des Königspalastes verbindet, hatte der Wagen des Herrschers das Südende des Palastbezirks erreicht.

Weiter fegten wir, vorbei am großen Tempel des Aton, hinein in die Nordstadt mit ihren schmucken Geschäftsvierteln und großzügig angelegten Handwerksbetrieben. Überall hatten sich am Straßenrand Menschen versammelt, schrien, winkten, feuerten uns begeistert an.

Ich hatte am Anfang des Rennens den schnelleren Anzug meiner Pferde, in den engen Kurven das Geschick meiner Beifahrerin voll genützt, um einen möglichst großen Vorsprung zu gewinnen. Akh-en-Aton Ua-en-Râ hatte hingegen, sich der Behinderung durch Nofret-ête sehr wohl bewußt, den ersten Teil des Wettlaufes ruhig angehen lassen. Jetzt auf der Geraden spielte er die größere Stärke seiner Schecken aus und rechnete damit, daß meine Rappen langsam zu ermüden begannen. Nicht umsonst galt der König als der beste Wagenlenker des Landes.

Mâ-au schien das zu spüren. Sie sprang, wie um meinen Wagen zu erleichtern, von der Plattform herab und jagte mit weit ausgreifenden Sprüngen neben uns her.

Als der Rand der Nordstadt allmählich in ein nur noch locker bebautes, dafür mit um so größeren Gärten geschmücktes Land überging, hatte der Wagen des Königs bis auf zwei Chet aufgeholt. Doch vor uns wurde jetzt auch die Mauer und das Eingangstor des nördlichen Palastes sichtbar.

Noch einmal verlangte ich meinen Pferden das letzte ab und erreichte unter dem Triumphgeschrei Beket-Amûns tatsächlich als erster das Tor und zügelte meine schweißnassen, von Schaumflocken bedeckten Rappen.

Augenblick später war auch der König da, sprang von seinem Wagen ab, eilte auf uns zu, umarmte Beket-Amûn und mich.

»Was für ein herrliches Rennen!« rief er mit leuchtenden Augen. »Seit Jahren habe ich so etwas nicht mehr erlebt! Einen Preis für die Sieger!«

»Den haben wir eigentlich nicht verdient«, schränkte Beket-Amûn ein. »Ohne Nofret-ête hättest du uns um Längen geschlagen!«

Ein bitterböser Blick aus den schwarzen Diamantaugen der Königsgemahlin traf Beket-Amûn ob dieser Bemerkung.

»Vielleicht *hätte* ich tatsächlich«, lachte Akh-en-Aton Ua-en-Râ unterdessen fröhlich, »aber ich *habe* nicht! Als Siegespreis schenke ich euch die beiden Schecken. Kreuze sie doch mit deinen Rappen, Hotep; vielleicht kannst du eine Rasse züchten mit dem Temperament deiner Libu-Pferde und der Stärke meiner To-nuter.«

Unseren Dank wischte er kurzerhand beiseite:

»Das Vergnügen war es mir mehr als wert«, und fügte rasch hinzu. »Ach ja, der Wagen gehört euch natürlich auch ...«

Unterdessen waren Diener herbeigeeilt und begannen damit, unsere Pferde trockenzureiben und in die Stallungen wegzuführen.

König Akh-en-Aton Ua-en-Râ winkte Nofret-ête, ergriff dann

Beket-Amûn und mich bei der Hand und führte uns durch das Tor in den Nördlichen Palast.

Uns verschlug es buchstäblich den Atem.

Der zierliche, verspielte Palast, rund um einen künstlichen Teich errichtet, liegt in einem weiten Park, angefüllt mit den seltensten und exotischsten Bäumen und Pflanzen. Mit Kalksteinplatten ausgelegte Wege schlängeln sich durch sattgrüne Wiesen, um blühende Buschgruppen und mit Lotus bedeckte Weiher, um Blumenbeete von einer Farbenpracht, die sogar die gehegten und gepflegten Anlagen im Haus des Freudenfestes verblassen lassen.

Und überall gab es Tiere. Langhalsige Giraffen fraßen Blätter von den Bäumen, ein Rudel Paviane jagte kreischend über einen Felsen, elegante Antilopen und Gazellen ästen auf einer weiten Lichtung, im flachen Wasser eines Tümpels sonnten sich schwer gepanzerte Krokodile, exotisch bunt gefiederte Enten watschelten über unseren Weg, und im Schatten einer weit ausladenden Akazie ruhte eine Löwenfamilie. Wir sahen zwei mächtige Elefanten, borstige Schweine, langbeinige Strauße, Schakale und Wildhunde, eine ganze Kolonie rosafarbener Flamingos, Büffel mit seltsam gewundenen Hörnern, dicke Schildkröten, einen eitlen Pfau, der entsetzt vor Mâ-au Reißaus nahm, kleine schwarzweiß gestreifte Pferdchen …

»Man nennt sie Zebras und sie stammen weit aus dem Süden«, erklärte der König stolz.

Und all diese Tiere, die in freier Wildbahn gewiß nicht immer Freunde sind, leben hier in beschaulicher Eintracht zusammen, und erst bei näherem Hinsehen ist zu erkennen, daß breit angelegte Wassergräben und unter Blütenranken verborgene Mauern die natürlichen Feinde voneinander trennen und den paradiesischen Frieden dieses Parks gewährleisten.

Unter einer Gruppe schlanker Palmen hatten Diener in aller Eile Teppiche und weiche Kissen ausgebreitet, hatten zierliche, niedrige Tischchen aufgestellt und begannen damit, Obst, erfrischende Getränke, Schalen mit Nüssen und Süßigkeiten aufzutragen. Eine Gruppe von Musikantinnen mit Harfe, Laute, Flöte und Handtrommeln stimmte in einigem Abstand ihre Instrumente.

Inzwischen war auch ein Teil des Gefolges des Königs eingetroffen, und wenig später nach und nach auch seine Familie mit Ausnahme der Großen Königsgemahlin Teje.

Akh-en-Aton Ua-en-Râ nahm den blauen Kronhelm ab, den er mit Vorliebe trug, und ließ sich auf den schwellenden Kissen nieder. Beket-Amûn warf mir einen erschrockenen Blick zu, als sie den unverkennbar krankhaft aufgetriebenen Hinterkopf des Königs erblickte.

Nofret-ête, die sich im Inneren des Palastes schnell gebadet, umgezogen, ihren merkwürdigen blauen Hut gegen eine elegante Perücke vertauscht und sich neu geschminkt hatte, ließ sich nach kostbaren Salbölen duftend unmittelbar neben ihrem Gemahl nieder. Wir anderen verteilten uns in lockeren Gruppen rings um das Herrscherpaar, und Akh-en-Aton Ua-en-Râ forderte uns auf zuzugreifen.

Eine Stunde später lagen wir angenehm erfrischt und gesättigt, umrieselt von fröhlicher Musik, noch immer im Schatten der Palmen. Janch-Aton, der schmierige Finanzminister, der sich in unserer Nähe niedergelassen hatte, entpuppte sich immerhin als geistreicher Plauderer, der scharfäugig und scharfzüngig die kleinen Schwächen der anderen Höflinge aufzuspießen wußte. Oberst Chanî, der ehrgeizige Sohn des Aton-Großpriesters Merie-Râ, der zarte, sanfte Oberststallmeister Thai und der neue Außenminister Tutu steckten leise tuschelnd die Köpfe zusammen. Die kleine Mitanni-Prinzessin Taduchepa, die der König mit einer Reihe anderer der jungen und hübschen Nebenfrauen seines Vaters in den eigenen Harem übernommen hatte, schäkerte mit dem verlegenen Panhasa. Und Ministerpräsident Pichuru erzählte einen schlüpfrigen Witz, dessen Pointe er hoffnungslos vermurkste, was ihn nicht daran hinderte, selber am lautesten zu lachen und sich klatschend auf die Schenkel zu hauen.

»Hätten Sie Lust, Hoheit, und auch Sie, General, sich noch ein paar Besonderheiten dieses herrlichen Parks anzusehen?« fragte eine tiefe, wohlklingende Stimme in unserem Rücken.

Beket-Amûn und ich wandten uns um und blickten in die halb geschlossenen, hochmütigen Augen des ›Gottvaters‹ Eje, der sich hinter uns niedergekauert hatte.

»Weshalb nicht?« lächelte Beket-Amûn freundlich, während wir uns erhoben.

Der Vater Nofret-êtes erwies sich als hochgebildeter, kenntnisreicher Führer:

»Die Tanne ist eigentlich weit im Norden beheimatet. Sie soll dort bis 50 Ellen hoch werden und ganze dichte Wälder bilden. Ich hoffe, es gelingt unseren Gärtnern, sie am Leben zu erhalten«, erklärte er und deutete auf eine Gruppe steil pyramidenförmiger, kleiner Bäume, wobei er die gelblich braunen Spitzen der dunkelgrünen Nadeln kritisch musterte.

»Auch ihm ist es hier viel zu heiß! Man nennt ihn Bär«, fuhr der ›Gottvater‹ fort. Das schwere, rundliche Tier trug einen dichten, dunkelbraunen Pelz, verfügte über mächtige Krallen an seinen Füßen und gefährliche Reißzähne in seinem Maul.

»Die Mehrzahl der Pflanzen und Tiere fühlt sich hier ganz wohl«, erzählte Eje im Weitergehen. »Die Löwen beispielsweise sind von Natur aus faul. Wenn sie genug zu fressen bekommen, genügt ihnen ein recht kleines Territorium.«

»Er scheint sich allerdings nicht recht wohl zu fühlen«, schränkte Beket-Amûn ein und deutete auf einen über menschengroßen Affen mit langem, fast schwarzem Fell, ledriger schwarzer Nase und traurigen großen Augen, der unter einer Sykomore hockte.

»Er – eigentlich ist es eine *Sie* – ist nur einsam«, klärte uns Eje auf. »Sie stammt aus den Tropendschungeln weit drunten im Süden. Wenn es den Händlern des Königs gelingt, mit Hilfe der Kuschiten ein Männchen für sie zu beschaffen, dann wird auch sie wieder glücklich sein können.«

Wir waren bereits auf dem Rückweg, als Eje schließlich auf das Thema zu sprechen kam, um dessentwillen er uns offensichtlich zu diesem Spaziergang gebeten hatte:

»Beurteilen Sie, bitte, meine Tochter Nofret-ête nicht zu streng! Sie ist schön und intelligent. Ja, sie ist auch ehrgeizig. Meine Schwester Teje ist durch ihren Ehrgeiz und ihre Klugheit

schließlich auch auf den Thron der Großen Königsgemahlin ge-
langt. Ist Ehrgeiz wirklich ein so großer Fehler?«

Wenn er bis zum Mord geht, dann ja! hätte ich am liebsten geantwortet, doch ich schwieg und ließ den ›Gottvater‹ weiter reden.

»Nofret-ête ist eine glühende Gläubige des Leben spendenden Aton …« – alle äußeren Anzeichen sprachen tatsächlich
dafür, ging es mir durch den Kopf – »… sie liebt ihren Gemahl
innig …« – ihn oder seine Macht? – »… sie ist umgeben von
allem Glanz. Und doch ist ihr Leben keineswegs glücklich!«

»Stets nur die Zweite, gar die Dritte zu sein mag eine Frau, die
hoch hinaus will, manchmal schwer ankommen«, gab Beket-
Amûn zu.

Der ›Gottvater‹ Eje schüttelte scheinbar betrübt sein Haupt:
»Prinzessin Kija Usîre – verzeiht Hoheit, wenn ich so deutlich
über Eure Schwester spreche – war ein weinerliches, dümm-
liches, zu keiner Entscheidung fähiges und trotzdem hochfahren-
des Huhn.«

Beket-Amûn kicherte:
»Ich verzeihe Ihnen, Eje, Sie haben meine älteste Schwester
höchst trefflich beschrieben!«

»Seine Majestät«, fuhr der ›Gottvater‹ fort, »hat ihr Bett höchstens ein dutzendmal geteilt – und doch hat sie ihm seinen einzigen Sohn geboren! Nofret-ête ist seit ihrer Heirat die nahezu ausschließliche Geliebte des Königs – und doch hat sie von ihm nur
Töchter empfangen.«

»Wo ist das Problem?« fragte ich. »Nach unserem Recht sind
es doch gerade die Töchter, über welche die Erbfolge – auch die
Erbfolge der Krone! – geht!«

»Wenn es nur das allein wäre!« wehrte Eje ab. »Seit gut sechs
Jahren …«, die Stimme des ›Gottvaters‹ sank zu einem Flüstern
ab, »seit gut sechs Jahren ist Seine Majestät endgültig impotent …«

»Seine Krankheit, die auch seinen Hinterkopf mehr und mehr
auftreibt?« fragte Beket-Amûn.

Eje nickte nur.

»Und seine Töchter Nefer-nefru-Râ und Setep-en-Râ?« hakte
Beket-Amûn sofort nach.

»Aton, der alles Leben spendet ...«

Beket-Amûn wischte mit einer knappen Handbewegung die angesetzte Tirade auf Aton fort, fragte direkt:

»Was also ist Ihr Anliegen, ›Gottvater‹ Eje?«

»Meine Tochter hat sich hier in Achet-Aton ihre eigene kleine Welt geschaffen. Hier ist sie die Königin. Hier konnte sie, allen Problemen zum Trotz, glücklich sein. Das, worum ich Euch zu bitten versuche ist: Bewegt die Große Königsgemahlin Teje dazu, nach Uêset zurückzukehren!«

»Sie wird es nicht tun, solange das Land ...«

»Das Land!« wehrte Eje eilig ab. »Ich weiß, daß es im Lande nicht zum besten steht. Ich weiß, daß es da einige korrupte Beamte gibt. Ich weiß, wir werden da in den nächsten Wochen gründlich durchgreifen müssen. Ich verstehe die Große Königsgemahlin Teje ja durchaus. Schließlich war sie es, die viele Jahre hindurch die Geschicke Ägyptens lenkte und leitete.«

Eje hob die Hand zum Himmel, der strahlenden Sonnenscheibe entgegen:

»Ich schwöre bei Aton: All das, was Königin Teje veranlaßt hat, nach Achet-Aton zu kommen, das wird in den nächsten Wochen zu ihrer Zufriedenheit geändert werden! Euch, Hoheit, und Sie, General, möchte ich daher nochmals bitten: Bewegt Königin Teje dazu, nach Uêset heimzukehren. Zerstört nicht auch noch das letzte bißchen Glück, das sich meine Tochter Nofret-ête hier in Achet-Aton zu bewahren vermochte!«

Als wir zu der übrigen Gesellschaft zurückkehrten, klirrten die Sistren, klopften die Handtrommeln der Musikerinnen in einem harten, synkopierten Rhythmus zu den mal scharf akzentuierten, mal lang schleifenden Melodien der Flöten und Lauten. Vor dem König und seinen Gästen tanzte eine junge Frau, fast noch ein Mädchen. Bis auf eine hübsche Perücke und viel Schmuck war sie splitternackt. Geschmeidig drehte sie sich zu der Musik vor den gaffenden Blicken, ließ aufreizend die schmalen Hüften kreisen, sank vor einer Gruppe von Höflingen mit weit gespreizten Schenkeln auf die Knie, bog ihren Oberkörper zurück. Ihre schlanken Finger glitten wollüstig über ihre langen Schenkel, ihren flachen Bauch, ihre kleinen, festen Brüste. Den Männern hing fast die Zunge aus dem Mund. Im nächsten Augenblick war die Tänzerin wieder auf den Füßen, wirbelte in einer Pirouette davon und begann vor einer anderen Gruppe erneut ihr Sinne verwirrendes Spiel. Die silbernen Schellen, die sie sich um die Fußknöchel gebunden hatte, klirrten im Takt.

»Es wird Zeit, daß ich ihr einen ordentlichen Mann besorge!« zischte Eje hinter uns zornig.

»Wer ist sie?« fragte Beket-Amûn.

»Meine jüngere Tochter Mut-nodjemet, die Schwester Nofret-êtes«, fauchte der ›Gottvater‹.

Im nächsten Augenblick stürmte Eje los in den Tanzkreis, bekam seine Tochter am Arm zu fassen und riß sie brutal herum. Eine schmetternde Ohrfeige traf Mut-nodjemet mitten ins Gesicht, schleuderte sie zu Boden.

Die Musik brach ruckartig ab.

»Huch!« gab Prinz Semench-Ka-Râ, der sich Nofret-ête gegenüber, unmittelbar neben den König gesetzt hatte, von sich.

Akh-en-Aton Ua-en-Râ hob einschreitend die Hand, doch Eje beachtete ihn nicht. Er packte das Mädchen am Arm, riß sie hoch und schleppte sie dem Ausgang des Parks zu.

»Vier Wochen bei Wasser und Brot, allein in deiner Kammer eingesperrt, werden dir abgewöhnen, dich wie eine Hure zu benehmen!« verklang die vor Zorn bebende Stimme des ›Gottvaters‹.

Der König und Nofret-ête gaben sich alle Mühe, nach diesem Auftritt die heitere, gelöste Stimmung wiederherzustellen, und nach und nach folgten ihnen die erschrockenen Anwesenden, begannen erneut zu schwatzen, zu essen und zu trinken.

Einige freilich hatten von dem Ganzen überhaupt nichts mitbekommen. Die dreijährige Setep-en-Râ und die sechsjährige Nefer-nefru-Râ, die beiden jüngsten Prinzessinnen, waren zu klein, um das Geschehen zu begreifen. Merit-Aton und Nefer-nefru-Aton waren weiter entfernt in ein Ballspiel vertieft.

Der Hôr-im-Nest Mose hatte nur kurz den Kopf gehoben, hatte die Augenbrauen gerunzelt, und war dann zu seinem angeregten Gespräch mit Maket-Aton, der Ältesten Akh-en-Aton Ua-en-Râs, zurückgekehrt, zu dem sich die beiden jungen Leute unter einen Feigenbaum zurückgezogen hatten. Nicht weit von ihnen hatte sich Anchesen-pa-Aton niedergelassen und beobachtete mit schwarz funkelnden Augen unverwandt das Paar.

Längst schienen der lüsterne Auftritt Mut-nodjemets und das brutale Eingreifen Ejes vergessen, als der König, immer noch schweigend, nur dann und wann an seinem Weinbecher schlürfend, vor sich hin brütete.

Doch plötzlich erhob er sich, winkte um Ruhe. Die Gäste verstummten.

»Ich, Akh-en-Aton Ua-en-Râ, König von Ober- und Unterägypten, Herr der Beiden Kronen und der Beiden Throne, Einziger des Aton, Den Aton liebt!« verkündete er. »Der ›Gottvater‹ Eje, dem ich die Ehrentitel ›Einziger Freund des Königs Ua-en-Râ‹ und ›Der Gepriesene seines Herrn‹ verliehen habe, hat wie immer die Wahrheit gesprochen: Nicht gut ist es, junge Menschen allzu lange unverheiratet zu lassen. Ein Mann braucht eine Gemahlin. Eine Frau braucht einen Gemahl.

So bestimme Ich, der König: Noch ehe der Mond wechselt, wird Mein königlicher Bruder, der Hôr-im-Nest Mose, Sohn Meiner Schwester der Großen Königsgemahlin Sat, Meine älteste Tochter, die Kronprinzessin Maket-Aton, heiraten und zu seiner Ersten Gemahlin nehmen; denn er ist es, der einst in unzähligen Jubiläen Meinen Thron erben wird!

Des weiteren soll Mein königlicher Neffe Semench-Ka-Râ, Sohn des Hôr-im-Nest Tehuti-mose Usîre und seiner und Meiner Ersten Gemahlin Kija, Meine zweite Tochter, Prinzessin Merit-Aton, heiraten und zu seiner Ersten Gemahlin nehmen. Und sie sollen heiraten und fruchtbar sein und gesegnet werden von Aton, dem ewigen und einzigen Aton, Meinem Vater, damit Meine Enkel und Urenkel einst Meine Kronen tragen werden und Mein Thron aufrecht stehe in Ewigkeit!«

Akh-en-Aton Ua-en-Râ winkte die vier leicht verwirrten jungen Leute zu sich heran, umarmte und küßte sie, stellte sie dann neben sich auf: Mose und Maket-Aton zu seiner Rechten, Semench-Ka-Râ und Merit-Aton zu seiner Linken.

»Bringt all Meine Großen herbei! Ruft all Mein Volk zu mir! Alle sollen kommen und mit Mir feiern; denn heute ist der Tag der Verlobung Meines Bruders, des Hôr-im-Nest Mose, mit Meiner Tochter, Kronprinzessin Maket-Aton, und die Verlobung Meines Neffen, Prinz Semench-Ka-Râ, mit Meiner zweiten Tochter, Prinzessin Merit-Aton! Höre es, Ägypten, und jauchze! Überall im Land soll man verkünden diesen Tag des Glücks, und alle Menschen sollen sich mit uns freuen!«

In anderen Ländern sind Hochzeiten oft mit rauschenden Festen verbunden, bei uns in Ägypten sind sie in der Regel nicht viel mehr als ein trockener Verwaltungsakt.

Doch für die Doppelhochzeit des Hôr-im-Nest Tehuti-mose mit der ältesten Tochter des Königs und Kronprinzessin Maket-Aton und seines Neffen Prinz Semench-Ka-Râ mit seiner zweiten Tochter Prinzessin Merit-Aton hatte König Akh-en-Aton Ua-en-Râ alles an Glanz, Pracht und Jubel in Szene gesetzt, was Achet-Aton zu bieten hatte.

Vor Sonnenaufgang waren die Brautleute mit des Herrschers eigenem Wagen abgeholt und von in ihren Paraderüstungen prunkenden Trupps der Internationalen Garde geleitet in den großen Tempel des Aton gefahren worden.

Als dann Aton über den östlichen Horizont heraufstieg, hatte der König selber seinem ›Vater‹ ein großes Dank- und Bittopfer für die beiden jungen Paare dargebracht.

Sodann war man feierlich in die große Audienzhalle des Palastes hinübergeschritten.

Angesichts des gesamten Hofstaates, aller auch nur einigermaßen wichtigen Beamten, der vollzähligen Priesterschaft des Aton und der ausländischen Gesandten wurden die Heiratsverträge verlesen. König Akh-en-Aton Ua-en-Râ saß auf seinem hohen Thron unter den Strahlen einer massiv goldenen Aton-Sonne, neben ihm die Große Königsgemahlin Teje. Eine Stufe unterhalb seines Thrones waren thronartige Sitze für Tehuti-mose und Maket-Aton aufgestellt, und nochmals eine Stufe niedriger die Sitze für Semench-Ka-Râ und Merit-Aton.

Es dauerte eine ganze Weile, bis eine Reihe auserwählter Zeugen ihre Siegel unter die Eheverträge gesetzt hatten. Zuerst die Große Königsgemahlin Teje, dann unter anderen Beket-Amûn, ich, der ›Gottvater‹ Eje, der Großpriester des Aton Merie-Râ und Apy, der inzwischen weit über achtzigjährige Privatschreiber des Königs, der schon König Amûn-hotep Neb-Maat-Râ und dessen Vater gedient hatte. Uns folgten sodann Pichuru als Ministerpräsident und Generalgouverneur der Beiden Länder, Pane-hesi als Generalgouverneur von Oberägypten, und Menna, ein zu Aton übergelaufener Amûn-Priester, als Generalgouverneur von Unterägypten und den Deltagauen, sowie die 42 Gaufürsten und die 42 Gaugouverneure, die der König für diese Zeremonie eigens nach Achet-Aton zitiert hatte.

Erneut folgte, in mittlerweile glühender Mittagshitze, ein schier nicht enden wollender Ritus im großen Tempel des Aton, alles mit lautem Geschrei bejubelt von der vollzähligen Menge der in ihre besten Festtagsgewänder gekleideten Einwohner von Achet-Aton.

Das Festbankett mit wahren Gebirgen an erlesensten und raffiniertesten Speisen und Strömen an köstlichsten Weinen – immer wieder unterbrochen mit Einlagen von Sängern, Tänzerinnen, Akrobaten, Taschenspielern und Tierbändigern, reichlich durchmischt mit den Auftritten fremdländischer Gruppen, die Musik und Gedichte, Tänze und Vorführungen der Kraft oder Geschicklichkeit ihrer Heimatländer darboten – dauerte bis tief in die Nacht hinein, während draußen das Volk von Achet-Aton an langen Tafeln auf Kosten des Königs bis zum Platzen fraß und bis zum Umfallen soff.

Als sich schließlich die beiden Brautpaare zurückzogen, zählten Beket-Amûn und ich zu den wenigen noch halbwegs Nüchternen.

»Mit Tehuti-mose und Maket-Aton haben sich zwei verwandte Seelen gefunden«, raunte mir Beket-Amûn leise zu. »Ich bete zu den Göttern, daß sie ihr Glück genießen – solange es währt.«

Aufgeschreckt sah ich Beket-Amûn an, doch die winkte ab, bedeutete mir, ich möge nicht weiter in sie dringen.

»Dafür machte Prinz Semench-Ka-Râ«, merkte ich an, »einen sauertöpfischen und an seiner Braut eher desinteressierten Eindruck ...«

4. Papyrus

DER TREUE
VASALL

König Akh-en-Aton Ua-en-Râ
12. Regierungsjahr

Seit zehn Wochen waren wir nun in der Stadt des Lichtortes des
Aton, und wir schrieben Mitte des 4. Monats der Aussaat.

König Akh-en-Aton überschüttete, ja, erdrückte uns schier
mit seiner Herzlichkeit und seiner Zuneigung, erfand immer
wieder neue Feste und Vergnügungen und pompöse Zeremonien
in den verschiedenen Tempeln des Aton, die es in dieser Stadt
gab. Er dichtete neue Hymnen auf seinen ›Vater‹ Aton zu Ehren
seiner Mutter und Großen Königsgemahlin Teje. Er gab den Auftrag, für sie einen eigenen Aton-Tempel und einen eigenen Palast
zu bauen, plante gleiches für seine Schwester Beket-Amûn, den

Hôr-im-Nest Mose und seinen Neffen Semench-Ka-Râ. Mir schenkte er ein riesiges Landgut jenseits des Stromes und legte mir vierfach das Gold der Belohnung um den Hals. Mâ-au erhielt vom König ein eigenes weiträumiges Gehege mit Antilopen beim Nördlichen Palast zu Verfügung gestellt, das sie, an die Jagd nicht gewohnt, nicht nutzte, eine eigene Sänfte mit vier Trägern für feierliche Anlässe, die sie unbequem fand und daher mied, und ein goldenes Halsband, reich eingelegt mit Lapislazuli und Karneol, das sie mit einem gewissen Stolz trug.

»Akh-en-Aton Ua-en-Râ liebt seine Familie und alle, die irgendwie dazugehören«, bemerkte Beket-Amûn dazu. »Er liebt sie aufrichtig und mit aller Kraft seines großen Herzens!«

Und Nofret-ête gar! Königin Teje gegenüber war sie ganz die demütige, hilfsbereite, ergebene Nebenfrau, ja, fast die unterwürfige Dienerin. Beket-Amûn überschüttete sie mit Schmuck, seltensten Schminken und kostspieligsten exotischen Parfüms. Mich selbst suchte sie eines Abends persönlich in meinem Haus auf, um mir ein protziges Anwesen nahe dem großen Aton-Tempel als Geschenk aufzudrängen, da mein Haus doch viel zu klein sei und zudem viel zu weit vom Palast entfernt liege.

So angenehm in den Monaten der Aussaat bis in den zweiten Erntemonat hinein die Temperaturen am Tage sein mögen, die Nächte werden kühl, manchmal sogar empfindlich kalt.

Eines späten Abends, wie jetzt oft, lagen daher Beket-Amûn und ich beim milden Schein der Alabasterlampe, umschwebt vom Duft der Kräuter Erns, auf unserem neuen, überbreiten Bett, schlürften einen kleinen Becher des von Beket-Amûn hoch geschätzten Shedeh, dem feurigsüßen, roten Granatapfel-Likör, und redeten.

Wir redeten über uns. Über den König. Über seine scheinbar so völlig veränderte zweite Gemahlin Nofret-ête. Über Königin Teje, die seit ihrem Besuch in Onet in sich gekehrt, manchmal fast abweisend wirkte. Der unmittelbare Anlaß für ihre Reise nach Achet-Aton waren dynastische Überlegungen gewesen, doch fast ebenso sehr die unhaltbaren Zustände im Reich. Der erste Teil ihrer Aufgabe war problemlos gelöst worden, doch seit Onet schien sie zu zögern, auch den zweiten, freilich weit schwierigeren Teil, wirklich mit voller Tatkraft anzugehen.

Oder über Tehuti-mose und Maket-Aton. Der in seinem Denken kühne, in seinem nur mühsam gezügelten Temperament manchmal fast schroffe Hôr-im-Nest hatte in der sanften, freundlichen, herzensguten Maket-Aton eine ideale Gefährtin gefunden. Politisch-dynastische Erwägungen hatten die beiden zusammengeführt. Doch mit Freude beobachteten Beket-Amûn und ich, wie zwischen Mose und Maket-Aton eine innige Liebe aufblühte, in der wir unser eigenes Glück widergespiegelt fanden.

Oder auch über Merit-Aton. Ihr Gemahl, Prinz Semench-Ka-Râ, machte keinen Hehl daraus, daß ihm als Gemahlin die nur zweite Tochter des Königs im Rang als zu gering erschien. Zudem wollten Gerüchte nicht verstummen, daß sich der Prinz ohnehin mehr zum eigenen Geschlecht hingezogen fühle. Auf jeden Fall brüskierte er Merit-Aton mehrfach in aller Öffentlichkeit, was dazu führte, daß sich die Prinzessin mehr und mehr Mose und ihrer Schwester Maket-Aton anschloß. Vor allem die regelmäßigen Besuche im Haus allen Wissens zu Chemenu, wo Mose seine Tätigkeit als Lehrender und Lernender wiederaufgenommen hatte, begeisterten offenkundig die lernbegierige und wissenshungrige Prinzessin.

Doch so sehr ich das Zusammensein mit Beket-Amûn genoß, so bezaubernd das Leben in Achet-Aton war, etwas nagte in mir.

»Vielleicht ist es gerade diese überschäumende Herzlichkeit, die tief in meinem Innern ein irgendwie unangenehmes Gefühl auslöst«, gestand ich Beket-Amûn. »Jede neue Liebenswürdigkeit, jedes nächste Fest, jedes zusätzliche Geschenk facht auch einen weiteren Funken Unruhe, ja, Mißtrauen in mir an.«

»Ich weiß«, gab Beket-Amûn einfach zurück. »Mir ergeht es ebenso.«

Sie richtete sich ein wenig auf, stützte sich auf ihren Ellen-

bogen und blickte mich mit ihren übergroßen, klaren Augen liebevoll und doch nachdenklich an.

»Ich war nie in meinem Leben so glücklich wie jetzt mit dir,
Amûn-hotep«, fuhr sie fort. »Trotzdem habe ich immer wieder
Albträume. Ich kann diese Träume nicht recht fassen, aber es ist,
als ob ich gelähmt wäre – oder festgehalten würde – oder ...«

»Solche Träume hatte ich auch«, berichtete ich. »An den,
gleich in der ersten Nacht mit dir in diesem Haus, erinnere ich
mich noch genau: Von dir, mir, Teje, Tehuti-mose und einigen
anderen sollten lebensechte, *wahre* Statuen angefertigt werden.
Wir standen auf hohen Podesten und der König, Nofret-ête, Eje
und einige Höflinge begannen uns mit Steinen und Ziegeln lebendig einzumauern. Als ich freilich dann aufwachte, war es nur
Mâ-au, die sich so eng an mich gedrückt hatte, daß ich von der
Hüfte abwärts zur Reglosigkeit verurteilt gewesen war.«

Ich warf einen Blick auf die Gepardin, die es sich wie üblich
neben uns auf dem Bett bequem gemacht hatte:

»Vielleicht sollten wir doch überlegen ...«

Beket-Amûn schüttelte sehr ernst den Kopf:

»Mâ-au mag den Traum vielleicht ausgelöst haben, aber ich
bin sicher, daß du da noch etwas anderes gespürt hast!«

Als ich fragend die Augenbraue hochzog, fuhr Beket-Amûn
fort: »Vielleicht ist es dir nicht bewußt, aber auch du hast offenkundig die Gabe des *Sehens.* Eigentlich kein Wunder. Viele Menschen haben diese oder ähnliche Gaben – die einen stärker, die
anderen schwächer. Für einen König, der ja nicht nur weltlicher
Herrscher, sondern auch der erste und höchste Mittler zwischen
Göttern und Menschen, allerhöchster Priester und Eingeweihter
des Landes sein sollte, war früher solch eine Gabe absolute Voraussetzung, um überhaupt den Thron besteigen zu dürfen. Und
was für den König unabdingbar war, das galt in kaum vermin-
dertem Maß für die Fürsten dieses Landes. Man hat diese Gaben
über Jahrhunderte förmlich in unser Blut hineingezüchtet. Bei
mir ist die Gabe des *Sehens* besonders stark hervorgebrochen, aber
auch die Gabe des *Heilens.* Tehuti-mose hat diese Gaben ebenso
stark, vielleicht sogar noch stärker als ich, wie der Erzpriester
Satet-hotep an den Tempel in Men-nôfer schrieb. Du bist dem

Königshaus so nah verwandt wie ich. Weshalb also solltest du nicht auch solch eine Gabe besitzen?«

Ich zuckte mit den Schultern. »Woher soll ich das wissen?«

»Hattest du niemals Wahrträume?« bohrte Beket-Amûn. »Vorahnungen?«

Ich mußte lachen. »Vorahnungen mehr als einmal! Damals, als ich Dienst in der Wüste und in To-nuter machte, haben sie meinen Männern und mir vermutlich mehrfach das Leben gerettet – ich konnte in der Regel einen Hinterhalt förmlich *riechen*! Und dann, wenn ich einem Menschen zum erstenmal gegenübertrete, ist das – wie soll ich das ausdrücken? – als ob sein Innerstes völlig offen wäre …«

»Du kannst seine Gedanken lesen?«

»Nein, nicht seine Gedanken. Seine Seele! Ich weiß ganz einfach, wie er ist – gütig oder neidisch oder überheblich, weise, tapfer, eitel, dumm, großherzig oder verbohrt.«

»Und dieser erste Eindruck stimmt?«

»Unausweichlich! Manchmal dauert es Jahre, bis dieser wahre Charakter zum Vorschein kommt. Aber er kommt zum Vorschein! Genau so, wie ich ihn in diesem ersten Augenblick gefühlt habe.«

»Und da zweifelst du noch, daß du die Gabe des *Sehens* hast?« fragte Beket-Amûn lächelnd.

»Also gut«, gab ich nach. »Und was fange ich damit an?«

»Die Gabe weiter ausbilden, Liebster! Unausgebildet können diese Gaben zu einer echten Gefahr werden. Für dich und für andere – mitunter für ein ganzes Land!«

»Du denkst an den König?«

»Mein Bruder Akh-en-Aton Ua-en-Râ hat die Gabe zweifellos, doch er hat sich geweigert, sie entsprechend zu schulen. Und was hat er daraus gemacht?«

»Einen Traum?«

»Ein Traum, der, wie du und ich ahnen, zum Albtraum geworden sein mag.«

So paradiesisch Achet-Aton anmuten mochte, so prachtvoll die Zeremonien zu Ehren Atons zelebriert wurden, so heiter das Leben in dieser Stadt zu sein schien, so liebenswürdig, ja, voller Zuneigung sich der König gab, so elegant und rauschend die Feste waren, die er uns zu Ehren abhielt, mein offizielles Amt, für die Sicherheit der Großen Königsgemahlin Teje zu sorgen, war ebenso wenig vergessen wie die Aufgabe, unter allen Umständen das Leben Prinz Tehuti-moses zu schützen.

Nun, Prinz Mose – auch wenn wir unter uns waren, war er fast völlig zu dem Namen seiner Kindheit zurückgekehrt – war durch seine Wolfsmänner so gut bewacht, wie dies nur eben ging. Ern und Necht waren stets in seiner Nähe und hielten ein aufmerksames Auge auf alles, was rings um ihn herum geschah. Und es war auch nicht das Leben des jungen Hôr-im-Nest, das ich in Gefahr sah. Das, worum ich mir wirklich Sorgen machte, waren Gesundheit und Leben der Großen Königsgemahlin Teje!

Zwar war der getreue Heje stets in ihrer Nähe, doch der König hatte ihm als Haushofmeister des Prinzen Semench-Ka-Râ einen gewissen Cheruef an die Seite gegeben, einen kleinen, dünnen Eunuchen mit großen Ohren, scharfen Augen und schneller Zunge.

Paatem-em-Heb, der Befehlshaber der Internationalen Garde, hatte mir widerspruchslos das Kommando über alle Garden der Großen Königsgemahlin überlassen. Doch die kleine Truppe, die ich aus dem Haus des Freudenfestes mitgebracht hatte, war in Uêset zwar ausreichend gewesen, hier in Achet-Aton jedoch meinem Gefühl nach beträchtlich zu schwach.

Als ich daher eines Tages auf der Straße Oberst Seben-hesequschut begegnete, erschien mir das wie ein Wink der Götter. Ich lud ihn zu mir nach Hause ein. Zwar war ich nur einmal dem bärtigen Syrer begegnet, damals bei dem Aufruhr in Uêset, der mit dem Sturz des Obelisken vor dem Aton-Tempel geendet hatte. Gewiß, Schut, wie er sich kurz nannte, war ein Söldner, weder der Königin noch dem König noch sonst einem Menschen in Ägypten in seinem Herzen verpflichtet, doch seine vernünftige Ehrlichkeit damals hatte einen guten Eindruck auf mich gemacht.

Die Frösche hatten soeben zu ihrem vieltausendstimmigen

Nachtkonzert angesetzt, als Oberst Seben-hesequ-schut den Garten meines Hauses betrat, der auf Anweisung Erns mit Dutzenden von Öllampen stimmungsvoll erleuchtet wurde.

»Friede mit Ihnen und allen in diesem Haus!« begrüßte mich Schut strahlend.

»Der Friede sei auch mit Ihnen!« erwiderte ich höflich, ehe ich meinen Gast hereinbat und ihn zu dem Sitzplatz unter dem prachtvollen Granatapfelbaum führte, wo zwei gemütliche Sessel, ein reich mit erlesenen Speisen bedeckter Tisch und mehrere Amphoren Wein auf uns warteten. Der Oberst ließ sich in einen der Sessel fallen und griff mit beiden Händen zu.

In der nächsten Stunde plätscherte unser Gespräch belanglos dahin, immer wieder von großen Pausen unterbrochen, denn der Syrer fraß wie ein halb Verhungerter und soff wie ein Kamel, wobei er auf einen Becher verzichtete und, der Gewohnheit seiner Heimat gemäß, den Wein direkt aus der Amphore durch ein langes, abgeknicktes Silberrohr in seinen Mund sog.

Ich hatte unterdessen Zeit, mein Gegenüber näher zu begutachten. Oberst Schut trug noch immer seinen buschigen Vollbart und hatte seine dichten schwarzen, in Höhe der Ohrläppchen abgeschnittenen Haare mit einer gewundenen Schnur um den Kopf gebändigt, und auch Rock und Gürtel waren noch immer mit Fransen und Quasten verziert.

»Seine Majestät legt Wert auf exotisches Aussehen seiner ›Internationalen‹«, kommentierte Schut grinsend, als er meinen Blick bemerkte.

Unser seit bald zwei Jahrtausenden traditioneller, breiter Schulterkragen freilich war viel zu kleidsam, als daß er auf ihn verzichtet hätte. Und sein Ägyptisch war inzwischen fast fehlerfrei, wenn er es auch mit starkem Akzent sprach – dies vermutlich ebenfalls mit Absicht und auf allerhöchsten königlichen Wunsch.

»Und was steckt hinter dieser Einladung?« fragte Schut unvermittelt und wischte sich mit seinem von Fett glänzenden Handrücken den Mund ab.

»Eigentlich … wollte ich nur …«, stotterte ich, von seiner Direktheit ein wenig überrumpelt.

Schut beugte sich zu mir herüber, klopfte mir freundschaftlich auf den Arm und meinte mit vertraulich gesenkter Stimme:

»Sie sind ein guter, kluger und ehrlicher Mann, General. Davon gibt es nicht viele in Achet-Aton! Wenn Sie spezielle Fragen haben, dann fragen Sie. Ich werde Ihnen so gut antworten, wie ich kann. Wenn Sie jemanden besonders schützen wollen, Ihre Prinzessin oder den Hôr-im-Nest, werde ich Ihnen helfen. Und wenn Sie jemanden umbringen lassen wollen – werde ich mir das sehr wohlwollend überlegen!«

»Nein, ich habe nicht die Absicht, jemanden umbringen zu lassen«, gab ich lachend zurück. »Und der Fragen gibt es so viele, daß wir wohl mehr als eine Nacht brauchten, um sie zu beantworten. In einem haben Sie allerdings recht: Ich mache mir tatsächlich Sorgen um die Sicherheit! Weniger um die von Prinzessin Beket-Amûn und Prinz Mose. Aber ich mache mir durchaus Sorgen um die der Großen Königsgemahlin Teje!«

Schut lachte röhrend los:

»Dann *sollten* Sie jemanden umbringen lassen!«

»Wen?«

»Die Möchtegern-Königin Nofret-ête.«

Ich starrte den Syrer verblüfft an:

»Wie kommen Sie auf Nofret-ête?«

Schut lutschte hingebungsvoll aus seinem Silberrohr Wein, ehe er mir antwortete:

»Für Euch Ägypter bin ich, wie alle Ausländer, nur ein halb dressierter Affe. Aber selbst Affen haben eine gewisse Menge Verstand!«

»Ich bitte Sie, Oberst!« protestierte ich.

Schut feixte mich bloß an:

»Entweder Sie sind ein Trottel – oder ein wirklich guter Mensch!« Dann fuhr er fort. »Die schöne Nofret-ête hat den König seit vielen Jahren um den Finger gewickelt. Was ihr zu ihrem Glück fehlt, das sind die Hohen Federn der Großen Königsgemahlin. Königin Sat-Amûn hat gesagt, sie wollte ihren Bruder heiraten, um so die Federn zu behalten – und starb! Prinzessin Kija stand im Rang über Nofret-ête, gebar zur Freude des Königs einen Sohn – und starb!

Sechs Jahre durfte Nofret-ête in Achet-Aton ungestört wenn schon nicht Große Königsgemahlin sein, so doch zumindest so tun. Jetzt aber kommt die Große Königsgemahlin Teje in die Hauptstadt und ...?«

Oberst Schut zutzelte einen langen Schluck aus seinem Silberrohr, nickte ein paarmal langsam mit dem Kopf und fuhr schließlich fort:

»Ich werde Ihnen die besten Leute aus meiner Truppe schicken, General. Und ich werde selber ständig die Augen aufhalten! Ob es nützt – ich weiß nicht ...«

Dann beugte sich Schut so weit zu mir herüber, daß mir sein inzwischen reichlich mit Wein geschwängerter Atem ins Gesicht schlug, und flüsterte mir ins Ohr:

»Vor einem sollten Sie sich aber noch sehr viel mehr hüten und ihn noch gründlicher im Auge behalten. Das ist der Vater Nofret-êtes, der ach so uneigennützige ›Gottvater‹ Eje!«

Er hatte dem Sinne, wenn auch nicht dem Wortlaut nach, gelogen, der ›Gottvater‹ Eje, der ›einzige Freund des Königs Ua-en-Râ‹, der ›Gepriesene seines Herrn‹, Privatschreiber des Herrn der Beiden Länder, Auge und Ohr des Königs, Fächerträger zur Rechten des Königs, ungezählte Male ausgezeichnet mit dem Gold der Belohnung.

»All das, was Königin Teje veranlaßt hat, nach Achet-Aton zu kommen, wird in den nächsten Wochen zu ihrer Zufriedenheit geändert werden!« hatte er erklärt, ja, bei Aton geschworen.

Die ›nächsten‹ Wochen – das mochten 2 oder 20 oder 52 oder auch 102 Wochen sein ...

Geändert hatte sich bislang auf jeden Fall gar nichts!

Wann immer die Große Königsgemahlin Teje auf all jene Schwierigkeiten und Nöte zu sprechen kam, die das Land bedrückten, so war es, als würde sie – um bei meinem Traumbild zu bleiben – lebend eingemauert:

Seine Majestät König Akh-en-Aton Ua-en-Râ war zunächst viel zu sehr mit der Doppelhochzeit und unser aller Wohlbefinden beschäftigt gewesen. Dann überfiel ihn wieder seine Krankheit mit unerträglichen Kopfschmerzen und qualvollem Erbrechen, so daß er für drei Wochen in einem abgedunkelten Raum des Palastes das Bett hüten mußte.

Nofret-ête gab sich ahnungslos, was Politik und Verwaltung anbelangte. Und Eje schob das Fehlen jeglicher offizieller Ämter vor, auch wenn mehr und mehr deutlich wurde, daß er der fast allmächtige Schatten hinter dem Königsthron war.

Königin Teje zitierte also die Minister einen nach dem anderen vor ihren Thron. Sie hätte sich die Mühe sparen können.

Panhasa, der seit sechs Jahren das Landwirtschaftsministerium leitete, war voll des ehrlich guten Willens, jedoch so hoffnungslos unfähig, daß er weder eine brauchbare Information liefern konnte noch einen Befehl ordentlich weiterzugeben verstand.

Janch-Aton, der Finanzminister, rückte gleich mit 18 seiner untergebenen Schreiberlinge an, redete fünf Stunden am Stück, jonglierte mit Zahlen und Tabellen, Gold- und Getreidepreisen, Steuereinkünften und Militärausgaben, offiziellen, inoffiziellen und halboffiziellen Staatskassen, und das alles so verwirrend und geschickt, daß ihm nicht eine einzige seiner offenkundigen Betrügereien auch nur im Ansatz nachweisbar gewesen wäre.

Mahû, der Polizeipräfekt ließ zwei Dieben die Hand abhacken, elf Wüstenräuber aufhängen, zwei Dutzend Männer zur Zwangsarbeit in die Goldminen abführen, eine Frau steinigen sowie etwa fünfzig Leute auf öffentlichem Markt durchprügeln und war der Überzeugung, damit dem König bis auf weiteres vorzüglich gedient zu haben.

Menna, der davongelaufene Amûn-Priester und Generalgouverneur von Unterägypten, mußte zwar einräumen, daß er seit zwei Jahren keinen Fuß mehr in die Deltagaue, die er doch regieren sollte, gesetzt hatte, wand sich wie ein Aal und entglitschte schließlich jeder nachweisbaren Schuld an den Mißständen dort.

Der Ministerpräsident Pichuru schob dringende Termine als Oberbefehlshaber des Heeres in Men-nôfer vor, um überhaupt nicht zu erscheinen.

Pane-hesi, der Generalgouverneur von Oberägypten, empörte

sich lautstark und wortgewaltig über die niederträchtigen Verleumdungen, die behaupteten, in seinem Machtbereich stehe nicht alles aufs Trefflichste zum Wohl des Volkes, und drohte, er werde diese niederträchtigen Lügenmäuler eigenhändig vor den Thron der Großen Königsgemahlin schleifen.

Und wenn es schon den Spitzen der Beamtenschaft gelang, sich reinzuwaschen, wie viel leichter vermochten dies dann erst die Beamten der mittleren und unteren Ebene. Zwar gaben einige sogar zu, daß da und dort das eine oder andere Versäumnis stattgefunden haben mochte. Aber sie alle waren ja schließlich an ihre Weisungen und Vorschriften gebunden und damit schuldlos. Legte Königin Teje ihren Finger auf einen allzu offensichtlichen, allzu gut nachweisbaren Mißstand, so schoben die kleinen Beamten die Schuld auf ihre Vorgesetzten, diese auf die Gouverneure der Gaue und diese weiter auf die Generalgouverneure, welche jede Verantwortung unverzüglich die Hierarchieleiter wieder hinunterschickten oder, wenn denn gar nichts mehr half, sich auf irgendwelche Anordnungen des Königs beriefen, welche dieser in seiner offenkundigen Ahnungslosigkeit vermutlich sogar erlassen hatte.

Am 3. Tag des ersten Monats der Ernte machte eine Flotte von drei großen Schiffen an der Mole von Achet-Aton fest. Es waren prachtvolle Fahrzeuge, gut 70 Ellen lang, mit breiten in Gelb, Rot und Schwarz gemusterten Segeln, farbenprächtig bemalt, mit geräumigen Deckshäusern und sogar Stallungen für Pferde an Bord.

Waren schon Schiffe dieser Größe selbst in Achet-Aton nicht eben alltäglich, so lockte erst recht die durchweg dunkelhäutige Besatzung die Neugierigen an. Während die Männer und Frauen aus Wawat, südlich des Gaus ›Bogenland‹, uns in Aussehen und Tracht noch recht ähnlich sind, wird die Hautfarbe, je weiter man nach Süden, nach Kusch, kommt, um so dunkler, werden die Nasen kürzer, die Nasenflügel breiter, die Lippen wulstiger. Die grellbunten Stoffe und Leopardenfelle, die massiven Goldringe an Armen, Ohren und sogar Nasen und die kurzen, abstehenden Perücken unterstrichen noch das fremdländische Aussehen dieser Menschen.

Kaum waren die drei Schiffe an der Mole vertäut, begann die Besatzung Pferde und Wagen an Land zu bringen und anzuschirren. Eine kleine Abteilung Soldaten mit Bogen und Speeren trat unter der Standarte des Hôr-achti, des göttlichen Falken von Kusch, an. Geschenke wurden ausgeladen, darunter fünf lebende Strauße, eine Giraffe und in einem Holzkäfig ein Leopardenpärchen. Ihnen folgte eine Gruppe von Tänzerinnen und Musikern mit dicken Trommeln und seltsam geformten Rasseln.

Als sich die verschiedenen Gruppen unter den schnellen Kommandos von drei Offizieren einigermaßen geordnet hatten, öffnete sich die Tür des Deckshauses auf dem größten der drei Schiffe. Hervor trat, angetan mit allen Abzeichen seiner Würde, Huja, der Sohn der Dame Un-her, Vizekönig von Wawat und Kusch, mit seiner Schwester und Gemahlin Tae-muad-jsi, dem kleinen Prinzen Heka-nefer, Sohn des Fürsten von Aniba, und einem Dutzend Rudus, wie die höchsten Beamten im Süden genannt werden. Mit festem Schritt kam Vizekönig Huja die Laufplanke herab und bestieg mit seiner Gemahlin, dem kleinen Kuschitenprinzen und den Rudus die wartenden Wagen. Unter dumpfem Trommelschlag setzte sich der Zug in Bewegung Richtung Königspalast.

Ich war Vizekönig Huja im Haus des Freudenfestes schon mehrfach begegnet. Obwohl kaum mittelgroß und ein wenig kurzbeinig, strahlte der schwerknochige, kantige Mann mit der hohen Stirn, dem wuchtigen Unterkiefer und den harten Augen Würde, Energie und Macht aus. Hoch aufgerichtet stand er auf seinem Streitwagen. Man sah es ihm an, daß er gewohnt war zu befehlen und es verstand, seine Anordnungen auch durchzusetzen. Wer freilich genauer hinsah, der konnte sehr wohl auch die tief eingeschnittenen Sorgenfalten auf der Stirn des Vizekönigs erkennen, die eingegrabenen Linien des Verdrusses um seinen Mund.

Seine Schwester und Gemahlin neben ihm war gewiß einen halben Kopf größer und mindestens fünfzehn Jahre jünger. Tae-muad-jsi war eine langbeinige, schlanke Schönheit mit vollen Brüsten und knabenhaft schmaler Taille. Ihr feines Gesicht war fast katzenhaft dreieckig, Lippen und Brauen klar gezeichnet, die Augen sehr dunkel und verträumt. Diese Augen schienen stets etwas in weiter Ferne zu erblicken, was allein Tae-muad-jsi sichtbar war.

Heka-nefer, der Sohn des Fürsten von Aniba, der als dritter auf dem Wagen des Vizekönigs mitfuhr, mochte etwa im gleichen Alter wie Prinz Tut-anch-Aton sein. Gekleidet war er in die offizielle Amtstracht der Fürsten aus Wawat. Über seinem Rücken hing wie ein Mantel das Fell eines Leoparden, und die langen Enden seiner bunt gestickten, breiten Schärpe baumelten über den knappen, weißen Rock fast bis zum Boden herunter. Ein weißes Band, in dem weiße Straußenfedern steckten, hielt seine kurze Perücke zusammen, und sein Schmuck an Handgelenken und Ohren waren massiv goldene Reifen. Fast hätte der kleine Prinz wie eine Puppe ausgesehen, wenn nicht seine großen Kulleraugen so lebhaft hin und her geblitzt wären, um all das Neue einzufangen, das sich ihm hier darbot.

Der Empfang im Palast war festlich und langatmig wie üblich. Höflichkeiten und Lobreden wurden ausgetauscht, die Geschenke überreicht. Ein Opfer im großen Aton-Tempel folgte – noch festlicher, noch langatmiger.

Doch als Vizekönig Huja ansetzte, von dem zu sprechen, was ihn eigentlich in die Hauptstadt des Reiches geführt hatte, winkte König Akh-en-Aton Ua-en-Râ ab. Er sei von seiner Krankheit noch erschöpft und müsse nun ruhen. Was immer der Vizekönig berichten wolle, habe gewiß Zeit bis morgen oder übermorgen. Vorläufig möge er sich doch von der anstrengenden Reise ausruhen und die Schönheit des Lichtortes des Aton genießen.

Fünf Tage ertrug es Vizekönig Huja, auf morgen und morgen und morgen vertröstet zu werden. Dann suchte er dringendst um eine Audienz bei der Großen Königsgemahlin Teje nach.

Sehr zeitig an jenem Morgen erschien Heje, der getreue Haushofmeister Tejes, in meinem Haus und bat Beket-Amûn und
mich, zur Königin zu kommen.

»Und, Hoheit«, fügte Heje mit einer tiefen Verneigung vor
Beket-Amûn hinzu, »Ihre Majestät die Große Königsgemahlin
läßt Eure Hoheit bitten, Eure ›Mondschale‹ mitzubringen.«

»Ich warte schon seit einiger Zeit auf diese Bitte meiner Mutter«, vertraute mir Beket-Amûn an, während sie aus einer der intarsierten Truhen in unserem Schlafraum ein mittelgroßes Kästchen, gefertigt aus dem wertvollen, polierten Holz der Eibe,
hervorholte. »Die Astrologen in Onet müssen meiner Mutter ein
paar recht unangenehme Dinge gesagt haben. Seit wir den Tempel der Nut verlassen haben, ist sie ausgesprochen unruhig und
reizbar. Sie scheucht ihre Dienerschaft herum und schreit ihre
Schreiber an, was sonst nie ihre Art war. Dann schließt sie sich
wiederum tagelang in ihren Räumen ein und will keinen Menschen vorlassen.«

»Und jetzt sollst du die Astrologen von Onet widerlegen?«
fragte ich.

»Oder bestätigen. Wenn ich *sehe*, kann ich nicht lügen. Ich
kann das eine oder andere vielleicht verschweigen, aber niemals
die Unwahrheit sagen!«

»Und wird Königin Teje die Wahrheit, vor allem eine unangenehme Wahrheit, ertragen?«

Beket-Amûn warf mir einen langen Blick zu, dann nickte sie:
»Doch, das wird sie. Meine Mutter ist, bei all ihren Fehlern,
eine große und starke Frau, eine wahre Königin. Was sie nicht ertragen kann und will, das sind allein Zweifel und Ungewißheit.
Aber komm, sie erwartet uns!«

Wenig später öffnete Heje, der Haushofmeister, die Tür zu
einem kleinen, privaten Raum der Großen Königsgemahlin, den
sie sich sehr ähnlich wie im Haus des Freudenfestes oder davor
im alten Per-aa zu Uêset eingerichtet hatte. Zunächst war ich verblüfft, denn Beket-Amûn und ich waren keineswegs die einzigen, die Teje zu dieser frühen Stunde zu sich gebeten hatte. Strahlend begrüßten uns Mose und an seiner Seite Maket-Aton. Aber
auch der Leibarzt Pentû war anwesend.

Nachdem wir uns zeremoniell vor Königin Teje verneigt hatten, fragte sie Heje:

»Kein Mensch wird unter irgendwelchen Umständen diesen Raum betreten, ehe ich es wieder erlaubt habe?«

»So ist es befohlen, und so wird es geschehen, Majestät«, bestätigte der Haushofmeister mit einer tiefen Verbeugung.

Dann wandte sie sich an Beket-Amûn:

»Ich weiß, daß der Frager und der Seher in aller Regel alleine sind. Ich wäre dir jedoch dankbar, wenn in diesem Fall jene Menschen anwesend sein dürften, denen ich wahrhaft vertraue, Tochter.«

Beket-Amûn neigte leicht den Kopf:

»Das ist allein Eure Entscheidung, Majestät-Mutter.«

»Dann sei es so. Und laß die offiziellen Anreden weg, Beket, wir sind hier unter uns.«

Einen Augenblick atmete die Königin tief durch, dann sprudelte es aus ihr heraus:

»Die Priester der Nut in Onet haben mir vorausgesagt, daß meine Fahrt hierher nach Achet-Aton vergeblich und sinnlos sei. Ich würde nichts bewirken, nichts bessern, nichts ändern können. Und sie haben in den Sternen gelesen«, fügte Teje mit leiser Stimme hinzu, »daß ich nie mehr nach Uêset zurückkehren würde.«

»*Die Sterne machen geneigt, sie zwingen nicht!*« zitierte Beket-Amûn einen uralten Lehrsatz.

»Wie sehr geneigt?« fragte die Königin sofort. Dann bat sie: »Schaue für mich in deine Mondschale! Sage mir die Wahrheit, Tochter, die reine und ungeschminkte Wahrheit, wie immer sie sein mag!«

Beket-Amûn verneigte sich tief vor ihrer Mutter. Dann gab sie ihre Anweisungen. Tehuti-mose, Maket-Aton, Heje und ich knieten nieder und bildeten einen Halbkreis, der Königin gegenüber.

»Ihr alle habt in der einen oder anderen Form die *Gabe*«, erklärte Beket-Amûn dabei. »Du, Mose, zweifellos am stärksten, Sie, Heje, vielleicht am schwächsten – und ja, auch Sie, Pentû! Gerade auch Sie, und wenn Sie noch so zweifelnd dreinschauen!«

Der Arzt grummelte etwas vor sich hin, reihte sich jedoch folgsam ein.

»Macht Euren Geist leer«, wies uns Beket-Amûn weiter an, »und unterstützt mit Eurer *Gabe* die meine. Auch in den Tempeln wird das oft gemacht, auch wenn die unterstützenden Priester in aller Regel in einem anderen Raum sitzen.«

Beket-Amûn öffnete nun den Kasten aus Eibenholz, entnahm ihm einen in feinstes Leinen gewickelten Gegenstand. Behutsam löste sie die Tücher und enthüllte eine Schale aus reinem Silber, knapp zwei Spannen im Durchmesser und außen wie innen völlig glatt poliert.

Sie stellte die Schale auf den Boden, füllte sie mit klarem Wasser.

Sodann entzündete sie Weihrauch, sprach leise ein Gebet und kniete sich nieder, so daß die Schale genau zwischen ihr und ihrer Mutter stand.

Geraume Weile verharrten wir schweigend, während Beket-Amûn mit geschlossenen Augen und leise weiter Gebete murmelnd sich konzentrierte. Endlich öffnete sie die Augen, beugte sich vor und richtete ihren Blick auf das Wasser in der silbernen Mondschale.

»Aton ist die Sonne von Achet-Aton«, begann Beket-Amûn mit leiser Stimme zu sprechen. »Solange Aton über Achet-Aton leuchtet, ist der Rest Ägyptens in Düsternis gehüllt. Aton entzieht dem Land das Licht, um es auf Achet-Aton auszugießen.«

»Was ist mit unseren Provinzen? Mit Kanaan und To-nuter? Mit Wawat und Kusch?« begehrte Königin Teje zu wissen.

»Über Kanaan und To-nuter liegt tiefe Finsternis, auch über Teilen von Kusch.«

»Wie lange noch?« fragte Teje flüsternd.

»Sechsmal sehe ich den Strom noch steigen und fallen. Dann erlischt das Licht von Aton. Achet-Aton wird verlassen werden. Nur Schakale und Geier werden in seinen zerfallenden Mauern hausen.«

»Und das Land?«

»Unter der dritten Krone wird es wieder zu blühen beginnen.«

»Der dritten?« fragte die Königin erschreckt, und ich spürte, wie auch Tehuti-mose und Maket-Aton neben mir die Luft anhielten.

»So sehe ich es«, bestätigte Beket-Amûn ernst.

»Und es wird wieder sein wie früher?« fragte Teje.

»Erst wenn der kämpferische Falke auf dem Thron des Hôr sitzt, wird Ägypten wieder leuchten in altem Glanz.

Davor aber sehe ich Aton noch einmal aufstrahlen, greller als je zuvor, und die Schatten, die er auf Ägypten wirft, werden dunkler sein denn je. Achet-Aton wird noch einmal erstehen, doch nur für kurze Zeit. Dann werden Aton und seine Stadt für immer in Zerstörung und Vergessenheit versinken.«

Zwei Tränen rollten über die Wangen Königin Tejes.

»Das Werk meines Sohnes wird also keinen Bestand haben?« fragte sie mit bebenden Lippen.

»Es wird verflucht und vergessen sein«, bestätigte Beket-Amûn.

»Doch der ›kämpferische Falke‹, von dem du sprachst«, versuchte sich Teje aufzuraffen, »er wird den Glanz unseres Hauses wiederherstellen?«

»Er wird nicht aus unserem Hause stammen. Wenn er den Thron besteigt, wird nur noch ein einziger Mensch, der zu unserer Familie zählt, am Leben sein – deine Urenkelin.«

Für lange Minuten herrschte Grabesstille in dem Zimmer.

Dann schüttelte ein krampfhaftes Schluchzen den Körper der Königin. Sie verbarg ihr Gesicht in den Händen. Tränen quollen zwischen ihren Fingern hervor, rannen ihre Unterarme hinab.

»Nein! Bitte nein!« keuchte sie. »Dieses Königshaus, das aufstieg mit Ach-mose, dem Bezwinger der Chabiru, zum Glanz einer Königin Hat-Schepsut Maat-Ka-Râ, der Edlen, eines Tehuti-mose Men-cheper-Râ, des Siegreichen, eines Amûn-hotep Neb-Maat-Râ, des Prächtigen, darf nicht in Wirren und Schande versinken! Wir haben Fehler gemacht – ich habe Fehler, große Fehler gemacht! Aber muß das wirklich zum Untergang unseres Hauses führen? Sag mir weshalb, Tochter!«

Teje ließ ihre Hände fallen, starrte Beket-Amûn mit entsetzten, verzweifelten Augen an.

Mit einer sanften Bewegung berührte Beket-Amûn die Hände ihrer Mutter:

»Dynastien sind wie Menschen, wie Völker, wie alles auf dieser Welt. Sie werden geboren, erreichen irgendwann den Zenit ihrer Kraft, altern, verfallen und sterben schließlich. Manchmal gewähren die Götter freilich die Gnade, daß ein letztes Aufleuchten strahlender ist als alles, was bis dahin gewesen ist.«

»Und werden die Götter uns dieses Aufleuchten schenken?« fragte Teje mit bebender Stimme.

»Ehe der letzte unserer Familie stirbt, wird einer von uns ein Licht entzünden, das leuchten wird, solange diese Welt Bestand hat. In Jahrtausenden, wenn die Siege Tehuti-mose Men-cheper-Râs vergessen, die Tempel und Statuen Amûn-hotep Neb-Maat-Râs zerfallen, selbst die Pyramiden nur mehr Ruinen ihrer heutigen Größe sind, wird man seinen Namen in Ehrfurcht nennen, wird er höher geachtet sein als Im-hotep, Ptah-hotep oder der Sohn des Hapu, die größten Weisen Ägyptens!«

»Solange diese Welt Bestand hat? Wie sollte das sein?« fragte Teje leise. »Alles Menschenwerk ist vergänglich …«

»Sein Werk wird unvergänglich sein, weil er nicht das Werk der Menschen, sondern das Werk Gottes tut!«

»Dann sei es so!« erklärte Königin Teje mit fester Stimme.

Beket-Amûn sprach leise ein letztes Gebet, entleerte das Wasser aus ihrer silbernen Schale, hüllte diese wieder sorgsam ein und legte sie in den Kasten aus Eibenholz zurück.

Im nächsten Augenblick taumelte sie, und ich war gerade noch schnell genug auf den Beinen, um sie aufzufangen. Sie zitterte, und ihr ganzer Körper war mit kaltem Schweiß bedeckt.

»Was ist mit dir?« fragte ich erschreckt.

»Nichts, worum du dir Sorgen machen müßtest«, beruhigte mich Beket-Amûn. »Nur zehrt dieses *Sehen* stets an den Kräften. Ich friere, und vielleicht wäre ein Schluck Wein …«

Einen Herzschlag später war Heje bereits an der Tür, riß sie auf, schrie mit seiner hellen Eunuchenstimme Befehle:

»Warme Schafwolldecken und einen Becher heißen Wein, für Prinzessin Beket!« Und nach einem schnellen Blick zurück ins Zimmer: »Heißen Wein für alle! Und schaumig geschlagene Eidotter mit Dattel-Likör samt ein paar Scheiben frisches Weizenbrot! Auch für alle! Los! Tempo! Tempo!«

Das leise Klatschen zahlreicher nackter, rennender Füße zeigte an, daß seine Anweisungen unverzüglich befolgt wurden.

Ich hatte Beket-Amûn auf meine Arme gehoben, trug sie wie ein Kind zu der hohen Prunkliege der Königin, die in dem Zimmer stand. Kurzerhand zog ich ihr das völlig von Schweiß durchnäßte Kleid herunter, trocknete sie mit Königin Tejes Hilfe behutsam mit weichen Tüchern ab und wickelte sie in die flauschigen Decken, welche beflissene Dienerinnen heranschleppten.

Dann war auch der heiße Wein zur Stelle. Teje stützte mit der Rechten den Kopf ihrer Tochter, während sie ihr mit der Linken behutsam Schluck für Schluck das Getränk einflößte.

Den Becher, den auch mir eine der Dienerinnen darbot, stürzte ich mit zwei langen, gierigen Schlucken hinunter. Zwar verbrühte ich mir fast die Zunge, doch dann fühlte ich, wie der heiße Wein, in meinem Magen angekommen, wohlige Wärme in meine ebenfalls eiskalten Glieder auszustrahlen begann. Jemand drückte mir eine Schale mit dem Eierschaum, Brot und einen Löffel in die Hand. Ich hockte mich neben der Liege Beket-Amûns auf den Boden, streckte die Beine aus und begann den Schaum wie ein Verhungernder in mich hineinzuschaufeln.

Auch die anderen aßen jetzt. Mose und Maket-Aton saßen eng aneinandergeschmiegt. Ein wenig blaß schienen mir die beiden zu sein, doch sonst war ihnen von den Anstrengungen und Aufregungen der letzten Stunde wenig anzumerken.

Pentû hatte sich mit tief gerunzelter Stirn und völlig in sich versunken auf dem Thronstuhl Tejes niedergelassen und sprach kräftig dem heißen Wein zu.

»Sein Ich-Bild hat gerade einen herben Stoß bekommen«, raunte mir Beket-Amûn ins Ohr. »Bislang war Pentû so stolz auf seinen scharfen, unbeeinflußt wissenschaftlichen Verstand gewesen, um jetzt plötzlich ahnen zu müssen, daß mindestens ein

Drittel seiner brillanten Diagnosen und genialen Therapien gar nicht aus seinem geschliffenen Gehirn, sondern aus seiner *Gabe*, seiner Intuition stammen. Bislang hatte er sie nicht wahrgenommen, ja, von sich gewiesen. Wenn es ihm gelingt, sein Wissen und seine *Gabe* in Einklang zu bringen, dann mag er einer der größten Ärzte Ägyptens werden!«

»Majestät!« Heje verneigte sich tief und formvollendet vor Königin Teje, die, ebenfalls in eine wärmende Decke gehüllt, auf einem kleinen Schemel hockte und soeben eine dritte Schale Eierschaum mit Dattel-Likör vertilgte. »Majestät, wenn Ihr Eurem ergebensten Diener eine Bemerkung gestattet, so würde ich Euch den Ratschlag geben, die in zwei Stunden angesetzte Audienz für Vizekönig Huja zumindest auf den heutigen Nachmittag, besser noch auf morgen zu verschieben. Wenn, wie Ihre Hoheit Prinzessin Beket vorhersagte, all Euer Bemühen hier letztlich doch ohne Erfolg sein wird …«

Teje schnitt mit einer harten Handbewegung den Satz ab. Dann sah sie zu ihrem getreuen Haushofmeister auf, und über ihr Gesicht huschte ein flüchtiges Lächeln, das genauso schnell verschwand, wie es gekommen war:

»Ich weiß, wie gut Sie es meinen, Heje … *Aber*!«

Mit einem harten Knall stellte sie die Schale auf ein Tischchen neben sich, erhob sich, warf die Decke ab, straffte ihren Körper.

Sie sah entsetzlich aus!

Die Falten über ihrer Nasenwurzel und neben ihrem Mund waren noch tiefer, noch schärfer geworden. Die von ihren Tränen aufgelöste, kunstvolle Schminke bildete groteske Flecken in Schwarz, Blau und Grün unter ihren rot geschwollenen Augenlidern und auf ihren Wangen, war in kleinen Rinnsalen über ihren Hals bis in den Busen gesickert. Das von Schweiß durchnäßte Kleid klebte wie ein feuchter Lumpen an ihrem Körper. Sogar ihre Perücke war verrutscht und saß jetzt leicht schief auf ihrem Haupt.

Und doch war sie nie vorher, nie nachher so sehr die Große Königin von Ober- und Unterägypten wie in diesem Augenblick!

»Die Astrologen von Onet haben vorhergesagt, daß ich Achet-Aton nicht wieder verlassen werde. Du, Beket-Amûn, hast gesehen, daß Achet-Aton selbst in sechs Jahren verlassen und aufgegeben wird.

Bleiben mir also fünf, vier, vielleicht auch nur noch drei Lebensjahre.«

Als Beket-Amûn protestierend auffahren wollte, gebot ihr Königin Teje mit einer herrischen Handbewegung zu schweigen.

»Ich akzeptiere mein eigenes Schicksal, Töchterchen! Mein Herz starb längst mit Amûn-hotep Neb-Maat-Râ. Meine hochfliegenden Pläne wurden blutig von einem Wildstier zerfetzt. Meine Träume in dieser Stadt in Albträume verwandelt! Zu sterben, all dies zu vergessen und in Frieden zu schlafen – welchen Schrecken kann das für mich haben?«

Für einen Augenblick hielt Königin Teje inne, dann fuhr sie fort:

»Die Priester von Onet haben gesagt, daß all meine Bemühungen hier erfolglos sein würden. Ich muß dies wohl annehmen – sofern es meinen Sohn Akh-en-Aton anbelangt ...

Nicht jedoch bin ich bereit dies zu akzeptieren für jene Person, die über alle Könige und Königinnen unseres Hauses hinauswachsen wird – so wie du es vorhergesagt hast, Beket-Amûn!

Drei, vielleicht auch vier oder sogar fünf Jahre sind immer noch eine gute Zeit! Eine Zeit, die lohnt, um für *ihn* oder *sie* zu kämpfen!«

Teje ließ kurz ihren Blick herrisch über die Anwesenden gleiten, dann befahl sie Heje:

»Die Audienz für Vizekönig Huja findet zur vorgegebenen Stunde statt!«

Der Haushofmeister warf sich zu Boden, berührte mit der Stirn den Boden:

»Ihr befehlt, Majestät – ich gehorche ...«

»Dann schicke mir meine Dienerinnen für das Bad! Meine Masseurin! Meine Schminkmeisterin! Meine Kleidermeisterin! Die Hüterin meines Schmuckes! Und Ipu-Ka, den Bewahrer der Kroninsignien!«

In vollem Ornat saß die Große Königsgemahlin Teje auf ihrem Thron unter dem Baldachin mit den Utô-Schlangen, umgeben von ihrem persönlichen Hofstaat, in der kleinen Audienzhalle.

»Seine Exzellenz, der erhabene und ehrwürdige Huja, Sohn der Dame Un-her, Vizekönig von Wawat und Kusch, und seine Schwester und Gemahlin, die verehrungswürdige Dame Tae-muad-jsi!« kündigte Umu-hanko, der königliche Zeremonien-meister, mit dröhnender Stimme an.

Mit festem Schritt kam Huja, auch er geschmückt mit allen Abzeichen seiner Würde, die Halle herauf, warf sich zeremoniell zu Boden und küßte die Füße seiner Herrscherin.

Als er sich wieder erhob, winkte Teje den Dienern, Sessel für den Vizekönig und seine Gemahlin zu bringen, und forderte die beiden auf, sich niederzulassen.

Bei offiziellen Anlässen in Gegenwart des Königs oder der Kö-nigin sitzen zu dürfen war ein hohes, selten vergebenes Privileg. Auch mir war es vor etlichen Jahren von Königin Teje zugestan-den worden. Zwar hatte ich, außer zu Beket-Amûn, Ern, Sel und Serâu, nie zu einem Menschen eine Bemerkung über meine im-mer häufigeren Rückenschmerzen gemacht, doch eines Tages hatte, nach einer mehrstündigen Audienz für irgendeine Ge-sandtschaft, Teje mein peinvoll verkniffenes Gesicht bemerkt und, ohne ein Wort zu verlieren, nach einem Stuhl gewinkt. Seit-her waren längere Zeremonien für mich sehr viel erträglicher ge-worden.

Ehe sich Vizekönig Huja auf seinem Sessel niederließ, ver-neigte er sich abermals tief:

»Majestät, gestattet, daß ich Euch den Prinzen Heka-nefer, den Sohn des Fürsten von Aniba, vorstelle.«

Das kleine, dunkelhäutige Kerlchen mit den neugierigen Kul-leraugen war wieder mit Leopardenfell, Straußenfedern und viel massivem Gold herausgeputzt. Artig warf es sich vor Königin Teje zu Boden und sagte, ohne zu stocken, seine kleine Be-grüßungs- und Huldigungsrede auf.

Dann ergriff Vizekönig Huja erneut das Wort:

»Majestät, der Fürst von Aniba schickt Euch seinen Erstgebo-renen als Zeichen seines Vertrauens und seiner unbedingten

Loyalität. Der Fürst hat erfahren, daß der Enkel Eurer Majestät, der Sohn des Königs, Prinz Tut-anch-Aton, etwa im gleichen Alter ist wie sein eigener Sohn, Prinz Heka-nefer. Er würde es sich und seinem Sohn zur höchsten Ehre anrechnen, wenn Euer Majestät ihm die Gnade erweisen würden, seinen Sohn, Prinz Heka-nefer, zusammen mit Prinz Tut-anch-Aton hier an diesem Hof erziehen zu lassen!«

»Sagt dem Fürsten von Aniba, daß seine immerfort bekannte und gerühmte unverbrüchliche Treue den Kronen von Ober- und Unterägypten gegenüber mich gerne seinen Herzenswunsch erfüllen läßt!« nickte Königin Teje gnädig und winkte Heje, der den kleinen Prinzen mit sich nahm, um ihn in die Räumlichkeiten von Prinz Tut-anch-Aton zu geleiten, wo dieser für die nächsten Jahre leben sollte.

Was für eine Farce! ging es mir durch den Kopf, und gewiß nicht nur mir. Der Fürst von Aniba war bekannt als ein machtgieriger, skrupelloser, gewalttätiger Intrigant, dessen Loyalität so viel wert war wie ein Haufen Eselsscheiße. Die Götter mochten wissen, wie es Vizekönig Huja gelungen war, ihm dieses Faustpfand abzupressen. Die größte Wahrscheinlichkeit bestand darin, daß der Despot von Aniba ganz einfach so viele Söhne hatte, daß er, ohne mit der Wimper zu zucken, den einen oder anderen zu opfern bereit war.

Nachdem so dem Zeremoniell Genüge getan war, ließ sich Vizekönig Huja nach nochmaliger Aufforderung durch die Königin in seinem Sessel nieder.

»Sie haben dringend um diese Audienz nachgesucht, Huja«, eröffnete die Große Königsgemahlin den zweiten Teil. »Also sprechen Sie!«

»Seine Majestät, König Amûn-hotep Neb-Maat-Râ Usîre, Euer verstorbener Gatte, hat mich zum Vizekönig von Wawat ernannt. Seine Majestät, König Akh-en-Aton Ua-en-Râ, Euer jetziger Gemahl, hat mich zudem mit der Verantwortung für Kusch geehrt.«

Huja sprang auf, warf sich auf die Knie, berührte mit der Stirn den Boden:

»Ich muß Euer Majestät bitten, mich aus diesen Ämtern zu entlassen!«

»Weshalb?« fragte Königin Teje verblüfft.

»Weil ich nicht in der Lage bin, Euch und Seiner Majestät dem König so zu dienen, wie dies meinem Amte angemessen sein sollte!«

»Ich verstehe kein Wort von dem, was Sie da sagen, Huja!« rief Königin Teje völlig entgeistert. »Sie gelten – und zwar mit vollstem Recht – als einer der tüchtigsten, klügsten, gerechtesten und zuverlässigsten Beamten in ganz Ägypten!«

»Ich weiß nicht, Majestät, was Euch im einzelnen zu Ohren gekommen sein mag. Daß ich Euch in meinem tiefsten Herzen treu bin, das vermag ich Euch bei meinem Leben, beim Leben meiner Gattin und beim Leben meiner Kinder zu schwören! Daß ich versuche, Gerechtigkeit zu üben, ist ebenfalls die Wahrheit. Ob ich klug bin, das mögen jene entscheiden, die klüger sind als ich. Doch ob meine Tüchtigkeit ausreicht, das verantwortungsvolle Amt würdig zu bekleiden, das Ihr und Seine Majestät der König mir übertragen haben, daran gibt es leider Zweifel …«

Die Große Königsgemahlin schüttelte mißbilligend den Kopf. »Dann erklären Sie mir Ihre Zweifel. Und erheben Sie sich bitte!«

Vizekönig Huja stemmte sich hoch.

»Majestät, Ihr habt mich eingesetzt als höchsten Verwalter über Wawat und Kusch, ein Land, das vom ersten Katarakt bei Abu hinunter bis zum vierten Katarakt bei Napata reicht, ein Land von einer Längenausdehnung wie Ägypten selbst von Abu bis zur Mündung des Großen Stromes ins Meer. Ärmer zwar an guten Böden, Getreide und Vieh, galten Wawat und Kusch noch vor wenigen Jahren als die Goldländer schlechthin. Die Steuern und Tribute dieser Provinzen an Edelmetall, an Elfenbein, Federn, kostbaren Hölzern, Baumwolle, Gewürzen, Heilkräutern, Salben und Parfümen, die ich noch in den letzten Regierungsjahren König Amûn-hotep Neb-Maat-Râs in die königlichen Schatzkammern abliefern konnte, waren in ihrem Wert gewiß kaum geringer als die Steuern, die hier im Mutterland erzielt werden konnten. Die Bauern bebauten ihre Äcker, hüteten ihre Schafe, Ziegen und Rinder, kultivierten und ernteten die Baumwolle, aus der die Frauen jene Stoffe spannen und webten, die zunehmend auch hier im ägyptischen Kernland geschätzt werden. Kusch und Wawat kennen zwar vergleichsweise nur wenig Städte, doch dort blühten Handwerk und Handel. Kaufleute stießen unternehmungslustig weit stromaufwärts in den Süden vor, regelmäßig bis nach Soba, der Hauptstadt der schwarzhäutigen Könige am sechsten Katarakt, von wo sie seltsame und kostbare Schätze zurückbrachten.

So war Wawat schon seit dem Alten Reich ägyptische Provinz. Schon bald nach der Vertreibung der Chabiru durch die ersten Könige dieses Herrscherhauses, an der die berühmten ›schwarzen Bogenschützen‹ keinen geringen Anteil hatten, kam auch Kusch hinzu. Die Fürsten und Rudus beugten sich ehrerbietig vor den Herren der Beiden Kronen, denn ihre Herrschaft war stark und weise. Das Volk war glücklich und zufrieden, denn Ordnung und Gerechtigkeit gegen jedermann herrschten im ganzen Land. Unter Krummstab und Geißel blühten Wawat und Kusch bis vor wenigen Jahren.«

Vizekönig Huja verstummte.

Fast eine Minute verstrich.

»Bis vor wenigen Jahren …«, wiederholte Königin Teje schließlich. »Und nun?«

Huja setzte zum Sprechen an, verstummte, setzte erneut an. Und dann brach es aus ihm heraus:

»Es herrscht das Chaos! Räuberbanden aus der Wüste oder aus dem Süden überfallen die Dörfer, rauben Ernte, Vieh und Frauen, brennen die Häuser und Scheunen nieder. Die verzweifelten Bauern flüchten in die Städte oder schließen sich notgedrungen selber diesen Banden an. Die Felder werden nicht mehr bestellt, und das Vieh wird weggeschlachtet. Das Land hungert, Majestät!

Das in den Minen ausgeschmolzene Gold wird geraubt, die königlichen Beamten werden erschlagen, oft sogar die Arbeiter. Niemand wagt sich mehr in die Wüste hinaus. Die Bergwerke stehen still.

Die Händler trauen sich nicht mehr aus dem Schutz der wenigen Städte, denn ihre Handelskarawanen werden regelmäßig geplündert.

Und auch die Städte sind längst nicht mehr sicher. Die Handwerker produzieren gerade noch für den Tag, wissen sie doch nicht, ob morgen ein Käufer oder ein Räuber an ihre Tür pocht. Die Lagerräume sind leer. Selbst in Meha, der Residenz des Vizekönigs, geht die Angst um.

Die Beamten und Richter des Herrn der Beiden Länder wagen sich kaum noch auf die Straße. Mehr als einer, der versuchte, sein Amt ordentlich auszuüben, wurde ermordet. Den einheimischen Rudus ergeht es kaum besser.

Die Fürsten schließlich erheben sich, sammeln bewaffnete Banden um sich und führen blutige Kriege gegeneinander um die Vorherrschaft in den Städten und Gauen.«

Erneut warf sich Huja vor dem Thron auf die Knie, neigte seine Stirn zu Boden:

»Majestät, da ich offensichtlich unfähig bin, in Wawat und Kusch auch nur einigermaßen auf jene Art und Weise für Ruhe, Recht und Ordnung zu sorgen, wie Seine Majestät der König dies wünscht, kann ich nur nochmals darum bitten, aus meinem Amt entlassen zu werden.«

Die Große Königsgemahlin winkte ungeduldig dem Vizekönig, sich wieder zu erheben:

»Sie sind ein Mann, Huja, der seine Worte sehr genau zu setzen versteht. Habe ich recht gehört, daß Sie sagten, Sie seien nicht fähig für Ordnung zu sorgen ›auf jene Art und Weise, wie Seine Majestät der König dies wünscht‹?«

»Das sagte ich!« bestätigte Huja.

»Und soll ich aus diesen Ihren Worten schließen«, fragte Königin Teje weiter, »daß es auch eine andere Art gäbe, die Ordnung in Wawat und Kusch wiederherzustellen und zu erhalten? Eine andere Art, die Sie für wirkungsvoller halten?«

»So ist es, Majestät!« erwiderte Huja.

»Und was ist die Art und Weise Seiner Majestät des Königs?«

»Vor etlichen Jahren schickte uns Seine Majestät etwa fünf Dutzend Priester des Aton, um die Lehre Seines ›Vaters‹ Aton zu

verbreiten, neue Tempel zu bauen und die Tempel der angestammten Götter zu schließen.«

»Und weiter?«

»Als die Priester zu den Fürsten, den Rudus und dem Volk
über Aton sprachen, wurden sie nicht beachtet, manchmal auch
ausgelacht. Als sie den ersten Tempel unserer Götter zu schließen
versuchten, wurden einige dieser Aton-Priester von der empör-
ten Menge erschlagen, der Rest floh schneller, als Setechs Atem
eine Fußspur im Sand zu verwehen vermag.«

»Und dann?«

»Nichts, Majestät. Gar nichts! Seine Majestät der König strafte
uns mit Nichtbeachtung und Schweigen. Wir haben all die Jahre
seither nichts mehr gehört – weder von ihm noch sonst aus
Achet-Aton!«

»Wenn man«, warf Tae-muad-jsi, die bis jetzt mit verträum-
tem Blick dagesessen und scheinbar kaum das Gespräch wahrgenommen hatte, unvermittelt mit weicher, sanfter Stimme ein,
»wenn man von etlichen Beamten des Hofes absieht, die alljährlich erscheinen, um auch noch das letzte Körnchen Goldstaub
zusammenzuscharren und dieses als Steuer nach Achet-Aton zu
schaffen.«

Die Falten zwischen den Augenbrauen und neben dem Mund
der Großen Königsgemahlin waren in den letzten Minuten zunehmend noch tiefer und schärfer geworden:

»Und welche Art und Weise würden Sie empfehlen, Vizekönig Huja?«

»Die gleiche, mit der seit vielen Jahrhunderten die Herren
der Beiden Kronen in Wawat und Kusch Ordnung und Gerechtigkeit bewahrten. An tüchtigen Beamten und gerechten Richtern wäre dabei kein Mangel. Doch wie sollen sie ihre Ämter
ausüben können, wenn nicht auch die notwendige Sicherheit ge-
währleistet ist?«

»Und das ist Ihr Problem?« fragte Königin Teje überrascht.

»Ja, das ist mein Problem!« rief Vizekönig Huja verzweifelt.
»Wie soll ich denn auch in zwei Provinzen, die zusammen fast so
groß sind wie ganz Ägypten, mit vielleicht noch 800 Soldaten
für irgendeine Sicherheit sorgen? Etwa 300 Mann beschützen die

beiden letzten noch arbeitenden königlichen Goldminen. 60 Mann sind in Napata und 140 in meiner Hauptstadt Meha stationiert, um mir wenigstens noch einen Anschein von Macht zu verleihen. Der Rest ist auf ein paar der wichtigsten Festungen verteilt, und auch diese halten sich – wider jede Vernunft – nur noch dank einiger sturer Hauptleute und unerschütterlicher Unteroffiziere.«

»800 Mann?« fragte Königin Teje fassungslos. »Zur Zeit meines Gemahls Amûn-hotep Neb-Maat-Râ waren mindestens das Zehnfache an Soldaten in Wawat und Kusch stationiert! Weshalb haben Sie keine neuen Truppen angefordert, Huja?«

»Angefordert?« lachte der Vizekönig bitter. »Ich habe mir mit Anforderungen die Finger wundgeschrieben! Ich habe gebeten, beschworen, gebettelt! Eine Antwort, geschweige denn einen einzigen Soldaten habe ich aus Achet-Aton nie erhalten!« Huja zuckte resigniert mit den Schultern. »Und selbst wenn der König irgendwelche Truppen geschickt hätte, sie wären längst desertiert wie fast alle andern, die ich einst hatte.«

»Desertiert?« fragte die Königin scharf.

»Ja, desertiert – verschwunden – abgehauen!« schrie Huja verzweifelt. »Und ich kann es nicht einem einzigen der Männer übelnehmen! Seit sieben Jahren haben die Leute nicht einen Kupferring Sold bekommen. Die Versorgung der kleinen Garnisonen in den Städten und Festungen hat längst die ansässige Bevölkerung freiwillig übernommen, um wenigstens ein bißchen Schutz gegen die Räuber und die Banden der rivalisierenden Gaufürsten zu haben. Ich habe bislang wenigstens die Lebensmittel für die Soldaten bezahlt, welche die Goldminen schützen – aber auch das kann ich nicht mehr!«

»Seht Ihr diese Armreifen, die Ringe, die Halsketten, die ich trage, Majestät?« fiel Tae-muad-jsi mit ihrer weichen Stimme ein. »Sie sind wunderschön, nicht wahr? Nur gehören sie mir schon lange nicht mehr, sind verpfändet, verkauft und nur für diese Reise nach Achet-Aton von ihren jetzigen Besitzern geliehen. Als mein Gemahl Huja und ich nach Wawat gingen, waren wir wohlhabend, ja, reich. Nach und nach haben wir unsere Viehherden, unsere Weinberge, unsere Landgüter verkauft, dann die prächtigen Möbel und hübschen Gegenstände, dann den Schmuck meines Gatten und seine über viele Jahre hinweg zusammengetragene Bibliothek, schließlich meinen Schmuck, meine Festgewänder und Perücken, um wenigsten die paar treu gebliebenen Soldaten mit Nahrungsmitteln versorgen zu können. Nur – inzwischen haben wir nichts mehr, was wir noch verkaufen könnten ...«

Teje war aufgesprungen und eilte die Stufen ihres Thrones herab, wobei sie mit schnellen Griffen ihre Armreifen und ihren schweren Schulterkragen löste und sie der Gemahlin des Vizekönigs entgegenstreckte:

»Eine Frau wie Sie sollte keinen geliehenen, verpfändeten Schmuck tragen müssen!«

Auch Tae-muad-jsi war höflich aufgesprungen, als sie die Königin auf sich zukommen sah. Die dargebotenen Juwelen wies sie freilich sanft, aber entschieden zurück:

»Ihr habt recht, Majestät, ich sollte diesen Schmuck tatsächlich nicht mehr tragen! Den Euren aber bitte behaltet – nach Meha zurückgekehrt, würde ich ihn ja doch nur unverzüglich zu irgendwelchen Pfandleihern tragen mit der Gewißheit im Herzen, ihn niemals wieder einlösen zu können.«

Ich habe Königin Teje selten so zornig erlebt wie an diesem späten Vormittag. Die Weissagungen Beket-Amûns hatten ihr Innerstes aufgewühlt, die geschilderten Zustände in zwei der bislang reichsten und zuverlässigsten Provinzen empört, die aufopfernde Treue Hujas und Tae-muad-jsis tief berührt.

Jetzt sah sie mit immer größer werdenden Augen und bebenden Lippen zu, wie Tae-muad-jsi ihre Ringe und Armreifen, den breiten Schulterkragen, die bunten Ketten und schließlich die kunstvolle Perücke ablegte. Huja hatte mit leicht hochgezogenen Brauen kurz das Tun seiner Gemahlin beobachtet, dann begann auch er sich seines Schmuckes und seiner zeremoniellen Gewänder, ja, sogar seiner Sandalen zu entledigen, bis er nur noch seinen kurzen, steifen Schurz trug und in der Hand den kleinen

Krummstab und den Wedel mit der langen Straußenfeder, die vom König verliehenen Insignien seines Amtes, die zu verpfänden er sich geweigert hatte.

Tae-muad-jsi schlüpfte unterdessen aus ihrem Kleid, warf es über die Lehne des Stuhles.

»Die kostbare, feine Baumwolle kann ich mir schon lange nicht mehr leisten«, bemerkte sie dazu lächelnd. Dann zögerte sie einen Augenblick, zog eine frische Lotusblüte aus den geflochtenen, goldbestäubten Strähnen ihrer abgelegten Perücke und befestigte sie in ihren eigenen kurzen, schwarzen Haaren. Unser aller Blicke ruhten bewundernd auf der nackten, schlanken, hochgewachsenen Gestalt der Gemahlin des Vizekönigs mit ihren langen Beinen, den schmalen Hüften und den vollen, festen Brüsten, deren einziger Schmuck nur mehr in jener Lotusblüte bestand, die sie sich wohl am Morgen in den königlichen Gärten gepflückt hatte.

Ein flüchtiges Lächeln huschte über das Gesicht Königin Tejes, während sie Tae-muad-jsi über die Wange streichelte:

»Danke den Göttern dafür, daß deine Schönheit keines Goldes bedarf! Trotzdem werde ich dafür sorgen, daß du es reicher zurückerhalten wirst, als du es je hattest.«

Und dann befahl sie: »Kommt!«, wobei sie auch Mose und Maket-Aton, ihrem Haushofmeister Heje und mir winkte, ihr zu folgen.

Mit schnellen, zielsicheren Schritten durchquerte die Große Königsgemahlin die Hallen und Säle des Palastes, bis wir das Haus des Starken Stieres, den Königspalast im Palast erreichten.

»Bring mich zu Seiner Majestät!« herrschte sie den Offizier an, der die Wache vor dem Haus des Starken Stieres befehligte.

»Das ist nicht möglich!« antwortete der Mann mit einer tiefen Verneigung. »Seine Majestät ist im Garten und wünscht nicht gestört zu werden.«

Im gleichen Augenblick hasteten bereits Merie-Râ, der Großpriester des Haupttempels des Aton in Achet-Aton, und Cheruef, der Haushofmeister Prinz Semench-Ka-Râs, herbei und warfen sich ehrerbietig zu Boden:

»Der Augenblick Eures Besuches ist höchst ungünstig gewählt, erhabene Königsgemahlin!« brabbelten sie wie aus einem Mund. »Seine Majestät wünschen unter gar keinen Umständen...«

»Macht, daß Ihr mir aus dem Weg kommt, wenn Ihr heute Nachmittag noch Eure Ämter haben wollt!« fuhr Königin Teje die beiden an, die daraufhin hastig zur Seite krochen.

Augenblicke später standen wir im Garten.

Neben einem leise plätschernden Brunnen hatte es sich König Akh-en-Aton Ua-en-Râ inmitten des Blütenmeeres seiner privaten Gärten auf einem weichen Sitzkissen bequem gemacht. Bekleidet war er nur mit einem blütenweißen, knielangen Rock und einem leichten Kopftuch über seinem aufgequollenen Hinterhaupt. Nofret-ête war bei ihm und Semench-Ka-Râ, und auf dem Schoß hielt er Papyrus und Schreibzeug.

»Der Zeitpunkt Eures Erscheinens, Majestät...«, setzte auch Nofret-ête an, wobei ihre Diamantaugen schwarze Blitze auf Huja, Tae-muad-jsi und uns andere verschossen.

Doch über das Gesicht des Königs ging ein freudiges Aufstrahlen. Dann blieben seine Augen an Tae-muad-jsi hängen, glitten, größer und größer werdend, von der Lotusblüte in ihrem kurzen Haar bis zu den Zehen über ihren nackten Leib, sprangen schließlich zwischen ihren vollen, festen Brüsten und dem nach der Sitte etlicher Stämme in Wawat sorgfältig enthaarten Dreieck zwischen ihren langen Beinen hin und her:

»Willkommen! Setzt Euch zu uns! Wir arbeiten gerade an einer neuen Hymne für meinen Vater, den ewigen Aton.«

Er zwang seinen Blick auf den Papyrus in seinem Schoß zurück:

»*Der Du Dich erhebst im östlichen Horizont, o erhabener und einziger Aton, um allen Menschen zu spenden deine Liebe und deinen Segen, der Du die Welt segnest um deines Sohnes willen ...* – Nein!« unterbrach er sich. »*Segen – segnest* unmittelbar hintereinander, das klingt nicht gut! Vielleicht sollte ich besser sagen ...«

»Ich habe mit dir zu reden, Sohn!« fiel ihn Teje schroff ins Wort.

Akh-en-Aton Ua-en-Râ blickte überrascht von seinem Papyrus auf.

»Was weißt du über Wawat und Kusch?«

»Sie sind unsere südlichen Provinzen, die unser Freund und Vertrauter Huja für uns regiert«, antwortete der König sichtlich verblüfft ob solch einer Frage.

»Und weiter?«

»Was weiter?«

»Ja, weiter! Ist das alles, was du weißt?«

»Beim Bau der Tempel für meinen Vater Aton und bei der Schließung der Tempel der falschen Götter hat es wohl zunächst einige Schwierigkeiten gegeben ...«

»Und?«

»Die Ausbeute an Gold, so wurde mir gesagt, ist in den letzten Jahren ein wenig zurückgegangen. Aber das ist nichts, worüber sich mein Freund Huja Gedanken machen müßte!«

Der Blick des Königs war, wie magisch angezogen, zu Taemuad-jsi zurückgekehrt, klebte an dem glatt rasierten Dreieck zwischen ihren Oberschenkeln fest.

Nofret-ête, die seinem Blick gefolgt war, stieß ein Geräusch aus, nicht unähnlich dem Zischen einer gereizten Kobra.

»Aber kommt jetzt, setzt Euch doch endlich zu uns! Der neue Hymnus für meinen Vater Aton ...«, brabbelte der König inzwischen.

»Ist dir bekannt«, fuhr Teje ihren Sohn-Gemahl an, »daß in Wawat und Kusch Räuberbanden ungestraft die Dörfer, die Handelskarawanen, die Goldminen überfallen und ausplündern? Daß die einheimischen Fürsten blutige Machtkämpfe untereinander austragen? Daß Vizekönig Huja seit Jahren auf keinen seiner Briefe und Bitten an dich eine Antwort erhalten hat?«

»Was hätte ich ihm denn antworten, was hätte ich für ihn tun sollen?« verteidigte sich der König gekränkt. »Er bat doch immer nur um eines: Soldaten!«

»Weil er mit 800 Mann, die er auch noch weitgehend aus seiner eigenen Tasche bezahlt hat, die Ordnung in Wawat und Kusch unmöglich aufrechterhalten kann!« schrie Teje ihren Sohn an.

»*Achthundert?*« staunte Akh-en-Aton Ua-en-Râ. »So viele?«

Diesmal verschlug es sogar Teje die Sprache.

Der König hatte sich unterdessen erhoben, trat zu Vizekönig Huja, legte ihm die Hände auf die Schultern:

»Lieber Freund, die Überfälle, die Plünderungen bedauere ich aus ganzem Herzen! Ich werde für die unschuldigen Opfer im Tempel meines Vaters Aton ein Gebet sprechen!«

Huja und Tae-muad-jsi schluckten sichtlich, während ihnen der König die Arme um die Schultern legte:

»Solche Dinge sind wahrhaft schrecklich!« fuhr Akh-en-Aton Ua-en-Râ fort. »Doch Zeiten des Wandels sind eben auch immer Zeiten der Wirren! So sehr wir darunter leiden mögen, wir müssen es standhaft ertragen um der Wahrheit willen!«

»Welcher Wahrheit?« fragte Vizekönig Huja bitter.

»Der Wahrheit meines Vaters, des einzigen und Leben spendenden Aton!« rief der König und wandte seine Augen zum Himmel. Selbst Tae-muad-jsis volle, straffe Brüste, ihre aufreizend enthaarte Scham waren in diesem Augenblick vergessen, während Akh-en-Aton Ua-en-Râ intonierte:

»Wie Aton aufgeht über allen Menschen und sie mit Leben und Liebe erfüllt, so muß es unser Ziel sein, allen Menschen dieses Leben und diese Liebe zu verkünden!

Wenn erst jedermann begriffen hat, daß Aton der Gott des Lebens, der Liebe und des Friedens ist, so werden auch jene Räuber, von denen die Rede war, ihre Opfer umarmen und das gestohlene Gut zurückgeben. Sie werden ihre Waffen fortwerfen und Seite an Seite mit jenen, die sie einst schädigten, die Äcker pflügen und die Handelskarawanen führen. Niemand wird mehr dem anderen etwas neiden, denn alles wird allen gemeinsam gehören.

Wenn sich das Reich Atons erst ausgebreitet hat über den ganzen Erdkreis, dann werden Habgier, Haß, Mißgunst, Eifersucht und Machthunger für immer verschwinden! Frieden, Eintracht, Liebe und Hilfsbereitschaft werden herrschen auf diesem Erdkreis! Wer etwas hat, der wird dem geben, der nichts hat!

Aton ist der Gott der Liebe!

Aton ist der Gott des Friedens – nicht ein Gott der Soldaten!

Und ich, sein Sohn, bin der Fürst des Friedens!

Niemals könnte ich dem zustimmen, daß irgendwo in meinem Reich, das nach dem Willen meines Vaters Aton den ganzen Erdkreis umfaßt, Soldaten eingesetzt werden! Nicht einmal um das Recht zu verteidigen!«

Akh-en-Aton Ua-en-Râ ließ Vizekönig Huja und Tae-muad-jsi los, trat einen Schritt vor, hob die Hände zum Himmel:

»Dies ist es, was Ihr den Völkern von Wawat und Kusch, was Ihr den Wüstenräubern und den aufständischen Fürsten verkünden müßt:

Öffnet Euch für die Liebe und den Frieden Atons!

Legt ab allen Streit, alle Habgier, allen Neid, alle Zwietracht, denn Aton erhebt sich über alle Menschen gleichermaßen und schenkt ihnen Liebe und Frieden und Leben!

Unterwerft Euch Seinem Sohn, dem Fürsten des Friedens!

Dann wird es keinen Krieg mehr geben und keine Überfälle mehr und keine Soldaten!

Und alles, alles, *alles* wird gut!«

Der König ließ die Hände sinken, wandte sich zu uns um, wobei sich sein Blick erneut gierig zwischen Tae-muad-jsis Beine richtete:

»Und nun kommt alle zu mir, damit wir gemeinsam den neuen Lobgesang für meinen Vater Aton verfassen!«

Dieser ereignisreiche und aufwühlende Tag fand schließlich doch noch einen versöhnlichen, ja, glücklichen Ausgang.

Königin Teje war es gelungen, uns alle, sogar Tae-muad-jsi, mit irgendeiner Ausrede – ich weiß nicht mehr welcher – aus dem Garten des Königs wieder hinauszubringen. Ich weiß nur noch, daß Nofret-ête sie dabei eifrig unterstützte, und das war eines der wenigen Male, wo ich für die zweite Gemahlin Seiner Majestät eine gewisse Dankbarkeit empfand.

Später saßen wir noch Stunden zusammen, um zu beraten, was nun zu tun sei. Noch hatten wir zwar keine Lösung gefunden, doch zeichneten sich zumindest einige sinnvolle Möglichkeiten ab, zu denen auch ein Brief, den ich nach Men-nôfer an Prinz Nacht-Min schrieb, hoffentlich beitragen mochte.

Als ich nach Hause kam, hatte mich zunächst Beket-Amûn, die sich von den Anstrengungen ihrer Prophetien am Morgen wieder erholt hatte, so liebevoll empfangen wie immer. Mâ-au war auf ihren langen Beinen herangekommen, war mit ihrem Kopf und ihrem Hals um meine Knie gestrichen. Dann hatte mich Beket-Amûn gemeinsam mit Serâu in ein erholsames Bad gesteckt. Ern hatte mich anschließend massiert und von Kopf bis Fuß eingeölt. Und jetzt lag ich zusammen mit Mâ-au lang ausgestreckt auf einer bequemen Liege im Garten unter dem Granatapfelbaum, ließ mich von Beket-Amûn mit erlesenen Leckerbissen füttern, trank Löwenblut aus dem Weingut der Königin Teje und lauschte entspannt den leisen Akkorden und Melodien, die Serâu ihrer Harfe entlockte.

Plötzlich hob Mâ-au den Kopf und spitzte die Ohren. Offensichtlich hatte sie den Hufschlag der Pferde, das charakteristische Rasseln des Wagens erkannt, der vor unserem Eingangstor hielt, denn Augenblicke später stürmten Mose und an seiner Hand Maket-Aton in unseren Garten.

»Ihr sollt es als allererste erfahren!« rief Mose aufgeregt, kaum daß er unser ansichtig wurde. »Wir bekommen ein Kind!«

Beket-Amûn und ich sprangen auf.

»Ist das wahr?«

»Ja! Ern hat es schon gesagt, und Pentû hat es jetzt bestätigt: Maket-Aton ist schwanger!«

Beket-Amûn schloß Maket-Aton liebevoll in die Arme.

Die beiden Tränen, die plötzlich über ihre Wangen liefen, wischte sie schnell weg.

5. Papyrus

DIE SCHATTEN ATONS

König Akh-en-Aton Ua-en-Râ
12. bis 13. Regierungsjahr

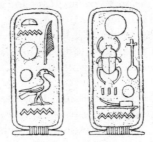

»Ich brauche Ihren Kopf, Hoheit! Und Ihren natürlich auch, General!«

Unser Nachbar Speckstein-mose verneigte sich sehr tief vor Beket-Amûn und mir.

Ich hatte den jungen, hochbegabten Künstler kennengelernt, als mir mein Bruder Râ-mose seine Grabanlage in Uêset vorgeführt hatte, und ich hatte damals rückhaltlos seine feinen, genau beobachteten Porträts meiner Familie bewundert. Speckstein-mose mochte inzwischen etwa 30 Jahre zählen, und viele nannten ihn ehrerbietig den ›Spender der Unsterblichkeit‹, denn seine Porträtkunst hatte inzwischen eine in Ägypten noch nie ge- kannte Höhe erreicht. Von ihm modelliert oder in Stein gehauen zu werden war eine Auszeichnung, die wahrhaft Unsterblichkeit versprach.

Da Speckstein-moses Werkstätten hier in Achet-Aton den ganzen Ostteil des Blockes einnahmen, in dem auch mein Haus stand, hatten wir uns natürlich öfter gesehen und hatten uns auch freundlich zugewinkt, doch zu einem näheren Kontakt war es bislang nicht gekommen.

»Ich wäre Euch, Hoheit, und Ihnen, General, zutiefst verbun- den, wenn Sie gelegentlich eine Stunde Ihrer Zeit erübrigen und mich drüben in meiner Werkstatt aufsuchen könnten«, bat der Künstler mit einer erneuten tiefen Verneigung.

Beket-Amûn sah mich kurz fragend an. Es war früher Nach- mittag, und keine Pflichten im Palast warteten auf uns. Ich nickte: »Warum dann nicht gleich?«

»Wunderbar!« strahlte Speckstein-mose. »Auf einen solchen Glücksfall hätte ich kaum zu hoffen gewagt!«

So schlenderten wir zu dritt plaudernd die nördliche Wadi- gasse hinauf. Die Nachbarn grüßten uns freundlich, gleich- zeitig jedoch wichen sie in respektvollem Bogen aus, denn hin- ter uns folgte auf weichen Pfoten Mâ-au. Man hatte sich zwar längst an den Anblick der Gepardendame gewöhnt, man wußte auch, daß sie weder Hühner noch kleine Kinder fraß, doch ihre unabänderliche Gewohnheit, dann und wann völlig unvermit- telt wild zu fauchen und ihre gefährlichen Zähne zu zeigen, hielt jedermann, der sie nicht wirklich gut kannte, in gebühren- dem Abstand.

Seit jener denkwürdigen Audienz Vizekönig Hujas bei Köni- gin Teje war mittlerweile eine Woche vergangen, doch während die Große Königsgemahlin seither unermüdlich tätig war, blieb mir wenig anderes zu tun, als eine Antwort Prinz Nacht-Mins auf meinen Brief abzuwarten.

»Tretet bitte ein!« forderte uns Speckstein-mose auf, als wir sein Haus erreichten, und bot uns den alten Segensgruß. »Der Friede sei mit Euch, Hoheit, und auch mit Ihnen, General!«

Das von einer Ziegelmauer umschlossene Anwesen des Künstlers* mißt etwa 42 Ellen in der Breite und 90 Ellen in der Tiefe. Von außen sieht man nur das obere Stockwerk des verhältnismäßig kleinen Haupthauses und ein zweites, noch kleineres Wohnhaus in der Nordostecke, das zu der Zeit der Bildhauer Auta bewohnte, den Königin Teje aus Uêset mitgebracht hatte. Betritt man das Anwesen, so erkennt man erst, daß das Grundstück ringsum dicht bebaut ist. Lediglich auf der östlichen Längsseite öffnet sich ein Hof mit ein paar Bäumen und einer großen Brunnenanlage, zu der eine schneckenförmig angelegte Treppe hinabführt.

»Wasser«, erklärte Speckstein-mose dazu, »verbrauchen wir hier in Strömen. Das Zersägen der Steinblöcke, das Bohren, Schmirgeln und Polieren, die Aufbereitung von Ton und Gips – nichts geht ohne Wasser.«

Im Süden des Anwesens gruppieren sich um einen eigenen kleinen Hof die Wohnungen der Gesellen und Handlanger, während sich westlich des Haupthauses die Werkstätten hinziehen und auch noch ein kleiner Wirtschaftshof eingezwängt liegt. Den restlichen Platz nehmen eine große Küche ein, aus der die Handwerker verpflegt werden, sowie zahlreiche Lagerräume für Stein, Ton und Gips. Und überall, auch im Brunnenhof, stehen halbfertige Statuen, an denen Männer arbeiten, liegen noch unbehauene Steinblöcke herum. Daneben türmen sich kleine Halden von Steinsplittern – vorzugsweise honigfarbener Kalkstein, dem beliebtesten Material in Achet-Aton, da es weich und leicht zu bearbeiten ist, aber auch roter Granit aus Abu, durchscheinender Alabaster aus den Steinbrüchen südlich der Hauptstadt, schwarzer und grauer Granit, weißlicher Sandstein, grünlicher und brauner Schiefer, schwarzer Diorit, der westlich von Meha, dem Amtssitz Vizekönig Hujas in Wawat, gebrochen wird. Dazwischen erheben sich Hügel aus zerbrochenen Gipsformen, verbrauchten Schleif- und Poliersteinen, Papyrusfetzen mit Skizzen und Entwürfen, abgebrochene Stiele von Hämmern und anderen Geräten, Tonscherben erledigter Vorentwürfe, zerschlagene Por-

---

* In Ludwig Borchardt und Herbert Ricke »Die Wohnhäuser in Tell-el-Amarna«, Berlin 1980, unter der Nummer P 47.1 aufgeführt.

trätköpfe aus Gips, die keine Gnade vor den strengen Augen des Meisters gefunden hatten.

»Irgendwann muß ich hier einmal wieder aufräumen lassen«, entschuldigte sich Speckstein-mose, wobei uns allen klar war, daß dies kaum vor dem hundertsten Thronjubiläum des Königs der Fall sein würde.

»Habt bitte die Güte und kommt herein!« forderte uns Speckstein-mose höflich auf, sein Wohnhaus zu betreten.

Wir folgten dem Künstler durch die beiden kleinen Vorräume und betraten das, was in einem normalen Haus der Hauptwohnraum ist. Speckstein-mose hatte das milde Chaos, das auf seinem Anwesen herrschte, hier fast bis zur Vollendung getrieben. Die langen Tische an den Wänden, der Boden, jeder freie Fleck des Raumes war übersät mit Entwürfen und Modellen. Porträtköpfe, in denen wir den halben Hofstaat des Königs wiedererkannten, standen herum; auf vielen war mit Fettstift angezeichnet, wo noch Änderungen vorzunehmen waren. An den Wänden hingen kreuz und quer Papyri mit Entwürfen und Skizzen für Tempel-, Grab- und Palastwände. Dazwischen lagen Kohle- und Fettstifte, halbleere Weinbecher, Stichel und Poliersteine, Zollstöcke und Rechentabellen, abgebissene und dann vergessene Fladenbrote, Rohrfedern, unfertige Statuetten, Winkelmaße und Tonscherben in allen Größen und Formen, auf denen sich der Meister irgend etwas notiert hatte.

»Also fangen wir an?« fragte Speckstein-mose vergnügt.

Beket-Amûn und ich stimmten zu.

»Dann legen Sie bitte die Schulterkragen, die Ohrringe und die Perücken ab und setzen sich am besten ... ähm ...«, die Blicke des Künstlers irrten suchend durch den Raum, entdeckten schließlich zwei Stühle, die er hastig für uns freiräumte, »... hier hin. Meine Frauen werden Sie für die Prozedur vorbereiten.«

Wir taten, wie uns geheißen, während Speckstein-mose »Âmhet! Bat! Senehem! Tschet! Mâa!« in den hinteren Teil des Hauses rief.

Bildhübsch waren sie alle, die Frauen Speckstein-moses, und ihre Namen waren trefflich gewählt: Bat, die ›Biene‹, war die kleinste und umschwärmte uns sofort eifrig und hingebungsvoll. Sie arbeitete Hand in Hand mit Senehem, der ›Heuschrecke‹. Ihre Beine schienen überhaupt nicht mehr aufhören zu wollen, und ihre hellen Augen funkelten kühl aus einem kleinen, dreieckigen Gesicht. Das andere Paar bestand aus Âmhet, dem ›Äffchen‹, schnell, beweglich, mit einer niedlichen Stupsnase und stets zum Kichern aufgelegt, und Tschet, der ›Schlange‹, einer geschmeidigen Schönheit, in deren Iris kleine grüne und goldene Punkte schimmerten. Beaufsichtigt und angeleitet wurden sie von Mâa, der ›Eule‹, einer Frau mit übergroßen, klugen Augen und weichen, geschickten Händen.

Gnadenlos fielen die fünf über uns her. Senehem und Tschet schminkten uns ab und rieben uns Gesicht und Hals mit einer dicken Fettcreme ein.

»Das Fett muß sein, damit Ihre Haut nicht von dem Gips angegriffen wird«, erklärte Mâa.

Unsere Haare und Ohren wurden mit weichen Tüchern abgedeckt und mit langen Leinenbinden umwickelt.

»Wenn Sie sich jetzt bitte hinlegen wollen«, forderte Mâa uns auf.

Bat geleitete uns zu zwei hölzernen Liegen, die Specksteinmose inzwischen freigeräumt hatte, und wir streckten uns aus.

»Hoffentlich sind Sie nicht kitzlig!« kichere Âmhet, während sie uns kleine Röllchen aus Baumwolle in die Nasenlöcher schob.

»Und jetzt schließen Sie bitte die Augen!« forderte uns Tschet auf und deckte mit ihren langen, geschickten Fingern unsere Augenwimpern mit hauchdünnen Wachsplättchen ab. »Bei Leuten, die wir nicht mögen, vergessen wir das schon einmal«, erzählte sie dabei, »das Ergebnis ist recht schmerzhaft und für viele Tage ziemlich häßlich!«

»Einmal hat unsere Tschet das sogar bei der schönen Nofretête zu ›vergessen‹ gewagt!« amüsierte sich Âmhet, was ihr sofort ein scharfes »Halt den Mund!« von Mâa eintrug.

Ein Röhrchen wurde uns zwischen die Lippen geschoben.

»Bekommen Sie genug Luft?« fragte Bat besorgt.

»Es wird schon gehen«, murmelten wir.

»Dann bleiben Sie ganz ruhig und entspannt liegen, und verziehen Sie bitte ja nicht das Gesicht!« wies uns Mâa an.

Und dann begannen die Frauen und vermutlich auch Speckstein-mose nassen Gips Lage um Lage auf unseren Gesichtern zu verteilen. Es war ekelhaft! Das Zeug war schwer, zunächst widerlich naßkalt, um sich dann kräftig zu erwärmen, was die Sache nicht besser machte. Meine Gesichtshaut juckte, ich hatte das dringende Bedürfnis zu niesen, und durch das Röhrchen in meinem Mund bekam ich viel zu wenig Luft und fürchtete zu ersticken.

»Früher hat sich Nofret-ête mindestens alle drei Monate dieser Prozedur unterzogen«, drang die Stimme Senehems an unsere Ohren. »Mittlerweile, da sie älter wird, beläßt sie es bei einem jährlichen Abguß.«

Endlich – ich hatte das Gefühl, als seien Stunden vergangen – wurde die hart gewordene Gipsmaske behutsam von meinem Gesicht gehoben. Ich schlug die Augen auf und sah, daß Bat und Senehem auch Beket-Amûn von dem weißlichen Panzer befreiten.

Wir durften uns aufsetzen, wurden von den Binden um den Kopf befreit. Wir bekamen angewärmtes Wasser zum Waschen gereicht. Unsere Haut wurde erneut eingesalbt und eingecremt und Tschet machte sich daran, uns frisch zu schminken.

Speckstein-mose prüfte unterdessen das Ergebnis unserer Qual.

»Absolut vollkommen!« strahlte er schließlich. Dann begutachtete er kritisch das Werk Tschets:

»Sie haben wunderschön geschwungene Augenbrauen, Hoheit«, meinte er zu Beket-Amûn. »Sie sollten das ruhig ein bißchen stärker betonen! Und auf Ihre Augenlider sollten Sie einen Hauch Goldstaub auftragen, das gibt Ihren großen Augen noch mehr geheimnisvollen Glanz! Sie sollten es auch gelegentlich mit einer Perücke aus blonden Libu-Haaren probieren!«

»Um aller Götter willen!« protestierte Beket-Amûn. »Diese blonden Modeperücken …«

»Sehen bei den meisten Frauen albern aus, ich weiß«, unterbrach sie Speckstein-mose. »Aber Ihnen, Hoheit, müßte das stehen! Wissen Sie was? Wenn Ihre Porträtbüste fertig ist, probieren wir das mal damit aus, und dann werden Sie es ja selber sehen!«

Auch als Tschet mich wieder schminkte, hatte Speckstein-mose ein paar Ratschläge zur Hand:

»Schminke die Augenbrauen und die Augenwinkel des Generals etwas länger und stärker, ein bißchen altmodischer aus«, wies er seine Frau an, »das läßt ihn ein wenig strenger aussehen.«

Beket-Amûn wollte schon protestieren, aber der Künstler ließ sie gar nicht erst zu Wort kommen:

»Ich erkenne genau, daß General Amûn-hotep in seinem Herzen ein zutiefst gütiger und humorvoller Mann ist, aber in seiner Position muß das ja nicht sofort jeder bemerken!«

Als wir uns eine halbe Stunde später verabschiedeten, bat uns Speckstein-mose, für ihn in den nächsten Tagen ein oder zwei weitere Stunden zu erübrigen:

»Der rohe Porträtkopf ist dann fertig, aber wir müssen natürlich noch an den Feinheiten arbeiten!«

Prinz Nacht-Min hatte sich nach seiner zweiten Absetzung als Ministerpräsident auf seinen Rang als General besonnen und sich nach Men-nôfer zurückgezogen, wo auch fast alle anderen hohen Offiziere des Reiches, ob der vom ›Friedensfürsten‹ Atons aufgezwungenen Untätigkeit grollend, versammelt waren.

Als König Akh-en-Aton die Arbeiter von dem großen Staudammprojekt erst für den Riesentempel in Uêset, dann für den Bau von Achet-Aton abzog, hatte sich Nacht-Min gefügt. Daß der Bau des Dammes jedoch auch nach der Vollendung des Horizonts des Aton nicht wiederaufgenommen wurde, hatte ihn ganz offenkundig verbittert – den Prinzen, aber auch seine Leute, die nun arbeitslos herumlungerten, weil der König sie für die demnächst in aller Welt zu errichtenden Aton-Tempel freizuhalten befohlen hatte.

Daß mein Brief an den Prinzen mit der Schilderung der Zustände und der Schwierigkeiten in Wawat und Kusch ihn zu einer Reaktion veranlassen würde, hatte ich gewußt. Daß er unverzüglich selber kommen würde, hatte ich nicht vermutet; doch genau eine Woche, nachdem ich den Brief abgeschickt hatte, legte seine Schnellruderer-Barke an der Mole in Achet-Aton an. Er fieberte förmlich danach, irgend etwas Sinnvolles zu tun.

Eine Stunde später saßen wir in dem kleinen privaten Audienzzimmer Königin Tejes zusammen: die Königin selbst, Prinz Nacht-Min, Vizekönig Huja mit seiner Gemahlin Tae-muad-jsi, Beket-Amûn, der Hôr-im-Nest Mose und, unzertrennlich, Maket-Aton, und schließlich ich.

»Fast alle Offiziere in Men-nôfer, die ich angesprochen habe«, wußte Nacht-Min zu melden, »sind bereit, noch in dieser Stunde nach Wawat und Kusch aufzubrechen. Bei den Unteroffizieren und Mannschaften ist es nicht anders. Die Männer hocken seit Jahren in der Militärakademie, im Stabshauptquartier oder in ihren Kasernen herum und langweilen sich zu Tode. Wieviel Mann brauchen Sie, Huja? 15000? 30000? Sie können, mit Ausnahme von ein paar überzeugten Anhängern des ›Friedenskönigs‹, auch die ganze Armee des Reiches haben!«

Vizekönig Huja wehrte mit beiden Händen ab, doch zum erstenmal seit seiner Ankunft sah ich ihn lächeln:

»Für ein paar Wochen 15000, um den Herren Gau- und Stadthäuptlingen in Erinnerung zu rufen, daß es doch noch eine ägyptische Militärmacht gibt. Danach reicht ein Drittel dieser Truppen völlig aus!«

»Ich werde sofort den entsprechenden Marschbefehl nach Men-nôfer schicken!« erklärte Prinz Nacht-Min und wollte sich erheben.

»Nicht ganz so hastig!« hielt ihn Königin Teje zurück. »Dir ist doch hoffentlich klar, daß Seine Majestät, mein Sohn-Gemahl, samt all seinen Hofschranzen von der ganzen Aktion nichts erfahren darf? 15000 Mann sind eine Menge Soldaten, die wir auf dem Großen Strom von einem Ende Ägyptens zum anderen schaffen müssen, und das genau hier vorbei an Achet-Aton, das bedauerlicherweise genau in der Mitte liegt!«

»Hätte sein ›Vater‹ Aton dem König nicht offenbaren können, daß er seine Stadt des Lichtortes auf dem südlichsten Zipfel von Biau errichten soll?« murrte Nacht-Min finster.

»Atons Friedfertigkeit schließt ja nur Krieg und Gewalt aus«, überlegte Mose laut. »Aber gegen völlig harmlose Manöver in den Wüsten von Wawat, sagen wir bei Umm-Nabari, kann doch eigentlich niemand etwas einwenden? Und schon gar, wenn die Truppen – wer wird schon so genau nachzählen, um zu merken, daß ein Drittel fehlt – ein paar Wochen später wieder fröhlich nach Norden zurückkehren?«

»Hervorragend!« riefen Prinz Nacht-Min und Vizekönig Huja wie aus einem Mund, und Nacht-Min ergänzte:

»Ich werde 20000 Mann schicken, dann fallen die Zurückbleibenden bei der Heimkehr noch weniger auf.«

»Wen schlägst du als Befehlshaber der Truppen vor?« fragte Königin Teje ihren Stiefsohn.

»Für das Manöver schlage ich Oberst Hôr-em-Heb vor, den wir auch endlich zum General befördern sollten. Er ist meiner Einschätzung nach bei weitem der fähigste Offizier, den wir in Ägypten haben, und es wird Zeit, daß er in der Praxis Erfahrung sammeln kann. Oder siehst du das anders, Amûn-hotep?«

Ich schüttelte langsam den Kopf:

»Ich mag Hôr-em-Heb persönlich zwar nicht sonderlich – mir ist er ein allzu kalter, allzu harter und ehrgeiziger Rechner. Aber an seinen überragenden Fähigkeiten und seiner Loyalität ist nicht zu zweifeln!«

»Also General Hôr-em-Heb«, entschied die Königin. »Und wer soll die in Wawat und Kusch verbleibenden Truppen befehligen?«

»Ich würde Oberst Heri-tjerut vorschlagen«, antwortete Nacht-Min.

»Den Kuschiten?«

»Er kennt das Land wie kein anderer von uns, und auch an seiner Loyalität kann es nicht den Hauch eines Zweifels geben!«

Diesmal waren sich Nacht-Min und ich absolut einig, und Teje verkündete:

»Dann ist es so beschlossen!«

»Bleibt«, meldete sich Huja wieder zu Wort, »das Problem des Geldes!«

»Das Manöver bezahlt natürlich Men-nôfer«, erklärte Prinz Nacht-Min sofort. »Auch wenn der König bei jedem Kupferring für Militärausgaben knausert, hat sich in den Jahren der Untätigkeit genug in der Kriegskasse angesammelt, daß wir locker zwei Dutzend solcher Übungen durchführen könnten.«

»Und danach?« fragte Huja.

Teje nahm einen gesiegelten Papyrus, der auf einem Beistelltisch gelegen hatte, und las vor:

»»Angesichts der ungeheuren persönlichen Vermögensverluste, die Vizekönig Huja und seine Gemahlin Tae-muad-jsi im treuen Dienst für das Reich erlitten haben, übereigne Ich, König Akh-en-Aton Ua-en-Râ, Herr der Beiden Länder und der Beiden Kronen, unwiderruflich Vizekönig Huja und seiner Gemahlin Tae-muad-jsi auf Lebenszeit alle Erträge, die aus den beiden noch arbeitenden Goldminen östlich von Meha in der Provinz Wawat fließen.‹«

»Und das soll Seine Majestät tatsächlich geschrieben haben?« platzte Mose überrascht heraus.

Die Mundwinkel Königin Tejes bogen sich spöttisch noch ein wenig weiter nach unten als sonst: »*Geschrieben* gewiß nicht! Auch nicht gelesen. Jedoch offiziell gesiegelt, als ich es ihm mit einer Reihe anderer Schriftstücke vorlegte …«

Huja sprang auf, warf sich auf die Knie, beugte sich nieder und bedeckte die Füße seiner Königin mit Küssen:

»Ihr werdet dies nie zu bereuen haben, Majestät!« versprach er dabei.

»Die Einkünfte aus den Goldminen sind hoch genug«, fuhr Teje unterdessen fort, »daß Sie nicht nur die Soldaten davon anständig bezahlen können; es wird auch genug übrigbleiben, um Ihr für Ägypten verpfändetes und verkauftes Vermögen wieder neu aufzubauen.«

Dann nahm die Große Königsgemahlin ein Kästchen aus Zedernholz von dem Beistelltisch und überreichte es Tae-muad-jsi. Die Gemahlin Hujas klappte den Deckel auf und erstarrte. Aus dem Kästchen blinkte ihr der ganze kostbare Schmuck entgegen, den Königin Teje bei der Audienz vor einer Woche getragen, und den sie selber abgelehnt hatte.

»Jetzt wirst du ihn ja nicht mehr verpfänden müssen …«, bemerkte Teje freundlich dazu.

Dann schnippte sie mit den Fingern, und eine Schar von Dienerinnen eilte herbei und stapelte vor Tae-muad-jsis Füßen elegante Gewänder und feinste Stoffe, mit Gold überpuderte Perücken, kostbare Schminken und erlesenste Parfüme. Ehe sich Tae-muad-jsi von ihrer Verblüffung so weit erholt hatte, daß sie Teje danken konnte, bemerkte diese nur trocken, ehe sie das Zimmer verließ:

»Das Zeug da soll dich nur daran hindern, wieder splitternackt durch den Palast zu laufen, die Männerwelt – und ganz besonders Seine Majestät den König – zu verwirren und damit meine Nichte Nofret-ête zu verärgern!«

An diesem Nachmittag erreichte ein unauffälliges Boot Achet-Aton. Ebenso unauffällig waren das Gepäck und die Begleitung – zwei Diener und zwei Soldaten – des Mannes, der mit diesem Boot angekommen war und in einem schlichten Gasthof Quartier bezog.

Sogar der Mann selbst wirkte bei einem flüchtigen Blick unauffällig: kaum mittelgroß und leicht untersetzt mit einem kantigen, von tausend Falten zerknitterten Gesicht, welches von einer großen Nase und dunklen, melancholischen Augen unter struppigen Augenbrauen beherrscht wurde. Seine Kleidung war schlicht, blitzsauber und wurde schon ein wenig fadenscheinig. Perücken schien er nur eine zu besitzen, die ebenfalls schon bessere Tage gesehen hatte. So wäre er ganz gewiß keinem Menschen aufgefallen, hätte er nicht den Amtsstab und das Pektorale eines königlichen Statthalters getragen.

Bereits einen Tag nach seiner Ankunft sprach er im Außenministerium vor. Man wies ihn nicht ab, aber er wurde vertröstet. Stunden, Tage, Wochen wartete er in irgendwelchen Vorzimmern, zunächst im Außenamt, dann im Präsidialamt, schließlich im Königspalast.

Zunächst beachtete man ihn nicht. Dann wunderte man sich über seine Beharrlichkeit, mit der er wieder und wieder und wieder um eine Audienz nachsuchte. Man vertröstete ihn, speiste

ihn mit Ausreden ab, machte vage Zusagen, die man nicht ein-
hielt, schickte ihn von einer Kanzlei zur anderen. Schließlich begann man seine Anwesenheit als lästig zu empfinden.

Doch der Mann, er hieß Rib-Addi und war Statthalter von
Gubla an der Küste von To-nuter, blieb unnachgiebig, forderte
beharrlich eine Audienz mit einem der Minister und am liebsten
gleich mit dem König und wich nicht von der Stelle.

Begreiflicherweise waren wir höchst neugierig, als wir zwei Tage
später wieder das Haus von Speckstein-mose betraten. Der Künstler und seine fünf Frauen begrüßten uns strahlend. Dann wurden
wir in den uns schon bekannten Hauptraum des Hauses geführt.

Und da standen wir, genauer gesagt unsere Köpfe, auf zwei
hohen, hölzernen Podesten.

Speckstein-mose hatte die von unseren Gesichtern abgenom-
menen Formen mit Gips ausgegossen und bereits damit begonnen, die Köpfe weiter zu bearbeiten. So hatte er einerseits die
Lippen, da wo sie vorher durch das Röhrchen zum Luftholen
geöffnet gewesen waren, geschlossen, andererseits unsere beim
Abguß geschlossenen Augenlider geöffnet.

»Das ist natürlich alles erst vorläufig«, erklärte er. »Um die
Feinheiten herauszuholen, sind Sie ja heute gekommen.«

Als erste war Beket-Amûn an der Reihe. Speckstein-mose
setzte sie in einen bequemen Stuhl, rückte sie richtig ins Licht
und begann dann mit allerlei Feilen, Schabern, Sticheln und
scharfen, kleinen Messern an dem Porträtkopf zu arbeiten, nahm
hier Material weg, strich dort ein wenig frischen Gips auf, ver-
tiefte an einer Stelle die Linien, glättete sie anderenorts.

»Sammeln Sie eigentlich diese Porträts?« fragte ich.

Âmhet, das ›Äffchen‹, kicherte vergnügt los:

»Natürlich sammelt er sie – auch wenn er das nie zugeben
würde! Wollen Sie seine Sammlung sehen?«

Gespannt folgten wir der jungen Frau zu einem der Nebenräume im Inneren des Hauses. Âmhet stieß die Tür auf – und da
standen sie lebensgroß und lebensecht, dicht gereiht auf langen

Regalbrettern, die in vier Stockwerken ringsum an den Wänden angebracht waren: König Akh-en-Aton und Nofret-ête mindestens ein dutzendmal, Königin Teje, alle sechs Töchter des Königs, die Prinzen Tehuti-mose, Tut-anch-Aton und Semench-Ka-Râ, der ›Gottvater‹ Eje und seine Gemahlin Tiê, der Ministerpräsident Pichuru, die Generalgouverneure Pane-hesi und Menna, die Minister Panhasa, Janch-Aton und Tutu, der Polizeipräfekt Mahû, der Oberststallmeister Thai, der General Paatem-em-Heb, Oberst Schut, der Großpriester des Aton Merie-Râ und sein Sohn, der Oberst Chanî, der alte Privatschreiber des Königs Apy und Dutzende anderer, die in Achet-Aton wichtige oder auch nur halbwichtige Posten bekleideten. Ein eigenes Regal war offensichtlich den Verstorbenen gewidmet. Ich erkannte zwischen vielen anderen Prinzessin Kija, den Sohn des Hapu und meinen Bruder Râ-mose.

»In Wirklichkeit«, belehrte uns unterdessen Mâa, die ›Eule‹, »dient diese Sammlung natürlich ganz praktischen Zwecken. Kein Mensch hat die nötige Zeit und Geduld, um für all seine Darstellungen auf Tempel- und Palastwänden, Stelen, Statuen und Hausaltären persönlich Modell zu sitzen …«

»Mit Ausnahme von Nofret-ête, wenn es denn nötig wäre!« warf Senehem, die ›Heuschrecke‹, spitz ein.

»… und so machen wir diese lebensechten Porträtköpfe«, fuhr Mâa fort. »Nach diesen Modellen arbeiten dann die Bildhauer und Oberbildhauer, die der König in der wahren Kunst seines ›Vaters‹ Aton unterwiesen hat.«

In diesem Augenblick hastete Bat herein:

»Das Weibsstück …«

Entsetzt hielt sich Bat mit beiden Händen den Mund zu, als sie uns erblickte, und lief dunkelrot an.

Die Frauen wechselten untereinander einen kurzen Blick, dann erklärte Mâa ruhig:

»Die Königsgemahlin Nofret-ête Nefer-nefru-Aton – ›Schönste der Schönen in Aton‹ – geruht wieder einmal unser Haus heimzusuchen.«

Als wir wieder den Hauptraum betraten, rauschte Nofret-ête soeben zur Tür herein.

»Beket! Hotep!« rief sie strahlend. »Was für eine bezaubernde Überraschung!«

Mit honigsüßem Lächeln eilte sie auf uns zu, umarmte Beket-Amûn und sogar mich.

Dann entdeckte sie unsere Porträtköpfe und war voll des überschwenglichen Lobes für die Arbeit Speckstein-moses, der mit leicht verkniffenem Gesicht daneben stand.

»Er ist wirklich ein Genie!« stellte die Königsgemahlin fest, wobei sie dem Künstler die Wange tätschelte. »Schade nur, daß er sich so beharrlich der Wahrheit verweigert!«

»Welcher Wahrheit?« fragte Beket-Amûn erstaunt.

»Der Wahrheit Atons, die sich auch in der Kunst ausdrücken muß! Tritt vor die Tür und schaue nach oben, Beket, dort erstrahlt der leibhaftige Aton! Er ist wahr! Schau die Vögel, die Blumen, die Bäume – so wie du sie siehst, sind sie wahr! So wie du die Dinge, die Pflanzen, die Tiere und Menschen mit deinen Augen siehst, so wie Aton auf sie niederstrahlt und sie mit Leben erfüllt, so sind sie wahr! Wahrheit ist der innerste Kern dessen, was Aton uns durch den Mund meines königlichen Gemahls lehrt! Und wie überall in seinem Reich muß auch in der Kunst die Wahrheit das oberste Gebot sein!«

»Ich verstehe Sie, aber was ist mit dieser Wahrheit in der Kunst gemeint?« fragte Beket-Amûn.

»Denke doch an die früheren Darstellungen, gleichgültig ob Statuen oder Malereien oder Reliefs an Tempelwänden«, erklärte Nofret-ête, die Beket-Amûn ebenso beharrlich mit »du« anredete, wie die Prinzessin beim förmlichen »Sie« blieb. »Alles war exakt abgezirkelt. Jede Körperhaltung, jede Bewegung, jede Geste war rituell vorgeschrieben. Selbst die Größe der Figuren wurde nur entsprechend ihrem Rang festgelegt. Was dargestellt werden durfte, das waren einzig zeremonielle und kultische Handlungen, nichts was die Menschen selber und persönlich betraf! Alle Gesichter hatten den gleichen Ausdruck! Keines unterschied sich je vom anderen!«

Ich war heftig versucht, Nofret-ête zu widersprechen. Ich

kannte Hunderte von Darstellungen, die genau das Gegenteil bewiesen: Da wurde gesät und geerntet, das Vieh auf die Weide getrieben und Wein gekeltert; da waren die unterschiedlichsten Handwerker in ihren Werkstätten an der Arbeit; da wurde Sport getrieben, gejagt und gefischt; da saßen die Menschen mit ihren Verwandten und Freunden zu Tisch, tranken Wein und lauschten hübschen Musikantinnen. Und was die angebliche Gleichförmigkeit der Porträts anbelangte, so strafen nicht nur die Arbeiten Speckstein-moses im Grab meines Bruders Râ-mose diese Behauptung eindeutig Lügen. Was schließlich die zeremoniellen Größenunterschiede der verschiedenen Figuren anging, die hatte schließlich Akh-en-Aton Ua-en-Râ ohne irgendeinen Abstrich in seine ›wahre‹ Kunst übernommen.

»In all diesen früheren Darstellungen«, rief Nofret-ête inzwischen, »gab es kein echtes Leben, kein Gefühl! Das aber ist es doch, was letztlich die Wahrheit einer Kunst ausmacht!«

Nofret-ête deutete mit großer Geste auf unsere beiden Porträtköpfe:

»Sie sind wunderbar! In den Minuten, in denen die Masken abgenommen wurden, habt Ihr beide tatsächlich so ausgesehen. Aber nun sind sie erstarrt. Sie lachen nicht, wenn ihr lacht, sie weinen nicht, sie zeigen keine Freude, keinen Haß, keinen Neid, sie altern nicht mit euch – sie sind zeitlos geworden, herausgefallen aus dem Leben und damit aus der Wahrheit!«

»Das hieße in letzter Konsequenz«, bemerkte Beket-Amûn, »daß ein Künstler ein Leben lang neben einer Person herlaufen müßte, um an deren Porträt unentwegt die im Augenblick notwendigen Änderungen vorzunehmen, damit es wahr bleibt.«

»Ein höchst faszinierender Gedanke, den man weiter verfolgen sollte!« gab Nofret-ête sofort zu. »Würdig eines begnadeten Künstlers wie Speckstein-mose!«

Âmhet hinter ihrem Rücken schnitt eine Grimasse, und Mâa verdrehte ihre großen Augen zum Himmel; denn keinem der Anwesenden kam auch nur der geringste Zweifel, wen Nofret-ête als Modell für solch ein Vorhaben, sollte es je stattfinden, auswählen würde.

»Nun«, warf Beket-Amûn rasch ein, »da dies so wohl nicht

durchführbar sein dürfte, wie soll dann die Wahrheit der Kunst verwirklicht werden?«

»Indem man einen lebendigen Augenblick einfängt! Schau dir die Reliefs, die Wandmalereien hier in Achet-Aton und auf allen Tempeln Atons im ganzen Reich an: da flattern die Vöglein in der Luft, da springen die Fischlein im Teich, da erblühen die bunten Blumen im Garten, da hält der König seine kleine Tochter auf den Knien und küßt sie gerade, während ich ihm eine Schale Wein oder eine Traube reiche, da sendet Aton seine Strahlen segnend herab. Alles ist lebendig! Alles sieht so aus, wie es *wirklich* ist! Nichts ist beschönigt, zeremoniell erhaben. Jeder sieht aus – wie er eben aussieht! Auch der König! Gewiß, es ist nur ein Augenblick, herausgegriffen aus Millionen Augenblicken, aber ein Augenblick, der vollkommen *wahr* ist!«

Eine etwas ältere Frau aus dem Schwarm der Dienerinnen, die mit Nofret-ête gekommen waren, flüsterte ihrer Herrin etwas ins Ohr.

»O wie schade!« bedauerte Nofret-ête. »In einer Stunde erwartet mich Seine Majestät. Ich muß eilen!«

Wieder wurden wir umarmt, und Nofret-ête war schon fast zur Tür hinaus, als sie stehenblieb und sich noch einmal umwandte.

»Hast du endlich eine Lösung gefunden, meine Augen richtig darzustellen?« fragte sie Speckstein-mose in scharfem Ton.

Der Künstler schüttelte den Kopf.

»Eine Schande ist das!« erregte sich Nofret-ête. »Da fertigt dieser Mensch sein unübertroffenes Meisterwerk – und dann ist er unfähig, es zu vollenden!«

Mit schnellen Schritten durchquerte Nofret-ête den Raum, öffnete die Tür zu einer Kammer gegenüber dem Eingang und winkte uns zu sich.

Die Büste der Königsgemahlin, die dort* allein auf einem Regalbrett stand, war in der Tat ein Meisterwerk! Mit unendlicher Sorgfalt hatte Speckstein-mose in Lebensgröße die Züge Nofret-

---

* Dort wurde sie am 6. Dezember 1912 von dem Ägyptologen Ludwig Borchardt gefunden und wenig später nach Berlin gebracht, wo sie heute im Ägyptischen Museum zu sehen ist.

êtes aus dem Kalkstein herausgearbeitet. Das Gesicht mit der feinen Nase, den klar gezeichneten, dunkelroten Lippen, dem kleinen, festen Kinn über dem langen, schlanken Hals. Das Porträt wurde bekrönt von dem berühmten blauen Hut. Liebevoll hatte der Künstler den kostbaren Halskragen ausgemalt, die stärkeren Schminkstriche der sichelförmigen Augenbrauen und die zarten, schwarzen Striche um die Augen ausgeführt. Die feinen farblichen Nuancierungen der Haut waren so vollendet getroffen, daß man meinen konnte, die Haut atmen zu spüren. Die Porträtbüste Nofret-êtes war von jenem vollendeten, glatten, unberührbaren Ebenmaß, das die Gemahlin Akh-en-Aton Ua-en-Râs seit jeher auszeichnete.

»Und dann schaut Euch dieses Auge an!« rief Nofret-ête empört.

So perfekt diese Büste war, nur das rechte Auge war ausgeführt, das linke hingegen nicht mehr als eine noch unbearbeitete flache Höhle.

Dieses rechte Auge jedoch starrte uns genau so hart, kalt und gnadenlos an, wie der Blick Nofret-êtes nur allzu oft sein konnte.

Speckstein-mose hatte sich hier selber übertroffen. Und Nofret-ête damit offensichtlich einen Spiegel vorgehalten, den sie nicht ertragen wollte.

Augenblicke später, nach ein paar kurzen, belanglosen Abschiedsfloskeln, war sie fort.

»Bäääh!« machte Âmhet, das ›Äffchen‹, hinter ihr drein und streckte die Zunge heraus, und Tschet, die ›Schlange‹, unterstützte sie mit einer ziemlich obszönen Geste.

»Und ich werde das Auge nicht ändern!« knurrte Specksteinmose und knallte die Tür des Nebenraums zu. »Selbst wenn mich das Weibsstück dafür hängen und pfählen läßt!«

Dann blickten wir uns alle an, und für die Dauer eines Herzschlages lag knisternde Spannung in der Luft. Wenn Beket-Amûn oder ich Nofret-ête oder dem König gegenüber auch nur eine Silbe von dem verlauten ließen, was wir eben von Speckstein-mose und seinen Frauen gehört und gesehen hatten, dann steckten die sechs in üblen Schwierigkeiten!

»Die Porträtbüste ist ein unübertreffliches Meisterwerk«, sagte Beket-Amûn ruhig. »Das Auge aber ist ein Wunder! Maat, die Göttin der Wahrheit, muß Ihre Hand geführt haben, als Sie dieses kalte, böse Auge schufen!«

Ein hörbares Aufatmen ging durch die Runde, und dann schnatterten die fünf Frauen wild durcheinander. Nur Speckstein-mose wandte den Blick ab.

»Wir hassen dieses Weibsstück!« erklärte uns Mâa. »Nicht weil sie unseren Mann jahrelang in ihr Bett befohlen hat …«

»Ihre Tochter Nefer-nefru-Râ ist wahrscheinlich von ihm«, warf Bat schnell ein.

»… nein«, fuhr Mâa fort, »weil sie mit ihm gespielt hat, wie mit all ihren Dutzenden von Liebhabern! Sie lockt die Männer mit ihrer makellosen Schönheit …«

»Wer von uns, mit Ausnahme vielleicht von Tschet, könnte schon mit ihr konkurrieren!« rief Senehem dazwischen.

»Und unser Mann ist ein Künstler, ein Augenmensch!« fügte Âmhet bei.

»… und dann«, sprach Mâa weiter, »wenn sie ihrer sicher ist, läßt sie die Männer fallen!«

»Um dann regelmäßig zu erscheinen«, zischte Tschet, »und sich an dem, was sie angerichtet hat, zu ergötzen und ihre Opfer zu demütigen …«

»Schluß jetzt damit!« schnitt Speckstein-mose seinen Frauen das Wort ab. »Verzeiht, Prinzessin …«, wandte er sich an Beket-Amûn.

»Außerdem ist sie eitel, dumm und ungebildet!« schob Âmhet schnell noch nach.

»Ihre blöde ›wahre Kunst‹ gönne ich ihr auf jeden Fall!« grinste Senehem boshaft.

»Schauen Sie sich nur einmal ihre Darstellungen auf den Tempel- und Palastwänden an!« fiel Bat ein.

»Da sieht sie nämlich aus wie ein schwangeres Nilpferd!« rief Tschet.

Und dann brachen die Frauen in schallendes Gelächter aus,

in das auch wir und schließlich sogar Speckstein-mose einfielen, denn treffender hätte man es wahrlich nicht formulieren können.

Die Frauen waren jetzt richtig in Fahrt.

»»Wahrheit ist der innerste Kern dessen, was Aton uns durch den Mund meines königlichen Gemahls lehrt!‹« äffte Âmhet Nofret-ête nach. »»Und wie überall in seinem Reich muß auch in der Kunst die Wahrheit das oberste Gebot sein!‹«

»»Alles ist lebendig!‹« fiel Senchem ein. »»Alles sieht so aus, wie es *wirklich* ist! Nichts ist beschönigt!‹«

»Also, du kannst dieser Kunst alles nachsagen«, rief Bat dazwischen, »aber *beschönigt* wird in ihr wirklich nichts!«

»Nein, *behäßlicht!*« stellte Tschet fest.

»Nein, *bewahrheitet!*« fiel Mâa ein.

»Also du wirst doch nicht sagen wollen …«, setzte Tschet an, doch Mâa unterbrach sie:

»Sieht der König nun so aus wie auf seinen Darstellungen? Oder anders herum gefragt: Sehen seine Darstellungen so aus wie der König?«

»Das tun sie in der Tat«, gab Senehem zu.

»Seine Majestät«, fuhr Mâa fort, »hat erkannt, daß ihn seine Krankheit zu einer von Jahr zu Jahr groteskeren Erscheinung werden läßt. Und um der Wahrheit seines ›Vaters‹ Aton willen läßt er sich auch genau so darstellen. Das ist doch die reine, unbeschönigte, lebendige Wahrheit in der Kunst!«

»Also gut«, stimmte Bat zu, »die Darstellungen des Königs sind also *wahr!*«

»Aber die Darstellungen von Nofret-ête, den königlichen Töchtern, den Höflingen und Beamten …«, fiel Tschet wieder ein.

»… müssen wahr sein, weil die Darstellungen des Königs wahr sind!« belehrte sie Mâa.

»Du siehst das nur nicht richtig, Tschet!« rief Bat vergnügt dazwischen. »In *Wahrheit* hast du nämlich *auch* einen Wasserkopf!«

»Dazu einen Quellbauch und einen Fettarsch!« fiel Senehem sofort ein.

»Dafür Arme wie Stecken und eine Hühnerbrust mit zwei

Nüßchen anstatt deiner runden, festen Brüste, auf die du so stolz bist …«, ergänze Mâa lachend.

»… die man aber nicht sieht, weil dein Kinn ja fast bis zum Nabel hängt!« kicherte Âmhet.

Tschet war vor einen hohen, polierten Bronzespiegel getreten, drehte sich hin und her, betrachtete sich mit ernsthaftem Gesicht von allen Seiten:

»Also meine Augen sehen etwas anderes!« stellte sie schließlich fest.

»Weil du eben nicht erfüllt bist von der *wahren Wahrheit* des Einzigen und Leben spendenden Aton!« quietschte Âmhet.

Tschet sah Âmhet und ihre Mitfrauen lange mit ihren seltsam schimmernden Augen an:

»Dann bete ich zu allen Göttern«, sagte sie schließlich, »daß mir Aton niemals die Augen für seine Wahrheit öffnet! Wenn schon *ich* so entsetzlich aussehe – wie sollte ich dann erst *euren* Anblick ertragen?«

Der Krach war unbeschreiblich!

Fanfaren schmetterten, Trommeln dröhnten, Pfeifen schrillten, 20 000 Männer sangen oder brüllten aus voller Kehle ihre Segenswünsche für den König hinaus, schwenkten ihre Standarten und fuchtelten mit ihren Waffen durch die Luft. 60 Truppentransporter und Lastkähne, randvoll beladen mit Soldaten, Pferden und Kriegsgerät, bedeckten den Fluß, segelten mit prozessionshafter Langsamkeit an Achet-Aton vorbei den Strom hinauf ins ›Manöver‹ nach Wawat und Kusch.

König Akh-en-Aton Ua-en-Râ in seinem vollen Königsornat auf dem hohen Thron, der auf der Palastmole aufgebaut war, litt sichtlich ob dieses martialischen Spektakels. Die Große Königsgemahlin Teje neben ihm betrachtete das Schauspiel mit erhabener Gelassenheit, nur ein gelegentliches Zucken um ihre Mundwinkel ließ erahnen, was sie verspürte.

Vizekönig Huja und seine Gemahlin warfen sich vor Seiner Majestät in den Staub und verabschiedeten sich, um in Wawat und Kusch dafür zu sorgen, daß der ›Friede Atons‹ nicht durch jene zahllosen Soldaten verletzt würde. Akh-en-Aton Ua-en-Râ glotzte den kleinen, festen Pobacken Tae-muad-jsis, die sich unter ihrem kostbaren Schleiergewand abzeichneten, so lange nach, bis der Vorhang der Kajüte ihres Reiseschiffes hinter ihr und ihrem Gemahl fiel.

Wenig später warf sich Hôr-em-Heb, der Befehlshaber der ins Manöver ziehenden Truppen, vor seinem Herrscher nieder, dankte mit gesetzten Worten für seine Ernennung zum General, an welcher der Herrscher, wie er durchaus wußte, keinen Anteil hatte. Seit den Tagen, in denen er als Wagenlenker des von einem Wildstier getöteten Hôr-im-Nest Tehuti-mose Usîre gedient hatte, war Hôr-em-Heb zu einem höchst selbstbewußten Mann gereift. Sein klar gezeichnetes Gesicht wurde beherrscht von einer kräftigen Nase, einem harten Mund und ebenso harten Augen. An seiner untersetzten Statur war kein Kite Fett zu finden. Die Abzeichen seines Ranges und das doppelte Gold der Belohnung, das ihm der König um den Hals legte, trug er mit der Selbstverständlichkeit eines Menschen, der genau weiß, daß ihm nur das gegeben worden war, was ihm rechtens auch zustand.

Die Begrüßung der königlichen Familie durch Hôr-em-Heb fiel protokollgemäß höflich und wortreich aus, doch nur bei Königin Teje ließ der neu ernannte General so etwas wie persönliche Zuneigung durchschimmern.

Die offiziellen Grußworte zwischen Hôr-em-Heb und Prinz Mose waren ebenso freundlich wie verkrampft. Während der Sommerpause im Haus allen Wissens zu Chemenu hatte Mose als Kadett an der Militärakademie in Men-nôfer und als Untergebener Hôr-em-Hebs gedient. Jetzt freilich war er dem frisch gebackenen General als anerkannter Hôr-im-Nest in seinem Rang natürlich weit überlegen.

Die Begrüßung zwischen Hôr-em-Heb und mir war knapp, trocken, sachlich und doch nicht ohne Sympathie. Um uns zu mögen, waren wir viel zu verschieden, doch wir achteten, respektierten und schätzten einander ohne Mißtrauen oder gar Neid.

Erst am darauffolgenden Tag erfuhr ich von Oberst Schut, daß

General Hôr-em-Heb nach dem offiziellen Empfang durch den König in der Abenddämmerung nochmals nach Achet-Aton zurückgekommen war, um ein mehrstündiges Gespräch mit dem ›Gottvater‹ Eje zu führen.

Hatte uns Hôr-em-Heb um seiner Karriere willen verraten? Wenn der ›Gottvater‹ Eje wußte, wie wir den ›Friedensfürsten des Aton‹ übers Ohr gehauen hatten, dann wußte das wenige Stunden später seine Tochter Nofret-éte, und dann würde nicht einmal mehr eine einzige Stunde vergehen, bis es auch Seine Majestät der König wußte.

Königin Teje, Prinzessin Maket-Aton, Heje und Pentû, waren entsetzt, als sie davon erfuhren. Mose und ich blieben gelassen:

»Tausend, ja, zehntausend Menschenleben mögen Hôr-em-Heb wenig oder nichts bedeuten. Aber Verrat, so sehr er ihm auch nützen mag, ist ein Wort, das Hôr-em-Heb nicht kennt!«

Beket-Amûn befragte ihre Mondschale:

»An Hôr-em-Hebs aufrichtiger Treue gibt es keinen Zweifel … Sein Eid bindet ihn, geschehe was auch immer … Nicht Hôr-em-Heb hat Eje aufgesucht, sondern dieser hat ihn zu sich gebeten … Es geht um eine Art Geschäft … aber auch irgendwie um Legalität, Legitimität in der Zukunft … Die Bilder sind verworren … oder ich vermag sie nur nicht richtig zu deuten …«

Das Rätsel löste sich knapp vier Monate später, als General Hôr-em-Heb und die Truppen mit noch mehr Lärm, Fanfaren, Trommeln und Gesängen aus dem Manöver zurückkehrten.

Der General heiratete Mut-nodjemet, die jüngere Schwester Nofret-êtes.

»Es wird Zeit, daß ich ihr einen ordentlichen Mann besorge!« hatte der ›Gottvater‹ Eje damals erklärt, als er den geilen Tanz seiner jüngeren Tochter vor dem König und den Höflingen im Garten des Nördlichen Palastes, kurz nach unserer Ankunft in Achet-Aton, zornbebend beobachtet hatte. Diesen Mann hatte er ihr also ›besorgt‹.

Das Geschäft, das Beket-Amûn gesehen hatte, war ohne Zweifel für beide Seiten von Vorteil: Mut-nodjemet war in festen Händen, künftig in Men-nôfer weitab vom Hof, und zudem verpflichtete sich Eje als Schwiegersohn einen Mann, der ohne jeden Zweifel auf der Karriereleiter noch ein gutes Stück höher klettern würde. Für Hôr-em-Heb, der zwar aus ordentlichen, aber eher kleinen Verhältnissen stammte, bedeutete diese Heirat einen gewaltigen gesellschaftlichen Sprung nach oben, zählte er doch dadurch nun zur Verwandtschaft des Königshauses, durfte er die unumstrittene Lieblingsfrau des Königs »Schwägerin«, die Kronprinzessin und ihre Schwestern »Nichten«, und die Große Königsgemahlin gar »Schwiegertante« nennen. Der etwas angeschlagene Ruf seiner Gemahlin war ihm dabei zweifellos herzlich gleichgültig.

Was Beket-Amûn mit »Legalität, Legitimität in der Zukunft« gesehen hatte, blieb freilich rätselhaft.

Es war Mitte des 4. Erntemonats, und das Leben in Achet-Aton plätscherte vor sich hin. Zahllose Feste, jetzt im Sommer vornehmlich in dem herrlichen Park des Nördlichen Palastes, endlose Zeremonien in den verschiedenen Tempeln des Aton, dann und wann Audienzen für irgendwelche Gesandtschaften und Delegationen.

Maket-Atons Schwangerschaft verlief problemlos, und es war stets eine Freude, sie und Mose zu sehen, wie sie eng umschlungen beisammen saßen oder, sich an den Händen haltend, durch die üppig blühenden Palastgärten schlenderten.

Ich selbst genoß das – beinahe – unbeschwerte Zusammensein mit Beket-Amûn. Meine schnellen Fortschritte in der Ausbildung der *Gabe* unter Beket-Amûns Anleitung überraschten mich selber mehr als sie.

»In einem früheren Leben warst du schon einmal ein großer Seher und hoher Eingeweihter gewesen«, erklärte sie mir eines Abends. »Dein unsterbliches, geistiges Ich hat davon nichts vergessen. Wir müssen jetzt nicht mehr tun, als dieses Wissen wieder in dein Bewußtsein heraufzuholen.«

»Wenn das so ist«, fragte ich, »weshalb bin ich dann nicht wie du Priester oder Seher geworden, sondern Soldat?«

»Weil erst die Summe der unterschiedlichsten Erfahrungen wahre geistige Vollkommenheit bewirken kann«, war die Antwort.

»Vizekönig Huja und Tae-muad-jsi« fuhr Beket-Amûn fort, »waren reich, als sie vor Jahren nach Wawat gingen. Sie haben sich an ihrem Reichtum erfreut, ihn genossen. Aber sie haben ihn, ohne zu zögern, weggegeben, als es um eines höheren Zieles willen erforderlich schien. Könntest du dir das etwa auch von Janch-Aton oder Pichuru vorstellen?«

»Ganz gewiß nicht!« lachte ich.

»Menschen wie Janch-Aton und Pichuru stehen noch sehr weit unten in ihrer geistigen Entwicklung«, fuhr Beket-Amûn fort. »Ihr ganzes Sinnen und Trachten zielt allein auf materiellen Besitz und die Annehmlichkeiten, die er ihnen zu verschaffen vermag, so daß sie ihn niemals freiwillig aufgeben würden. Also wird er ihnen eines Tages genommen werden. Und das so oft, bis sie begriffen haben, daß irdische Güter niemals etwas anderes als Leihgaben sind.

Wenn sie diese Lektion gelernt haben, dann können sie eine geistige Stufe höher steigen.

Möglicherweise ziehen sie in einem nächsten Leben dann hinaus in die Wüste, leben dort als Einsiedler von dem wenigen, was sie dort draußen finden, und versuchen in Meditation und Gebet, sich völlig von allen materiellen Bindungen zu lösen, um die nächste Stufe zu erklimmen.

Und schließlich kehren sie vielleicht in einem weiteren Leben zurück wie Huja und Tae-muad-jsi. Wieder werden sie ihre irdischen Güter zu genießen wissen, aber ihr Herz hängt nicht mehr an diesen Dingen, sie sind nicht mehr die Gefangenen ihres Besitzes. Ihr unsterbliches, geistiges Ich ist frei geworden von diesen Fesseln, und ein Stück der wahren Ordnung lebt jetzt in ihnen, jener Ordnung, die besagt, daß wir die Güter dieser Welt besitzen sollen, nicht sie uns!«

»Und weshalb nun mag ich in diesem Leben Soldat geworden sein?« fragte ich gespannt.

»Ich weiß es nicht«, gab Beket-Amûn zu. »Aber auch die Beschäftigung mit geistigen Dingen birgt durchaus Gefahren – die

Gefahr etwa, diese unsere reale Welt nicht mehr richtig zu sehen. Ich könnte mir beispielsweise vorstellen, daß du dabei warst, den Boden unter deinen Füßen zu verlieren. Also hast du dir ein Leben gewählt, das dich wieder ganz hart mit militärischem Drill, mit Machtkämpfen und Hofintrigen konfrontierte – und in nicht allzu ferner Zeit auch mit Krieg, Gewalt, Blut und Tod.

Es könnte aber auch sein, daß du dir dieses Soldatenleben gewählt hast, weil du nur so eine große Aufgabe, die dir gestellt ist, wahrnehmen kannst!«

»Du denkst an Mose?« fragte ich leise.

»Ja«, bestätigte Beket-Amûn, »ich denke an Mose!«

Beket-Amûn und ich kehrten am nächsten Abend schon früh aus dem Palast nach Hause zurück. Als wir unser Anwesen soeben betreten wollten, löste sich aus dem Schatten der Umfassungsmauer die Gestalt eines kaum mittelgroßen, untersetzten Mannes in schlichtem, weißen Schurz, eine abgetragene Perücke auf dem Kopf, und trat mit einer tiefen Verbeugung auf uns zu:

»Vergebt, Hoheit, die Kühnheit, mich Euch zu nähern! Vergebt, General, daß ich Sie zu belästigen wage! Sie werden sich gewiß meiner nicht mehr erinnern, General, aber …«

Als sich der Mann aufrichtete, fiel Licht auf sein zerfurchtes Gesicht.

»Rib-Addi!« rief ich verblüfft. »Aber ganz gewiß erinnere ich mich an Sie! Beket-Amûn, darf ich dir Rib-Addi vorstellen? Damals, während meines Dienstes als Leutnant in To-nuter – das muß mindestens 20 Jahre her sein …«

»22 Jahre genau«, warf Rib-Addi ein.

»… damals war Rib-Addi soeben zum königlichen Statthalter von Gubla ernannt worden. Wir hatten das natürlich ausgiebig gefeiert – wie lange eigentlich? Zwei Tage? Drei Tage? Dann wurde uns eine marodierende Bande von Hatti gemeldet. Sturzbetrunken wie unser Befehlshaber Ni-sekmu und wir übrigen Offiziere alle waren, packten wir unsere Waffen, stürmten los – und stolperten geradewegs in eine Falle! Wir konnten uns gerade noch zu einem Hügel durchschlagen und uns dort einigeln, doch da saßen wir dann fest, umringt von gut tausend blutdürstigen Hatti. Daß auch nur einer von uns überlebte, verdankten wir allein Rib-Addi! Der neu ernannte Statthalter von Gubla trommelte ein Entsatzheer zusammen, und weil er keine Soldaten hatte – die hockten ja alle mit uns auf jenem Hügel – mobilisierte er die halbe männliche Bevölkerung von Gubla. Ich habe selten in meinem Leben einen so schönen Anblick gesehen wie diese mit Hämmern, Sicheln, Mistgabeln oder nur einfachen Holzprügeln bewaffneten Handwerker und Bauern, die sich unter der Führung von Rib-Addi auf die Hatti stürzten. Um es kurz zu machen: Die Hatti rissen völlig überrumpelt aus, und wir hatten nicht mehr als vielleicht zwei Dutzend Leichtverletzte zu beklagen. Wenn ich heute lebendig und in einem Stück vor dir stehe, Beket-Amûn, dann hast du das Rib-Addi zu verdanken!«

Beket-Amûn trat spontan auf Rib-Addi zu und umarmte ihn.

»Aber was stehen wir hier vor der Tür herum?« fragte sie. »Kommen Sie herein und seien Sie unser Gast!«

»Ich möchte Euch, Hoheit, nicht zur Last fallen!« wehrte Rib-Addi bescheiden ab. »Und auch Ihnen nicht, General ...«

»Wenn ich mich recht erinnere«, unterbrach ich, »dann haben wir damals bei dem noch viel schlimmeren Besäufnis nach unserem Sieg Brüderschaft getrunken und uns geschworen, daß der eine stets für den anderen da sein würde, wann immer und wo immer er der Hilfe bedürfen möge. Also komm herein! Laß dich bewirten, erzähle uns, was du in all den verflossenen Jahren gemacht hast, wie es deiner Familie geht und was dich jetzt nach Achet-Aton führt!«

Wenig später hatten wir uns unter dem Granatapfelbaum niedergelassen, während Ern und Serâu Wein, Brot, Käse, Oliven und kalt eingelegtes Hähnchenfleisch auftrugen.

»Nun«, begann Rib-Addi stockend zu berichten, »zumindest dem Namen nach bin ich immer noch Statthalter von Gubla. Getan habe ich seither stets das gleiche, ich habe versucht, Gubla gegen Hatti, Amoriter, Assyrer und sonstiges Gesindel für meinen König zu halten. Was meine Familie anbelangt: Mein ältester Sohn fiel im Kampf gegen die Hatti, der zweite kam um, als karische Piraten Gubla angriffen. Ob meine Frau, meine Tochter und mein jüngster Sohn noch leben, weiß ich nicht, ich habe von ihnen nichts mehr gehört, seit sie in die Gefangenschaft des Amoriterfürsten Azirhû gerieten.

Was ich hier in Achet-Aton tue? Als all meine Briefe und Bitten um militärische Verstärkung, und wenn das nicht, so doch wenigstens um sonst eine Art von Unterstützung, ohne Antwort blieben, habe ich mich selber hierher in die Hauptstadt aufgemacht. Seit fast drei Monaten versuche ich eine Audienz zu bekommen, erst beim Außenminister Tutu, dann beim Ministerpräsidenten und Oberbefehlshaber Pichuru, schließlich beim König. Ich hätte mir die Reise sparen können! Nicht einer war bereit, mir auch nur eine halbe Stunde Zeit zu widmen.«

»Höre ich hier fast das gleiche wie vor wenigen Wochen erst von Vizekönig Huja?« fragte Beket-Amûn halb erschreckt, halb zornig.

»General«, fuhr Rib-Addi fort, »ich hatte nicht die Absicht, Sie ...«

»Dich!« korrigierte ich. »Und nicht ›General‹ sondern Amûn-hotep!«

»Also gut, Amûn-hotep«, gab Rib-Addi nach. »Aber glaube mir bitte, ich würde niemals eine Freundschaft aus längst vergangenen Tagen dazu benützen, um etwas für mich persönlich zu erbitten! Aber es geht nicht um mich! Nicht einmal um meine Familie! Es geht um die Provinzen des Reiches Kanaan und To-nuter! Vor allem aber geht es um alle die Männer, Frauen und Kinder, die sich einst dem Schutz der Könige von Ägypten anvertraut haben und die König Akh-en-Aton Ua-en-Râ und seine Beamten nun offensichtlich zu vergessen gewillt sind!«

»Was können wir für dich tun?« fragte ich direkt.

»Ich hätte mich nie an dich gewandt«, beteuerte Rib-Addi nochmals, »aber du bist wirklich meine letzte Hoffnung! Ich flehe dich an: Verschaffe mir nur eine halbe Stunde Gehör bei Seiner Majestät!«

Wir hatten an diesem Abend bis tief in die Nacht mit Rib-Addi zusammengesessen. Was er über Kanaan und To-nuter zu berichten hatte, das war noch weit erschreckender gewesen als das, was Vizekönig Huja aus Wawat und Kusch erzählte.

Am nächsten Morgen hatten wir Königin Teje aufgesucht. Sie war tief bestürzt über das, was sie da zu Ohren bekam. Überrascht war sie freilich nicht.

»Die Schatten Atons in diesen Ländern sind weit dunkler als in Wawat und Kusch, wie du es gesehen hast, Beket-Amûn, und sie sind auch weit schwieriger zu bekämpfen.«

»Könnte man nicht eine ähnliche Lösung finden wie für Vizekönig Huja?« hatte ich hoffnungsvoll gefragt, doch Königin Teje hatte abgewinkt:

»Gewiß würde Nacht-Min genug Offiziere und Soldaten finden, die bereit wären, zu sogenannten Manövern auch nach Kanaan und To-nuter zu gehen. Aber wie sollten wir vernünftige Besatzungen auf Dauer finanzieren? In Kanaan und To-nuter gibt es keine Goldminen und keinen Huja, dem ich sie zur Ausbeutung auf Lebenszeit für seine Verdienste schenken kann. Und das ist gleich das zweite Problem: Rib-Addi ist nicht Vizekönig oder Gouverneur, sondern nur Statthalter einer unwichtigen Provinzstadt. Natürlich könnte ich ihm persönlich und der Stadt Gubla helfen, aber was wird aus dem ganzen Rest von Kanaan und To-nuter?«

»Was können wir dann tun?« hatte Beket-Amûn verzweifelt gefragt.

»Wir können – nein, wir müssen versuchen, den ›Friedensfürsten des Aton‹ um des Friedens willen dazu zu bringen, daß er in Kanaan und To-nuter irgend etwas unternimmt!«

Einen Tag später stand Rib-Addi in der Audienzhalle vor dem Thron seines Herrscherpaares, und auch all jene Minister, in deren Vorzimmer er wochenlang vergeblich gewartet hatte, waren auf Befehl Königin Tejes anwesend.

Nachdem das übliche Begrüßungszeremoniell angelaufen

war, forderte Umu-hanko, der Zeremonienmeister, im Namen des Königs Rib-Addi auf zu sprechen.

Nochmals verneigte sich der Statthalter von Gubla tief, dann begann er zunächst stockend:

»Majestät, der Ihr allein in der Wahrheit Eures Vaters, des einzigen und ewigen Aton, lebt! Dies, was ich Euch nun berichten muß, ist die reine und unverfälschte Wahrheit, denn nur sie allein hat Bestand vor den Augen und den Ohren des Sohnes des Aton, der alles Leben verleiht!«

Beket-Amûn und ich hatten Rib-Addi eingebleut, seine Rede unter allen Umständen mit derlei Floskeln zu spicken, wenn er auch nur den Hauch einer Chance haben wollte, das Ohr des Königs zu erreichen. Der geradlinige und aufrechte Mann fühlte sich sichtlich unwohl dabei, aber er folgte brav unseren Anweisungen.

»Gubla«, fuhr er fort, »ist nur eine unbedeutende Provinzstadt am Rande Eures Reiches. Ich weiß nicht zu sagen, was Euch die anderen Statthalter und Gouverneure aus Kanaan und To-nuter berichteten. Doch dürfte es sich kaum von dem unterscheiden, was ich Euch zu melden habe.

Kanaan und To-nuter versinken in Blut, Gewalt und Feuer! In Kanaan führen Edomiter, Moabiter und Ammoniter blutige Kriege untereinander, vor allem jedoch gegen die ägyptische Vorherrschaft. Die Felder sind verbrannt. Das Vieh gestohlen. Die Dörfer ausgestorben und zerfallen. Niemand sät oder erntet mehr. Jeder Handel ist zusammengebrochen. Die Städter wagen sich kaum noch aus dem Schutz ihrer Mauern.

Die ganze Küstenregion von Per-Kanaan bis nach Ugarit hinauf ist verwaist. Piraten der Lykier, Karier und Achaier überfallen die Hafenstädte und Fischerdörfer. Sie ziehen raubend, plündernd und mordend durch das Land. Wer von der Bevölkerung nicht erschlagen wird, den schleppen sie als Sklaven auf ihren Schiffen davon.

Dafür beginnen sich dort höchst kriegerische Völkerschaften, die über das Meer kamen und sich Philister und Zakkar nennen, einzunisten und die Küstenregion für sich zu erobern.

Am schwersten jedoch hat es To-nuter getroffen! Karkemisch,

einst nördlichste Festung des Reiches, ist längst eine Provinzstadt der Hatti. Um Kadesch an der Grenze zwischen Kanaan und To-nuter toben blutige Schlachten zwischen Hatti und Mitanni. Mit-anni selbst, obwohl offiziell doch mit Ägypten verbündet, hat all unsere Städte und Länder zwischen Euphrat und Jordan erobert und seinem Reich einverleibt. Das kriegerische Assur, einst Vasall Mitannis, hat sich selbständig gemacht. Mit der einen Hand greift es jetzt nach Babylon, mit der anderen am Euphrat entlang nach Westen. Noch sind es nur schwer bewaffnete Räuberban-den, die in To-nuter einfallen, bald jedoch werden es Heere sein.

Und inmitten all dieser Schrecken sitzt Azirhû, der Sohn des Abdaschirta, König der Amoriter, und baut an seinem Reich. Er ist grausam, kühn und verschlagen. Er schwört jedem die Treue und bricht jeden Schwur. Einmal schon hat er Gubla erobert, doch die Bevölkerung hat seine Horden wieder vertrieben. Noch hält sich Gubla und manche andere treue Stadt. Doch wie lange noch? Ich wage es nicht vorherzusagen!«

Rib-Addi warf sich auf die Knie, berührte mit der Stirn den Boden:

»Majestät, der Ihr einzig für die Wahrheit und den Frieden Eures Vaters Aton lebt! Schenkt auch uns seinen Frieden! Rettet To-nuter und Kanaan aus den Klauen unserer Feinde! Wir erbit-ten nur eines: den Frieden Eures Vaters, des ewigen und ein-zigen Aton!«

König Akh-en-Aton Ua-en-Râ hatte zunächst gelangweilt, dann aber doch zunehmend aufmerksamer und mit einer gewis-sen Besorgnis Rib-Addi gelauscht. Jetzt beugte er sich vor, blickte den Statthalter mit gerunzelten Brauen an:

»Wenn das tatsächlich der Wahrheit entsprechen sollte …«

»Lügen! Nichts als Lügen!« schrien Pichuru und Tutu wie aus einem Mund und eilten vor den Thron.

»Ich weiß nicht, wer dieser Mann ist!« rief Tutu, der Außen-minister. »Ich weiß nicht, was er ist, und ich schwöre bei Aton, daß ich ihn noch nie in meinem Leben gesehen habe!«

»Aber ich weiß, wer er ist!« warf ich ruhig ein. »Ich kenne ihn seit vielen Jahren und weiß genau, wer und was er ist: Rib-Addi, der Statthalter von Gubla!«

»Wollen Sie vielleicht auch all seine Behauptungen aus eigenem Wissen bezeugen, General Hotep?« versuchte mich Pichuru, der Ministerpräsident und Oberkommandierende des Heeres, anzugreifen.

»Ich kann aus eigener Anschauung zwar den Bericht Rib-Addis nicht bestätigen, auch wenn ich von seiner unbedingten Aufrichtigkeit überzeugt bin«, parierte ich. »Allerdings wage ich auch zu bezweifeln, daß Sie, Pichuru, aus eigener Anschauung Rib-Addi widerlegen können!«

»Aus eigener zwar nicht … jedoch … ich meine …« Pichuru geriet erbärmlich ins Stottern.

Doch geistesgegenwärtig sprang Außenminister Tutu ein:

»Majestät!« beeilte er sich mit einer tiefen Verneigung zu erklären. »Wie unsinnig diese Behauptungen sind, wie fernab jeglicher Wahrheit, beweisen Hunderte, ja, Tausende von Tontafeln mit der gesamten Auslandskorrespondenz in meinem Ministerium! Zugegeben, die Raubschiffe der Lykier und Karier, die gelegentlich vor den Küsten erscheinen, sind ärgerlich, aber der Statthalter des großen, wohlbefestigten Gubla sollte mit solch kleinen Ärgernissen selbständig fertig werden, ohne deshalb gleich vor dem Thron Seiner Majestät um Hilfe zu wimmern!

Die Achaier sind Barbaren, und von Philistern und Zakkar höre ich heute zum erstenmal!

Zugegeben auch, daß sich Edomiter, Moabiter und Ammoniter immer wieder einmal um irgendwelche Wasserlöcher weit draußen in ihren Wüsten streiten – aber was betrifft das Ägypten und seine Provinzen?

Zugegeben sogar, daß Assur sich zu einem höchst unangenehmen und eroberungslustigen Nachbarn zu entwickeln scheint. Seine Begehrlichkeit erstreckt sich jedoch allein auf Babylon und die nördlichen Teile Mitannis am Tigris, während den nördlichsten Zipfel unseres Reiches Hunderte von Iteru Wüste vor seiner Nachbarschaft schützen!«

Der König hatte sich inzwischen zurückgelehnt und offenbar jedes weitere Interesse verloren.

Tutu aber war jetzt richtig im Zug:

»Mögen all diese kleinen, belanglosen oder fernen Ärgernisse vielleicht sogar dazu angetan sein, einen überängstlichen Menschen in eine gewisse Verwirrung zu stürzen, so sind die Anschuldigungen gegen die Hatti, gegen Mitanni und gegen König Azirhû einfach absurd!

Majestät, Mitanni ist seit Generationen ein treuer Freund Ägyptens, und Ihr mögt Euch bitte daran erinnern, daß die Prinzessin Taduchepa, die mit ihrer Lieblichkeit Euren königlichen Harem schmückt, eine Tochter des Königs von Mitanni, Tuschratta, ist! Wie sollte da Mitanni auf den Gedanken kommen, ägyptische Städte und Provinzen erobern zu wollen?

König Azirhû von Amurru, den Sohn des Abdaschirta, habe ich persönlich zu kennen die Ehre, und ich versichere Eurer Majestät, er ist ebenso ein zuverlässiger Vasall der Beiden Kronen wie auch ein glühender Anhänger Eures Vaters Aton, der Leben verleiht!

Und eine Gesandtschaft des Königs der Hatti, Schuppiluliuma, hat Eure Majestät erst vor zwei Tagen empfangen. Dabei konnten sich Eure Majestät mit eigenen Augen davon überzeugen, wie tief beglückt die Gesandten die Worte Eurer Majestät über den Frieden Eures Vaters, des Allmächtigen und Einzigen Aton, aufgenommen haben! Der Vertrag für ewigen Frieden und unverbrüchliche Freundschaft zwischen unseren Völkern, den Eure Majestät in Ihrer Großmut den Gesandten angeboten hat, liegt nebst reichen Geschenken bereit zum Siegeln!«

Tutu holte noch einmal tief Luft, ehe er pathetisch ansetzte:

»Ich weiß nicht, was dieser Mann, der sich Rib-Addi nennt und sich als Statthalter von Gubla bezeichnet, will. Fern sei es von mir, ihm böse, intrigante Absichten zu unterstellen! Doch es ist offensichtlich …«

»… daß man hier in Achet-Aton«, brüllte Rib-Addi los, »den Frieden des Aton nur mit dem Maul verteidigt! Daß man hier lieber auf das glattzüngige Geschwätz von Diplomaten und die heuchlerischen Beteuerungen eines Erzintriganten vertraut! Daß man zwar von Wahrheit redet, die Augen vor der bitteren Wahrheit jedoch fest verschließt!«

»Hier steht nun Aussage gegen Aussage«, warf ich schnell ein, ehe Tutu empört auffahren, vor allem aber, ehe der König zu einer seiner Reden über Aton, den Frieden Atons oder die Wahrheit Atons ansetzen konnte. »Sie, Rib-Addi, sprechen von dem, was Sie gesehen haben wollen – und Sie, Tutu, von dem, was Sie aus Ihren diplomatischen Kontakten zu wissen behaupten. Majestät! Gebt mir 2000 Mann, und ich werde mich persönlich davon überzeugen, was in Kanaan und To-nuter vorgeht! In drei Monaten kann ich zurück sein und Euer Majestät aus eigenem Augenschein berichten!«

Doch noch bevor König Akh-en-Aton Ua-en-Râ zustimmend nicken konnte, rief Janch-Aton dazwischen:

»Majestät! Der Vorschlag von General Hotep ist weise. Allerdings erscheint mir eine Leibwache von 2000 Soldaten für einen friedlichen Besuch in unseren treuen Provinzen allzu kriegerisch – 500 sollten völlig ausreichen. Auch sollte Eure Majestät einen Mann schicken, der weder mit Außenminister Tutu noch mit Statthalter Rib-Addi befreundet oder auch verfeindet ist. Wenn es Eure Majestät wünschen, so bin ich bereit, mich selber für diese Mission zur Verfügung zu stellen – meine Amtsgeschäfte als Finanzminister mag so lange mein Stellvertreter Sutan übernehmen.«

»Dann sei es so!« bestätigte der Herr der Beiden Kronen und der Beiden Throne, den das Ganze längst sichtlich ermüdete und der nur noch diese Audienz so rasch als möglich zu beenden wünschte.

Und so geschah es. Eine Woche später verließ Janch-Aton die Hauptstadt in Richtung Kanaan und To-nuter. Als Befehlshaber seiner Leibgarde hatte er Oberst Chanî, den Sohn des Aton-Großpriesters Merie-Râ, ausgewählt.

Wir aber blieben in der Gewißheit zurück, eine bittere Niederlage erlitten zu haben; denn wie wir Janch-Aton einschätzten, hätten wir mit dieser Mission auch gleich Azirhû oder einen Hatti beauftragen können.

Hapi war in diesem Jahr pünktlich gekommen, und die Pegel in Suene, Kuset und Men-nôfer meldeten Wasserstände, die auf eine gute, ja, reiche Ernte hoffen ließen. Maket-Aton war ihre Schwangerschaft inzwischen anzusehen, und dem zufriedenen Brummen Pentûs und dem freundlichen Nicken Erns nach zu schließen, verlief sie weiter ohne irgendwelche Probleme.

Mose hatte seit einer Weile seine Studien im Haus allen Wissens wiederaufgenommen, hörte Mathematik bei Satet-hotep und Astronomie bei Setech-mose, doch seine Leidenschaft galt nach wie vor der Medizin, wo er ebenso immer noch Lernender wie gleichzeitig längst Lehrender war. Wenn er für ein paar Tage oder auch eine Woche Achet-Aton verließ, um sich in das ja nur zwei Iteru entfernte Chemenu zu begeben, so war selbstverständlich, wie immer und überall, Maket-Aton an seiner Seite. Die liebevolle Fürsorge des Hôr-im-Nest für seine junge Gattin, die herzliche Hingabe der Kronprinzessin an ihren Gemahl, ihrer beider strahlende Augen, ihr unbeschwertes Lachen, ihre zärtlichen Gesten, ihre Unzertrennlichkeit waren am Hof und in ganz Achet-Aton mittlerweile sprichwörtlich geworden.

Zusammen mit Mose und Maket-Aton waren auch Beket-Amûn und ich regelmäßige Gäste im Haus allen Wissens. Zwar war ich Befehlshaber der Leibgarde der Großen Königsgemahlin Teje, doch Schut, der sich wie alle Militärs in Achet-Aton tödlich langweilte, nahm mir gerne fast all meine praktischen Aufgaben ab, so daß ich nur bei offiziellen Staatsakten anwesend sein mußte und jede Menge Zeit für anderes hatte. Zwar hatte auch ich in meiner Jugend auf Wunsch meines Vaters Neby zwei Jahre in Chemenu verbracht, war in den Künsten des Schreibens und der Verwaltung ausgebildet worden, doch zu mehr hatte damals die Zeit nicht gereicht. So nützte ich nun begeistert die Möglichkeit, neues, mir bislang verschlossenes Wissen in mich aufzusaugen. Vor allem die Astronomie war es, die mich zutiefst faszinierte, seit ich vor den Bildern im Tempel der Nut in Onet gestanden hatte.

Natürlich war auch Ern stets mit dabei, um mit kritischem Blick das Gedeihen des großen Kräutergartens zu begutachten, den Gärtnern Anweisungen zu geben oder neue, exotische Pflanzen bei Händlern aus aller Welt zu kaufen oder zu bestellen.

Der königliche Leibarzt Pentû, der uns ebenfalls, wann immer es ihm möglich war, begleitete, zollte, in seinem tiefen Baß knurrend und brummend, wie es nun einmal seine Art war, den beiden größte Hochachtung.

Auch Je-schua war stets zur Stelle, wenn unser Boot an der verbotenen Mole von Chemenu anlegte. Der junge Mann, einst ganz auf eine militärische Karriere ausgerichtet und unendlich stolz auf seine Ernennung zum Leutnant der Wagenkämpfer, hatte inzwischen auch die Wissenschaft entdeckt. Mathematik, Astronomie, Architektur, Länder- und Völkerkunde waren seine besonderen Leidenschaften. Die fast spielerische Leichtigkeit, mit der er lernte, verärgerte manchmal seine Mitstudenten, die Kühnheit der Gedankenbrücken, die er zwischen theoretischem Wissen und ihrer militärischen Anwendbarkeit schlug, verblüffte mitunter sogar seine Lehrer.

Je-schua war auch der einzige Mensch, der seinen Freund Mose gelegentlich für ein paar Stunden von der Seite Maket-Atons fortlocken konnte. Die beiden saßen dann in einer der kleinen, gemütlichen Weinkneipen von Chemenu, plauderten, tauschten die neuesten Nachrichten aus Hat-uaret und Achet-Aton aus, rissen respektlose Witze über ihre Lehrer, die Hofbeamten des Königs und die Offiziere in Men-nôfer. Wenn Je-schua mit gravitätischem Schritt wie ein Storch in dem Lokal auf und ab stakste und Wedj-medu, einen der berühmtesten Mathematiker im Haus allen Wissens, nachahmte, johlten die anwesenden Gäste vor Vergnügen:

»Düs üst oine Pyramüde! Vörmag mür oiner von Oich nun zu örklören, wü dü Wünkel an düser Pyramüde örröchnet wörden? Nun, Mosö, oder wü ümmer Sü hoißen, örgötzen Sü uns müt Ührem Wüssen!«

Tehuti-mose revanchierte sich dann mit dem Gebrüll von Korporal Ti, einem der berüchtigtsten Schleifer an der Militärakademie:

»Leutnant Je-schua! Machen jetzt in Lesen und Schreiben, hä? In Denken, hä? Denken Scheiße! Werde Ihnen Denken austreiben! Jawoll! Jage Sie durch die Wüste, bis Ihnen die Eier im Sand nachschleifen! Jawoll! – Was haben Sie da vor sich stehen, Leutnant Je-schua? Wein, hä? Wein muß vernichtet werden! Jawoll! Vernichten, Leutnant! Jawoll! Austrinken!!«

Wenn die beiden Freunde dann in den frühen Morgenstunden reichlich abgefüllt in ihre Quartiere im Haus allen Wissens zurücktorkelten, handelten sie sich zwar eine ernste Rüge von Satet-hotep ein, doch wenn sie am nächsten Tag, trotz Kopfschmerzen und Kater, jeder auf seine Weise ihr überragendes Wissen funkeln ließen, vergaß selbst der Erzpriester schnell seine durchaus berechtigte Verärgerung.

Wer sich uns schließlich mehr und mehr anschloß, das war Prinzessin Merit-Aton.

So glücklich die Ehe zwischen Mose und Maket-Aton war, so unglücklich war die zwischen Merit-Aton und Semench-Ka-Râ. Der Neffe Akh-en-Aton Ua-en-Râs fühlte sich – völlig zu Unrecht – schmählich in der Thronfolge übergangen, haßte Prinz Mose aus ganzem Herzen dafür und ließ seine Gemahlin, wo immer er konnte, nur allzu deutlich spüren, daß sie nicht die Kronprinzessin, sondern nur die zweite Tochter des Königs war.

Erschwerend kam noch hinzu, daß Merit-Aton höchst intelligent und für eine Frau, ja, selbst für einen Mann, verblüffend gebildet war. Ihre Begeisterung, als sich die Tore des Hauses allen Wissens für sie öffneten, war so groß, daß sie bald, auch wenn Mose, Maket-Aton, Beket-Amûn und ich in Achet-Aton weilten, in Chemenu blieb und nur noch dann in die Hauptstadt zurückkehrte, wenn zeremonielle Anlässe ihre Anwesenheit unabdingbar erforderten.

Die Szenen waren seit Wochen, mit geringen Varianten, gleich:

Geschützt vor den glühenden Strahlen der Sommersonne hatten wir uns im Schrein des vergöttlichten Weisen und Arztes Imhotep versammelt.

Dicht gedrängt saßen die Studenten, Schreibzeug und Papyri oder Tontafeln in den Händen, im Halbkreis. An der Rückwand der kleinen Halle hatte man Stühle für Maket-Aton, Beket-Amûn und mich aufgestellt. Zwischen Beket-Amûn und Maket-Aton saß Mâ-au, die mit ihren goldenen Augen aufmerksam das Geschehen ringsum beobachtete und sich von den beiden Prinzessinnen abwechselnd hinter den Ohren kraulen ließ. Neben uns hatten

sich auf den schlichten Schilfmatten, mit denen der Boden aus-
gelegt war, Je-schua und Pentû niedergelassen. Am äußersten
Ende der Reihe hatte Prinzessin Merit-Aton Platz genommen. Das
gelegentlich unmotivierte Fauchen Mâ-aus jagte ihr immer noch
ein wenig Angst ein.

Gestützt auf seinen goldenen Schlangenstab stand vor der Versammlung Mose.

Ein schwieriges Thema hatte er sich heute vorgenommen, ein
Thema, das auch unter den besten Ärzten Ägyptens immer noch
als umstritten gilt:

»Es war Im-hotep, der große Gelehrte und Arzt des Königs
Djoser Netscheri-Chet aus dem Alten Reich, der schon zu Lebzeiten als göttlich verehrt wurde: Er hat die Behauptung aufgestellt,
daß viele der Krankheiten, die uns heimsuchen, ›von kleinen, für uns
unsichtbaren Würmern‹ verursacht werden.«

Beket-Amûn, Merit-Aton, Pentû und viele der Studenten
beugten sich fasziniert vor, von anderen freilich kam ein zwei-
felndes Grummeln.

»Ich weiß«, wehrte Mose den Protest ab, »Sie lernen hier im
Haus allen Wissens vor allem dem zu vertrauen, was Sie sehen,
hören, schmecken und berühren können. Man sagt Ihnen immer
wieder, daß Sie zuerst und vor allem anderen Ihre fünf Sinne und
Ihren gesunden Menschenverstand benützen müssen! Das sollte
Sie allerdings nicht blind machen für Dinge, die Sie vielleicht
eben doch nicht mit Ihren Sinnen erfassen können!«

»Das, was wir mit unseren Sinnen nicht erfassen können, ist
doch nichts weiter als billiger Hokuspokus der endlich und für
immer entmachteten Priesterschaften der sogenannten Götter!«
warf ein Student mit einem blitzenden Pektorale des Aton auf der
Brust stolz und hochmütig ein.

»Mag sein!« gab der Prinz freundlich nach. »Doch wir reden
hier im Augenblick nicht von Göttern und deren Priesterschaften, sondern von – wie Im-hotep sie bezeichnete – winzigen
›Würmern‹, die offenbar gewisse Krankheiten auszulösen vermögen.«

»Würmer, die man ebensowenig sehen kann wie Amûn oder
Anûb oder Usîre! Und die deshalb also ebensowenig existieren

mögen wie Amûn oder Anûb oder Usîre!« insistierte der Student.

»Trefflich gefolgert!« lobte Mose verdächtig sanftmütig. »Weshalb«, fuhr er fort, »Sie uns jetzt auch gleich die offen sichtbaren Ursachen für beispielsweise Eiter, Entzündungen in Niere und Knochenmark, Diphtherie, Scharlach, Blutvergiftung, epidemischen Durchfall oder Lungenschwindsucht darlegen werden.«

»Schwindsucht wird zweifelsfrei durch die schlechte Luft in den Quartieren der Armen erzeugt«, erklärte uns der Student mit dem Pektorale des Aton selbstsicher.

»Und wie ist dann die königliche Prinzessin Apuya, die Mutter meines väterlichen Freundes, des Generals Amûn-hotep, die nie in ihrem Leben jemals auch nur einen Zug der Luft in einem Armenquartier eingeatmet hat, zu ihrer Lungenschwindsucht gekommen?« bohrte Mose nach. »Weshalb stirbt bei königlichen Bauprojekten, zu denen während der Trocken- und der Überschwemmungszeit die ganze Bevölkerung eines Landstriches herangezogen wird, ein Teil plötzlich an Durchfallerkrankungen?«

»Wegen der verseuchten Luft, Strahlen aus dem Boden ...«, kämpfte der Student.

»... und Tausende anderer Arbeiter bleiben von der Krankheit verschont«, fuhr Mose unerbittlich fort, »offensichtlich nur, weil sie den Anweisungen gemäß verschmutzte Latrinen und unsauberes Wasser vermieden, Verletzungen mit Wein oder Essig sauber ausgewaschen und reichlich Lauch, Zwiebeln und Rettich gegessen haben? Wäre es nicht logisch anzunehmen, daß jene ›winzigen Würmchen‹, von denen der weise Im-hotep sprach, etwa im Schmutz gedeihen, während sie andererseits Lauch, Zwiebeln und Rettich nicht vertragen?*«

---

* Die »winzigen, unsichtbaren Würmer« Im-hoteps nennt man heute »Bakterien«. 1948 konnte von Schweizer Forschern das Raphanin aus Rettichsamen isoliert werden, das auch in Rettichsaft, Lauch und Zwiebeln enthalten ist und eindeutig über stark antibiotische Wirkungen gegen Streptokokken, Staphylokokken, Pneumokokken und Kolibakterien verfügt.

An einem dieser Sommerabende saßen wir alle versammelt in der geräumigen, von Wein überrankten Laube vor dem Haus des Priesters Semet-Nacht. Nur Maket-Aton und Merit-Aton waren auf Bitten des Leibarztes Pentû zu Hause geblieben. Die Sonne war bereits hinter den westlichen Bergen versunken, das tausendstimmige Abendlied der Vögel war verstummt, und die Frösche und Zikaden hatten ihr nächtliches Konzert begonnen.

Semet-Nacht war ein kleiner, quirliger Mann schwer bestimmbaren Alters mit großen Ohren und rastlosen Händen, Sohn eines Tagelöhners aus Uêset, ein brillanter Arzt und eine Koryphäe für Gifte aller Art. Diese speziellen Kenntnisse waren es, die Pentû veranlaßt hatten, ihn um diese Unterredung zu bitten. Offenbar ebenso der Anlaß, die beiden Prinzessinnen von diesem Gespräch fernzuhalten.

Nachdem uns der Hausherr reichlich mit Wein und Knabbereien versorgt hatte, wiederholte der königliche Leibarzt seine Frage:

»Wie kann ich die Große Königsgemahlin vor Gift schützen?«

Semet-Nacht strich sich über den kahlen Schädel, massierte sein Kinn:

»Gar nicht!« stellte er schließlich fest.

Wir waren erschrocken, schockiert.

»Es gibt einfache Gifte und komplizierte«, fuhr der Priesterarzt fort, wobei er heftig an seinem Ohrläppchen zupfte, »schnell wirkende und schleichende, bekannte und solche, die selbst ich nur vom Hörensagen kenne, leicht zugängliche und solche, die allein unter größten Mühen und Kosten zu beschaffen sind, Gifte, die ein Mörder gefahrlos handhaben kann, und solche, die ihn bei der geringsten Unachtsamkeit noch schneller umbringen als sein Opfer.«

»Wie ungemein beruhigend!« bemerkte Je-schua trocken.

»Vermutlich hast du«, wandte sich Semet-Nacht an Pentû und begann mit seinem Weinbecher zu spielen, »an die eher alltäglichen, leicht zu beschaffenden Gifte gedacht. Da eignen sich natürlich vor allem Pflanzengifte. Der gefleckte Schierling würde mir da als erstes einfallen. Sein Saft ist tödlich, und zu finden ist er auf jedem größeren Trümmerhaufen.«

»Freilich«, warf Mose ein, »ergäbe es schon ein recht merkwürdiges Bild, wenn die Dame, an die wir denken, auf Schutthalden herumklettern und Unkraut sammeln würde.«

Semet-Nacht zog interessiert die Augenbrauen hoch:

»Dann steht dieser – *Dame* – jedoch, wenn ich recht vermute, ein reicher Blumengarten zur Verfügung?«

»Ein überreicher«, gab Mose zu.

»Um so bequemer für sie! Rittersporn und Nachtschatten, Bilsenkraut, Fingerhut, Stechapfel und die aus Kolchis stammende Herbstzeitlose sind durchaus giftig.«

»Bislang hat sie offenbar einen Extrakt aus der Wurzel des Sturmhutes bevorzugt«, bemerkte Pentû.

»Bravo!« lobte Semet-Nacht. »Die Dame scheint von ihrem Geschäft etwas zu verstehen! Der Saft des Sturmhutes ist zweifellos das stärkste und tödlichste aller Pflanzengifte! Nun, wenn sich die Dame aus ihrem Hausgärtlein zu bedienen pflegt, dann muß die Große Königsgemahlin eigentlich nur darauf achten, was sie ißt und trinkt.«

»Was gäbe es denn da sonst noch alles?« fragte Ern, die sich natürlich für das Thema, über unsere speziellen Sorgen hinaus, brennend interessierte.

»Ein äußerst wirkungsvolles mineralisches Gift ist Arsen, das sonst in der Bronzeherstellung verwendet wird«, dozierte Semet-Nacht und fingerte eifrig an seinem Pektorale herum. »Die Gifte von Schlangen, Skorpionen, verschiedenen Insekten, bestimmten Kröten und Spinnen eignen sich in der Regel weniger, um sie ins Essen zu mischen. Dafür sind sie großenteils absolut tödlich, wenn sie auch nur durch die winzigste Verletzung ins Blut geraten! Gegenüber Pflanzengiften haben sie den Vorteil, daß sie auch in getrocknetem Zustand kaum von ihrer Wirkung verlieren – man kann sie also Jahre und Jahrzehnte aufheben.

Dann: vor etlichen Jahren – du, Ern, könntest dich noch daran erinnern – warfen Händler aus dem südlichen Kusch massenhaft Halsketten auf den Markt, gefertigt aus den hellroten Früchten des Korallenstrauches. Die Ketten waren billig und hübsch und fanden im einfachen Volk reißenden Absatz – bis die armen Leute reihenweise tot umfielen!«

»O ja, ich erinnere mich!« rief Ern. »Die Früchte des Korallenstrauches enthalten ein Gift, das den gesamten Organismus samt Herz und Lungen lähmt. Dabei genügte es, daß der Körperschweiß die Giftstoffe aufnahm und sie durch Akneporen oder winzige Verletzungen in den Körper brachte.«

»Das ist ja widerlich!« schüttelte sich Je-schua. »Wenn dir dein Leben lieb ist, dann darfst du nichts essen, nichts trinken, nichts berühren …«

»Und auf keinen Fall atmen!« ergänzte Semet-Nacht, während seine Rechte wieder zu seinem Ohrläppchen fand.

»Nicht einmal atmen?« fragte Je-schua entsetzt.

»Unter gar keinen Umständen!« grinste der Priesterarzt. »Du brauchst nur die Dochte dieser Öllampen in Arsen zu tauchen und dann die Lampe anzuzünden. Hier im Freien würdest du es überleben, aber keinesfalls in einem geschlossenen Raum! Noch tückischer ist das ›flüssige Silber‹. Es kommt tröpfchenweise im braunroten Zinnobergestein vor, verdampft sogar noch bei kühler Temperatur und ist zudem völlig geruchlos im Gegensatz zu den ebenso hochgiftigen Arsendämpfen. Immerhin mag Euch trösten: das Quecksilber, wie man es auch nennt, ist so gefährlich, daß es kein Mensch bei klarem Verstand anrührt, es sei denn, er wolle unbedingt Selbstmord begehen!«

»Was ist eigentlich die Getreideseuche, die den ›Kalten Brand‹ auslöst?« fragte Ern neugierig. »Manchmal rafft diese Seuche in einer Stadt, oft sogar nur in einem einzigen Stadtteil, Dutzende von Menschen hinweg, und ein paar hundert Ellen weiter bleiben alle Leute gesund! Die Anzeichen ähneln stark verschiedenen Vergiftungen: erst Kribbeln in den Händen und Füßen, dann Unempfindlichkeit der Körperoberfläche, Muskelkrämpfe, schließlich Lähmung, geistige Umnachtung und oft der Tod.«

»Zweifellos ein Gift«, antwortete Semet-Nacht und massierte eifrig seinen Nacken. »Freilich kaum eines, das absichtlich untergemischt wird. Ich vermute, daß das Gift aus dem ›Mutterkorn‹ genannten Getreidepilz stammt, auch wenn ich das nicht beweisen kann. Das würde allerdings auch erklären, weshalb der Kalte Brand zwar heftig, aber regional sehr eingeengt vorkommt. Wenn der eine Bäcker, nennen wir ihn Hetem, sein Mehl aus einem verseuchten Speicher bezieht, der andere namens Tefa, ein paar Straßen weiter, aber aus einem unverseuchten, dann wäre auch klar, weshalb die Menschen, die ihr Brot bei Hetem gekauft haben, erkranken, die anderen jedoch, die ihr Brot von Tefa bekommen, gesund bleiben.«

Ern nickte. Die Argumente von Semet-Nacht waren ohne Zweifel schlüssig.

»Da jene *Dame* jedoch kaum selber Brot backen wird«, kam der Priesterarzt auf die ursprüngliche Frage zurück, »dürfte die Große Königsgemahlin hier zumindest vor absichtlichen Giftanschlägen sicher sein.«

Der Morgen dämmerte schon über den Bergen der östlichen Wüste herauf, als wir endlich in unsere Betten fanden. Wir schliefen bis weit in den Vormittag hinein, doch Beket-Amûn und ich schliefen schlecht. Semet-Nacht hatte uns keinen Weg zeigen können, um die Große Königsgemahlin Teje vor Giftanschlägen zu schützen; im Gegenteil, er hatte uns mindestens zwei Dutzend weitere Möglichkeiten aufgezeigt, wie ein entschlossener Mörder – oder eine Mörderin – ihr ans Leben konnte …

Wir schrieben den 2. Tag des 3. Monats der Überschwemmung, als Umu-hanko in den voll besetzten großen Audienzsaal rief:

»Seine Exzellenz, Janch-Aton, Schatzkanzler des Reiches, Intendant der Goldländer des Herrn der Beiden Länder, Generalintendant der Kornspeicher des Herrn der Beiden Kronen in Ober- und Unterägypten, Privatschreiber des Königs, Fächerträger zur Rechten des Königs, zwölfmal ausgezeichnet mit dem Gold der Belohnung.«

Janch-Aton schritt unterdessen, angetan mit allen Abzeichen seiner Ämter, gefolgt von gut zwei Dutzend bärtigen Würdenträgern aus Kanaan und To-nuter, gemessenen Schrittes die Halle herauf dem Thron seines Königspaares zu, während der gesamte Hofstaat vor ihm eine Gasse bildete.

Umu-hanko, der Zeremonienmeister, hatte ein vorzügliches

Gedächtnis, doch jetzt mußte sogar er ein Papyrusblatt zu Rate ziehen, um all die neuen Titel, die sich der Finanzminister auf seiner Mission nach Kanaan und To-nuter erworben hatte, korrekt aufzuzählen:

»Stimme Seiner Majestät in Kanaan. Vizekönig in Edom und Moab. Ehrengouverneur in Ammon. Ehrenstatthalter von Sereda, Ophra, Silo, Ziph, Kedemoth, Modin, Libna, Hadid und Betel. Stadtoberhaupt von Gibea, Morescheth, Jarmoth, Karmel und Debir. Ehrenvorsteher von Bethul, Ono und Nebo, Befehlsgewaltiger in Madeba, Dibon und Madeba. Herr in Kedemoth, Haran, Eglon, Schen, Aialon und Nephtoa ...«

»Hast du jemals irgend etwas von diesen Nestern gehört?« fragte mich Beket-Amûn leise.

»Ein paar der Namen habe ich irgendwann schon einmal gehört«, flüsterte ich zurück, »aber frage mich bitte nicht, wo sie liegen.«

»... Begründer des Friedens des Aton«, tönte Umu-hanko inzwischen weiter. »Erster Berater des Fürsten der Jebusiter. Einziger Vertrauter und Freund des Königs Azirhû, Sohn des Abdaschirta von Amurru, welcher für den Sohn des Aton lebt. Janch-Aton, geliebt von allem Volk in Kanaan. Ratgeber seiner Fürsten und Oberhäupter. Geehrt für immerdar. Vor dem die Widersacher des Herrn der Beiden Kronen erbeben. Verkünder der Lehren des einzigen Aton, der Leben verleiht!«

»Höchst beachtlich!« bemerkte Mose trocken, der mit Maket-Aton auf dem etwas kleineren Thron des Hôr-im-Nest eine Stufe unter dem Königspaar saß. »Auf eine so lange, pompöse und farbenprächtige Titulatur bringt es nicht einmal der Herr der Beiden Kronen!«

Maket-Aton mußte kichern, ihre Schwester Anchesen-pa-Aton lachte laut auf, Beket-Amûn prustete los, und dann schwappte eine Welle von Gekicher und Gelächter durch die große Audienzhalle. Selbst Akh-en-Aton Ua-en-Râ gluckste vor sich hin, und Königin Teje hatte schnell ihr Gesicht hinter ihrem Fächer verborgen. Sogar Rib-Addi, der in meiner Nähe stand, konnte sich ein Grinsen nicht verkneifen.

Janch-Atons großer Auftritt war gründlich verdorben.

Und ich bewunderte Mose rückhaltlos! Lächerlichkeit ist eine gefährlichere Waffe als jedes Schwert, jede Axt und jeder Pfeil!

Zornrot angelaufen stand der Minister da und wußte nicht, wie er sich nun verhalten sollte. Sein bärtiges Gefolge sah aus, als suche es verzweifelt nach einem Mauseloch, um sich darin zu verkriechen, und auch Oberst Chanî, der Sohn des Aton-Groß-priesters Merie-Râ, der Befehlshaber der 500 Soldaten, die Janch-Aton begleitet hatten, brachte unauffällig etwas mehr Abstand zwischen sich und den Minister.

Nachdem sich die allgemeine Heiterkeit ein wenig gelegt hatte, wurde Janch-Aton aufgefordert zu berichten. Es war genau das, was wir schon erwartet hatten: Kanaan und To-nuter waren friedliche, gehorsame, glückliche, blühende, zufriedene und untertänige Provinzen. Von Streitigkeiten, geschweige Krieg, nirgendwo auch nur eine Spur. Der Frieden des Aton war vollkommen. Das Volk verehrte den König. Die Fürsten krochen jubelnd im Staub vor Seiner Majestät. Und wenn sie alle zusammen irgend etwas noch mehr liebten als den König, dann war das der einzige, ewige, Leben spendende Aton!

Während der Rede des rattengesichtigen Ministers hatte sich die Heiterkeit auf dem Antlitz König Akh-en-Aton Ua-en-Râs in ein mildes, freundliches Lächeln verwandelt — was er da zu hören bekam, war genau das, was er ja sehnlichst zu hören wünschte.

»Und hier, Euer Majestät«, rief Janch-Aton, der von Satz zu Satz wieder zu seiner Selbstsicherheit zurückgefunden hatte, »stehen die Gesandten der Moabiter und Edomiter, der Jebusiter, der Ammoniter und des treuen Königs Azirhû von Amurru, deren Lebenswunsch es war, Eure Majestät von Angesicht sehen zu dürfen, sich vor Euer Majestät niederzuwerfen, Euch zu huldigen und Euch ihre bescheidenen Geschenke zu Füßen legen zu dürfen!«

Die bärtigen Männer warfen sich mit ausgestreckten Händen zu Boden, und eine Prozession von Dienern schleppte die Geschenke heran, türmte sie vor den Stufen des Thrones auf. Die Menge der Gaben war recht beeindruckend. Ihr Wert jedoch war in der Tat eher kläglich, denn zwischen den Stoffen und Schaffellen, den Körben voll Getreide und Früchten, den Krügen mit Wein und Öl, den Käfigen voll Tauben, den ganz hübschen Schnitzereien und dem billigen Schmuck, alles reich mit Blumen und Blüten geschmückt, war kaum ein Krümelchen Edelmetall zu entdecken.

»Wir sind arm«, beeilte sich dazu einer der Bärtigen zu versichern, »doch alles, was wir besitzen, das geben wir von Herzen!«

Schon setzte König Akh-en-Aton Ua-en-Râ zu einer freundlichen Dankesrede an, als ihm der Hôr-im-Nest Mose erneut zuvorkam:

»Sie sind ein gerissener Mann, Janch-Aton, daß Sie uns erst nur diese kleine Gesandtschaft und die gut gemeinten, jedoch wahrlich bescheidenen Geschenke präsentiert haben. Jetzt aber«, forderte er den versammelten Hofstaat auf und erhob sich von seinem Thronsitz, »rückt alle enger zusammen und macht Platz, denn nun wird uns Seine Exzellenz Janch-Aton die Gesandtschaften vorstellen aus Ophra, Ziph, Dibon, Schen, Nephtoa, Libna, Kedemoth, Bethul, Hadid, Aialon und all den anderen bedeutenden Städten – vergebt, aber mein Gedächtnis ist zu schwach, als daß ich mir all die Namen hätte merken können –, deren Stadtoberhaupt, Ehrenvorsteher, Ehrenbefehlsgewaltiger, Ehrenstatthalter, Ehrenvizekönig, Ehrenratgeber und was weiß ich sonst noch alles unser verehrungswürdiger Finanzminister inzwischen geworden ist! Dazu wird er die kostbaren Gaben präsentieren, die jene mitbrachten, um das Herz Seiner Majestät zu erfreuen und ihm ihre Dankbarkeit für Seinen Frieden zu erweisen!«

Wieder rollte zunächst eine Welle der Heiterkeit durch die große Audienzhalle. Dann rückten die Damen und Herrn des Hofes zusammen, um den Platz für die Gesandtschaften und deren Geschenke zu machen.

Janch-Aton stand derweil allein in der Mitte, und sein Rattengesicht wechselte mehrfach die Farbe von bleich zu rot und wieder zu bleich.

»Nun, wir warten!« rief Mose fröhlich.

Janch-Aton eilte, um sich vor dem Thron auf den Boden zu werfen:

»Majestät, hätte ich all jene Menschen nach Achet-Aton mitgebracht, die sich nichts sehnlichster wünschen, als ihre Huldi-
gungen Eurer Majestät darzubringen, die Stadt vermöchte sie
nicht zu fassen!«

»Also keine wimmelnden Gesandtschaften all jener Städte«,
gab sich Mose betrübt. »Aber dafür sind ihre Geschenke ja um so
kostbarer!« tröstete er sich und uns.

»Welche Geschenke?« brabbelte Janch-Aton. »Kanaan ist ein
armes Land ...«

»Und das Gold? Das Silber?«

»Welches Gold? Welches Silber?« schrie Janch-Aton entsetzt.

»Oh«, erstaunte sich Mose, »das haben Sie vergessen? Es lag
wohl allzu gut versteckt im untersten Laderaum Ihrer Schiffe ...«

Mit einem klingenden Ton stieß der Hôr-im-Nest seinen
Schlangenstab auf die Steinplatten der breiten Stufen vor dem
Thron des Herrschers:

»Oberst Seben-hesequ-schut! Leutnant Men-kau-Hôr!«

Angeführt von dem Oberst der Internationalen Garde und
dem Leutnant der Wolfsmänner des Prinzen betrat ein Zug von
Soldaten die Audienzhalle, marschierte bis vor den Thron und
lud dort eine reiche, klirrende, scheppernde, rasselnde Fracht an
Gold- und Silberbarren, kostbaren Geschmeiden, aus Silber ge-
triebenen Krügen und großen Platten, massiv goldenen Statuetten, Vasen und Ketten ab.

Wie eine zustoßende Kobra richtete sich der Kopf des Schlangenstabes in der Hand des Prinzen auf den sich am Boden krüm-
menden Janch-Aton. Alle Heiterkeit war aus der Stimme Moses
verschwunden:

»Ich, der Wahre und einzige Hôr-im-Nest, beschuldige Sie,
Janch-Aton, ein gemeiner Dieb und Betrüger zu sein! Ich beschuldige Sie weiter, den König, der von der Wahrheit lebt, grob
belogen zu haben!

Sie haben behauptet, ganz Kanaan und To-nuter in Augenschein genommen zu haben. All jene Orte aber, deren Ehren-
irgendwas Sie zu sein behaupten, liegen lediglich im Umkreis
des Salzmeeres, das man auch das Tote Meer nennt, im Süden Ka-
naans – ich habe keinen davon vergessen, denn mein Gedächt-

nis, glauben Sie mir, ist ausgezeichnet! Zudem wird der Zettel da in der Hand des Zeremonienmeisters Umu-hanko das gleiche beweisen. Sie haben niemals auch nur einen Fuß nach To-nuter gesetzt, nicht einmal ins nördliche Kanaan!«

»Dies ist wahr!« rief Oberst Chanî, der Sohn des Merie-Râ, der Janch-Atons Soldaten befehligt hatte, und warf sich hastig vor dem Thron zu Boden. »Wahr ist auch«, sprudelte er weiter, »daß Janch-Aton sich hohe Bestechungssummen zahlen ließ – viel von jenem Gold und Silber, das jetzt vor Euch liegt, Majestät –, um gewisse Dörfer, Städte und Täler zu umgehen! Manchmal mußten wir deshalb Umwege von mehreren Tagen in Kauf nehmen!«

»Ratte!« raunte mir Beket-Amûn zu.

Ohne jeden Zweifel hatte Janch-Aton den Oberst als Befehlshaber seiner Soldaten ausgewählt, weil er wußte, daß Chanî ebenso bestechlich war wie er selber. Von dem Gold und Silber, das da nun zu Füßen des Königs lag, mochte in Wahrheit etliches auch für den Oberst gedacht gewesen sein. Doch jetzt, da Chanî seinen Kumpan stürzen sah, zog er es vor, sich schleunigst auf die Gegenseite zu schlagen.

»Ich sah es nicht mit eigenen Augen«, versicherte Oberst Chanî inzwischen eifrig, »aber ich muß nun voller Entsetzen fürchten, daß wir jene Gegenden meiden sollten und auf Befehl Janch-Atons auch mieden, weil dort der Frieden des Aton nicht in dem Maß eingehalten worden war, wie dies Eure Majestät wünschten und befahlen!«

Da auch sein Blick zu Boden gerichtet war, bemerkte Oberst Chanî nicht den verächtlichen Blick Moses, der ihn traf.

Doch ehe der Prinz etwas erwidern konnte, trat der Schatten hinter dem Thron des Königs, der ›Gottvater‹ Eje, vor.

»Polizeipräfekt Mahû, nehmt den Mann Janch-Aton fest!« befahl er streng.

»Das ist alles nicht wahr!« kreischte Janch-Aton entsetzt, als er sich auf einen Wink Mahûs von starken Soldatenarmen gepackt und aus dem Audienzsaal geschleift sah. »Chanî lügt! Der Hôr-im-Nest ist im Irrtum!«

»Eine scharfe Untersuchung wird die Wahrheit weisen!« rief

ihm der ›Gottvater‹ nach. »Sie werden angeklagt der Unterschlagung, der Veruntreuung, des Diebstahls, der Erpressung und vor allem des Betrugs an Seiner Majestät und der Wahrheit seines göttlichen Vaters Aton!«

Kaum war Janch-Atons zeternde Stimme verklungen, als Außenminister Tutu und Ministerpräsident Pichuru sich vor dem Thron des Königs niederwarfen. Wortreich beteuerten sie ihre Unschuld und ihre Ahnungslosigkeit.

Ich sah es Prinz Mose und Königin Teje deutlich an, daß sie nur zu gerne auch noch einen dieser beiden, lieber sogar gleich alle beide, zu Fall gebracht hätten, doch die Klugheit zwang sie zu schweigen.

Seine Majestät, König Akh-en-Aton Ua-en-Râ, entschied unterdessen:

»Janch-Aton, der es gewagt hat, Mich betrügen zu wollen – vor allem jedoch Meinen Vater, den Einzigen, Ewigen und Wahrhaftigen Aton! –, wird all seiner Ämter und Würden enthoben! Seine Güter und sein Vermögen werden beschlagnahmt! Eine strenge Untersuchung gegen ihn wird eingeleitet unter dem königlichen Oberrichter der Oberrichter …«

»Nacht-Min!« raunte ihm die Große Königsgemahlin Teje zu.

»… meinem Halbbruder, dem Prinzen Nacht-Min!« wiederholte der König und fuhr fort:

»Als Schatzkanzler des Reiches, Intendant der Goldländer des Herrn der Beiden Länder, Generalintendant der Kornspeicher des Herrn der Beiden Kronen in Ober- und Unterägypten ernenne Ich hiermit Sutan, den bisherigen Stellvertreter des Janch-Aton.«

»Außenminister Tutu«, fiel jetzt der ›Gottvater‹ Eje erneut ein, »mag vorläufig in seinem Amt verweilen, da ihm kein schuldhaftes Verhalten nachzuweisen ist.«

Tutu zog sich hastig und offenkundig außerordentlich erleichtert zwischen die anderen Höflinge zurück.

»Da der Verdacht besteht«, fuhr Eje fort, »daß in Kanaan tatsächlich nicht alles so steht, wie es dem Frieden des Aton und Seinem König angemessen wäre, schlage ich dringend vor, einen zuverlässigen Offizier mit der notwendigen Anzahl an Truppen in dieses Gebiet zu entsenden, um den göttlichen Frieden zu gewährleisten und, wo nötig, wiederherzustellen!«

»General Hotep hat sich damals bereits erboten …«, griff Königin Teje geistesgegenwärtig den Faden auf, doch Pichuru schrie dazwischen:

»Ich! Ich selbst als Oberkommandierender des Heeres werde nach Kanaan gehen! Ich allein werde für Ruhe, Ordnung und den Frieden des ewigen Aton sorgen!«

»Dann sei es so!« bestätigte der König.

»Sie wissen«, wandte sich der Gottvater Eje eindringlich an Pichuru, »daß der Friede des gepriesenen, allmächtigen Aton unerschütterliche Richtlinie Ihres Handels sein muß! Sollte, wie der Statthalter von Gubla Rib-Addi meint, To-nuter tatsächlich an Hatti, Mitanni, Assur oder Amurru verloren sein, so werden Sie keinen Krieg deswegen entfachen – dies ist dann eben der unerforschliche Wille Atons. Kanaan muß jedoch unter allen Umständen befriedete, vom ägyptischen Reich untrennbare Provinz bleiben!«

»Ich verstehe und gehorche!« gab Pichuru mit tiefer Verbeugung zurück.

Schon eine Woche später war er mit einem Heer von 30 000 Mann auf dem Marsch.

Am gleichen Tag verließ Rib-Addi Achet-Aton.

»Wenn ich irgend etwas für dich tun kann …«, sagte ich ihm zum Abschied, doch er schüttelte nur traurig den Kopf:

»Du, Königin Teje, der Hôr-im-Nest Mose und Prinzessin Beket-Amûn, ihr habt getan, was immer Menschen tun konnten, und nur die Götter können Gubla jetzt noch retten. Wenn sie es nicht tun – und sie werden es nicht tun –, dann werden sie ihre Gründe dafür haben …«

6. Papyrus

DIE HOHEN FEDERN

König Akh-en-Aton Ua-en-Râ
13. Regierungsjahr

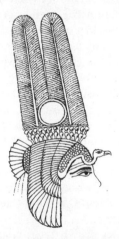

Die Jahreszeit der Aussaat begann mit einem Skandal.

Ein entsetztes Kreischen aus den Räumen Nofret-êtes riß Diener und Wachen aus ihrer Mittagsruhe, ließ sie aufgeregt in die Gemächer der Königsgemahlin stürzen.

Was sie vorfanden, war eindeutig:

Nofret-ête saß zitternd und mit angstvoll weit aufgerissenen Augen auf der Kante ihrer Prunkliege, wo sie bis vor wenigen Augenblicken geruht haben mochte, und raffte die Fetzen ihres zerrissenen Gewandes zusammen, um ihre Blöße zu bedecken. Vor ihr stand ein nackter Mann. Auf einem Stuhl lagen sein Schurz, seine Perücke, sein Schulterkragen, sein Pektorale und sein Amtsstab. Vor dem Stuhl standen seine Sandalen. Als die Diener hereinstürmten, versuchte er durch die offene Gartentür zu fliehen, wo er von ebenfalls herbeigeeilten Soldaten der Internationalen Garde abgefangen und in den Raum zurückgeschleppt wurde.

Der Mann war Umu-hanko, der Zeremonienmeister.

»Ich lag auf meinem Bett und war in einen leichten Schlummer gefallen«, berichtete Nofret-ête mit bebenden Lippen. »Ich erwachte, als mich starke Hände packten und mir das Gewand vom Leib rissen. Ich schlug die Augen auf und sah vor mir Umu-hanko, den Zeremonienmeister Seiner Majestät – nackt! Er hielt mir den Mund zu, warf sich über mich und wollte mir Gewalt antun! Ich wehrte mich heftig, und es gelang mir, um Hilfe zu schreien! Da ließ er von mir ab, und als die Diener und Wachen mir zu Hilfe eilten, versuchte er durch den Garten zu fliehen.«

Die gleiche Geschichte erzählte sie, von Schluchzen geschüttelt, wenig später vor dem König.

Umu-hanko wurde, nackt wie er war, vor einen Karren voller Steine gespannt und in die östliche Wüste hinausgetrieben. Wenn er das Meer erreichte, so sollte er frei sein.

Drei Tage hielt er durch, schleppte sich und den Karren durch die Wüste, zerschnitt seine Füße an scharfkantigen Steinen, stolperte durch Kies und Geröll, zerrte den Karren durch tiefen Sand, kroch über Felsplatten, wobei er eine immer breitere blutige Spur durch die Wüste zog. Öfter und öfter stürzte er, raffte sich auf und stürzte wieder.

Am Nachmittag des dritten Tages brach er endgültig zusammen und blieb tot liegen. Die Wächter, die ihn begleitet hatten, warfen seine Leiche in ein Loch und schütteten die Steine aus dem Karren darüber.

»Die Geschichte Nofret-êtes ist löchrig wie ein alter Handschuh!« schimpfte Oberst Schut zwei Tage später, als wir uns in den Gängen des Königspalastes trafen. »Nofret-ête die Tugendhafte!« spottete er. »Das ist mal was ganz Neues!«

»Was ist Ihrer Meinung nach wirklich geschehen?« fragte ich.

Oberst Schut strich über seinen buschigen Bart:

»Daß Umu-hanko einer ihrer Liebhaber war, ist bekannt. Vermutlich hat ihn Nofret-ête an jenem Mittag zu sich bestellt. Die beiden ziehen sich aus, und ehe man zur Sache kommt, beginnt Nofret-ête zu kreischen. Der arme Umu-hanko begreift zunächst gar nichts. Erst als die Diener hereinstürmen, wird ihm klar, in was für einer Situation er sich befindet, und versucht abzuhauen. Natürlich wird er geschnappt und zu einem besonders elenden Tod verurteilt ...«

»Und das zerrissene Gewand?«

»Hat sie selber zerfetzt. Umu-hanko hielt dies zunächst vermutlich für den Auftakt zu einem neuen, aufregenden Spielchen.« Oberst Schut trat etwas näher an mich heran, senkte seine Stimme. »Also, wenn ich Nofret-ête oder sonstwen vergewaltigen wollte, dann rücke ich doch nicht in voller Amtstracht an, lege meine Kleider auf einen Stuhl, stelle meine Sandalen davor und mache mich dann erst ans Werk! Und wenn die Sache schiefläuft, dann schnappe ich meinen Plunder – zumindest Amtsstab, Schulterkragen und Pektorale – und verschwinde! Ich warte doch nicht, bis ein Dutzend Diener ins Zimmer stürzt, und lasse dann auch noch alles liegen, woran man mich erkennen kann!«

»Er hat es aber getan«, wandte ich ein.

»Umu-hanko war vielleicht kein besonders großes Licht«, vertraute mir Schut an, »aber er war nicht blöd! Ich sage Ihnen, General, das arme Schwein war so verblüfft über Nofret-êtes Treiben, daß er gar nicht begriff, was vorging – bis es zu spät war!«

»Und weshalb hat Umu-hanko zu dem Vorwurf der versuchten Vergewaltigung geschwiegen?« fragte ich.

»Was hätte es geändert?« fragte Oberst Schut zurück. »Jeder hätte ihm zwar geglaubt, aber keiner hätte ihm glauben dürfen! So hat Umu-hanko wohl für sich beschlossen, mit Würde in den Tod zu gehen, der ihm ohnehin sicher war.«

»Und was redet man im Palast darüber, weshalb sich Nofret-ête gerade auf diese Art ihres Liebhabers entledigt haben soll?« wollte ich noch wissen. »Man sagt der Lieblingsgemahlin des

Königs zwar nach, sie gehe nicht eben zartfühlend vor, wenn sie eines Liebhabers überdrüssig geworden sei. Aber körperlich ist bislang noch keiner von ihnen zu Schaden gekommen.«

Schut zuckt mit den Schulter und gestand: »Das ist ein Rätsel, das bislang keiner lösen konnte!«

Nun, ich hätte ihm das Rätsel sehr wohl lösen können, und meine Frage hatte einzig darauf abgezielt, wieviel man im Palast wußte oder ahnte. Aber so sehr ich Oberst Seben-hesequ-schut mochte, so sehr ich ihm in vielen Beziehungen vertraute, es gab Dinge, die er, auch um seiner selbst willen, nicht zu wissen brauchte.

»Der Tod Umu-hankos ist eine unmißverständliche Kriegs-erklärung Nofret-êtes gegen uns!« setzte ich knapp eine halbe Stunde später meiner kleinen Zuhörerschar auseinander.

»Uns«, das waren in vorderster Front die Große Königsgemahl-lin Teje und der Hôr-im-Nest Mose – denn die beiden geboten über eine sehr beachtliche reale Macht.

Unmittelbar dahinter kamen Prinz Nacht-Min, Beket-Amûn und ich – wir hatten, außer Nacht-Min als neuer Oberrichter der Oberrichter, zwar keine eigentliche Macht, verfügten jedoch über einen beträchtlichen Einfluß. Gleiches ließ sich natürlich auch von Maket-Aton und Merit-Aton sagen, doch Königin Teje wehrte sich vehement gegen den Gedanken, Nofret-ête sei sogar bereit, gegen ihre eigenen Töchter vorzugehen. Ich war mir da weniger sicher.

In der dritten Reihe waren dann all jene zu finden, die uns nahestanden – Pentû und Heje, Ern, Necht, Serâu, Je-schua, die Benê-Jisrael, die Tehuti-mose einst aufgenommen hatten, der Wolfsleutnant Men-kau-Hôr und sogar Mâ-au. Am wenigsten Sorgen machte ich mir um Hund. Er spielte den Halbtrottel so gekonnt, daß wohl auch Nofret-ête darauf hereinfiel – freilich wehe, wenn ihr je ein Verdacht zu seiner wahren Persönlichkeit kommen sollte!

In der vierten Linie standen schließlich jene, die unterdessen mehr oder minder offen zu uns übergeschwenkt waren.

»Nofret-ête hat sich im Laufe von sechs Jahren hier in Achet-Aton ihren unumschränkten Machtbereich aufgebaut«, fuhr ich fort. »Bis zu dem Tag, an dem Ihr, Königin Teje, nach Achet-Aton kamt, war Nofret-ête Nefer-nefru-Aton die tatsächliche ›Große Königsgemahlin‹, die unbestrittene und unangefochtene Herrscherin und Gebieterin über den König, die Stadt und letztlich das Reich. Ihr komischer blauer Hut wurde inzwischen mehr zum Symbol der Krone der Königin als die Geierhaube mit den beiden Federn. Trotzdem hat sie natürlich nie die Hoffnung aufgegeben, auch die Hohen Federn eines Tages für sich erobern zu können!

Daß Ihr, Majestät, nach Achet-Aton kamt, war für Nofret-ête ein harter Schlag; denn zumindest offiziell mußte sie nun hinter Euch zurücktreten. Doch noch saß sie an den Hebeln der Macht.

Der überraschende Sturz Janch-Atons, der jetzt im Gefängnis seinem Prozeß entgegenbangt, hat nicht nur einen sichtbaren Riß in die Mauer der Speichellecker des Königs geschlagen; seitdem ist auch das sorgsam aufgebaute Gefüge ihrer Macht bedenklich ins Wanken geraten!«

»Ich wollte, es wäre so!« murrte Nacht-Min mit finster zusammengezogenen Brauen. »Ich weiß schon, was Sie meinen, Amûn-hotep: Seit all die kleinen und mittleren Beamten im Land begriffen haben, daß die Nähe eines Mannes zum König und ein lautstarkes Bekenntnis zu Aton keineswegs mehr Straffreiheit für Bestechlichkeit, Unterschlagung, Diebstahl und Erpressung bedeuten, regnet es Anzeigen in den Kanzleiräumen des höchsten Gerichts. Doch all das, was da nun in meinem Netz zappelt, sind letztlich kleine Fische!«

Zugegeben, so ganz unrecht hatte Prinz Nacht-Min nicht.

Vor drei Wochen war Pichuru zurückgekehrt und hatte vom König für seine Taten das Gold der Belohnung erhalten – achtfach! Und wofür? Dafür, daß er in Kanaan tatsächlich einigermaßen Ordnung geschaffen hatte, zweifach. Jedoch sechsfach dafür, daß er To-nuter bis Kadesch einfach aufgegeben, so aber den Frieden des Aton gewahrt hatte.

Tutu, der Außenminister, war zwei Stunden vor dem Thron des Königs auf dem Boden gekrochen, hatte seine Unschuld und seine Ahnungslosigkeit beteuert und war dafür doppelt mit dem Gold der Belohnung ausgezeichnet worden.

»Menna, der Generalgouverneur von Unterägypten und den Deltagauen, ist glitschig wie ein Aal«, knirschte Prinz Nacht-Min. »Immer wenn ich glaube, ihn endlich gefaßt zu haben, windet er sich irgendwie wieder aus meinen Händen. Gegen niemanden habe ich mehr Anzeigen als gegen Menna – und niemanden bin ich öfter, wider besseres Wissen, gezwungen freizusprechen als eben diesen Mann!

Dagegen ist Pane-hesi, der Hymnen blökende ehemalige Aton-Priester, wenigstens nur ein Idiot, der wirklich keine Ahnung davon hat, was in seinem Regierungsbezirk vorgeht.«

»Dafür«, ergriff Königin Teje zum erstenmal in dieser Unterredung das Wort, »hat sich Panhasa, der Landwirtschaftsminister, offen auf unsere Seite gestellt. Ich wünschte mir zwar aus ganzem Herzen Cha-em-hêt zurück, so unbequem dieser Zwerg manchmal auch sein mochte! Aber Panhasa ist wenigstens ehrlich bemüht und lernwillig, freilich auch so hoffnungslos ungebildet, daß er mich immer wieder zur Verzweiflung treibt!

General Paatem-em-Heb, der Kommandant der Internationalen Garde, steht mit fast all seinen Offizieren inzwischen klar zu uns.

Sutan, der als neuer Finanzminister an die Stelle von Janch-Aton getreten ist, mag kein Genie sein, wenigstens aber ein ehrlicher Kerl.

Und viele andere, so auch Umu-hanko, versorgen uns im geheimen mit notwendigen und nützlichen Informationen.«

»Und genau da«, griff ich meinen Faden wieder auf, »in dieser vierten Linie, wie ich sie nenne, hat Nofret-ête diesmal angesetzt. Vielleicht war es eine Kriegserklärung, vielleicht auch nur eine brutale Warnung. Auf jeden Fall werde ich die Sicherheitsmaßnahmen für uns im engeren Kreis so gut verstärken, wie mir dies überhaupt möglich ist.«

»Noch mehr Gardisten, die unsere Kleidertruhen durchwühlen und unter unseren Betten nach Attentätern schnüffeln!« ächzten Königin Teje und Beket-Amûn fast wie aus einem Mund.

»Und doch«, fuhr ich fort, »mag dies nichts nützen. Jeder,

aber auch jeder von uns, muß aufmerksam prüfen, was er ißt, was er trinkt, wohin er sich begibt, was er tut ...«

»Das ist doch unerträglich!« begehrte Mose auf.

»Vielleicht unerträglich«, gab ich zu, »und unwürdig, aber notwendig! Niemand von uns kann voraussehen, wo Nofret-ête als nächstes zuschlagen wird. Nur dieses können wir mit Sicherheit wissen: Um ihre Macht zu erhalten und die Doppelfedern der Großen Königsgemahlin zu erobern, wird sie jedes Mittel und jeden Menschen einsetzen, dessen sie habhaft werden kann!«

»Nur einen Menschen nicht«, meldete sich Hund überraschend zu Wort. »Seine Majestät den König.«

Wir alle waren ehrlich verblüfft.

Doch Hund erklärte uns:

»Nofret-ête hat dem König die Lehren Atons eingeblasen.«

»Unmöglich!« rief Königin Teje.

»Um sich diese Lehre ausgedacht zu haben, dazu ist sie nicht intelligent genug!« pflichtete Prinz Nacht-Min bei.

»Ich sagte ja auch nur: *eingeblasen!*« korrigierte Hund mild.

»Aber gerade deshalb ...«, gab Nacht-Min zu bedenken.

Hund widersprach: »Gerade deshalb wankt nun ihre Position! König Akh-en-Aton Ua-en-Râ ist ein Idealist, zweifellos auch ein Fanatiker, und vermutlich der einzige Mensch in ganz Ägypten, der wahrhaftig an seine Berufung, an die Lehre, die Wahrheit und den Weltfrieden seines ›Vaters‹ Aton glaubt. Der König versucht zwar krampfhaft, die Augen vor den Tatsachen zu verschließen, doch er spürt die Dolche vom Himmel – die Dolche der Wahrheit, der Wirklichkeit, die ihn von allen Seiten treffen! Daß sein Frieden des Aton in Wawat und Kusch zu blutigen Unruhen, in Kanaan beinahe und in To-nuter tatsächlich zum Krieg mit all seinen schrecklichen Folgen geführt hat, haben ihm Vizekönig Huja, Statthalter Rib-Addi und jetzt sogar sein Ministerpräsident Pichuru unübersehbar vor Augen geführt. Daß gerade jene, die sich am lautesten zu Aton bekannten und dafür mit höchsten Ämtern belohnt wurden, ihn unter dem Deckmantel der Wahrheit des Aton belogen, betrogen, bestohlen und benützt haben, wird immer deutlicher. Akh-en-Aton Ua-en-Râ mag ein Narr sein, aber er ist kein Dummkopf. Sobald der König bereit ist, die Augen zu öffnen, wird diese wunderbare, friedvolle, gesegnete Welt des Aton, die er sich erträumte, endgültig zusammenbrechen – und Nofret-ête wird die erste sein, die unter den Trümmern dieser Welt begraben wird!«

Fast eine Minute herrschte tiefe Stille in dem Raum, in der wir über die Worte Hunds nachdachten. Dann fuhr Hund fort: »Selbst wenn die Lehre Atons noch nicht einstürzen sollte, wankt die Position Nofret-êtes bedenklich. Sie hat es verstanden, im Laufe der Jahre einen Block von Männern um sich herum aufzubauen, die ihr blind ergeben waren, die sie beschirmten und unterstützten. Etliche davon waren ihre Liebhaber, die sie mit den Reizen ihres makellosen Körpers an sich gebunden hatte; andere köderte sie mit Ämtern, Reichtum und Macht, erpreßte sie dann mit ihrem Wissen um deren Mißbrauch dieser Ämter.

Dieser Block zerbröckelt in den letzten Wochen und Monaten sichtlich: Janch-Aton sitzt bereits in Untersuchungshaft. Der Großpriester der Aton-Tempel in Achet-Aton, Merie-Râ, war nie ihr Anhänger und ist neben dem König vermutlich der einzige, der tatsächlich an Aton glaubt. Pichuru, Tutu, Pane-hesi und Menna kämpfen verzweifelt um ihr politisches Überleben, wobei sie durchaus bereit sind, Nofret-ête zu opfern, wenn ihnen das nützen sollte. Sutan, der neue Finanzminister, ist kein Mann ihrer Wahl. Panhasa, General Paatem-em-Heb von der Internationalen Garde, der verstorbene Umu-hanko und viele andere haben sie mehr oder minder offen fallenlassen.«

Wieder machte Hund eine Pause. Für die Länge eines Herzschlages streiften mich seine vorquellenden Augen.

»Was für ein Schicksal!« schoß es mir durch den Sinn.

Da saß dieser immer noch klapperdürre junge Mann mit seinen vorstehenden Karnickelzähnen, den Froschaugen, der meist hängenden linken Schulter und der gewohnheitsmäßig zuckenden rechten Hand, den nahezu alle, denen er begegnete, für einen bedauernswerten Idioten hielten, und analysierte mit messerscharfem Verstand die Situation unserer gefährlichsten Gegnerin vor der Großen Königsgemahlin Teje, dem Hôr-im-Nest Mose, den königlichen Prinzessinnen Beket-Amûn und Merit-Aton, dem Oberrichter der Oberrichter, dem hochgelehrten Leibarzt Pentû, dem getreuen Heje, Haushofmeister der Königin und mir, immerhin General und Befehlshaber der Streitwagenkämpfer, der angesehensten Elitetruppe des Reiches. Nur die mittlerweile im neunten Monat hochschwangere Prinzessin Maket-Aton war auf Wunsch Moses nicht anwesend.

»Selbst ihr ganz persönlicher Zauber«, fuhr Hund fort, »will nicht mehr so recht wirken!

Die schönste Frau Ägyptens gibt sich rückhaltlos dem häßlichsten Mann Ägyptens hin. Diese Vorstellung schmiedete einst eherne Bänder zwischen Akh-en-Aton Ua-en-Râ und Nofret-ête Nefer-nefru-Aton – der ›Schönsten der Schönen in Aton‹.

Doch Nofret-ête brachte zunächst anstatt des erhofften männlichen Thronerben nur drei Töchter zur Welt.

Durch seine Krankheit, wohl schon im sechsten Jahr seiner Regierung, also schon zur Zeit der Verlegung seiner Residenz von Uêset nach Achet-Aton, wurde der König impotent – zeugungsunfähig. Zwar hat ihm seine Erste Gemahlin, Prinzessin Kija, einen Sohn geboren, Prinz Tut-anch-Aton, doch Nofret-ête wollte es ihr unter allen Umständen gleichtun. Daß in solch einem Fall ein naher Verwandter des Königs mit seinem Samen einspringt, wäre nicht das erste und gewiß auch nicht das letzte Mal in der Geschichte unseres Landes gewesen. Und es gab durchaus drei Männer, die dafür in Frage gekommen wären: sein Neffe, Prinz Semench-Ka-Râ, sein Halbbruder, Prinz Nacht-Min und sein Vetter, General Amûn-hotep.«

Nacht-Min und ich warfen uns einen kurzen Blick zu, und der Prinz verdrehte kurz die Augen zum Himmel, aber es war klar, daß wir einer entsprechenden Aufforderung des Königs hätten Folge leisten müssen.

»Nofret-ête allerdings«, fuhr Hund fort, »benützte dies, um sich hemmungslos jeden Mann in ihr Bett zu holen, der ihr gerade gefiel – Minister, Aton-Priester, Soldaten der Internationalen Garde, Handwerker und Händler aus Achet-Aton, Mitglieder ausländischer Gesandtschaften, Verwaltungsbeamte, Diener und Stallknechte. Akh-en-Aton Ua-en-Râ hat die drei so gezeugten jüngeren Prinzessinnen Nefer-nefru-Aton, Nefer-nefru-Râ und Setep-en-Râ zwar offiziell als seine Töchter anerkannt, doch im Gegensatz zu den drei älteren, Maket-Aton, Merit-Aton und Anchesen-pa-Aton, läßt er sie in seinem so gerne auch in der Öffentlichkeit dargestellten glücklichen Familienleben kaum eine Rolle spielen. Für mich ist das ein sicheres Anzeichen dafür, daß die wahllose Hurerei Nofret-êtes den König tief verletzt hat – auch wenn er sich das, wie vieles andere, vorläufig noch nicht zuzugeben bereit ist.«

»Wenn man es so zusammenfaßt«, bestätigte Königin Teje langsam nickend, »dann muß man wohl zu dem Schluß kommen, daß der Boden unter den Füßen Nofret-êtes in der Tat bedenklich wankt …«

»Was sie um so gefährlicher macht!« warf Nacht-Min sofort ein. »Ihr Lebensziel, die Hohen Federn der Großen Königsgemahlin für sich zu erobern, wird sie unter gar keinen Umständen aufgeben! Drei Morde hat sie für dieses Ziel bereits begangen – und es mögen mehr sein, von denen wir nur nicht wissen. Der erste Mord, dies habe ich als Richter immer wieder erfahren müssen, ist der schwerste, der zweite fällt schon leichter, und ab dem dritten gibt es kein Halten mehr. Die ursprüngliche Hemmschwelle ist dann zu einem Nichts geschrumpft, während sich die Selbstsicherheit, nicht ertappt zu werden, ins Unermeßliche steigert!«

Maket-Atons Schwangerschaft war in diesen Tagen in ihr letztes Stadium getreten. Sie und Mose sagten alle offiziellen Verpflichtungen ab und zogen sich vollständig in die Räume des Hôr-im-Nest im Palast zurück. Ern, ihre Schwester Merit-Aton, Necht und der aus Chemenu herübergekommene Je-schua waren ununterbrochen bei ihnen, während Leutnant Men-kau-Hôr mit seinen Wolfsmännern einen undurchdringlichen Kordon um ihre Räume zog.

Ein zweiter, fast ebenso undurchdringlicher Ring umfaßte zusätzlich die Wohnung und die Amtsräume der Großen Königsgemahlin Teje, die fast unmittelbar an die Gemächer des Hôr-im-Nest grenzten. General Paatem-em-Heb hatte zu diesem Zweck bereitwillig Oberst Schut, der dort das Kommando führte, fast die Hälfte seiner Internationalen Garde überlassen.

Innerhalb dieses Ringes lebten nun auch Beket-Amûn und ich selbst.

»Amûn-hotep und ich sind nicht in Gefahr – ich *weiß* es!« hatte Beket-Amûn mehrfach betont, doch Königin Teje hatte keine Widerrede geduldet:

»Wenn ihr mich dazu zwingt, wie eine Gefangene zu leben, dann werde ich auch nicht erlauben, daß ihr draußen als Zielscheibe für irgendwelche Anschläge herumlauft! Das Haus der Großen Königsgemahlin umfaßt mehr als vierzig Räume, sieben Bäder, zwei Küchen und prächtige Gärten. Nehmt euch davon, was ihr wollt, aber *ihr bleibt hier*!«

Das war ein unmißverständlicher Befehl, und so zogen wir also um, richteten uns in unserer kleinen Festung mitten im Königspalast ein.

Serâu war mit uns gekommen und versorgte hingebungsvoll Beket-Amûn und mich, erfreute uns mit ihren Liedern und ihrem Harfenspiel. In der Küche waltete Sel, die ich aus Uêset herbeigerufen hatte, und nichts kam auf den Tisch, was nicht von ihr selbst auf den Märkten in Achet-Aton eingekauft, eigenhändig zubereitet und unter den mißtrauischen Blicken Haushofmeister Hejes von ausgewählten Dienern aufgetragen worden war.

Heje war es auch, der es sich nicht nehmen ließ, jeden Krug mit Wasser, Wein oder Fruchtsäften persönlich Stunden, ja, Tage, ehe einem von uns der erste Becher davon kredenzt wurde, vorzukosten.

So hausten wir denn alle zusammen, genossen zwar jeden Luxus, fühlten uns aber zunehmend eingesperrt und wurden von Tag zu Tag nervöser und reizbarer. Maket-Aton und Mose, ganz aufeinander und auf die bevorstehende Geburt konzentriert, ertrugen es am leichtesten. Am schwersten fiel es Prinz Tut-anch-

Aton und seinem inzwischen unzertrennlichen Freund, dem kleinen Wawat-Prinzen Heka-nefer. Auch sie, so hatten wir erkannt, mochten durchaus Ziele eines Anschlages werden, also hatten wir die beiden Jungen ebenfalls in den Räumen Tejes einquartiert. Natürlich spürte auch Mâ-au unsere innere Anspannung und ließ noch öfter als sonst ihr wildes Fauchen hören – manchmal beneidete ich sie darum und hätte es ihr gerne gleichgetan.

Nur einer genoß weiterhin seine völlige Freiheit: Hund. Unauffällig durchstreifte er die Säle, Gänge, Hallen und Gärten des Palastes, die Amtsstuben der verschiedenen Ministerien, hielt die Froschaugen weit offen und die Ohren fein gespitzt. Wurde er aufgehalten, angesprochen, so schielte er freundlich an dem Fragenden vorbei, grinste dümmlich und brabbelte höflich eine unpassende Antwort. Man gewöhnte sich an ihn und beachtete ihn bald nicht mehr.

So ruhig und äußerlich friedlich die Tage der folgenden zwei Wochen verstrichen, um so mehr stieg in mir nachts die innere Anspannung, die Gewißheit, daß ein furchtbares Unheil drohte.

Weit schlimmer noch als ich litt Beket-Amûn darunter. Dreimal befragte sie ihre Mondschale – ohne Ergebnis.

»Manche Dinge sind mir verwehrt zu *sehen*«, erklärte sie mir. »Sie müssen geschehen, weil dies um einer höheren Ordnung willen erforderlich ist. Würde ich sie *sehen*, ich wäre allzu versucht, einzugreifen, auch wenn ich wüßte, daß ich es nicht darf. So aber gewähren mir die Götter die Gnade der Blindheit, damit ich nicht zerrissen werde zwischen den Wünschen meines Herzens und der Notwendigkeit Ihres Willens.«

Oft weckte mich in diesen Nächten ein leises Stöhnen Beket-Amûns. Wenn ich ihr dann sanft und beruhigend über die Wangen streichelte, waren diese naß von Tränen. Dann klammerten wir uns wie Ertrinkende aneinander, versuchten im Rausch der Sinne wenigstens für kurze Zeit unsere Sorgen und Ängste zu betäuben.

Später lagen wir dann eng aneinandergeschmiegt auf unserem Bett, und Mâ-au kuschelte sich dicht an uns, legte ihren Kopf auf unsere Beine oder unsere Hüften, wie um uns Trost zu spenden. Irgendwann verfielen wir dann in einen leichten, unruhigen Schlaf, aus dem wir im Morgengrauen müde und wie zerschlagen wieder emporfuhren.

Als das Unheil dann wirklich eintrat, tat es das so leise und unmerklich, daß wir es erst bemerkten, als es längst zu spät war.

Hund war in den letzten Wochen zu einem der unentbehrlichsten Helfer Königin Tejes und Prinz Nacht-Mins geworden. Zwar entdeckte er nicht den geringsten Hinweis auf irgendein verdächtiges Treiben Nofret-êtes; selbst die von ihm regelmäßig kontrollierten Beete mit Sturmhut und anderen giftigen Blumen in den königlichen Gärten waren unberührt. Doch was er in den Amtsstuben der verschiedenen Behörden beobachtete, was er an Gesprächen zwischen Beamten und Höflingen aufschnappte, das setzte die Untersuchungsbeamten Nacht-Mins nicht selten auf die richtige Fährte von Bestechung und Unterschlagung. Sein ach so offenkundig und unübersehbar geistig zurückgebliebenes, doch stets heiteres, liebenswürdiges und hilfsbereites Wesen machte ihn zum Vertrauten fast aller Bediensteten im Palast und auch sonst in der Hauptstadt. Und zwischen den Sanddünen von Tratsch und leerem Geschwätz wußte sein scharfer Verstand sehr wohl die Goldkörner an echten Informationen herauszusieben.

So gerieten die Königin und der Oberrichter der Oberrichter in den Ruf, sich nachts mit Ibissen, Geiern oder Katzen zu treffen, deren Sprache sie verstünden und welche ihnen die geheimsten Dinge der Damen und Herren des Hofes ebenso offenbarten wie das Treiben der Kaufleute und Handwerker in der Stadt. Woher sonst hätten sie wissen können, daß die Delegation aus Jericho Außenminister Tutu für eine nützliche Klausel im Handelsvertrag ein Säckchen mit Goldstaub zugesteckt hatte, während zur gleichen Zeit seine hübsche Erste Gemahlin Net in den Aton-

Tempel schlüpfte und dort für den Großpriester Merie-Râ die Beine breitmachte? Oder woher, daß der reiche Tuchhändler Aton-mose, der sein protziges Geschäftshaus direkt an der großen Königsstraße erbaut hatte, die teure kuschitische Baumwolle mit billigem Leinenfaden verweben ließ, das Produkt jedoch als reine Baumwolle verkaufte? Oder daß der alte Geizkragen mit dem blumigen Namen Nehem sein Geld tatsächlich mit Blumen verdiente, genauer mit der aus den Kapseln der Mohnblume gewonnenen Rauschdroge? Oder daß der Ministerpräsident Pichuru neuerdings gegenüber kleinen Geschenken ungemein prüde geworden war. Oder daß die erst vor zwei Monaten geheiratete, kaum halb so alte neueste Gattin des Polizeipräfekten Mahû es sich von dem Stallburschen Chu, dem Schreiber ihres Mannes Schaâ und dem Nachbarssohn Uasem gleichzeitig besorgen ließ und dabei kleine Tips und Hinweise verteilte, wo und bei wem demnächst polizeiliche Untersuchungen zu erwarten seien, was Chu, Schaâ und Uasem zu durchaus erfreulichen Nebeneinkünften verhalf?

Die kleinen, schmutzigen Privatgeheimnisse interessierten niemanden, doch Leute wie der Tuchhändler Aton-mose, der Rauschgiftlieferant Nehem oder die drei Galane der Gattin Mahûs fanden sich oft höchst überraschend vor dem Richterstuhl Nacht-Mins wieder, und so mancher trat danach eine unfreiwillige Reise in die Goldminen an.

Während sich so Prinz Nacht-Min von unten her durch Korruption, Verbrechen und Vergehen nach oben arbeitete, hatte sich Königin Teje zum Ziel gesetzt, den Sumpf von Achet-Aton von oben her trockenzulegen. Seit ihr der Sturz Janch-Atons die Chance gegeben hatte, die Brechstange anzusetzen, war die Große Königsgemahlin mit verbissener Beharrlichkeit dabei, die Bresche zu erweitern, arbeitete wie eine Besessene die Tage und noch die halben Nächte durch. Wenn Pentû sie ermahnte, etwas mehr Rücksicht auf ihre Gesundheit zu nehmen, immerhin sei sie nicht mehr die Jüngste, blaffte sie ihn nur an:

»Meine einstige Verblendung meinen Söhnen gegenüber hat dieses Chaos mit angerichtet. Ich bin es dem Land, meinem verstorbenen königlichen Gemahl und mir selber schuldig, alles zu tun, was in meiner Kraft steht, um wenigstens einen Teil davon wiedergutzumachen! Quatschen Sie also nicht von meiner Gesundheit, sondern wühlen Sie mir aus Ihrem Medizinkasten ein Mittel heraus, das die Nebel der Müdigkeit aus meinem Kopf vertreibt!«

Wenn der Leibarzt ihr dann brummend und kopfschüttelnd das Gewünschte aushändigte, konnte es geschehen, daß ihn die Königin sanft über die kratzige Wange streichelte:

»Sie sind ein treuer Freund, Pentû, und ich weiß, daß Sie es gut meinen. Aber nichts und niemand wird mich davon abhalten, das zu tun, was ich mir vorgenommen habe!«

Wir schrieben den 15. Tag des 1. Monats der Aussaat, als Königin Teje triumphierend verkündete:

»Ich habe ihn! Noch ein letzter, kleiner Beweis, den ich in den nächsten Tagen bekomme, und Außenminister Tutu kann seinem Freund Janch-Aton im Gefängnis Gesellschaft leisten! Und auch das Netz um Menna, den Generalgouverneur von Unterägypten, ist inzwischen so dicht, daß er sich diesmal nicht mehr wird herauswinden können, wenn ich es zuziehe – mag er noch so glatt und glitschig sein!«

Vielleicht war es die freudige Erregung, vielleicht der monatelange Raubbau an ihrer Gesundheit, vielleicht war es auch nur eine simple leichte Erkältung, die an diesem Abend Königin Teje zwang, ihr Tagewerk vorzeitig abzubrechen und sich mit Kopfschmerzen und leichtem Fieber niederzulegen.

Natürlich verlangte sie von Pentû ein Mittel, das sie unverzüglich wieder auf die Beine bringen würde, doch diesmal blieb der Arzt hart:

»Nein, Majestät! Was ich Ihnen jetzt geben werde, ist ein kräftiges Beruhigungs- und Schlafmittel, das ich schon seit einiger Zeit für diesen Fall vorbereitet habe!«

Dabei zog Pentû ein Fläschchen aus den unteren Fächern seines Medizinkastens hervor, erbrach das Siegel, mit dem es verschlossen war, und mischte den Inhalt in einen Becher Wein, den er der Königin reichte.

»In dem Zeug ist doch auch ein Opiat enthalten?« fragte Teje.

»Unter etlichem anderem auch das«, gab Pentû offen zu.

»Ich mag das Zeug nicht!« protestierte Teje. »Ich habe keine Lust abhängig zu werden und …«

»Von dem bißchen in der Mischung das eine Mal werden Sie nicht abhängig!« widersprach der Leibarzt energisch. »Sie werden zunächst diese Nacht und morgen den größten Teil des Tages durchschlafen. Dann werden Sie etwas Vernünftiges essen – und dann sehen wir weiter. Und jetzt, Majestät: austrinken!«

Königin Teje zögerte noch einen Augenblick, doch dann gehorchte sie dem Befehl des Arztes und leerte den Becher.

Es ging gegen Mitternacht, als verschreckte Diener in unser Schlafgemach stürzten:

»Der Großen Königsgemahlin geht es schlecht! Es geht ihr *sehr* schlecht!«

Augenblicke später waren wir bei Teje, fast gleichzeitig mit Ern und Heje. Minuten später folgten uns Mose, Maket-Aton und Pentû.

Die Haut der Königin war mit kaltem, klebrigem Schweiß bedeckt, sie zitterte vor Kälte, auf dem Boden sahen wir erbrochenen grünlichen Schleim, ihr Körper wand sich in qualvollen Krämpfen.

Wir blickten uns entsetzt an. Keiner sprach es aus, doch wir wußten es alle: das Gift des Sturmhutes!

»Holen Sie den König! Schnell!« befahl Pentû dem Haushofmeister Heje.

Als wir an das Bett Königin Tejes traten, schlug sie die Augen auf, versuchte sogar ein Lächeln, doch im nächsten Augenblick wand sie sich erneut in einem Krampf. Beket-Amûn nahm sie in ihre Arme, streichelte sanft ihren gequälten Körper und sprach leise und beruhigend auf sie ein.

Dann ließ der Krampf nach, und Pentû versuchte ihr einen Becher mit einem Trank, den er eilig gemischt hatte, an die Lippen zu setzen. Doch Teje drehte den Kopf weg:

»Bemühen Sie sich nicht, mein Freund, Ihre Medizin wird mich nicht mehr retten.«

»Es ist eine starke Opiumtinktur, um die Schmerzen zu lindern«, erklärte der Arzt, doch Teje schüttelte erneut den Kopf:

»Kein Opium! Ich brauche in der kurzen Zeit, die mir noch bleibt, meinen klaren Verstand!«

Dann wandte sie sich an uns:

»Beket, ich wollte dich – ich wollte die Priester von Onet – ich wollte Euch ins Unrecht setzen – und fast«, wieder huschte ein schmerzliches Lächeln über ihr Gesicht, »fast wäre es mir auch geglückt! Ein halbes Jahr – drei Monate – vier Wochen – *eine* Woche hätte ich noch gebraucht … Die Götter wollten sie mir nicht geben. – Sie werden wissen, weshalb …«

Erneut wand sich Teje in grausamen Krämpfen. Beket-Amûn hielt sie in ihren Armen fest, wobei Tränen über ihr Antlitz strömten. Maket-Aton schluchzte leise an der Brust Moses, und auch sein und mein Gesicht waren von Tränen naß.

»Weint nicht um mich!« flüsterte Teje, als sie wieder ein wenig zu Atem kam. »Ich hatte ein schönes, reiches, erfülltes Leben – ich habe es ausgekostet bis zur Neige und – es ist nur wenig, was ich bereue. Sein Ende ist zwar schmerzhaft – aber gnädig kurz …«

In diesem Augenblick stolperte König Akh-en-Aton Ua-en-Râ mit entsetztem Blick ins Zimmer, warf sich neben dem Bett Tejes auf die Knie, ergriff ihre eiskalte Hand:

»Wer hat dir das angetan?« schrie er. »Mutter, du darfst nicht gehen! Du darfst mich nicht allein lassen!« jammerte er laut.

»Hör mir zu …«, flüsterte Teje.

»Mutter!« heulte der König auf. »Ich werde …«

»Hör mir zu!« unterbrach ihn Teje und richtete sich mit fast letzter Kraft ein wenig auf. »Du mußt mir schwören! Die Hohen Federn – es darf sie nur tragen – wer aus dem Königshause ist!«

»Mutter!« wollte Akh-en-Aton Ua-en-Râ einwerfen, doch Teje ließ ihn nicht zu Wort kommen:

»Die Hohen Federn! – Nur wer aus dem Königshaus – aus dem Blut meines Gemahls Amûn-hotep Neb-Maat-Râ ist! Schwöre!«

»Mutter, du …«

»*Schwöre!*«

»Ja – ich schwöre, ich schwöre …«, beeilte sich der König schnell die Sterbende zu beruhigen.

»*Schwöre bei Aton!*«

»Gewiß, ich schwöre es – auch bei Aton!«

Mit einem tiefen Seufzer ließ sich Teje zurückfallen. Schwer atmend lag sie mit geschlossenen Augen da, während ein ganz kleines, spöttisches Lächeln ihre Mundwinkel abwärts bog.

Noch einmal schlug sie die Augen auf, und ihr Blick glitt von Beket-Amûn über Mose und Maket-Aton bis zu mir:

»Jetzt«, flüsterte sie fast unhörbar, »jetzt – könnt Ihr – mich – nach Hause – bringen! – Nach Uêset. – Zu meinem – Gemahl. – Meinem – Geliebten! Zu – Amûn-hotep! – Amûn- …«

Als Beket-Amûn die Augen ihrer Mutter mit sanfter Hand für immer zudrückte, stürmte eine ganze Flut der unterschiedlichsten Gefühle und Gedanken auf mich ein.

Als ich Teje damals zum erstem Mal im Alten Palast zu Uêset gegenübergetreten war, hatten wir in zwei verschiedenen Lagern gestanden. Ihre Klugheit, ihre Tatkraft, ihr unbeugsamer Wille, ihre wahrhaft herrscherliche Persönlichkeit hatten mich schon damals tief beeindruckt – und sie, wie sie mir später einmal gestand, meine unerschütterliche Treue einem einmal geleisteten Schwur gegenüber. Später dann, in den zwölf Jahren in Uêset, hatte ich darüber hinaus gelernt, ihre wahre Größe zu bewundern – jene so seltene Größe, die es ihr möglich machte, eigene Fehler zu erkennen, sie einzugestehen und sich zu ändern. Und schließlich, seit ihrem Entschluß, hierher nach Achet-Aton zu kommen, hatte ich gelernt, sie zu lieben! Zu lieben für ihren Mut, ihre Stärke, ihre Unbeugsamkeit, mit der sie – wider alle Vorhersagen der Astrologen von Onet, ja, die Vorhersagen der Ersten Prophetin der Dreiheit von Men-nôfer, ihrer Tochter Beket-Amûn – ankämpfte gegen Dummheit, Ungerechtigkeit und skrupellosen Machthunger, ankämpfte gegen ein offenbar vorherbestimmtes Schicksal.

Und siegte!

Wäre der Augenblick nicht so tragisch gewesen, ich hätte Königin Teje lauthals zujubeln mögen, als es ihr fast mit ihrem letzten Atemzug gelang, König Akh-en-Aton Ua-en-Râ den Schwur abzuringen, Nofret-ête niemals mit den Hohen Federn der Großen Königsgemahlin zu krönen.

Vielleicht hätte ich tatsächlich in lauten Jubel ausbrechen sollen, schoß es mir durch den Sinn. Teje, so wie ich sie in all den Jahren nun kennengelernt hatte, hätte es ohne Zweifel noch genossen!

Jener Schwur!

Würde der König ihn überhaupt halten?

Er zerschmetterte Nofret-êtes Lebensziel! Königin Teje hatte ihre Position ins Wanken gebracht, doch nicht zerstören können. Nofret-ête – ich kannte sie inzwischen nur zu gut – würde weinen, betteln, jammern, kreischen, flehen, den Familiensinn des Königs aufrufen, ihre körperlichen Reize hemmungslos ausspielen, nur um Akh-en-Aton Ua-en-Râ davon zu überzeugen, daß jene Zusage, die er seiner Mutter und Großen Königsgemahlin gegeben hatte, einzig der Beruhigung einer Sterbenden gedient habe und in der Sache natürlich ungültig sei.

Und es war höchst fraglich, ob Akh-en-Atons Glauben an die Wahrheit oder aber eine Hörigkeit Nofret-ête gegenüber die Oberhand gewinnen würde.

Das wiederum jagte mir einen eiskalten Schrecken durch die Glieder. Wenn Nofret-ête über das Gewissen des Königs obsiegte, dann war das Leben all jener, die seinen Schwur am Totenbett Tejes gehört hatten, keine Handvoll Wüstensand mehr wert! Beket-Amûn, Mose, Maket-Aton, Heje, Pentû, Ern, die anwesenden Diener und Dienerinnen und ich würden der Großen Königsgemahlin Teje unverzüglich ins Duat folgen!

Ich gebe zu, ich hatte mich in König Akh-en-Aton Ua-en-Râ getäuscht – oder vielleicht nicht eigentlich getäuscht, denn seine fanatische Liebe zur Wahrheit, auch wenn er diese oft recht verdreht sah, gehörte zu den unabdingbaren Zügen seines Wesens.

Auf jeden Fall überraschte er uns alle mit einem Kraftakt seines Willens.

Tatsächlich seines Willens? Oder doch nur letztlich seiner Feigheit vor Nofretête? fragte ich mich freilich fast sofort.

Wie auch immer. Es mag kaum mehr als zwei Stunden nach Mitternacht und der Körper Königin Tejes noch nicht erkaltet gewesen sein, als alles, was in Achet-Aton Rang, Namen und Amt hatte, auf Befehl Seiner Majestät von Palastboten aus dem Schlaf gescheucht und in der großen Audienzhalle versammelt, sich an seine zeremoniell vorgegebenen Plätze begeben hatte.

Heute, ging es mir dabei, völlig unpassend, durch den Kopf, ist es wohl auch das letzte Mal, daß du dich auf deinen Sessel auf der dritten Stufe des Thrones niederläßt. Du hast vor knapp zwei Stunden aufgehört, Kommandant der Leibgarde der Großen Königsgemahlin zu sein und magst dich nun noch glücklich preisen, wenn du nicht als Mitschuldiger an ihrem Tod ins Gefängnis wanderst …

Der Ruf der Herolds warf uns alle zu Boden, während der König, ohne alle Insignien seiner Würde, genau so, nur mit einem einfachen Schurz bekleidet, wie er in das Zimmer seiner sterbenden Mutter gestürzt war, zu seinem Thron eilte:

»Teje, die Tochter des Großpriesters Juja aus Ipu, Königin von Ober- und Unterägypten, Große Königsgemahlin meines leiblichen Vaters Hotep Neb-Râ«, die Götternamen Amûn und Maat nahm er sogar jetzt nicht in den Mund, »Große Königsmutter und Große Königsgemahlin Meiner Majestät ist in Frieden entschlafen!«

Die Höflinge, die Beamten, die anwesenden großen Großen des Reiches, die nicht ganz so großen Großen und die kleinen Großen nahmen die Mitteilung hier und da mit echter Bestürzung, in der Mehrheit mit Gleichmut, mitunter verständlicherweise mit Aufatmen hin.

»Vor ihrem Hinscheiden«, fuhr der König fort, »habe ich meiner Mutter-Gemahlin geschworen, die Hohen Federn der Großen Königsgemahlin einzig einer Frau zu verleihen, die aus unserem Königshaus, also aus dem Blut meines leiblichen Vaters Hotep Neb-Râ, stammt.«

Der Kopf Nofret-êtes, die seit der Ankunft Königin Tejes in Achet-Aton zeremoniell nur mehr auf der ersten Stufe unter dem Thron zu sitzen hatte, schnellte herum, starrte den König mit ihren Diamantaugen gleichermaßen beschwörend wie entgeistert an.

Hastig, wie in Angst vor dem eigenen Mut, fuhr König Akhen-Aton Ua-en-Râ fort:

»Aus diesem Grund habe Ich beschlossen, Meinen Halbbruder, den Wahren und einzigen Hôr-im-Nest Mose, zu Meinem Mitkönig zu erheben und seine Gemahlin, Meine geliebte Erste Tochter und Kronprinzessin, Maket-Aton, mit den Hohen Federn der Großen Königsgemahlin zu krönen!«

Ein Aufstöhnen Prinzessin Maket-Atons beendete abrupt die nächtliche Zeremonie.

Sofort, alles Protokoll beiseite lassend, waren Leibarzt Pentû und Ern an ihrer Seite. Wenige Minuten später war klar, daß die seelischen Erschütterungen der letzten Stunden den Geburtsvorgang eingeleitet hatten.

»Haben Sie keine Angst!« sprach Pentû Maket-Aton beruhigend zu. »In wenigen Tagen wäre es ohnehin so weit gewesen.«

Dann waren auf einen Wink Hejes Diener mit einem sänftenartigen Tragestuhl zur Stelle, um Maket-Aton behutsam in die Räume des Hôr-im-Nest zu schaffen.

Doch der König hob plötzlich gebietend die Hand und ordnete an:

»Bringt meine Tochter, die Kronprinzessin Maket-Aton, die erhabene Gemahlin des Wahren und einzigen Hôr-im-Nest Mose, in die Halle der Geburt, die ich auf Weisung meines Vaters Aton habe errichten lassen! Die sechs Töchter meiner Gattin Nofret-ête Nefer-nefru-Aton wurden dort geboren, und auch Prinz Tut-anch-Aton, mein Sohn mit meiner Ersten Gemahlin, Prinzessin Kija Usîre, hat dort das Licht des Aton erblickt!«

»Nein!« hätte ich am liebsten laut geschrien.

Die ›Halle der Geburt‹, gelegen zwischen dem Königspalast

und dem großen Tempel des Aton, verdiente in der Tat die Bezeichnung ›Halle‹. Mit einem Lager in der Mitte für die Gebärende war der gut 30 mal 40 Ellen große Raum umgeben mit Logen für die Damen des Harems, die Beamten des Hofes und sonstige sogenannte Zeugen. An einem Ende im Westen öffnete sich eine weite Tür in die Palastgärten und ließ den Blick hinaus über den Strom bis zu den Zacken der westlichen Wüstenberge wandern. Am gegenüberliegenden Ende erhob sich eine Empore, zu der einige breite Stufen hinaufführten, mit dem Thron für Seine Majestät und den Ehrenplätzen für seine gesamte Familie. Selbst für Schaulustige aus der Stadt war ein Abschnitt der Halle vorgesehen.

Mag sein, daß es Nofret-ête Vergnügen bereitet hatte, so vor den Augen Hunderter von Gaffern ihre Kinder zur Welt zu bringen. Die Augen Maket-Atons weiteten sich jedoch vor Entsetzen bei dem Befehl ihres Vaters, und Mose protestierte lautstark. Doch Akh-en-Aton Ua-en-Râ bestand darauf, daß dort und nur dort, an diesem von Aton speziell gesegneten Ort, ein königliches Kind geboren werden dürfe.

So wurde denn Maket-Aton in die Halle der Geburt geschafft und auf der Liege in der Mitte aufgebahrt.

»Ganz ruhig und langsam atmen – durch die Nase *ein* – durch den Mund *aus* – durch die Nase *ein* …«, wies Ern die Prinzessin an.

Doch Maket-Aton verkrampfte sich zunehmend, als sich die Sitzreihen rings um der Halle der Geburt mehr und mehr mit Damen des Harems und Herren des Hofes füllten. Ab den Vormittagsstunden strömten zusätzlich Neugierige aus der Stadt herein, während ein Schwarm von Dienern die schnatternde, lachende, und bald vergnügt schmatzende und zunehmend auch mehr oder minder angetrunkene Schar der Neugierigen mit Wein und Bier, mit Platten voll Kuchen und eingelegten Früchten, Schalen voller Nüsse, Äpfel, Trauben und frischen Feigen, mit gebratenen Hähnchen und gegrilltem Stier-, Lamm- und Hackfleisch nebst allerlei Beilagen versorgte oder auch Spielbretter aufstellte, damit sich die Schaulustigen die Zeit bis zum Beginn der eigentlichen Geburt angenehm vertreiben konnten.

»Das ist unerträglich!« hatte Ern gefaucht, kaum daß sich die Halle zu füllen begonnen hatte. »Gerade in der Eröffnungsphase der Geburt ist es unbedingt notwendig, daß sich die Gebärende so gut als irgend möglich entspannt!«

Noch während Ern schimpfte, hatten Oberst Schut und Leutnant Men-kau-Hôr, die in unserer Nähe standen, zu tuscheln begonnen. Wenig später rückten die Wolfsmänner und die zuverlässigsten Soldaten der Internationalen Garde an und bildeten einen weiten Ring um die Liegestatt in der Mitte der Halle. Von irgendwo hatten sie lange, breite Leintücher aufgetrieben, die sie auf die Spitzen ihrer Speere steckten und wie Vorhänge ausspannten, um so eine Art Zelt als Sichtschutz um Maket-Aton zu schaffen. Die Gaffer nahmen dies leicht verstimmt zur Kenntnis, doch wie ich an ihren nun wieder ruhigeren Atemzügen erkannte, trug diese Zeltwand sehr zur Beruhigung Maket-Atons bei.

Es wurde ein endlos langer Tag.

Es war noch tiefe Nacht gewesen, als wir Maket-Aton in die Halle der Geburt gebracht hatten. Drei Stunden später war Aton über den östlichen Bergen heraufgestiegen, hatte schließlich seinen Scheitelpunkt erreicht und sank nun langsam wieder den westlichen Bergen zu.

Die bunte Gästeschar in der Halle lachte und schwatzte, aß, trank und spielte, wurde zunehmend lauter und lustiger und hatte offenbar längst vergessen, was in dem provisorischen Zelt aus Leintüchern, das zwischen den Speeren der Wolfsmänner und Gardisten ausgespannt war, vorging.

König Akh-en-Aton Ua-en-Râ, immer noch lediglich mit dem Schurz bekleidet, hatte mit uns die Halle der Geburt betreten. Lediglich den Blauen Helm, seine Lieblings-Kopfbedeckung hatte er sich unterdessen auf das Haupt gestülpt.

Eigentlich verrückt, daß ausgerechnet er, der ›Friedensfürst‹, der Kriegskrone der ägyptischen Könige so sehr den Vorzug gibt, daß er sie bei offiziellen Anlässen fast immer trägt, ging es mir

durch den Sinn. Doch natürlich war es so, daß sein krankhaft auf-
geblähtes Hinterhaupt in dem Blauen Helm weitaus bequemer
Platz fand als unter den anderen Kronen.

Den ganzen Tag über hockte er zusammengesunken auf seinem Thron und starrte auf die Bahnen des provisorischen Zeltes
vor sich.

In den frühen Morgenstunden war auch der ›Gottvater‹ Eje
mit seiner Gemahlin Tiê erschienen.

Tiê, die offizielle königliche Hebamme, hatte einen schnellen
Blick auf das Zelt in der Mitte der Halle geworfen und war dann
zu mir gekommen.

»Wer betreut unsere kleine Prinzessin?« fragte sie mich.

»Der Hôr-im-Nest ist bei ihr und Beket-Ernûte und der
königliche Leibarzt Pentû.«

»Dann«, meinte sie freundlich lächelnd, »werden Sie es sicher am liebsten sehen, wenn ich mich dort auf die Stufen zum
Thron Seiner Majestät setze und von da aus meinen protokollarischen Pflichten Genüge tue.«

Mitte des Vormittags waren auch die beiden größeren Schwestern Maket-Atons erschienen. Merit-Aton war aus Chemenu
herbeigeeilt und saß nun bei Beket-Amûn am einen Ende der
Empore mit dem Thron Seiner Majestät.

Anchesen-pa-Aton hatte sich an das andere Ende zurückgezogen, wo sie sich angeregt leise mit dem ›Gottvater‹ Eje unter-
hielt. Aus einem flachen Körbchen, das ihr eine ihrer Dienerinnen zu Füßen gestellt hatte, holte sie eine ihrer zahmen Kobras
hervor, ließ die Schlange sich um ihren Arm winden, legte sie
sich um den Hals, streichelte mit den Fingern die glänzenden
Schuppen. Natürlich war das Reptil nicht ›zahm‹, es war nur
wohl gefüttert, und man hatte ihm die Giftzähne entfernt. Trotzdem, so munkelte man am Hof, war vor allem ihre Mutter
Nofret-ête alles andere als erbaut über diese neuesten Spielzeuge
Anchesen-pa-Atons.

Gegen Mittag hatte Oberst Schut seine Gardisten, die nun seit
über acht Stunden die Speere mit den aufgespießten Tüchern des
Sichtschutzes hielten, ausgewechselt. Die Wolfsmänner freilich
hatten sich geweigert, ihren Platz zu verlassen. Auch jetzt, noch-

mals acht Stunden später, als Schut seine Leute zum zweitenmal auswechseln ließ, standen die Wölfe reglos und wie aus Bronze gegossen.

Am Nachmittag war endlich auch Nofret-ête mit dem Schwarm ihrer Gesellschafterinnen und Dienerinnen eingezogen. Mit sichtlichem Ärger bemerkte sie, daß der Thron der Großen Königsgemahlin neben dem des Königs entfernt worden war, so daß sie ihren Sitz eine Stufe unterhalb einnehmen mußte. Zunächst freilich schritt sie zielsicher auf das provisorische Zelt zu und wollte bereits eines der Leintücher ergreifen, um sich Eingang zu verschaffen, als sie von Leutnant Men-kau-Hôr aufgehalten wurde. Es folgte ein leiser, heftiger Wortwechsel.

Ich hatte mich bereits erhoben, um Men-kau-Hôr zu Hilfe zu eilen, als ich sah, wie sich Nofret-ête umdrehte und der königlichen Empore zustrebte.

»Den Göttern sei gedankt«, bemerkte Je-schua, der sich zu uns gesellt hatte, »daß wenigstens nicht ihre Blicke morden können; denn sonst würden jetzt Men-kau-Hôr, du und noch einige andere sofort tot umfallen!«

»Wenn sie das könnte«, grinste Oberst Schut, der ebenfalls bei uns stand, »dann hätte sie im Lauf der Jahre mindestens die Hälfte des Hofes und der Bevölkerung von Achet-Aton ausgerottet!«

Von Zeit zu Zeit steckten Beket-Amûn und ich den Kopf zwischen den Leintüchern in das Zelt.

Maket-Aton und Mose, der zu ihrer Rechten saß, leise mit ihr sprach und seiner Gemahlin behutsam immer wieder den Schweiß von der Stirn tupfte, bemerkten uns kaum.

»Es dauert zwar«, beruhigte uns Ern jedesmal, »doch bei einer Erstgebärenden ist das nicht ungewöhnlich.«

Und Pentû fügte hinzu: »Die fressende und saufende Horde da draußen ist gar nicht so schlecht. Ihr Lärm übertönt jedes Geräusch herinnen, was erfreulich zur Entspannung der Prinzessin beiträgt.«

Die Sonnenscheibe stand in roten Flammen glühend bereits tief über den Spitzen der westlichen Wüstenberge, als der Schrei eines neugeborenen Kindes den fröhlichen Lärm in der Halle der Geburt übertönte.

Im nächsten Augenblick sah ich Nofret-ête die Stufen der königlichen Empore hinabrennen und zwischen den verblüfften Gardisten in das provisorische Zelt eindringen.

Im gleichen Moment war ich bereits auf den Beinen und zusammen mit Schut und Je-schua hinter ihr her.

»Maket-Aton ist meine Tochter, und das Kind ist mein erster Enkel! Ich will sie sehen!« schrie sie Pentû an, der sie im Inneren des Sichtschutzes abgefangen hatte.

»Gedulden Sie sich einen Augenblick!« redete ihr der Arzt freundlich zu. Doch es bedurfte fast physischer Gewalt, wobei wir beinahe ein Beistelltischchen mit dem Medizinkasten Pentûs umstießen, bis wir Nofret-ête zu viert wieder aus dem schützenden Zelt hinausgedrängt hatten.

Es dauerte denn auch nur kurze Zeit, während der sich gespannte Ruhe in der Halle der Geburt ausgebreitet hatte, dann öffneten die Gardisten der Königsempore gegenüber die verhüllenden Tücher.

Hervor trat Mose, das Neugeborene auf seinen Händen. Hoch hob er das Kind empor und rief:

»Euer Majestät, König Akh-en-Aton Ua-en-Râ! Edle Königsgemahlin Nofret-ête! Ihr Großen des Reiches! Volk von Ägypten!

Dies ist unsere Tochter Sat-Râ!

Dies ist die Tochter des Wahren und einzigen Hôr-im-Nest Mose, Sohn des Königs Amûn-hotep Neb-Maat-Râ Usîre und der Großen Königsgemahlin Sat-Amûn Usîre, designierten Mitkönigs Seiner Majestät des Herrn der Beiden Kronen und der Beiden Throne, und der königlichen Kronprinzessin Maket-Aton, Tochter Seiner Majestät Akh-en-Aton Ua-en-Râ, Herr der Beiden Kronen und der Beiden Throne, und seiner Gemahlin Nofret-ête Nefer-nefru-Aton, die der König liebt!

Euer Majestät, König Akh-en-Aton Ua-en-Râ, Edle Königsgemahlin Nofret-ête, dies ist Eure Enkelin Sat-Râ!«

Der Ruf des Königs, der sich von seinem Thron erhoben

hatte: »Ich grüße dich unter den Strahlen des Leben spendenden Aton, Prinzessin Sat-Râ!« ging fast unter in dem Applaus der anwesenden Gäste, während Mose das Kind zurück in das schützende Zelt trug und die Gardisten die Öffnung in den verhüllenden Tüchern wieder schlossen.

Während die anwesenden Großen des Reiches begannen, an dem Zelt vorbeizuziehen und der neugeborenen Prinzessin ihre Wünsche für Glück, Gesundheit, Ruhm, Reichtum und langes Leben zuzubrüllen, streckten Beket-Amûn, Je-schua und ich wieder kurz unsere Köpfe zwischen die herabhängenden Leintücher.

Ern war soeben dabei, das neugeborene Prinzeßchen zu baden, um es dann in weiche Tücher aus der kostbaren Baumwolle zu hüllen. Maket-Aton lag auf ihrem Lager, sichtlich blaß und erschöpft von den langen Stunden der Anstrengung und der Schmerzen der Geburt, doch glücklich lächelnd. Zu ihrer Rechten saß mit strahlendem Gesicht Mose und hielt ihre Hand. Als er uns bemerkte, winkte er uns fröhlich zu. Zu Maket-Atons Linker verrührte Pentû in einem Becher Wein soeben eine seiner Medizinen. Als uns auch Ern beruhigend zunickte, zogen wir uns zurück.

Wenig später war die Mehrzahl der Gäste, nachdem sie ihre Glücks- und Segenswünsche losgeworden waren, verschwunden. Nur einige waren so sehr in ihre Spiele vertieft, daß sie längst den Zweck ihres Hierseins vergessen hatten; andere stopften sich immer noch mit vollen Händen die dargebotenen Leckerbissen in den Mund, so als ob morgen eine Hungersnot ausbrechen könne; und etliche waren mittlerweile so gründlich betrunken, daß der Himmel hätte einstürzen können, ohne daß sie es bemerkt hätten.

Auch der König und Nofret-ête rüsteten schon zum Aufbruch, als es hinter den verhüllenden Leintüchern unruhig wurde.

Dann tauchte für einen Augenblick Ern auf, winkte Beket-Amûn und die königliche Hebamme Tiê in das provisorische Zelt.

»Nein! Nein! Nein!!« schrie es in meinem Inneren auf.

Ich sprang auf, hastete hinüber zu dem Sichtschutz, streckte meinen Kopf erneut hinein.

»Die Nachgeburt!« klärte mich Tiê, als sie meiner ansichtig wurde, schnell auf. »Die Abstoßung von Mutterkuchen und Eihäuten ist von stärkeren Blutungen begleitet. Ein bis zwei Hinu Blutverlust sind normal. Was darüber hinausgeht, kann allerdings lebensgefährlich werden.«

»Und ... und wieviel Blut hat Kronprinzessin Maket-Aton verloren?« fragte ich erschreckt.

»Drei Hinu bestimmt. Und wir bringen die Blutung nicht zum Stehen!«

Es war gewiß nicht mein entsetztes Gesicht, es war der eiskalte Hauch des Todes, der auch die schlimmsten Säufer und Spieler in der Halle der Geburt aufschreckte, der den König ebenso wie Nofret-ête in ihrem Aufbruch innehalten ließ.

Auch Eje und Anchesen-pa-Aton waren aufgesprungen. Im Gesicht des ›Gottvaters‹ vermochte ich ehrlichen Schrecken zu erkennen, in den Augen der Prinzessin freilich fast so etwas wie Triumph. Doch im nächsten Moment hatte ich die beiden vergessen.

Ich weiß nicht, ob Minuten, ob Stunden, ob Jahre vergingen. Dann ließen die Wolfsmänner und die Soldaten der Internationalen Garde ihre Speere und damit den Sichtschirm langsam sinken.

Auf dem Bett in der Mitte der Halle der Geburt lag Maket-Aton, wachsbleich und reglos, die Augen geschlossen, die Hände über der Brust gekreuzt.

»Ihre Hoheit, Kronprinzessin Maket-Aton hat soeben Hapi überquert, um in die Barke des Râ zu steigen«, verkündete der königliche Leibarzt Pentû mit hallendem Baß.

König Akh-en-Aton Ua-en-Râ schrie entsetzt auf.

Mit langen Schritten rannte er, gefolgt von Nofret-ête, die Stufen der Empore hinab und zu der Liegestatt in der Mitte der Halle.

Dann stand er fassungslos vor dem Bett und starrte auf seine Tochter hinunter. Als er endlich den Blick hob, trafen die letzten

Strahlen der jenseits des Stromes untergehenden Sonne seine Augen.

»Aton!« heulte er auf und reckte seine Hände flehend der Sonnenscheibe entgegen. »Aton! Vater Aton! Halte ein! Einziger, Leben spendender Aton! Atme dein Leben zurück in meine Tochter!«

Doch Aton versank mit einem letzten Aufflammen ungerührt hinter den westlichen Bergen.

Langsam, mühsam wie ein Greis erhob sich Mose, wandte sich uns zu, wobei er sich schwer auf seinen Stab stützte. Mit leiser Stimme begann er den Hymnus vom Hinaustreten der Seele in das wahre, ewige Tageslicht zu singen:

> »Das geheime Wissen, ich habe es erlangt!
> Ich weiß, die Göttin Êset hat mich empfangen;
> Die Göttin Sachmet hat mich in ihrem Schoß getragen;
> Die Göttin Neith hat mich ins Leben gerufen;
> Die Göttin Nebet-hut hat mich gesäugt;
> Die Göttin Selket hat mich beschützt vor allen Gefahren.
> Ich bin Utô, die Göttin mit dem Schlangenkopf,
> Ich strahle wie das göttliche Auge des Hôr.
> Ich bin das Heute.
> Ich bin das Gestern.
> Ich bin das Morgen.
> Meine wiederholten Geburten durchschreitend
> Bleibe ich kraftvoll und jung.
> Ich bin eins mit dem Geheimnis der göttlichen Seele,
> Die einstmals, in frühester Zeit,
> Die Göttergeschlechter erschuf.
> Seht, ich schwebe, den Vögeln des Himmels gleich!
> Ich steige nieder zur Stirn Râs
> Und segle in Frieden auf dem himmlischen Meere,
> Sitzend im Sonnenboot.«

Nachdem Tehuti-mose geendet hatte, glitt sein Blick über uns hinweg, als sehe er ringsum nur Fremde ...

Doch plötzlich funkelten seine Augen auf, seine Gestalt straffte sich, richtete sich hoch auf. Wie ein goldener Blitz fuhr sein rechter Arm mit dem Schlangenstab nach vorne.

»Mörderin!«

Gewiß eine Minute herrschte reglose Stille in der Geburtshalle. Nur das Licht, das sich in Haupt und Leib der königlichen Kobra in der ausgestreckten Hand Moses brach, warf blitzende Reflexe auf die Umstehenden.

Das goldene Haupt der heiligen Schlange von Utô richtete sich genau zwischen die Augen Nofret-êtes.

Die Königsgemahlin wich zwei, drei Schritte zurück. Zum erstenmal sah ich in ihren schwarzen Diamantaugen Schrecken, ja, Angst aufglimmen.

»Du bist wahnsinnig!« flüsterte sie.

»Ich war wahnsinnig, es nicht bereits beim Tod der Großen Königsgemahlin Teje laut hinauszuschreien!« fuhr Mose sie an und schritt langsam auf Nofret-ête zu, die entsetzt vor der immer noch zwischen ihre Diamantaugen gerichteten Goldschlange zurückwich, bis ihr die Wand keinen weiteren Rückzug mehr ermöglichte.

»Du hast meine Mutter ermordet! Meine Halbschwester! Meine Großmutter! Und jetzt meine Frau!« hieben Moses Worte auf Nofret-ête ein. »Du bist kein Mensch! Du bist ein Ungeheuer! Deine Hände triefen von Blut und Gift!«

»Aber Maket-Aton war meine Tochter!« schrie Nofret-ête gellend auf.

»Ja, Maket-Aton war ihre Tochter!« versuchte Akh-en-Aton Ua-en-Râ seiner Gemahlin beizuspringen.

Der Prinz lachte zornig auf und wandte sich an den König, wobei er seinen Schlangenstab sinken ließ:

»Und Teje war ihre Tante und Schwiegermutter! Kija ihre Base und Mitgemahlin! Und Sat-Amûn ihre Base und Königin! Und trotzdem hat sie alle drei ermordet, weil sie zwischen ihr und den Hohen Federn der Großen Königsgemahlin standen!«

»Lügen, nichts als Lügen!« rief Nofret-ête, die, vom Bann der goldenen Schlange befreit, wieder an Sicherheit gewann. Flehend wandte sie sich an ihren Gemahl: »Vergib ihm, Liebster! Der Schmerz um den Tod seiner jungen Frau hat offensichtlich Prinz Mose den Verstand geraubt! Er weiß nicht, was er sagt ...«

»Ich wußte selten so genau, was ich sage!« fuhr Mose dazwischen.

»Du behauptest, ich hätte Sat-Amûn, Kija, Königin Teje, jetzt sogar meine eigene Tochter ermordet?« ging Nofret-ête zum Gegenangriff über. »Wenn du denn so genau weißt, was du sagst, dann sage mir doch auch: *Wie?*«

»Du hast sie mit einem Extrakt aus der Wurzel des Sturmhutes vergiftet«, antwortete Mose.

»Und *wie* hätte ich das tun sollen? *Wann* hätte ich das tun sollen?« triumphierte Nofret-ête. »Glaubst du, ich wüßte nicht, weshalb dein Freund, General Hotep, Königin Teje und meine arme Tochter Maket-Aton noch strenger bewachen ließ als seinerzeit Königin Sat-Amûn? Weshalb er sogar mir, ihrer Mutter, verweigerte, sich dem Wochenbett Maket-Atons zu nähern? Glaubst du, ich wüßte nicht, daß er seit Jahren nach einem Beweis meiner Schuld sucht? Nur gefunden hat er nichts! Nicht den Hauch eines Beweises!«

Mit zwei schnellen Schritten trat Prinz Mose an das Beistelltischchen, hob die Phiolen auf, welche die verschiedenen Tränke enthalten hatten, mit denen Pentû vergeblich versucht hatte, das Leben der Kronprinzessin zu retten:

»Die Reste in diesen Fläschchen werden beweisen, daß mindestens eines davon das Gift des Sturmhutes enthielt. Nur auf diesem Weg kann das Gift den vier Ermordeten eingeflößt worden sein!«

»Dann sollte man doch wohl nach dem Besitzer jener Hände suchen«, bemerkte Nofret-ête spitz, »die den Inhalt dieser Phiolen in einen Trank mischten und diesen dann kredenzten!«

Der Leibarzt Pentû trat totenblaß, aber hoch aufgerichtet vor:

»Der Besitzer dieser Hände bin ich!«

»Dann sind Sie auch der Mörder meiner Tochter, meiner Tante und meiner Basen!« schrie Nofret-ête und deutete mit beiden ausgestreckten Zeigefingern auf den Arzt.

»Ja«, stimmte Mose zu, »Pentûs Hände reichten das Gift. Nicht aber sein Herz und sein Verstand!«

»So ist es!« bestätigte der Leibarzt. »Aber«, wandte er sich an den Hôr-im-Nest, »ich habe meinen Medizinkasten diesmal nicht einen Herzschlag lang aus den Augen gelassen!«

»Doch, Sie haben!« widersprach Mose. »Als Nofret-ête unmittelbar nach der Geburt der Prinzessin Sat-Râ hier einzudringen versuchte und Sie und General Amûn-hotep alle Mühe hatten, sie wieder hinauszudrängen! Zudem befand sie sich in diesem Moment unmittelbar neben dem Tisch mit dem Medizinkasten – Sie selber, Pentû, hätten ihn beinahe umgeworfen!«

»Ja, das ist richtig«, bestätigte der königliche Leibarzt.

»Und in diesen wenigen Augenblicken«, spottete Nofret-ête, »habe ich eines – vielleicht ja auch alle! – dieser Fläschchen aus dem Kasten genommen, geöffnet, den Inhalt ausgeleert, durch diese kleine Öffnung da das Gift eingefüllt, die Phiole wieder verkorkt, versiegelt und in den Kasten zurückgestellt!«

Mose schüttelte den Kopf:

»Es war alles viel einfacher! Aber Prinzessin Beket-Amûn, General Amûn-hotep, der Leibarzt Pentû, Beket-Ernûte, ich, wir alle waren mit Blindheit geschlagen!«

»Ich habe den Inhalt einfach verhext!« höhnte Nofret-ête »Allein mein Blick genügt, um Teiltränke in tödliches Gift zu verwandeln!«

»Den Inhalt hattest du längst vertauscht«, widersprach Mose bitter. »In jenem Augenblick brauchtest du nur noch die Phiole mit dem Stärkungstrank oder auch einer anderen sicher verwendeten Medizin gegen eine äußerlich gleiche Phiole mit dem Gift zu vertauschen – eine Manipulation, in der du ja inzwischen geübt bist!«

»Um dann ebenso geübt die Phiole mit dem Heiltrank in Luft aufzulösen!« lachte Nofret-ête.

Sie breitete weit die Arme aus und drehte sich langsam im Kreis. Das durchscheinende Schleiergewand verhüllte fast nichts von ihrem Körper. Ihre sechs Schwangerschaften hatten ihren Körper weicher, fraulicher gemacht, doch noch immer war er von jenem vollkommenen, statuenhaft glattem Ebenmaß, das er einst gezeigt hatte, als ich Nofret-ête in den Räumen Sat-Amûns zum erstenmal begegnet war.

»Willst du vielleicht meine Perücke durchsuchen – oder vielleicht meine intimen Leibesöffnungen, erhabener Wahrer und einziger Hôr-im-Nest?« forderte sie Mose heraus.

»Nein. Aber durchsucht jeden Platz, jeden Winkel hier, wo die Königsgemahlin gesessen oder gestanden hat!« wies Mose die Diener und Gardisten an.

»O ja! Sucht! Sucht!« äffte Nofret-ête den Prinzen nach.

Die so Aufgeforderten eilten los, hoben Sitzkissen hoch, drehten Blumenvasen um, durchwühlten die Platten mit Gebäck und Süßigkeiten, die überall noch herumstanden, krochen unter die Bänke der Zuschauer und die Thronsessel, stocherten in der Erde der Blumenbeete vor der Gartentür.

Nofret-ête beobachtete sie mit spöttischem Interesse.

»Durchsucht ebenfalls die Räume, in denen die Große Königsgemahlin Teje Usîre verstorben ist!« ordnete Mose weiter an. »Sie wurden sofort nach dem Abtransport der Mumie der Großen Königsgemahlin Teje verschlossen und versiegelt.«

»Nur zu!« höhnte Nofret-ête. »Durchsucht auch alle anderen Räume in diesem Palast, in dieser Stadt, die ich nachweislich nicht einmal betreten habe! Ich bin ein Geist, der unsichtbar durch die streng bewachten Türen, vielleicht auch durch die Wände in das Sterbezimmer der Großen Königsgemahlin Teje geschwebt ist, um dort den Heiltrank gegen Gift zu tauschen!«

»Und – durchsucht vor allem auch ihre eigenen Gemächer!« mischte ich mich ein.

»Das werden Sie nicht wagen!« ging Nofret-ête auf mich los.

Ich gab nur ein kurzes Handzeichen, und Leutnant Men-kau-Hôr stürmte mit sechs seiner Wolfsmänner los.

Endlose Minuten verstrichen.

Einer der Höflinge schob dem König einen Stuhl zu. Akh-en-Aton Ua-en-Râ ließ sich schwer auf den Sitz fallen, vergrub sein Gesicht in den Händen.

Wir warteten reglos. Nur in der Halle der Geburt und im Garten waren die Diener und etliche Höflinge hektisch auf der Suche.

Dann erschien einer der Diener, warf sich vor Mose ehrerbietig zu Boden:

»Wir können nichts finden, Hoheit – vorläufig zumindest ...«

Der Prinz starrte den Mann finster an, bedeutete ihm schließlich, sich zu erheben und gehen zu dürfen.

Wieder verstrich eine kleine Ewigkeit.

»Laß uns diese Farce doch endlich beenden!« forderte Nofretête ihren Gemahl schließlich auf. »Ich sagte dir doch, der Geist unseres armen Jungen ist augenscheinlich durch den Tod seiner Gemahlin verwirrt! Man sollte einen guten Arzt rufen ...«

Akh-en-Aton Ua-en-Râ stemmte sich mühsam aus seinem Stuhl hoch, legte den Arm um Nofret-ête.

»Du hast wohl recht ...«, hob er mit müder Stimme an.

In diesem Augenblick stürmte Leutnant Men-kau-Hôr herein. In seiner ausgestreckten Hand hielt er ein Fläschchen:

»Wir haben es! Wir haben es!« verkündete er triumphierend. »Wir haben es im Bauch einer Vase versteckt gefunden in den Räumen der Königsgemahlin Nofret-ête!«

»Sie haben ...?« schrie Nofret-ête auf und wechselte abrupt die Farbe. Doch dann besann sie sich blitzschnell, versuchte sich an ihren Gemahl zu schmiegen, flehte zu ihm: »Mach dem endlich ein Ende, Liebster! Diese Menschen versuchen ein heimtückisches Netz zu spinnen, um mich zu verderben! Voller Hinterlist haben sie ...«

König Akh-en-Aton Ua-en-Râ wandte sich wortlos von ihr ab.

Unterdessen hatte Pentû nach dem Fläschchen gegriffen:

»Unzweifelhaft eine Phiole jenes Stärkungstrankes, wie ich sie seit Jahren an meine Patienten verteile«, stellte er fest.

Er erbrach das Siegel, entkorkte das Fläschchen, probierte vorsichtig ein paar Tropfen des Inhalts mit dem Finger und verzog das Gesicht:

»Aber ganz gewiß nicht mit diesem Inhalt!« fügte er zornig hinzu.

»Der Fundort erhärtet den Verdacht des Wahren und einzigen Hôr-im-Nest!« stellte ich trocken fest.

Prinz Nacht-Min war herangetreten und streckte seine offene Hand aus:

»Als Oberrichter der Oberrichter beschlagnahme ich diese Phiole, um ihren Inhalt einer strengen Prüfung durch den Arzt Semet-Nacht im Haus allen Wissens zu Chemenu, dem hervorragendsten Spezialisten für Gifte in ganz Ägypten, unterziehen zu lassen!« verkündete er streng.

Nofret-ête brach in Tränen aus:

»Liebster, ich schwöre ...«

»Hör auf! Hör endlich auf!« stöhnte der König. Im nächsten Moment preßte er die Hände gegen seine Schläfen, sein Gesicht verzerrte sich unter einem Anfall seiner unerträglichen Kopfschmerzen, ein qualvolles Würgen erschütterte seinen Körper.

»Ich habe dir das Licht deines Vaters Aton gezeigt!« kreischte Nofret-ête.

»Niemand hat – mir das Licht – meines Vaters Aton – gezeigt als – mein Vater – der einzige – Aton selber!« stieß Akh-en-Aton Ua-en-Râ hervor. Dann befahl er:

»Schafft sie in den Nördlichen Palast! – Und – durchsucht ihre Räume – gründlich! – Hier im Palast – und auch dort! – Und jetzt – geht! Geht alle! – Geht! – Laßt mich allein!«

7. Papyrus

SCHÖNSTER
DER SCHÖNEN
IN ATON

König Akh-en-Aton Ua-en-Râ
13. bis 14. Regierungsjahr

König Akh-en-Aton Ua-en-Râ, Der von der Wahrheit lebt, sah furchtbar aus. Obwohl ihn noch immer seine entsetzlichen Kopfschmerzen folterten, hatte er sich in den kleinen Audienzsaal geschleppt und etliche der wichtigsten Männer seines Hofes dort zusammenrufen lassen.

Wie ein Häuflein Elend hockte er auf seinem Thron. Die Haut an seinen dürren Armen, der eingefallenen Brust, dem vorquellenden Bauch war fleckig, die Hände verkrampft. Das schmale, lange Gesicht unter dem mittlerweile grotesk aufgetriebenen Schädel war von kaltem Schweiß bedeckt, die wulstigen Lippen hatte er schmerzhaft zusammengekniffen. Seine blutunterlaufenen Augen starrten in qualvoller Verzweiflung in die Runde.

Prinz Nacht-Min, der höchste Richter des Reiches, und Mahû, der Polizeipräfekt, traten vor, warfen sich vor dem König zu Boden, dann berichteten sie:

»In den Räumen der Königsgemahlin Nofret-ête im Nördlichen Palast fanden wir genug Gift des Sturmhutes versteckt, um wenigstens zwanzig Personen zu vergiften. Ein Großteil davon war bereits in Phiolen abgefüllt. Hier sind sie!«

Auf einen Wink Mahûs legte einer seiner Polizeioffiziere 13 Fläschchen vor.

»Die Aufschriften der Phiolen«, fuhr Mahû fort, »nennen verschiedene beliebte Heilmittel des königlichen Leibarztes Pentû nebst seinem Namen.«

Pentû trat unaufgefordert vor, prüfte eingehend die Fläschchen. Dann nickte er:

»Ja, all diese Phiolen stammen von mir. Es sind genau jene, die der Töpfer Chaker in den Werkstätten von Speckstein-mose eigens für mich anfertigt.«

»Und wie konnten sie in die Hände Nofret-êtes gelangen?« fragte der König leise.

Pentû zuckte mit den Schultern:

»Wie der Polizeipräfekt Mahû sagte, sind es beliebte und weitgehend harmlose Medizinen: Mischungen aus Akazie, Zitronellgras, Pistazie und Piment gegen Durchfall. Das Öl der Kreisblume gegen Ischias. Frische Abreibungen von Rindensaft des Sodom-Apfels zur Enthaarung der Arme und Beine der Damen des königlichen Harems. Mittel gegen Augenkrankheiten, Blähungen, Fieber, Husten, Hysterie, Magenverstimmungen, Menstruationsbeschwerden, Mundgeruch und Schlafstörungen. Andererseits Medizinen zur allgemeinem Kräftigung, Gedächtnisstärkung und Medikamente zur Förderung der männlichen Potenz! Schließlich schwarzer Kümmel gegen Kopfschmerzen, Dill gegen Brechreiz und eine Mischung aus Beifuß, Kamille, Kardamon, Fenchel, Bilsenkraut, Lorbeer, Anis und Silberweide gegen Krämpfe aller Art – Mittel, die ich auch Eurer Majestät verschrieben habe. Kurz gesagt: Wenn Ihr diesen Palast durchsuchen laßt, Majestät, werdet Ihr mühelos hundert oder zweihundert oder noch mehr solcher Phiolen finden!«

»Und Ihr Siegel, Pentû?« fragte der König. »Sie sagten doch, die Fläschchen trugen noch Ihr unbeschädigtes Siegel, als Sie sie Ihrem Kasten entnahmen, um die Tränke für meine Mutter und meine Tochter zu mischen?«

Prinz Nacht-Min zog aus einem Beutel, der an seinem Gürtel hing, ein weißes Stückchen Gips, das er dem König auf der offenen Handfläche präsentierte:

»Auch dies hier haben wir, wohl versteckt, in den Räumen der Königsgemahlin Nofret-ête gefunden. Jemand hat das Siegel des königlichen Leibarztes Pentû mit Gips abgegossen. Das Zeichen Pentûs später mit diesem Stempel nachzuahmen war ein Kinderspiel.«

»Aber«, sagte König Akh-en-Aton Ua-en-Râ mit verzweifelter Hoffnung, »Nofret-ête hat niemals die Räume meiner Mutter und Großen Königsgemahlin betreten. Wie konnte sie dann …?«

»Nur zu einfach«, räumte Pentû ein. »Sie hat mich in letzter Zeit mehrfach rufen lassen und ein Beruhigungs- und Schlafmittel verlangt. So wußte sie genau, wo ich in meinem Kasten die entsprechenden Phiolen aufbewahre, und natürlich wußte sie auch recht genau, daß ich der Großen Königsgemahlin Teje, überarbeitet und erschöpft wie sie war, über kürzer oder länger solch ein Mittel verschreiben würde. Sie brauchte die Phiolen also nur auszutauschen und zu warten.«

»Aber«, stammelte der König entsetzt, »dann mußte sie doch damit rechnen, daß Sie das Gift in den Trank irgendeiner anderen Person mischten, die um solch ein Beruhigungs- oder Schlafmittel bat!«

»Vor noch nicht einer Woche starb überraschend Prinzessin Giluchepa, die Tochter König Sutarnas von Mitanni und Nebenfrau Eures Vaters Amûn-hotep Neb-Maat-Râ …«

»Und – Sie schöpften keinen Verdacht?«

Der königliche Leibarzt schüttelte den Kopf:

»Prinzessin Giluchepa war zwar etwas kurzatmig, ziemlich übergewichtig und litt an Schlaflosigkeit. Ansonsten jedoch war sie kerngesund, weshalb mich ihr plötzlicher Tod ein wenig verwunderte. Aber sie war eine alte Dame, und ich wurde erst nach ihrem Tod gerufen. So vermutete ich als Todesursache Herzversagen – wahrscheinlich sogar zu Recht, denn das Gift dürfte sehr schnell, noch ehe es all seine anderen Symptome richtig entwickelt hatte, ihr Herz gelähmt und es zum Stehen gebracht haben.«

Leise wimmernd krümmte sich der König zusammen. Ein qualvolles Würgen erschütterte seinen Körper. Prinz Semench-Ka-Râ eilte die Stufen zum Thron hinauf, legte seine Arme um Akh-en-Aton Ua-en-Râ, streichelte sanft seinen Rücken.

»Ist das …«, stieß der König schließlich hervor. »Ist das alles – über jeden Zweifel hinaus – erwiesen und wahr?«

»Das ist es!« stellten Nacht-Min, Mahû und Pentû fest.

»Dann …«, keuchte Akh-en-Aton Ua-en-Râ. »Dann soll meine Gemahlin Nofret-ête in den Nördlichen Palast verbannt sein und dort festgehalten werden! Nie wieder soll sie ihn verlassen! Nie wieder soll sie ihren Fuß in diese Stadt des Lichtortes setzen! Nie wieder in diesen Palast! Nie wieder in die Tempel meines Vaters Aton!«

»Und? Ist das alles? Ist das ihre ganze Strafe?«

Die Stimme Moses überschlug sich fast.

Der König nickte müde:

»Verbannung in den Nördlichen Palast. Ja, das wird ihre Strafe sein.«

Mit fünf langen Schritten stürmte der Prinz vor den Thron des Königs. Obwohl angetan mit allen prunkvoll schimmernden Abzeichen seiner Würden, sah auch Mose schrecklich aus. Um seine roten, verquollenen Augen hatten sich dunkle Ringe gebildet. Neben seinem Mund und über der Nasenwurzel hatten sich tiefe Falten eingegraben.

»Dieses Weib …«, schrie er mit vor Zorn bebender Stimme, »dieses Weib hat meine Frau kaltblütig umgebracht! Prinzessin Maket-Aton! *Meine* Frau und *deine* Tochter!

Dieses Weib hat meine Mutter ermordet! Königin Sat-Amûn!

Meine Mutter, *deine* Schwester, die Große Königsgemahlin deines Vaters Amûn-hotep Neb-Maat-Râ!

Dieses Weib hat deine Erste Gemahlin beseitigt! Prinzessin Kija. Deine Schwester und die *Mutter deines einzigen Sohnes!*

Dieses Weib hat Königin Teje vergiftet! Deine *eigene* Mutter und Große Königsgemahlin. Die Große Königsgemahlin deines Vaters!

Dieses Weib hatte schon das Gift gemischt, um dich, um mich, um jeden, der sich zwischen sie und die Macht der Großen Königsgemahlin stellen mochte, zu beseitigen!

Und ihre einzige Strafe soll sein, daß sie in einen der luxuriösesten Paläste dieses Landes verbannt wird?«

König Akh-en-Aton Ua-en-Râ ließ seinen Kopf in seine Hände sinken.

»Ich kann nicht anders«, murmelte er leise.

Mose schien ihn nicht einmal gehört zu haben:

»Für jede einzelne dieser Taten hat dieses Weib nach unseren Gesetzen den Tod verdient!« schrie er. »Schon allein für die Planung, die Vorbereitung dieser Taten!«

»Ich weiß«, flüsterte der König in seine Hände. Dann hob er langsam den Kopf, blickte Mose mit Augen an, die in Tränen schwammen: »Aber ich kann es nicht!«

»Und weshalb nicht?« empörte sich der Prinz.

»Soll ich die Frau, die ich emporgehoben habe über alle anderen Frauen mit Ausnahme der Großen Königsgemahlin, jetzt vor aller Welt als gemeine Mörderin entlarven? Soll ich die Frau, die mein Volk um ihrer Schönheit willen bewundert und geliebt hat, die ich zur Hohenpriesterin des Aton gemacht habe, die die unbestrittene Königin von Achet-Aton gewesen ist, die in Hunderten von Darstellungen mit mir und neben mir auf allen Tempel- und Palastwänden zu sehen ist, als Giftmischerin offenbaren? Soll ich die Frau, die meine Töchter geboren hat, soll ich die Mutter deiner so sehr geliebten Maket-Aton, als Verbrecherin öffentlich hinrichten lassen?«

Der König wimmerte leise:

»Verstehst du denn nicht? Ich *kann* es nicht, weil ich es nicht *darf!*

Aber, wenn du sie vor Gericht stellen, wenn du sie anklagen, wenn du sie zum Richtplatz zerren willst – ich werde dich nicht daran hindern.«

Mose war unter den Fragen des Königs langsam zurückgewichen.

Akh-en-Aton Ua-en-Râ fuhr mit fast unhörbarer Stimme fort:

»Oder soll ich sie heimlich und in aller Stille beseitigen lassen? Wirst du das Gift mischen, das man ihr in den Wein oder in das Essen schüttet?«

Mose schlug die Augen nieder. Langsam schüttelte er den Kopf.

Schwerfällig erhob sich König Akh-en-Aton Ua-en-Râ von seinem Thron, tappte die breiten Stufen herab, trat zu Mose, legte die Arme um ihn und zog ihn an seine eingefallene Brust:

»Ich bin der König von Ägypten, der Herr der Beiden Länder und der Beiden Kronen, der Sohn des Aton, den Er eingesetzt hat zum Herrscher des ganzen Weltkreises! Doch wie Seine Strahlen erlöschen, wenn Er im westlichen Horizont versinkt, so auch sind heute noch meiner Allmacht Grenzen gesetzt. Ich weiß, wie sehr dein Herz nach Gerechtigkeit schreit, wie sehr es sich gegen das scheinbare Unrecht empört, das ich um des ungetrübten Glanzes der Krone, um der kommenden Weltherrschaft meines Vaters Aton willen tun muß. Aber glaube mir, bald wird der Tag kommen, an dem sich Aton erheben wird aus Seinem Horizont, um nie wieder unterzugehen! An diesem Tag wird er vollenden die Weltherrschaft Seines Sohnes für immerdar! An diesem Tag wird er alle Tränen Seiner Kinder trocknen! Erstrahlen wird Seine Gerechtigkeit auf ewig!«

Akh-en-Aton Ua-en-Râ zog Mose mit sich die Stufen zum Thron hinauf:

»Komm! Setze dich zu mir auf meinen Thron! Du bist der Sohn meiner geliebten Schwester, mein Bruder, der Wahre und einzige Hôr-im-Nest!

Ich werde dir meine Kronen geben!

Ich werde dir Krummstab und Geißel geben!

Ich werde dir die Herrschaft über die Beiden Länder geben!

Ich werde dir die Macht geben über alle Menschen und alle Länder im ewigen Reiche Atons!«

Akh-en-Aton Ua-en-Râ holte tief Luft:

»Ich werde dich zu meinem Mitkönig krönen!

Ich werde dir eine neue Frau geben, meine Tochter Anchesen-pa-Aton!

Alles, was dein Herz begehrt, will ich dir geben!

Komm! Setz dich zu mir auf meinen Thron und herrsche als mein Bruder und mein Mitkönig!«

Prinz Mose hatte sich aus der Umarmung des Königs gelöst. Lange sahen sich die beiden in die Augen.

Dann schüttelte Mose den Kopf:

»Nein!«

Akh-en-Aton Ua-en-Râ taumelte wie vor die Stirn geschlagen zurück.

»Nein ...?« Seine Stimme kippte; Fassungslosigkeit lag in seinem Blick. »Ich biete dir meine Throne, meine Kronen, meine Zepter ...«

»Ich will sie nicht! Deine Kronen sind befleckt von den Tränen deiner Untertanen! Deine Throne sind besudelt vom Blut derer, die für die Reinheit deiner Lehre Atons sterben mußten! Deine Zepter stinken nach Intrige, Verrat und Mord!«

Mit einem schnellen Griff löste Mose die Kette, die das goldene Pektorale mit der Kartusche des Hôr-im-Nest auf seiner Brust festhielt, streifte den schweren Ring und das breite Armband mit dem Siegel seines Ranges ab und warf die Insignien zusammen mit dem kleinen Krummstab, den er als Hôr-im-Nest zu führen berechtigt war, auf den Thron.

»Wenn du mich tatsächlich liebst, mein königlicher Halbbruder, dann laß mich gehen! Fort aus dieser Stadt. Vielleicht sogar fort aus diesem Land. Herrsche lange und glücklich im Namen deines ›Vaters‹ Aton, der *dein* Gott, nicht aber *mein* Gott ist! Alles, was mein Herz begehrt, ist Frieden – auch wenn ich fürchte, daß ich ihn für lange Zeit nicht finden werde ...«

Prinz Mose wandte sich ab. Schwer auf seinen goldenen

Schlangenstab gestützt, stieg er die Stufen des Thrones herunter und schritt durch die Audienzhalle hinaus, während wir ihm ehrerbietig Platz machten.

König Akh-en-Aton Ua-en-Râ starrte ihm entgeistert nach.

Wenig später legte ein kleines Schiff von einer der Molen in Achet-Aton ab.

Kaum ein Mensch hätte in dem schlanken, nur mit einem kurzen, weißen Schurz bekleideten Jüngling, der mit leicht gespreizten Beinen im Bug des Schiffes stand, den ehemaligen Wahren und einzigen Hôr-im-Nest erkannt. Verschwunden waren die prächtigen Gewänder, der goldblitzende, mit Edelsteinen eingelegte Schulterkragen, die schweren Ringe, Armreifen und Ohrgehänge, die sorgfältige Schminke, die Sandalen aus Antilopenleder, die an seinen kahlgeschorenen Schädel geklebte Prinzenlocke. Verschwunden waren sogar die treuen Wolfsmänner seiner Garde, denen er verboten hatte, ihm zu folgen. Einzig der bronzene Schlangenstab in seiner Linken war geblieben.

»Immerhin sind Necht, Je-schua und Hund bei ihm«, tröstete mich Beket-Amûn, während wir ihm nachschauten und das Schiff sein großes, gelbbraunes Segel entfaltete und Richtung Norden drehte.

Mose, Sohn des Amûn-hotep, war der Name, unter dem er das Schiff gemietet hatte, der Name, unter dem er, zumindest für die nächste Zeit, zu leben wünschte. Kein Rang, kein Titel, kein Hinweis auf seine Familie. Nur *Mose*.

Gut ein Jahr blieb er verschollen. Dann und wann erreichten uns kurze Nachrichten über seinen Verbleib – manchmal durch Hund, manchmal durch andere.

Im Haus allen Wissens zu Chemenu hatte er versucht, seine Studien und seine Lehrtätigkeit wiederaufzunehmen. Knapp eine Woche später hatte er es aufgegeben.

Für ein paar Tage war er an der Militärakademie in Men-nôfer aufgetaucht. Und wieder verschwunden.

Er hatte Nun und die Benê-Jisrael in Hat-uaret besucht. Nach wenigen Tagen war er wieder abgereist.

Dafür verbrachte er gut drei Monate in Uêset. Mose stürzte sich in den Sumpf dieser Großstadt, wo er am tiefsten ist. Nächtelang soff er, begleitet von Je-schua, Necht und Hund, in den übelsten Spelunken bis zur Besinnungslosigkeit. Er wälzte sich in den Betten der billigsten Huren. Er veranstaltete lärmende Straßenfeste für Gesindel aller Art. Er geriet in mindestens zwei höchst üble Schlägereien, bei denen es Schwerverletzte und sogar Tote gab.

Ich war nicht entsetzt, aber besorgt.

»Laß ihn sich austoben«, redete mir Beket-Amûn zu, als ich nahe daran war, nach Uêset zu eilen, um ihn aus diesem Sumpf herauszuziehen. »Sobald er begriffen hat, daß er auf diese Weise seinen Schmerz, seinen Zorn nicht betäuben kann, wird er Uêset so unbeschadet abstreifen wie eine Schlange ihre alte Haut.«

Drei Monate später betteten wir in den westlichen Bergen Uêsets unter dem Thron des Anûb die Mumie der Großen Königsgemahlin Teje in ihrem Felsengrab zur letzten Ruhe.

Der König hatte seinem Schwur gemäß Achet-Aton nicht verlassen, und auch sonst waren von ihrer Familie nur ihre Tochter Beket-Amûn und ihre Enkelin Merit-Aton gekommen.

Von den Großen in Achet-Aton waren einzig der Landwirtschaftsminister Panhasa und der neue Finanzminister Sutan mit seiner Gemahlin Tia, der General Paatem-em-Heb und Oberst Schut anwesend.

Nun, Königin Teje wäre sicher ganz zufrieden damit gewesen, daß sie auf diesem letzten Weg fast ausschließlich von ihren alten Freunden begleitet wurde: Prinz Nacht-Min, Heje und Pentû, meinem Vater Neby, Cha-em-hêt, Mereru-Ka und Maja, dem Graf Nacht-Upuaût von Sioûti sowie Huja und Tae-muadjsi, die aus Meha herbeigeeilt waren, dazu General Hôr-em-Heb mit dem fast vollständigen Offizierskorps aus Men-nôfer. Vollzählig waren auch die Groß- und Erzpriester der verbotenen alten Göttertempel aus dem ganzen Land erschienen, angeführt von Amûn-em-Hat, dem asketischen Großpriester des Amûn, der mittlerweile dem verstorbenen Prinz Ptah-hotep im Amt nachgefolgt war, von Neter-duai, dem Hohenpriester des Râ in Onû, Hy-sebâu, dem Hohenpriester der Dreiheit in Men-nôfer, Satethotep, dem Erzpriester des Tehuti in Chemenu, und Herit-tepkau, dem Hohenpriester der Utô in Per-Uzôjet.

Als die Zeremonien begannen, stand Tehuti-mose plötzlich in der ersten Reihe der Priester, seinen Schlangenstab in der Linken, das Weihrauchgefäß in der Rechten, das priesterliche Leopardenfell über der Schulter. Zusammen mit den vier Hohenpriestern der größten Einweihungsstätten des Landes sprach er die vorgeschriebenen Gebete, vollzog die Bestattungsriten, stimmte die *Rechtfertigung vor den 42 Richtern in der Halle Usîres* an:

»O du, geistig Wesen, das du mit großen Schritten vorrückst
Und in Onû auftauchst, erhöre mich!
Ich habe nie als Gottloser gehandelt!
O du, geistig Wesen, das du in Kher-Aha erscheinst
Und dessen Arme von einem flammenden Feuer umringt
      sind,
Ich habe nie grausame Gewalttaten verübt!
O du, geistig Wesen, das du dich in Chemenu zeigst
Und im Einklang mit den Göttern atmest, erfahre:
Mein Herz verabscheut die Roheit!
O du, geistig Wesen, das du dich an den Quellen des
      Stromes offenbarst
Und dich ernährst an den Schatten der Toten,
Nie verübte ich Raub!
O du, geistig Wesen, das du um Re-stau herumstreifst
Und dessen Glieder verwesen und stinken, wisse,
Den Mitmenschen habe ich wissentlich nie geschadet!
O du, geistig Wesen, das du im Himmel aufsteigst
Unter der Form eines doppelten Löwen,
Den Kornscheffel habe ich niemals vermindert!

O du, geistig Wesen, das du in Chêm aufleuchtest
Und dessen zwei Augen wie Dolche stechen und bohren,
Nie habe ich wissentlich Betrug verübt!
O du, geistig Wesen, dessen Antlitz eine flammende Maske,
Das du langsam nach rückwärts schreitest,
Nie habe ich geraubt, was den Göttern gehört!
O du, geistig Wesen, das du in Hat-nen-Nesut aufleuchtest
Zermahlend und zerreibend die Gebeine der Toten,
Nie habe ich wissentlich gelogen!
O du, geistig Wesen, das du in Men-nôfer wandelst,
Hoch läßt du sprühen die glühende Flamme, wisse,
Meinen Mitmenschen habe ich nicht ihre Nahrung
    entzogen!
O du, geistig Wesen, du Schutzgott der Quellen des Hapi,
Der du im Amenti erscheinst,
Nie habe ich jemanden verleumdet!
O du, geistig Wesen, das du im Gau ›Seeland‹ erscheinst
Und dessen Zähne wie die Sonne glänzend glimmen,
Nie bin ich streitsüchtig und rechthaberisch gewesen!
O du, geistig Wesen, das du neben dem Blutgerüst auf-
    tauchst
Und dich auf das Blut deiner Opfer gefräßig stürzt, wisse,
Nie habe ich das den Tempeln gehörende Vieh getötet!
O du, geistig Wesen, das du im großen Saal der dreißig
    Richter erscheinst
Und dich an den Eingeweiden der Sünder labst,
Nicht habe ich begaukelt und beschwindelt die Menschen!
O du, geistig Wesen, Herr der Weltordnung, der du dich
    offenbarst
In der Wahrheit-Gerechtigkeit gewaltigen Hallen, wisse,
Nie eignete ich mir unbefugt Äcker an!
O du, geistig Wesen, das du in Per-Bast auftrittst
Und rückwärts schreitest, wisse,
An den Türen habe ich nie gelauscht!
O du, geistig Wesen, Aati,
Der du in Onû aufglänzt,
Nie habe ich durch zu viel Sprechen gesündigt!

O du, geistig Wesen, Tutuf, der du in Ati erscheinst,
Für einen an mir verursachten Schaden,
Habe ich niemals die Menschen verwünscht!
O du, geistig Wesen, Uamenti,
Der du neben den Folterwerkzeugen auftauchst,
Nie brach ich die Ehe!
O du, geistig Wesen, das du im Amsu-Tempel erscheinst,
Aufmerksam betrachtend die dir gebotenen Opfer,
Nie habe ich in der Einsamkeit aufgehört, Keuschheit
    zu wahren!
O du, geistig Wesen, das du in Nehatu erscheinst
Und den alten Göttern gebietest,
Nie habe ich unter den Menschen Furcht und Schrecken
    verbreitet!
O du, geistig Wesen, das du in Kaui auftauchst
Und dich an Zerstörungen labst,
Nie störte ich die Ordnung der Zeiten!
O du, geistig Wesen, das du in Urit erscheinst,
Ich höre jetzt deine Stimme, die psalmodiert, wisse,
Nie gab ich dem Jähzorn nach!
O du, geistig Wesen, das du in der Region des Hekat-Sees
Als kleines Kind aufglänzt,
Nie war ich taub dem Ruf der Gerechtigkeit!
O du, geistig Wesen, das du dich in Onet offenbarst,
Schrill, fürwahr, ist deine Stimme,
Nie war ich zanksüchtig!
O du, geistig Wesen, Basti,
Der du in den geheimen Weihen erscheinst,
Nie war ich schuld, daß meine Mitmenschen Tränen ver-
    gossen!
O du, geistig Wesen, das du deine verborgene Stätte verläßt,
Siehe, deinen Nacken bedeckt dein Gesicht,
Nie sündigte ich wider die Natur mit Männern!
O du, geistig Wesen, dessen eines Bein Flammen um-
    züngeln,
Ich weiß es, du kommst von Akhekhu her, erfahre,
Nie erlag ich der Ungeduld!

O du, geistig Wesen, dessen Name Kenemti ist,
Der du dich in Kenemet zeigst,
Nie beleidigte, noch verhöhnte ich Menschen!
O du, geistig Wesen, das du dich in Saû kund tust,
Und in den Händen trägst deine Gaben,
Nie suchte ich Streitigkeiten noch Schlägereien!
O du, geistig Wesen, das du in Dschefit erscheinst
Und dessen Gesicht mannigfach überallhin schaut,
Nie handelte ich mit Übereile!
O du, geistig Wesen, du hinterlistiges,
Das du in Unth auftrittst,
Nie fehlte es mir vor den Göttern an Ehrfurcht!
O du, geistig Wesen, mit den Hörnern geziert,
Das du erscheinst in Satiû,
In meinem Reden habe ich nicht durch Wortschwall
    gesündigt!
O du, geistig Wesen, Nefer-Tum,
Der du in Men-nôfer dich kundtust,
Nie handelte ich unehrlich, mit boshafter Absicht!
O du, geistig Wesen, Tum-Sep,
der du Dschedu verläßt,
Nie habe ich den König verflucht!
O du, geistig Wesen, mit dem trägen Herzen,
Das du in Debti erscheinst,
Nie habe ich die Gewässer entweiht!
O du, geistig Wesen, Erhabener,
Der du am Himmel aufglänzt,
Meine Reden waren nie hochmütig!
O du, geistig Wesen, der du den Eingeweihten
Die Befehle erteilst, wisse,
Nie fluchte ich auf die Götter!
O du, geistig Wesen, Neheb-Nefert,
Der du aus dem See auftauchst,
Ich war weder anmaßend noch übermütig!
O du, geistig Wesen, Neheb-Kau,
Der du deine Stätte verläßt,

Nie habe ich, um mich zur Geltung zu bringen, Ränke
  geschmiedet!
O du, geistig Wesen, mit geheiligtem Haupt,
Das du aus deiner verborgenen Stätte auftauchst,
Ich habe mich nur auf erlaubte Weise bereichert!
O du, geistig Wesen, das du aus den Unteren Welten
  erscheinst
Und deinen abgeschnittenen Arm vor dir herträgst,
Nie habe ich die Götter mißachtet!«

Als wir in der folgenden Nacht dann im Tal der Wildstiere die
aus ihrer Gruft in Achet-Aton entführte Mumie der Prinzessin
Maket-Aton in einem der kleinen, geheimen Gräber beisetzten,
war es wiederum Mose, der schließlich die Türen versiegelte und
den letzten Stein vermörtelte, der das Grab für immer verschloß.

Am nächsten Morgen war Mose mit seinen Getreuen aus Uêset
verschwunden, und es dauerte über ein Jahr, ehe ich ihn wiedersehen sollte.

Es war ein schlimmes Jahr für mich, denn das Versprechen,
das ich Sat-Amûn einst gegeben hatte, ihn unter allen Umständen zu beschützen, galt für mich uneingeschränkt weiter, doch
ohne daß ich es in dieser Zeit hätte einlösen können.

Schon die Nachricht, die wir wenig später von Vizekönig
Huja aus Meha erhielten, trug keineswegs zu meinem Seelen-
frieden bei. Mose hatte sich einer Händlergruppe angeschlossen,
deren Ziel, Napata, am vierten Katarakt im tiefsten Süden der
Unruheprovinz Kusch lag.

Im Winter, Monate später, nahm er an einer der Expeditionen
teil, die alljährlich die Kupfer-, Malachit- und Türkisminen Biaus
aufsuchen. Bis zu 1400 Personen mit bis zu 500 Packeseln ziehen
Jahr für Jahr in die südwestlichen Gebirgsketten von Biau, um
Hat-Hôr, der Herrin der Türkise, in ihrem Tempel zu opfern und
den aus dem Stein gehauenen und geschmolzenen Segen der Hat-
Hôr nach Ägypten zu bringen.

Mose muß sich dort mit einem einheimischen Fürsten der Schôs angefreundet haben. Auf jeden Fall entschwanden, noch ehe die Bergwerksleute nach Ägypten zurückkehrten, er und seine Getreuen auf Kamelrücken in der Bergwüste von Biau.

»Armer Je-schua!« lachte Beket-Amûn, als wir die Nachricht erhielten. »Er verabscheut doch Kamele aus tiefem Herzen!«

Am ersten Tag seines 14. Regierungsjahres zogen wieder einmal die Herolde des Königs durch ganz Ägypten, um zu verkünden:

»Ich, Akh-en-Aton Ua-en-Râ, König von Ober- und Unterägypten, Herr der Beiden Länder und der Beiden Kronen, Einziger Sohn des Aton, Geliebt von Aton« und so weiter …

»Am heutigen Tag habe Ich beschlossen und bestimmt, Meinen geliebten Neffen Semench-Ka-Râ zu Meinem Mitkönig und Mitregenten zu erheben, damit er herrsche an Meiner Seite!

Ich habe ihm den Königsnamen verliehen: Anch-cheperu-Râ – ›Lebende Verwandlungen des Râ‹.

Ich habe seine Gemahlin, Meine Tochter Merit-Aton, mit den Hohen Federn der Großen Königsgemahlin gekrönt.

Denn Mein Vater Aton hat Mir offenbart, daß es nur die Bande des Blutes sind, denen wahrhaftes Vertrauen gebührt! Und so sollen denn fürderhin nur jene wahre Macht haben in Ägypten und auf dem ganzen Erdkreis, in deren Adern rein und unverfälscht Mein Blut und das Blut Meines Hauses fließt!

Ich habe zudem Meinen Neffen und Mitkönig Semench-Ka-Râ, der Meinem Herzen näher ist als alle anderen Menschen, den Titel verliehen: Nefer-nefru-Aton – ›Schönster der Schönen in Aton‹!

Dies ist Mein Wille und Befehl, der gelten soll für immer und ewig, solange Aton aufgeht über allen Menschen und sie erfüllt mit Seinem Leben!«

Die Bewohner von Achet-Aton jubelten pflichtschuldigst.

Dem Rest des Landes und den ausländischen Herrschern, denen Sonderbotschafter die Neuigkeit überbrachten, war die Ernennung ziemlich gleichgültig.

Die Speichellecker des Hofes – Pichuru und Tutu an der Spitze – waren begeistert bei der Aussicht auf diesen weichlichen, genußsüchtigen, schwächlichen Mitkönig, der den Begriff ›Verantwortung‹ nicht einmal zu kennen schien.

Die wenigen Gutwilligen, wie etwa der Landwirtschaftsminister Panhasa und der Großpriester des Aton Merie-Râ, waren entsetzt.

Und die Boshaften zerrissen sich die Mäuler, weshalb wohl König Akh-en-Aton Ua-en-Râ seinem neuen Liebling ausgerechnet den Titel »Schönster der Schönen« verliehen hatte – exakt eben jenen Titel, den viele Jahre lang seine erklärte Lieblingsgemahlin Nofret-ête getragen hatte.

Nur einer schwieg: der ›Gottvater‹ Eje, der seit dem Sturz Nofret-êtes keineswegs mehr allmächtige Schatten hinter dem Thron des Königs.

VIERTE BUCHROLLE

DER KETZER VON ACHET-ATON

König Akh-en-Aton Ua-en-Râ
15. bis 17. Regierungsjahr und
König Semench-Ka-Râ Anch-cheperu-Râ
2. bis 4. Regierungsjahr bis
König Tut-anch-Aton Neb-cheperu-Râ
3. Regierungsjahr

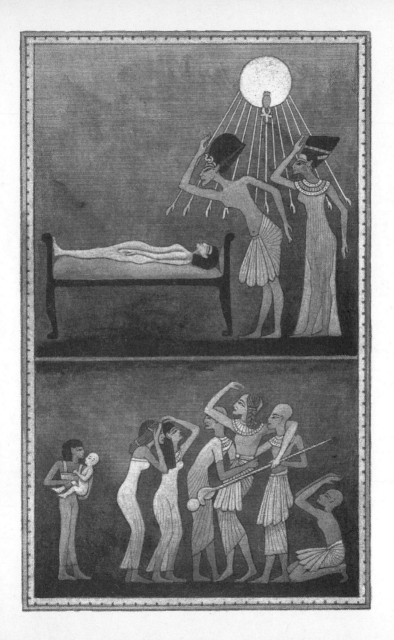

Ich, Hund, einst Sohn von Niemand, nunmehr ehrerbietiger
und dankbarer Adoptivsohn der weisen Beket-Ernûte und des
starken Necht, schreibe dies nach dem Diktat meines Herrn,
des Generals Amûn-hotep, Sohn des Neby, ehedem Befehlshaber der Garden der Großen Königsgemahlinnen Sat-Amûn
und Teje, Oberkommandierender aller Streitwagen Seiner
Majestät, Tapferer Seiner Majestät, Fächerträger zur Rechten
der Königinnen Sat-Amûn Usîre und Teje Usîre, sechsmal
ausgezeichnet mit dem Gold der Belohnung, Erster Erzieher
der Kadetten in der Militärakademie zu Men-nôfer.

Ich beginne dies zu schreiben im Frühjahr des 16. Jahres
der Regierung unseres Königs Akh-en-Aton Ua-en-Râ, dem
3. Jahr der Regierung unseres Mitkönigs Semench-Ka-Râ
Anch-cheperu-Râ*.

Und dies ist es, was mein Herr, General Amûn-hotep, Sohn des
Neby, mir zu schreiben befiehlt:

* 1351 v. Chr.

1. Papyrus

DIE
SCHÖPFUNG

König Akh-en-Aton Ua-en-Râ
15. bis 16. Regierungsjahr und
König Semench-Ka-Râ Anch-cheperu-Râ
2. bis 3. Regierungsjahr

Bereits im Winter des vergangenen Jahres, etwa sechs Wochen nach dem tragischen Tod Königin Tejes und Maket-Atons, dem Sturz Nofret-êtes und dem Verschwinden des Prinzen Mose, war Beket-Amûn in den Tempel der Dreiheit von Men-nôfer zurückgerufen worden.

Ich vermißte sie bitter! Sie und auch Mâ-au. Oft kam ich mir, vor allem nachts in unserem überbreiten Bett, recht verloren vor. Natürlich nützte ich jede Gelegenheit, nach Men-nôfer zu reisen, und meine Aufgabe als Erster Erzieher der Kadetten an der Militärakademie lieferte auch einen trefflichen Vorwand dafür.

Doch immer wieder rief mich König Akh-en-Aton Ua-en-Râ dringend nach Achet-Aton zurück – um dann eigentlich nicht recht zu wissen, was er mit mir anfangen sollte. Ich war General, und außer Paatem-em-Heb, dem Kommandanten der Internationalen Garde, hatte die Lehre Atons keine Verwendung für Männer mit meinem Beruf. Es war einfach so, daß mich der König zu seiner engsten Familie zählte, jener Familie, mit der er sich mehr und mehr ausschließlich umgab, da er ihr, nach dem Fiasko mit Nofret-ête, allein noch irgendwie zu trauen bereit war.

In diesem Herbst, Ende des 3. Monats der Überschwemmung, war es mir wieder einmal gelungen, aus Achet-Aton nach Men-nôfer zu entwischen.

Als meine Reisebarke an einer der zahllosen Molen der Stadt festmachte und ich an Land ging, war es ein echtes Nachhausekommen.

Men-nôfer ist die zweite Stadt des Reiches. Viele Menschen betrachten sie sogar immer noch als die erste. In der Tat war Ägypten seit den Tagen des Königs Meneji Hôr-Aha weit länger von Men-nôfer aus regiert worden als von Uêset aus. Men-nôfer, auf dem Schnittpunkt zwischen Unterägypten mit dem weiten Delta des Stromes auf seiner nördlichen Seite und dem langen Flußtal Oberägyptens auf seiner südlichen Seite gelegen, ist ohne jeden Zweifel das wahre Herz Ägyptens. Von dem Palast aus, durch dessen älteste Teile noch König Djoser Netscheri-Chet geschritten war, hatten die Könige des Alten und Mittleren Reiches die Geschicke des Landes gelenkt, und nur die Tatsache, daß die Vorfahren unseres regierenden Königshauses einst Gaufürsten von Uêset gewesen waren, hatte sie dazu veranlaßt, die Residenz in den tiefen Süden zu verlegen.

Immer noch ist Men-nôfer nicht nur die zweitgrößte, sie ist auch die zweitbedeutendste Stadt des Reiches. Hier erhebt sich nicht nur der uralte Königspalast und der Hat-Ka-Ptah, das ›Haus des verkörperten Ptah‹, einer der bedeutendsten Einweihungstempel des Landes, dessen Erste Prophetin meine über alles geliebte Beket-Amûn ist. Hier haben nicht nur alle Ministerien und wichtigen Behörden einen Zweitsitz. Hier liegen auch seit eh und je das Hauptquartier des militärischen Generalstabes und die

Militärakademie, wo der Nachwuchs an Offizieren herangebildet wird.

Men-nôfer ist ohne jeden Zweifel eine Großstadt. Hier befinden sich die meisten Werften, die jene Schiffe bauen, welche über das ›große Blaue‹, das Meer, nach To-nuter, nach Troja, zu den Keftiu und Achaiern segeln, aber auch jene, die Menschen und Waren den Strom hinauf und hinab transportieren. Hier stehen die Waffenschmieden, welche die Heere Ägyptens mit Schwertern, Äxten, Speeren und Pfeilen versorgen; hier werden Schuppenpanzer, Schilde, Helme, Bogen, Lanzen und Streitwagen hergestellt. Hier treffen sich auf dem großen Markt Händler aus aller Welt. Baumwolle aus Kusch, Parfüme aus Babylon, mit Gold aufgewogene Seide aus dem fernen Osten, kunstvoll gezeichnete und glasierte Töpferwaren der Keftiu und Achaier, Schiffsladungen voll Getreide aus allen Teilen Ägyptens, Schaffelle und Wein aus Kanaan, Zedernholz aus To-nuter, Eisenbarren und aus Eisen geschmiedete Waffen der Hatti, Goldschmuck aus Wawat, Weihrauch aus Punt und tausend andere Dinge wechseln dort tagtäglich ihren Besitzer.

Und doch ist Men-nôfer kein Moloch wie Uêset.

Ihren Namen hat die Stadt König Pepy Merie-Râ, der gegen Ende des Alten Reiches regiert hat, zu verdanken: Men-nôfer-Pepy – ›Bleibend ist die Vollkommenheit des Pepy‹. König Pepy wurde vergessen, doch der Stadtname ›Bleibend ist die Vollkommenheit‹, oder auch ›Bleibend ist die Schönheit‹, ist immer noch zutreffend, denn Tausende und Tausende von Palmen überschatten mit ihrem lebendigen Grün die Werften, die Militäranlagen, die Märkte, die Wohnbezirke, den Palast und den Tempel von Ptah, Sachmet und Chnum, den Schutzgottheiten der Stadt.

Als ich im Alter von zwölf Jahren von meinem Vater Neby nach Men-nôfer geschickt worden war, hatte ich die Stadt gehaßt. Dann, im Laufe der Jahre, war die Militärakademie – erst als Schüler, dann als Lehrer – zu einer Art Zuhause für mich geworden.

Ich war Kadett gewesen an der Militärakademie, 14 oder 15 Jahre alt, als ich zu der Stufenpyramide und dem Tempel des Königs Djoser Netscheri-Chet hinaufgestiegen war und ins Tal hinabgeblickt hatte. Was ich gesehen hatte, waren die breit gefächerten Wedel von Palmen, zwischen denen nur da und dort die Werften, die Wohnhäuser, die Ministerien, die Militäranlagen und Marktplätze hervorlugten. Einzig der uralte Königspalast und der Hat-Ka-Ptah, der Tempel der Dreiheit mit seinen goldenen Dächern, hatten aus dem alles überdeckenden Grün herausgeragt.

Seither war ich in Men-nôfer mehr daheim als in meinem Haus in Uêset oder gar in meinem Anwesen zu Achet-Aton. Wenn sich dann die Tür zu dem bescheidenen Häuschen in der Priestersiedlung hinter dem Hat-Ka-Ptah auftat, Beket-Amûn sich in meine Arme warf und wir einander nach Wochen der Entbehrung endlich eng umschlungen hielten, während Mâ-au mich mit ihrer Nase eifersüchtig in die Kniekehlen stupste oder, wenn wir sie gar zu lange nicht beachteten, energisch fauchte, dann war ich *daheim* wie nirgendwo sonst auf der Welt.

Als ich an jenem Morgen nach meiner Ankunft wie üblich zwischen Beket-Amûn und Mâ-au erwachte, war ich für einen Augenblick versucht, all jene Schwierigkeiten, die mich – abgesehen von meiner unstillbaren Sehnsucht nach meiner Prinzessin – nach Men-nôfer getrieben hatten, ganz einfach zu vergessen.

Doch als wir dann auf der kleinen Terrasse saßen, während Amach, eine junge Priesterschülerin, die Beket-Amûn als Dienerin zugeteilt war, das Frühstück auftrug, waren die Sorgen wieder da.

»Ich habe einst der sterbenden Sat-Amûn einen Schwur geleistet, und ich werde diesen Schwur halten!« erklärte ich bestimmt. »Daß Mose in seinem Schmerz und seinem Zorn dem König Krone und Zepter eines Mitregenten vor die Füße warf, war vielleicht unklug, doch ich habe ihn dafür bewundert. Daß er Achet-Aton und Chemenu den Rücken kehrte, konnte ich verstehen. Daß er sich im tiefsten Sumpf von Uêset zu betäuben versuchte, habe ich akzeptiert. Daß er bis in den südlichsten Zipfel des unruhigen Kusch reiste, daß er für Monate auf dem Rücken eines Kamels irgendwo in den Bergwüsten von Biau verschwand, habe ich noch hingenommen. Doch das, was er jetzt tut, das geht entschieden zu weit!«

Beket-Amûn zog fragend die Augenbrauen hoch.

»Weißt du, wo sich unser Mose inzwischen herumtreibt?« schimpfte ich weiter. »Ausgerechnet in Kanaan! Fast einen Monat war er in Jericho, aber er wurde auch in Hebron, in Jerusalem, in Gilboa und sogar in der Nähe des umkämpften Kadesch gesehen! Vielleicht gedenkt er als nächstes noch To-nuter zu besuchen, Gubla vielleicht oder Karkemisch! Kannst du dir vorstellen, was passiert, wenn ihn irgendein Spion der Moabiter, Elamiter, Amoriter und wie das ganze Gesindel sonst noch heißen mag, dort erkennt? Ihn oder Je-schua oder Hund oder auch nur seinen verdammten Schlangenstab, den er überall mit sich herumschleppt?«

»Er ist nicht mehr der Wahre und einzige Hôr-im-Nest«, warf Beket-Amûn ruhig ein.

»Was im Zweifelsfalle König Azirhû, die Assyrer, die Hatti und das übrige Geschmeiß ungemein beeindrucken wird!« polterte ich. »Sein Thronverzicht mag seinen Wert als Geisel zwar ein bißchen mindern, aber er ist und bleibt ein königlicher Prinz, der Sohn König Amûn-hotep Neb-Maat-Râs und der Großen Königsgemahlin Sat-Amûn!«

»Ich *weiß*, daß weder Mose noch seinen Gefährten ein Unheil zustoßen, daß keinem von ihnen ein Leid widerfahren wird!« widersprach mir Beket-Amûn sanft.

»Und *ich* weiß«, antwortete ich aufstehend, »daß ich jetzt ins Stabshauptquartier hinübergehen werde, um fünfzig bis hundert Elitekrieger zusammenzutrommeln, mit denen ich Mose aus Kanaan herausholen werde!«

»Ich *weiß* auch, daß du nicht jetzt, sondern erst in einigen Jahren nach Kanaan ziehen wirst«, gab Beket-Amûn zurück.

»Und wenn sich mir der ›Friedenskönig‹ Akh-en-Aton Ua-en-Râ persönlich samt seiner gesamten Hymnen grölenden Aton-Priesterschaft in den Weg zu stellen versucht, ich werde losziehen!« erklärte ich grimmig und stapfte dem Ausgang des Gartens zu, der Beket-Amûns Häuschen in der Priestersiedlung umgab.

Als ich mich an der Tür noch einmal umdrehte, sah ich Beket-Amûn mir liebevoll verschmitzt zublinzeln.

Die alljährliche Vollversammlung aller hohen Offiziere des Reiches war der offizielle Grund gewesen, um von Achet-Aton nach Men-nôfer zu reisen. So war ich denn, als ich die große Haupthalle im Stabsquartier betrat, nicht überrascht, auch Graf Nacht-Upuaût, Oberst.Heri-tjerut, General Paatem-em-Heb und Oberst Schut vorzufinden. Überrascht war ich allerdings, daß nicht nur Oberst Chanî, der Sohn des Aton-Großpriesters Merie-Râ, fehlte, sondern auch unser Oberkommandierender und Feldmarschall Pichuru. Fünf Minuten später war mir dann freilich durchaus klar, weshalb man die beiden offensichtlich gezielt vergessen hatte einzuladen beziehungsweise zu benachrichtigen.

»Diese Politik der Schwäche ist Wahnsinn!« polterte General Teka-her, der die Garnisonen in Sina, Teku und Zaru an der Grenze zu Kanaan befehligte. Sein zornrot angelaufenes Gesicht paßt gut zu seinem Namen, der ›Fackelgesicht‹ bedeutet. »Der große dritte König Tehuti-mose Men-cheper-Râ und seine Nachfolger haben in den langen Jahren ihrer Regierung ein Weltreich aufgebaut. Unsere Großväter und Väter haben dieses Reich mitgebaut. Und unser jetziger König Akh-en-Aton Ua-en-Râ …«

»Verliert in weniger als sechs Jahren alles!« rief Oberst Sechnu empört dazwischen.

»Ich habe immer noch versucht, den König zu verteidigen«, warf Paatem-em-Heb, der General der Internationalen Garde, ein, »doch ich habe erleben müssen, wie Vizekönig Huja und der tapfere Rib-Addi, der letzte treue Statthalter Ägyptens in To-nuter, davongeschickt wurden. Selbst ich kann nicht mehr zu diesem König stehen, der glaubt der ›Verheißene‹ zu sein, der sich ›Friedensfürst‹ nennt, aber Tausende seiner Untertanen abschlachten läßt!«

»Wir müssen etwas tun!« rief General Teka-her. »Wir müssen! To-nuter ist schon unwiderruflich verloren! Und Kanaan wird es demnächst sein! Oder glaubt ernsthaft irgend jemand daran, daß unser gepriesener Feldmarschall und erhabene Oberkommandierende aller Truppen des Reiches, der bewunderungswürdige Oberarschkriecher Pichuru etwas Ernsthaftes dagegen tun wird? Selbst wenn es ihm der König erlauben würde?«

»Aber gewiß nicht!« rief Graf Nacht-Upuaût wütend. »Dafür wird ganz sicherlich schon unser allerhöchst wohlbestochener Außenminister Tutu sorgen!«

»Und gar Janch-Aton erst!« pflichtete Oberst Heri-tjerut, der dunkelhäutige Kuschit, bei. »Kaum hatte Königin Teje die Augen geschlossen, da hat sich seine Unschuld ja so strahlend erwiesen, daß er sich jetzt Generalbevollmächtigter für Kanaan nennen darf!«

»Was erwartet Ihr eigentlich von diesen Menschen?« fragte Graf Nacht-Upuaût bitter. »Der König hat sie herausgezogen aus dem Schmutz ihrer Lehmhütten und sie mit den höchsten Ämtern des Staates belohnt, nur weil sie laut genug ›Aton! Aton!‹ gebrüllt haben. Versteht mich nicht falsch!« fuhr er fort, als sich eine gewisse Unruhe unter etlichen Offizieren breitmachte. »Ich will nicht dem Vorrang der Geburt das Wort reden! Der größte Weise und mächtigste Staatsmann unserer Epoche, der Sohn des Hapu, war ebenfalls der Sohn eines schlichten Bauern – aber er hat viele Jahre, viele Jahrzehnte lang hart gearbeitet, gelernt, sich aus- und weitergebildet! Aber Janch-Aton oder Pane-hesi sind heute noch nicht in der Lage, einigermaßen fließend zu lesen und zu schreiben. Tutu verdankt seinen Posten – außer Aton – der Tatsache, daß er ein oder zwei kanaanäische Dialekte radebrecht. Und Pichuru hatte in seinem ganzen Leben noch keinen Speer, keinen Bogen und kein Schwert in der Hand, ehe er zum Feldmarschall und unserem Oberkommandierenden ernannt wurde! Nicht ihre Herkunft werfe ich diesen Leuten vor, aber ihren Unwillen, auch nur einen Funken mehr zu lernen, als sie benötigen, um sich ganz persönlich zu bereichern!«

General Paatem-em-Heb seufzte tief auf:

»Ihr alle wißt, ein wie treuer Gefolgsmann des Königs ich bin. Ihr wißt, daß ich sogar an Aton *glaube*. Aber auch ich sage: Wir dürfen nicht mehr länger warten!«

»Wozu haben wir denn ein schlagkräftiges Heer?« rief Oberst

Sechnu aufgeregt. »Müssen wir denn tatenlos zusehen, wie eine Stadt nach der anderen fällt, erst in To-nuter, jetzt in Kanaan? Müssen wir denn wirklich zusehen, wie dort die Ägypter und alle, die mit ihnen befreundet sind, gnadenlos niedergemetzelt werden?«

»Auch ich würde nur zu gerne glauben, daß der König der ›Verheißene‹, der ›Friedensfürst‹ ist«, fiel Thai, der zierliche Oberststallmeister ein. »Aber das, was er in Kanaan und To-nuter zuläßt, das ist nicht, den Frieden zu bewahren, das ist Mord!«

»Wenn wir noch zwei oder drei Jahre warten«, erregte sich General Teka-her, »dann werden Hatti und Amoriter, Elamiter und Moabiter an die Tore von Achet-Aton klopfen!«

»Und der König wird sie mit feierlichen Aton-Hymnen willkommen heißen!« fügte Oberst Schut schief grinsend hinzu.

Einen Augenblick stockte das Geschimpfe. Dann stellte Oberst Heri-tjerut fest:

»Jammern und schimpfen bringt uns nicht weiter. Wir sollten besser überlegen, was wir tun können!«

»Da ist nicht viel zu tun«, antwortete Teka-her, »es sei denn, wir würden nach Achet-Aton marschieren und den König so lange in seinem Palast einschließen, bis er unseren Forderungen nachgibt, die Ministerien gründlich säubert und ein Heer nach Kanaan schickt.«

Unwillkürlich richteten sich alle Augen auf Paatem-em-Heb, den Kommandanten der Internationalen Garde.

Der zuckte mit den Schultern.

»Meine Aufgabe heißt, Leben und Gesundheit des Königs und seiner Familie zu schützen. Es ist meine Pflicht, jedermann daran zu hindern, bewaffnet den Palast zu betreten. – Von der Stadt jedoch war nie die Rede …«

»Es mag ja schon genügen«, schlug Heri-tjerut vor, »die ganze korrupte Beamtenschaft, Pichuru, Janch-Aton und Tutu an der Spitze, in die Wüste zu jagen und alle wichtigen Ämter mit zuverlässigen Offizieren zu besetzen.«

»Und was wird mit Kanaan und To-nuter?« erkundigte sich der Oberststallmeister Thai.

»Sobald wir in Achet-Aton Ordnung geschaffen haben, wird

der noch zu ernennende Oberkommandierende sich unverzüglich mit einem entsprechenden Heer in Marsch setzen«, verteidigte der Kuschiten-Oberst seinen Plan.

»Wer soll denn das Oberkommando übernehmen?« fragte Oberst Sechnu gespannt.

»Prinz Nacht-Min – General Amûn-hotep – Graf Nacht-Upuaût – General Hôr-em-Heb …«, kamen sofort die Vorschläge.

»Und wenn der ›Friedenskönig‹ den Feldzug einfach verbietet?« wollte Thai wissen.

»Dann« polterte General Teka-her, »wird man ihn eben so lange und so gründlich unter Druck setzen, bis …«

»Halt!«

Die Stimme General Hôr-em-Hebs knallte wie eine Peitsche dazwischen.

Hôr-em-Heb erhob sich, trat in die Mitte der Offiziere und musterte uns mit finster gerunzelten Augenbrauen:

»Ihr wißt genau, daß Ihr schon seit einer ganzen Weile mit diesem Gespräch auf einem schmalen Brett über den Abgrund des Hochverrats balanciert seid!«

»Na, wenn schon!« kam es trotzig von Oberst Heri-tjerut.

»Doch General Teka-her«, fuhr Hôr-em-Heb fort, »ist mit seinem letzten Satz abgestürzt!«

»Aber er hat doch recht!« rief Oberst Sechnu.

Doch Hôr-em-Heb erklärte bestimmt:

»Nein, er hat unrecht! Denn das, was er sagte, ist Unrecht! König Akh-en-Aton Ua-en-Râ ist der rechtmäßige Herr der Beiden Länder, der Beiden Kronen und der Beiden Throne! Der König ist unverletzlich! Sein Wille ist letztes und höchstes Gebot!

Wir mögen versuchen, ihn mit Worten zu überzeugen. Irgendein anderes Mittel jedoch kann und darf es nicht geben! Niemals!

Wir alle haben dem König und seinem Haus die Treue geschworen, und wir werden diesen Schwur auch halten! Alle! Ohne Wenn und Aber!«

Es war totenstill in dem Saal, während Hôr-em-Heb einem nach dem anderen von uns fest und lange in die Augen blickte.

Und einer nach dem anderen nickte schließlich seine Zustimmung.

»Und ich hatte mich schon darauf gefreut, wenigstens Pichuru,
Tutu oder Janch-Aton mit einem schönen Strick um den Hals an
einen Baumast zu hängen!« durchbrach schließlich Graf Nacht-
Upuaût die Stille.

»Und ich würde Ihnen dabei liebend gerne die Leiter halten!«
gab Hôr-em-Heb offen zu.

Im nächsten Augenblick scholl befreites Gelächter durch den
Saal.

»Nun«, tastete sich der Graf behutsam wieder vor, »dieses Gesindel ist schließlich nicht der König. Wenn wir wenigstens diese
Pestbeulen am Leib Ägyptens ausbrennen könnten ...«

»Und wie stellen Sie sich das vor?« fragte Hôr-em-Heb nicht
unfreundlich.

Der Graf strich sich einen Augenblick nachdenklich über die
lange Narbe an seiner linken Wange, die seinen Mundwinkel
stets zu einem unfreiwilligen Grinsen nach oben zerrte:

»Fünfhundert Mann Elitesoldaten – Wagenkämpfer des Generals Amûn-hotep oder auch meine Wolfsmänner. Sie landen in
den späten Abendstunden in Achet-Aton, besetzen die Ministerien – dem Palast würden sie dabei nicht einmal nahe kommen –,
holen die übelsten Pestbeulen aus ihren Betten und stecken sie
ins Gefängnis. Wenn dann am Morgen Seine Majestät erwacht,
ist beispielsweise Prinz Nacht-Min wieder Ministerpräsident, Sie,
Hôr-em-Heb, sind Oberkommandierender des Heeres, General
Amûn-hotep ist Außenminister, General Teka-her Generalgouverneur von Unterägypten und Oberst Heri-tjerut von Oberägypten. Für die Finanzen könnte man bestimmt Maja wieder gewinnen und für die Landwirtschaft vielleicht Ihren Vater Neby,
General Amûn-hotep; so hätten wir sogar auch noch zwei Zivi-
listen in unserer Regierung ...«

Den Gesichtern ringsum war deutlich anzusehen, daß der
Plan des Grafen von Sioûti auf breite Zustimmung stieß.

Doch General Hôr-em-Heb schüttelte langsam den Kopf:

»So verlockend diese Idee ist, wir dürfen sie nicht durchführen!«

»Vor vollendete Tatsachen gestellt, würde der König schon seine Zustimmung geben«, widersprach Graf Nacht-Upuaût.

»Daran zweifle ich auch nicht«, gab Hôr-em-Heb zu. »Aber wir würden ein gefährliches Beispiel schaffen! Als die Könige des Alten Reiches die Ordnung und die Gesetze für Ägypten schufen, wußten sie sehr genau, weshalb sie eine enge Verquickung zwischen Militär und politischer Verwaltung nur in einzelnen Ausnahmefällen zuließen. Schon ein einzelner Mann wie der Sohn des Hapu, der gleichzeitig Reichsmarschall, Ministerpräsident und Generalgouverneur der beiden Länder war, hatte real mehr Macht als der König. Wenn dann noch in allen wichtigen Ministerien seine Offiziersfreunde sitzen und dieser Mann einen nicht ganz so untadeligen Charakter hat wie einst der Sohn des Hapu, dann ist der Griff nach der Krone fast nur noch eine Frage der Zeit!«

»Prinz Nacht-Min würde niemals …«, fiel Graf Nacht-Upuaût ein, doch Hôr-em-Heb unterbrach ihn sofort:

»Das weiß ich auch! Ich bezweifle auch nicht, daß Amûn-hotep, Heri-tjerut oder Teka-her, wenn in Ägypten erst wieder Ordnung herrscht, ihre Posten freiwillig räumen würden. Es geht nicht um uns! Es geht darum, ob wir ein Beispiel geben wollen für künftige Generationen – ein Beispiel für ehrgeizige Generäle, die sich eines Tages ohne Not, allein um der Macht willen, mit Hilfe des Militärs auf den Thron putschen könnten.«

Die Offiziere waren sehr ernst geworden. Die Vorstellung, ein Offizier könne es tatsächlich einmal wagen, mit Hilfe des Militärs nach der Königskrone zu greifen, widersprach so sehr all dem, was wir als ägyptische Soldaten als unsere Bestimmung, unseren Auftrag verstanden, daß wir den schönen Plan des Grafen von Sioûti ganz schnell und leise in unseren Herzen zu Grabe trugen.

Und doch bedauerten wir diesen Entschluß in einer winzigen Ecke unseres Kopfes schon wenige Minuten später. Wenn wir nämlich geglaubt hatten, das Chaos, das König Akh-en-Aton Ua-en-Râ in fünfzehn Jahren seiner Regierung angerichtet hatte, sei nicht mehr zu überbieten, so sahen wir uns gründlich getäuscht.

Wir waren eben dabei, die Runde aufzulösen, als Prinz Nacht-Min, den seine Verpflichtungen in Achet-Aton am pünktlichen Erscheinen heute vormittag gehindert hatten, in den Saal stürmte. Sein Gesicht sah aus, als schwanke er zwischen einem Lachkrampf und einem Tobsuchtsanfall.

»Er hat ihn geheiratet!« rief er uns entgegen.

»Wer hat geheiratet?«

»Seine Majestät König Akh-en-Aton Ua-en-Râ seinen Neffen und Mitkönig Semench-Ka-Râ Anch-cheperu-Râ!«

»Aber – der ist doch ein Mann!« stotterte Oberst Sechnu verblüfft.

»Eher ein Weib mit Schwanz«, grinste Oberst Schut.

»*Geheiratet?*« erkundigte sich General Teka-her nochmals.

»Jawohl, *geheiratet!*« verkündete Prinz Nacht-Min. »Und zur Großen Königsgemahlin ernannt, mit dem Recht, die Hohen Federn zu tragen!«

»Und Merit-Aton?« fragte Hôr-em-Heb. »Sie trug doch seit dem Tod Tejes den Titel der Großen Königsgemahlin.«

»Den trägt sie immer noch«, gab Nacht-Min Auskunft.

»Aber es gibt immer nur *eine* Große Königsgemahlin!« widersprach der Oberststallmeister Thai.

Der Prinz zuckte mit den Schultern. »Seit vorgestern mittag gibt es eben zwei ...«

»Ist der König jetzt eigentlich völlig übergeschnappt?« fragte Graf Nacht-Upuaût trocken. »Eine offizielle Ehe zwischen zwei Männern – und das ganze auch noch auf dem Königsthron!«

»Ihr müßt Euch das einmal so richtig plastisch vorstellen!« rief Oberst Schut mit funkelnden Augen. »Semench-Ka-Râ als Große Königsgemahlin! So in einem hübschen Kleid mit den Hohen Federn auf dem Kopf ...«

Ein paar der jüngeren Offiziere prusteten vor verhaltenem Lachen.

» ... vielleicht stopft er sich auch noch ein wenig den Busen aus!« rief Sechnu dazwischen.

Auch Heri-tjerut und Teka-her mußten grinsen.

»»Ach mein allerliebster, königlicher Gemahl««, fistelte Schut, »»erlaube deiner zarten Königin, dir ein Becherlein Wein zu reichen und ...««

Der Rest des Satzes ging in brüllendem Gelächter unter. Einen Augenblick noch versuchten Prinz Nacht-Min und Hôr-em-Heb ihren würdigen Ernst zu bewahren, doch dann riß auch sie die allgemeine Heiterkeit mit. All die Anspannungen der letzten Stunden entluden sich in Wellen dröhnenden Lachens, das die Balken der Hallendecke erbeben ließ.

Eine gute Stunde später, es ging schon gegen Abend, machte ich mich auf den Heimweg, nachdem wir die Fortsetzung des großen Offiziersrates auf den nächsten Morgen vertagt hatten. An eine irgendwie ernsthaftere Unterredung war ohnehin heute nicht mehr zu denken. Kaum waren die Lachsalven ein wenig verebbt, brauchte nur Oberst Schut zu fisteln: »»Ach mein süßer Lieblingsgemahl ...««, oder Heri-tjerut: »»Mein Schönster der Schönen ...««, und das Gejohle begann von neuem.

Ich war noch keine zwei Dutzend Schritte gegangen, als mich Hôr-em-Heb einholte:

»Ich glaube, wir haben ein Stück gemeinsamen Heimweges. Erlauben Sie, daß ich Ihnen dabei etwas Gesellschaft leiste?«

Das mit dem »Stück gemeinsamen Heimwegs« war glatt gelogen. Hôr-em-Heb wohnte genau in der entgegengesetzten Richtung, und er wußte sehr wohl, daß ich das wußte. Doch ich ging auf sein Spiel ein und stellte mich also hoch erfreut, daß ich nicht so allein die ganze Strecke bis zur Priestersiedlung hinter dem Hat-Ka-Ptah laufen müsse.

Gewiß 300 Ellen schritten wir schweigend nebeneinander her, dann endlich fragte Hôr-em-Heb mit verhaltener Stimme:

»Sie mögen mich nicht sonderlich, Amûn-hotep ...«

Ich blieb abrupt stehen:

»Ich hoffe, daß ich Ihnen niemals durch ein Wort oder eine Handlung Anlaß zu dieser Meinung gegeben habe!«

»Natürlich haben Sie das nicht!« stellte Hôr-em-Heb sofort richtig. »Aber trotzdem ...«

»Nun«, gab ich zu, »vermutlich sind wir einfach zu verschieden ...«

»Ja, ich weiß«, nickte Hôr-em-Heb und fuhr fort, wobei er mir fest in die Augen sah: »Aber glauben Sie mir, ich bedaure das zutiefst, und ich wollte, es wäre anders!«

»Dann sollte uns nichts daran hindern, wenigstens so gut als möglich zusammenzuarbeiten«, bot ich an.

Hôr-em-Heb ergriff meine Hand, drückte sie einen Augenblick fest:

»Danke!«

Während wir nebeneinander weiterschritten, fragte ich geradeheraus:

»Und was haben Sie noch auf dem Herzen, das Sie zu diesem ›gemeinsamen Heimweg‹ veranlaßte?«

Einen Augenblick zögerte Hôr-em-Heb noch, ehe er zu sprechen begann:

»In der Offiziersversammlung vorhin standen wir ein paarmal knapp vor einer Meuterei, einer Revolte. Sie sind neben Prinz Nacht-Min der angesehenste und ranghöchste General. Da der Prinz stets zivile Posten vorgezogen hat, werden Sie in nicht allzu ferner Zeit Reichsmarschall und Oberkommandierender aller Truppen sein ...«

»Nein!« widersprach ich. »Sie werden das sein, Hôr-em-Heb! Hätte ich den Oberbefehl gewollt, ich hätte ihn nach dem Tod des alten Pavians haben können. Nacht-Min hat ihn mir angeboten, und König Amûn-hotep Neb-Maat-Râ hätte ihn sofort bestätigt.«

»Hätten Sie den Posten doch nur angenommen!« seufzte Hôr-em-Heb. »Dann hätte ihn jetzt nicht dieser unsägliche Pichuru!«

»Wer kümmert sich schon um Pichuru?« meinte ich wegwerfend. »Noch immer ist die Armee die letzte, sichere und sichtbare Bastion einer vernünftigen Ordnung in diesem Land, obwohl – oder vielleicht sogar weil – der König uns nicht mag.«

»Ist die Armee diese Bastion? Ist sie es noch?« zweifelte Hôr-em-Heb.

»Wegen dem, was da heute in der Offiziersversammlung alles gesagt wurde?« fragte ich.

Hôr-em-Heb schüttelte den Kopf:

»Nicht wegen heute! Was sich da vorhin lautstark Luft machte, das sind doch nur Gedanken, die sich schon seit vielen Monaten, teilweise seit Jahren in den Köpfen eingenistet haben. Ihr Götter«, rief er, »ich weiß doch, daß die Männer so unrecht nicht haben! In meinem tiefsten Herzen denke ich doch genauso wie sie! König Akh-en-Aton Ua-en-Râ hat die Ordnung umgestoßen. Er hat alles erschüttert, was in Jahrhunderten festgestanden hat. Er hat To-nuter, Kanaan und beinahe auch Wawat und Kusch verloren – das Militär verachtet ihn. Er hat die Götter beleidigt und ihre Tempel geschlossen – die Priesterschaften hassen ihn. Er hat sich nach Achet-Aton zurückgezogen und dort abgekapselt – das Volk kennt ihn nicht mehr. Er hat sich mit Jasagern, Liebedienern und Speichelleckern umgeben – sie haben ihn verraten. Gleichzeitig haben diese Menschen im Namen des Königs das Volk geknechtet und ausgebeutet – das Volk verabscheut ihn dafür. Er hat Ägypten Aton als einzigen Gott aufgezwungen – aber Ägypten versteht ihn nicht, will ihn nicht verstehen, kann ihn nicht verstehen.«

Einige Minuten schritten wir schweigend nebeneinander her, dann fuhr Hôr-em-Heb fort:

»Es wäre so einfach, den König zu stürzen. Den König, diesen Semench-Ka-Râ und die ganze Bande der korrupten Kreaturen gleich hinterher! Und wir hätten so gute Könige an der Stelle Akh-en-Atons:

Den wahrhaft Wahren und einzigen Hôr-im-Nest Tehutimose! Ich habe ihn seit Jahren gründlich beobachtet: In nicht zu ferner Zeit wird er zu einer Persönlichkeit herangereift sein, die sogar den Sohn des Hapu an Weisheit, Größe und geistiger Kraft bei weitem übertreffen wird!

Auch der junge Prinz Tut-anch-Aton zeigt mehr und mehr Züge, die ihn zu einem wahrhaft großen, guten König machen könnten.

Noch sind beide sehr jung, doch in ein paar Jahren ...«

Mose war jetzt 17, Prinz Tut-anch-Aton 9 Jahre alt, und in beiden Fällen mußte ich Hôr-em-Heb aus vollem Herzen recht geben.

Der sprach inzwischen weiter:

»Am liebsten würde ich freilich Sie, Amûn-hotep, auf dem Thron sehen, wenn Sie sich nur endlich dazu entschließen könnten, mit Prinzessin Beket-Amûn offiziell die Ehe einzugehen! Für Sie – Sie könnten ja Prinz Tehuti-mose zu Ihrem Erben und Nachfolger ernennen – würde ich sogar den Staatsstreich wagen ...«

Völlig verblüfft blieb ich stehen und starrte Hôr-em-Heb entgeistert an:

»Das ist doch nicht Ihr Ernst!«

»O doch!« versicherte der General bestimmt. »Wenn Sie und Prinzessin Beket-Amûn nach der Krone greifen wollen, dann steht das Heer, dann stehen die Priesterschaften aller jetzt verfemten Götter, dann steht das gesamte Volk von Ägypten hinter Ihnen!«

Die Versuchung der Kronen! Beket-Amûn hatte sie vorhergesagt.

Hôr-em-Heb sprach inzwischen weiter:

»Ich habe vorhin diese Meuterei erstickt, weil ich der Überzeugung bin, daß jede Meuterei gegen den König, und stamme sie aus noch so lauteren Motiven, wider den Eid wäre, den wir dem König und seinem Haus geschworen haben. Doch ist das wirklich wahr? Verlangt dieser Eid um Ägyptens willen nicht eben jene Meuterei?«

Mit einer für diesen starken, ja, harten Mann fast schüchternen Geste legte mir Hôr-em-Heb die Hand auf den Arm:

»Ich habe mich vorhin in der Versammlung selbstsicher gegeben – jedoch, ich bin es nicht. Ich bin zerrissen zwischen meinem Eid dem König und meinem Eid dem Land gegenüber. Bitte helfen Sie mir, Amûn-hotep!

Sagen Sie nur ein einziges Wort, daß der Hôr-im-Nest Tehuti-mose oder daß Sie und Prinzessin Beket-Amûn die Hand nach der Krone ausstrecken – und Sie wissen sehr genau, daß Sie die Legitimität der Familie, die Legitimität des Blutes dazu besitzen –, und morgen schon marschiert Ägyptens Heer nach Achet-Aton, um die alte Ordnung der Wahrheit und Gerechtigkeit wiederaufzurichten, jene Ordnung, die zwei Jahrtausende in Ägypten herrschte und die Akh-en-Aton Ua-en-Râ auf den Kopf gestellt hat!«

Für einen Augenblick fiel es mir tatsächlich schwer, der Versuchung nicht nachzugeben! Doch dann schüttelte ich sie ab:

»Nein, General Hôr-em-Heb! Wir werden nichts dergleichen tun! Sie nicht und ich nicht! Wir sind die Bastion, welche die Ordnung der Wahrheit und Gerechtigkeit verteidigt! Und darum müssen wir den König halten, so schwer uns das fallen mag. Akh-en-Aton Ua-en-Râ ist der rechtmäßige König! Stürzen wir ihn, so zerbrechen wir selber die Ordnung, die zu schützen wir geschworen haben!«

Nach einer kurzen, harten Umarmung hatten wir uns getrennt, und ich war tief in Gedanken das letzte Stück am Hat-Ka-Ptah, dem großen Tempel der Dreiheit von Men-nôfer, entlang zu dem kleinen Haus in der Priestersiedlung geschritten.

Als ich das schmale Gartentor öffnete, blieb ich wie angewurzelt stehen.

Auf der Terrasse saßen fröhlich plaudernd, lachend und Wein trinkend Beket-Amûn, neben ihr, die langen Beine bequem ausgestreckt, Mose, und im Rasen davor Je-schua, Necht und Hund.

Im gleichen Augenblick war Mose schon auf den Füßen, eilte mir entgegen, schloß mich in seine Arme:

»Onkel Amûn-hotep!«

Dann waren auch Je-schua, Necht und Hund heran, um mich strahlend zu begrüßen.

Während wir zur Terrasse zurückkehrten, hatte ich Muße, Mose genauer zu mustern. Groß war er schon gewesen, als ich ihn vor über einem Jahr zum letztenmal gesehen hatte, jetzt überragte er mich sogar um drei oder vier Fingerbreiten, und ich bin schließlich kein Zwerg. Der damals noch ein wenig schlaksige Jünglingskörper hatte sich inzwischen in den eines Mannes verwandelt mit breiten Schultern, schmalen Hüften, muskulösen Armen und Beinen, kräftig, aber trotzdem geschmeidig und elegant.

Mehr noch als sein Körper freilich hatte sich sein Gesicht verändert. Die vornehmen, klaren, edlen Linien waren geblieben, doch die vergangenen drei Jahre hatten unübersehbar ihre Spuren hinterlassen. Heute war es das Gesicht eines gereiften Mannes, das Gesicht eines Menschen, der binnen kurzer Jahre höhere Gipfel des Glücks erklommen und tiefere Täler der Trauer und des Zorns durchschritten hatte als manch anderer in seinem ganzen Leben. Es war das Gesicht eines Mannes, dem der Gestank der Hurenhäuser Uêsets ebenso bekannt war wie die reine Luft der Berggipfel in der Wüste, das Gesicht eines Mannes, der Not, Gefahr, bitteres Leid und Tod ebenso erlebt hatte wie Glück, treue Freundschaft und höchste Liebe.

Doch was mich wahrhaft beglückte, waren seine Augen. Als ich Mose das letzte Mal bei dem heimlichen Begräbnis Maket-Atons im Tal der Wildstiere gesehen hatte, waren diese Augen verschleiert gewesen von wildem Schmerz und brennendem Zorn. Heute strahlten sie jene Klarheit, jene Reinheit, jene Tiefe und Ruhe aus, wie sie nur jemand zu erreichen vermag, der aus dem Sumpf von Leidenschaft, Zorn und Haß den mühsamen Weg zum wahren inneren Frieden emporgestiegen ist.

Auch Beket-Amûns Augen strahlten, als ich mich über sie beugte, um sie zur Begrüßung zu küssen. Trotzdem konnte ich es mir nicht verkneifen, sie leise zu fragen:

»Mußt du eigentlich mit deinen Vorhersagen immer recht haben?«

»Gewiß!« antwortete sie vergnügt ebenso leise. »Wozu führe ich sonst den Titel einer Ersten Prophetin?«

Später saßen wir bis in die tiefe Nacht zusammen, und des Erzählens war kein Ende. Was die vier in Uêset, in Wawat und Kusch, in Biau und Kanaan gesehen hatten, welche Abenteuer sie erlebt, welche Menschen sie getroffen hatten, das würde noch Stoff für viele Abende und Nächte sein.

Der eigentliche Berichterstatter war Hund, dessen scharfer Beobachtungsgabe kein Detail an Land und Leuten entging, der

Sitten und Trachten, Städte und Landschaften mit seinen Worten so plastisch zu schildern wußte, daß wir sie bildlich vor unseren Augen zu sehen glaubten.

Für Mose waren es vor allem all die Menschen gewesen, mit denen er zusammengetroffen war, die ihn fasziniert hatten: ihr Charakter, ihr Leben, das äußere Bild, wie sie sich gaben, und das innere Bild ihrer geheimen Wünsche und Sehnsüchte. Die hinter übertriebener Höflichkeit und Liebedienerei kaum versteckte brutale Machtgier des Fürsten von Aniba. Der Traum von einem braven Mann mit einem ehrlichen Beruf einer kleinen Straßenhure in Uêset. Die rauhe Herzlichkeit der Schôs und ihre offene Gastfreundschaft. Der dummdreiste Hochmut mancher Dorfpotentaten. Die dumpfe Schicksalsergebenheit jenes Kupferschmiedes und seiner Frau, bei denen die vier in Jericho gewohnt hatten. Das Schicksal eines steinreichen Großkaufmanns in Napata, den der Aussatz zum Almosen heischenden Bettler gemacht hatte.

»Vor allem in Kanaan ist die Unbildung unter dem einfachen Volk geradezu unbeschreiblich!« wußte Mose zu berichten. »Dem Mann, dem unser Quartier in Gilboa gehörte, waren hintereinander bereits fünf Kinder und die Frauen dazu gestorben. Als ich sein erstes lebendes Kind, eine Tochter, zur Welt brachte und sich auch seine Frau nach wenigen Tagen gut erholte, fiel er mir mit Tränen in den Augen zu Füßen und pries mich als einen Gottgesandten! Dabei habe ich nur die Schmutzhöhle, in der die arme Frau ihr Kind zur Welt bringen sollte, säubern lassen, für frisches Stroh, saubere Laken und abgekochtes Wasser gesorgt, und vor dem Abnabeln das Messer in einer Flamme ausgeglüht, alles Dinge, die in Ägypten seit mehr als zwei Jahrtausenden Selbstverständlichkeiten sind!

Oder: In Askalon, am Meer, haben wir uns tagtäglich mit ›verbotenen‹ Muscheln, Langusten, Garnelen und Tintenfischen bis zum Platzen vollgestopft, so köstlich waren sie. Aber die Leute transportieren sie in glühender Hitze drei oder vier Tagesreisen ins Landesinnere und wunderten sich, weshalb sie daran krank werden oder gar sterben!«

Die Brauen Moses hatten sich ärgerlich zusammengezogen:

»Wenn ich König in Kanaan wäre«, erklärte er bestimmt, »ich würde als erstes jene Reinheitsgesetze erlassen, wie sie in Chemenu gelehrt werden, selbst wenn diese manchmal ein wenig engherzig sein mögen!«

Je-schuas militärisch geschultes Auge hatte sich vor allem auf die Möglichkeiten von Angriff und Verteidigung der verschiedenen Orte, Landstriche und Städte, welche die vier bereist hatten, gerichtet. Jericho, das ihn mit seinen hohen Mauern besonders beeindruckt hatte, hielt er beispielsweise für uneinnehmbar …

»… es sei denn, man unterhöhlt die Mauern und bringt so ein größeres Stück zum Einsturz. Bei dem relativ weichen Untergrund wäre das durchaus möglich. Allerdings sollte das Heer der Belagerer genügend Lärm machen, damit die Städter das Scharren und Kratzen der Pioniere und Mineure in den Stollen unter der Mauer nicht frühzeitig hören!«

Ansonsten spießte Je-schua mit Vorliebe und spitzer Zunge die komischen, manchmal grotesken Situationen ihrer Abenteuer auf, wobei er sich selber durchaus nicht schonte. Die Schilderung seines ersten Rittes auf einem Kamel – »diesem schaukelnden, pausenlos furzenden Ungeheuer mit seinem schläfrig-verächtlichen Blick« – ließ uns Tränen lachen. Je-schuas Bericht vom stampfenden, trommelbegleiteten Werbungstanz einer hängebrüstigen, schwarzhäutigen Häuptlingstochter aus der Gegend von Soba, die sich ausgerechnet Hund als zukünftigen Ehemann auserkoren hatte, amüsierte uns ebenso wie der höchst nachdrückliche Versuch Jetros, jenes Schôs-Fürsten vom Stamm der Midianiter, mit dem Mose Freundschaft geschlossen und der unsere vier auf Kamelrücken in die Wüstenberge Biaus entführt hatte, dem Prinzen seine Tochter Zippora als Gemahlin aufzudrängen.

»Vielleicht hätte Mose ja sogar eingewilligt«, merkte Je-schua an, »denn Fürst Jetro ist in der Tat ein höchst bemerkenswerter, grundehrlicher und, für seine Verhältnisse, großer Mann! Nur Zippora, die vorgesehene Braut, war eben noch ein bißchen arg jung – gerade einmal knapp sechs Jahre! Das hinderte sie allerdings nicht, sich so sehr bis über beide Ohren in Mose zu verlieben, daß es wirklich nicht mehr klar war, ob Jetro ihm diesen Heiratsantrag aus verständlichem politischem Kalkül, schlicht aus echter Freundschaft oder tatsächlich um seiner kleinen Tochter willen machte.«

»Also weshalb du nicht dein Glück mit beiden Händen ergriffen hast, Je-schua«, warf Necht plötzlich ein, der bislang, wie es seine Art war, geschwiegen hatte, »das verstehe ich immer noch nicht!«

»Du meinst doch nicht etwa diesen mit seinen 14 Jahren bereits formlosen Fleischhaufen mit dem Appetit von acht Schwerarbeitern, den Augen einer drei Tage toten Seebarbe und der Intelligenz einer Filzlaus?« schrie Je-schua gequält auf.

»Immerhin wärest du jetzt der geehrte Schwiegersohn des Dorfschulzen von Madeba im Land der Moabiter!«

»Wo immer auch Madeba und das Land der Moabiter gelegen haben mag, ich habe es vergessen!« rief Je-schua mit komischem Entsetzen. »Und ehe ich mich auf solch ein Monstrum einlasse, nehme ich lieber noch den Heiratsantrag von drei Kamelen an!«

Als Mose und ich am nächsten Morgen noch reichlich unausgeschlafen die Terrasse betraten, erwartete uns dort bereits Beket-Amûn.

Sie trug das lange, blütenweiße, schlichte Leinengewand mit den weiten, halblangen Ärmeln einer Priesterin. An ihrer Stirn erhob sich golden über dem leichten weißen Kopftuch die königliche Utô-Schlange. Auf ihrer Brust funkelte das schwere, mit Edelsteinen besetzte Pektorale der Ersten Prophetin der Dreiheit von Men-nôfer. Und in ihrer Hand trug sie den langen Zeremonialstab ihres Amtes.

»Mose! Amûn-hotep!« sprach sie uns an. »Die Stunde ist da! Der Tempel von Men-nôfer und die Mysterien der Dreiheit erwarten Euch. – Kommt!«

Als wir, geführt von Beket-Amûn, das hohe Tor des Hat-Ka-Ptah, des ›Hauses des lebenden Ich des Ptah‹, erreichten, wartete Hy-sebaû, der Hohepriester des Ptah, der Sachmet und des Chnum, der großen, heiligen Dreiheit von Men-nôfer, bereits auf uns.

»Wahrer und einziger Hôr-im-Nest Tehuti-mose …«, begann Hy-sebaû, doch Mose unterbrach ihn sofort:

»Ich habe den Titel eines Hôr-im-Nest dem König vor die Füße geworfen, und auch der Name Tehuti-mose war eigentlich nie mein wirklicher Name. Ich weiß, daß mich Königin Sat-Amûn bei meiner Geburt so genannt hat, und ich ehre das Andenken meiner Mutter, aber solange ich denken kann, hat man mich einfach nur ›Mose‹ gerufen. Einzig in den wenigen Wochen, nachdem mich die Große Königsgemahlin Teje Usîre nach Uêset befohlen hatte, bis zu unserer Ankunft in Achet-Aton, war ich ›Tehuti-mose‹. Danach wurde ich wieder zu ›Mose‹, und das war auch der Name, mit dem mich meine Gemahlin anzusprechen pflegte. Ich habe meinen vollen Namen nie verleugnet, aber dieser Name bin nicht ich! Ich bin Mose – nur *Mose*.«

»Nun denn, *Mose*, Sohn des Amûn-hotep, und du, Amûn-hotep, Sohn des Neby, ich frage Euch: Wozu seid Ihr gekommen?«

»Die Prinzessin Beket-Amûn und Erste Prophetin der Dreiheit von Men-nôfer sagte uns, der Tempel der Dreiheit habe uns gerufen«, antwortete ich für uns beide.

»Der Tempel hat Euch gerufen«, sagte Hy-sebaû. »Trotzdem muß ich Euch fragen: Wünscht Ihr und wollt Ihr wahrhaftig und mit reinem Herzen die Einweihung in die Mysterien der Dreiheit?«

Mose und ich verneigten uns tief vor dem Hohenpriester.

»Ja, wir wünschen und wollen die Einweihung in die Mysterien der Dreiheit von Men-nôfer!« antworteten wir gemeinsam.

Priester in weißen Röcken, das zeremonielle Leopardenfell über der Schulter, traten auf uns zu, besprengten uns mit Wasser, Wein und Milch, beräucherten uns mit duftendem Weihrauch.

»So tretet ein!« forderte uns Hy-sebaû auf.

Geführt von dem Hohenpriester und Beket-Amûn durchschritten wir die erste Säulenhalle, hielten am zweiten Tor an.

Wieder fragte uns Hy-sebaû:

»Wünscht Ihr und wollt Ihr wahrhaftig und mit reinem Herzen die Einweihung in die Mysterien der Dreiheit?«

Und wieder verneigten sich Mose und ich uns tief vor dem Hohenpriester und antworteten:

»Ja, wir wünschen und wollen die Einweihung in die Mysterien der Dreiheit von Men-nôfer!«

Und wieder besprengten uns die Priester mit Wasser, Wein und Milch, beräucherten uns mit Weihrauch.

Nach dem zweiten »So tretet ein!« Hy-sebaûs durchquerten wir die zweite Vorhalle.

Dann, am dritten Portal, kam nochmals die Frage:

»Wünscht Ihr und wollt Ihr wahrhaftig und mit reinem Herzen die Einweihung in die Mysterien der Dreiheit?«

Zum drittenmal gaben wir mit tiefer Verbeugung die gleiche Antwort.

Nochmals besprengten uns die Priester mit Wasser, Wein und Milch, beräucherten uns mit Weihrauch und Hy-sebaû, der Hohepriester, sprach endgültig das »So tretet ein!«.

Nach einer kurzen Opferzeremonie vor dem Allerheiligsten der Dreiheit von Men-nôfer führten uns Hy-sebaû und Beket-Amûn in einen kleinen, karg eingerichteten Raum, der aber vier bequeme Stühle und einen Tisch mit Wein, Wasser, Fruchtsäften, Obst und Gebäck aufwies und dem etliche kunstvolle Blumengestecke eine freundliche Note verliehen.

Während Hy-sebaû sich auf einem der Stühle niederließ, forderte er auch uns zum Sitzen auf und, falls wir Lust hätten, uns mit Getränken und Speisen zu bedienen.

»Wie ich von Beket-Amûn weiß«, begann der Hohepriester, »haben Sie beide bereits einen Teil der Einweihungen in Chemenu hinter sich gebracht. Das ist genug; denn sie alle zu durchlaufen würde wohl mehr als ein einzelnes Menschenleben erfordern.«

Ich schüttelte betrübt den Kopf.

»Ich fürchte, daß man Sie falsch informiert hat, Hy-sebaû. Zumindest ich habe in Chemenu keine Einweihungen durchschritten!«

»Nicht?« fragte der Hohepriester erstaunt. »Aber Sie haben doch als Knabe schon eine Weile in Chemenu gelernt, und später dann, während Ihrer Zeit in Achet-Aton, haben Sie vor allem Astronomie und Astrologie bei Setech-mose gehört.«

»Das ist schon richtig«, gab ich zu, »aber einer Einweihung wurde ich nicht für würdig befunden.«

Hy-sebaû lehnte sich vor, wobei ein freundliches Lächeln seine Lippen umspielte:

»Wie stellen Sie sich denn eine Einweihung vor?«

Ich überlegte.

»Ich weiß nicht so recht …«, meinte ich schließlich. »Ich stelle mir irgendwie vor …«

»… daß man nach Jahren strengster Askese«, half mir Hy-sebaû, »zunächst so lange reglos vor einer Palme sitzt, bis der eigene Geist zum Geist der Palme wird und man fähig ist, vollständig das Ich der Palme zu begreifen? Daß man dann zahllose schwierige und gefahrvolle Prüfungen ablegen muß? Daß einen schließlich psalmodierende Priester durch endlose, dunkle Tempelgänge geleiten, bis man reif ist, den hell erleuchteten Saal der Mysterien zu betreten, wo einem unter langatmigen Zeremonien endlich allerlei geheimnisvolle Weisheiten mitgeteilt werden?«

»Ja, so in etwa stelle ich mir das vor«, gestand ich.

Hy-sebaû mußte lachen. Es war ein warmherziges, ja, liebevolles Lachen:

»Die meisten Menschen stellen sich eine Einweihung so vor, und es gibt zweifellos viele Tempel und Kulte, die solche Übungen und Rituale praktizieren. In bestimmten Stufen der geistigen Entwicklung sind diese Formen auch gut, richtig und notwendig, doch sie sind lediglich Hilfsmittel, gewiß aber nicht das Ziel!«

»Was ist dann das Ziel?« fragte Mose.

»Die Vollkommenheit menschlichen Daseins«, antwortete Hy-sebaû schlicht.

»Und wie erreicht man sie?«

»Durch stetes Fortschreiten auf dem langen Weg der Entwicklung im Verlauf vieler, vieler Leben«, begann der Hohepriester geduldig zu erklären. »Zuerst muß ein Mensch lernen, die Materie seiner Umwelt zu beherrschen. Solange er ausschließlich nach Besitz, nach Macht, Ämtern und äußerlichen Ehren strebt, solange ist er unfähig, seinen Geist zu entwickeln. Das bedeutet nicht, daß ein geistig höher stehender Mensch unbedingt in Armut und Besitzlosigkeit leben muß, denn die schönen Dinge dieser Welt haben uns die Götter nicht als Versuchung in den Weg gestellt, sondern dazu, um uns an ihnen zu erfreuen.

Als nächstes dann muß ein Mensch lernen, seinen Körper zu kontrollieren. So lange er von Leidenschaften, von Gier, Zorn oder Wollust gebeutelt wird, solange kann der Geist nicht frei werden. Strenge Askese, Enthaltsamkeit und bestimmte Körperübungen können durchaus von dieser Abhängigkeit befreien. Doch diese sind wiederum nicht Selbstzweck, sondern nur ein Stück des Weges!

Es ist notwendig, die Gefühle zu beherrschen, aber es ist Unsinn, sie gänzlich ablegen zu wollen, denn auch sie sind uns von den Göttern als Geschenk gegeben.

Es gibt Schulen, deren höchstes Ziel es ist, den Körper so vollkommen zu beherrschen, daß die Schüler sich Spieße in den Leib treiben können, ohne daß Blut austritt, daß sie auf Nagelbänken sitzen, ohne sich zu verletzen oder Schmerz zu empfinden. Doch diese Leute sind einem gefährlichen Irrtum nahe, denn sie haben einen Weg zum Ziel gemacht.

Schlimmer noch ist, wenn sich jemand beispielsweise weigert, Zorn über Gemeinheit und Ungerechtigkeit zu empfinden, wenn er nicht mehr zu lieben bereit ist – ich meine nicht eine irgendwie verschwommene, allgemeine Menschenliebe, sondern die Liebe zu einer ganz konkreten Person –, wenn er nicht mehr in der Lage ist, die Umarmung mit einem geliebten Menschen, das körperliche Verschmelzen mit ihm lustvoll zu empfinden, dann ist solch ein Mensch nicht geistig entwickelt – er ist geistig tot!

Die Liebe ist das tiefste all unserer Gefühle, und die körperliche Liebe die mächtigste all unserer Leidenschaften. Gewiß, die Liebe, seelisch wie körperlich, schafft die stärksten Abhängigkeiten, und das mag auch der Grund sein, weshalb so manche Lehrer gegen sie ganz besonders heftig zu Felde ziehen. Doch auch sie wurde uns von den Göttern geschenkt! Und eben nicht als Versuchung und Prüfung, wie jene ›Lehrer‹ gerne behaupten, sondern als Vollendung unseres Ich im Du!

Zwar gibt es da Ausnahmen von Männern und Frauen, die sich ganz und ausschließlich ihrer geistigen Aufgabe verschrieben haben, doch weshalb glauben Sie, daß fast alle Religionsgemeinschaften ihren Priester, ja, sogar ihren hohen und höchsten Eingeweihten erlauben, mitunter sogar zwingend vorschreiben, verheiratet zu sein und eine Familie zu haben?«

Während Hy-sebaû sprach, war es mir, als würden dunkle Schleier, einer nach dem anderen, von meinen Augen weggezogen.

Natürlich hatte ich immer wieder die Worte jener Lehrer gehört. Doch ich hatte sie niemals mit meiner eigenen Vorstellung von den Göttern und ihrer Schöpfung in Einklang zu bringen vermocht. Nun rückte Hy-sebaû die Dinge an ihren richtigen Platz.

»Die Götter« rief der Hohepriester der Dreiheit zornig, »sind doch keine Ungeheuer, die unseren Weg mit Stolperstricken und Fallgruben gespickt haben, um uns ins Verderben zu stürzen!

Die Götter haben uns diesen Leib, sie haben uns die Schönheit der Natur gegeben. Sie haben uns die Freude an Musik, dem guten Essen, dem Wein, an schönen Dingen, an der Kunst, an den Annehmlichkeiten des Lebens ins Herz gepflanzt. Sie haben uns die Liebe, die geistige ebenso wie die körperliche, geschenkt!

Und das alles nur, um uns zu versuchen? Um uns ins Straucheln zu bringen auf unserem Weg zur Vollkommenheit?

Wahrlich, ich sage Euch, wer solches lehrt, der ist im besten Fall ein Narr! Im schlimmsten Fall aber der Abgesandte eines bösartigen Dämons, der die Wahrheit der Götter zu verfälschen trachtet, um uns ins Elend zu stürzen und zu verderben!«

Hy-sebaû holte tief Luft, um dann wieder ruhig weiterzusprechen:

»Auch Meditationen sind hervorragende Übungen, um den Verstand und die Gedanken beherrschen zu lernen. Worin anders sollte sonst der Sinn liegen, nach Wochen und Wochen der Konzentration, zur Palme zu werden? Aber auch sie sind nur ein Mittel zum Zweck.

Nicht anders ist es mit all jenen Riten und Zeremonien.

Zugegeben, ich liebe sie!

Nur zu gerne lasse ich mich vom Duft des Weihrauchs, von den Gesängen der Chöre tragen. Wenn ich durch einen dunklen Gang des Tempels dem hell erleuchteten Schrein einer Gottheit zuschreite, fühle ich, wie sich mein Herz ihrem unsichtbaren, geistigen Licht öffnet. Wenn ich mich verneige, mich zu Boden werfe, erlebe ich körperlich meine Demut vor denen, die größer sind als wir. Wenn ich meine Hände im Gebet erhebe, fühle ich ihre Kraft in mich einströmen.

Und trotzdem sind dies alles letztlich nur Gesten, Zeichen, Hilfen für das, was unser geistiges, innerstes Ich erfahren soll!«

»Was ist dann eigentlich Einweihung?« fragte Mose mit tiefem Ernst.

»Einweihung ist Lernen und Verstehen – nicht nur mit dem Verstand, sondern auch mit dem Herzen!

Ihre Ausbildungen in Chemenu waren Einweihung, auch wenn diese noch vornehmlich den Verstand und weniger das Herz berührten, weshalb das Haus allen Wissens auch nur als das geringste unter den Einweihungszentren Ägyptens gilt.

Liebe und Tod Ihrer Gemahlin Maket-Aton waren Einweihung!

Ihr Verzicht auf die äußere Macht, als Sie dem König Krone und Zepter des Mitregenten vor die Füße warfen, war Einweihung!

Die Hurenhäuser und die Straßenfeste in Uêset waren Einweihung!

Die Reisen durch Wawat und Kusch, durch Biau und Kanaan, Ihre Erlebnisse, die Menschen, mit denen Sie zusammentrafen, waren Einweihung!

Das Leben ist Einweihung!«

Der Hohepriester schwieg einen Augenblick, ehe er fortfuhr:

»Sie beide werden hier in diesem Tempel zu gewissen Anlässen Zeremonien und Riten erleben, Sie werden durch dunkle Gänge ins Licht schreiten, Weihrauchwolken werden Sie umschweben und Priesterchöre werden singen. Ihre wahre Einweihung in diesem Tempel wird jedoch sein, daß Sie das Wesen der Götter und ihrer Schöpfung in Ihrem Herzen zu verstehen lernen!«

Der nächste Tag gehörte nochmals ganz den Militärs.

General Hôr-em-Heb hatte selbstverständlich von der Rückkehr Moses und Je-schuas gehört und bat die beiden, im Stabshauptquartier vor den noch versammelten hohen Offizieren einen Bericht über die Zustände in Kanaan zu geben.

Angetan mit den Abzeichen ihres militärischen Ranges als Leutnants der Wagenkämpfer betraten also an diesem Morgen die beiden Freunde die große Halle und wurden mit freundlichem Applaus empfangen. Es war dann allerdings Je-schua, der den entsprechenden Vortrag hielt, während sich Mose darauf beschränkte, da und dort Ergänzungen und Anmerkungen einzuwerfen.

Schon mit seinem ersten Satz löste Je-schua allgemeine Aufmerksamkeit, bei manchen Offizieren freilich auch sofort Ärger aus:

»Eigentlich sollten wir König Akh-en-Aton Ua-en-Râ dankbar sein, daß er uns von To-nuter und Kanaan befreit hat!«

Als sich die Unruhe wieder einigermaßen gelegt hatte, fuhr Je-schua fort:

»Was hat der Besitz dieser Länder Ägypten eigentlich gebracht? Vor allem viel Wüste und Berge – davon haben wir selber reichlich. Dazu seit fast zwei Jahrhunderten beständigen Ärger – auf den wir gut verzichten können. Was an Korn, an Obst und Wein im Tal des Jordan und in den Küstenregionen angebaut, was dort an Vieh gezüchtet wird, verbrauchen die Bewohner im Lande selber – davon haben wir nichts. Die Stoffe, die in Kanaan hergestellt, und die Purpurschnecken, die an der Küste um Gubla gesammelt werden – brauchen wir nicht oder können sie, wenn wir sie wirklich haben wollen, kaufen. Die Handelswege und Karawanenstraßen nach Babylon und Mitanni und zu den Hatti ändern sich nicht, gleichgültig wem Kanaan und To-nuter offiziell gehören – darüber müssen wir uns nicht sorgen.

Vor allem aber ist dieses Land militärisch für Ägypten so wertvoll wie ein Kropf! Um Kanaan und To-nuter zu halten, bedurfte es in der Vergangenheit stets beträchtlicher Mengen an Truppen und Geld. Eingebracht hat es uns nur beständige Reibereien mit Babyloniern und Hatti, mit Mitanni und neuerdings Assur nebst zahllosen kleineren Wüstenstämmen wie Edomitern, Moabitern, Ammonitern, Jebusitern und Aboritern.«

Die Unruhe unter vielen der hohen Offiziere war inzwischen noch beträchtlich gewachsen, doch Je-schua ließ sich nicht aus dem Konzept bringen:

»Ich weiß sehr wohl, weshalb die ersten Könige unseres regierenden Herrscherhauses, vor allem dann auch der kriegerische König Tehuti-mose Men-cheper-Râ, Kanaan und To-nuter unter ihre Kontrolle zu bringen versuchten. Von dort waren einst die Horden der Chabiru nach Ägypten eingebrochen und hatten für einhundertfünfzig Jahre ihre verhaßte Fremdherrschaft errichtet. Der unbedingte Wille, dergleichen für alle Zukunft zu verhindern, trieb Tehuti-mose Men-cheper-Râ schließlich bis nach Karkemisch hinauf.

Doch so sehr ich persönlich den größten Feldherrn unserer Epoche bewundere, seine Idee war falsch, denn dieses Land gehört nicht zu Ägypten und wird nie zu ihm gehören!

Die Negeb-Wüste ist Ägyptens natürliche Grenze nach Osten. An dem seit der Vertreibung der Chabiru dort entstandenen Festungsgürtel zwischen Sinu, Zaru und Teku würde sich auch die größte Armee dieser Welt den Schädel einrennen, zumal, wenn dort zusätzlich jene zwanzig- bis dreißigtausend Mann stationiert wären, die Ägypten eigentlich benötigt, um die Unruheprovinzen Kanaan und To-nuter auch nur einigermaßen im Griff zu behalten!«

»Das ist allerdings, Wort um Wort, zutreffend!« ließ sich General Teka-her vernehmen.

Die Mehrzahl der versammelten Offiziere, die bislang nur die strengen Blicke von Prinz Nacht-Min und General Hôr-em-Heb an einem wütenden Protest gehindert hatten, waren verblüfft.

Was der junge Leutnant, auch wenn er sich auf der Militärakademie den Ruf einer gewissen Genialität erworben hatte, da vortrug, das ging den meisten von ihnen entschieden gegen Ehre, Tradition und Denkgewohnheit. Als Theorie mochte das Gesagte vielleicht gerade noch anhörenswert sein, doch erst die völlig unerwartete Zustimmung des alten, sturmerprobten Generals, der seit vielen Jahren das Kommando in jenem Festungsgürtel führte, gab Je-schuas Worten plötzlich Gewicht.

»To-nuter scheint ohnehin verloren zu sein«, mischte sich Oberst Heri-tjerut, der Kuschit, ein. »Und Sie meinen also, daß wir jetzt auch Kanaan endgültig räumen sollten?«

»Ja, das sollten wir!« bestätigte Prinz Mose und erhob sich. »Allerdings sollten wir uns dort auch einen zuverlässigen Freund schaffen, der stark genug ist, den ersten Stoß eines Feindes in Richtung Ägypten, sollte er je kommen, abzufangen.«

»König Azirhû von Amurru?« fragte Oberst Sechnu.

»Jeden, nur nicht diesen machtgierigen Verräter!« rief Mose entsetzt. »Er hat Babylon an die Assyrer und Mitanni an die Hatti verkauft, und er ist jederzeit bereit, Assyrer, Hatti, Mitanni und Babylon an Ägypten zu verkaufen oder auch umgekehrt, wenn ihm dies nur weiteren Zuwachs an Macht und Reichtum bringt!«

»An wen denken Sie dann?« fragte der Oberststallmeister Thai.

»Ich weiß es nicht«, gab Mose offen zu. »Doch sollte dies auch nicht unsere vordringliche Sorge sein.«

»Und stimmen Sie, Hoheit, wirklich mit dem überein, was Leutnant Je-schua da eben gesagt hat?« erkundigte sich Paatem-em-Heb, der Kommandant der Internationalen Garde.

»Voll und ganz! Und bedenken Sie auch dies: Kein Großreich hat allzu langen Bestand! Sobald ein Volk über seine naturgegebenen Grenzen hinausgreift, schwächt es seine innere Kraft! Ägypten ist das Land am Strom. Wawat und Kusch, wie wir am Strom gelegen, mögen wir als unseren von den Göttern gegebenen Einflußbereich betrachten. Vielleicht auch noch das nur durch einen schmalen Meeresarm von uns getrennte Biau mit seinen reichen Vorkommen an Kupfer, Türkisen und Malachit. Kanaan aber und gar To-nuter werden so wenig jemals zu Ägypten gehören wie die Kupferinsel Alaschja oder Achaia oder Babylon, selbst wenn wir die Macht hätten, sie zu erobern!«

Und so lehrte Hy-sebaû, der Hohepriester der Dreiheit von Men-nôfer:

»Am Anfang schuf Gott den ersten und ältesten aller Götter: Atum.

Atum war das Urlicht, war die ungeformte Urmaterie, war Mann und Frau in einem.

Atum zeugte und gebar die Uralten Götter.

Atum zeugte und gebar Geb und Nut, Schû und Tefnut.

Geb war der Gott der Erde und allen festen Landes, das sich aus dem Ungeformten Atums bildete. Geb aber zeugte das Leben, das alle Wesen auf dieser Erde erfüllt.

Seine Gemahlin war Nut, die Göttin des Himmels mit allen Sternen, die sich aus dem Ungeformten Atums bildeten, und Nut beuge sich über ihren Gemahl Geb von einem Horizont bis zum anderen. Aus dem Schoße Nuts aber ging der Mond hervor und aus ihrem Mund die Sonne.

Schû war die Luft, die den hoch gewölbten Leib Nuts mit ihren Händen stützt, und Schû war der Atem, der jedes Wesen auf Erden mit Leben und Kraft erfüllt.

Seine Gemahlin war Tefnut, die Feuchtigkeit, welche die Meere erfüllt, die Flüsse in ihren Betten, den Saft in den Bäumen und Kräutern und das Blut in den Adern der Menschen und Tiere zum Fließen bringt.

Geb und Nut zeugten und gebaren Ptah. Schû und Tefnut zeugten und gebaren Sachmet.

Und nach ihnen zeugten und gebaren Geb und Nut, Schû und Tefnut, die Uralten, all die anderen Götter.

Ptah, der Menschengestaltige, war der Schöpfer, der Länder und Meere, Pflanzen, Tiere und Menschen schuf und ihnen das Leben von Geb und Nut, von Schû und Tefnut einhauchte.

Seine Gemahlin Sachmet, die Löwenköpfige, aber war die Zerstörerin; denn alles, was geschaffen ist, muß irgendwann vergehen – und alles, was zerstört ist, wird irgendwann neu geschaffen.

So stehen sich Ptah und Sachmet seit Urbeginn gegenüber; denn was Ptah schöpft, zerstört Sachmet, und was Sachmet zerstört, schafft Ptah. So erscheinen sie als ewiger Gegensatz und sind doch eins. Denn ohne Werden gibt es kein Vergehen, ohne Vergehen kein Werden. Ohne Schöpfung gibt es keine Zerstörung, ohne Zerstörung keine Schöpfung. Ohne Geburt gibt es keinen Tod, ohne Tod keine neue Geburt.

Ptah zeugte und Sachmet gebar Chnum, den Schöpfer der Geschöpfe.

Chnum, der Widderköpfige mit den schönen Hörnern, formte auf seiner Töpferscheibe all die Geschöpfe, und er gab ihnen allen ihre Form und ihr Aussehen.

Chnum formte die Pflanzen, zuerst die einfachen Algen und Moose, dann die Gräser in ihrer Art, das Korn auf den Feldern und die Kresse im Brunnen und alle Kräuter. Er formte die mannigfaltigen Büsche, die hoch aufragenden, schattenspendenden Bäume und die bunt blühenden Blumen im Garten und auf den Fluren. Er gab den Melonen und Kürbissen, dem Lauch und den Zwiebeln und allen Früchten ihre Form.

Chnum formte die Insekten, die fleißige Biene und die gefräßige Heuschrecke, den schillernden Falter und die lästige Fliege, die nützliche Spinne und den giftigen Skorpion.

Chnum formte die Fische im Meer, im Fluß und im Teich und gab ihnen ihre Gestalt, den Hechten und Barben, den Schleien, Braschen und Sardinen die silbern glitzernden Schuppen, den Tintenfischen die saugnapfbewehrten Arme, den Krebsen die Scheren und den Haien die scharfen Zähne.

Chnum formte die Vögel des Himmels, die schnelle Schwalbe und die schön singende Lerche, den kühnen Falken, den Wiedehopf mit hohem Kamm, den majestätischen Adler, den kleinen Sperling, die fette Gans und die flatternde Fledermaus.

Chnum formte die Tiere nach ihrer Art, den treuen Hund, die kluge Katze, die sanfte Kuh und den starken Büffel, den gewaltigen Elefanten, den geduldigen Esel, die langhalsige Giraffe, das träge Nilpferd, die nützlichen Schafe und Ziegen, das gefährliche

Krokodil, das schnelle Pferd und den stolzen Löwen, die weise Schlange und den lustigen Affen.

Zuletzt aber formte Chnum auf seiner Töpferscheibe den Menschen, und er gab ihm die Form von Atum, dem ältesten der uralten Götter. So war der Mensch, den Chnum gebildet hatte, männlich-weiblich, zwei Menschen in einem.

Dann aber schnitt Chnum, der Uralte, den Menschen auf seiner Töpferscheibe in zwei Hälften, um den Menschen daran zu erinnern, daß er noch nicht vollkommen sei. Und er gab ihm zur Aufgabe, seine andere Hälfte zu suchen, und wenn er sie wieder gefunden habe, so sollte er mit ihr zusammen die Vollkommenheit erringen, um so aufzusteigen zu den Göttern.

Weil es aber die Aufgabe des Menschen ist, eines Tages so vollkommen zu werden, daß er aufzusteigen vermag zu den Göttern, deshalb ist der Mensch das höchste aller Geschöpfe auf dieser Erde, die Chnum auf seiner Töpferscheibe formte!«

Die Tage vergingen, aus den Tagen wurden Wochen, aus den Wochen Monate, und ich begann insgeheim zu hoffen, daß mich König Akh-en-Aton Ua-en-Râ vergessen hatte. Wir waren in ein größeres Haus am Stadtrand von Men-nôfer umgezogen, da sich Beket-Amûns Häuschen in der Priestersiedlung auf die Dauer doch als allzu klein und beengt erwiesen hatte. Mose lebte nun ständig bei uns, und Je-schua, inzwischen zum Hauptmann der Streitwagenkämpfer befördert, war ein so beständiger Gast, daß wir auch ihm einen eigenen Raum eingerichtet hatten. Während Ern und Necht in Achet-Aton die Stellung hielten so wie Sel in Uêset, war uns Serâu nach Men-nôfer gefolgt und leitete nun unseren Haushalt.

Hund schließlich hatte wieder sein unstetes Leben aufgenommen, wechselte von Men-nôfer nach Achet-Aton und weiter nach Uêset, hielt Augen und Ohren offen und versorgte uns mit all jenen Nachrichten, von denen er glaubte, daß sie uns möglicherweise irgendwann nützen könnten oder daß sie uns einfach interessieren mochten.

Auf diesem Wege erfuhr ich auch, daß meine geschiedene Gattin May einen babylonischen Kaufmann geheiratet habe und sich anschickte, ihrem neuen Gemahl in seine Heimat zu folgen.

»Da er mindestens jedoch genau so fett ist wie sie«, hatte Hund gelästert, »frage ich mich allen Ernstes, wie die beiden den Geschlechtsakt auszuführen gedenken ...«

Mir war es egal, und ich überraschte mich dabei, daß ich May sogar aus ehrlichem Herzen alles Glück für ihre Zukunft wünschte.

Auch meiner Tochter und Immer-noch-Gemahlin Merit-Ptah schien es nicht schlechtzugehen. Sie wurde zwar immer dürrer, grämlicher und scharfzüngiger, doch da wir uns seit jener Nacht nach meiner ersten Ankunft in Achet-Aton mit Königin Teje geflissentlich aus dem Weg gegangen waren, brauchte mich dies nicht zu stören. Mit dem Erbe meines Bruders Râ-mose und dem, was ihr von ihrem Vater, General Mei, hinterlassen worden war, hatte sie einen schwunghaften Geldhandel aufgezogen, und da sie für sich selber sparsam bis zur Knauserei war, zählte sie vermutlich mittlerweile zu den reichsten Frauen Ägyptens. Auch ihr wünschte ich alles Glück, auch wenn ich es vielleicht lieber gesehen hätte, wenn sie ein anderes Lebensziel gefunden hätte.

Auch meinen Vater Neby hatte ich lange nicht gesehen, doch wir wechselten regelmäßig Briefe. Unberührt von den Wirren, die das Reich mehr und mehr erschütterten, residierte er auf ›Weide der Rinder des Amûn‹, ließ sich von der Schar seiner Dienerinnen verwöhnen und las, wie er dies seit jeher getan hatte, hochgeistige Papyri.

Meine Tage in Men-nôfer verteilten sich zwischen dem Stabshauptquartier, dem Unterricht der Kadetten an der Militärakademie und dem Tempel der Dreiheit. Doch auch Beket-Amûn kam nicht zu kurz, und wir nahmen uns manchen Tag, vor allem in den kühleren Winter- und Frühjahrsmonaten, frei, um ins Delta zu reisen, meinen ehemaligen Hauptmann Nun und seine Familie und Freunde in Hat-uaret zu besuchen. Oder aber Per-Bast, die Katzenstadt mit dem herrlichen Heiligtum der Bast, vor deren Statue Mâ-au gewiß eine Viertelstunde reglos saß und sie mit ihren großen, grün-goldenen Augen betrachtete – gerade so, als würden die Gepardendame und die Katzengöttin für uns unhörbare Zwiesprache halten. Und vielleicht hatten sie es ja getan.

Im Stabshauptquartier hatten Hôr-em-Heb und ich behutsam damit begonnen, die Ratschläge Je-schuas in die Tat umzusetzen. Zwar verstärkten wir zunächst die Garnisonen in den größeren Städten, um vorläufig noch ägyptische Präsenz zu zeigen und die noch in Kanaan verbliebenen Bürger unseres Landes zu schützen, doch kleinere Standorte lösten wir nach und nach auf und zogen die Soldaten zurück. Das Ergebnis war besser als erhofft: Des gemeinsamen Feindes beraubt, fuhren sich Elamiter, Moabiter und Amoriter gegenseitig um so heftiger an die Gurgel, was wiederum die dort noch verbliebenen Ägypter dazu veranlaßte, mehr und mehr ihre Zelte in Kanaan abzubrechen und heimzukehren. Was uns wieder in die Lage versetzte, weitere Stützpunkte in aller Stille zu räumen.

Einen beträchtlichen Teil meiner Zeit verbrachte ich im Hat-Ka-Ptah, wo Hy-sebaû und Beket-Amûn Mose und mich tiefer und tiefer in die geistige Welt einführten. Hy-sebaû hatte es zwar bereits in unserem ersten Gespräch gesagt, doch erst im Lauf der Wochen wurde mir wirklich bewußt, daß es auf dem Weg der Einweihung tatsächlich keine streng gehüteten Geheimlehren gab. Wer zu lesen verstand, der konnte all dieses Wissen ohne großen Aufwand auf Tempelwänden und zahllosen Papyri geschrieben finden. Es war hier, wenn auch auf einer völlig anderen Ebene, genauso wie im Haus allen Wissens. Auch dort waren die zahllosen Aufzeichnungen über Mathematik, Astronomie, Medizin und ungezählte andere Gebiete ungehindert zugänglich gewesen – und doch waren nur jene zu Mathematikern, Sternkundigen oder Ärzten geworden, die bereit gewesen waren, sich mit ihrem Verstand, ihrem Herz, mit ihrem ganzen Selbst dem Studium einer dieser Wissenschaften zu widmen und die gewonnenen Erkenntnisse in ihrem Leben umzusetzen.

Schließlich hatte ich auf dem Übungsgelände der Militärakademie auch wieder meine militärisch-körperlichen Übungen aufgenommen, die in der Zeit in Achet-Aton doch sehr zu kurz gekommen waren: Bogenschießen, Speerwerfen, Laufen, der Umgang mit Schwert und Axt. Beket-Amûn hatte mich dazu gedrängt, denn sie meinte, ich würde diese Fähigkeiten vielleicht schneller benötigen, als mir lieb sei.

»Atum ist der erste und älteste aller Götter. Er zeugte und gebar Geb, die Erde, und Nut, den Himmel, Schû, die Luft und Tefnut, die Feuchtigkeit. Aus ihnen gingen hervor Ptah und Sachmet, der Schöpfer und die Zerstörerin, die Götter von Werden und Vergehen, Geburt und Tod, des Kreislaufes alles Seins. Und ihr Sohn wiederum ist Chnum, der Schöpfer und Former der Geschöpfe.«

Mose, der wieder einmal mit Beket-Amûn, Hy-sebaû und mir in jenem kleinen Raum im Tempel der Dreiheit von Men-nôfer saß, hielt inne: Dann fragte er:

»Wer aber sind die Götter Amûn und Hôr, Usîre und Maat? *Wer* sind sie und *was* sind sie? Und weshalb werden sie dargestellt in Tiergestalt oder in menschlich-tierischen Mischformen?«

»Um Ihre letzte Frage zuerst zu beantworten«, begann Hy-sebaû, »so vergessen Sie bitte nicht, daß die Götter geistige Wesenheiten sind. Wohl verfügen sie über einen Leib, doch dieser ist anders geartet als der unsere. *Sahu*, ›Verklärungsleib‹, nennen ihn die Eingeweihten von Per-Uzôjet.

In seiner Erscheinungsform ist dieser Leib dem unseren ähnlich, doch nicht gleich. Denn wenn auch der Mensch den Göttern am nächsten steht, so ist in den Göttern doch alles enthalten, was geschaffen ist, also auch Tier und Pflanze, Erde und Himmel und sogar die ungeformte Urmaterie Atums, wie ein wenig davon ja in uns allen steckt.

Wenn beispielsweise also Hôr mit einem Falkenkopf erscheint, so drückt sich darin das Wesen der Kühnheit, des Scharfblicks eines Falken aus.«

Der Hohepriester schwieg einen Augenblick, ehe er weitersprach:

»Jene Götter, die Sie nannten, Hôr, Usîre und Maat, zählen zu den ›Regierenden Göttern‹, oder ›Majestäten‹, wie wir sie auch nennen. Sie stehen unter den ›Uralten Göttern‹, doch weit über den Menschen.

Usîre und seine Gemahlin Êset sind die größten und ältesten der Regierenden Götter, und ihre Söhne sind Hôr und Setech.

Die Volkslegende, die Sie alle kennen, berichtet, Setech habe seinen Vater – manchmal nennt man ihn auch seinen Bruder – ermordet, seine Leiche zerstückelt und über ganz Ägypten verstreut. Setech wurde daraufhin für viele der Inbegriff des Bösen. Êset aber habe die Stücke wieder gesammelt, sie zusammengefügt und Usîre zu neuem Leben erweckt. Hôr schließlich, den Êset von dem toten Usîre empfangen hatte, erschlug Setech, rächte so seinen Vater und wurde zum Gott des ägyptischen Königtums.«

»Und was geschah wirklich?« fragte ich.

»Wie in allen Legenden«, antwortete Hy-sebaû, »steckt auch in dieser ein Körnchen der Wahrheit, freilich nur ein Körnchen! Usîre ist der Gott des Lebens, des Lebens auf dieser Erde ebenso wie jenes Lebens, das über das sichtbare, irdische Leben hinausgeht, weshalb man ihn auch als Totengott verehrt. Setech aber ist die Prüfung, das schicksalhaft notwendige Übel.

Wenn das Samenkorn nicht in die Erde fällt und stirbt, bringt es keine Frucht. Wenn es aber in die Erde fällt und stirbt, dann wird es tausendfältige Frucht bringen.

Usîre ist das Samenkorn, das von Setech in die Erde geworfen wurde, um zu sterben.

Êset aber ist die Erde, in deren Schoß das Samenkorn fiel und starb, um aus ihr zu neuem Leben aufzublühen und tausendfache Frucht zu bringen.

Hätte Setech – und darum wird er anderenorts hoch verehrt – das Samenkorn nicht in die Erde geworfen, es wäre ohne Frucht geblieben!

Hätte Setech Usîre nicht getötet, Usîre hätte nicht auferstehen können zu wahrem Leben, hätte nicht Vorläufer dessen werden können, den wir als den ›Verheißenen‹ erwarten!

Hôr aber, der Sohn der alles liebenden Göttin der Erde, Êset, und des Samenkorns, Usîre, wurde zum Herrn der fruchtbaren, schwarzen Erde des Stromtales, wie Setech Herr ist über die rote Erde der Wüste, sich ewig bekämpfend und doch ewig sich gegenseitig bedingend.«

Erneut machte Hy-sebaû eine kurze Pause, dann fuhr er fort:

»Maat ist die Göttin der Wahrheit und Gerechtigkeit, und Anûb, ihr Gemahl, der das Herz des Verstorbenen wiegt vor dem Totengericht, sowie Tehuti, der Gott alles Wissens, sind ihre ausführenden Hände.

Mehr aber noch sind Maat, Anûb und Tehuti die Achsen des Universums, die Drehpunkte aller göttlichen Ordnung.

Die Hüter der Weltecken, die Bewahrer der Weltordnung sind ihre acht Kinder, der menschenköpfige Amset und die menschenköpfige Êset im Norden, der paviánköpfige Hapi und die menschenköpfige Nefthet im Osten, der hundeköpfige Duamutef und die menschenköpfige Neith im Süden und schließlich der falkenköpfige Kebsenuf und die Skorpiongöttin Selket im Westen.

Sie alle zählen zu den Regierenden Göttern.«

»Ist denn Amûn, der Reichsgott, keiner der Regierenden?« fragte Mose überrascht.

»Nein«, antwortete Hy-sebaû, »Amûn, seine Gemahlin Mut und ihr Sohn, der Mondgott Chons, die Katzengöttin Bast, die Göttin der Liebe Hat-Hôr, der Gott der Künstler Nefer-tem und wie sie sonst noch alle heißen, sind ›Junge Götter‹.

Doch lassen Sie sich nicht täuschen durch die Bezeichnung ›jung‹! Auch sie sind äußerst mächtige Wesen, doch sind sie den Menschen noch nahe.

Während Atum uns so ferne ist, daß wir ihn kaum noch begreifen können, sind die Uralten die Herren alles Geschaffenen, des Universums und der Erde, der Pflanzen, Tiere, Menschen und der unter ihnen stehenden Götter. Die Regierenden, die Majestäten, formen und ordnen diese Welt, die Jungen Götter aber leiten und lenken das Schicksal der Völker und der Menschen, wie der Mensch das Schicksal von Tier und Pflanze lenkt.«

Erneut hielt Hy-sebaû inne.

»Am nächsten freilich« brachte er seine Erklärungen zu Ende, »sind uns die ›Kleinen Götter‹. Der freundliche, zwergenhafte Bes, der Haus und Hof beschützt, die liebenswerte Nilpferdgöttin Tau-ret, die Schutzherrin der Schwangeren, oder Seschat, die Herrin der Schrift. Zu den Kleinen Göttern müssen wir auch die vergöttlichten Weisen Im-hotep und Ptah-hotep aus dem Alten Reich zählen, und aus unserer Zeit den großen Sohn des Hapu.«

»Im-hotep, Ptah-hotep, der Sohn des Hapu«, fragte Mose nach, »*zählen* wir sie zu den Kleinen Göttern oder – *sind* sie es?«

»Sie *sind* es!« bestätigte der Hohepriester. »Sinn und Ziel jedes geschaffenen Wesens ist seine Vervollkommnung. In Laufe von ungezählten Leben steigt ein Lebewesen, eine Seele, auf von der Pflanze zum Tier, vom Tier zum Menschen. Wenn diese Seele dann alles gelernt, alles durchlebt hat, was sie als Mensch erfahren und erleben konnte, dann steigt sie auf in jene Hierarchie, die wir die Kleinen Götter nennen, und in Äonen entwickelt sie sich weiter zum Jungen Gott, zum Regierenden Gott und schließlich zur Uralten Gottheit.«

2. Papyrus

DIE LEERE
ATONS

König Akh-en-Aton Ua-en-Râ
17. Regierungsjahr und
König Semench-Ka-Râ Anch-cheperu-Râ
4. Regierungsjahr

Über ein Jahr hatten uns die Götter geschenkt, in dem wir, fernab der Hauptstadt, unser Leben in Men-nôfer hatten genießen können. Wir schrieben inzwischen das 17. Regierungsjahr unseres Königs Akh-en-Aton Ua-en-Râ und das 4. Regierungsjahr König Semench-Ka-Râs*.

Beket-Amûn hatte es vorausgesagt, und so wurde ich nicht allzu sehr überrascht, als sich Anfang des 4. Monats der Überschwemmung die Ereignisse erneut zu überstürzen begannen.

* 1350 v. Chr.

Es fing an, als Beket-Amûn, Mose und ich eines Abends aus dem Hat-Ka-Ptah in unser neues Haus am westlichen Stadtrand von Men-nôfer, knapp unterhalb des Tempelbezirks mit der Stufenpyramide des Königs Djoser Netscheri-Chet, zurückkehrten. Ich hielt wie üblich vor dem Gartentor, und fast augenblicklich war unser Nachbar Schet zur Stelle, um mir die Zügel abzunehmen, die Pferde in ihren Stall zu führen, sie auszuschirren, abzutrocknen und zu versorgen.

Von Schet, der eine gutgehende Herberge und ein exquisites Speiselokal nebenan betrieb, hatten wir nicht nur unser derzeitiges Haus gemietet, sondern auch in seinen Stallungen die Plätze für meine sechs Libu-Rappen und die beiden To-nuter-Schecken, die mir der König geschenkt hatte, dazu für ihre mittlerweile fünf schwarz-weißen Nachkommen, die, wie einst der König gehofft hatte, tatsächlich die Schnelligkeit und das Temperament meiner Rappen mit der Zähigkeit und der Ausdauer der Schecken verbanden.

Wir waren abgestiegen, hatten noch ein paar freundliche Worte mit Schet gewechselt, ehe er Pferde und Wagen in die Ställe führte, und wollten eben durch das schmale Tor unser Anwesen betreten, als sich ein Mann von der Umfassungsmauer löste, an die er sich wartend gelehnt hatte:

»Hoheiten! General …«

Wir waren verblüfft. Der Mann, der sich leicht vor uns verneigte, war kein anderer als der ›Gottvater‹ Eje, der bis zum Sturz seiner Tochter Nofret-ête nahezu allmächtige Schatten hinter dem Thron des Königs!

»Ich habe nicht die Absicht, Sie zu stören«, erklärte er mit verhaltener Stimme. »Aber dürfte ich Sie, Hoheit, Prinzessin Beket-Amûn, Sie, Hoheit, Prinz Tehuti-mose, und Sie, General Amûn-hotep, herzlichst bitten, morgen abend einer Einladung in das Haus meines Schwiegersohnes, des Generals Hôr-em-Heb, zu folgen? Außer Ihnen werden noch Prinz Nacht-Min, mein Schwiegersohn und ich anwesend sein.«

Beket-Amûn gab ihre Zustimmung für uns alle.

Als sie, wenn auch ein wenig verkrampft, Eje einlud, unser Haus zu betreten, lehnte dieser höflich ab. Ein paar Herzschläge später war er um die Mauerecke des Grundstückes verschwunden, und der harte Hufschlag von Pferden und das Davonrollen eines Wagens zeigten uns an, daß der ›Gottvater‹ zumindest nicht zu Fuß seine Einladungen austrug.

Natürlich waren wir höchst gespannt, als wir am nächsten Abend dem Haus Hôr-em-Hebs zurollten. Das von einer hohen Mauer umgebene Anwesen des Generals lag in einem der südlichen Villenvororte von Men-nôfer und hielt sich, was die Größe des Haupthauses, die Anzahl der Stallungen, der Wirtschaftsgebäude und Häuser der Bediensteten anbelangte, ebenso wie in der Weitläufigkeit des gesamten Grundstückes gerade noch unter der Grenze neureichen Protzentums.

Ich war schon zweimal Gast im Haus Hôr-em-Hebs gewesen, doch als wir von Dienern in den Garten geleitet wurden, konnte ich mir erneut ein Schmunzeln nicht ganz verkneifen. Der Garten sah aus wie ein Kasernenhof, nur daß die Offiziere stramm aufgerichtete, sauber gestutzte Obstbäume waren. Die Beerensträucher hatten sich ordentlich im Karree aufgestellt und spendeten den peinlich genau in Linie ausgerichteten Lauch-, Rüben-, und Zwiebel-Rekruten den notwendigen Schatten. Weiter im Hintergrund rankten sich die Kompanien der Bohnen und Erbsen um ihre Speerstangen, und daneben waren mehrere Regimenter Kohlköpfe zum Appell angetreten. Selbst die vereinzelten kleinen Blumengrüppchen schienen strammzustehen und brachten eben einmal soviel Farbe in das Bild wie Spielleute und Standartenträger in das Bild einer ordentlichen Armee.

Hôr-em-Heb begrüßte uns zeremoniell mit der ihm eigenen etwas steifen Höflichkeit und führte uns dann zu der einzigen Abirrung in diesem Kasernenhof-Garten, einem auffallend großen künstlichen Teich. Selbstverständlich war dieser Teich streng quadratisch, mit gelben Kalksteinplatten eingefaßt und von jeder Art Wildwuchs befreit. Trotzdem paßte er irgendwie nicht, denn sein einziger Nutzen bestand darin, ein Teich zu sein. Und die grünlichen und rötlichen Zierfische – welche Hôr-em-Heb anscheinend noch nicht dazu gebracht hatte, wenigstens in Formation zu schwimmen – konnte man nicht einmal essen.

Unterdessen geleitete uns der Hausherr zu einer gepflasterten Terrasse am hinteren Ende des Teiches, wo sich sieben Stühle um einen etwas klobig geratenen Tisch gruppierten, der sich unter den Schalen, Schüsseln, Platten und Körben mit verschiedenem Fleisch, Gemüse aller Art, Obst, Brot und Feingebäck förmlich schon bog.

Als wir näher kamen, erhoben sich Prinz Nacht-Min und der ›Gottvater‹ Eje, um uns angemessen zu begrüßen, und als letzte hieß uns auch Mut-nodjemet willkommen.

Ich hatte die jüngere Tochter Ejes und Schwester Nofret-êtes nur das eine Mal gesehen, als sie lediglich mit viel Schmuck und ihrer eigenen Haut bekleidet im Garten des Nördlichen Palastes zu Achet-Aton ihren Tanz vor dem König und seinen Höflingen aufgeführt hatte. Seinerzeit hatte ich die wutschnaubende Reaktion ihres Vaters nur teilweise verstanden, bis ich erfahren hatte, daß Mut-nodjemet schon mehrfach der Mittelpunkt höchst deftiger Skandale gewesen war. Der letzte war damals erst wenige Wochen zurückgelegen. Während einer großen Opferfeier im Tempel des Aton war Mut-nodjemet neben dem Altar des Zweiten Erzpriesters des Aton, Sahu-Aton, erschienen, hatte sich blitzschnell ausgezogen, auf den Altar gesetzt, die Beine gespreizt und den Priester aufgefordert, doch am hellichten Tag das mit ihr zu wiederholen, was er in der Nacht zuvor mit ihr getrieben habe. Sahu-Aton war schleunigst aus dem Tempel und aus Achet-Aton entfernt worden, und Eje hatte seine jüngere Tochter wieder einmal eingesperrt, doch wie üblich war es ihr damals recht schnell gelungen, erneut zu entwischen.

Offenbar war eine Verwandlung mit ihr vorgegangen, seit Mut-nodjemet mit Hôr-em-Heb verheiratet worden war. Seit sie in Men-nôfer lebte, hatten auch die scharfäugigsten und scharfzüngigsten Klatschmäuler nicht den Hauch eines ungehörigen Betragens an ihr entdecken können. Im Gegenteil schien sie Hôr-em-Heb aufrichtig zu lieben und eine wirklich hingebungsvolle Gattin geworden zu sein.

Während wir uns setzten, hatte ich Zeit, Mut-nodjemet genauer in Augenschein zu nehmen. Seit unserer letzten Begegnung war der Schmuck erheblich weniger, die Textilien dafür erheblich mehr geworden. Sie trug ein knöchellanges Kleid aus kuschitischer Baumwolle mit einem feinen, grün-schwarz-roten Rhombenmuster, das zwar völlig undurchsichtig, allerdings doch so eng war, daß es der Phantasie wenig Spielraum ließ. Sie verfügte über einen ähnlich statuenhaft vollkommenen Körper wie ihre Schwester Nofret-ête, den langen, biegsamen Hals und die fein geschnittenen Gesichtszüge, doch die ihren waren ein wenig weicher und runder. Sie war eine unbestreitbar schöne Frau; trotzdem hatte sie mit ihrer Schwester wohl nie wirklich konkurrieren können – vielleicht ein Grund für ihre Skandalauftritte damals in Achet-Aton.

Ein Unterschied jedoch zu Nofret-ête fiel mir besonders auf: ihre Augen. Mut-nodjemet hatte die warmen, braunen Augen ihrer Mutter Tiê – freundlich, ehrlich und fast sogar ein wenig schüchtern. Nofret-ête hingegen hatte die schwarzen, harten Diamantaugen von ihrem Vater Eje geerbt, nur daß dieser sie zumeist hinter seinen verächtlich halb geschlossenen Liedern zu verstecken pflegte.

General Hôr-em-Heb mochte ein harter, kühler Mann sein, dessen unerschütterliche Disziplin manchmal sogar zum Lächeln reizen mochte; ein schlechter Gastgeber war er ganz gewiß nicht!

Zwei Stunden hatten wir uns, belanglos plaudernd, die Bäuche mit allerlei Leckerbissen vollgestopft und schon so manchen Becher Wein geleert – Hôr-em-Heb selber aß ausschließlich Gemüse und Obst und trank dazu klares Wasser –, als er höflich aber bestimmt den ›Gottvater‹ Eje dazu aufforderte, zu erklären, weshalb er uns zu dieser Unterredung gebeten habe.

»Der König ist krank«, begann Eje. »*Sehr* krank!«

»Das ist er seit Jahren«, bemerkte Prinz Nacht-Min trocken.

Der ›Gottvater‹ schüttelte leicht den Kopf:

»Der königliche Leibarzt Pentû gibt Akh-en-Aton Ua-en-Râ höchstens noch ein halbes Jahr! Nein«, wehrte Eje sofort jeden

Einwand ab, »Pentû hat nicht geplaudert, er würde das niemals tun, aber ein Wort hier, eine Bemerkung da, die Tatsache, daß ihn Seine Majestät kaum noch von seiner Seite läßt …«

»Weiß mein Bruder, wie es um ihn steht?« fragte Beket-Amûn.

»Ein bißchen ja – vor allem aber nein!« erklärte Eje. »Er weiß es irgendwie – aber will es nicht wissen!«

»Und falls dem tatsächlich so wäre?« fragte Hôr-em-Heb.

Ejes Blick glitt über uns, schien jeden von uns nacheinander aufspießen zu wollen:

»Haben Sie sich jemals gefragt, was nach Akh-en-Aton sein wird? Haben Sie sich jemals gefragt, wer nach ihm die Kronen von Ober- und Unterägypten tragen wird? Haben Sie sich jemals gefragt, wie es weitergehen soll?«

Einen Augenblick machte der ›Gottvater‹ Eje eine Pause, dann gab er selber die Antwort: »Natürlich haben Sie es! Sie, Prinz Mose, sind der Wahre und einzige Hôr-im-Nest und daher …«

»Nein, das bin ich nicht!« widersprach Mose ruhig. »Ich habe dem König die Kronen der Beiden Länder vor die Füße geworfen und damit …«

Eje hob Einspruch erhebend die Hand und berichtigte:

»Sie haben dem König die Kronen der Mitregentschaft vor die Füße geworfen! Wahrer und einziger Hôr-im-Nest sind Sie jedoch kraft Ihrer Geburt, Ihrer Ernennung dazu durch Seine Majestät, König Amûn-hotep Neb-Maat-Râ Usîre, Ihren Vater, und durch das Erbrecht Ihrer Mutter, der Großen Königsgemahlin Sat-Amûn! Sie könnten zwar – was wahrlich niemand hofft – auf die Kronen verzichten. Wahrer und einziger Hôr-im-Nest aber mit allen Rechten und legitimen Ansprüchen auf die Throne und Kronen von Ober- und Unterägypten sind Sie, und Sie werden es Ihr ganzes Leben lang bleiben! Sie sind mit diesem Rang geboren, Prinz Mose, und Sie werden ihn innehaben bis zu Ihrem Tod! Sie werden Ihn nicht abschütteln können, gleichgültig was immer Sie tun und was immer geschehen mag!«

Mose hatte mit sehr ernstem Gesicht den eindringlichen Worten des ›Gottvaters‹ gelauscht.

»Und wenn ich«, fragte er, »die Kronen trotzdem ablehne?«

»Dann könnten entweder Prinzessin Beket-Amûn mit General Amûn-hotep als Gemahl die Nachfolge König Akh-en-Aton Ua-en-Râs antreten. Oder auch Prinz Tut-anch-Aton, der Sohn des Königs mit Prinzessin Kija, der freilich den Nachteil hat, noch sehr, sehr jung zu sein. Im Notfall, wenn Sie eine der Töchter des Königs zur Gemahlin nehmen würden, kämen sogar Sie, Prinz Nacht-Min, in Betracht.«

Mose sah Beket-Amûn, Nacht-Min und mich der Reihe nach an, und als er unsere ablehnenden Mienen sah, machte sich leichte Verzweiflung in seinen Zügen breit.

»Was ist mit Semench-Ka-Râ, der ohnehin schon Mitkönig ist?« erkundigte sich Mut-nodjemet.

»Seinetwegen bin ich nach Men-nôfer gekommen«, tat Eje kund. Der ›Gottvater‹ lehnte sich vor, fixierte uns mit seinen glühend schwarzen, in diesem Moment ausnahmsweise voll geöffneten Augen, senkte seine Stimme fast zu einem Flüstern:

»Dieser Mensch darf niemals – *niemals* – die wahre Macht eines Alleinherrschers auf dem Doppelthron des Goldenen Hôr in die Hände bekommen!«

»Ist er – so schlimm?« fragte Mut-nodjemet erschreckt.

»Weit schlimmer, als irgendein Mensch in Achet-Aton, geschweige denn hier in Men-nôfer, ahnt!« gab Eje zur Antwort und fuhr fort:

»Daß er anmaßend, hochfahrend und über jedes Maß hinaus eitel ist, wäre verzeihlich. Er wäre nicht der erste König mit diesen Eigenschaften.

Daß er ungebildet, dumm und beeinflußbar ist, wäre kein Problem. Man müßte ihn eben mit den richtigen Beratern und Ministern umgeben.

Daß er homosexuell ist, brauchte nicht weiter zu stören. Es stehen genug geeignete Männer bereit, um mit Merit-Aton einen legitimen Nachfolger zu zeugen. Dergleichen geschähe schließlich nicht zum erstenmal!

Daß er zutiefst lasterhaft ist, zudem der aus den Kapseln des Mohns gewonnenen Rauschdroge verfallen, könnte man zumindest nach außen, dem Volk gegenüber, verheimlichen.

Aber er ist mehr als dies alles!

Semench-Ka-Râ ist wahnsinnig! Er ist ein unberechenbarer, bösartiger und auch noch zunehmend blutrünstiger Irrer!

Es fällt mir nicht leicht, dies über meinen Schwiegersohn zu sagen, doch König Akh-en-Aton Ua-en-Râ hat gewiß schwere, ja, unverzeihliche Fehler gemacht, die Ägypten an den Rand des Abgrundes geführt haben. Doch er machte diese Fehler um des Glaubens an seinen ›Vater‹ Aton willen.

Semench-Ka-Râ hingegen würde das Reich, so er je echte Macht hätte, gezielt und mit vollem Bewußtsein in diesen Abgrund stürzen!«

Es trat ein langes Schweigen ein, als Eje geendet hatte.

Mose saß reglos, seinen Schlangenstab an die Schulter gelehnt, den Blick in eine unerforschliche Ferne gerichtet. Beket-Amûn hatte sich ein wenig vorgelehnt und beobachtete ihn aufmerksam. Nacht-Min und ich beschäftigten uns mit unseren Weinbechern, und Mut-nodjemet zerbröselte achtlos ein Stück Honigkuchen zwischen ihren Fingern.

Schließlich war es General Hôr-em-Heb, der das Schweigen durchbrach: »Was wollen Sie also von uns, ›Gottvater‹ Eje? Wozu sind Sie nach Men-nôfer gekommen?«

»Die Offiziere wären schon jetzt bereit zu einem Staatsstreich«, wurde Eje deutlicher und wehrte sofort unseren Protest ab: »Ich weiß es! Und unter gewissen Voraussetzungen billige ich es auch. Was ich hier zu erfahren hoffe, sind Ihre endgültigen Entscheidungen.«

»Das Einzige, wofür wir uns entschieden haben – der Hôr-im-Nest Mose, Prinzessin Beket-Amûn, General Amûn-hotep, General Hôr-em-Heb, die hohen Offiziere des Reiches und ich –«, antwortete Nacht-Min ruhig, »das ist, niemals und unter keinen Umständen unseren Eid zu brechen, den wir diesem Königshaus geschworen haben!«

Eje verneigte sich leicht vor uns:

»Sie sind also entschlossen, selbst unter den widrigsten, den verwerflichsten Umständen an den Buchstaben des Gesetzes festzuhalten, auch wenn dies bedeutet, daß ein wahnsinniges Ungeheuer die Throne von Ober- und Unterägypten besteigen wird?«

Nacht-Min starrte Eje aus seinen düsteren Augen an. »Wenn

dieses ›wahnsinnige Ungeheuer‹, wie Sie es nennen, der rechtmäßige König ist, dann werden wir allerdings so handeln müssen, weil wir nicht anders handeln dürfen und können.«

Eje zog interessiert und gleichzeitig ein wenig spöttisch die Augenbrauen hoch.

»Hörte ich richtig, daß die Betonung Ihrer Erklärung auf dem Wort ›rechtmäßig‹ lag?«

»So ist es!« bestätigte der Prinz.

»Dann werden Sie mir als Oberrichter der Oberrichter und damit Erster Gesetzeshüter des Reiches gewiß gleich erklären, wie Sie die Rechtmäßigkeit Semench-Ka-Râs begründen.«

»Er ist der gekrönte Mitkönig Akh-en-Aton Ua-en-Râs«, erklärte der Prinz. »Zwar wurden einige Teile des Zeremoniells, etwa die Krönung durch Hôr und Setech als Herren der schwarzen und der roten Erde, durch irgendwelche Aton-Zeremonien ersetzt, doch die wirklich wichtigen Bestandteile – die ›Erscheinung der Könige von Ober- und Unterägypten‹, der ›Lauf um die Mauer‹ und sogar die ›Heilige Hochzeit‹ – fanden statt; was immer bei letzterer hinter dem geschlossenen Vorhang geschehen oder vor allem auch nicht geschehen sein mag. Semench-Ka-Râ ist insoweit unser rechtmäßiger König.«

Ejes Augenbrauen hoben sich noch eine Winzigkeit höher:
»›Insoweit‹ …?«

»Insoweit, als die Rechte des Wahren und einzigen Hôr-im-Nest Tehuti-mose eindeutig älter und höherrangig sind!«

»Also könnte«, vergewisserte sich Eje, »allein Prinz Mose Ägypten vor diesem Irrsinnigen retten?«

»Das ist zutreffend«, bestätigte Nacht-Min.

»Prinz Mose oder …«, schien der ›Gottvater‹ nachzusinnen, »oder ein ebenso allmächtiger, ebenso vergöttlichter Mann wie der Sohn des Hapu!«

Für einen Augenblick sah es so aus, als wolle Eje noch etwas sagen, doch dann erhob er sich, dankte uns für das Gespräch und hatte wenig später den Garten verlassen.

Der abrupte Aufbruch des ›Gottvaters‹ hatte uns andere ein wenig verwirrt zurückgelassen.

»Was wollte er nun eigentlich?« fragte Mose verblüfft. »Oder anders ausgedrückt: Was wollte er wirklich? Uns aushorchen? Unser Vertrauen gewinnen? Ist das etwa Teil irgendeines Planes? Oder …«

Überraschend gab Mut-nodjemet eine Antwort:

»Es ist zweifellos Teil eines Planes! Alles, was mein Vater tut oder nicht tut, was er sagt oder nicht sagt; ob er öffentlich hervortritt oder, wie meist, im Hintergrund die Fäden zieht; ob er mit den zahllosen Ehrungen, die ihm der König zuteil werden läßt, lauthals prahlt oder jedes Amt, das ihm reale Macht verleihen würde, scheinbar bescheiden ablehnt; daß er Nofret-ête mit Akh-en-Aton verheiratet hat oder mich mir dir, Hôr-em-Heb«, dabei legte sie zärtlich die Hand auf den Arm ihres Gemahls, »all das sind Teile eines Planes, den er seit gewiß über zwanzig Jahren zielstrebig verfolgt.«

Hôr-em-Heb tätschelte ein wenig unbeholfen die Hand Mut-nodjemets:

»Und weißt du auch, was das für ein Plan ist? Was er damit erreichen will?«

Mut-nodjemet zuckte traurig mit den Schultern.

»Ich habe meinem Vater nie nahe gestanden«, sagte sie. »Er hat es mir bitter verübelt, daß ich kein Sohn geworden bin, zumal meine Mutter Tiê nach meiner Geburt keine weiteren Kinder mehr bekommen konnte. Wenn mein Vater je mit irgendeinem Menschen über seine Pläne gesprochen hätte, dann wäre das ganz gewiß nicht ich gewesen! Und ganz gewiß ebenso wenig meine Mutter, der König oder sonst ein Mensch, den ich kennen würde. Selbst seinen erklärten Liebling, Nofret-ête, hat er wohl nur in einige, wenige Teile eingeweiht.«

»Ist es eigentlich zutreffend«, fragte Beket-Amûn, »daß Nofret-ête dem König die Idee des Aton-Kultes eingeblasen hat?«

Und Mose fügte hinzu: »Wir haben schon mehrfach und von verschiedenen Seiten Andeutungen dieser Art gehört.«

Mut-nodjemet grübelte eine Weile vor sich hin, ehe sie antwortete:

»Prinz Amûn-hotep – so hieß der König damals ja noch – hatte wohl immer schon ganz besonders die Sonne verehrt, sie als seine persönliche Gottheit betrachtet. Vielleicht wollte er sich damit ein wenig absetzen von seinem Vater Amûn-hotep Neb-Maat-Râ, seiner Mutter Teje und seinem älteren Bruder, dem damaligen Hôr-im-Nest Tehuti-mose, die alle vornehmlich Anhänger des Reichsgottes Amûn waren. So forderte er die Einweihung in die Mysterien des Râ in Onû, doch Neter-duai, der Große Seher, wies ihn ab.«

»Weshalb eigentlich?« fragte ich Beket-Amûn, die schließlich nicht nur Erste Prophetin der Dreiheit von Men-nôfer, sondern auch Erzpriesterin und Prophetin des Râ in Onû ist.

»Er war labil und unreif!« gab Beket Amûn Auskunft. »Zudem hat er sich strikt geweigert, erst einmal die notwendigen Stufen in Chemenu und Men-nôfer zu durchlaufen. Er hat sogar versucht, Neter-duai mit seinem Rang als königlicher Prinz unter Druck zu setzen, die Einweihung zu erzwingen! Der Große Seher tat gut daran, ihm die Einweihung zu verweigern und ihn, als er völlig uneinsichtig auf seinem Willen beharrte, des Tempels zu verweisen!«

»Offenbar hat er sich damals«, fuhr Mut-nodjemet fort, »tief beleidigt, nach einem Sonnengott umgesehen, der keinen Tempel, keine Priesterschaft und keine Einweihungen besaß, um ihn zu seinem ureigenen, persönlichen Sonnengott zu machen – und hat diesen in Aton gefunden.«

»Einem Gott, der kein Gott ist«, merkte Beket-Amûn leise an.

Doch ehe wir uns nun in theologischen Fragen verloren, mischte sich Nacht-Min wieder ein:

»Was aber ist dann an jenen Behauptungen, Nofret-ête habe dem König Aton als seinen ›Vater‹ gezeigt?«

»Nichts!« widersprach Mut-nodjemet entschieden, gab jedoch gleichzeitig zu, daß Nofret-ête manches, ja, sogar vieles zur Ausformung des Aton-Glaubens beigetragen hatte. »Ohne Zweifel«, sprach die Gemahlin Hôr-em-Hebs weiter, »war meine Schwester die treibende Kraft, als es darum ging, Aton als einzigen Gott auszurufen, die Tempel der anderen Götter zu schließen und ihre Priesterschaften zu ächten, die Götternamen auszutilgen und die Residenz nach Achet-Aton zu verlegen. Ohne Zweifel trägt Nofret-ête auch ein Gutteil Schuld an dem Chaos, das der ›Friedensfürst des Aton‹ in Wawat, Kusch, To-nuter und Kanaan angerichtet hat. Aber ... aber ...« Mut-nodjemet geriet plötzlich ins Stammeln, und zwei Tränen kullerten über ihre Wangen. » ... ich sollte nichts gegen sie sagen! Ich bin wohl einfach nur neidisch auf sie ... weil sie ... so wunderschön ist!«

Hôr-em-Heb legte seinen Arm mit solch einer Behutsamkeit um die Schultern seiner Gemahlin, zog sie mit solch einer Zärtlichkeit an sich, wie ich sie diesem Mann niemals zugetraut hätte.

»Du bist ebenso schön wie sie – und deine Augen sind sogar sehr viel schöner als ihre!« beruhigte er sie leise und forderte sie dann freundlich zum Weitersprechen auf.

»Nofret-ête ist ... ist eigentlich ziemlich dumm!« platzte Mut-nodjemet heraus und sprudelte sofort weiter: »Nein, nicht wirklich dumm! Aber die ganze Lehre von dem ›alleinzigen und Leben spendenden Aton‹, Akh-en-Aton als der verheißene ›Friedenskönig‹, die ›Kunst der Wahrheit‹ – das und all das andere, das kann sie sich niemals selber ausgedacht haben! Dazu reicht ihr Verstand nicht aus!«

»Genausowenig wie der Verstand des Königs!« fügte Nacht-Min trocken an.

Für einen Augenblick verharrten wir schweigend. Mut-nodjemet und Nacht-Min hatten eben das ausgesprochen, was wohl jedem von uns schon öfter durch den Kopf gegangen war.

»Fassen wir doch einmal zusammen«, schlug Hôr-em-Heb schließlich vor und zählte auf:

»Nach seiner Abweisung in Onû sucht und findet Prinz Amûn-hotep, unser jetziger König Akh-en-Aton Ua-en-Râ, seinen privaten Sonnengott: Aton.

Nicht allzu viel später wird er, nach dem Tod seines Bruders, Hôr-im-Nest und heiratet als zweite Gemahlin Nofret-ête.

Zu dieser Zeit beginnt sich seine zunächst verschwommene Aton-Idee zu einer ausgefeilten, gleichzeitig höchst engherzigen und fanatischen Lehre zu entwickeln. Daß Nofret-ête dabei eine entscheidende Rolle spielte, dürfte über jeden Zweifel erhaben sein. Doch kann sie, wie du meinst, Mut-nodjemet, nicht die Erfinderin, allenfalls die Übermittlerin dieser Lehre gewesen sein ...«

»Also muß der Schöpfer des allmächtigen, alleinzigen, alles Leben spendenden Aton der ›Gottvater‹ Eje gewesen sein!« schloß Prinz Nacht-Min.

»Ejes großer Plan ist also seine Lehre Atons ...«, rief Hôr-em-Heb.

»Nein!« unterbrach ihn Mut-nodjemet. »Mein Vater gibt sich zwar äußerlich den Anschein, ein glühender Anhänger Atons zu sein. Doch wenn er sich unbeobachtet glaubt, dann lacht er über Aton und seine Lehre!«

Jetzt waren wir wirklich verblüfft und konsterniert.

»Aber weshalb dann?« fragte Nacht-Min.

»Um seine Tochter in das Bett des damaligen Hôr-im-Nest zu bringen, um sie zur Ersten Nebenfrau des Königs, nicht einmal um sie irgendwann zur Großen Königsgemahlin zu machen, hätte es dieses Aufwandes bedurft«, stellte ich fest.

»Gewiß nicht!« stimmte mir Mose zu. »Auch hat der Sturz und die Verbannung Nofret-êtes offenkundig seinem geheimen Plan nichts anhaben können – wenn es diesen Plan denn tatsächlich geben sollte.«

»O doch, es gibt ihn!« widersprach Mut-nodjemet sofort heftig. »Ich ahne nur nicht, wie er, auch nur im Ansatz, aussehen könnte!«

Unser aller Augen richteten sich auf die Erste Prophetin der Dreiheit von Men-nôfer.

Doch Beket-Amûn zuckte mit den Schultern. »Ja, auch ich sehe, daß der Gottvater Eje seit langem an einem großen Plan arbeitet! Doch was es ist, wohin er führt, was er bewirken soll – das vermag auch ich derzeit nicht zu erkennen.«

Drei Tage später schwärmten wieder einmal Sonderkuriere und Sendboten von Achet-Aton in alle Winde aus, um alles, was in Ägypten Rang, Namen, Stand, Amt und Titel hatte, in die Hauptstadt zu rufen, denn König Akh-en-Aton Ua-en-Râ, Herr der Beiden Kronen und der Beiden Throne, Sohn des einzigen und ewigen Aton, Der von der Wahrheit lebt, hatte beschlossen, seine drittgeborene Tochter Anchesen-pa-Aton zu heiraten und ebenfalls zur Großen Königsgemahlin zu erheben.

So legte am Nachmittag des 16. Tages im 4. Monat der Überschwemmung meine bequeme Reisebarke wieder an der großen südlichen Mole in Achet-Aton an, und Beket-Amûn, Mose, Jeschua, Serâu, Mâ-au und ich gingen von Bord.

Die Stadt war unverändert – sauber, höflich, grün und anläßlich des angekündigten Vermählungsfestes Seiner Majestät prächtig und feierlich mit Fahnen und bunten Tüchern, mit Palmzweigen und Abertausenden von Blumen geschmückt.

Als wir durch das Gartentor unseres Hauses traten, begrüßten uns strahlend Ern und Necht.

Zwischen sich an den Händen führten sie ein kleines Mädchen. Vier Jahre war sie jetzt alt, und mit dem blütenweißen Kleidchen, den schlanken Gliedern, ihrem zart geschnittenen Gesicht, den großen, braunen, sanften Augen und der sorgsam geflochtenen Prinzenlocke, die kokett an der linken Seite ihres Köpfchens baumelte, erinnerte sie mich lebhaft an Beket-Amûn bei unserer ersten Begegnung.

»Papa!« schrie sie begeistert auf und rannte auf Mose los.

»Sat-Râ!«

Mose fiel auf die Knie, breitete die Arme aus und fing die Kleine auf. Lange hielt er sein Töchterchen an sich gedrückt, während ihm Tränen der Freude über das Gesicht liefen.

Wenig später, kaum hatten wir uns einigermaßen den Staub der Reise von den Gliedern gewaschen, da drängten auch schon in Scharen Gäste zum Gartentor herein:

Allen voran unser unmittelbarer Nachbar, der bäurische, aber gutwillige Panhasa, der sich, nicht zuletzt dank Königin Teje Usîres Anweisungen und Ableitungen, mittlerweile zu einem eifrigen und tatsächlich recht tüchtigen Landwirtschaftsminister entwickelt hatte.

Dann Speckstein-mose, der geniale Künstler, mit seinen fünf Gattinnen Âmhet, Bat, Mâa, Senehem und Teschet.

Der Maurer, der Mattenflechter, der Tempelschreiber und der Kuchenbäcker mit ihren Frauen, die Witwe des Hatti-Söldners und die lustige Waschfrau samt ihren mittlerweile fünf Kindern – kurz die gesamte Nachbarschaft.

Necht brachte auf der gemauerten Feuerstelle ein Holzkohlenfeuer in Gang, und schon bald zog der Duft von brutzelndem Fleisch durch den Garten. Âmhet und Mâa eilten nochmals schnell nach Hause und kehrten wenig später mit zwei riesigen Schüsseln frischen Salates zurück. Die Witwe des Hatti-Söldners und der Tempelschreiber stifteten etliche dickbauchige Krüge Bier, Panhasa, der Landwirtschaftsminister, mehrere Amphoren Wein, die Waschfrau einen prachtvollen selbstgebackenen Kuchen, und bald schon feierten wir alle vergnügt lachend und plaudernd, essend und trinkend unsere Rückkehr nach Achet-Aton.

Die kleine Sat-Râ teilte unterdessen ihre ganze Aufmerksamkeit zwischen ihrem Vater und Beket-Amûns Gepardin Mâ-au. Gewiß hatten ihr Ern und Necht erzählt, wie sehr ihre Mutter Maket-Aton Mâ-au geliebt hatte, und als sich etwa zwei Stunden später die Gepardendame auf den Rücken rollen ließ und die langen Beine in die Luft streckte, damit Sat-Râ sie nicht nur hinter den Ohren kraulen, ihren Kopf und Rücken streicheln konnte, sondern auch das weiche Bauchfell, da war klar, daß Mâ-au die Tochter Maket-Atons endgültig akzeptiert hatte.

Unsere Ankunft schien sich recht schnell herumgesprochen zu haben, denn das Fest war kaum richtig in Gang gekommen, als breit grinsend Oberst Schut durch die weit offenstehende Gartentür hereingeschlendert kam, gefolgt von zwei seiner Soldaten, die eine gewaltige Weinamphore schleppten. Und hinter ihm schaukelte der Kugelbauch Beks, des Ersten Baumeisters Seiner Majestät, in den Garten.

Wenig später folgte Oberst Heri-tjerut mit seiner Ersten Gemahlin, einer kleinen, molligen Frau mit blitzenden Augen und einer Hautfarbe, die, wenn überhaupt möglich, noch ein wenig dunkler war als die ihres Gatten.

Und dann sah ich meinen Vater Neby den Garten betreten und eilte auf ihn zu, um ihn zu umarmen. Neby mußte jetzt

Mitte sechzig sein, doch so schlank, straff und kerngesund, wie er aussah, hätte man ihn leicht für zehn Jahre jünger halten können. Einzig als Zeichen seiner patriarchalischen Würde hatte er sich einen schmalen Schnurrbart und einen kleinen, gepflegten Kinnbart wachsen lassen.

»Ich bin glücklich, Sie wieder einmal von Angesicht zu sehen, Vater!« rief ich. »Aber was machen Sie in Achet-Aton?«

Mein Vater blinzelte mir mit seinen eisengrauen Augen verschmitzt zu:

»Selbst die Mauern von ›Weide der Rinder des Amûn‹ sind leider nicht hoch genug, als daß sie nicht dann und wann ein Bote des Königs übersteigen könnte, um mich zur Feier der neuesten Narrheit Seiner Majestät an den Hof zu befehlen.«

Ehe ich ihn unter den Granatapfelbaum bitten konnte, wo sich die vornehmsten und liebsten unserer Gäste versammelt hatten, entdeckte ich hinter ihm, ein wenig schüchtern, meine Tochter-Gemahlin Merit-Ptah.

»Ich bin gleich wieder fort!« beeilte sie sich zu versichern. »Aber da du in deinem Haus ja bereits den Hôr-im-Nest Mose und seinen Freund Hauptmann Je-schua beherbergst, wollte ich dich fragen, ob du mir gestattest, für die Dauer seines Aufenthalts in Achet-Aton deinen ehrwürdigen Vater Neby in meinem Haus nebenan als Gast unterbringen zu dürfen?«

»Nimm Wohnung wo immer du Lust hast!« wandte ich mich an meinen Vater. »Hier oder bei Merit-Ptah, wobei du es drüben, da gebe ich ihr recht, im Augenblick vermutlich tatsächlich bequemer haben wirst.«

»Dann werde ich dort Quartier beziehen«, entschied mein Vater, ehe er sich zu uns unter den Granatapfelbaum setzte und Merit-Ptah, obwohl ich sie zum Bleiben aufforderte, wieder davonhuschte.

»Tuti!« riefen Mose und Je-schua wie aus einem Mund, als sie den neuesten Ankömmling erblickten. Eine herzliche Begrüßung folgte.

Für einen Elfjährigen war er noch immer ziemlich klein und zart, und nichts an seiner Kleidung oder dem wenigen Schmuck, den er trug, verriet seinen Stand. Doch die innere Würde, die seine großen, dunklen, ein wenig traurigen Augen ausstrahlten, ließ die lachenden und schmatzenden Gäste ehrerbietig grüßend Platz machen.

Dann verneigte sich Prinz Tut-anch-Aton vor Beket-Amûn und mir:

»Willkommen in Achet-Aton! Auch wenn ich weiß, daß Ihr nicht gerne gekommen seid, Tante Beket-Amûn und Onkel Amûn-hotep, so ist doch meine Freude darüber um so größer! Meine Schwester, die Große Königsgemahlin Merit-Aton, läßt Euch zu Eurer Rückkehr die besten Segenswünsche übermitteln und bittet Euch um Vergebung, daß sie nicht selber kommen kann, da sie – unpäßlich ist.«

»Hat der Saukerl sie etwa wieder geschlagen?« fragte Oberst Schut, der bei uns stand, zornig.

Tut-anch-Aton nickte:

»Sie möchte sich nicht mit einem blauen Auge in der Öffentlichkeit zeigen, das nicht einmal Menjit, ihrer Ersten Schminkmeisterin, zu übermalen gelingt.«

Während Mose und Je-schua Prinz Tut-anch-Aton in die Mitte nahmen, um ihn mit Essen und Trinken zu versorgen, brummte Schut:

»Möge die Große Verschlingerin im Duat sich an der Mumie und der Seele dieses Schweines laben – und das hoffentlich bald!«

Eigentlich war der große Staatsakt für die Hochzeitsfeier symbolträchtig auf den 1. Tag des 1. Monats der Aussaat angesetzt worden, doch da man noch auf verschiedene Delegationen wartete, verschob sich der Termin wieder und wieder. Der festliche Blumenschmuck in der Stadt welkte, wurde ersetzt und welkte wieder. Auch die Palmzweige wurden schließlich unansehnlich gelb und mußten erneuert werden.

Dafür bot uns unterdessen Mitkönig Semench-Ka-Râ Anchcheperu-Râ ein ganz anderes Spektakel.

Er war knapp eine Woche nach unserer Ankunft in Achet-

Aton, da weckte uns am frühen Morgen ein unbeschreiblicher Radau. Trompeten schmetterten, Trommeln dröhnten, Flöten und Oboen pfiffen und quengelten, Pferdehufe klapperten, Wagenräder rasselten, Waffen klirrten, militärische Kommandos wurden gebrüllt. Palastdiener rannten von Tür zu Tür, um die noch verschlafenen Einwohner der Residenzstadt zur Königsstraße zu scheuchen, wo sie als pflichtschuldig jubelndes Spalier für das kommende Ereignis aufgestellt wurden.

Die Königsstraße durchzieht Achet-Aton auf einer Länge von gut 70 Chet vom Nördlichen Palast herab, vorbei am großen Tempel des Aton, unter der Brücke hindurch mit dem Fenster der Erscheinung, die den östlichen mit dem westlichen Teil des Königspalastes verbindet, und weiter bis zum Ufertempel des Aton in der Südstadt. Natürlich waren wir viel zu hochrangig, als daß man uns wie das einfache Volk zum Staunen und Jubeln an den Rand der Königsstraße hätte treiben können, und so genossen wir den Vorzug, unsere Neugier vom flachen Dach unseres Hauses aus befriedigen zu können, von wo man stellenweise einen guten Blick auf die Prachtstraße hat.

Was sich uns bot, war denn auch einmalig für Achet-Aton: ein Militäraufmarsch mit allem, was dazugehörte, auch wenn es sich dabei lediglich um die knapp tausend Mann umfassende Internationale Garde handelte.

Voran marschierte mit feierlich abgezirkeltem Schritt ein Trupp von 50 kuschitischen Bogenschützen, Leopardenfelle über der Schulter und hohe, weiße Straußenfedern in ihre Stirnbänder gesteckt.

Ihnen folgte eine 20 Mann starke Musikkapelle, die pfiffen, trommelten und trompeteten, was das Zeug hielt.

Dann eine Kompanie von 100 ägyptischen Kriegern, die mit schweren Krokodilpanzern, hohen, lederbezogenen Schilden und schweren Äxten ausgerüstet waren.

Dann eine ebenso schwer gerüstete, aus Ägyptern, Moabitern, Amoritern, Elamitern, Jebusitern, Libu und Kuschiten bunt gemischte Kompanie Speerträger.

Erneut folgte eine Musikkapelle, diesmal 30 Mann stark.

Und dann, mit gebührendem Abstand, kam – er! Mitkönig

und Große Königsgemahlin Semench-Ka-Râ, Schönster der Schönen in Aton.

Wie ein Triumphator stand er auf seinem vollständig vergoldeten Streitwagen, welcher von zwei Schimmeln gezogen wurde, auf deren Köpfen Büsche von weißen und blaugefärbten Straußenfedern nickten. Angetan war er mit der vollen Kriegsrüstung eines Königs, die Brust geschützt von den sich überkreuzenden vergoldeten und mit Edelsteinen reich eingelegten Metallflügeln der Schutzherrinnen von Ober- und Unterägypten, der Geiergöttin Nechbet und der geflügelten Schlange Utô, darüber das funkelnde Pektorale und der schwere Schulterkragen, die Arme mit breiten, mit Lapislazuli, Karneol und Malachit verzierten Armbändern gepanzert und den Blauen Helm auf dem Haupt.

Neben und hinter dem Wagen schritten Palastdiener mit riesigen Fächern aus weißen, roten und blauen Straußenfedern an langen Stangen, um Seiner Majestät Kühlung zuzufächeln und ihn vor den allzu heftigen Strahlen Atons zu schützen.

Ihm folgte der gänzlich versilberte Streitwagen, gezogen von zwei Schecken aus den Ställen des Königs, seines erwählten Feldherrn und Oberkommandierenden Chanî, dem Sohn des Großpriesters des Aton Merie-Râ. Sein blutroter, mit Gold eingefaßter Schuppenpanzer und der goldene Helm auf seinem Kopf funkelten in der Sonne.

Ein gutes Dutzend Herolde liefen vor und neben den beiden Wagen her und plärrten abwechselnd:

»Ich, Semench-Ka-Râ Anch-cheperu-Râ, Schönster der Schönen in Aton, Mitkönig von Ober- und Unterägypten, Mitherr der Beiden Throne und der Beiden Kronen, Liebling Seiner Majestät König Akh-en-Aton Ua-en-Râs, Große Königsgemahlin, habe beschlossen, Unseren Provinzen Kanaan und To-nuter den Frieden Atons zu bringen!

Ich werde ausziehen mit dem Heer und allen Soldaten Ägyptens gegen Kanaan und To-nuter! Ich werde mit eigener Hand niederwerfen Hatti und Assyrer und Babylonier, Elamiter, Jebusiter, Moabiter und Ammoniter, die es gewagt haben, sich gegen Uns zu erheben. Ich werde sie vernichten und in den Staub treten! Gebunden und gefesselt werde Ich sie vor Mir im Kot liegen sehen! Ich werde Azirhû, dem machtgierigen, verlogenen und eidbrüchigen König der Amoriter, das Haupt abschlagen und zur Warnung Aller vor dem Tempel des Aton aufpflanzen!

Aus diesem Grund habe Ich Mein Heer und alle Soldaten Ägyptens um Mich versammelt und habe beschlossen, zusammen mit Meinem, von Mir ernannten Reichsmarschall und Oberkommandierenden aller Truppen, Chanî, dem Sohn des Großpriesters Merie-Râ, nach Kanaan und To-nuter zu ziehen, wo Mir der Einzige und Ewige Aton, Der Leben verleiht, einen überwältigenden Sieg über alle Feinde verleihen wird, wie dies Mein Reichsmarschall und Oberkommandierender aller Truppen Chanî, der Sohn des Großpriesters Merie-Râ, vorhergesagt hat!«

Dem Wagen von Chanî, dem neuen Oberkommandierenden und Reichsmarschall, folgte der Wagen Sutis, des Standartenträgers Seiner Majestät, mit der großen, blitzenden Kriegsstandarte des Königs, die seit über 80 Jahren, seit den Tagen des kriegerischen Königs Tehuti-mose Men-cheper-Râ, nicht mehr ins Feld gezogen war.

Dahinter kamen die höheren Offiziere der Internationalen Garde auf ihren Streitwagen. Ich erkannte Oberst Schut, der einen recht mißmutigen Eindruck machte. Und ich vermißte General Paatem-em-Heb, den eigentlichen Kommandanten der Internationalen.

Dann erneut eine 30 Mann starke Militärkapelle.

»Was ist das?« fragte Beket-Amûn neben mir entsetzt.

Mit einigem Abstand hinter der Kapelle marschierten fünf Soldaten, die lange Spieße trugen, auf denen die abgeschlagenen, bärtigen Köpfe irgendwelcher Kanaaniter steckten, während dahinter die noch blutenden, kopflosen Körper von Eseln durch den Staub der Straße geschleift wurden.

»So ergeht es allen Feinden Seiner Majestät, des Mitkönigs und Großer Königsgemahlin Semench-Ka-Râ!« verkündete alle paar Schritte ein stimmgewaltiger Herold.

»Das ist ja ekelerregend!« wandte sich Mose ab.

Und Je-schua fragte ärgerlich:

»Wen hat Semench-Ka-Râ denn für dieses Schauspiel da umbringen lassen? Irgendwelche armseligen Sklaven? Oder hat er auf dem Markt ein paar harmlose ausländische Händler eingefangen?«

Erneut folgte eine buntscheckige Hundertschaft schwer bewaffneter Speerträger.

Dahinter rollten paarweise die hundert Streitwagen, die zur Internationalen Garde gehörten. Prachtvoll sahen sie aus mit ihren bunt gemischten Besatzungen in den oftmals barbarischen Kostümen und seltsamen Bewaffnungen ihrer Heimatländer, umflattert von den langen, bunten Bändern, die von den aufgesteckten Feldzeichen herabwehten.

Dahinter erneut Infanterie in Blöcken zu je 50 Mann.

Schwere Bogenschützen aus Assur, vom spitzkegeligen Helm bis zu den Fußknöcheln gepanzert.

Babylonier in langen Röcken mit bronzenen Helmen, Speeren und schulterhohen Schilden.

Bogenschützen der Libu in bunt gemusterten Mänteln, die blonden Haare an den Schläfen zu langen Zöpfen geflochten.

Hattische Schwertkämpfer, die Brust von Spangenpanzern geschützt, mit seltsam geformten Helmen auf dem Haupt.

Söldner aus Kanaan mit spitzen Bärten in grellbunt gemusterten, mit Fransen besetzten Mänteln, bewaffnet mit Bögen, Speeren und Schilden aus getriebener Bronze.

Achaische Speerkämpfer aus Mykene und Argos mit mannsgroßen Schilden und Helmen, die aus Eberzähnen gefertigt waren und von denen lange Roßschweife über die Rücken ihrer Träger hingen.

Lykische und karische Söldner, die lange Sensen als Hauptwaffe trugen, dazu Wurfmesser im Gürtel und an den linken Unterarm geschnallt gefährlich lange Dolche.

Den Abschluß bildeten 50 Kamelreiter der Schôs, eingehüllt in ihre mit gestickten Borten besetzten weiten, wüstenfarbenen Mäntel und bewaffnet mit Bogen und Speeren.

Hinter ihnen zog eine schier endlose Troßkarawane die Straße herab, die auf ungezählten Rücken von Packeseln und Ochsenkarren all das mitschleppte, was die Truppen, vor allem aber Seine Majestät Semench-Ka-Râ zu seiner persönlichen Behaglichkeit an Zelten, Prunkliegen, kostbarem Geschirr und Schmuck, an Truhen, Köchen, Schminkkästen, Perücken, Kleidern, Lustknaben, tragbaren Altären des Aton, Teppichen, Massageliegen, Weinamphoren und Dienern auf dem geplanten Feldzug nicht entbehren zu können glaubte.

»Wo sind eigentlich die Schiffe, die Seine Majestät nach Kanaan und To-nuter oder zumindest ein Stück den Strom abwärts zu den übrigen Truppen des Reiches bringen sollen?« fragte Je-schua.

Ja, wo waren sie? Stromauf und stromab war nicht ein einziges Fahrzeug zu entdecken, das sich irgendwie als Truppentransporter geeignet hätte.

Am Nachmittag dieses Tages wurde im Ufertempel des Aton ein gewaltiges Opferfest gefeiert.

Die wimmelnde Dienerschaft Seiner Majestät hatte inzwischen den Marktplatz der südlichen Vorstadt geräumt und die Zelte für Seine Majestät und seinen neuen Reichsmarschall Chanî dort aufgebaut. Weil aber schon diese beiden Zelte mit all ihren Nebenzelten den 60 mal 100 Ellen messenden Marktplatz füllten, mußten sich die Söldner der Internationalen Garde, die Wagen, Pferde und Kamele ebenso wie der Troß mit seinen Packeseln, Karren und Ochsen auf den Plätzen, den Straßen und den Anlegemolen ringsum einen Platz für die Nacht suchen.

Einige der Männer kehrten zwar zum Schlafen einfach in ihre Häuser und ins heimische Bett zurück, die Mehrzahl jedoch verbrachte die Nacht saufend, fressend und obszöne Lieder grölend an schnell entzündeten Lagerfeuern auf der Straße, brachte doch dieser Feldzug etwas Abwechslung in das mit Wachestehen und gelegentlichem Paradieren recht langweilige Gardistenleben.

Auch am nächsten Morgen war noch kein Transportschiff in Sicht.

Gegen Mittag, nachdem Seine Majestät ausgeschlafen hatte, wurde erneut im Ufertempel des Aton ein pompöses Opferfest gefeiert.

Anschließend hielt Semench-Ka-Râ eine lange, ziemlich konfuse Rede an seine Truppen, stieß wilde Drohungen aus und ließ als Abschluß nochmals drei Männern, deren offensichtlich einzige Schuld darin bestand, Bärte zu tragen, die Köpfe abhacken.

In der folgenden Nacht war die Horde der standhaft saufenden und randalierenden Internationalen auf den Straßen und Plätzen der südlichen Vorstadt merklich zusammengeschrumpft. Am nächsten Vormittag wurden die Zelte Seiner Majestät Semench-Ka-Râs und des neuen Reichsmarschalls Chanî wieder zusammengerollt, da die beiden, des Lagerlebens müde, in den königlichen Palast zurückgekehrt waren. Dorthin folgte ihnen im Lauf des Tages auch der Rest ihrer Armee.

Zurück blieben auf dem Marktplatz der südlichen Vorstadt, dort, wo sich der Eingang zum Zelt Seiner Majestät befunden hatte, acht in den Boden gerammte Speere, mit den von Wolken schwarzer Fliegen umschwärmten Köpfen irgendwelcher bärtiger Männer.

Schiffe, die Semench-Ka-Râ und seine Armee nach Kanaan und To-nuter oder auch nur einige Iteru flußabwärts hätten bringen können, erschienen nie und waren wohl auch nie angefordert worden.

Wären nicht jene acht Köpfe auf dem Markt der südlichen Vorstadt gewesen, wir hätten herzlich über den ›Feldzug‹ Seiner Majestät, des Mitkönigs und Großer Königsgemahlin Semench-Ka-Râ lachen können.

Noch waren nicht die letzten Söldner in ihre Quartiere zurückgekehrt, noch war nicht der letzte Hufschlag verklungen und die letzte Bahn des Königszeltes wieder eingerollt, als Ipu-Ka, der seit über 30 Jahren getreue Bewahrer der Kroninsignien, bei Mose offiziell um eine Audienz nachsuchen ließ.

Zum vereinbarten Zeitpunkt betrat Ipu-Ka, gefolgt von vier seiner Beamten, die irgendwelche Schatullen trugen, und beschützt von nicht weniger als zehn Gardisten, gravitätischen Schrittes unseren Garten, warf sich zusammen mit seinen Beamten zeremoniell zu Boden, streckte die Arme aus und berührte mit der Stirn den Boden.

Mose, dem solch offizielle Bezeugungen der Ergebenheit stets irgendwie unangenehm waren, bedeutete Ipu-Ka hastig, sich zu erheben und sein Anliegen vorzutragen.

»Ich darf Eure königliche Hoheit«, sprach Ipu-Ka, »ersuchen, die Zeichen Eurer Würde, die Eure königliche Hoheit seinerzeit hier in Achet-Aton zurückgelassen haben, wieder in Empfang zu nehmen.«

Die vier Beamten klappten ihre Schatullen auf und boten Mose niederkniend ihren Inhalt dar. Es waren die kunstvoll geflochtene, mit Goldbändern umwundene und mit Goldstaub gepuderte Prinzenlocke, der schwere Siegelring mit Titel und Namenskartusche, der Krummstab der Macht und das goldene, mit Edelsteinen besetzte Pektorale des Wahren und einzigen Hôr-im-Nest, die Mose vor nunmehr vier Jahren König Akh-en-Aton Ua-en-Râ vor die Füße geworfen hatte.

Beim Anblick der Insignien zuckte Mose zurück wie vor dem drohend erhobenen Giftstachel eines Skorpions.

Ipu-Ka schien solch eine Reaktion erwartet zu haben, denn ehe noch Mose widersprechen konnte, sagte der Bewahrer der Kroninsignien mit fester, ruhiger Stimme:

»Eure königliche Hoheit sind der anerkannte Sohn Seiner Majestät König Amûn-hotep Neb-Maat-Râ Usîres und seiner Großen Königsgemahlin Sat-Amûn Usîre, der Tochter Seiner Majestät König Amûn-hotep Neb-Maat-Râ Usîres, und damit seiner in der künftigen Erbfolge unbestreitbar erst- und höchstrangigen Gemahlin.

Kraft Eurer Geburt sind Eure königliche Hoheit der Hôr-im-Nest und der ebenfalls unanfechtbar erst- und höchstrangige Thronfolger Seiner Majestät König Amûn-hotep Neb-Maat-Râ Usîres! Es hätte hierzu nicht einmal der Ernennung zum Wahren und einzigen Hôr-im-Nest durch Seine Majestät König Amûn-hotep Neb-Maat-Râ Usîre bedurft.

Euer Anspruch auf die beiden Kronen und die beiden Throne begründet sich aus Eurer Geburt und steht sogar vor dem Anspruch des regierenden Königs Akh-en-Aton Ua-en-Râ!«

»Und wenn ich die Kronen und die Throne nicht will?«
fragte Mose leise.

»Selbst wenn Eure königliche Hoheit den Anspruch auf die
Thronfolge ausschlagen würden – was die Götter oder auch Aton
verhüten mögen –«, antwortete Ipu-Ka, »so sind und bleiben
Eure königliche Hoheit bis zum Ende Ihres Lebens das, was Eure
königliche Hoheit sind: Wahrer und einziger Hôr-im-Nest und
einzig legitimer Nachfolger Seiner Majestät König Amûn-hotep
Neb-Maat-Râ Usîres!«

Die Zeremonie, in der König Akh-en-Aton Ua-en-Râ seine Tochter Anchesen-pa-Aton zur Gemahlin nahm und sie, neben seinem Mitkönig Semench-Ka-Râ, zu seiner zweiten Großen Königsgemahlin krönte, fand schließlich am 15. Tag des 1. Monats
der Aussaat statt.

Da Heiraten in unserem Land nun einmal kaum mehr sind als
recht trockene Verwaltungsakte, geriet auch diese Hochzeit letztlich ziemlich nüchtern, auch wenn sich einige Chöre bemühten,
ihr etwas Glanz zu verleihen. Die Mehrzahl der aus dem ganzen
Reich zusammengerufenen Würdenträger, die nun die große
Audienzhalle bis zum letzten Platz füllten, mochte sich durchaus fragen, ob nun tatsächlich die mitunter lange und beschwer-
liche Anreise gerechtfertigt sein mochte, nur damit man ein paar
Dokumente vorgelesen bekam, die einen nicht wirklich interessierten.

Der Hauptgrund dafür, daß auch nicht ein Funke an Feststim-
mung aufkommen mochte, war freilich auf der königlichen Empore unter der massiv goldenen Strahlensonne Atons zu suchen.

König Akh-en-Aton Ua-en-Râ war seit vielen Jahren krank,
und man hatte sich daran gewöhnt. Doch als ich ihn jetzt nach
längerer Zeit wiedersah, war ich entsetzt. Oberhalb des Gürtels
war sein Körper fast bis auf das Skelett abgemagert, während er
unterhalb des Gürtels formlos auseinanderquoll. Das Gesicht des
Königs war eingefallen, der ausgemergelte Hals schien die Last
der Doppelkrone kaum noch tragen zu können, und nur in sei-

nen tief in ihre Höhlen zurückgesunkenen Augen flackerte noch ein verzweifelter Lebensfunke. In der Tat, der königliche Leibarzt Pentû brauchte seine Schweigepflicht nicht zu brechen, damit jedermann klar wurde, daß auf den Thronen von Ober- und Unterägypten ein Sterbender saß.

Doch fast noch erschreckender sah Semench-Ka-Râ aus, der neben ihm, stumpf vor sich hin starrend, auf dem Thron des Mitkönigs hockte. Obwohl ja erst 20 Jahre alt, wirkte er wie ein schlecht erhaltener Fünfzigjähriger, und auch die viel zu dick aufgetragene Schminke konnte die Verwüstung in seinem Gesicht, welche die Ausschweifung und vor allem die Rauschdroge aus den Kapseln der Mohnblume angerichtet hatten, nicht mehr verbergen.

Seine Große Königsgemahlin Merit-Aton war auf ihrem Thron so weit als irgend möglich von ihrem Gatten abgerückt. Sie war auffallend blaß, und ihr Gesicht wirkte von allzu vielen Tränen verquollen. Zwar bemühte sie sich, würdige Haltung zu zeigen, doch jedermann war klar, daß sie sich am liebsten die Geierhaube mit den hohen Federn vom Kopf gerissen hätte und davongelaufen wäre.

Prinz Mose, der mit ausdruckslosem Gesicht wieder seinen Platz auf dem kleineren Thron zur Rechten unterhalb der Königsthrone eingenommen hatte, war deutlich anzusehen, daß er sich viele Iteru weit fort wünschte und hier nur saß, weil es nun einmal seine Pflicht als Hôr-im-Nest war, hier zu sitzen.

Auch wir, Beket-Amûn, Tut-anch-Aton und ich, die wir als die nächsten Verwandten des Königs auf der gleichen Stufe links unsere Plätze hatten, sahen zweifellos nicht freudiger aus.

Und die drei jüngeren Töchter Akh-en-Aton Ua-en-Râs gar, die Prinzessinnen Nefer-nefru-Aton, Nefer-nefru-Râ und Sepeten-Râ, jetzt 13, 11 und 8 Jahre alt, waren sichtlich darüber verärgert, daß man sie noch weiter links und nochmals eine Stufe unter uns plaziert und sie damit für alle Welt sichtbar aus der Nähe des Königs verbannt hatte. Ich konnte die Mädchen gut verstehen. Gewiß, alle drei – Nefer-nefru-Aton mit großer Wahrscheinlichkeit, die beiden anderen mit Sicherheit – waren nicht die Töchter des Königs. Doch weshalb hatte Akh-en-Aton Ua-en-

Râ sie dann zuerst legitimiert, wenn er dann nicht bereit war, zu ihnen zu stehen?

Die einzige, die auf der ganzen Königsempore frisch und lebendig wirkte und die Zeremonie offenkundig genoß, war Anchesen-pa-Aton. Mit ihren jetzt 14 Jahren hatte sie sich zu einer höchst bemerkenswerten jungen Frau entwickelt. Schon damals, vor fünf Jahren, als ich sie zum erstenmal gesehen hatte, war Anchesen-pa-Aton die hübscheste der Königstöchter gewesen, trotz des zu langen Kinns und der etwas zu vollen Lippen, die sie von ihrem Vater geerbt hatte. Heute war sie von einer Schönheit, deren Faszination sich kaum jemand entziehen konnte – vielleicht gerade weil sie nicht von jenem fast nicht mehr menschlichen Idealmaß wie ihre Mutter war.

Als der König Anchesen-pa-Aton die Geierkrone mit den hohen Federn der Großen Königsgemahlin aufs Haupt gesetzt hatte, sie sich umdrehte, um den Jubel und die Huldigung der Anwesenden in Empfang zu nehmen, und mich dabei ihr Blick streifte, da durchfuhr es mich zum zweitenmal in meinem Leben wie ein eisiger Blitzschlag! Anchesen-pa-Aton hatte nicht nur den langgliedrigen, makellosen Körperbau ihrer Mutter Nofretête geerbt, sie hatte auch deren schwarze, böse, gnadenlose Augen!

Als Mose an der Spitze der Großen des Reiches vor den Thron der Großen Königsgemahlin trat, um ihr die zeremoniellen Glückwünsche zu ihrer Hochzeit und ihrer Krönung darzubringen, hörte ich Anchesen-pa-Aton sagen:

»Ich hoffe, die Hohen Federn erheben mich nun hoch genug, um würdig zu sein für den Wahren und einzigen Hôr-im-Nest!«

Moses Antwort konnte ich nicht verstehen, doch als er sich einen Augenblick später umwandte und durch den Saal davonschritt, folgten ihm unter ärgerlich zusammengezogenen Brauen unverwandt die Blicke der Königin.

Mein Vater Neby hatte mich schon vor einigen Tagen um eine Unterredung gebeten und in seiner ein wenig altmodisch formellen Art das Ersuchen gestellt, ob auch Prinzessin Beket-Amûn und der Hôr-im-Nest Mose sich bereit finden würden, daran teilzunehmen.

Doch erst nachdem sich der ärgste offizielle Trubel um die Hochzeit des Königs mit Anchesen-pa-Aton ein wenig gelegt hatte, fanden wir Zeit, der Bitte nachzukommen. Als Beket-Amûn, Mose und ich den Garten zum Haus meines verstorbenen Bruders Râ-mose betraten, wurden wir von meinem Vater und Merit-Ptah mit aller zeremoniellen Höflichkeit empfangen.

Neby verneigte sich tief vor Beket-Amûn und Mose:

»Hoheiten!« begann er, doch Beket-Amûn unterbrach ihn sofort:

»Bitte, für Sie nur Mose und Beket-Amûn!« und als sie sein Zögern bemerkte, fügte sie hinzu. »Dafür müssen Sie uns allerdings erlauben, Sie ›Vater‹ zu nennen!«

»Dann sei es so«, gab Neby nach, während ihn Beket-Amûn umarmte.

Wir wurden in die große Wohnhalle des Hauses geführt, und kaum hatten wir uns niedergelassen, als Neby bereits zur Sache kam:

»Meine schweren Sorgen um die Zukunft Ägyptens haben sich zwar, den Göttern sei Dank, zerstreut, da Euer Ho... – da Sie, Mose, wieder in all Ihre Rechte als Wahrer und einziger Hôr-im-Nest eingetreten sind und damit auch als Thronfolger König Akh-en-Aton Ua-en-Râs ...«

Doch Mose unterbrach ihn:

»Ich habe die Insignien des Hôr-im-Nest wieder aufgenommen, weil mir, wie mir von den verschiedensten Seiten immer wieder erklärt wurde, dieser Rang angeboren ist und mir bis zu meinem Tod verbleiben wird. Mit der Thronfolge hat dies allerdings nichts zu tun!«

Neby war entsetzt, doch Mose blieb unbeugsam bei seiner Ablehnung, die Nachfolge König Akh-en-Atons anzutreten.

»Um so notwendiger ist es dann, daß ich dieses Gespräch mit Ihnen führen darf«, gab sich mein Vater schließlich geschlagen. Er atmete tief ein, rang sichtlich nach geeigneten Worten: »Der Mitkönig Semench-Ka-Râ ... ist ... er ist ...«

»… ein Verrückter?« half ihm Mose. »Eine unberechenbare Schwuchtel? Ein rauschgiftsüchtiger Wahnsinniger? Ein bösartiger Irrer, dem unter keinen, wie auch immer gearteten, Umständen die ganze Macht der Beiden Kronen in die Hände fallen darf?«

Neby, der niemals solche Ausdrücke benützt hätte, auch wenn sie nur allzu genau seine Meinung wiedergaben, blieb nur zu nicken. Endlich brachte er heraus:

»Wenn nicht Sie, Prinz Mose, die Nachfolge Akh-en-Aton Ua-en-Râs antreten wollen, dann … dann …« Mein Vater geriet erneut ins sprachliche Strauchein.

»Dann sollten wir schleunigst nach jemandem suchen, der einen alleinigen Regierungsantritt Semench-Ka-Râs verhindern kann«, half ihm Mose zum zweitenmal aus.

Neby warf Mose einen Blick voll tiefster Dankbarkeit zu, daß er es ihm erspart hatte, einen Satz auszusprechen, der, mochte er noch so berechtigt sein, für sein Empfinden an Hochverrat grenzte. Jetzt jedoch, da der Wahre und einzige Hôr-im-Nest die Worte ausgesprochen hatte, gewann mein Vater seine gewohnte Sicherheit zurück.

»Ich habe mit Merit-Ptah gesprochen«, fuhr er fort, an mich gewandt, »und sie ist bereit, in eine Scheidung einzuwilligen.«

Der Gedankensprung überraschte mich, doch ich stimmte zu: »Wenn Merit-Ptah die Scheidung wünscht …«

»Sie wünscht sie nicht«, berichtigte mein Vater, »aber sie ist bereit einzuwilligen. Seit deiner Scheidung von May ist Merit-Ptah rechtlich deine Erste Gemahlin, Amûn-hotep, und daran ist nichts zu ändern. Du kannst aber unmöglich die königliche Prinzessin und zukünftige Große Königsgemahlin Beket-Amûn als Nebenfrau heiraten! Also bleibt nur der Weg, dich von Merit-Ptah scheiden zu lassen, um dann mit Prinzessin Beket-Amûn als Erster Gemahlin die Ehe eingehen zu können und …«

»Langsam! Langsam!« wehrten Beket-Amûn und ich ab.

»Wer behauptet denn«, fragte Beket-Amûn weiter, »daß wir überhaupt heiraten wollen?«

Nebys Blick flog konsterniert zwischen uns hin und her:

»Aber, Ihr lebt doch wie Eheleute zusammen und – wenn

man den Gerüchten, ja, und auch dem Augenschein, trauen darf – dann scheint Ihr sogar recht glücklich zu sein ...«

»Wir sind glücklich!« strahlte Beket-Amûn und lehnte für einen Augenblick zärtlich ihren Kopf an meine Schulter. »Aber müssen wir deshalb gleich heiraten?«

Mein armer Vater war jetzt offenkundig völlig verwirrt, und auch Merit-Ptahs Gesicht spiegelte Ratlosigkeit:

»Ich begreife nicht ...«

»Auch ich habe eine Weile gebraucht, um es zu begreifen«, gab ich lächelnd zu. »Hätten Beket-Amûn und ich uns vor zehn Jahren getroffen, wir wären gewiß längst verheiratet und hätten vermutlich einen Stall voll Kinder. Beket-Amûn wäre damals zwar nach dem Tod Kijas bereits die rangmäßig älteste, praktisch aber eben doch nur eine der königlichen Prinzessinnen gewesen. Und ich ein dem Königshaus zwar nah verwandter, jedoch machtpolitisch unwichtiger Oberst, der noch nicht einmal den Titel eines Prinzen führen darf.«

»Deine Mutter Apuya hat sich seinerzeit bei König Amûn-hotep Neb-Maat-Râ bemüht ...«

»Ich danke den Göttern, daß es ihr nicht gelungen ist! Und heute«, fuhr ich fort, »danke ich den Göttern auch dafür, daß sie Beket-Amûn und mich erst so spät zusammengeführt haben! Wären wir verheiratet, der Druck, jetzt nach der Krone zu greifen, würde übermächtig! Fast alle rechtlich denkenden Beamten in diesem Land, an ihrer Spitze Vizekönig Huja, Prinz Nacht-Min, Landwirtschaftsminister Panhasa und der ehemalige Finanzminister Maja, sogar der ›Gottvater‹ Eje drängen uns zu diesem Schritt. Die Gaufürsten, angeführt von Graf Nacht-Upuaût, schicken Delegationen. Die Priesterschaften aller alten Götter vom tiefsten Kusch bis zur Mündung des Stromes beschwören uns. Die Versammlung der höchsten Offiziere in Men-nôfer war nur noch mit Mühe von einem Staatsstreich abzuhalten.«

»Es gab sogar eine Zeit«, fiel Mose ein, »und das ist noch gar nicht lange her, da hielt sogar ich die Machtergreifung durch Beket-Amûn und Amûn-hotep für die beste aller Lösungen.«

»Aber weshalb soll es denn nicht wirklich die beste aller Lösungen sein?« riefen mein Vater und Merit-Ptah beide zugleich.

»Weil wir ein falsches Zeichen setzen würden für künftige Generationen«, antwortete Beket-Amûn ernst. »Ein paar Bröckchen Legitimität zusammenzuscharren wäre für die oft Dutzende von Prinzen und Prinzessinnen aus den königlichen Harems nicht schwer. Wenn dann jeder unserem Beispiel folgen und nach der Krone greifen würde, sobald er meint, es besser machen zu können als der gerade regierende König, Ägypten würde binnen kürzester Zeit in Chaos versinken! Ägypten hat seit über eineinhalb Jahrtausenden Bestand und wird noch über tausend Jahre bestehen, weil es auf dem Fundament von Recht und Gerechtigkeit gegründet ist, wozu auch die unerschütterliche Legitimität der Erbfolge seiner Herrscher gehört! Mit diesem Fundament hat Ägypten die Fremdherrschaft der Chabiru ebenso überlebt wie gewiß so manchen schlechten König, und Amûn-hotep und ich werden nicht diejenigen sein, welche dieses Fundament zu untergraben beginnen!«

Mein Vater seufzte tief auf:

»Und was können wir dann gegen Semench-Ka-Râ unternehmen?«

»Nichts«, antwortete Beket-Amûn ruhig, »weil wir nichts zu unternehmen brauchen.«

»Wie das?« fragte Neby verblüfft.

»Weil ich Semench-Ka-Râ nicht allein auf den Beiden Thronen sitzen *sehe*!«

Als wolle er mit Gewalt alle schlechten Meinungen über sich bestätigen, erschien Semench-Ka-Râ am nächsten Nachmittag samt seinem Anhang vor unserem Haus und ließ uns auffordern, zu ihm auf die Straße hinauszukommen.

Ich ahnte bereits Schlimmes, als Beket-Amûn, Mose und ich durch unser Gartentor hinaustraten, doch Semench-Ka-Râ gelang es mühelos, meine ärgsten Befürchtungen zu übertreffen.

Vor unserem Anwesen waren fünf Ochsenkarren aufgefahren, auf deren Ladeflächen sich Tierkadaver häuften. Aus ihnen ragten noch all die Pfeile, mit denen sie getötet worden waren. Und davor stand mit fiebrig glänzenden Augen, als Jäger aufgeputzt und über und über mit Blut besudelt, Semench-Ka-Râ.

Ich akzeptiere die Jagd als Notwendigkeit unter gewissen Umständen, doch für das Vergnügen, wehrlose Kreaturen zu töten, fehlt mir jeder Sinn. Schlächtereien gar, wie die, welche sich da vor uns ausbreitete, ekeln mich an!

»Du warst es doch, Mose«, schrie uns Semench-Ka-Râ entgegen, kaum daß er unser ansichtig wurde, »der mich für einen schlechten Bogenschützen hielt! Nun sieh her! *Mein Werk!*«

»Wenn du für eine kleine Antilope sechs Pfeile brauchst«, antwortete Mose kalt und deutete auf eines der erlegten Tiere, »dann bist du ein noch miserablerer Schütze, als ich es schon vermutet habe!«

»Es sind schließlich nicht nur kleine Antilopen!« schrie Semench-Ka-Râ beleidigt.

Nein, es waren in der Tat nicht nur kleine Antilopen! Auf den Karren lag auch eine langhalsige Giraffe, zwei Löwinnen, ein paar Paviane, ein Strauß und vier oder fünf rosafarbene Flamingos, drei der schwarz-weiß gestreiften Pferdchen, die man Zebras nennt ... Semench-Ka-Râs Jagdrevier war nicht die freie Wildbahn gewesen, er hatte seine Mordlust in den Tiergehegen des Nördlichen Palastes ausgetobt!

»Diese da zu erlegen war wirklich ein hartes Stück Arbeit, das Mut und Können erforderte!« prahlte Semench-Ka-Râ inzwischen.

Entsetzt erkannte ich die große Äffin mit dem schwarzen Fell und der ledrigen Nase, die damals mit großen Augen ihre Einsamkeit betrauernd unter der Sykomore gehockt hatte. Sie zu töten hatte Semench-Ka-Râ gewiß 20 Pfeile gekostet. Immerhin war sie in den letzten Jahren nicht einsam geblieben, hatte auf ihre Art glücklich sein dürfen, denn neben ihr lag, von mindestens ebenso vielen Pfeilen durchbohrt, ihr mächtiger, breitschultriger Gemahl, den ihr tatsächlich Kaufleute in Kusch über wiederum andere Händler aus ihrer Heimat weit im Süden zu beschaffen gewußt hatten. Und zwischen ihnen lag, fast so, als versuchten sie es immer noch zu beschützen, ein kleines, schwarzes Fellbündelchen, aus dem drei Pfeile ragten.

Einige Herzschläge lang standen wir wie erstarrt. Dann holte Beket-Amûn aus und gab Semench-Ka-Râ eine Ohrfeige, die ihn gegen den Wagen taumeln ließ, setzte mit einem schnellen Schritt nach, holte tief Luft und spuckte ihm mitten ins Gesicht.

Im nächsten Augenblick bemerkte ich, wie ihre Füße unter ihr nachzugeben drohten. Rasch legte ich meinen Arm um ihre Schulter und führte sie in unseren Garten zurück.

Aus den Augenwinkeln bemerkte ich Mose, der, seinen Schlangenstab erhoben, Semench-Ka-Râ an der Kehle gepackt hatte.

»Wenn du es noch ein einziges Mal wagst, in unsere Nähe zu kommen, schlage ich dich tot!« hörte ich ihn seinem Vetter drohen. »Und ebenso, wenn ich dich noch einmal bei den Tiergehegen des Nördlichen Palastes erwischen sollte!«

Einen Atemzug später, als Mose die Gartentür von innen zuschmetterte, brach Beket-Amûn in die Knie und mußte sich übergeben – und im nächsten Moment spürte auch ich in meinem Hals einen unwiderstehlichen Brechreiz aufsteigen.

Ich bin ganz gewiß nicht der Mensch, der an Türen horcht oder sich für die Privatangelegenheiten anderer interessiert, doch Hund kennt da auf seinen Streifzügen keinerlei Hemmungen. Und das, was er diesmal zu berichten hatte, war in der Tat wissenswert.

»Ich lief ziemlich planlos durch die Hallen und Gänge des Palastes«, begann er, »als ich Stimmen hörte. Es war ziemlich später Abend. Die Tür zu dem Zimmer stand offen, und weit und breit war keine Wache zu sehen, so daß ich das Gespräch wortwörtlich verfolgen konnte.«

Hund machte die Augen zu, um sich besser konzentrieren zu können:

»Die eine Stimme gehörte Semench-Ka-Râ, die andere dem ›Gottvater‹ Eje.

Semench-Ka-Râ: ›Was willst du, Eje?‹

Eje: ›Nichts … Nur dein Siegel.‹

Semench-Ka-Râ: ›Hat das nicht Zeit bis morgen?‹

Eje: ›Es geht um die Zukunft Ägyptens!‹

Semench-Ka-Râ: ›Ich scheiße auf die Zukunft Ägyptens! – Was ist es denn, das ich so eilig siegeln soll?‹

Zunächst das Rascheln von Papyrus.

Dann Semench-Ka-Râ, ziemlich aufgebracht: ›Was soll das? Hier steht: »*Der Kult des Aton wird abgeschafft. Der Großpriester des Aton, Me-rie-Râ, wird abgesetzt und als Hochverräter hingerichtet, ebenso sein Sohn, der Reichsmarschall Chanî. Der König verläßt Achet-Aton und kehrt in die alte Haupt-stadt Uêset zurück. Die verbotenen Kulte der Götter werden vom König wiederher-gestellt und ihre Priesterschaften erneuert. Alle Beamten leisten Amûn ein Opfer; wenn sie es nicht tun, sind sie ihrer Ämter enthoben. Zum Zeichen des Sieges Amûns über Aton wird Achet-Aton dem Erdboden gleichgemacht. Der König wird in Uêset Amûn ein großes Opfer darbringen und dem Reichstempel den dritten Teil seines Besitzes als Wiedergutmachung schenken . . .*«*

Ziemlich lange Pause.

Semench-Ka-Râ: ›Bist du wahnsinnig, Eje? Ich soll das siegeln?‹

Eje: ›Es sind die Forderungen aller Gegner des Aton, der Prie-sterschaften, der Gaufürsten, der Militärs, vieler Beamter, der allergrößten Mehrheit des Volkes. Es sind die Forderungen dei-ner Tante Beket-Amûn, deiner Gemahlin Merit-Aton, deines On-kels Nacht-Min, der Generäle Hôr-em-Heb und Amûn-hotep . . .‹

Semench-Ka-Râ: ›Wenn ich das siegle, wäre es mein eigenes Vernichtungsurteil!‹

Eje: ›Ein Vernichtungsurteil gewiß – für wen, das wird sich zeigen.‹

Semench-Ka-Râ: ›Akh-en-Aton . . .‹

Eje: ›Stirbt und spielt keine Rolle mehr.‹

Semench-Ka-Râ: ›Und Mose?‹

Eje: ›Ist an der Krone so wenig interessiert wie Beket-Amûn und Amûn-hotep.‹

Semench-Ka-Râ: ›Dann also Tut-anch-Aton. Weshalb läßt du ihn nicht siegeln? Er wird es gewiß gern tun. Er steckt doch jetzt ständig mit Mose und seinem Benê-Jisrael-Freund, mit Beket, ihrem Liebhaber und meiner Scheißfrau zusammen. Der wird dir mit Begeisterung siegeln!‹

Eje: ›Ich will aber dein Siegel!‹

Semench-Ka-Râ: ›Wozu? Mein Name ist mit Aton inzwischen fast ebenso eng verknüpft wie der Name Akh-en-Atons. Wenn Aton stürzt, begräbt er mich in seinem Fall!‹

Eje: ›Das ist wahr.‹

Semench-Ka-Râ: ›Weshalb sollte ich dann siegeln?‹

Eje: ›Weil du auf diese Weise König bleiben wirst! Ich habe nicht unbedingt die Absicht, den Aton-Kult zu stürzen. Nichts von dem, was in diesem Papyrus steht, muß jemals geschehen! Im Gegenteil, wenn du siegelst, dann werden morgen schon etliche deiner Gegner den Sonnenuntergang nicht mehr erleben: Mose, Beket-Amûn, Amûn-hotep, Hôr-em-Heb, Nacht-Min, Tut-anch-Aton und etliche andere mehr. Diesen Papyrus – ich werde ihn vollziehen lassen oder auch nicht. Auf jeden Fall aber will ich ihn besitzen!‹

Semench-Ka-Râ: ›Weil es dich mächtiger machen würde als den König? Ähnlich wie den Sohn des Hapu?‹

Eje: ›Ich bin seit über siebzehn Jahren mächtiger als der König! Akh-en-Aton war voller Ideale, vertrauensselig und dumm. Durch die Hand Nofret-êtes ließ er sich mühelos lenken.‹

Semench-Ka-Râ: ›Und mein Siegel auf diesem Papyrus würde mich ebenso lenkbar machen. Ich wäre dein willenloses Werkzeug.‹

Eje: ›Wäre das so schlimm? Was du am Glanz der Kronen liebst, was du bislang in den Jahren deiner Mitregierung genossen hast, das ist doch ohnehin nur der schöne Schein der Macht. Die wahre Macht hat dich doch ohnehin nicht interessiert …‹

Semench-Ka-Râ: ›Das Leben wird angenehm sein. Ich werde nur zu siegeln brauchen, und du wirst alles andere tun. Ich werde auf Flußbooten liegen, die Sterne betrachten und den süßen Duft der Lotosblüten und des Opiums atmen. Das Volk wird mir zujubeln, und die höchsten Beamten werden vor mir auf ihren Bäuchen kriechen. Wenn ich in einer Stadt einziehe, dann werden alle Häuser festlich geschmückt sein und der Fluß ein Meer von Blumen. Wenn ich es wünsche, dann werden die Heere Ägyptens vor mir paradieren oder die Priester Hymnen auf mich singen …‹«

Hund schlug die Augen auf:

»In diesem Moment näherte sich eine Runde der Wachen, und ich mußte leider verschwinden.«

»Hat Semench-Ka-Râ gesiegelt?« fragte Mose.

Hund zuckte mit den Achseln:

»Ich weiß es nicht.«

Eine andere Szene beobachtete ich wenige Tage später selber:

Anchesen-pa-Aton hatte Mose in den Palastgärten offenkundig aufgelauert. Ich hörte nicht, was gesprochen wurde, und später, als ich Mose fragte, winkte dieser nur ungeduldig ab mit der Bemerkung: »Sie ist verrückt!«

Zunächst hatte die nunmehr dritte und als Gemahlin ihres Vaters größte Große Königsgemahlin heftig auf Mose eingeredet, hatte sich schließlich dicht an ihn gedrängt, hatte versucht, seine Hände auf ihre Brüste zu legen, sie zwischen ihre Schenkel zu schieben. Wenn sie im nächsten Augenblick gemeinsam zwischen die prächtig blühenden Blumenrabatten gesunken wären, es hätte mich keineswegs überrascht.

Daß der Wahre und einzige Hôr-im-Nest die besondere Aufmerksamkeit der dritten Tochter Akh-en-Aton Ua-en-Râs erregt hatte, war schon damals bei unserer ersten Ankunft in Achet-Aton unübersehbar gewesen. Seither hatte dies sich offenkundig noch ganz erheblich gesteigert.

Mose allerdings schien von alledem wenig zu halten. Sanft aber höchst bestimmt schob er Anchesen von sich, beantwortete ihre Wortkaskaden höflich und freundlich, aber, wie mir schien, unmißverständlich ablehnend.

Als er sich endlich umwandte und ging, hörte ich Anchesen-pa-Aton ihm nachschreien:

»Und ich bekomme dich doch!«

Eine knappe Woche später warf sich bereits am Eingang der großen Audienzhalle Azirhû, der König der Amoriter, vor seinen

Königen Akh-en-Aton Ua-en-Râ und Semench-Ka-Râ Anch-che-peru-Râ in den Staub. Er war barfuß, trug lediglich einen kurzen Schurz und nicht ein einziges Abzeichen, das seinen Rang verraten hätte. Seinen Bart hatte er abgeschnitten und seine Wangen und sein Kinn nach Ägypterart glatt rasiert. Anstatt eine Perücke zu tragen, hatte er sich Asche in seine Haare gestreut.

»Große und mächtige Könige, deren Namen gesegnet sind von Aton, dem Leben spendenden Gott! Gerechtigkeit erbitte ich von Euch, die Ihr aus der Wahrheit lebt! Um Gerechtigkeit flehe ich im Namen des einzigen und ewigen Aton!«

Niemand hatte von der Ankunft des Amoriters in Achet-Aton gewußt, und so löste sein plötzliches Erscheinen in der großen Audienzhalle beträchtliche Verwirrung aus.

»Nehmt ihn fest, und werft ihn in den finstersten Kerker!« befahl Chanî, der neu ernannte Reichsmarschall streng. »Dort mag ihm dann Gerechtigkeit widerfahren!«

Schon wollten die Wachen Azirhû packen und fortschleifen, als König Akh-en-Aton Ua-en-Râ mit einem kurzen Wink seines Krummstabes Ruhe gebot:

»Dieser Mann hat die Gerechtigkeit des Aton angerufen, so soll sie ihm auch zuteil werden! Erhebe dich und trete näher, Fürst der Amoriter!«

Doch Azirhû erhob sich nicht. Auf allen vieren kroch er durch die Halle bis vor die Stufen des Thrones, wobei er rief:

»Groß bist Du, König Akh-en-Aton Ua-en-Râ!

Mächtig bist Du und voller Glanz!

Alle Könige der Erde sind Dir untertan!

Groß und gerecht hat Dich gemacht Dein Vater, der göttliche Aton!

Du bist der Erste unter den Königen dieser Erde!

Wie Aton, Dein Vater, herrscht über alle Länder der Erde, so herrschst Du in Wahrheit und Gerechtigkeit über den ganzen Erdkreis!«

»Sprich jetzt!« forderte ihn der König zum zweitenmal auf.

»Unendlich groß bist Du, o König, und voll der Weisheit und Liebe Deines Vaters Aton!« winselte Azirhû. »Angeklagt und verleumdet hat man mich vor Dir, o König! Die Zungen schlechter und falscher Menschen haben gegen mich gesprochen! Mit Lügen sollte Dein Herz vergiftet werden gegen mich, den treuesten deiner Untertanen!«

»Wohl sind schwere Anklagen wider dich erhoben worden, Azirhû«, gab der König zu. »Doch damit jeder sehe, wie sehr ich die Wahrheit liebe, will ich auch deine Antwort anhören. Erhebe dich also und sprich!«

»Nein, o König, dessen Leben ewig währe durch Aton«, rief der Amoriter, »nicht will ich mich erheben aus dem Staub, und liegen will ich hier vor Deinem Thron, bis Du mir Recht gegeben hast!

Siehe, es haben böse Menschen gesagt: Azirhû ist abgefallen von seinem Herrn, und er hat seinen König verraten. Sie sagen: Azirhû hat die Städte des Königs in To-nuter und im nördlichen Kanaan erobert und die Soldaten des Königs erschlagen. Sie sagen: Azirhû hat sich das Land des Königs angeeignet und will sich selber zum Herrn von To-nuter und Kanaan machen. Sie sagen: Azirhû hat sich mit den Hatti verbündet und will das Land mit ihnen teilen.

Siehe, o König, den Aton liebt, nicht wahr ist es, was jene sagen gegen Azirhû, deinen Knecht!

Niemals würde ich freiwillig teilen mit den Hatti, mit den Elamitern, Moabitern oder sonst jemandem! Wohl habe ich Städte in To-nuter und im nördlichen Kanaan erobert, doch ich habe sie für Dich erobert, mein König! Wohl habe ich ägyptische Soldaten erschlagen, doch sie waren Dir nicht treu und widersetzten sich Deinem Befehl! Du hast ihnen geboten, den Frieden zu bewahren, weil Du der verheißene Fürst des Friedens bist. Sie aber haben gekämpft und Krieg geführt. Schlechte Untertanen waren sie Dir, darum habe ich für Dich ihre Städte erobert und sie erschlagen.

Ich tat es um des Friedens des Aton willen!

Ich tat es, um das Gebot Deines Vaters zu vollziehen!

Ich bin Dein treuester Knecht, o König, Der von der Wahrheit lebt! Nie tat ich etwas gegen die Gebote Deines Vaters Aton!

Höre also, so flehe ich, nicht auf jene, die wider mich Böses reden und mich vor Dir zu verleumden versuchen!«

Einige Herzschläge lang sah Akh-en-Aton Ua-en-Râ nachdenklich auf den vor ihm auf dem Boden liegenden König der Amoriter herab, dann sprach er:

»Wahr hast du geredet, Azirhû. Ich bin der wahre Friedensfürst des Aton und werde keine Kriege führen! Ich weiß, daß sich einige Städte in To-nuter und Kanaan von mir losgesagt haben, doch wenn sie frei sein wollen, so will ich ihnen ihre Freiheit nicht rauben, denn Aton, der alles Leben verleiht, geht über ihnen ebenso auf und erfüllt sie ebenso mit Leben wie uns!

Weise hast du gesprochen, Azirhû, Fürst der Amoriter, und so gehe hin in Freiheit, und der Friede des Aton sei auch mit dir!«

»Aus tiefstem Herzen danke ich Dir, mein König, für die Wahrheit des Aton, die aus Dir spricht!« jubelte Azirhû. »Doch wenn der Frieden Deines Vaters Aton mit mir sein soll, dann errette mich vor den Kriegshorden, die mich bedrohen und die sich sogar bereits hier in Deiner Stadt wider mich versammeln und waffenklirrend diesen Lichtort des Aton durchziehen!«

Akh-en-Aton Ua-en-Râ wandte sich mit gerunzelten Augenbrauen seinem Mitkönig zu.

Semench-Ka-Râ, der bislang ziemlich teilnahmslos auf seinem Thron gehockt hatte, fuhr auf:

»Nicht ich habe diesen Lärm zu verantworten!« beeilte er sich zu versichern. »Chanî, der Sohn des Merie-Râ, war es, der zu diesem Feldzug hetzte! Chanî war es, der sagte, der Friede des Aton müsse in Kanaan und To-nuter mit Waffengewalt wiederhergestellt werden! Chanî war es, der als Reichsmarschall blutigen Ruhm in jenen Provinzen ernten wollte!«

»Das ist nicht wahr!« schrie Chanî entsetzt auf, doch Semench-Ka-Râ Anch-cheperu-Râ kreischte:

»Der ehemalige Reichsmarschall und Oberkommandierende aller Truppen ist sofort in Gewahrsam zu nehmen, damit er sich vor einem strengen Gericht für seine Taten und Worte verantworten soll!«

Während die Wachen Chanî ergriffen und aus dem Saal zerrten, stürzte sein Vater Merie-Râ, der Großpriester des Aton, zu den Stufen des Thrones, warf sich zu Boden:

»Majestät! Ich flehe Euch an …«

»Schweig!« fuhr ihn Semench-Ka-Râ Anch-cheperu-Râ an. »Dein Sohn wird seine gerechte Strafe dafür erhalten, daß er mich zu einem furchtbaren Frevel wider die Worte Atons verführen wollte.«

König Akh-en-Aton Ua-en-Râ jedoch befahl:

»Azirhû, den Fürsten der Amoriter, kleidet und schmückt mit allen Zeichen seiner Würde! Legt ihm das Gold der Belohnung um den Hals und überreicht ihm die Insignien eines Generalgouverneurs von To-nuter und Kanaan, denn dieser Mann liebt Meinen Vater, den ewigen und einzigen Aton, und er lebt in Seiner Wahrheit!«

In dieser Nacht wurde der Mitkönig und Große Königsgemahlin Semench-Ka-Râ Anch-cheperu-Râ, Schönster der Schönen in Aton, ermordet.

Seine Diener fanden ihn am Morgen mit einer Schlinge erdrosselt in seinem Bett.

Die Untersuchung des Mordes durch Prinz Nacht-Min, den Oberrichter der Oberrichter, und Mahû, den Polizeipräfekten, verlief im Sand. Niemand wollte in der fraglichen Nacht etwas gesehen oder gehört haben, und Menschen, die den Toten zutiefst gehaßt hatten oder zumindest aus den verschiedensten Gründen seinen Tod gewünscht haben mochten, gab es so viele, daß auch dann nichts zu erfahren gewesen wäre, wenn jemand sehr genau gewußt hätte, wer Semench-Ka-Râ die Schlinge um den Hals gelegt und zugezogen hatte.

Ordnungsgemäß verhörten Nacht-Min und Mahû auch Beket-Amûn, Mose, Merit-Aton, Je-schua, Neby, mich, Hôr-em-Heb, Schut, Panhasa, Speckstein-mose, Ern, Necht, Hund, Serâu und Hunderte anderer, doch nur mit halbem Herzen und ohne greifbares Ergebnis. Selbst der ›Gottvater‹ Eje wurde einem eingehenden Verhör untezogen, obwohl er sich zu dem Zeitpunkt auf seinen Gütern in Ipu aufgehalten hatte.

Der stärkste Verdacht konzentrierte sich schließlich auf Merie-Râ, den wegen seines Sohnes Chanî verzweifelten Großpriester des Aton und natürlich Nofret-ête, der Semench-Ka-Râ nicht nur den Gemahl und die Hohen Federn, sondern sogar den Titel ›Schönste der Schönen in Aton‹ weggeschnappt hatte. Nofret-ête war trotz ihrer Verbannung in den Nördlichen Palast immer noch mächtig genug, daß sie den dritten Hauptverdächtigen Cheruef, den Haushofmeister Semench-Ka-Râs, durchaus für die Tat hätte anwerben können.

Doch keinem von ihnen war letztlich etwas nachzuweisen.

👁

»Warum? Warum? *Warum?*«

Akh-en-Aton Ua-en-Râ kniete allein vor dem großen Altar in der Mitte des Haupttempels seines ›Vaters‹ Aton und reckte flehend die Hände empor zu der glühenden Sonnenscheibe, die hoch über ihm am Mittagshimmel stand.

»Warum strafst Du mich, wo ich allein Deiner Wahrheit gelebt habe? Warum wendest Du Dich gegen mich, wo ich doch stets nur Deinen Willen erfüllt habe?«

Tränen rannen über sein ausgemergeltes Gesicht.

»*Warum?*« schrie er, daß es von den menschenleeren Tempelwänden widerhallte, »Aton, *mein Vater*! Warum hast Du mich verlassen?«

»Weil er nie dein Vater gewesen ist«, antwortete Beket-Amûn leise und legte sanft den Arm um die schmalen Schultern ihres Bruders.

Von einer heftigen Unruhe getrieben, hatte sich Beket-Amûn, begleitet von Mose und mir, am Vormittag auf die Suche nach dem König gemacht. Hier hatten wir ihn schließlich gefunden.

»Er ist … ist *mein Vater* …?« schluchzte der König.

»Wie sollte er das sein?« fragte Beket-Amûn. »Wie könnte Aton je dein Vater gewesen sein, wo du doch in Wahrheit *sein* Vater bist?«

»Er ist der einzige Gott … »

»Er ist nur die Sonne! Aton ist die Sonne, die Sonnenscheibe, der feurige Ball, den wir am Himmel sehen. Aton, das ist die Sonne, die morgens im Osten aufgeht und abends im Westen versinkt. Aton, das ist die Sonne, die mittags über unseren Köpfen steht und die nachts verschwunden ist. Aton, das sind die Strahlen, das Licht, durch das unsere Augen tagsüber die uns umgebende Welt erkennen können. Aton, das ist die Wärme, die wir in den frühen Vormittagsstunden und am späten Nachmittag angenehm auf unserer Haut spüren, das ist die Hitze, die uns am Mittag und zumal im Sommer den Atem raubt und unsere Haut verbrennt. All das ist Aton, gewiß, aber mehr als das ist er nicht!«

»Aton ist allein das Leben!« schrie der König.

»Nein«, widersprach ihm Beket-Amûn ruhig, »Aton allein ist der Tod! Schau hinaus in die Wüste: Dort herrscht Aton allein!

Du hast die Sonne zu deinem einzigen Gott gemacht.

Weshalb hast du nicht die Erde zum einzigen Gott gemacht? Ohne Erde, worauf wolltest du stehen, worin sollte eine Pflanze wachsen?

Weshalb hast du nicht die Luft zum einzigen Gott gemacht? Ohne Luft kann kein Mensch und kein Tier atmen.

Weshalb hast du nicht das Wasser zum einzigen Gott gemacht? Ohne Wasser gibt es kein Leben, weil Menschen, Tiere und Pflanzen verdursten.«

Beket-Amûn bückte sich und hob einen kleinen Stein vom Tempelboden auf:

»Weshalb hast du nicht diesen Kiesel zum einzigen Gott gemacht? Er ist so wirklich wie die Sonne! Er ist zuverlässig, stabil, er ist ein Teil der Erde, auf der du stehst und die dich trägt! Du kannst ihn berühren und in deiner Hand halten! Er ist dir nah, wann immer du ihn brauchst! Er wendet sich nicht ab von dir, verläßt dich nicht Tag um Tag für viele Stunden wie Aton!«

Akh-en-Aton griff nach dem Steinchen, hielt es einen Augenblick in der Hand und schleuderte es dann voller Zorn von sich.

»Du wolltest Gott mit deinem Verstand begreifen«, fuhr Beket-Amûn fort. »Du gingst nach Onû und verlangtest die Einweihung, weil du geglaubt hast, man werde dir dort Gott erklären können. Du warst tief gekränkt, weil Neter-duai dich abwies. Aber er konnte nicht anders; denn du hast etwas Unmögliches verlangt. Wie auch sollte unser kleiner menschlicher Verstand den Schöpfer alles Seins begreifen oder erklären können?

Dann entdecktest du Aton, den Sonnenball.

Ihn konntest du begreifen, und so machtest du ihn zu deinem Gott!

Du nennst Aton deinen ›Vater‹ – in Wahrheit jedoch bist du der Vater, denn du hast Aton als Gott geschaffen, und der Schöpfer ist immer größer als sein Geschöpf.

Weshalb also stehst du jetzt hier in deinem leeren Tempel, starrst zum Himmel, schreist und betest? Du wirst nichts hören als den Widerhall deiner eigenen Stimme! Aton ist aus eigener Kraft nur ein Klumpen heißer Stoff. Alles was Aton darüber hinaus ist, ist er allein durch dich. Du bist sein Gott! Wie sollte er dir helfen, wie dir antworten, wenn du dir selbst nicht antworten kannst? Wenn du, sein Schöpfer, ihn nicht mit Göttlichkeit füllst, so ist in Aton nichts als Leere!«

Während der letzten Sätze Beket-Amûns war Akh-en-Aton auf den Stufen des großen Altars zusammengesunken, preßte die Hände gegen seine Schläfen und wimmerte leise vor sich hin – die Anzeichen für einen seiner qualvollen Anfälle waren unverkennbar.

»Werdet – Ihr mich – jetzt – auch allein lassen?«

»Nein, mein Bruder!« antwortete Mose freundlich. »Wir werden bei dir bleiben. Wir und Merit-Aton und Tut-anch-Aton und Pentû und etliche andere, die deine Freunde sind.«

Als Akh-en-Aton aufzustehen versuchte, wollten ihm seine Beine nicht mehr gehorchen. Ich bückte mich, schob meine Arme unter seine Achseln und seine Kniekehlen, hob ihn hoch und trug den König, gefolgt von Beket-Amûn und Mose hinaus aus dem Tempel und hinüber in den Palast.

3. Papyrus

DIE OHNMACHT
DER MACHT

König Akh-en-Aton Ua-en-Râ
17. Regierungsjahr und
König Tut-anch-Aton Neb-cheperu-Râ
1. Regierungsjahr

Die nächsten fast zwei Monate verliefen ereignislos.

Von seinem Zusammenbruch im Tempel des Aton erholte sich König Akh-en-Aton Ua-en-Râ nicht mehr. Meist dämmerte er auf seinem Bett liegend, von Pentû und einigen getreuen Dienern versorgt und kaum bei Bewußtsein, vor sich hin. Vor allem aber war es Merit-Aton, die nahezu ständig um ihn war und sich mit rührender Hingabe um ihren Vater kümmerte.

Dann und wann erwachte er auch zu vollem Bewußtsein. Dann eilten Beket-Amûn, Mose, Tut-anch-Aton, Nacht-Min oder ich an sein Lager und redeten freundlich über Belanglosigkeiten, bis er wieder davondämmerte. Von dem einst wimmelnden Hofstaat der Speichellecker Seiner Majestät ließ sich kaum noch einer blicken; sie hatten den König bereits abgeschrieben. Natürlich versuchten sie sich, Pichuru an der Spitze, bei dem künftigen König Tehuti-mose anzubiedern, doch als der sie harsch abwies, verkrochen sie sich in ihren Kanzleien und Ministerien, wo sie, wie wir vermuteten, eiligst alle möglichen Unterlagen vernichteten. Einzig Sutan, Panhasa, Mahû, Ipu-Ka und einige wenige andere, an deren Amtsführung nichts auszusetzen war, erschienen noch regelmäßig vor dem König, um Rechenschaft abzulegen, auch wenn ihre Berichte, falls sie dies je getan hatten, den König offenkundig nicht mehr interessierten.

Selbst Merie-Râ, der Großpriester des Aton, blieb dem Krankenzimmer fern, ließ sich durch untergeordnete Priester vertreten. Er hatte dem König den Sturz seines Sohnes Chanî nicht vergeben.

Einmal verlangte Akh-en-Aton Nofret-ête zu sehen. Ich jagte mit einem Wagen aus den königlichen Ställen zum Nördlichen Palast, doch Nofret-ête weigerte sich, mit mir zu kommen.

Ein anderes Mal schickte er nach seiner Tochter und neuen Großen Königsgemahlin Anchesen-pa-Aton. Zunächst entschuldigte sie sich damit, daß sie von der Geburt ihrer Tochter mit Namen Anchesen-pa-Aton ta-scherit – deren Vater, selbst wenn er das Kind offiziell legitimiert hatte, ganz gewiß nicht der König war – noch nicht genesen sei. Dann war sie unauffindbar, erschien auch später niemals am Krankenbett ihres Vater-Gemahls.

Glücklich war er, wenn Sat-Râ, die kleine Tochter Moses, ihn gelegentlich besuchen durfte.

»So groß wie du schon bist, werden wir bald nach einem geeigneten Gemahl für dich suchen müssen«, meinte der König einmal scherzend zu ihr.

»Den habe ich schon gefunden!« erklärte daraufhin die Kleine ernsthaft. »Râ-mose, den Sohn des Sutan. Er ist zwar schrecklich alt, 22, aber ich werde ihn trotzdem heiraten und seine Große Königsgemahlin werden! Unseren erstgeborenen Sohn werden wir Sety nennen, und er wird ein großer König und Feldherr sein.«

Natürlich kicherten die anwesenden Diener belustigt über diese Erklärung, und auch der König schmunzelte, nur Beket-Amûn lachte nicht, und auch ich hatte plötzlich das sehr bestimmte Gefühl, daß das, was Sat-Râ da sagte, ebenso ernst zu nehmen war wie das, was mir einst Beket-Amûn prophezeit hatte, als sie etwa so alt war wie Sat-Râ heute.

Sutan, der kleinwüchsige, schweigsame, fast schüchtern wirkende Mann, als dessen einzige Auffälligkeit seine höchst beachtliche Nase hervorragte, war mir bei unserer ersten Begegnung eigentlich durchaus sympathisch gewesen. Dann hatte ich ihn als Stellvertreter Janch-Atons als einen der vielen Speichellecker des Königs abgetan. Nach dem Sturz des selbstherrlichen und korrupten Janch-Aton hatte er das Finanzministerium übernommen – und bis heute tadellos geführt. Sutan zählte zu jenen Beamten, die wie Panhasa, der Landwirtschaftsminister, unter Königin Teje Usîre rückhaltlos auf die Linie von Gesetz, Ordnung und Recht eingeschwenkt waren.

Auch seinen Sohn Râ-mose kannte ich. Er zählte zu jenen Kadetten an der Militärakademie zu Men-nôfer, die nicht nur jede theoretische Prüfung mit Auszeichnung bestanden, sondern die sich auch in der Praxis bewährten. Derzeit tat er, wenn mich mein Gedächtnis nicht trog, als Leutnant Dienst in irgendeiner Grenztruppe.

Seit dem von niemandem betrauerten Tod des Mitkönigs und Großer Königsgemahlin Semench-Ka-Râ Anch-cheperu-Râ und der faktischen Regierungsunfähigkeit von König Akh-en-Aton Ua-en-Râ hatten, wie schon einmal, Prinz Nacht-Min und ich notgedrungen die Regierungsgeschäfte übernommen, wobei auch ich freilich die ersten drei Wochen von meinem Bett aus ›regieren‹ mußte.

Ohne Frage war es meine Pflicht gewesen, König Akh-en-Aton Ua-en-Râ nach seinem Zusammenbruch aus dem Tempel des Aton in seinen Palast hinüberzutragen – nur mein Rücken, meine Bandscheiben hatten dies anders gesehen, und Ern hatte ihre liebe Not, mich wieder einigermaßen auf die Beine zu bringen. Immerhin hatte sie eine gewisse Hilfe in Sel, die jetzt, zur unübersehbaren Freude Hunds, ganz zu uns übergesiedelt war.

Ich hätte mit Rücksicht auf meinen Vater das Stadthaus in Uêset nie verkauft, wenn mir Neby nicht selber dazu geraten und gleich noch einen Käufer präsentiert hätte, der einen hervorragenden Preis zu zahlen bereit war. Also hatte ich eingewilligt, mein persönliches Hab und Gut aus dem Haus in ›Weide der Rinder des Amûn‹ eingelagert, das Stadthaus verkauft und Sel zu uns gerufen.

Gegen Ende des letzten Monats der Aussaat ging es dem König sichtlich besser, offenbar tat ihm das kühlere Wetter gut. Pentû freilich meinte, daß dies womöglich, wie so oft, nur mehr ein letztes Aufflackern der Lebenskräfte vor dem endgültigen Zusammenbruch sei.

Auch der König schien das zu empfinden, denn am 24. Tag jenes Monats ließ er Beket-Amûn, Mose und mich zu sich rufen, und als wir sein Gemach betraten, fanden wir dort nicht nur, wie fast immer, Merit-Aton und Pentû, sondern auch Hôr-em-Heb, Tut-anch-Aton, Nacht-Min, Ipu-Ka, Maja, Panhasa und Sutan vor.

Akh-en-Aton Ua-en-Râ saß halb aufgerichtet und von Kissen gestützt auf seinem Bett. Sein Gesicht glich inzwischen einem Totenschädel, doch seine Augen waren so wach und lebendig wie seit langem nicht mehr.

»Ich habe einst meinen Königstiteln« begann er, »den Zusatz angefügt: ›Der von der Wahrheit lebt‹. Werden künftige Generationen diesen Zusatz verändern in: ›Der von der Lüge lebte‹?«

Als wir betreten schwiegen, forderte uns der König auf:

»Sprecht bitte offen! Ihr braucht mich nicht mehr zu schonen! Glaubt mir, ich liebe die Wahrheit aus ganzem Herzen, auch wenn ihr mit Recht daran zweifeln mögt! Wenn ich denn schon in der Lüge gelebt haben sollte, dann will ich wenigstens in der Wahrheit sterben!«

»Du hast nicht in der Lüge gelebt«, antwortete ihm Beket-Amûn langsam. »Eher in der Wahrheit einer Traumwelt.«

Akh-en-Aton schenkte seiner Schwester ein trauriges Lächeln:

»Du bist lieb, Beket-Amûn! Aber ich brauche keine Entschuldigungen. Was ich brauche, das ist die volle, ungeschminkte Wahrheit, so weh sie mir vielleicht tun mag! Amûn-hotep, Nacht-Min, Hôr-em-Heb und ihr anderen, sprecht zu mir! Sagt mir diese Wahrheit! Wenn ich nun in kurzer Zeit vor meinen Vater Aton treten muß ... oder vor die 42 Totenrichter ... oder wen oder was auch immer ..., dann will ich wenigstens wissen, wessen ich mich schuldig gemacht habe!«

Hôr-em-Heb hatte sich tief verneigt:

»Dann sei es so, Majestät, wie Ihr es wünscht!«

𓂀

»Ist es wahr«, fragte König Akh-en-Aton Ua-en-Râ, »daß ich meinem Volk ein schlechter König war? Ist es wahr, daß mich mein Volk darum haßt?«

»Ja, viele hassen dich, weil du sie in Armut, Unterdrückung, Elend und Tod gestürzt hast«, antwortete Nacht-Min offen.

»Im Namen Atons und in Eurem Namen, Majestät«, fuhr Hôr-em-Heb fort, »wurden Tausende abgeschlachtet in To-nuter und Kanaan, weil Ihr der verheißene Friedensfürst bleiben wolltet. Ihr habt lieber Euren bestechlichen Kreaturen Pichuru und Janch-Aton geglaubt, weil sie das erzählten, was Ihr hören wolltet, als Rib-Addi, dem getreuen Statthalter von Gubla, weil er Dinge sagte, die nicht in Euer Weltbild paßten.«

»Vor wenigen Wochen erst«, warf Mose ein, »hast du den Verräter Azirhû mit Ehren überschüttet, weil er sich vor dir und Aton im Staub wälzte. In Wirklichkeit ging es ihm ausschließlich darum, ein mögliches Eingreifen ägyptischer Truppen in seinem Machtbereich zu verhindern.«

»Ihr habt, Majestät«, sprach Hôr-em-Heb weiter, »die hohen Offiziere von Euch gedrängt, beleidigt und das Reich verloren, das ihre Väter und Großväter zu bauen geholfen haben, während sie tatenlos zusehen mußten. Selbst wenn es vielleicht politisch und militärisch klüger ist, uns aus Kanaan und To-nuter zurückzuziehen, es hätte niemals auf diese Weise geschehen dürfen!«

»Wenn deine Mutter«, gab jetzt ich zu, »die wahrhaft große Königin Teje Usîre, damals nicht ohne dein Wissen gehandelt hätte, würden in Wawat und Kusch heute wohl die gleichen Zustände herrschen wie in Kanaan und To-nuter.«

»Auch hier in Ägypten« fuhr Nacht-Min fort, »gibt es nicht wenige, die dich hassen. Die Fronarbeiten an den Tempeln deines ›Vaters‹ Aton und auf den Feldern der von dir eingesetzten Beamten haben ebenso wie die weit überhöhten Steuern so manchen in den Ruin getrieben.«

»Überhöhte Steuern?« wagte Akh-en-Aton zu fragen. »Bis vor wenigen Jahren herrschte in den Staatskassen gähnende Leere ...«

Der Finanzminister Sutan verneigte sich sehr tief:

»Majestät, der Bau von Achet-Aton und der vielen Tempel des Aton im ganzen Land hat gewaltige Summen verschlungen. Weit schlimmer freilich war, daß dem Volk ein Mehrfaches der eigentlichen Steuersummen aufgebürdet wurde und die Differenz in den privaten Taschen der hohen Beamten verschwand. Etwa so: Unterägypten sollte ein Jahresaufkommen von – sagen wir beispielsweise 100 000 Heqat Korn – an die Staatskasse abliefern. Janch-Aton, mein ehemaliger Minister, verlangte aber 150 000 Heqat von Menna, dem Generalgouverneur von Unterägypten. Der forderte nun 180 000 von den 20 Gaugouverneuren, diese 200 000 von ihren höheren Finanzbeamten und jene schließlich 225 000 Heqat von den Steuereintreibern vor Ort, die letztlich insgesamt 250 000 Heqat, das Zweieinhalbfache der ursprünglichen Summe von den Bauern und Händlern an Steuern einforderten.«

»Und Sie ...?« fragte der König mit leiser Stimme.

Sutan warf sich auf die Knie, berührte den Boden mit seiner Stirn:

»Ja, Majestät, auch ich habe mich damals an diesem System bereichert ...«

Im nächsten Augenblick kniete auch Panhasa neben Sutan und gestand:

»Auch ich bekenne mich schuldig! Wir waren jung. Wir wollten aufsteigen. Unser Bekenntnis zu Aton verhalf uns zu Amt und Würden. Wir zweifelten nicht daran, daß rechtens sei, was wir die anderen hohen und höchsten Beamten Eurer Majestät tun sahen.«

»Als jedoch«, verteidigte Nacht-Min die beiden energisch, »Panhasa und Sutan durch Königin Teje Usîre die Unrechtmäßigkeit des Treibens ihrer Vorgesetzten und damit auch ihres eigenen Tuns klargemacht wurde, da wandelten sie sich unverzüglich zu über jeden Tadel und jeden Zweifel erhabene Beamte. Wenn dich heute von Ägyptens Bauern und Arbeitern, Handwerkern und Händlern nur mehr wenige wirklich hassen, so magst du das diesen beiden danken!«

König Akh-en-Aton Ua-en-Râ winkte Vergebung für die beiden und versicherte:

»Glaubt mir, ich habe von all dem nichts geahnt! Diese Männer, Janch-Aton, Menna und die anderen, waren eifrige Anhänger Atons, und deshalb habe ich sie groß gemacht, in höchste Ämter eingesetzt. Ich habe meinen Ministern vertraut!«

»Es geht auch nicht darum, Majestät«, fiel Maja ein, »daß Ihr Eure Minister hättet strenger überwachen sollen – wenn ein König meint, einem Minister nicht mehr voll vertrauen zu können, dann sollte er ihn entlassen. Eure Schuld lag darin, mit schneller Hand bewährte Männer wie Cha-em-hêt, Mereru-Ka oder auch mich aus unseren Ämtern zu werfen, nur weil wir offen zugaben, nicht an Aton zu glauben, um dann die Posten an Leute zu verteilen, deren oftmals einziges Verdienst es war, sich lautstark zu dem neuen Glauben zu bekennen!«

»Einige davon«, warf ich ein, »waren tatsächlich von deiner neuen Lehre überzeugt wie mein Bruder Râ-mose oder«, als ich die beiden heftig nicken sah, »Panhasa und Sutan. Auch auf mich, ich gebe das offen zu, hatte die Idee von einem einzigen, universellen Gott aller Menschen, einem Gott der Liebe und des Friedens eine starke Anziehungskraft – sie hat es immer noch!«

»Doch Ihr, Majestät«, fuhr Maja fort, »habt Männer wie Pichuru, Janch-Aton, Tutu oder Menna einzig deshalb in höchste Ämter eingesetzt, weil sie ›Aton! Aton!‹ jubelten, ohne jemals ihren Charakter, ihre Eignung, ihre Gesinnung oder auch nur die Aufrichtigkeit ihres Glaubens zu prüfen!«

»Du hast viele Fehler gemacht«, ergriff Beket-Amûn wieder das Wort, »doch die Wurzel all deiner Fehler liegt in Aton!

Weil Aton kein Gott ist, konnte er nur ein Götze sein. Götzen jedoch führen einen Menschen unausweichlich ins Verderben, wie Aton dich ins Verderben geführt hat!

Für Aton hast du geglaubt, was du glauben wolltest, und nicht gesehen, was du nicht sehen wolltest, und bist so im Sumpf der Lüge versunken, daß alles, was du gut und richtig machen wolltest, sich in das krasse Gegenteil verkehrt hat.«

Für lange Minuten lehnte König Akh-en-Aton Ua-en-Râ schwer atmend und mit geschlossenen Augen auf seinem Bett. Doch dann schlug er seine Augen wieder auf, stemmte sich mühsam hoch:

»Ich wollte, ich hätte die Möglichkeit, noch einmal von vorne anzufangen. Ich habe sie nicht, aber einiges kann ich immer noch tun! Ich werde Pichuru, Tutu und all die anderen, die es gewagt haben, den König, Der von der Wahrheit lebt, anzulügen, aus ihren Ämtern jagen, ich werde …«

Doch Beket-Amûn fiel ihm ins Wort:

»Nein, das wirst du nicht! Selbst wenn du das Ruder noch herumreißen könntest, wer würde dir glauben?

Die Chance eines Neubeginns muß deinem Nachfolger bleiben, denn er ist es, der das durch dich verlorene Vertrauen wiedergewinnen muß! Du darfst ihm diese Chance nicht nehmen!«

Akh-en-Aton sah seiner Schwester lange in die Augen, dann nacheinander jedem einzelnen von uns.

»Dann sei es so!« sprach er schließlich. »Eines jedoch darf, kann und werde ich tun: Ich werde meinem Nachfolger einen getreuen, hochherzigen, die wahre Wahrheit liebenden und mächtigen Helfer an die Seite stellen, daß er sich auf ihn stützen kann, solange er seiner bedarf!«

Er winkte Ipu-Ka, den Bewahrer der Kroninsignien, heran:

»Geben Sie mir Krummstab und Geißel!«

Ipu-Ka nahm die Insignien der königlichen Macht aus einem, mit blau gefärbter, weicher Baumwolle ausgeschlagenen, Kasten und legte sie dem König in die Hand.

Ich ahnte, was Akh-en-Aton Ua-en-Râ vorhatte, und als mich sein Blick traf, schüttelte ich leise den Kopf. Also winkte er Hôr-em-Heb zu sich:

»Hiermit ernenne Ich Sie zum Reichsmarschall und Oberbefehlshaber aller ägyptischen Truppen.«

Hôr-em-Heb verneigte sich tief, während ihm der König Krummstab und Geißel in die Hand legte:

»Darüber hinaus ernenne Ich Sie zum Reichsverweser! Alle Beamten, alle Gouverneure der 42 Gaue, die Generalgouverneure von Ober- und Unterägypten und selbst der Ministerpräsident sollen Ihnen unterstellt sein! Sie sollen der Höchste sein in Ägypten und nur noch der König über Ihnen!«

Mit einem tiefen Aufseufzen ließ sich Akh-en-Aton in die Kissen zurücksinken, wobei er uns nochmals lange musterte:

»Geht jetzt«, sagte er leise. »Reißt nach meinem Tod meine Stadt und meine Tempel nieder, und nennt mich den ›Ketzer von Achet-Aton‹, aber versucht, diesem Land und der Welt das zu schenken, was ich ihr so gerne geschenkt hätte: den Frieden und den Glauben an einen Gott, der nicht nur der Gott *eines* Volkes, sondern der Gott *aller Menschen* ist!«

In den Morgenstunden des nächsten Tages starb König Akhen-Aton Ua-en-Râ, und die Herolde verkündeten seinen Tod im ganzen Reich.

Wenige Stunden später, während sich in der großen Audienzhalle die Mächtigen des Reiches versammelten, um dem neuen König zu huldigen, war in einem der kleinen Nebenräume ein erbitterter Streit entbrannt.

Beket-Amûn und ich, die Prinzen Nacht-Min und Tut-anch-Aton, die Große Königswitwe Merit-Aton, Hôr-em-Heb, Maja und der ›Gottvater‹ Eje hatten sich um Mose versammelt.

Insbesondere Hôr-em-Heb und Nacht-Min drangen mit aller Macht auf Mose ein, daß er doch sein rechtmäßiges Erbe als Herr der Beiden Kronen und der Beiden Throne antreten möge. Auch Eje hatte sich ihnen fast leidenschaftlich angeschlossen, obwohl er ansonsten einen griesgrämigen, ja, verärgerten Eindruck machte.

Mose aber weigerte sich standhaft und beharrlich:

»Ich will sie nicht, diese Macht, die vielen so erstrebenswert scheint! Ihr habt doch gesehen, wohin sie führt! Zu Not, zu Elend, zu Krieg, zu Blut und Mord! Wie immer man diese Macht auch anwendet, sie wendet sich letztlich nur gegen einen selber!

Akh-en-Aton wollte der Friedensfürst sein und keine Kriege führen. Er wollte allein der Wahrheit leben. Er wollte aus ehrlichem Herzen das Glück seiner Familie.«

Mose hielt einen Augenblick inne, ehe er fragte:

»Wer von uns ist denn glücklich geworden? Maket-Aton oder Kija oder Teje oder Sat-Amûn oder auch Semench-Ka-Râ, die tot sind? Oder vielleicht du, Merit-Aton, die du dich für die Hohen Federn jahrelang demütigen und mißhandeln lassen mußtest? Oder deine kleinen Schwestern Nefer-nefru-Aton, Nefer-nefru-Râ und Setep-en-Râ, die zwar erst legitimiert, dann aber mit dem Makel zweifelhafter Vaterschaft zur Seite geschoben wurden? Oder du, Tut-anch-Aton, der du all die Jahre kaum beachtet und der ›vergessene Prinz‹ wurdest, weil du kein Sohn Nofret-êtes warst?«

Mose hielt seinen Schlangenstab so fest umklammert, daß seine Fingerknöchel weiß hervortraten, als er fortfuhr:

»Dieser Kampf um die Macht widert mich in tiefster Seele an! Zu viele sind diesem Wahn geopfert worden, als daß ich diese Kronen tragen könnte! Diese Kronen, sie sind geschändet durch die Verbrechen, die um ihretwillen begangen wurden!

Man mag den Mord an Semench-Ka-Râ vielleicht noch mit irgendeiner politischen Notwendigkeit begründen wie den tausendfachen Mord in den Provinzen oder den Mord an Umuhanko und manchen anderen. Vielleicht mag man da die eine oder andere Erklärung oder Entschuldigung finden, wenn ich diese Erklärung oder Entschuldigung auch niemals in meinem Herzen akzeptieren oder gar billigen könnte.

Aber für die Morde in unserer engsten Familie, da gab es keine Notwendigkeiten, da gab es allein die Gier nach Macht!

Meine Mutter Sat-Amûn, unsere Großmutter Teje, meine Halbschwester Kija, und ganz besonders meine Gemahlin Maket-Aton, sie alle wurden ermordet um einer Krone willen, die sie trugen oder die ihnen irgendwann nach dem Willen des Königs und dem Ratschluß der Götter einmal zufallen sollte!

Königin Teje mag ja in ihrem Leben die eine oder andere Schuld auf sich geladen haben. Doch was war die Schuld von Maket-Aton? Von Sat-Amûn? Von Kija? Was haben sie getan, um unter entsetzlichen Qualen sterben zu müssen, zu einem Zeitpunkt, als sie noch fast ihr ganzes Leben vor sich hatten? Meine Mutter Sat-Amûn war 15 Jahre alt, vier Jahre jünger, als ich es heute bin! Kija, deine Mutter, Tuti, war 24! Und meine Maket-Aton war eben 14 geworden, als sie grausam ermordet wurde!

Welche Sünde haben sie begangen – außer die zu sein, die sie kraft ihrer Geburt eben waren? Welchen Verbrechens kann man sie anklagen – außer einer Krone, einer Macht, die jemand anderer haben wollte?«

Moses Blick ging beinahe flehend in der Runde:

»Warum wollt Ihr nicht akzeptieren, daß es mein einziger Wunsch ist, in den Tempel von Onû zu gehen oder auch in die Einsamkeit der Felswüsten von Biau, um fernab von aller Politik, aller Macht, aller Kronen und Throne jenen Weg, jene Aufgabe zu finden, die mir in Wahrheit von den Göttern vorgezeichnet wurde? Und diese Aufgabe, das weiß ich in meinem Innersten seit meiner Kindheit, ist es nicht, die Kronen dieses Landes zu tragen!«

Tut-anch-Aton trat auf Mose zu, legte für einen Augenblick seine Stirn an die Schulter seines Onkels:

»Ich verstehe dich. Ich war ganz froh, der ›vergessene Prinz‹ am Hof Akh-en-Atons gewesen zu sein. Ich war glücklich in den letzten drei Jahren im Haus allen Wissens zu Chemenu und voller Freude, als mich der Ruf zur Einweihung im Hat-Ka-Ptah zu Men-nôfer erreichte. Ich wäre gerne der vergessene Prinz geblieben. Nun, Er, der über unser aller Schicksal entscheidet, hat es wohl anders bestimmt. Wenn du dich tatsächlich weigerst, die Throne von Ober- und Unterägypten zu besteigen, dann werde ich es tun müssen und die Last der beiden Kronen tragen, die ich so wenig will wie du!«

Mose legte seinen rechten Arm um die schmalen Schultern seines jungen Neffen, drückte ihn für einen Augenblick fest an sich:

»Dir diese Last zu ersparen wäre der einzige Grund, der mich in meiner Ablehnung noch schwanken machen könnte. Für dich ...«

»Nein!« erklärte Tut-anch-Aton fest und löste sich aus der Umarmung. »Nein, Mose. Du warst immer ein Vorbild für mich, weil du zu dem gestanden hast, was du für das Richtige hieltest. Wenn du dich jetzt wider besseres Wissen für mich opfern würdest, wie sollte ich dir dann je wieder unter die Augen treten? Nein, wenn die Götter es so bestimmt haben, dann werde ich – mit der Hilfe von Euch allen – versuchen, diesem Land ein guter König zu sein und die Wunden zu heilen, die mein Vater ihm geschlagen hat!«

»Ihr werdet ein guter, ein großer König sein!« versicherte Hôr-em-Heb sehr ernst und bestimmt. »Ein König, von dem man in vielen Jahrhunderten noch sprechen wird!«

Zunächst hatte Ipu-Ka in der großen Audienzhalle die Ernennung Hôr-em-Hebs zum Reichsmarschall und zum Reichsverweser bekanntgegeben, und wir anderen, die wir dabei gewesen waren, hatten die Ernennungen durch den verstorbenen König und sein Siegel auf der entsprechenden Urkunde als wahr und richtig bezeugt.

Dann hatte Hôr-em-Heb Prinz Tut-anch-Aton als neuen König proklamiert und ihn die Stufen der Empore hinaufgeführt, wo ein kleinerer Thron, der vor dem großen Doppelthron des Herrschers stand, für ihn vorbereitet war, denn den eigentlichen Thron des Goldenen Hôr durfte er erst nach der offiziellen Krönung besteigen. Ipu-Ka hatte ihm feierlich Krummstab und Geißel als Zeichen seiner neuen Macht überreicht, nicht freilich die Krone; denn auch diese durfte er sich erst aufs Haupt setzen, nachdem er von Hôr und Setech, Utô und Nechbet gekrönt worden war.

In diesem Augenblick rauschte Anchesen-pa-Aton in den Saal, die Geierkrone mit den Hohen Federn auf dem Haupt, die kleine Geißel der Königin in der Rechten. Sie sah weder nach rechts noch nach links, sondern verkündete sogleich mit lauter Stimme, daß jeder es hören konnte:

»Als Witwe des Königs Akh-en-Aton Ua-en-Râ fordere ich mein verbürgtes Recht ein, von meinem nächsten Verwandten, dem zukünftigen König, geheiratet zu werden! Da ich bereits Große Königsgemahlin bin, ist er verpflichtet, mich zu seiner Ersten Gemahlin zu nehmen, damit ich so weiterhin Große Königsgemahlin bleibe! Keinesfalls werde ich dulden, daß Merit-Aton dieses Recht für sich in Anspruch nimmt! Zwar ist sie die ältere von uns beiden, doch ihr Gemahl Semench-Ka-Râ war lediglich Mitkönig, während ich die Witwe unseres Königs und Vaters bin und daher den höherrangigen Anspruch habe!«

»So ist es Euer Recht, und so wird es geschehen, Majestät«, antwortete Hôr-em-Heb mit einer zeremoniellen Verneigung.

Mit hochmütig strahlendem Gesicht trat Anchesen-pa-Aton auf Mose zu:

»Dann solltest du unverzüglich die entsprechenden Dokumente aufsetzen lassen!«

»Du bist im Irrtum, liebe Base«, widersprach Mose mit einer Verneigung, deren Tiefe genau an der Grenze zwischen Höflichkeit und Spott lag. »Nicht ich bin dein zukünftiger König und Gemahl, sondern dein Halbbruder Tut-anch-Aton dort oben vor dem Thron!«

Anchesen-pa-Aton fuhr so heftig zurück, als habe sie eine ihrer geliebten Schlangen mitten ins Gesicht gebissen.

»Du bist mein Gemahl! Für dich habe ich die Hohen Federn erobert!«

»Und ich habe dir dazu unmißverständlich meine Überzeugung dargelegt«, antwortete Mose ruhig. Unwillkürlich fiel mir das Gespräch zwischen den beiden ein, daß ich im Garten des Palastes beobachtet hatte.

»Ich will trotzdem dich!« schrie Anchesen-pa-Aton. »Nicht diesen … Knaben!«

»Es steht Euch selbstverständlich frei«, erklärte der neue

Reichsverweser Hôr-em-Heb, »von Euren legitimen Ansprüchen auf den Thron der Großen Königsgemahlin zurückzutreten, Majestät. Ihr braucht nur die Krone mit den Hohen Federn niederzulegen.«

»Niemals! Nicht nachdem ich dafür selbst die Ehe mit meinem widerlichen Vater auf mich genommen habe!« zischte Anchesen-pa-Aton wütend und begann die Stufen zum Thron hinaufzusteigen.

Am 23. Tag des letzten Monats der Ernte, 70 Tage nach seinem Tod, wurde die Mumie König Akh-en-Aton Ua-en-Râs in dem Grab, das er sich in einem Tal östlich von Achet-Aton hatte bauen lassen, beigesetzt.

Am 1. Tag des ersten Monats der Überschwemmung* wurde zu Men-nôfer Tut-anch-Aton gemäß dem uralten Ritual zum König gekrönt.

Keinesfalls hatte Tut-anch-Aton die Krönung in Achet-Aton durchführen lassen wollen. Andererseits hatten wir ihm von Uêset abgeraten, um den Bruch mit Aton und die Rückkehr zu Amûn als Reichsgott nicht allzu abrupt zu vollziehen. Es sollte keinesfalls der Eindruck entstehen, der neue König werde von den nunmehr wiedererstarkten konservativen Kräften willenlos gelenkt.

Er selber hatte schließlich Men-nôfer vorgeschlagen, jene Stadt, die schon Jahrhunderte lang Hauptstadt gewesen war, als in Uêset noch bedeutungslose Gaugrafen residierten.

Tut-anch-Aton wählte als Thronnamen Neb-cheperu-Râ – ›Râ aufsteigend aus der Chaosflut‹.

So war seit rund 450 Jahren König Tut-anch-Aton Neb-cheperu-Râ wieder der erste Herrscher Ägyptens, der den traditionellen Lauf um die Mauer mit der Huldigung aller 42 Gaue um die ursprüngliche Ineb-hedt, die ›Weiße Mauer‹ zu Men-nôfer, vollführte, wie dies vom Beginn des ägyptischen Reiches unter

* 15. Juni 1350 v.Chr.

König Meneji Hôr-Aha bis zum Einfall der Chabiru am Ende des Mittleren Reiches viele Jahrhunderte lang der Brauch gewesen war.

Das Volk sah darin ein gutes Vorzeichen und jubelte dem jungen König zu, und auch die versammelten Großen des Reiches neigten sich demütig, wenn zum Teil vorläufig auch nur, weil hinter dem König die strenge Gestalt des Reichsmarschalls und Reichsverwesers Hôr-em-Heb aufragte.

4. Papyrus

DIE
FELDZÜGE

König Tut-anch-Aton Neb-cheperu-Râ
1. bis 2. Regierungsjahr

König Tut-anch-Aton Neb-cheperu-Râ schlug seinen vorläufigen Regierungssitz in dem Königspalast zu Men-nôfer auf. Noch mied er das traditionsbehaftete Uêset, ebenso aber auch Achet-Aton, die Hauptstadt, die sein Vater errichtet hatte.

Men-nôfer war immer die zweite Residenz gewesen, und alle Könige aus unserem regierenden Herrscherhaus, mit Ausnahme von Akh-en-Aton Ua-en-Râ, Semench-Ka-Râ Anch-cheperu-Râ und Amûn-hotep Neb-Maat-Râ in seinen späten Jahren, hatten regelmäßig wenigstens für ein paar Wochen oder Monate in Men-nôfer residiert, um die Verbundenheit mit den Herrscherhäusern vergangener Tage zu demonstrieren – oder ganz einfach auch, um in den Sommermonaten der erdrückenden Hitze Oberägyptens zu entfliehen. Die uralten Gemäuer aus den Tagen des Königs Djoser Netscheri-Chet, dessen Stufenpyramide und Totentempel droben auf dem Plateau der westlichen Wüste die Stadt überschatteten, und der großen Pyramidenbauer Chnum-chufu und Ka-ef-Râ ebenso wie der mächtigen Herrscher des Mittleren Reiches Mentu-hotep Neb-cheru-Râ, Se-en-Userhet Cha-Kau-Râ, der den großen Kanal baute, und seines Sohnes Amûn-em-Het Ni-Maat-Râ waren längst vor allem von Königin Hat-Schepsut Maat-Ka-Râ durch sehr viel luftigere, elegantere und besser bewohnbare Palastteile ergänzt worden.

Die nächsten Wochen vergingen wie im Flug.

Zu den ersten Dokumenten, die König Tut-anch-Aton Neb-cheperu-Râ siegelte, gehörte ein Erlaß, der Religionsfreiheit gewährte. Der Aton-Kult wurde nicht abgeschafft, doch die Tempel der alten Götter durften offiziell wieder geöffnet, die Götternamen wieder an Tempelwänden, Säulen und Obelisken eingemeißelt werden. Bek, der kugelbäuchige Erste Baumeister Seiner Majestät, stürzte sich mit Inbrunst auf diese Aufgabe und ließ die Lehmschmiere, mit der er einst Götter- und Königsnamen hatte zukleistern lassen, wieder abkratzen, um sich so dem neuen Herrscher für künftige Aufgaben zu empfehlen.

Sutan und Panhasa behielten ihre Ämter, ebenso Mahû, der die Polizei so gnadenlos und brutal leitete wie je, aber auch mit der ihm eigenen unbestreitbaren Zuverlässigkeit. Maja wurde zum Wirtschaftsminister mit fast unbegrenzten Vollmachten auf diesem Gebiet ernannt.

Pichuru, Tutu, Pane-hesi, etliche Gaugouverneure und Dutzende mittlerer Beamter wurden aus ihrem Ämtern entfernt, große Teile ihres unrechtmäßig erworbenen Vermögens eingezogen. Ihnen jedoch offiziell den Prozeß zu machen, lehnte der König, entgegen heftigem Einspruch von Hôr-em-Heb, strikt ab.

»Wenn ich all den Schmutz aufdecke, für den diese Leute verantwortlich sind«, meinte Tut-anch-Aton Neb-cheperu-Râ, »dann traut für die nächsten hundert Jahre kein Mensch mehr irgendeinem königlichen Beamten!«

An Stelle Tutus übernahm noch einmal Mereru-Ka das Amt des Außenministers, wenn auch aufgrund seines Alters, wie er betonte, nur für kurze Zeit.

Statt Pane-hesi, dem ehemaligen Aton-Priester, gelang es mir, meinen Vater Neby für den Posten eines Generalgouverneurs von Oberägypten zu gewinnen. Er sträubte sich zwar mit Händen und Füßen dagegen, aus seiner beschaulich philosophischen Ruhe in ›Weide der Rinder des Amûn‹ gerissen zu werden, doch sein Gewissen war viel zu stark entwickelt, als daß er sich einer als wahrhaft notwendig erkannten Aufgabe entzogen hätte.

Prinz Nacht-Min trat, inzwischen zum drittenmal, den Posten des Ministerpräsidenten an, und Mose hatte sich bereit erklärt, Nacht-Mins bisheriges Amt des Oberrichters der Oberrichter zu übernehmen.

Selbstverständlich war auch ich nicht verschont geblieben. König Tut-anch-Aton Neb-cheperu-Râ hatte mich zum Feldmarschall und Chef des Generalstabs ernannt. Da der Reichsmarschall und Oberkommandierende aller Truppen, Hôr-em-Heb, mit seiner Aufgabe als Reichsverweser mehr als ausgelastet war, blieb es jetzt also mir überlassen, das rund 60 000 Mann umfassende und in der Zeit des ›Friedensfürsten‹ Akh-en-Aton reichlich verlotterte ägyptische Heer wieder auf Vordermann zu bringen.

So knapp Akh-en-Aton Ua-en-Râ aus Überzeugungsgründen das Militär gehalten hatte, in den weit über 20 Friedensjahren – von dem ›Manöver‹ in Wawat abgesehen – hatte die Kriegskasse beachtlich Speck angesetzt. So war es denn kein Problem zu helfen, als der König und Hôr-em-Heb dringend darum baten, Gelder flüssig zu machen, um von weit überhöhten Steuern ausgesaugten Bauern, Handwerkern und Händlern finanziell wieder auf die Beine zu helfen oder beispielsweise auch Ägyptern, die aus To-nuter und Kanaan hatten flüchten müssen, die notwendigen Mittel für eine neue Existenzgründung zur Verfügung zu stellen.

Etwas freilich ärgerte uns maßlos: Menna, der glitschige Generalgouverneur von Unterägypten, saß unerschüttert auf seinem Posten. Wir hatten Hunderte von sehr konkreten Hinweisen, daß
Menna sein Amt noch übler mißbraucht hatte als Pichuru, Tutu
und Janch-Aton zusammen. Doch Menna hatte es verstanden,
einen so dichten Staubschleier vor seinen Machenschaften auf-
zuwirbeln, daß wir ihm nicht einen einzigen Fall zweifelsfrei
nachweisen konnten.

»Was sollen wir also tun?« fragte der König, als, wie jetzt fast
täglich, der Innere Kronrat beisammen saß. Ihm gehörten neben
Hôr-em-Heb, Mose, Nacht-Min und mir auch Beket-Amûn,
Maja, Sutan und, wenn er sich in Men-nôfer aufhielt, mein Vater
Neby an.

»Wenn wir ihn vor Gericht stellen«, schimpfte Mose, wobei
er mit langen Schritten vor uns auf und ab lief, »und wir ihm
nichts wirklich nachweisen können, dann muß ich ihn freispre-
chen, auch wenn ich vor Ärger dabei platze! Verurteile ich ihn
trotzdem, dann wird Menna ein Geheul erheben, das von der
Mündung des Stromes bis zum 4. Katarakt erschallt. Er wird das
ganze Verfahren einen politischen Schauprozeß nennen und uns
der Rechtsbeugung beschuldigen – und damit, und das ist das
Schlimmste, auch noch recht haben!«

»Ich könnte ihn einfach aus seinem Amt entlassen«, schlug
Tut-anch-Aton Neb-cheperu-Râ vor.

»Natürlich könntest du«, gab Mose zu. »Aber dann würde
Menna sofort kreischend eine gerichtliche Untersuchung seiner
tadellosen Amtsführung fordern, und wir wären genau da, wo
wir eben schon waren, nur daß er dir zusätzlich lauthals Willkür-
herrschaft vorwerfen würde.«

»Jeder König hat Minister und Gouverneure abgesetzt und
neue eingesetzt, ohne dafür groß Rechenschaft ablegen zu müssen«, verteidigte sich Tut-anch-Aton Neb-cheperu-Râ.

»Gewiß«, gab Hôr-em-Heb sofort zu, »aber keiner war in der
Situation Eurer Majestät, das in bis seine Grundfesten erschütterte Vertrauen des Volkes erst wiedergewinnen zu müssen!«

Menna ärgerte uns alle, doch Beket-Amûn, Mose und mich
beunruhigte ein anderer weit mehr: der ›Gottvater‹ Eje!

Ohne auch nur den Versuch zu machen, sich wenigstens noch ein Zipfelchen der Macht zu sichern und zu erhalten, hatte er sich nach dem Tod Akh-en-Aton Ua-en-Râs auf seine ererbten Güter in Ipu zurückgezogen, wo er Pferde züchtete, Kornscheffel zählte, edle Weine kultivierte und Paviane dressierte.

Für den Mann, der 17 Jahre lang als fast allmächtiger Schatten hinter dem Thron die Macht in Händen gehalten hatte, war dies verblüffend.

Für den Mann, der aller Wahrscheinlichkeit nach den Kult des Aton, zu welchem Zweck auch immer, erfunden und Akh-en-Aton Ua-en-Râ hatte einblasen lassen, war dies unlogisch.

Für den Mann, der vor kurzem offensichtlich noch versucht hatte, Semench-Ka-Râ vollständig unter seine Gewalt zu bringen, war dies widernatürlich.

Für den Mann schließlich, der, wie seine Tochter Mut-nodje-met felsenfest überzeugt war, einen großen, langfristigen, nur ihm bekannten Plan verfolgte, war dies in höchstem Maße beunruhigend!

Ich ließ Eje insgeheim aufs schärfte überwachen. Ohne das geringste Ergebnis.

Wir zermarterten uns die Köpfe. Ohne zu einer Erklärung zu kommen.

Der Innere Kronrat teilte zwar unsere Unruhe, hielt uns aber – ohne es je auszusprechen – für übertrieben ängstlich. Und wir hatten nicht die mindeste Handhabe, ihn vom Gegenteil zu überzeugen.

Am 6. Tag des 1. Monats der Aussaat machten sieben große Schiffe aus Wawat und Kusch an der Palastmole in Men-nôfer fest.

Vizekönig Huja und seine Gemahlin Tae-muad-jsi wurden herzlichst empfangen und begrüßt. Zwischen Tut-anch-Aton Neb-cheperu-Râ und Heka-nefer, der inzwischen seinem Vater als Fürst von Aniba nachgefolgt war, gab es ein begeistertes Wiedersehen, und die Tribute und Geschenke, die dem König zu

Füßen gelegt wurden, waren von einer Pracht und einem Wert, wie sie seit über 15 Jahren kein ägyptischer König mehr zu Gesicht bekommen hatte.

Als wir später, nach den offiziellen Feierlichkeiten, in kleiner Runde zusammensaßen, konnte Huja berichten, daß unter dem Schutz der rund 6000 anständig bezahlen Soldaten wieder Ruhe und Ordnung in den Südprovinzen eingekehrt war, die Wirtschaft wieder aufblühte. Allerdings verhehlten Huja und Hekanefer auch nicht, daß seit der Thronbesteigung König Tut-anch-Aton Neb-cheperu-Râs etliche der lokalen Fürsten erneut Morgenluft witterten und – in der Hoffnung, der neue Herrscher im fernen Men-nôfer sei nicht nur jung und unerfahren sondern vor allem auch schwach – ihre blutigen, alten Rivalitäts- und Machtkämpfe wieder aufflammen ließen.

Tut-anch-Aton Neb-cheperu-Râ war sichtlich wütend, und als Tae-muad-jsi ihre verträumten Augen auf ihn richtete und mit leiser Stimme fragte, ob man denn vielleicht wieder einmal ein ›Manöver‹ wie seinerzeit in Wawat abhalten könne, schüttelte er energisch den Kopf:

»Kein Manöver!« bestimmte er grimmig. »Einen Feldzug, mit Seiner Majestät dem König an dessen Spitze!«

Schon knapp zwei Wochen später glichen große Teile von Men-nôfer einem Heerlager, und am 1. Tag des 3. Monats der Aussaat setzte sich eine Flotte von Flußschiffen und Booten mit einem Heer von 30 000 Mann den Strom aufwärts in Bewegung. Angeführt wurde die Armada von dem vergoldeten Staatsschiff *Stern von Ägypten* mit Seiner Majestät persönlich an Bord.

Am 1. Tag des 4. Monats der Aussaat erreichten wir Meha, die Residenzstadt Vizekönig Hujas.

Widerstand regte sich keiner. Im Gegenteil, die Häuptlinge und Rudus von Wawat und Kusch hatten es ungeheuer eilig, nach Meha zu hetzen, sich dem neuen König zu Füßen zu werfen und ihn ihrer tief empfundenen Verehrung, Unterwürfigkeit und Liebe zu versichern.

An den späteren Nachmittagen und Abenden bemühten sich dann die Häuptlinge, mit prachtvollen Festen zu Ehren des Königs einander zu übertreffen. Allerlei Vorführungen und die Dressur von Tieren wie Pferden, Löwen, Elefanten und unbekannten Wesen aus dem tiefen Süden wurden geboten. Gaukler und Akrobaten zeigten ihre Geschicklichkeit, spien Feuer, wirbelten ein halbes Dutzend Reifen oder Bälle durch die Luft, bauten Menschentürme oder balancierten über straff gespannte Seile. Muskulöse Ringer und geschickte Stockfechter zeigten ihre Kraft. Bunt kostümierte Männer und Frauen führten zum dumpfen Schlag der Trommeln ihre Stammestänze vor. Sänger und Chöre traten auf. Grell geschminkte Spaßmacher brachten die Gesellschaft zum Lachen, und langatmige Redner langweilten sie unerbittlich. Und immer wieder waren es vor allem auch die berühmten schwarzen Bogenschützen, die ihre unvergleichliche Treffsicherheit zur Schau stellten.

Der König ließ dies alles freundlich über sich ergehen, lächelte, applaudierte, verteilte Geschenke an die Sieger verschiedener Wettbewerbe, doch hinter der liebenswürdigen Maske sah ich in ihm einen immer größer werdenden Zorn aufsteigen. Nachfühlen konnte ich es ihm, denn die Fürsten aus Wawat und Kusch zollten zwar der Königsmacht, die er verkörperte, die nötige Achtung und zitterten offensichtlich vor Hôr-em-Heb, Huja und mir, doch Tut-anch-Aton Neb-cheperu-Râ selbst behandelten sie eher wie ein verwöhntes Kind, das man mit allerlei Flitter bei Laune halten muß, und wenn sie sich vor ihm niederwarfen und ihre Häupter zu Boden senkten, so schien mehr als einmal ein respektloses Grinsen um ihre Lippen zu spielen.

Wir waren etwa seit drei Wochen in Meha, und der König hatte die letzten zwei Tage still vor sich hin gegrübelt, als er eines Morgens zu einem Wettbewerb der besten Bogenschützen des Landes aufrief. Jeder mochte sich daran beteiligen und jeweils sieben Pfeile aus einer Entfernung von 4 Chet auf eine Scheibe abschießen. Dem Sieger winkte als Preis nicht nur ein ausgedehntes Landgut mit Feldern und Äckern und reichem Viehbestand in der Nähe von Meha, als bester Schütze des Reiches sollte er zudem mit dem Gold der Belohnung ausgezeichnet werden.

Die Ankündigung des Königs rief eine unbeschreibliche Aufregung hervor. In Kusch und Wawat galt der Bogen als die vornehmste aller Waffen mit fast kultischer Bedeutung, und der Ruhm der schwarzen Bogenschützen reichte zurück bis in die graue Vorzeit. Ein Wettbewerb der Schützen war in den Südprovinzen stets ein bedeutendes Ereignis, und diesmal gar, ausgetragen vor den Augen des Königs, mit einem reichen Landgut und gar dem Gold der Belohnung dotiert, wurde es zu einem Fest, wie es seit Jahrzehnten in diesen Ländern nicht mehr stattgefunden hatte. Akrobaten, Tierbändiger und Tänzer waren vergessen, und alles drängte sich nur noch um die Schießstände, wo die Pfeile auf die dick aus Stroh geflochtenen Scheiben schwirrten, beurteilte, kritisierte, mutmaßte und schloß Wetten auf die bekannten Champions ab.

Natürlich beteiligten sich auch viele der ägyptischen Soldaten, Unteroffiziere und Offiziere an dem Wettstreit, sogar Hôrem-Heb und ich, und wir waren eigentlich recht stolz, daß wir dabei durchaus ordentlich abschnitten.

Am Abend des dritten Tages schließlich stand der Sieger so gut wie fest, ein kleiner, untersetzter, sehr dunkelhäutiger Hauptmann aus der Garde Heka-nefers, des jungen Fürsten von Aniba. Schon wollte er zum Thron Seiner Majestät emporsteigen, um seinen Siegespreis in Empfang zu nehmen, als der König Je-schua zu sich heranwinkte, der ihm mit einer tiefen Verneigung den Armschutz für den linken Unterarm und den Handschuh überreichte, der Zeige- und Mittelfinger der rechten Hand vor der scharfen Bogensehne schützen soll. Bedächtig schnallte Tut-anch-Aton Neb-cheperu-Râ den Armschutz fest, schlüpfte in den Handschuh. Dann nahm er die sieben Pfeile und einen kuschitischen Langbogen aus den Händen Je-schuas entgegen.

Die Anwesenden applaudierten höflich und anhaltend, denn daß sich der König selbst an dem Wettbewerb beteiligte, setzte dem Ganzen zweifellos die Krone auf. Nur die Menschen, die etwas näher an den Zielscheiben standen, rückten eilig auseinander. Wer mochte denn schon wissen, wohin der Pfeil eines Schützen flog, der offenkundig solch einen fast mannshohen Bogen noch nie in Händen gehabt hatte und sich zum Schießen nicht einmal von seinem Thron erhob.

Sorgfältig setzte Tut-anch-Aton Neb-cheperu-Râ den Pfeil auf die Sehne und rückte sich noch ein wenig auf seinem Thron zurecht.

Dann spannte er mit einem eleganten Schwung den Bogen, visierte einen Augenblick lang das Ziel an und ließ die Sehne schwirren.

Mit einem dumpfen Schlag fuhr der Pfeil in die Scheibe, exakt in der Mitte der aufgemalten Kreise.

Ein fassungsloses »Ahhhhh!« entrang sich tausend Kehlen.

Und schon hatte der König den zweiten Pfeil aufgelegt, den Bogen gespannt und erneut geschossen. Die Spitze des Pfeiles fuhr so dicht neben dem ersten in das Stroh, daß man kein Haar zwischen sie hätte bringen können. Gleich darauf zischte der dritte Pfeil ebenso dicht in die Scheibe. Der vierte schlug in die Mitte der drei und zersplitterte einen der Pfeilschäfte. Und schon schwirrte das fünfte und sechste Geschoß heran, zersplitterte weitere Schäfte bereits steckender Pfeile. Als schließlich der siebte Pfeil einschlug, waren die Spitzen der Pfeile wie eine kompakte Masse zusammengewachsen.

Für einen Augenblick herrschte atemlose Stille, während Tut-anch-Aton den Bogen Je-schua zurückreichte, sich den Handschuh auszog.

Und dann brach ein ohrenbetäubender Jubel los. Kusch und Wawat brüllten sich vor Begeisterung schier die Kehlen aus dem Leib, und als sich die dunkelhäutigen Fürsten spontan vor dem König zu Boden warfen und mit ihren Stirnen den Boden berührten, da war nur noch tiefste Hochachtung in ihren Mienen zu lesen.

Diesmal war ich es, der grinsen mußte. Schon als der König den Wettstreit im Bogenschießen verkündete, hatte ich geahnt was er vorhatte, nämlich sich in eben der Kunst Respekt bei den Bewohnern seiner Südprovinzen zu verschaffen, auf die jene am stolzesten waren. Daß ihm das gelingen würde, daran hatte ich nicht gezweifelt, war doch Tut-anch-Aton, wie sehr wohl ich, doch außer mir nur wenige wußten, ein wahrhaft brillanter Bogenschütze, der das, was ihm an roher Muskelkraft fehlte, durch ausgefeilte Technik und ein untrügliches Auge wettmachte. Auch daß er, um seinen Rücken zu schonen, vorzugsweise im Sitzen schoß – eigentlich eine unmögliche Haltung –, war mir vertraut. Doch heute hatte er sich wahrlich selber übertroffen, und das begeisterte auch mich von Herzen!

Die ›Sieben Pfeile zu Meha‹ wurden binnen Stunden zur Legende und Tut-anch-Aton Neb-cheperu-Râ mit einem Schlag zum Helden. Wawat und Kusch lagen ihm begeistert zu Füßen, und die Großen des Landes beugten in wahrer Ehrerbietung ihre Rücken vor ihm. Gewiß, kaum würde er den verschiedenen Gauhäuptlingen den Rücken kehren, so würden diese erneut versuchen, ihre alten, blutigen Rivalitäten und Händel untereinander auszutragen, doch für alle Zukunft würde ein mißbilligendes Runzeln der königlichen Augenbrauen genügen, um die Herren schleunigst wieder zur Ordnung zu rufen.

In das allgemeine Feiern und Jubeln über den Sieg des Königs platzte Chanî, der Sohn des Merie-Râ, des immer noch zu Achet-Aton amtierenden Großpriesters des Aton.

Ich hatte Chanî noch nie gemocht. Ich mißtraute ihm, und daß er zum engen Freundeskreis des glitschigen Generalgouverneurs Menna zählte, machte die Sache nicht besser. Daß er auf die Ernennung zum Reichsmarschall durch Semench-Ka-Râ eingegangen war, zeugte von maßlosem Ehrgeiz und, meiner Ansicht nach, nicht gerade von überragender Intelligenz. Trotzdem war es ungerecht gewesen, daß ihn Semench-Ka-Râ nach seinem denkwürdigen ›Feldzug‹ durch Achet-Aton flugs als Sündenbock hatte in den Kerker werfen lassen. So hatte es zu unseren ersten Verordnungen nach dem Tod des Mitkönigs gehört, Chanî aus dem Gefängnis zu befreien, ihn, auf seine Bitte hin, in seinen alten Rang als Oberst wieder einzusetzen und vorläufig zu den Grenztruppen zu schicken.

Jetzt also stand Oberst Chanî vor dem König, Huja, Hôr-em-Heb, Mose und mir, einen mittelgroßen, von innen mit Teer verpichten, geschlossenen Weidenkorb unter dem linken Arm, in der rechten Hand mehrere von einer Lederhülle sorgsam geschützte Tontafel-Briefe.

»Es war kein geringerer als der erhabene ›Gottvater‹ Eje, Sohn des Juja, von dem ich den Wink erhielt, daß sich ein kleiner, jedoch schwer bewaffneter Trupp aus Hatti und Amoritern durch Kanaan nach Ägypten zu schleichen versuche«, begann Chanî seinen Bericht. »Ich brach also in aller Stille mit zweihundert Mann der Internationalen Garde auf, und tatsächlich, nicht weit von Lachisch in Kanaan entdeckten wir den Trupp. Da sie sich heftig wehrten, erschlugen wir die meisten. Die Köpfe ihrer Anführer habe ich mitgebracht.«

Chanî öffnete den Deckel des Korbes, und wir erkannten mit Grausen drei abgeschlagene Köpfe. Obwohl sie bereits in Verwesung übergegangen waren erkannte ich zwei davon. Der eine gehörte einem Bruder oder Halbbruder König Azirhûs von Amurru, der im letzten Jahr seinen Bruder nach Achet-Aton begleitet hatte. Der zweite Kopf gehörte Hanis, einem höheren Beamten aus dem Außenministerium.

»Und dies war Prinz Zannanza, der Sohn des Hattikönigs Schuppiluliuma!« verkündete Chanî stolz.

Mose winkte dem Oberst, den Deckel des Korbes über seinem ekligen Inhalt wieder zu schließen.

»Von Hanis, der bei dem Gefecht schwer verwundet worden war, erfuhr ich noch die ganze Geschichte, ehe ich ihm den Kopf abschlug«, fuhr Chanî fort. »Als König Akh-en-Aton Ua-en-Râ starb, sah die Königsgemahlin Nofret-ête offenbar die Möglichkeit gekommen, wieder hervorzutreten und die Macht an sich zu reißen, zumal nicht der Hôr-im-Nest, sondern der junge Prinz Tut-anch-Aton den Thron bestieg. Sie baute wohl auf ihren alten Zauber, den sie viele Jahre an der Seite König Akh-en-Atons auf die Masse des Volkes ausgeübt hatte. Zweifellos rechnete sie auch mit der Unterstützung der treuen Anhänger des Aton-Glaubens, welchen der wachsende Einfluß zumal Prinz Moses und Prinzessin Beket-Amûns suspekt ist. Vor allem jedoch baute sie offenkundig auf Hilfe verschiedener hoher, nunmehr entlassener Beamter wie Pichuru und Tutu. Zumindest den ehemaligen Außenminister Tutu vermochte sie tatsächlich auf ihre Seite zu ziehen.

Offenbar machte dieser Nofret-ête jedoch klar, daß sie nur mit einem starken, auch militärisch starken, Gemahl an ihrer Seite die Chance hätte, die Macht wirklich in die Hände zu bekommen. Zweifellos wären Sie, Reichsmarschall Hôr-em-Heb, der ideale Mann gewesen, doch Sie standen unerschütterlich auf der Seite Seiner Majestät. So wählte die Königswitwe einen Ausländer zu ihrem Zweck und ließ durch den Beamten Hanis einen Brief mit folgendem Wortlaut an Schuppiluliuma, den König der Hatti, schicken:

›Mein Gatte ist tot, und ich habe keinen Sohn. Die Leute sagen, daß deine Söhne erwachsen sind. Wenn du mir einen deiner Söhne schickst, wird er mein Gemahl werden, denn ich will keinen von meinen Untertanen nehmen, um ihn zu meinem Gatten zu machen.‹

Gezeichnet war der Brief: ›Die Königin‹.«

»Die Königin – was für eine Frechheit!« empörte sich Huja, und Mose stellte grimmig fest: »Das ist eindeutig und unzweifelhaft Hochverrat!«

Inzwischen fuhr Chanî fort:

»Der Brief löste in Hattusa, der Residenzstadt der Hatti, allerdings zunächst keineswegs die Begeisterung aus, die sich Nofret-ête versprochen haben mochte. Im Gegenteil! König Schuppiluliuma, dessen Feldherren Lupak-kisch und Teschub-Zalmasch eben im Gebiet von Amqa alles kurz und klein geschlagen und gefangengenommen hatten, was Beine hatte und laufen konnte, befürchtete eine billige Racheaktion von unserer Seite. Immerhin schickte er schließlich seinen Gesandten Chattu-Zitisch mit Hanis nach Ägypten. Den beiden gelang es, nach Achet-Aton zu kommen und in den Nördlichen Palast zu schlüpfen, wo sich Chattu-Zitisch von den ehrlichen Absichten, vor allem aber auch von dem schönen Körper der Königswitwe überzeugen ließ.

Die beiden Gesandten kehrten schließlich nach Hattusa zurück mit einem zweiten Brief folgenden Wortlauts:

›Warum sagst du, ich versuche, dich zu täuschen? Wenn ich einen Sohn hätte, würde ich dann in einer für mich und mein Land erniedrigenden Weise an ein fremdes Land geschrieben haben? Du aber glaubst mir nicht und bringst mir sogar ungerechtfertigtes Mißtrauen entgegen! Der mein Gemahl war, ist tot, und ich habe keinen Sohn. Soll ich vielleicht einen meiner Diener nehmen und ihn zu meinem Gatten machen? Ich habe auch an kein anderes Land geschrieben! Ich habe nur an dich geschrieben! Man sagt, du hast zahlreiche Söhne. Gib mir einen deiner Söhne, und er wird mein Gemahl sein und König im Lande Ägypten.

Die Königin.‹

Trotzdem war es schwer, König Schuppiluliuma von der Aufrichtigkeit Nofret-êtes zu überzeugen. Der Verräter Hanis jammerte ausführlich über die Beschimpfungen und Demütigungen, die er hatte hinnehmen müssen.

Schließlich willigte der Hattikönig doch ein und schickte seinen Sohn Zannanza los. Den Rest der Geschichte kennt Euer Majestät bereits«, endete Chanî mit einer tiefen Verneigung und fügte an: »Daß ich die lautere Wahrheit spreche, mögen diese Briefe und Dokumente beweisen.«

Damit übergab er Hôr-em-Heb die Lederschatulle mit den Tontafeln.

Akkadisch, die gängige Diplomatensprache, beherrschten wir alle, mit Ausnahme von Mose, bestenfalls in den Grundzügen, und mit Keilschrift war selbst er überfordert. Der hastig herbeigerufene Je-schua konnte uns wenigstens eine grobe Rohübersetzung liefern.

Bei den Tafeln handelte es sich zunächst um einen Heiratsvertrag zwischen Nofret-ête und Zannanza mit der Maßgabe, den Hattiprinzen zu ihrem rechtmäßigen und Ersten Gemahl und zum König der Beiden Throne und der Beiden Kronen zu machen – bereits gesiegelt von Schuppiluliuma, dem König der Hatti, und Zannanza, seinem Sohn. Weit wichtiger jedoch war ein »ewiger« Friedens- und Freundschaftsvertrag zwischen Hattusa und Achet-Aton, der nicht nur To-nuter »auf immer« dem hattischen Machtbereich zusprach – das wäre ja noch zu ertragen gewesen –, sondern der Ägypten zu einem Teil des Hattireiches machte und Land, Throne und Kronen »für alle Zeiten« der Krone Schuppiluliumas und seiner Nachfolger unterstellte, dem Hatti sogar das Recht einräumte, zu bestimmen, »wem in Seiner

Provinz Ägypten fürderhin an Seiner Stelle die Regierung auszuüben gestattet sein solle«.

König Tut-anch-Aton Neb-cheperu-Râ hatte Oberst Chanî entlassen und ihm befohlen, die drei Köpfe in seinem Korb ehrenvoll
zu bestatten – vor allem die Köpfe des Hattiprinzen Zannanza
und des Bruders oder Halbbruders von Azirhû, dem König der
Amoriter, aber auch den Kopf von Hanis. Letzterer mochte in unseren Augen zwar ein Verräter sein, auf seine Weise jedoch hatte
er durchaus geglaubt, das Richtige zu tun, und so gebührte auch
ihm ein anständiges Begräbnis.

»Scheiße! Scheiße!! *Scheiße*!! Wenn dieses ausgefranste hattische Arschloch Schuppiluliuma und dieser Schweineficker
Azirhû je nach einem gerechten Kriegsgrund gesucht haben,
dann hat ihnen dieser Flachwichser Chanî den Grund auf einer
goldenen Schüssel serviert!« wütete der Reichsmarschall Hôr-
em-Heb – unterbrach sich abrupt, riß sich zusammen und
schaute uns für seinen kasernenhofmäßigen Ausbruch um Verzeihung bittend an.

»Sie meinen«, hakte Tut-anch-Aton Neb-cheperu-Râ nach,
»daß Azirhû und Schuppiluliuma die Gelegenheit nützen werden, um Ägypten …«

Wieder völlig beherrscht, beruhigte ihn Hôr-em-Heb:

»Ägypten ist nicht in Gefahr. Weder Schuppiluliuma noch
Azirhû sind verrückt genug, um zu glauben, sie könnten nach
einem Marsch durch die Negeb-Wüste unseren Festungsgürtel,
der sich von Sinu an der Küste bis nach Teku an den Bitterseen
herunter zieht, überwinden.«

»Da mein Vater«, stellt König Tut-anch-Aton Neb-cheperu-Râ
fest, »To-nuter ohnehin bereits verloren hat, geht es also um Kanaan, das wir im Augenblick ja auch nur noch mehr schlecht als
recht halten.«

»So ist es«, bestätigte ich. »Reichsmarschall Hôr-em-Heb und
ich sind allerdings schon vor einiger Zeit zu der Einsicht gekommen, daß sich Ägypten langfristig gesehen auch aus dieser Pro-

vinz zurückziehen sollte. Ich habe mit einer Reihe von anderen hohen Offizieren und Beamten über dieses Thema gesprochen, und so weh es manchen tat, auch sie mußten zugeben, daß diese beiden ewig unruhigen Provinzen weder von ihrer Lage her wirklich zu Ägypten gehören, noch der Nutzen, den wir aus ihnen ziehen könnten, auch nur annähernd die Kosten und den Ärger aufwiegen, den sie beständig verursachen.«

Der König dachte eine ganze Weile nach, ehe er schließlich zustimmte.

»Allerdings«, schränkte er energisch ein, »auch wenn wir beschlossen haben, uns aus To-nuter und Kanaan zurückzuziehen – *hinauswerfen* lassen sollten wir uns nicht!«

»Nein, das sollten wir wirklich nicht!« bestätigen wir alle, und Vizekönig Huja fügte hinzu. »Schon um des Ansehens Eurer Majestät und unseres Landes willen!«

Bereits am nächsten Vormittag rief ich die etwa 30 wichtigsten Offiziere, die mit uns nach Wawat gekommen waren, zu einer Stabsbesprechung zusammen. General Paatem-em-Heb war dabei, die Obersten Heri-tjerut, Sechnu, Schut und Chanî, der Oberststallmeister Thai, der königliche Standartenträger Suti, aber auch die Hauptleute Je-schua und Râ-mose, der Sohn des Finanzministers Sutan, sowie Men-kau-Hôr, der seit Moses offizieller Rückkehr in die Politik wieder dessen kleine Leibwache aus Wolfsmännern kommandierte.

Zusammen mit Prinz Mose, Reichsmarschall Hôr-em-Heb und Vizekönig Huja ließen wir uns in einem weiten Kreis um den König nieder, der in unserer Mitte auf einem kleinen Faltstuhl thronte.

Mit knappen Worten berichtete Hôr-em-Heb zunächst von dem, was uns Oberst Chanî am Vortag gemeldet hatte, und fuhr dann fort:

»Es ist nicht meine Aufgabe, darüber zu richten, wie sehr die blutige Art und Weise, mit der Oberst Chanî seinen selbstgestellten Auftrag erfüllt hat, unserem Land nützte oder schadete. Tatsache ist, daß damit der offene Krieg mit Hatti und Amoritern unvermeidlich geworden ist.«

Der Reichsmarschall hatte seinen Satz noch nicht beendet, als sich Chanî vor dem König mit ausgestreckten Armen niederwarf, mit der Stirn den Boden berührte und zu einer Entschuldigungstirade ansetzte. Hôr-em-Heb wischte sie mit einer ungeduldigen Handbewegung weg.

»Da dieser Krieg früher oder später ohnehin ausgebrochen wäre, hat Oberst Chanî letztlich mit seiner Tat nur etwas ausgelöst, was unvermeidlich war«, schloß er das Thema ab.

Dann erläuterte er den Versammelten den Entschluß, uns einerseits zwar aus Kanaan zurückziehen zu wollen, uns andererseits aber keinesfalls hinauswerfen zu lassen.

»Der Krieg«, so schloß er, »ist eine Tatsache. Es geht also nicht darum, *ob* wir ihn führen wollen, es geht jetzt allein darum, *wie* wir ihn führen sollen und müssen.«

Die heftige Diskussion, die nach den Worten des Reichsmarschalls ausbrach, dauerte gewiß eine Viertelstunde.

Einige wie General Paatem-em-Heb, Oberst Chanî und Oberststallmeister Thai waren der Meinung, wenn man denn beschlossen habe, sich aus To-nuter, das wir ohnehin nicht mehr hatten, und Kanaan, das wir nicht mehr wollten, zurückzuziehen, dann solle man den Festungsgürtel zwischen Sinu und Teku entsprechend mit Truppen verstärken und sich dort den Feind die Köpfe einrennen lassen – so dieser Feind sich denn überhaupt so weit vorwage. Für sie sprach unbestreitbar jede Vernunft!

Die weit überwiegende Mehrzahl der Offiziere jedoch war dafür, unverzüglich die Garnisonen und Festungen in Kanaan massiv zu verstärken. Die Zeit dafür würde ausreichen, denn Erfahrung lehrte, daß die Hatti erst in etwa sechs Wochen, Mitte des 2. Erntemonats, aktiv werden würden, wenn die Witterung wieder alle Straßen und Pässe in das rauhe Hochland ihrer Heimat ungehindert benutzbar machte.

Ich neige wie auch Mose und Hôr-em-Heb der zweiten Gruppe zu. Uns hinter unserem Festungsgürtel zu verschanzen und Kanaan kampflos aufzugeben war ohne jeden Zweifel vernünftig, widersprach aber allem, was das Ansehen unseres Landes forderte.

Gewiß würde dies den Verlust von Kanaan letztlich nicht verhindern und mit hohen Opfern an Menschenleben verbunden sein. Dafür sprach jedoch eindeutig die Ehre und der Wunsch, uns nicht kampflos und schmählich aus der Provinz vertreiben zu lassen.

König Tut-anch-Aton Neb-cheperu-Râ hatte mit unbewegter Miene zugehört. Mit einer knappen Bewegung seines Krummstabes gebot er jetzt Ruhe. Dann fragte er:

»Was erwarten unsere Gegner am wenigsten, daß wir tun?«

Einen Augenblick herrschte verblüfftes Schweigen, dann rief Mose:

»Angreifen!«

»Und wie?« fragte der König mit sichtlichem Interesse.

Noch ehe sich die Mehrzahl der versammelten Offiziere auf diesen neuen Vorschlag umstellen konnten, meldete sich Hauptmann Je-schua zu Wort:

»Durch das Jordantal nordwärts in der Nähe des Sees Genezareth. Wenn wir so das unmittelbare Kerngebiet seiner Macht bedrohen, dann wird sich Azirhû zur Schlacht stellen müssen. Natürlich wird er sofort die Streitmacht seiner hattischen Verbündeten herbeirufen, die im nördlichen To-nuter überwintert haben – und die werden kommen müssen, wenn sie ihren Verbündeten nicht im Stich lassen und den gesamten Süden der Provinz verlieren wollen.

Absolut wichtig dabei wäre nur«, so betonte Je-schua nachdrücklich, »daß wir die Hatti zwingen, vorzurücken, ehe sie Nachschub aus ihrem heimatlichen Hochland erhalten!

Kurz gesagt: Unser Angriff muß binnen längstens eines Monats erfolgen!«

Der Plan war – genial! So genial, daß nicht einmal altgediente Offiziere aus Prinzip dem jungen Hauptmann widersprechen mochten, sondern sich unverzüglich ans Überlegen und Rechnen machten. Doch nach wenigen Minuten schon machte sich bittere Enttäuschung auf ihren Gesichtern breit.

»Das schaffen wir nicht!« faßte Paatem-em-Heb schließlich

zusammen. »Wenn wir unverzüglich aufbrechen, dann sind wir in einer Woche in Men-nôfer. Selbst wenn wir durch Eilkuriere in Men-nôfer alles schon in Alarmzustand versetzen lassen, werden wir dort eine knappe Woche Vorbereitungszeit brauchen. Und dann steht uns ein Marsch von rund 60 Iteru bevor, über Chêm und Per-Bast nach Zaru, dann durch die Negeb-Wüste nach Guza, dann über Schemech und Jerusalem durch das Gebirge, bei Jericho hinunter in das Tal des Jordan, und schließlich den Fluß aufwärts zum See Genezareth. Selbst wenn wir 10 Stunden täglich marschieren, mehr als drei Iteru pro Tag schaffen wir nicht! Sogar das ist noch sehr freundlich gerechnet angesichts von Wüste und Gebirge und dem Troß, den wir nun einmal brauchen; denn wir haben keine Zeit, uns aus dem Land zu ernähren, müssen also die gesamte Verpflegung für die Armee mitschleppen. Drei Wochen sind somit das mindeste, was wir von Men-nôfer zum See Genezareth brauchen!«

»Fünf Wochen also insgesamt«, faßte König Tut-anch-Aton Neb-cheperu-Râ zusammen und warf einen fragenden Blick auf Je-schua.

Der verneigte sich höflich vor Paatem-em-Heb:

»Ich möchte Ihrer Erfahrung keinesfalls widersprechen, General, aber ich bin bereit, mit Ihnen zu wetten, um was immer Sie wollen, daß ich es in drei Wochen schaffe!«

»Mein Landgut bei Tep-jêhu im Gau ›Fliegender Falke‹ gegen einen Haufen Eselsscheiße!« rief Paatem-em-Heb spontan.

»Abgemacht!« grinste Je-schua. »Also: eine Woche zurück nach Men-nôfer und eine Woche Vorbereitung. Dann aber würde ich die Truppen auf Schiffe verladen und sie nach Aphek übersetzen lassen. Selbst das langsamste Schiff ist mit etwa 120 Chet in der Stunde doppelt so schnell wie ein Soldat zu Fuß, und das nicht nur 10, sondern 24 Stunden am Tag. Die knapp 50 Iteru von Men-nôfer nach Aphek würden so nicht einmal fünf Tage in Anspruch nehmen.

Knapp zwei Tage später könnte die Armee durch die Ebene von Esdrelon den Jordan bei Gilboa erreichen und sich nordwärts wenden – und das auch noch frisch und nicht von einem langen Gewaltmarsch erschöpft!«

Paatem-em-Heb schnappte einen Augenblick nach Luft, dann brüllte er begeistert:

»Das Landgut gehört Ihnen, Hauptmann!«

Als Chef des Generalstabs blieb es nun mir überlassen, den genialen Plan Je-schuas in die Tat umzusetzen.

Wir waren mit 30 000 Mann nach Wawat gezogen. 5000 davon, so hatten wir von Anfang an beschlossen, würden in Wawat und Kusch bleiben, um Vizekönig Huja eine solide Machtbasis zu gewährleisten. Tatsächlich hatte ich 8000 Ägypter zurückgelassen und dafür 3000 schwarze Elite-Bogenschützen unter Heritjerut, den der König zum General ernannt hatte, mitgenommen. In der kommenden Schlacht mochten sie ihr Gewicht in Gold wert sein.

Allerdings verfügte ich damit nur noch über ein Heer von 25 000 Mann kämpfender Truppe – den Troß durfte ich ja nicht mitrechnen.

Das war wenig! Erschreckend wenig!

Von den Grenztruppen zwischen Sinu und Teku mochte ich niemanden abziehen, für den Fall, daß mit Je-schuas Plan doch etwas schieflaufen sollte. Lediglich auf den erprobten General Teka-her wollte ich nicht verzichten – seine Obersten würden an der Grenze ohne jeden Zweifel auch ohne ihn zurechtkommen.

Gewiß, ich hätte aus all den Garnisonen und Städten entlang unseres Rückweges nach Men-nôfer Truppen abziehen können, doch durch die lange Friedenszeit, zumal den ausdrücklichen Frieden des Aton König Akh-en-Aton Ua-en-Râs, war ihr Ausbildungsstand und auch ihre Moral so fragwürdig, daß ich lieber auf sie verzichtete.

Ausgesprochen glücklich war ich, als in Sioûti Graf Nacht-Upuaût mit 1500 seiner Wolfsmänner zu unserer Armee stieß.

Und ganz erheblich weniger glücklich, als sich uns in Ipu der ›Gottvater‹ Eje anschloß.

Nicht erst seit den Bemerkungen Mut-nodjemets, der Gemahlin Hôr-em-Hebs, und seinem von Hund belauschten Gespräch mit Semench-Ka-Râ kurz vor dessen Tod mißtraute ich Eje zutiefst. Daß ausgerechnet er es gewesen war, der Chanî den entscheidenden Hinweis auf die Verbindungen Nofret-êtes nach Hattusa gegeben hatte, machte mich zusätzlich unsicher, hatte er damit doch seine eigene Tochter als Hochverräterin entlarvt. Verwirrend war zudem, daß er als mutmaßlicher Erfinder des Aton-Glaubens letztlich auch für den Frieden des Aton verantwortlich zeichnete, andererseits jedoch stets energisch dafür eingetreten war, Kanaan unter ägyptischer Herrschaft zu behalten – selbst mit Gewalt!

Ich besprach das Problem mit dem König, mit Mose und Hôrem-Heb. Der Schluß, zu dem wir kamen, war, daß Eje, von Akhen-Aton Ua-en-Râ irgendwann zum Befehlshaber der Streitwagen ernannt, offiziell Generalsrang innehatte und daß wir ihn – zumal er nicht auf dem Kommando dieser Elitetruppe bestand, sondern sich mit dem Befehl über eine ganz gewöhnliche Abteilung einverstanden erklärte – nicht ausschließen konnten.

Das wirkliche Problem brach jedoch am Tag unserer Ankunft in Men-nôfer über uns herein.

Ich hatte soeben dem versammelten Großen Kronrat, dem neben sämtlichen Ministern auch alle hohen Militärs und etliche weitere hochrangige Persönlichkeiten angehören, den Plan unseres Feldzuges erläutert, als Sutan, der Finanzminister, mit der Frage dazwischenplatzte:

»Und wovon sollen wir diese benötigten Schiffe bezahlen?«

Für einen Augenblick sahen wir uns verblüfft an, dann meinte ich:

»Wir haben in der Kriegskasse …«

»… genug, um die Soldaten zu bezahlen und den Nachschub an Verpflegung und notwendigem Kriegsmaterial sicherzustellen«, unterbrach mich Sutan. »Aber um 25 000 Mann mit voller Ausrüstung, Troß und Verpflegung nach Aphek zu schaffen, brauchen wir gewiß 150 Schiffe – und zwar hochseegängige Schiffe, nicht irgendwelche Flußbarken. Das Problem, diese

Schiffe binnen einer knappen Woche anzumieten, dürfte zu bewältigen sein. Aber wir müssen die Schiffe, genauer gesagt deren Eigner, auch irgendwie *bezahlen*!«

Ein wenig beruhigend fügte Sutan bei:

»Nicht nur die energischen Versuche und die ersten Erfolge Seiner Majestät, nach dem Chaos, das König Akh-en-Aton Ua-en-Râ angerichtet hat, wieder für vernünftige Zustände in diesem Land zu sorgen, hat die großen Kaufleute – und in diesem besonderen Fall die Reeder – neue Hoffnung schöpfen lassen. Was letztlich vielleicht sogar noch entscheidender ist: die Jugend Seiner Majestät hat die Herzen der Gemahlinnen und Konkubinen dieser Herren angerührt!«

Tut-anch-Aton Neb-cheperu-Râ verdrehte die Augen zum Himmel:

»Ich hasse es! Ich hasse die Bezeichnung *Kindkönig*, die sich in letzter Zeit in Ägypten auszubreiten beginnt!«

Maja, der dicke, fast immer fröhliche Wirtschaftsminister, griff ein, indem er abwehrend die Hände erhob:

»Majestät, jeder in diesem Raum hat längst begriffen, daß Euer Verstand und Euer Geist weit über das hinausragen, was Euch gemäß Eurer Lebensjahre eigentlich zusteht!«

»Nahezu jede alte, durch viele Inkarnationen gelaufene Seele«, warf Beket-Amûn freundlich ein, »hat in ihrer Jugend mit dem Problem zu ringen, daß man erst dem Alter Weisheit zubilligt ...«

»Zurück zum Thema«, meldete sich Sutan wieder zu Wort. »Die Kaufleute und Reeder werden uns die Schiffe gerne zur Verfügung stellen. Wir konnten den Zug nach Wawat problemlos bezahlen, und wir können auch den Feldzug nach Kanaan finanzieren – mit Ausnahme der Transportkosten durch Schiffe! Bitte vergessen Sie nicht, daß ein Gutteil der Kriegskasse zu anderen Zwecken, für Hilfen an Bauern, Händler und Rücksiedler geplündert wurde – langfristige Kredite, die wir jetzt nicht plötzlich zurückfordern sollten!«

Die nächste halbe Stunde war von hektischen Angeboten erfüllt:

Ich hatte immerhin noch das Geld aus dem Verkauf des Stadthauses in Uêset. Das Anwesen in Achet-Aton war, so wie die politischen Gegebenheiten aussahen, wertlos, und eigentlich widerstrebte es mir, es noch irgendeinem Dummkopf anzudrehen.

Hôr-em-Heb besaß ein Landgut bei Hebit im Gau ›Erlesener Fisch‹ und war sofort bereit, auch sein Haus in Men-nôfer mit dem militärisch geordneten Garten zu verkaufen.

Sutan bot sein »aus ehrlich erworbenen Geldern«, wie er betonte, zusammengespartes Gut nahe Chemenu an und Je-schua den von Paatem-em-Heb gewonnenen Landsitz bei Tep-jêhu im Gau ›Fliegender Falke‹.

Ehrlich verblüfft war Beket-Amûn. Ihr einzig realer, veräußerbarer Besitz bestand aus ein paar Schmuckstücken, die ich ihr geschenkt oder die ihr ihre Mutter Teje hinterlassen hatte. Der Hôr-im-Nest Mose und die Große Königswitwe Merit-Aton waren, so gesehen, sogar noch ärmer.

Geradezu grotesk wurde die Situation bei Tut-anch-Aton Nebcheperu-Râ. Als König verfügte er juristisch zwar über ganz Ägypten, doch persönlich besaß er so gut wie nichts!

Als Sutan vorsichtig den Vorschlag vorbrachte, daß man eventuell ja etliche der Krongüter veräußern könne, da fuhr Maja, der dicke Wirtschaftsminister, der uns mit zunehmend gerunzelten Augenbrauen zugehört hatte, energisch dazwischen:

»Schluß mit diesem Unsinn! Wenn einige Privatleute irgendwelche Güter veräußern oder wenn Gold oder Juwelen verkauft werden, fällt das nicht weiter auf. Wenn wir aber anfangen, Krongüter zu verhökern, dann wird jedermann klar, daß die Regierung auf Biegen und Brechen Geld braucht. Das ruiniert nicht nur die Grundstückspreise, vor allem bringt es das bißchen Vertrauen, das man wieder auf uns setzt, erneut mächtig ins Wanken!«

Woher wir das Geld freilich sonst nehmen sollten, das wußte auch Maja nicht zu sagen.

5. Papyrus

UTÔ
UND NECHBET

König Tut-anch-Aton Neb-cheperu-Râ
2. Regierungsjahr

Eine knappe Woche später war der Strom zwischen Men-nôfer und Onû bedeckt von Schiffen, und die Ufer zu beiden Seiten des Flusses waren schwarz von Menschen, die winkten und ihnen ihre Segenswünsche zuriefen. Über den Tempeln standen die Wolken der Opferfeuer, und auf den Schiffen spielten Militärkapellen schwungvolle Marschmelodien.

Als der erste feurige Lichtpunkt der aufgehenden Sonne über den östlichen Bergen sichtbar wurde, trat König Tut-anch-Aton Neb-cheperu-Râ, gefolgt von dem Standartenträger Suti mit der königlichen Kriegsstandarte und seinem Generalstab, aus dem hohen Portal des Palastes und schritt hinab zum Strom, wo sein prächtig geschmücktes Königsschiff auf ihn wartete. Tief verneigte er sich in die Richtung der verschiedenen Tempel – auf einen offiziellen Opferritus hatte er bewußt verzichtet, um weder die Anhänger der alten Götter noch die Verfechter Atons vor den Kopf zu stoßen. Dann bestieg Seine Majestät sein Schiff und nahm Platz auf seinem Thron, den man auf dem Dach der großen Deckshütte aufgebaut hatte.

Silberne Trompeten schmetterten und geboten Ruhe.

Als sich der allgemeine Lärm ein wenig gelegt hatte, erhob sich der König. Natürlich waren seine Worte nur in seiner unmittelbaren Umgebung zu verstehen, doch das Zeichen, das er gab, war weithin sichtbar und unmißverständlich: Er hob den rechten Arm mit dem Krummstab hoch über sein Haupt und senkte ihn dann in einem Viertelbogen, so daß der Krummstab nach vorne, nach Kanaan zeigte.

Ein ohrenbetäubendes Gebrüll war die Folge. Man hatte gewagt, Ägypten zu beleidigen, und nun zog – seit bald hundert Jahren zum erstenmal wieder – ein König aus mit seinem Heer, die Frevler zu züchtigen und ihre Köpfe unter seinen Fuß zu beugen! Trompeten gellten, die Soldaten schlugen mit ihren Waffen auf ihre Schilde, brüllten ihre Kampfgesänge, Flöten schrillten, die großen Trommeln der Kuschiten schlugen dazu dumpf den Takt. An den Masten der Schiffe entfalteten sich rauschend die breiten, bunt gefärbten Segel, fingen den leichten Südwestwind ein, und tausend Riemen senkten sich, wühlten das Wasser des Stromes auf.

Die Armee war unterwegs!

Es war der 1. Tag des 1. Erntemonats. Das Wetter war stabil und für die Jahreszeit ausgesprochen freundlich.

Wie ein riesiger Schwarm seltsamer, bunter Vögel zog unsere Flotte unter geschwellten Segeln, getrieben von Tausenden von Riemen den Strom hinab, vorbei an Hat-to-hrêbe im Gau ›Großer schwarzer Stier‹, vorbei an Per-Anûb im Gau ›Ibis‹, vorbei an Per-Usîre und Zeb-nûter in den ›Schild‹-Gauen, vorbei an Hebit im Gau ›Erlesener Fisch‹ und Pa-ju-n-Amûn im Gau ›Östliche Küste‹.

Wo immer wir vorüberkamen, da waren die Ufer dicht gesäumt von winkenden Menschen, die uns ihre guten Wünsche zuriefen und mit großen Augen unsere Armada bestaunten.

Am Morgen des dritten Tages erreichten wir das offene Meer. Wenig später versank die Küste Ägyptens hinter dem Horizont, und wir gingen auf Kurs nach Nordwesten. Das Wetter war nach wie vor ideal, die Sonne strahlte von einem fast wolkenlosen Himmel, und jetzt, wo wir uns nicht mehr durch die zahllosen Schleifen des Flusses winden mußten, würden wir, getrieben von einem frischen Westwind, auch schneller vorankommen.

Wenn ich vom Achterdeck meines Schiffes aus den Blick über unsere Flotte schweifen ließ, die jetzt die See neben und hinter uns fast so weit bedeckte, wie das Auge reichte, dann war es für mich immer noch wie ein Wunder, daß wir nun tatsächlich Aphek entgegensegelten!

Das Wunder hatte allerdings zwei Namen.

Der eine Name war: Eje. So sehr der König, Mose, Beket-Amûn, Hôr-em-Heb oder ich ihm mißtrauten, so tief er in die Erfindung des Aton-Kultes verwickelt sein mochte, so unklar uns sein ›großer Plan‹, von dem Mut-nodjemet gesprochen hatte, sein mochte: daß Kanaan fest in ägyptischer Hand blieb, das war ihm ein offenkundiges Anliegen – oder auch ein unverzichtbarer Teil jenes Planes. Wie auch immer, kaum hatte er von unseren Finanznöten erfahren, da hatte er, ohne auch nur eine einzige Sekunde zu zögern, sein riesiges Vermögen in die Bresche geworfen und damit begonnen, alles an Schiffen zu chartern, was das offene Meer befahren und Truppen und Material zu tragen vermochte – 103 Stück insgesamt.

Der andere Name war: Merit-Ptah. Noch am gleichen Abend, als wir mit Sutan und Maja zusammensaßen und verzweifelt hin und her rechneten, war meine Tochter-Gemahlin vor dem König erschienen und hatte mit verdrießlichem Gesicht darum gebeten, Seiner Majestät etwa 60 Schiffe zur Verfügung stellen zu dürfen, die zu einem guten Drittel ihr selber gehörten. Daß Merit-

Ptah schwerreich war, hatte ich gewußt, daß sie jedoch so reich war, hatte auch ich nicht geahnt. Als Tut-anch-Aton Neb-cheperu-Râ ihr begeistert danken wollte, hatte sie nur mißmutig abgewehrt und gemault, als meine Erste Gemahlin und Tochter, Enkelin von Prinzessin Apuya und General Mei, Urenkelin von König Tehuti-mose Men-cheperu-Râ und Graf Rechme-Râ sei sie schließlich dazu verpflichtet. Von Dank wolle sie nichts hören, am wenigsten von mir, denn die Anlage zur Großzügigkeit habe sie zweifellos von mir geerbt – und die werde sie noch an den Bettelstab bringen!

Doch so sehr sie mich anmeckerte, ich war sehr stolz an diesem Abend auf meine Tochter!

161 Schiffe waren so zusammengekommen, 127 Truppentransporter und 34 große Frachtschiffe für Proviant und Material.

An Bord befanden sich 11000 Mann schwere Infanterie, ausgerüstet mit Speeren, Äxten, Keulen und großen Schilden, die Oberkörper von schweren Leder- oder Krokodilpanzern geschützt, die Kerntruppe unserer Armee. Ergänzt wurden sie von 4500 Mann ungepanzerter, beweglicher leichter Infanterie, von denen 2000 Mann mit rund acht Ellen langen Spießen ausgerüstet waren, und 4500 ägyptischen Bogenschützen. An Elitetruppen verfügte unsere Armee über 485 Streitwagen mit 970 Kämpfern und 1160 Pferden, 3000 schwarze Bogenschützen aus Kusch und Wawat, 1500 Wölfe aus Sioûti und 600 Mann der Internationalen Garde.

Dazu kamen rund 2000 Matrosen, die unter dem Kommando ihrer Kapitäne und Lotsen die Segel und Steuerruder unserer Schiffe bedienten, 87 Wundärzte, ausgebildet im Haus allen Wissens zu Chemenu und angeführt von dem königlichen Leibarzt Pentû. Dazu etwa 1800 Troßknechte, die zusammen mit 5000 Eseln für den Nachschub der Armee zu sorgen hatten.

Am Morgen des 5. Tages des 1. Erntemonats stiegen vor uns die Höhen des Karmel-Gebirges aus dem Wasser.

Vier Stunden später warfen die Schiffe unserer Flotte Anker in der weiten, geschützten Bucht zwischen Aphek und dem Dorf Hepha.

Die Wolfsmänner und schwarze Bogenschützen stürmten an Land, sicherten die Landungszone.

Sie hätten sich nicht zu bemühen brauchen. Die Bewohner von Aphek und Hepha empfingen uns mit reservierter Höflichkeit und sichtlicher Nervosität. Von einem Feind war weit und breit nichts zu entdecken.

Am Abend waren sämtliche Truppen samt Wagen, Pferden, Troß und Lasteseln an Land.

Am nächsten Tag rückten wir durch die Ebene von Esdrelon zwischen dem Karmel-Gebirge und den Höhen des Tabor-Gebirges vor, passierten Megiddo, Schunem und die Heiligtümer von Ophra und stiegen bei Gilboa hinab in die Tiefebene. Am 8. Tag des 1. Erntemonats erreichten wir den Jordan, schoben uns langsam nordwärts vor.

»Sie kommen! Sie rücken in Eilmärschen an!« meldeten unsere Späher am Nachmittag dieses Tages.

»Die müssen ja gerannt sein, daß ihnen die Zungen am Boden nachschleifen!« bemerkte Je-schua vergnügt. Das war allerdings das letzte Vergnügliche, was wir zu hören bekamen.

Unsere Kundschafter wußten weiter zu melden:

»Der Feind marschiert in zwei großen Blöcken. Der erste Block sind die Amoriter mit ihren Verbündeten, den Elamitern, Moabitern, Amalekitern, Jebusitern und Ammonitern. Wir haben etwa 9000 Speerträger und 5000 Schwertkämpfer gezählt, dazu rund 5000 Bogenschützen und als Vorhut 2000 Kamelreiter der Schôs.«

»Diese Truppen mögen zum Teil nicht allzu viel wert sein«, stellt General Teka-her fest, »ich habe mich lange genug in Kanaan mit ihnen herumgeschlagen und kenne sie. Aber es sind viele! Sehr viele!«

»Der zweite Block«, berichtete man uns weiter, »sind die Hatti, etwa 10 000 schwere und 5000 Mann leichte Infanterie, dazu etwa 4000 schwer gerüstete Bogenschützen der Assyrer.«

»Die sollte man allerdings wirklich ernst nehmen!« kommentierte Paatem-em-Heb.

»Den Abschluß«, meldeten die Späher, »bilden die Streitwagen. Wir haben 125 gezählt.«

»Nur so wenige?« fragte Heri-tjerut freudig überrascht.

»Nur so wenige«, bestätigten die Späher. »Allerdings sind es assyrische Wagen, von denen viele die berüchtigten Sensenklingen an ihren Radnaben führen.«

Heri-tjerut verzog das Gesicht. Wir alle wußten, wenn solch ein Wagen mit seinen Sensenklingen in eine geschlossene Truppe preschte, dann hinterließ er eine blutige Schneise von Tod und Verstümmlung!

Inzwischen hatten sich die hohen Offiziere vollzählig um den König versammelt, und Reichsmarschall Hôr-em-Heb faßte zusammen:

»Das Heer des Feindes zählt gut 40 000 Mann – wir hingegen verfügen lediglich über 26 000!

Die Hatti werden mit Sicherheit von ihren Feldherren Lupakkisch und Teschub-Zalmasch befehligt, die schon in den letzten Jahren in To-nuter operiert haben.

Die Amoriter werden natürlich von ihrem König Azirhû angeführt. Die mit ihm verbündeten Elamiter, Moabiter, Jebusiter, Amalekiter und Ammoniter vermutlich von irgendwelchen Stammesfürsten.

Was die Assyrer anbelangt, so stehen diese unter dem Befehl eines gewissen Schulmanaschared, der sich längst einen blutigen Ruf als Söldnerführer erworben hat.

Ihre gefährlichste Waffe sind ohne jeden Zweifel die assyrischen Streitwagen. Da sie jedoch nur recht wenige Wagen haben, werden ihre Feldherren diese mit Sicherheit vollzählig auf das Zentrum unserer Aufstellung loslassen, um unsere Ordnung schon zu Beginn der Schlacht zu zerschlagen.«

»Sollen sie nur kommen!« lachte Oberst Sechnu, der die 2000 leichten Spießträger befehligte, grimmig.

»Die besten Truppen des Feindes«, fuhr Hôr-em-Heb fort, »sind ohne Frage die 15 000 Hatti, und ihre Feldherren, Lupakkisch und Teschub-Zalmasch, sind bekannt für ihre gnadenlose Härte. Vermutlich werden sie den Kern der feindlichen Schlachtordnung bilden, dazu wohl die gepanzerten assyrischen Bogenschützen, von denen ich als Schützen zwar nicht sonderlich viel halte, dafür um so mehr als schweren Nahkämpfern. Das sind 19 000 Mann und die Wagen.

Ihnen können wir von unserer Seite her 15 500 Mann Infanterie entgegenstellen, was meiner Meinung nach genügen sollte, um sie nicht nur aufzuhalten, sondern sogar zu schlagen.«

»Ohne Zweifel!« erklärte Teka-her bestimmt, und die versammelten Offiziere nickten bestätigend.

»Genügt aber der Rest unserer Armee«, fragte der Reichsmarschall, »um mit 21 000 Amoritern und ihren verbündeten Völkerschaften fertig zu werden? Ich schätze zwar die Kampfmoral und das Kampfgeschick dieser Truppen nicht übermäßig hoch ein, und neben den 4500 ägyptischen Bogenschützen würden ihnen unsere Elitetruppen, die schwarzen Bogenschützen, die Wölfe von Sioûti und die Internationalen, zusammen 5100 Mann, sowie unsere 485 Streitwagen gegenüberstehen, doch sie sind zahlenmäßig um das Dreieinhalbfache überlegen!«

Schon wollte Graf Nacht-Upuaût einwenden, seine Wolfsmänner würden auch vor dieser Übermacht stehen, doch der Reichsmarschall stellte unmißverständlich klar:

»Es genügt nicht, daß wir der Armee der Hatti und Amoriter standhalten. Wenn wir diese Schlacht schlagen, dann müssen wir sie auch gewinnen!«

Hôr-em-Heb machte eine lange Pause. Als er weitersprach, wußten wir alle, daß dies nicht Feigheit, sondern allein einem tiefen Verantwortungsbewußtsein entsprang:

»Der Feind ist insgesamt fast doppelt so stark wie wir und über ein Drittel seiner Truppen ist den unseren ebenbürtig. Wir könnten uns zunächst Richtung Aphek zurückziehen und Verstärkung, etwa von unseren Grenztruppen oder aus Wawat und Kusch, anfordern ...«

»Was, dem Zeitplan von Hauptmann Je-schua entsprechend«, wandte ich ein, »den Hatti ebenfalls die Möglichkeit gäbe, sich mit Truppen aus ihrem Hochland zu verstärken.«

Unser aller Augen richteten sich auf den König.

Tut-anch-Aton Neb-cheperu-Râ war den Ausführungen ernst und mit leicht gerunzelten Augenbrauen gefolgt.

Jetzt war es an ihm, eine letzte Entscheidung zu treffen.

»Wir sind hierhergekommen, um zu kämpfen und zu siegen«, hob er an. »Also werden wir kämpfen – *und siegen!*«

Dann hob er seine Rechte zum Himmel empor:

»Wenn Aton der einzige Gott ist, dann werden wir morgen vernichtet werden, denn dann werden wir schwer gegen sein Gebot des bedingungslosen Friedens gesündigt haben! Wenn aber Amûn und Mut, Hôr und Setech, Utô und Nechbet die wahren Götter Ägyptens sind, dann werden sie uns morgen den Sieg schenken.

Dies aber schwöre ich: Wenn wir morgen siegen, dann werde ich die angestammten Götter Ägyptens wieder einsetzen in all ihre Rechte, ich werde ihre Priesterschaften erneuern, ihre Tempel restaurieren und alles Gut, das sie einst besaßen, zurückgeben. Achet-Aton aber und alle Tempel des Aton im ganzen Land sollen geschlossen und geschleift werden, seine Priesterschaften aufgelöst und sein Name ausgetilgt werden für immer!«

Noch in der Abenddämmerung inspizierten wir das Gelände. Zu unserer Rechten strömte der Jordan, der zu dieser Jahreszeit genug Wasser führte, um unseren Gegnern ebenso wie uns eine rasche Überquerung während der Schlacht unmöglich zu machen. Zu unserer Linken stiegen die Ausläufer des Tabor-Gebirges in die Höhe, an deren Fuß ein kleines Bächlein entlangplätscherte. An die Höhen geschmiegt ein Dorf, dessen Bewohner sich bei unserem Anmarsch bereits eilig mit Weib, Kind und Vieh in die höheren Bergregionen zurückgezogen hatten. Hinter dem Dorf hatten die Bauern an den Hängen Terrassen angelegt und mit Mauern aus Naturstein befestigt, die im unteren Teil mit Weinstöcken, weiter oben mit Oliven bepflanzt waren. Zwischen Berghang und Jordan öffnete sich eine etwa 25 Chet breite Ebene mit Wiesen, Feldern und Äckern, auf denen soeben das erste Frühjahrsgrün zu sprossen begann. Etwa zwei Drittel der Wegstrecke vom Dorf zum Fluß erhob sich ein kleiner, mit ein paar Pinien und Zypressen bestandener Hügel.

Weiter nördlich, wo der Fluß eine weite Biegung machte und wo jetzt mehr und mehr Lagerfeuer der feindlichen Armee aufflammten, erkannten wir im letzten Tageslicht am dunklen Grün des Grases und dem dichten Bewuchs mit Büschen und Weiden eine größere, offenbar sumpfige Stelle, die sich vom Ufer gut vier Chet weit in das Tal hinein ausbreitete. Vor allem unsere Wagen, sollten sie in der Schlacht bis dort hin gelangen, würden sich vor dieser Stelle hüten müssen.

Es wurde eine lange Nacht.

Nur wenige hatten die Seelenruhe, um zu schlafen. Die Mehrzahl der Männer rückte gegen die doch recht empfindliche Kühle der Nacht eng um die Lagerfeuer zusammen. Etliche versuchten mit groben Witzen und lautem Gelächter ihre Nervosität zu übertönen, andere spielten, schliffen nochmals an ihren Waffen herum oder fummelten an den Pferdegeschirren. Der Großteil freilich saß still beisammen, redete leise mit den Nachbarn oder sann vor sich hin. In einigen Gruppen wurde leise gesungen.

Die Feldküchen verteilten reichlich Fleisch, Brot und Käse, auch Wein und Bier, wobei die Offiziere und Unteroffiziere allerdings streng darauf achteten, daß sich keiner der Männer einen Rausch antrank.

Die Bogenschützen holten sich beim Troß zusätzliche Köcher mit Pfeilen ab, und zumal von den schwarzen Schützen sah ich etliche mit vier oder sogar fünf Köchern beladen vorübereilen.

Der König und wir hohen Offiziere wanderten von Gruppe zu Gruppe, setzten uns für eine Weile zu ihnen an ihre Feuer, plauderten mit den Männern, leerten einen Becher Wein mit ihnen, beantworteten Fragen, bemühten uns, Zuversicht und Siegeswillen zu verbreiten.

Irgendwann an diesem Abend traf ich mit Oberst Schut zusammen, wechselte ein paar Worte mit ihm. Seben-hesequ-schut würde morgen die Internationale Garde kommandieren, die den persönlichen Schutz des Königs übernommen hatte. Ich gebe zu, daß ich kurzfristig Bedenken gehabt hatte, den Internationalen eine derart wichtige Aufgabe zu überlassen; immerhin waren sie Söldner, von denen viele sogar aus jenen Völkern stammten, die uns nun als Feinde gegenüberstanden. Schut hatte seine abgebrochenen Schneidezähne gebleckt und mich beruhigt.

»Natürlich sind wir Söldner«, hatte er gesagt. »Aber was verbindet uns eigentlich noch mit Hattusa, Assur oder Babylon? Ich selber bin vor fast zwanzig Jahren nach Ägypten gekommen; meine Frau ist Ägypterin; meine Tochter ist mit einem Ägypter verheiratet; mein älterer Sohn ist Leutnant bei der leichten Infanterie; mein jüngerer Sohn Kadett in der Militärakademie zu Mennôfer. Und wie mir ist es doch auch allen anderen Internationalen ergangen. In unseren Herzen sind wir alle längst Ägypter, auch wenn wir auf Wunsch des Königs immer noch die bunte Kleidung und Bewaffnung unserer Herkunftsländer tragen!«

Kurz nach Mitternacht fuhr uns ein Schreck in die Glieder. Aus dem Süden von Gilboa her kamen Fackeln in einem langen Zug herauf, Stimmen wurden laut, Waffen klirrten, das Ganze wurde untermalt vom Getrappel zahlloser kleiner Hufe.

War uns der Feind in den Rücken geraten?

Der Schreck wandelte sich in Staunen, als die ersten Männer des Trupps, auf den Rücken eilig trabender Esel sitzend, in den Schein unserer Lagerfeuer kamen, und schlug in Freude um, als ich ihren Anführer erkannte: Nun, den Sohn des Aram, meinen Freund und ehemaligen Hauptmann der Garde Sat-Amûns. Und hinter ihm bemerkte ich etliche der Männer, die ich aus Hat-uaret kannte: Uri, den Sohn des Chur aus dem Haus Juda, den man den ›Löwen‹ nannte; Jezer, den ›Starken‹, den Sohn des Guni aus dem Haus Naph-tali; Elon, den Sohn des Schuni aus dem Haus Ru-ben; und Kehat aus dem Haus Levi, den Vater von Aaron und Korach, den Jugendfreunden Moses und Je-schuas.

»Ich danke den Göttern, daß wir nicht zu spät kommen!« rief mir Nun entgegen. »Die Armee war so schnell aus Men-nôfer verschwunden, daß wir Euch nicht mehr erreicht haben und selber Schiffe und Esel chartern mußten, um Euch nachzueilen.«

Tief verbeugte er sich vor dem König, der inzwischen zu uns getreten war: »Majestät, erlaubt mir, Eurer Armee das Freiwilligen-Korps der Benê-Jisrael zuzuführen!«

»Seid mir von Herzen willkommen!« antwortete Tut-anch-Aton Neb-cheperu-Râ. »In unserer Situation können wir jede Hilfe brauchen.«

Gut 500 Mann hatte Nun zusammengebracht. Ein kunterbunter Haufen war es, der an Waffen und Ausrüstung mit sich führte, was den Männern eben in die Hände geraten war, doch aus allen Augen blitzte uns die wilde Entschlossenheit entgegen, hier an unserer Seite zu kämpfen und, wenn es denn sein mußte, zu sterben.

»Majestät«, trat Hauptmann Nun nochmals auf den König zu, »als Nachkommen der Chabiru mißtrauen uns manche Ägypter noch immer. Wir bitten daher um die Ehre, morgen auf dem gefährlichsten Platz unsere Treue beweisen zu dürfen!«

»Diesem Wunsch werde ich nur zu leicht nachkommen können«, nickte der König Gewährung.

In den späten Nachtstunden hatte ich mich, wie die meisten anderen auch, dann doch noch an einem der Feuer niedergelegt und war in einen kurzen, unruhigen Schlaf verfallen, aus dem mich beim ersten Morgengrauen langgezogene Trompetenstöße weckten. Schlaftrunken taumelten wir auf die Beine, löschten die Feuer, schlüpften in unsere Panzer, banden die Helme fest, steckten uns noch ein paar Happen Fleisch und Brot zwischen die Zähne, griffen nach unseren Waffen und machten uns bereit zur Schlacht.

Auch vom Norden herab hörten wir Trompetensignale, das Klirren von Bronzebecken und bald darauf das gleichmäßige Stampfen der anrückenden Truppen, das Wiehern der Pferde und das dumpfe Rattern der Streitwagenräder.

Der Tag der Schlacht war gekommen, der Tag, von dem wir wußten, daß manche von uns den Abend nicht mehr erleben würden.

Auf dem kleinen Hügel zwischen dem Dorf und dem Jordan versammelte sich der Generalstab um Seine Majestät den König, während sich vor uns die Linien der Armeen ordneten.

Als die Morgendämmerung rasch die Schatten der Nacht vertrieb, enthüllte sie uns auch die Aufstellung unserer Feinde.

Wir waren verblüfft!

Gewiß, vor dem feindlichen Zentrum rollten, zu einem gewaltigen, bedrohlichen Keil angeordnet, die assyrischen Streitwagen. Voran ein einzelner Wagen mit dem Feldzeichen Schulmanaschareds, dahinter zwei, dann drei, dann vier Wagen, 15 Reihen in die Tiefe gestaffelt, die letzte Reihe 15 Wagen breit, wobei zumindest alle Wagen an den langen Seiten dieses Dreiecks mit Sensenrädern ausgerüstet waren.

Zu beiden Seiten der Wagen und hinter ihnen hatten wir massiert die zehn Tausendschaften hattischer schwerer Infanterie erwartet, um sich in die Bresche zu stürzen, welche die Wagen reißen sollten, unsere Schlachtreihen zu sprengen und uns in die Arme der Amoriter und ihrer Verbündeten zu treiben, die auf den Flügeln lauerten.

Doch nur ihr linker Flügel sah so aus, wie wir es uns in etwa vorgestellt hatten. Dort waren neun Regimenter Speerträger der Amoriter um die Standarte ihres Königs Azirhû versammelt, vier Blöcke – je hundert Krieger in der Breite und 10 Reihen in die Tiefe gestaffelt – in der ersten Linie, dahinter drei und dahinter nochmals zwei solche Blöcke.

Das Zentrum hingegen war erstaunlich schwach. Immer noch 15 000 Mann stark, doch es setzte sich links der Wagen aus vier Regimentern leichter Hatti-Infanterie und aus den vier Regimentern der assyrischen schwer gerüsteten Bogenschützen, rechts und unmittelbar hinter den Wagen aus fünf Regimentern amoritischer und elamitischer Schwertkämpfer zusammen. Vor der Linie der Schwertkämpfer hielten 2000 Kamelreiter der Schôs. Ein gutes Stück dahinter, als Reserve, waren fünf Regimenter Bogenschützen aufmarschiert, hauptsächlich Ammoniter, Moabiter und Jebusiter.

»Was sollen die da hinten? Von dort können die doch keinen einzigen wirksamen Schuß anbringen«, fragte Teka-her verblüfft. »Sind die so schlecht oder so unzuverlässig, daß sie nicht einmal Azirhû in seine Reihen aufnehmen will?«

Völlig anders als erwartet und zutiefst beunruhigend war

jedoch der rechte Flügel des Feindes! Dort hatten die Generäle Lupak-kisch und Teschub-Zalmasch die 10 000 Mann schwere Infanterie der Hatti, Regiment hinter Regiment, am Fuße des Berghanges aufziehen lassen.

Ihr Angriffsziel war offenkundig jenes kleine Dorf, in dessen Häusern, Scheunen, umgebenden Gärten und dahinter liegenden Weinbergen sich in der Nacht unsere schwarzen Bogenschützen eingenistet hatten.

»Sie wollen uns nicht besiegen, sie wollen uns vernichten!« stellte Hôr-em-Heb leidenschaftslos fest.

Ja, genau das wollten Lupak-kisch und Teschub-Zalmasch! Der Schlachtplan war unmißverständlich.

Die Sensenwagen und Kamelreiter sollten unsere Linie aufbrechen und in Unordnung bringen, dann würde ihr relativ schwaches Zentrum zusammen mit den Truppen Azirhûs am rechten Flügel ausreichen, um unsere Truppen am Platz zu binden. Die massive Wucht der 10 000 schwer bewaffneten Hatti würde unterdessen teils das Dorf stürmen, teils uns an den Hängen umgehen, sich dann dem Tal zuwenden, uns in Flanke und im Rücken packen und alles, was nicht erschlagen wurde, in den Jordan werfen!

Ich konnte nicht umhin, den Hatti-Generälen für diesen Schlachtplan meine Hochachtung zu zollen!

Währenddessen glitten nicht nur meine eigenen Augen besorgt über unsere eigenen Reihen. Verglichen mit denen unserer Gegner wirkte sie erschreckend dünn und zerbrechlich.

Die erste Linie bildeten acht Regimenter schwere Speerträger, dahinter waren die restlichen drei Regimenter dieser Truppe und die leichte Infanterie aufmarschiert. Die beiden Regimenter Spießträger standen in der Mitte und hatten befehlsgemäß ihre langen Spieße neben sich auf den Boden gelegt. Ich konnte ihn nicht erkennen, doch ich wußte, daß Rudj-o, der Sohn von Oberst Schut, eine der Kompanien befehligte. Der kleine Hügel war mit 2500 ägyptischen Bogenschützen besetzt, von wo sie freies Schußfeld über die Köpfe ihrer Kameraden hatten. Die anderen zwei Schützenregimenter hielten wir in Reserve zurück. Die 3000 schwarzen Bogenschützen hatten sich, wie gesagt, in dem Dorf verschanzt, und die 485 Wagen warteten auf unserem rechten Flügel zwischen dem Ende unserer Infanterielinie und dem Flußufer, wobei ich sie in einem weiten Bogen bis hinter den Hügel gezogen hatte, so daß der Feind ihre genaue Anzahl nicht erkennen konnte.

Nicht unähnlich unserem Gegner hatten wir darauf gesetzt, im Zentrum und auf unserem linken Flügel, nur standhalten zu müssen, während unsere zweifellos stärkste Waffe, die Wagen, versuchen sollten, den Feind auf der anderen Seite von der Flanke her aufzurollen.

»Ist unser Plan, angesichts der unerwarteten Schlachtordnung des Feindes, überhaupt noch durchführbar?«

Ich las die Frage in den Augen nicht nur des Königs, sondern auch Hôr-em-Hebs.

Meine Augen glitten nochmals über unsere Linien, doch da war nicht viel, was sich noch wesentlich hätte verändern oder der neuen Lage anpassen lassen.

Laut antwortete ich: »Ja!«, schränkte allerdings sofort ein: »Unabdingbare Voraussetzung ist: Wir müssen das Dorf dort drüben und die Weinberge dahinter um jeden Preis halten! Um jeden Preis! Wenn es Lupak-kisch und Teschub-Zalmasch gelingt, uns dort in die Flanke zu kommen, dann wird keiner von uns Ägypten jemals wiedersehen.«

»Dann bitte ich um die Ehre ...«

Graf Nacht-Upuaût und Hauptmann Nun schlossen so gleichzeitig den Mund, wie sie zu sprechen begonnen hatten.

König Tut-anch-Aton Neb-cheperu-Râ neigte zustimmend den Kopf:

»Die Wolfsmänner von Sioûti und die Freiwilligen der Benê-Jisrael werden zusammen mit den schwarzen Bogenschützen die Hatti aufhalten – und die Götter mögen mit Ihnen sein!«

»Keine Formation!« rief Reichsmarschall Hôr-em-Heb dem davoneilenden Graf Nacht-Upuaût, Heri-tjerut und meinem Freund Nun nach. »Nützt jedes Haus, jede Gartenmauer, jeden Baum, jeden Weinstock! Haltet sie auf!«

Augenblicke später sahen wir die buntscheckig bewaffneten Haufen der Wolfsmänner und Benê-Jisrael, mit weiteren, prall gefüllten Pfeilköchern für die Schützen beladen, dem Dorf zu unserer Linken zuhasten.

Als Chef des Generalstabes blieb mir unterdessen die Aufgabe, die Kommandos zu verteilen:

»Sie, ›Gottvater‹ Eje, und Sie, General Teka-her, übernehmen den rechten und den linken Flügel unserer Infanterie.«

Teka-her salutierte stramm, ehe er sich auf seinen Posten begab. Eje ließ in der Andeutung einer Verneigung die Lider noch ein wenig tiefer über seine hochmütigen, diamantschwarzen Augen gleiten, dann war auch er fort zu seinen Truppen.

»Ich selber werde mich an die Spitze aller Streitwagen setzen. Die erste Welle von 190 Wagen steht unter dem Kommando des Hôr-im-Nest Mose, die zweite Welle mit 130 Wagen unter General Paatem-em-Heb, die dritte mit 165 Wagen unter Oberststallmeister Thai.«

»Und was bleibt mir zu tun?« platzte Hôr-em-Heb heraus.

»Dir bleiben sämtliche ägyptischen Bogenschützen auf diesem Hügel und in der Reserve«, gab ich zurück, doch dann trat ich näher zu ihm und fügte leise an. »Du bist nicht nur Reichsmarschall, der an der Seite des Königs die Schlacht zu lenken hat, du bist auch Reichsverweser und damit Garant für Ägyptens zukünftiges Wohlergehen! Schütze und, notfalls, rette den König! Was immer geschehen mag, zwei Menschen müssen diese Schlacht um Ägyptens willen überleben: der König und du!«

Für einen Augenblick fanden sich unsere Hände, umfaßten sich fest.

Dann wandte sich Hôr-em-Heb wieder an den König:

»Majestät, die Truppen warten auf den Schlachtruf des Tages.«

Einen Augenblick dachte Tut-anch-Aton Neb-cheperu-Râ nach, dann antwortete er:

»Der Schlachtruf ist: *Utô und Nechbet!*«

Und wieder einmal hatte ich die Gelegenheit die Klugheit – nein, die Weisheit – dieses nach Jahren noch so jungen Königs zu bewundern. Utô und Nechbet, die Schutzherrinnen von Unter- und Oberägypten, symbolisiert durch Kobra und Geier an der Krone über der Stirn des Herrschers. Selbst Akh-en-Aton Ua-en-Râ hatte nicht gewagt, an diese Zeichen zu rühren. Utô und Nechbet, ob Anhänger Atons oder der angestammten Götter, jeder Mann würde diesen Schlachtruf mit Überzeugung, ja, Begeisterung brüllen können.

Die ersten Flammenstrahlen der Sonne schossen hinter dem östlichen Horizont empor.

König Tut-anch-Aton Neb-cheperu-Râ bestieg nun seinen gänzlich mit Goldblech beschlagenen und mit Halbedelsteinen verzierten Streitwagen. Gezogen wurde er von zwei Schimmeln, deren Rücken mit goldbestickten Schabracken bedeckt waren und von deren Köpfen hohe weiße und blaue Straußenfedern wippten. Über einem kurzärmeligen Hemd schützten die gekreuzten Metallflügel von Utô und Nechbet die Brust des Königs und ein breiter Kragen seine Schultern. Auf dem Haupt trug er den Blauen Helm, die Kriegskrone der ägyptischen Könige. Er hatte den Sehnenschutz an seinen linken Unterarm geschnallt, und in den Köchern, die an seinen Wagen gebunden waren, steckten 40 Pfeile und ein kuschitischer Langbogen. Hinter dem Wagen Seiner Majestät hielten zwei Krieger, welche an doppelt mannshohen Stangen die riesigen Fächer aus weißen und blauen Straußenfedern trugen, so daß jedermann zu jeder Zeit deutlich erkennen konnte, wo sich der König auf dem Schlachtfeld befand.

Dem Wagen Tut-anch-Aton Neb-cheperu-Râs folgen der Wagen Sutis mit der großen königlichen Kriegsstandarte und der Wagen des Reichsmarschalls Hôr-em-Heb. Hinter ihnen hielten in Reih und Glied die Hundertschaften der Internationalen Garde in ihren bunten, exotischen Kostümen und Waffen, angeführt von Oberst Seben-hesequ-schut.

Auch Mose und ich bestiegen jetzt unsere Streitwagen. Als Hôr-im-Nest hatte auch Mose das Recht, seine Brust durch die Flügel von Utô und Nechbet schützen zu lassen, während ich einen blau emaillierten Schuppenpanzer trug. Als nahe Verwandte des Königs stand uns beiden das Recht zu, blaue, enganliegende

Helme mit hohen Straußenfedern in königlichem Weiß und Blau zu tragen, wie auch die Köpfe unserer Pferde mit solchen Federn zu schmücken. Der ebenfalls vergoldete Streitwagen Moses war ein Geschenk Prinz Nacht-Mins, der sehr zu seinem Leidwesen in Ägypten hatte zurückbleiben müssen, um dort die Regierungsgeschäfte weiterzuführen. Ich selbst fuhr jenen königlichen Streitwagen, den mir Akh-en-Aton Ua-en-Râ einst nach unserem Wettrennen durch Achet-Aton geschenkt hatte. Bespannt hatten wir unsere Wagen mit den Nachkommen jener königlichen Schecken und meiner Libu-Rappen, die tatsächlich nun Temperament und Ausdauer ihrer Eltern in sich vereinten.

Ich dankte im stillen den Göttern, daß es sich Je-schua nicht hatte nehmen lassen, Moses Wagen zu lenken und seinen Freund mit dem großen Schild in seiner Linken während der Schlacht zu schützen. Der Wolfshauptmann Men-kau-Hôr, der sonst die kleine Garde des Hôr-im-Nest befehligte, hatte daraufhin gebeten, heute als mein Lenker und Schildträger dienen zu dürfen, was ich gerne angenommen hatte. So bestiegen Mose und ich unsere Wagen und verankerten unsere Füße fest in den Gurten des Wagenbodens, während Je-schua und Men-kau-Hôr die Gespanne hinter den Wagen des Königs einlenkten, wo wir, zumindest bis zu unserem eigenen Einsatz, verbleiben sollten.

König Tut-anch-Aton Neb-cheperu-Râ hob die Rechte mit dem Krummstab und rief:

»Utô und Nechbet!«

»Utô und Nechbet!« griffen unsere Männer den Schlachtruf auf.

Die Zehntausende der Gegner schrien dagegen:

»Ba-al und …«, der Rest des Schlachtrufes ging in einem sprachlich unverständlichen Wirrwarr unter.

Trompeten schmetterten, bronzene Tschinellen dröhnten, Handtrommeln pochten. Die feindlichen Linien setzten sich in Bewegung.

Schulmanaschared, der assyrische Söldnerführer, gab seinen Leuten ein Zeichen.

Gleichzeitig zogen die 240 Pferde seiner Truppe an, und wie eine einzige bedrohliche Kriegsmaschine begann das Dreieck der assyrischen Streitwagen im Schritt auf uns zuzurollen.

Dann fielen die Pferde in Trab, dann in Galopp.

Es war ein Bild von entsetzlicher Schönheit! Eine gewaltige Staubwolke aufwirbelnd, stampfte, rasselte und klirrte uns in vollkommener Ordnung die todbringende Woge aus Pferden, Wagen und schwer gepanzerten Männern entgegen, während das Licht der aufgehenden Sonne in den wirbelnden Sensen an ihren Radnaben funkelte.

»Ba-al!« brüllten die Assyrer ihren Schlachtruf. »Ba-al!!«

Kein Chet trennte mehr die herandonnernde Woge des Verderbens von unseren Linien, da rannten die beiden Regimenter schwerer Speerträger in der Mitte unserer Schlachtreihe offenbar entsetzt auseinander, öffneten unser Zentrum und gaben die zweite Linie dem Ansturm preis.

»Ba-al!!« heulten die Assyrer triumphierend.

König Tut-anch-Aton Neb-cheperu-Râ hatte seinen Langbogen ergriffen, einen Pfeil aufgelegt und gespannt. Dann schwirrte die Sehne und im nächsten Augenblick stürzte Schulmanaschared, ins Gesicht getroffen, rücklings aus seinem Wagen. Er hatte einen gnädigen Tod gefunden.

Im nächsten Moment nämlich hoben die leichten Infanteristen unserer zweiten Reihe ihre langen Spieße vom Boden auf, streckten sie, das hintere Ende fest in den Boden gerammt, den anstürmenden Wagen entgegen.

Für die Fahrer auf den herandonnernden Wagen war es für jede Reaktion außer einem Entsetzensschrei zu spät. In voller Fahrt rasten sie in den Rechen aus 2000 Spießen, pfählten sich selbst an ihnen auf. Pferde stürzten. Wagen überschlugen sich. Die Sensen hieben gnadenlos dazwischen. Nachfolgende Wagen krachten in die Gestürzten. Räder zersplitterten. Pferde und Männer schrien in Todesqual. Einige versuchten abrupt anzuhalten, wurden von den Nachdrängenden überrannt. Andere wollten seitlich ausbrechen, mähten mit ihren Sensen die Pferde der Nachbarn nieder, verhedderten sich in den Radspeichen und Sensen der anderen Wagen. Binnen hundert Herzschlägen verwandelte sich die furchterregende Kriegsmaschine der 120 assyrischen Streitwagen in ein Chaos aus zertrümmerten Wagen, auskeilenden Pferden und verletzten oder sterbenden Männern.

Und dann waren unsere beiden scheinbar geflohenen Regimenter schwerer Speerträger wieder zur Stelle. Mit wildem Schlachtruf stürzten sie sich in das Gewühl, stachen und hieben und metzelten nieder, was sich zwischen den zertrümmerten Wagen an Assyrern noch bewegte.

»Laßt sie noch näher herankommen!« hörte ich in diesem Augenblick Hôr-em-Heb den Regimentskommandeuren der auf dem Hügel postierten Bogenschützen zurufen.

Wie gebannt hatten wir fast alle auf das blutige Gemetzel vor uns gestarrt, jetzt richteten sich unsere Augen weiter nach rechts, wo in breiter Front die Kamelreiter der Schôs auf uns zugestürmt kamen.

»Jetzt!« gab der Reichsmarschall das Zeichen.

Die Schützen spannten ihre Bogen, und dann flog den Angreifern eine Wolke von 2500 Pfeilen entgegen, prasselte in ihre Reihen. Kamele fielen, Männer stürzten getroffen aus den hohen Sätteln. Und schon schwirrte die zweite Wolke aus Pfeilen. Wieder fielen Tiere und Reiter. Doch das Tempo des Angriffs verlangsamte sich nicht. Die Schôs sind ein stolzes und starkes Volk, auch wenn sie wie hier nicht auf heimischem Boden, sondern nur als Söldner kämpften.

Zum Verhängnis wurden ihnen die Assyrer.

Aus den letzten beiden Reihen des assyrischen Dreiecks war es einem guten Dutzend Wagen noch rechtzeitig gelungen die Pferde zu zügeln und abzudrehen. Vor Entsetzen über das Schicksal ihrer Kameraden heulend rasten sie jetzt kopflos über das Schlachtfeld und mitten hinein in die angreifenden Schôs.

Im Gegensatz zu den bedingungslos treuen Pferden sind Kamele in ihren Herzen Feiglinge, und der aufsteigende Blutgeruch, als die Kampfwagen mit ihren Sensenrädern blutige Straßen in ihre Reihen rissen, machte sie endgültig kopfscheu. Laute Schreie ausstoßend, drehten sie um und rannten, weder Zügel noch Stock ihrer fluchenden Reiter achtend, noch schneller davon, als sie angegriffen hatten, den letzten assyrischen

Streitwagen hinterher – mitten hinein zwischen die schweren Regimenter Azirhûs und die Schwertträger der Elamiter und Amoriter, trugen Angst und Verwirrung mit sich.

»Die Götter sind wahrlich mit uns!« rief der König. Dann warf er mir einen schnellen, fragenden Blick zu.

Ich nickte. Der Schreck über das Fiasko der assyrischen Sensenwagen, das Durcheinander, das die flüchtenden Kamelreiter anrichteten, sollten ausreichen, die schwere Infanterie der Amoriter, die König Azirhû um sich geschart hatte, zumindest kurzfristig ihre beträchtliche zahlenmäßige Überlegenheit vergessen zu lassen, wenn sie jetzt auch noch von der gesamten Masse unserer Wagen angegriffen wurde.

Nur einen schnellen Blick warf ich noch nach links, ehe ich Mose, Je-schua und Men-kau-Hôr das Zeichen gab, den Hügel hinabzurollen, um uns an die Spitze der Streitwagen zu setzen.

Wie ich erkennen konnte, war auch dort drüben der Kampf voll entbrannt. Mehrere Regimenter der Hatti unter Teschub-Zalmasch rannten gegen das Dorf an, während andere die Terrassen nach oben kletterten, um unsere Linien zu umgehen. Noch war es nicht zum Nahkampf gekommen, doch die Hatti mußten bereits herbe Verluste hinnehmen. Gedeckt von Bäumen, Gartenmauern und Weinstöcken, aus den Häusern heraus und von den Dächern herab hielten General Heri-tjeruts schwarze Bogenschützen blutige Ernte. Die Kuschiten und Wawatiten schossen keine Wolken von Pfeilen ab wie die ägyptischen Bogenschützen, sie visierten ihre Ziele einzeln an. Wehe dem hattischen Auge, das hinter seinem Schild hervorlugte, wehe dem hattischen Knie oder Bein, das unter dem Schildrand sichtbar wurde! Das Gelände vor dem Dorf war bereits übersät mit niedergestreckten Hatti, doch ohne mit der Wimper zu zucken, trampelten die Nachrückenden über ihre gefallenen oder verwundeten Kameraden hinweg auf das Dorf zu, stürzten selber getroffen zu Boden und wurden ihrerseits von den folgenden Reihen niedergetrampelt.

Ein letzter Blick über das Schlachtfeld, ein Blick zu Mose hinüber und ein Blick zurück über die langen Reihen der Streitwagen hinter mir.

Ich hob die Hand mit dem vergoldeten Kommandostab:

»Utô und Nechbet!«

»Utô und Nechbet und Tut-anch-Aton!« brüllten die 970 Kämpfer und Wagenlenker begeistert.

Ich gab das Angriffszeichen.

Peitschen knallten, und dann erbebte die Erde unter den Hufen von 970 Pferden und dem Rollen ebenso vieler Wagenräder. In vollem Galopp jagten wir den Amoritern entgegen.

Ich griff nach dem Langbogen.

»Nehmen Sie den anderen!« schrie mir Men-kau-Hôr zu.

Er hatte recht. Ich stieß den Langbogen in seinen Köcher zurück und riß den Reflexbogen heraus. Wir würden nur auf kurze Distanz schießen müssen, und der Reflexbogen ist leichter und bequemer zu handhaben, erfordert weniger Kraft beim Spannen – und schont damit meinen Rücken.

Vor mir erkannte ich für einen Augenblick an seiner blinkenden Standarte den Wagen Azirhûs. Der Amoriterkönig bemühte sich verzweifelt, wieder Ordnung in seine Truppen zu bringen.

Auf etwa zwei Chet ließen wir die ersten Pfeile schwirren, und ich dankte den Göttern, daß der König von Amurru seine Bogenschützen so ungünstig aufgestellt hatte, daß sie uns nicht treffen konnten.

Einen Herzschlag lang spielte ich mit dem Gedanken, auf breiter Linie mit vollem Schwung in die Aufstellung der Amoriter zu preschen: die wirkungsvollste Technik für den Einsatz von Wagen, selbst wenn diese nicht mit Sensenrädern ausgerüstet sind. Wir würden die vier Regimenter ihres ersten Treffens überrennen – und dann zwischen den anderen fünf des zweiten und dritten Treffens steckenbleiben. Ich führte zwar die Elite des ägyptischen Heeres, und die Moral der Amoriter mochte nicht die beste sein, doch wir waren nicht mal tausend Mann. König Azirhû würde uns mit seiner Übermacht im Nahkampf einfach zerquetschen, wenn auch nur zwei seiner Regimenter intakt blieben.

Ich gab Men-kau-Hôr ein Zeichen, den Wagen in die vielleicht drei Chet breite Gasse zwischen den Blöcken der Amoriter und dem Jordan-Ufer zu lenken.

Ich nahm noch wahr, daß uns die zweite Abteilung unserer Wagen unter General Paatem-em-Heb folgte, während die dritte Gruppe unter dem Oberststallmeister Thai nach links schwenkte und auf die Lücke zuhielt, welche die fliehenden assyrischen Streitwagen und Kamelreiter der Schôs zwischen den amoritischen Speerträgern und den Schwertkämpfern ihrer Verbündeten aufgerissen hatten. Und weiter hinten sah ich uns im Laufschritt drei Infanterieregimenter, geführt von ›Gottvater‹ Eje, folgen.

Dann rasselten wir an der Flanke der Amoriter entlang, jagten Pfeil um Pfeil in die dicht gestaffelten Massen ihrer Krieger, waren an ihnen vorbei, lenkten die Pferde in einem scharfen Bogen nach links herum und warfen uns in den Rücken des Feindes, während Paatem-em-Heb seine Wagen in ihre Flanke jagte, Thai sie von der dritten Seite packte und die Infanterie des ›Gottvaters‹ Eje sie frontal angriff.

Ich hatte den Bogen in seinen Köcher zurückgestoßen und riß mit der Rechten die Beilkeule aus der Schlaufe, mit der sie am Wagen befestigt war, zog mit der Linken das Sichelschwert mit der Schneide aus Meteoreisen.

»Utô und Nechbet!«

Und dann blieb für uns die Zeit stehen. Ein blutig roter Nebel legte sich über unseren Geist. Unser selbst kaum noch bewußt, hauten, stachen und schossen wir um uns.

Scharfe Speerspitzen und geschliffene Schwertklingen fuhren auf mich zu, wurden pariert oder vom Schild Men-kau-Hôrs abgefangen. Einer der Amoriter versuchte auf unseren Wagen zu springen, sein Schlachtruf »Ba-al!« erstickte in einem gurgelnden Schrei, als ihm Men-kau-Hôr seinen Dolch in den aufgerissenen Mund rammte. Ein anderer Amoriter stach eines unserer Pferde nieder. Ich schmetterte dem Mann meine Beilkeule in den Nacken, während Men-kau-Hôr vom Wagen sprang, um das tote Tier aus dem Geschirr zu schneiden.

Ich sah Mose einem Hauptmann der Amoriter mit der Axt die Stirn spalten. Ein weiterer, dem Je-schua mit dem Sichelschwert den Bauch aufgeschlitzt hatte, ging daneben zu Boden.

Ich sah den Wagen von Hauptmann Râ-mose, dem Sohn des Finanzministers Sutan, umkippen. Sah vier, fünf Amoriter, die sich auf die vermeintlich leichte Beute stürzten, Augenblicke später schwer getroffen zu Boden taumeln, während Râ-mose, zwei Äxte mit beiden Händen um sich wirbelnd, auf einen Wagen sprang, dessen Kämpfer gefallen war.

Wieder und wieder versuchten Mose, ich, Râ-mose und etliche andere zum Wagen Azirhûs vorzudringen, doch der König verstand es geschickt, sich hinter den Haufen seiner Krieger zu verstecken. Zwei Wagen der Internationalen Garde gelang es, bis auf knapp zehn Ellen an ihn heranzukommen, ehe ihre Besatzung, zwei Ägypter, ein Schôs und ein Achaier, buchstäblich in Stücke gehauen wurden.

Ich sah General Paatem-em-Heb und seinen Wagenlenker von einem halben Dutzend Speeren durchbohrt fallen.

Erneut versuchte ein Amoriter auf unseren Wagen zu klettern. Ich hieb ihm mein Sichelschwert in den Hals, als mich sein Speer tief in den rechten Oberschenkel traf. Men-kau-Hôr ließ Schild und Waffe fallen, riß sich einen Leinenstreifen von seinem Schurz ab und band ihn hastig über die klaffende, heftig blutende Wunde. Gerade zog er den Knoten fest, als ihm ein herzuspringender Amoriter seinen Speer zwischen den Schulterblättern in den Rücken stieß. Men-kau-Hôr bäumte sich mit einem röchelnden Schrei auf, drehte sich halb um seine Achse und bekam mit der Linken den Amoriter zu fassen. Während das verbliebene, im Augenblick zügellose Pferd meinen Wagen und mich weiterzerrte, sah ich, wie der sterbende Hauptmann der Wolfsmänner seinen Angreifer umklammerte und zu Boden riß, wobei er ihm seine Zähne in die Kehle schlug …

Ich weiß kaum noch, was dann als nächstes geschah. Irgendwie bekam ich das Pferd unter Kontrolle, kämpfte weiter. Außer meiner Schenkelwunde, die glühende Wellen des Schmerzes auszusenden begann, spürte ich kaum noch meinen Körper, nicht einmal mehr meinen Rücken.

Ich hörte meine Stimme immer wieder unseren Schlachtruf »Utô und *Nechbet!*« brüllen.

Ich sah meinen Armen zu, die wie fremde, selbständige Wesen mit Beilkeule und Sichelschwert auf Köpfe, Arme, Hälse und Schultern einhieben, die ringsum auftauchten.

Ich taumelte durch ein unendliches Meer von Blut und Waffen und schreienden Männern. Ich hieb, stach, schrie selber …

Waren Tage oder Jahre vergangen, als ich die Veränderung ringsum wahrzunehmen begann?

Erst vermochte ich kaum zu begreifen, was ich sah.

Die Amoriter lösten sich aus dem Kampf, wichen zurück!

Langsam ließ ich meine Waffen sinken, stützte mich vor Erschöpfung keuchend auf das Geländer meines Wagens, während sich mein Blick langsam wieder schärfte.

Ja, es gab keinen Zweifel, die Amoriter zogen sich in regellosen Haufen fluchtartig zurück. Gewiß zwei Dutzend unserer Wagen saßen ihnen noch im Nacken oder schickten ihnen zumindest Pfeile hinterdrein.

Und dann entdeckte ich unter den Flüchtenden auch den Wagen mit der Standarte Azirhûs, der eilig nach Norden davonratterte.

Das Kampffeld rings um mich her bot ein Bild des Grauens. Der Boden war bedeckt von Toten und Sterbenden, zersplitterten Waffen, umgestürzten Wagen, toten Pferden, zerbrochenen Rädern, zerhauenen Schilden. Verwundete schrien. Dazwischen vor Erschöpfung taumelnde Männer, über und über mit Blut beschmiert, herrenlose Pferde, aber auch, zu meiner Freude, immer noch eine Anzahl offensichtlich intakter Wagen.

Hinter mir hörte ich Trompeten zum Sammeln blasen. Ich wandte mich um.

Vielleicht zwei Chet entfernt sah ich den ›Gottvater‹ Eje hoch aufgerichtet auf seinem Streitwagen stehen und mit herrischen Winken seines Kommandostabes die Überlebenden seiner Infanterie neu ordnen. Es mochten noch 800 bis 1000 sein.

Mein Blick kehrte nach Norden zurück, wo unsere Wagen nun auch von der Verfolgung des Feindes abließen und, dem Signal gehorchend, sich um mich zu sammeln begannen.

Und dann fuhr mir ein eisiges Entsetzen ins Herz!

Dort vorne, das war ohne jeden Zweifel der vergoldete Wagen Moses! Umgestürzt! Ein Rad zerbrochen! Die toten Pferde noch im Geschirr!

»Nein! *Nein!!*« schrie es in mir. »Ihr Götter! Ihr *könnt*, Ihr *dürft* das nicht zulassen!«

Dann sah ich sie! Zu Fuß, über Leichen und Trümmer kamen sie auf mich zu. Dreckig, blutbespritzt, erschöpft wie wir alle, doch lebendig: Je-schua, einen blutigen Lappen um seinen Kopf geschlungen, und Mose, offensichtlich völlig unverletzt!

Ich taumelte von meinem Wagen, stolperte ihnen entgegen.

Als ich sie in meine Arme schloß, schämte ich mich meiner Tränen nicht.

»Feldmarschall Amûn-hotep, Exzellenz!« schnarrte Hauptmann Râ-mose in diesem Augenblick hinter mir und salutierte zackig. »Bin nach Seiner Hoheit, Hôr-im-Nest, und Euer Exzellenz ranghöchster überlebender Offizier! Bitte um Erlaubnis Meldung machen zu dürfen, Exzellenz!«

Der Sohn Sutans blutete aus zahlreichen kleineren Wunden, war aber offenbar nicht ernsthaft verletzt.

Ich nickte: »Melden Sie!«

»Wagen Seiner Majestät sammeln sich, Exzellenz! Müssen einige Pferde umspannen. Einige Wagen reparieren. Ärzte im Anmarsch. In Viertelstunde Truppe wieder einsatzbereit! Ihre Befehle, Exzellenz?«

»Weitermachen …«

»Jawohl, Exzellenz!«

Hauptmann Râ-mose salutierte schneidig, zirkelte eine perfekte Kehrtwendung und stapfte eilig los.

»Hauptmann!« rief ich ihm nach.

Erneut eine gezirkelte Kehrtwendung:

»Exzellenz?«

»Ab sofort führen Sie den Kommandostab eines Oberst.«

»Ähh – danke – danke, Exzellenz!«

Diesmal war die Kehrtwendung nicht ganz so perfekt, ehe er mit stolzgeschwellter Brust davonmarschierte.

Ich warf einen Blick zum Himmel.

Die Sonne hatte inzwischen ihren Höhepunkt überschritten.

Und dann einen langen Blick über den Rest des Schlachtfeldes:

Die leichte Infanterie der Hatti, die schweren assyrischen Bogenschützen und die amoritischen und elamitischen Schwertkämpfer lagen in einem erbitterten Ringen mit den Speerträgern und Bogenschützen unseres Zentrums. Zwei Regimenter Bogenschützen der Ammoniter, Moabiter, Jebusiter und Amalekiter aus der Reserve des Feindes hatten sich den Kämpfenden angeschlossen, die drei anderen Regimenter freilich hatten es offensichtlich vorgezogen, sich an der Seite Azirhûs in Sicherheit zu bringen.

Der Kampf war unerbittlich, und die Schwertkämpfer hielten sich weit tapferer, als ich dies vermutet hatte. Doch angeführt von Reichsmarschall Hôr-em-Heb und vor allem von König Tutanch-Aton Neb-cheperu-Râ – ich konnte seinen Standort an den hohen Straußenfächern, die seinem Wagen nachgetragen wurden, deutlich ausmachen – gelang es unseren Truppen, die Linien des Feindes mehr und mehr umzubiegen und zurückzudrängen. Daran würden auch die etwa 1500 Schôs, die sich jetzt zu Fuß, ohne ihre feigen Kamele, ein Stückchen nördlicher sammelten, nichts mehr ändern können.

Und das Dorf? Der Schicksalspunkt dieser Schlacht?

Ein Großteil des Dorfes brannte, dazu ein Teil der Weinstöcke am Berghang und der Oliven weiter droben. Teschub-Zalmasch und Lupak-kisch hatten offensichtlich versucht, mit Feuer unsere Männer aus ihren Stellungen zu vertreiben. Vergeblich. Die schwarzen Bogenschützen, die Wölfe von Sioûti und die Freiwilligen der Benê-Jisrael hielten sich nicht nur, sie fügten dem Feind so brutale Verluste zu, daß sich an einigen Stellen die Leichen der gefallenen Hatti zu kleinen Wällen türmten; sie wagten sogar wilde Ausfälle, mit denen sie die Hatti aus eben gewonnenen Positionen wieder zurückwarfen.

Oberst Schut hatte sich, zweihundert Gardisten zum Schutz des Königs zurücklassend, mit den übrigen 400 Mann der Internationalen Garde dort dem Feind in die Flanke geworfen und wütete an der Spitze seiner Männer unter Hatti und assyrischen Bogenschützen.

»Feldmarschall Amûn-hotep, Exzellenz!« schnarrte Oberst Râmose. »Wagen Seiner Majestät einsatzbereit!«

Ich wandte mich um.

Da standen sie. Mein Wagen, wieder mit einem zweiten Pferd bespannt und mit einem kohlschwarzen Kuschiten als Lenker, dessen milchweiße Zähne mich zwischen seinen wulstigen Lippen erwartungsvoll anfunkelten. Der Wagen Moses mit einem neuen Rad und neuer Bespannung. Der Wagen des Obersten Râmose. Und dahinter der Rest der Elite ägyptischer Truppen, nur noch 123 Wagen von 485, doch unerschütterlich entschlossen, sich erneut in die Schlacht zu stürzen.

Schon hatte ich meinen Kommandostab erhoben, um das Zeichen zu geben, uns auf die noch immer lang am Berghang des Tabor hintereinander gestaffelten Blöcke der schweren Infanterie der Hatti zu stürzen, als langgezogene Trompetensignale des Feindes mich innehalten ließen.

Vor wenigen Minuten hatte ich die Standarte General Teschub-Zalmaschs fallen sehen, und jetzt bliesen die Trompeten.

Noch mochte ich meinen Augen nicht trauen, doch tatsächlich begannen sich die Truppen des Feindes aus den Kämpfen zu lösen.

Ganz gewiß, da floh niemand!

Aber ebenso gewiß zog General Lupak-kisch seine Truppen, wenn auch langsam und in mustergültiger Ordnung, zurück.

Ich ließ meinen Kommandostab wieder sinken.

Zwei Stunden später hatte sich der Generalstab auf jenem kleinen Hügel um König Tut-anch-Aton Neb-cheperu-Râ versammelt.

Ich lag auf einer Tragbahre, den Rücken mit ein paar Decken

hochgestützt, und krampfte die Hände um die Holme der Bahre, um nicht vor Schmerz aufzuheulen. Ich hatte Mose, dem neben Pentû hier unzweifelhaft besten Mediziner, harsch befohlen, sich um die wirklich schwer Verletzten zu kümmern. So war ich in die Hände eines blutjungen Arztes gefallen, der eben erst sein Studium im Haus allen Wissens zu Chemenu beendet hatte. Eigentlich macht er seine Sache gar nicht schlecht. Erst brannte er meine Oberschenkelwunde mit einem glühenden Eisen aus, um Infektionen vorzubeugen. Dann nähte er die klaffenden Wundränder mit ein paar Stichen zusammen, schmierte kräftig Wundsalbe darüber und bandagierte das Ganze mit sauberen Leinenbinden. Daß ich meinen klaren Verstand unbedingt bewahren wollte und deshalb seinen schmerzlindernden, aber zugleich berauschenden Mohnsaft ablehnte, war nicht seine Schuld ...

Inzwischen trafen die Nachrichten von den verschiedenen Teilen des Schlachtfeldes ein:

Unser Zentrum war mit 284 Toten und 831 Verwundeten weitaus glücklicher weggekommen, als wir dies je zu hoffen gewagt hatten.

Dafür waren unsere Verluste auf den beiden Flügeln um so schlimmer. Von den 970 Kämpfern und Lenkern unserer Streitwagen waren 641 gefallen, darunter General Paatem-em-Heb und der Oberststallmeister Thai, und 83 schwer verwundet. Vom Rest war fast keiner unverletzt geblieben, doch weiterhin einsatzfähig. Zu denen zählte ich auch mich, selbst wenn ich im Augenblick auf dieser verdammten Trage lag.

Die drei Infanterieregimenter, mit denen der ›Gottvater‹ Eje den Angriff auf die Amoriter unterstützt hatte, waren auf 879 Mann zusammengeschrumpft, die übrigen waren tot oder schwer verwundet. Eje selbst hatte nicht einen Kratzer abbekommen, obwohl er sich an der Spitze seiner Männer auf den Feind gestürzt hatte.

Die schwersten Verluste freilich hatten die Verteidiger des Dorfes auf unserem linken Flügel zu beklagen. Die Kuschiten hatten 1444 Mann verloren, fast die Hälfte ihrer Leute, darunter den treuen General Heri-tjerut. Die Benê-Jisrael sogar über die Hälfte, und Hauptmann Nun war schwer verwundet. Von den

632 überlebenden Wölfen von Sioûti war kaum einer unverletzt, und Mose und Pentû rangen verzweifelt um das Leben Graf Nacht-Upuaûts.

Von den Männern der Internationalen Garde waren 82 tot, über 100 schwer verletzt. Ich bat sie in meinem tiefsten Inneren um Vergebung für die Zweifel, die ich an ihrer Loyalität gehabt hatte. Die Schôs und Keftiu, die Hatti, Assyrer, Babylonier, Achaier, Lykier, Kuschiten, Karier und aus welchen Völkerschaften sonst die Internationalen noch stammen mochten, hatten sich mit einer Tapferkeit geschlagen, die ich bislang nur Haus und Hof, Frau und Kind verteidigenden Ägyptern zugetraut hätte. Vielleicht war es sogar ihr mit äußerster Wildheit vorgetragene Angriff gewesen, der General Lupak-kisch endgültig zum Aufgeben gezwungen hatte.

Als der König eine diesbezügliche Bemerkung machte, nickte Oberst Schut, der, von Kopf bis Fuß mit fremdem Blut besudelt, bei uns stand, befriedigt.

»Dann wäre er ja gerächt!« murmelte er in seinen zerzausten, ebenfalls blutverklebten Bart.

»Gerächt? Wer?«

»Rudj-o, Leutnant Rudj-o, der im Kampf gegen die Sensenwagen fiel – mein Sohn!«

Insgesamt zählten wir also 4226 Tote und 2436 Schwerverwundete, ein Viertel unserer Armee!

Die Verluste des Feindes konnten wir nur schätzen, doch zweifellos waren sie noch weit höher als unsere. Ihre assyrische Wagentruppe war ausgelöscht, die Amoriter Azirhûs hatten gewiß über 3000 Mann verloren und die übrigen waren auf der Flucht, und vor dem Dorf lagen mindestens 5000 tote und sterbende Hatti und assyrische Bogenschützen.

Die Sonne neigte sich bereits den Spitzen des Tabor-Gebirges zu, als zwei einzelne Männer über das Schlachtfeld herangeschritten kamen und als Parlamentäre mit Palmzweigen winkten.

Wenig später verneigten sich die beiden Hatti vor dem König.

»Mein Name ist Chattu-Zitisch«, begann der Sprecher der beiden in akzentfreiem Ägyptisch, und ich erinnerte mich, daß dies wohl der Mann gewesen sein muß, der sich nach Achet-Aton geschlichen hatte, um mit Nofret-ête zu verhandeln.

»Zunächst«, fuhr Chattu-Zitisch fort, »läßt General Lupak-kisch Eure Majestät um die Erlaubnis bitten, daß er die gefallenen Hatti von unbewaffneten Männern bergen lassen darf, um sie nach den Riten unseres Glaubens beisetzen zu können.«

»Dies ist eine Selbstverständlichkeit einem tapferen und ehrenvollen Feind gegenüber«, antwortete König Tut-anch-Aton Neb-cheperu-Râ sofort. »Auch mag er die Verwundeten in sein Lager bringen und dort entsprechend behandeln lassen.«

Chattu-Zitisch verneigte sich tief und bedeutete dann seinem Begleiter, mit der Nachricht in das Lager der Hatti zurückzukehren. Wenig später sahen wir Männer mit Bahren und kleinen, von Eseln gezogenen Wagen auf dem Schlachtfeld ausschwärmen, um die Toten und Verletzten zu bergen.

Inzwischen hatte sich Chattu-Zitisch erneut tief verneigt:

»Erlaubt, Majestät, Euch eine weitere Nachricht von General Lupak-kisch zu übermitteln.«

»Sprechen Sie!«

»General Lupak-kisch ist tief beeindruckt von der Kühnheit und Tapferkeit Eurer Majestät und …«

»Lassen Sie die Höflichkeiten weg und kommen Sie zur Sache!« unterbrach Hôr-em-Heb den Gesandten ungeduldig.

Wieder verneigte sich Chattu-Zitisch:

»Dies ist es, was General Lupak-kisch Eurer Majestät sagen läßt: Ägypter und Hatti haben keinen Streit miteinander! Unser König, der erhabene Schuppiluliuma, der in Hattusa auf seinem hohen Thron sitzt, will keinen Krieg mit Ägypten und dem Herrn der Beiden Länder und der Beiden Kronen!«

Der König zog verblüfft die Augenbraue hoch, doch Chattu-Zitisch sprach schon eilig weiter:

»Niemals haben die Hatti Land für sich beansprucht südlich der Städte Karkemisch und Haleb, und niemals hat Ägypten Land beansprucht nördlich dieser Städte. Weshalb also sollten wir streiten? Weshalb Kriege führen?«

»Und weshalb befindet sich dann eine Armee der Hatti gut 45 Iteru südlich von Haleb, um sich mit uns eine blutige Schlacht zu liefern?« fragte König Tut-anch-Aton Neb-cheperu-Râ nicht ohne Schärfe.

»Wir wurden belogen von falschen Freunden. Intriganten und Verräter haben uns aufeinander gehetzt, damit wir uns gegenseitig schwächen sollten und so ihre selbstsüchtigen Machtpläne befördern, Majestät!

General Lupak-kisch ist mit allen Vollmachten unseres erhabenen Königs Schuppiluliuma versehen, und dies ist es, was er Euch sagen läßt:

Wenn Euer Majestät bereit sind, einen Friedensvertrag zu besiegeln, der Karkemisch und Haleb als die Nordgrenze Eures Reiches und als die Südgrenze unseres Reiches bestätigt, so wird General Lupak-kisch jene Verräter angemessen bestrafen und sich noch in dieser Nacht mit all seinen Truppen nach Norden zurückziehen, um niemals wiederzukehren.«

Tut-anch-Aton Neb-cheperu-Râ dachte einige Minuten mit geschlossenen Augen nach. Dann winkte er Mose zu sich, beriet sich leise mit ihm, ehe er antwortete:

»Dann sei es so!«

Chattu-Zitisch verneigte sich tief ein letztes Mal:

»Ein entsprechendes von General Lupak-kisch gesiegeltes Dokument nebst einem Beweis seiner Aufrichtigkeit werden Eure Majestät morgen früh dort vorfinden, wo jetzt noch unser Lager steht.«

Als wir im Morgengrauen den Platz des inzwischen verlassenen hattischen Lagers betraten, starrten wir voller Grauen auf den Beweis für die Aufrichtigkeit Lupak-kischs:

Er hatte 18 gut fünf Ellen hohe Pfähle in den Boden rammen lassen, und auf der Spitze jedes Pfahls steckte der nackte Körper eines Mannes.

Ein 19. Pfahl stand ein Stück davor, und auf ihm hatte man Azirhû, den König der Amoriter, aufgespießt. Ehe man ihm den

Pfahl in den Bauch gerammt und durch den Leib getrieben hatte, wo seine Spitze zwischen den Schulterblättern wieder hervortrat, hatte man Azirhû kastriert, ihm die Augen ausgestochen und die Zunge herausgeschnitten.

Zu seinen Füßen lagen zwei Tontafeln.

Eine mit dem Friedensvertrag, gesiegelt im Namen des Königs Schuppiluliuma von Lupak-kisch, dem General der Hatti.

Auf der anderen stand:

»Verräter mögen manchmal nützlich sein, doch niemals sollte man ihnen Vertrauen schenken!

Feiglinge aber sollte man austilgen aus der Mitte der Tapferen!

Ich habe in ersterem Punkt gefehlt und bitter dafür gezahlt.

So habe ich denn, leider zu spät, im zweiten Punkt meiner Überzeugung Ausdruck verliehen.

Möge dies Eurer Majestät eine Warnung sein!«

Gesiegelt:

»Lupak-kisch, General der Hatti.«

6. Papyrus

DIE GOTT
DER
GÖTTER

König Tut-anch-Amûn Neb-cheperu-Râ
2. bis 3. Regierungsjahr

Der Triumphzug von Onû nach Men-nôfer im feierlichen Parade-
marsch dauerte drei ganze Tage.

Vier Wochen waren wir noch zuvor in unserem Lager am Fuß
des Tabor-Gebirges geblieben, bis unsere zahlreichen Schwerverwundeten transportfähig oder vor den Richterstuhl Usîres gerufen worden waren. Unsere Toten hatten wir würdig beigesetzt
und die Leichen der höheren Offiziere – Heri-tjerut, Paatem-em-
Heb, Thai und etliche andere – provisorisch einbalsamiert, um
sie einem angemessenen Begräbnis in der Heimat zuführen zu
können. Inzwischen hatten sich auch die Wunden der leichter

Verletzten so weit geschlossen, daß diese wieder marschieren konnten.

Langsam waren wir dann auf dem Landweg durch Kanaan nach Ägypten zurückgekehrt. Die Fürsten der Elamiter, der Ammoniter, der Moabiter, der Jebusiter, der Amalekiter, der Schôs und wie die Völkerstämme sonst noch heißen mochten, hatten sich vor König Tut-anch-Aton Neb-cheperu-Râ in den Staub geworfen, um Verzeihung und Gnade gefleht – und sie erhalten. Die Oberhäupter von Gilboa und Jericho, von Jerusalem und Lachisch und den zahlreichen Städten, Gemeinden und Dörfern dazwischen waren uns entgegengeeilt, hatten sich im Staub gewälzt, uns ihrer unverbrüchlichen Treue versichert und überreich bemessene Tribute abgeliefert.

Am 15. Tag des 4. Erntemonats passierten wie den Gürtel unserer Grenzfestungen bei Zaru in der ›Ostmark‹, von wo uns Boote auf dem östlichsten Arm des Stromdeltas bis nach Onû brachten.

Am 27. Tag des 4. Erntemonats begann die große Siegesparade in Onû, der Stadt des Râ.

Sie begann mit einem großen Opferritus Seiner Majestät, des Königs, im Hat-Benben, dem Tempel des Râ zu Onû. Alle Offiziere, alle hohen Beamten des Reiches und die vollzähligen Priesterschaften der wieder erlaubten Götterkulte nahmen daran teil.

Dann löste Tut-anch-Aton Neb-cheperu-Râ das Versprechen ein, das er vor dem Beginn der Schlacht gegeben hatte:

»Ich, König von Ober- und Unterägypten, Herr der Beiden Throne und der Beiden Kronen, bestimme, daß in Zukunft und für immer herrschen sollen in Ägypten Amûn und Mut, Hôr und Setech, Utô und Nechbet und all die anderen Götter, die Unser Volk seit jeher verehrt hat. Aton aber, der falsche Gott des Ketzers von Achet-Aton, soll ausgetilgt sein, seine Tempel im ganzen Land und seine Stadt Achet-Aton sollen dem Erdboden gleich gemacht werden. Sein verfluchter Name sei für immer vergessen!

So bestimme es Ich, Tut-anch-Amûn Neb-cheperu-Râ. Starker

Stier. Geliebt von Maat. König von Ober- und Unterägypten, Herr der Beiden Länder, Herr der Beiden Kronen, Herr der Beiden Throne. Eingesetzt von Utô und Nechbet, den beiden Herrinnen. Erhalter der Gesetze. Der die beiden Länder befriedigt. Der die Wahrheit aufzeigt seines Vaters Râ. Geliebt von Râ. Emporgehoben von Amûn. Der Ägypten schützt. Königliche Manifestation des Râ. Eingesetzt von den Göttern. Goldener Hôr. Reich an Jahren. Groß an Siegen!«

Der Zug unserer Armee von Onû nach Men-nôfer war ohne jedes Beispiel. Nicht einmal der große, dritte, sieggewohnte Tehutimose Men-cheper-Râ war jemals derart empfangen worden!

Die Straßen, über die wir marschierten, waren bedeckt von Blüten, und als wir den Strom überquerten, war der Fluß ein einziges Meer von Blumen. Vom neugeborenen Säugling bis zum zittrigen Greis war jedermann auf den Beinen, um uns zuzujubeln. Selbst aus den südlichsten Gauen des Reiches waren Abertausende angereist, um uns zu sehen und begeistert willkommen zu heißen, unseren Sieg zu feiern.

Dem Triumphzug voran rollten die Wagen des Generals Tekaher und des ›Gottvaters‹ Eje.

Dann kam unter Trompetenklang, Flötenspiel und Trommelschlag in langsamem, feierlichem Paradeschritt unsere Infanterie, Kompanie hinter Kompanie, Regiment hinter Regiment. Die Männer hatten ihre Waffen mit Blumen, grünen Zweigen und langen, bunten Bändern umwunden. Hinter jeder Kompanie rollten flache, von Eseln gezogene, ebenfalls geschmückte Pritschenwagen auf denen jene Verwundeten saßen oder lagen, die noch nicht wieder marschieren konnten, denn keiner wollte bei dieser Parade fehlen. Und hinter diesen Wagen folgten weitere, auf denen die Waffen und Schilde der Gefallenen aufgesteckt und mit ihren Namen versehen waren, denn gerade auch ihnen gebührte unser Dank für den Sieg.

Mehr als einmal schlug der begeisterte Jubel der zuschauenden Menge an den Straßenrändern in bedrücktes Schweigen um, etwa als die 5. Kompanie des Regiments ›Im Feuer erscheinendes Krokodil‹, eines der drei Regimenter, mit denen der ›Gottvater‹ Eje die Amoriter angegriffen hatte, vorüberzog. Voran humpelte, schwer auf seinen Speer gestützt, Korporal Ti, der verhaßte Schleifer aus der Militärakademie, dann folgte ein Wagen mit acht Schwerverwundeten, und dann die Wagen mit den aufgesteckten Schilden und Speeren der 91 Gefallenen dieser Abteilung.

Der Infanterie folgten die schwarzen Bogenschützen aus Wawat und Kusch in ihrem von weichem Trommelschlag begleiteten seltsamen Paradetanz, bei dem zwei Vorwärtsschritten jeweils ein Schritt seitlich und einer zurück folgte. Acht Männer trugen auf ihren Schultern die Mumie des tapferen Generals Heri-tjerut der Truppe voraus.

Ihnen schloß sich an das Freiwilligen-Korps der Benê-Jisrael, geführt von Hauptmann Nun, auch er hinkend, aber stolz aufgerichtet und mit blitzenden Augen. Unter den Schwerverwundeten war Elon, der Sohn des Schuni aus dem Haus Ru-ben. Am Tabor hatte er beide Beine verloren, doch er schwang seine Waffen mit so wilder Begeisterung durch die Luft, als wolle er sich gleich noch einmal auf Hatti und Amoriter stürzen. Der geradezu frenetische Jubel, der ihm und seinen Männern entgegenschlug, freute mich ganz besonders.

Dann folgten die Wolfsmänner von Sioûti. Vor ihnen her in einem Tragesessel Graf Nacht-Upuaût. In seinen dicken Verbänden sah auch er fast wie eine Mumie aus, was ihn nicht hinderte, mit seinem linken, unverletzten Arm seinen Speer im Takt der Militärkapelle zu schwingen, die hinter den Wölfen her marschierte.

Freilich wurde gerade bei diesen Truppen der Jubel der Massen immer wieder von erschrecktem Murmeln unterbrochen, wenn die Wagen mit den Verwundeten und den aufgesteckten Waffen der Gefallenen vorüberrollten, denn deren Zahl übertraf beträchtlich die der marschierenden Soldaten.

Nach dem Vorbeimarsch der Benê-Jisrael und der Wolfsmänner jedoch überschlug sich die Begeisterung der Massen der Zuschauer förmlich!

Seine Majestät König Tut-anch-Amûn Neb-cheperu-Râ stand

in vollem Kriegsschmuck, den Blauen Helm auf dem Haupt, allein auf seinem goldenen Streitwagen, den wie in der Schlacht zwei Schimmel zogen. Hinter dem Wagen schritten die beiden Soldaten mit den riesigen Straußenfächern. Über dem Gesicht des Königs lag ein tiefer Ernst, auch wenn sein Mund lächelte und er freundlich den Massen zuwinkte. Jeder, der ihn so sah, begriff, daß in diesem zarten, knabenhaften Körper der Geist eines großen Herrschers lebte, durch Kampf, Blut und Tod weit über sein natürliches Alter hinaus gereift.

Hinter dem Wagen des Königs rollte der Wagen des Hôr-im-Nest Mose, gelenkt wieder von Je-schua, und auch ihm folgten zwei Soldaten mit den riesigen, königlichen Straußenfächern, die ihm der König als Zeichen seiner Würde zugeordnet hatte.

Suti, auf dessen Wagen die königliche Standarte aufgepflanzt war, fuhr unmittelbar hinter ihm drein.

Dann folgten Reichsmarschall Hôr-em-Heb und ich auf unseren Wagen. Von Zeit zu Zeit streifte mich ein besorgter Blick Hôr-em-Hebs, doch jedesmal schüttelte ich mit zusammengebissenen Zähnen leise den Kopf. Ganz unbegründet war seine Sorge nicht, denn meine nur halb verheilte Schenkelwunde schmerzte höllisch, und es würde gewiß kein gutes Bild machen, wenn der Feldmarschall, Chef des Generalstabes und Onkel des Königs vom Wagen fiel, doch ich war wild entschlossen durchzuhalten. Der junge Arzt gleich nach der Schlacht, später auch Pentû und Mose hatten ihr Bestes gegeben, doch die zerfetzten Muskelstränge in meinem rechten Oberschenkel würden nie wieder so zusammenheilen wie sie vordem gewesen waren − das Ausglühen hatte mehr zerstört als der amoritische Speer, doch, um einen tödlichen Wundbrand zu verhindern, war dies unvermeidlich gewesen. Während unserer Rückkehr aus Kanaan, die ich wie Graf Nacht-Upuaût teils auf einer Trage, teils in einer Sänfte hatte mitmachen müssen, war mir bitter klar geworden, daß ich für den Rest meines Lebens hinken, schlimmer, daß ich niemals wieder auf einem Wagen würde stehen können, der sich schneller als in einem leichten Trab bewegte.

Hôr-em-Heb und mir folgten die Reste unserer Streitwagen, angeführt von Oberst Râ-mose, Sohn des Sutan, und den beiden

Wagen mit den Mumien von General Paatem-em-Heb und Oberststallmeister Thai. 160 Wagen waren es, denn neben den 123 Wagen, die uns auf dem Schlachtfeld verblieben waren, hatten auch
die 74 Verwundeten der Truppe – neun waren unterdessen noch
ihren schweren Verletzungen erlegen – unter allen Umständen die
Parade mitmachen wollen. Einige waren bereits wieder fähig, auf
den Wagen zu stehen, die Mehrzahl freilich saß oder lag. Aber keiner der Überlebenden fehlte; etliche hatten sich sogar aufrecht
an die Geländer ihrer Wagen anbinden lassen. Mit unverkennba-
rem Stolz präsentierten sie sich der schreienden und winkenden Menge, schwenkten ihre geschmückten Waffen, ließen ihre
Pferde, in deren Mähnen und Schweife sie bunte Bänder einge-
flochten hatten, tänzeln. Hinter ihnen her wurden 690 Pferde von
Stallknechten geführt, und auf dem Rücken jedes Pferdes waren
Speer und Axt oder Schild und Peitsche sowie eine Tafel mit dem
Namen des gefallenen Kämpfers oder Wagenlenkers angebracht.

Sie, die Wölfe von Sioûti, die Benê-Jisrael und die schwarzen
Bogenschützen hatten den höchsten Blutzoll in der Schlacht bezahlt, waren bereit gewesen, sich bis zum letzten Mann für den
König und für Ägypten niedermetzeln zu lassen. Als Seine Majestät jedem einzelnen von den Überlebenden das Gold der Belohnung um den Hals legte, hatten sie die Auszeichnung mit einer
Selbstverständlichkeit empfangen, die keinen Zweifel daran ließ,
daß ihnen diese Ehrung auch gebührte.

Hinter den Wagen marschierte schließlich die Internationale
Garde, angeführt von Oberst Seben-hesequ-schut. Neben seinem
Wagen wurde ein Pferd geführt, auf dessen Rücken man die Mu-
mie und die Waffen seines Sohnes Rudj-o gebunden hatte.

Den Abschluß bildeten, geführt von Pentû, die Ärzte, auch
von ihnen jeder ausgezeichnet mit dem Gold der Belohnung,
und danach die Männer unseres Trosses und die Kapitäne und
Matrosen der Schiffe, die uns nach Aphek gebracht hatten.

Drei Tage zogen wir von Onû bis Men-nôfer.

Im Tempel der Dreiheit vollzog Tut-anch-Amûn Neb-cheperu-

Râ ein zweites, großes Opfer und verkündete nochmals seinen Erlaß, der die Götter, ihre Tempel und Priesterschaften wieder in ihre alten Rechte einsetzte, den Kult des Aton jedoch verfemte und verbot.

Vor den Toren des uralten Palastes zu Men-nôfer wurden wir schließlich von den Daheimgebliebenen feierlich empfangen.

Prinz Nacht-Min an der Spitze der Minister und Gouverneure erstattete kurz offiziell Bericht, und dann war es endlich so weit, daß wir unsere Lieben, alles Protokoll vergessend, wieder in die Arme schließen konnten.

Beket-Amûn liefen Tränen der Erleichterung über das Gesicht und ruinierten ihre Schminke, als sie mich umarmte und küßte, und auch ich hatte Tränen in den Augen – teilweise allerdings auch vor Schmerz, als mir Mâ-au ihre Nase kräftig in die rechte Kniekehle stupste.

Mut-nodjemet fiel ihrem Gatten Hôr-em-Heb stürmisch um den Hals, und es dauerte nur Augenblicke, bis der sonst so steife Reichsmarschall seine Frau ebenso herzlich an sich drückte.

Die überaus herzliche Begrüßung Moses durch die Große Königswitwe Merit-Aton wunderte mich nicht; eher wunderte mich, weshalb die beiden nicht schon vor dem Feldzug geheiratet hatten, zumal sich Merit-Aton inzwischen wie eine echte Mutter um seine kleine Tochter Sat-Râ kümmerte.

Sat-Râ, die gerade Fünfjährige, sorgte für einiges Aufsehen, als sie sich von der Hand Merit-Atons losriß und sich Oberst Râmose mit einem erleichterten Freudenschrei an den Hals warf, als sich dieser soeben vor seinem Vater, dem Finanzminister Sutan, und seiner Mutter Tia verneigte.

Das Verblüffendste an diesem späten Nachmittag war freilich die geradezu stürmische Herzlichkeit, mit der die Große Königsgemahlin Anchesen-pa-Aton ihren Gemahl empfing. Bislang war das Verhältnis der beiden kühl, streckenweise ausgesprochen kalt gewesen. Den vergessenen Prinzen Tut-anch-Aton hatte Anchesen-pa-Aton unmißverständlich abgelehnt. Dem jungen König Tut-anch-Aton Neb-cheperu-Râ hatte sie sich genähert. Dem Sieger der Schlacht am Tabor und unbestrittenen Liebling der Massen warf sie sich nun hemmungslos entgegen.

Mose war ob dieser Entwicklung sichtlich erleichtert. Die spöttisch abwärts gebogenen Mundwinkel, die verächtlichen Blicke aus den wie fast immer halb geschlossenen Augen des ›Gottvaters‹ Eje nahm ich zur Kenntnis.

In den nächsten Tagen und Wochen geschah viel in Ägypten – und doch nichts, was ich nicht erwartet hätte.

Die Tempel der Götter blühten auf, sammelten reichlicher Geschenke und Gaben denn je.

Mose wurde endgültig zum engsten Berater des Königs. Es gab nichts, aber auch gar nichts, was Tut-anch-Amûn Neb-cheperu-Râ nicht mit dem Hôr-im-Nest Mose besprochen hätte: Entscheidungen in der Verwaltung, die Neubesetzung irgendwelcher Ämter, die Rückgabe von ehemaligem Tempelbesitz, den endgültigen Friedensvertrag mit Schuppiluliuma, dem König der Hatti. Offizielle Ämter lehnte Mose jedoch ab, und den Rang eines Generals, den ihm der König verlieh, betrachtete er lediglich als Höflichkeitstitel.

Um so ernster nahm Je-schua seine Beförderung zum Oberst. Als zweiter Mann im Generalstab wurde er, zusammen mit Oberst Râ-mose, bei der Reorganisation der ägyptischen Armee zu meiner fast unentbehrlichen rechten Hand.

Unterdessen beaufsichtigte der Erste königliche Baumeister Bek, Sohn des Men, den Abriß von Achet-Aton. Er tat es so gründlich, wie er es aufgebaut hatte – und das bedeutete, daß er es gegebenenfalls ebenso schnell wieder erstehen lassen konnte, wie er den Lehm in die Namenskartuschen der Götter hatte hineinschmieren und wieder herauspicken lassen.

Ich traf Bek persönlich, als ich kurz nach Achet-Aton kam, um zu bestimmen, wohin meine und Beket-Amûns bewegliche Habe aus meinem dortigen Haus geschafft werden sollten.

»Ich werde Ihr Haus schonen, wie ich alle privaten Häuser in dieser Stadt schonen werde – vielleicht wird man sie ja demnächst wieder brauchen«, versicherte mir Bek treuherzig.

»Götter«, erklärte er grinsend weiter und tätschelte dabei seinen quellenden Kugelbauch, »mögen sie auch noch so unsinnig sein, müssen mindestens zweimal sterben, ehe sie wirklich tot sind!«

Die Bemerkung erschreckte mich, und ich betete, daß Bek unrecht haben möge!

Auch die Reaktion der Großen Königsgemahlin Anchesen-pa-Amûn, so mußte sie sich nun nach dem Dekret ihres König-Gemahls nennen, verwunderte mich nicht. Der blutige Sieg am Fuß des Tabor hatte sie kurzfristig fasziniert, die tägliche Routine der Herrschaft langweilte sie. Das kurz aufflackernde Feuer erlosch endgültig, als sie fünf Monate später von der Frühgeburt einer Tochter entbunden wurde.

Der einzige, der mich – immer noch – überraschte, war der ›Gottvater‹ Eje. Wie sehr wir ihm nun trauen oder auch mißtrauen mochten, sein finanziell wie persönlich rückhaltloser Einsatz für den Feldzug nach Kanaan war eine Tatsache, sein Mut in der Schlacht unbestritten. Wenn er den Wunsch nach irgendeiner offiziellen Machtposition in der Militärhierarchie oder in der Zivilverwaltung geäußert hätte, dem König wäre kaum eine andere Wahl geblieben, als ihm den gewünschten Posten zu übertragen. Doch Eje kehrte zurück auf seine Güter in Ipu, wo er sein Leben als steinreicher Privatmann ohne irgendwelche politischen Ambitionen dort wiederaufnahm, wo er es vor dem Feldzug unterbrochen hatte.

Der König, an diesem Punkt zweifelsfrei neben Mose auch unter dem Einfluß seines Reichsverwesers Hôr-em-Heb und seines Ministerpräsidenten Nacht-Min, entwickelte sich unterdessen zu einem strengen, jedoch unbedingt auf Gerechtigkeit bedachten Herrscher.

Ein halbes Jahr war seit unserer triumphalen Rückkehr nach Mennôfer vergangen, und König Tut-anch-Amûn Neb-cheperu-Râ und sein Hofstaat rüsteten sich zu einer langen Reise den Strom hinauf nach Uêset.

»Ich mag die Stadt nicht«, vertraute er uns an, »sie ist mir zu

groß, zu laut, zu schmutzig – und die selbstherrliche Priesterschaft des Amûn ist mir dort zu nah. Amûn-em-Hat, der neue
Großpriester des Reichstempels, ist in seiner asketischen Überheblichkeit vermutlich noch unerträglicher, als es seinerzeit Ptah-
hotep in seiner Eitelkeit und Aanen in seiner Habgier gewesen
sein können.«

»Die Priester des großen Reichstempels zu Uêset ...«, hob
Hôr-em-Heb an.

»... sind neureiche Emporkömmlinge verglichen mit den
Priesterschaften des Râ in Onû oder der Dreiheit von Men-nôfer!« schnitt ihm der König das Wort ab, wiegelte dann aber ab,
als er den Reichsverweser die Augenbrauen runzeln sah: »Ich
weiß, daß deine besondere Verehrung Amûn gilt, Hôr-em-Heb,
und auch ich verehre ihn und habe seine Tempel reicher für die
Verluste unter meinem Vater entschädigt als die irgendeiner andern Gottheit. Aber muß ich deshalb seine Priesterschaft lieben?
Darf ich deshalb nicht sagen, daß Amûn-em-Hat, gemessen an
Hy-sebaû und Neter-duai oder auch Satet-hotep und Herit-tep-
kau, ein wenig Bescheidenheit ganz gut zu Gesicht stünde? Immerhin waren Men-nôfer und Onû, Chemenu und Per-Uzôjet
bereits die höchsten Einweihungszentren Ägyptens, als Uêset
noch ein Bauerndorf und sein Amûn-Tempel nicht viel mehr als
ein etwas größerer Götterschrein war!«

Dem konnte Hôr-em-Heb nicht widersprechen.

»Wie dem auch sei«, fuhr Tut-anch-Amûn Neb-cheperu-Râ
fort, »ich habe zwar beschlossen, meinen Hauptregierungssitz
hier in Men-nôfer zu belassen – für einen ›König des Neuan-
fangs‹ halte ich dies für ein gutes Zeichen, auch dem Volk gegenüber. Allerdings werde ich hinfort in den Wintermonaten meine
Residenz nach Uêset verlegen, ebenso wie die Mehrzahl der
Könige meiner Familie in den Sommermonaten nach Men-nôfer
zu kommen pflegte. So hat auch der Süden, zumindest für etliche
Wochen, ›seinen‹ König. Zudem habe ich beschlossen, viel zu
reisen – im nächsten Winter auf jeden Fall bis Abu und Ilak, vielleicht sogar bis Meha in Wawat, und im kommenden Sommer
kreuz und quer durch die Gaue Unterägyptens im Delta. Eines
Tages werde ich sogar Biau besuchen.«

Hôr-em-Heb verneigte sich tief. »Eine weise Entscheidung, Majestät!«

»Kein Herrscher und kein Herrscherhaus«, bekräftigte Tut-anch-Amûn Neb-cheperu-Râ, »kann überleben ohne sein Volk! Wer sich, wie mein Vater, abkapselt – sei es aus religiöser Überzeugung, aus Besserwisserei oder aus schierem Hochmut –, der verliert unter seinen Füßen den Boden, auf dem er steht! Ich werde mit Sicherheit Fehler in meiner Regierung machen, aber zumindest will ich vermeiden, alte Fehler zu wiederholen!«

Es war ein strahlender, ein reiner Morgen. Der Himmelsbogen, der im Osten in den ersten rosig-goldenen Farben aufglühte, sah aus wie ein blank geputzter Metallspiegel. Die breiten Wedel der Dattelpalmen wirkten wie abgestaubt, und in den Zweigen der Akazien, Weiden und Sykomoren zwitscherten, krächzten, piepsten und tschilpten Abertausende von Vögeln. Das Wasser des Stromes, das am Rumpf unseres Schnellruderers entlanggurgelte und von den 30 Riemenblättern aufgeschäumt wurde, war silbrig klar. Die Felder zu beiden Seiten waren getaucht in das frische Grün der aufgehenden Saaten. Gierig sog ich die selten klare Luft in meine Lungen.

Zu siebt saßen wir im Heck des Schnellruderers. In der Mitte Seine Majestät König Tut-anch-Amûn Neb-cheperu-Râ – Tuti, wie er gebeten hatte ihn weiterhin zu nennen, wenn wir unter uns waren. Zu seiner Rechten Mose, Hand in Hand mit Merit-Râ. Die Große Königswitwe Merit-Aton hatte ihren Namen in Merit-Râ geändert und machte nicht einmal bei offiziellen Anlässen mehr einen Hehl daraus, daß sie und Mose ein Liebespaar waren. Ohne Frage hätten die beiden längst heiraten können, ja, sollen, doch die Schatten der Vergangenheit waren so lang, daß sie beide vor diesem offiziellen Schritt zurückscheuten. An ihrer Seite saß, unvermeidlich, Je-schua. Zur Linken des Königs – Tutis – hatten Beket-Amûn und ich Platz genommen, auch wir Hand in Hand. Und neben uns saß, ebenfalls unvermeidlich, Mâ-au.

Wir alle waren locker und bequem gekleidet, hatten all die

Abzeichen unserer Würden und Ämter in Men-nôfer zurückgelassen. Trotzdem erkannten uns etliche Fischer auf dem Fluß und Bauern auf den Feldern, winkten und riefen uns Segensgrüße zu.

Als unser Boot nach links in den Maati-Kanal einbog, ahnte ich, wohin uns die kleine Reise führen würde, zu der uns Tuti, knapp zwei Wochen, ehe er nach dem ungeliebten Uêset abreisen mußte, eingeladen hatte. Es war der erste freie Tag, den er sich seit seiner Thronbesteigung leistete!

Und dann ragten sie vor uns auf, droben auf dem Felsplateau der westlichen Wüste.

Gewaltig. Ewig. Überirdisch.

Die Pyramiden der Könige Chnum-kufu Medjedu, Ka-ef-Râ User-Ib und Men-kau-Râ Chet-Ka.

Das Licht der Vormittagssonne ließ den weißen Kalkstein ihrer Ost- und Südflanken aufleuchten, ganz so, als strahlten die Pyramiden von innen heraus, brach sich als gleißende, blendende Lichtflut in den mit Goldblech beschlagenen Spitzen.

Ich war schon oft hier gestanden, zweimal auch mit Beket-Amûn und Mose, doch niemals ohne einen Schauer tiefster Ehrfurcht zu empfinden.

Zwischen Hot-hesat im Gau ›Schenkel‹ und Napata im südlichsten Kusch sind im Laufe von über tausend Jahren von Königen des Alten und Mittleren Reiches weit über hundert Pyramiden errichtet worden. Bedeutende Bauwerke sind darunter wie die Stufenpyramide des Königs Djoser Netscheri-Chet bei Men-nôfer und die Pyramide des Königs Unas Sa-Râ dicht daneben. Oder auch die Rote Pyramide und die Knickpyramide des Königs Senefer Neb-ma-Maat südwestlich der Stadt oder auch die Schwarzen Pyramiden der Könige Se-en-Userhet Neteri-cheperu und Amûn-em-Hat Ni-Maat-Râ.

Doch keine davon kann sich mit der Pyramide des Chnum-kufu Medjedu messen!

Auch nicht die Pyramide seines Enkels Ka-ef-Râ User-Ib, die auf einer etwas höheren Felsplatte erbaut und ein wenig steiler im Außenwinkel, auf den ersten Blick sogar etwas höher wirkt als die des Chnum-kufu. Es ist auch nicht ihre wirklich gewaltige Größe, was ihre wahre Bedeutung ausmacht. Alle anderen Pyramiden sind die Gräber von Königen. Diese eine jedoch ist etwas anderes – etwas völlig anderes!

Sie ist das Herz Ägyptens! Der gewaltigste je von Menschenhand errichtete Einweihungstempel der Welt.

Niemand von uns weiß, welche Riten in ihrem Inneren zelebriert, ob dort die uralten, höchsten Einweihungen heute überhaupt noch vorgenommen werden. Nicht einmal Beket-Amûn, geschweige denn ich, haben in diesem Leben ihr Inneres betreten dürfen.

Und doch, während wir durch den weichen Sand nach oben stapften, erschienen in meinem Geist wieder Bilder, die ich schon oft in meinen Träumen gesehen hatte: ein Schacht, eng wie ein Geburtskanal. Eine gewaltige, steil aufsteigende Galerie. Eine hohe Kammer aus fugenlos gefügten Quadern aus Rosengranit. Ein Sarkophag aus dem gleichen Material – ein Sarkophag ohne Deckel, denn der, der in ihm liegt, ist nicht tot! Im Gegenteil, er ist lebendiger als die allermeisten Menschen, die auf dieser Erde wandeln. Er durchdringt die mächtigen Steinmassen um ihn her. Er breitet seine Flügel aus – fliegt empor zu den Sternen – empor zu den Göttern. Der in dem Sarg liegt, bin ich … Es ist Beket-Amûn … Es sind wir beide, eng umschlungen …

Bilder, Träume vielleicht aus einem früheren Leben …

In tiefster Ergriffenheit vor dem Mysterium dieses Ortes warfen wir uns nieder, berührten mit unseren Stirnen den weichen Sand, der König und Mose ebenso wie Beket-Amûn, Merit-Râ, Je-schua und ich.

Das Gold der Pyramidenspitze ließ Lichtblitze über unsere Körper funkeln. Das im Glanz der Sonne reine Weiß der Ost- und Südflanke der Pyramide drang bis in unsere Herzen, während ihre Westseite das Gelb der Wüste und ihre Nordflanke das Blaugrau des Himmels widerspiegelten.

»*Tausend Jahre sind vor Dir wie ein Tag und wie eine Nachtwache, die vergangen ist*«, zitierte Mose leise aus einem Hymnus, der gewiß ebenso alt wie die Pyramiden, vielleicht sogar noch sehr viel älter ist.

Viel später standen wir vor der Nordseite der Pyramide, die König Chnum-kufu Medjedu nicht für sich, sondern für Ägypten hatte errichten lassen, schauten hinunter in das gesegnete Tal des Stromes, wo sich, so weit das Auge reicht, fruchtbare Äcker und Felder, satte grüne Wiesen und Weiden, schattige Palmen- und Sykomorenhaine ausbreiten, durchzogen von dem glitzernden Geschlängel zahlloser Kanäle und durchtupft von den weißen und gelbbraunen Kuben einzelner Bauernhäuser und kleiner Dörfer.

»Das dort«, machte uns Tuti aufmerksam, »unmittelbar zu unseren Füßen am Rand des fruchtbaren Landes zum heiligen Bezirk der Pyramiden, ist Hat-Chnum-kufu, seit mehr als einein-halb Jahrtausenden eines der schönsten Krongüter des Reiches.«

Am Maati-Kanal gelegen und von ihm großzügig mit Wasser versorgt, lag ein riesiger, ummauerter, in allen Farben blühender Garten mit drei großzügig angelegten Teichen. Inmitten dieses Gartens erhob sich im Schatten eines kleinen Palmenhaines ein zweistöckiges, weiträumig geplantes, sauber weiß gekalktes Haus mit einer weiten Gartenterrasse, die sich bis zu einem der mit den großen Blättern und den schwer duftenden Blüten von Seerosen und Lotos bedeckten Teiche erstreckte. Jenseits der Gartenmauer ein fröhliches Gewirr ebenfalls blitzsauberer, kleinerer Häuser für die Bediensteten und Arbeiter, dann riesige Ställe für Rinder, Schafe und Ziegen, weitläufige Gehege für Enten, Gänse und Hühner, zahllose Wirtschaftsgebäude, darunter eine eigene Schmiede und Bierbrauerei, nicht weniger als zehn Kornspeicher, und dahinter schier endlose Felder und Wiesen, am Hang zum Wüstenplateau hinauf die Terrassen der Weingärten.

»Es gehört Euch, Beket-Amûn und Amûn-hotep – falls Ihr es haben wollt«, bemerkte Tut-anch-Amûn fast beiläufig.

»Äähh …«

Ich gebe es offen zu, Beket-Amûn und ich sahen in diesem Augenblick alles andere als geistvoll aus, während Mose, Merit-Râ und Je-schua, offenkundig in den Plan des Königs eingeweiht, über unsere Verblüffung leise und herzlich zu lachen begannen.

»Ich habe«, erklärte Tuti schmunzelnd, und in diesem Augenblick sah er tatsächlich so jung aus, wie er es seinen Lebensjahren nach war, »in den letzten Monaten unendlich viele Belohnungen, Güter und Ländereien an Leute verteilt, die sie verdient, und an noch mehr, die sie eigentlich *nicht* verdient haben. So dachte ich mir, ich sollte auch einmal etwas für diejenigen tun, die meine wirklichen Freunde sind!«

Hat-Chnum-kufu: Als wir den Garten betraten, empfingen uns bereits Ern, Necht, Sel, Hund und Serâu. In den Räumen standen unsere Möbel aus dem Mietshaus in Men-nôfer und meinem Haus in Achet-Aton, insbesondere im Schlafzimmer das riesige Bett, das ich für Beket-Amûn, mich und natürlich Mâ-au hatte anfertigen lassen. All unsere persönlichen Gegenstände, die Abzeichen unserer Würden, unser beider Schmuck, meine Waffen, die verschiedenen Erinnerungsstücke – verblüffend, wie viel sich davon im Lauf der Jahre ansammelt –, sogar zwei in ihrer Kindheit von Beket-Amûn heiß geliebte Puppen aus dem Haus des Freudenfestes – alles war da. In einer der Götternischen stand das goldene Anch Sat-Amûns, geschmückt mit ihren roten Lilien, in einer anderen eine teils bemalte, teils vergoldete Statuette der mütterlichen Êset, die früher im Schlafraum der Großen Königsgemahlin Teje gestanden hatte, davor in einer hohen Bodenvase königsblauer Rittersporn.

Hat-Chnum-kufu: Zum erstenmal in unserem Leben waren Beket-Amûn und ich wirklich *daheim*, frei von irgendwelchen anderen Menschen und Umständen. Das mag verrückt klingen, aber wie unabhängig war denn Beket-Amûn zunächst im Haus des Freudenfestes, dann in den Priesterschulen, in dem Häuschen hinter dem Hat-Ka-Ptah oder unserem Mietshaus in Men-nôfer gewesen? Oder ich in den Wohnzellen der Militärakademie, in meinem Quartier im Königspalast, im Stadthaus zu Uêset neben meinem Bruder Râ-mose? Und das Haus in Achet-Aton? Wir waren in dieser Stadt nie heimisch geworden, hatten gewußt, daß wir dort nur kurze Zeit verbringen würden. Gewiß, wir hatten uns in Uêset und Men-nôfer nicht unwohl gefühlt, auch nicht in unserem Haus in Achet-Aton, hatten teilweise sogar in ausgesprochenem Luxus gelebt. Doch wirklich frei und unabhängig auf unserem eigenen Grund und Boden, das waren weder bislang weder Beket-Amûn noch ich jemals gewesen.

Jetzt legte Beket-Amûn den Papyrus, den uns Tuti überreicht hatte, in der Götternische zu Füßen der Êset-Statuette ihrer Mutter nieder.

»Ich, Tut-anch-Amûn Neb-cheperu-Râ, Herr der Beiden Throne und der Beiden Kronen von Ober- und Unterägypten, schenke das Landgut Hat-Chnum-kufu im Gau ›Weiße Burg‹, das über tausend Jahre im alleinigen Besitz der Krone war, mit allen Gebäuden und Liegenschaften, mit allen zugehörigen Feldern, Wiesen und Weinbergen, mit allem Groß- und Kleinvieh der königlichen Prinzessin Beket-Amûn, Tochter des Königs Amûn-hotep Neb-Maat-Râ Usîre, und dem Feldmarschall Amûn-hotep, Sohn des Neby. Es soll ihr alleiniger Besitz sein für immer, befreit von allen Steuern und Abgaben, und alle Bauern, Pächter, Diener, Knechte und Handlanger, die sich auf dem Gut befinden oder dort Dienste leisten, sollen in Treue ihren neuen Herren dienen, wie sie bislang Mir gedient haben.

Dies habe Ich bestimmt und angeordnet am 8. Tag des 3. Monats der Aussaat im 2. Jahr Meiner Regierung.«

Drei Wochen später war der König mit dem Großteil seines Hofstaates auf dem Weg nach Süden.

Beket-Amûn, Mose und ich saßen im Schein der Abendsonne plaudernd auf der Terrasse vor unserem Haus in Hat-Chnum-kufu, als wir durch den weiten Garten einen weiß gewandeten, kahlgeschorenen jungen Priester auf uns zukommen sahen. Als er die Terrasse betrat, warf er sich ehrerbietig zu Boden, berührte mit der Stirn den Boden, erhob sich, warf sich erneut nieder und stand auf, um sich zum drittenmal niederzuwerfen.

»Sprechen Sie«, forderte Mose den jungen Priester auf.

»Eure königliche Hoheit Hôr-im-Nest Tehuti-mose, Eure Hoheit Prinzessin Beket-Amûn, Eure Exzellenz Feldmarschall Amûn-hotep, ich komme im Auftrag von Neter-duai, dem Hohenpriester des Râ in Onû, Großpriester des Râ-Atum, Großer Seher und Erster Prophet des Râ, der Euch auffordert nach Onû zu kommen, um dort eingeweiht zu werden in die Mysterien *Der Gott der Götter*, die über allen Göttern ist.«

Von allen Heiligtümern Ägyptens ist der Tempel des Râ in Onû das vielleicht älteste, und zweifellos das angesehenste.

Neter-duai, der Hohepriester des Râ, empfing uns mit all seinen Priestern und Priesterinnen vor dem Eingang.

Natürlich kannten wir den Tempel, doch wieder waren wir verblüfft, wie klein dieser Tempel ist, wie – bescheiden!

»Amûn ist nur ein Landesgott und braucht daher eine Tempelstadt, um seine Bedeutung zu demonstrieren«, meinte Neter-duai mit feinem Lächeln. »Und die Tempel des Aton, der überhaupt kein Gott ist, mußten folglich noch weit größer sein! Wir hier können auf derlei äußeren Pomp gut verzichten, denn *Die-Den*, die wir anbeten und lehren, besitzt ohnehin die größten und kostbarsten Tempel, die es gibt: Herz und Geist des Menschen!«

Die Umfassungsmauer des Râ-Tempels mit ihren vor- und zurückgesetzten, fast schmucklosen Bauelementen erinnert stark an den Grabbezirk des Königs Djoser Netscheri-Chet oberhalb von Men-nôfer, stammt wohl auch aus dieser Zeit. Vor dem schlichten Portal erheben sich zwei 40 Ellen hohe Obelisken aus rotem Abu-Granit mit den Inschriften des Königs Se-en-Userhet Cheper-Ka-Râ aus der Epoche des Mittleren Reiches. Mit sicherem Schritt geleitete uns Neter-duai in das Innere des Tempels, einem weiten, offenen Quadrat, umkränzt von Säulenkolonnaden und dem Altar knapp hinter der Mitte – König Akh-en-Aton Ua-en-Râ hatte seinerzeit diese Grundanordnung für seine Aton-Tempel übernommen.

Vor dem Altar steht der Benben-Stein, nach dem der Tempel auch Hat-Benben, ›Haus des Benben‹, genannt wird. Der Stein ist ein mannshoher, dicker, zylindrischer Säulenstumpf aus rotem Granit, auf dem oben der Skarabäus, Chepra, der ›Dreher der Weltkugel‹, sitzt, das Haupt nach Süden gewandt, dem höchsten Punkt des Sonnenlaufes zu. Auf diesem Platz soll der Überlieferung nach *Die Gott der Götter* einst niedergestiegen sein, um die Götter, die Himmel, die Erde und die Menschen zu schaffen; von hier habe Sie-Er zum erstenmal Râ aufsteigen lassen ans Firmament. Chepra, der Dreher der Welt und des Universums, ist eines Ihrer-Seiner Symbole.

In tiefer Verehrung neigten wir uns vor dem Stein, opferten auf dem hohen Altar Weihrauch, Brot und Blumen, wurden von den Priestern mit geweihtem Wasser, Milch und Wein gereinigt.

Danach geleitete uns Neter-duai durch ein kleines Pförtchen an der Rückseite des Tempels in die dahinter liegenden Räume, führte uns durch schmale Gänge und kleine Höfe. Dabei schritt der Hohepriester des Râ so zielsicher aus, daß mir erst, als er einen Herzschlag lang verharrte, um die Ecke eines Ganges blitzschnell mit dem Ende seines Stockes abzutasten, wieder bewußt wurde, daß die irdischen Augen des Großen Sehers blind waren.

Und noch etwas wurde mir zunehmend klar, und wie mir schnelle Seitenblicke zeigten, teilten Beket-Amûn und Mose diese Erkenntnis mit mir.

Der Hat-Benben war uralt, gewiß eineinhalb Jahrtausende, doch der Teil des Tempels, durch den uns Neter-duai jetzt führte, war noch unendlich viel älter, mochte weit hinab reichen in die Vorzeit, lange ehe König Meneji Hôr-Aha die Länder vereinte. Die Schlammziegel seiner Mauern waren längst schwarz geworden, und von den Malereien und heiligen Schriftzeichen an den Wänden waren allenfalls noch Schatten zu sehen.

Weit wichtiger jedoch war die Erkenntnis, daß sich hier, ähnlich wie einst in Onet, hinter dem Hat-Benben offenbar ein zweiter Tempel verbarg.

Als ich Neter-duai eine entsprechende Frage stellte, nickte dieser bestätigend:

»Verborgen: ja! Geheim: nein! Nichts in den wahren Einweihungen ist geheim, weder in Chemenu, noch in Onet, noch in Men-nôfer, noch hier, wie Ihr wißt. Verborgen sind sie nur vor den Augen derer, die nicht zum Sehen berufen sind, weil es ihnen noch an der nötigen Reife fehlt.«

Die nächsten Wochen und Monate verbrachten wir einen großen Teil unserer Zeit im Tempel zu Onû, lauschten den Worten Neter-duais, und vor allem Mose war es, der wie gebannt an den Lippen des Großen Sehers hing.

Und dies war es, was uns Neter-duai lehrte:

»Es gibt nur einen Gott!«

Wieder, wieder und wieder hämmerte uns der Hohepriester diesen Satz ins Bewußtsein. Und immer wieder zitierte er einen der ältesten Pyramidentexte:

»Im Anfang war Gott.

Gott war immer. Gott ist. Gott wird immer sein.

Nichts hat Gott erschaffen, doch Gott hat alles erschaffen.

Alles ist durch Gott geworden, was geworden ist.

Nichts ist ohne Gott geworden.

Gott ist alles, und alles ist in Gott.

Im Anfang war alles in Gott, und alles wird einst in Gott zurückkehren.«

Dann fuhr Neter-duai fort:

»Gott hat die Uralten Götter geschaffen, und diese zeugten und gebaren die Regierenden Götter und diese wiederum die Jungen Götter. Die Götter formten das Universum, die Welt und den Menschen nach dem Willen Gottes, und sie erschufen nichts, das nicht dem Willen Gottes entsprach. Denn so hoch der Mensch über dem Wurm thront, der im Schlamm des Stromes kriecht, so hoch thront Gott auch über dem ältesten und mächtigsten der Götter!«

»Dann hatte«, fragte Mose, »König Akh-en-Aton Ua-en-Râ zumindest im Ansatz seiner Lehre gar nicht so unrecht?«

Neter-duai dachte lange nach, ehe er antwortete:

»Nein und ja!

Nein, weil er an die Stelle Gottes einen Himmelskörper setzte. Zweimal nein, weil er etwas Unbegreifbares begreifbar machen wollte. Dreimal nein, weil er sich einen Gott nach seinem Ebenbild schuf.«

»Aber doch auch: Ja?« bohrte Mose nach.

»Ja, weil er versuchte, das Bild des Allschöpfers unter dem Gewucher seiner Geschöpfe wieder freizulegen! Vielleicht war es unser Fehler in den letzten Jahrtausenden«, gab Neter-duai zu,

»vielleicht ist es einfach auch nur menschlich: Gott ist so unendlich groß, so unendlich allmächtig, allwissend, allvermögend, so unendlich erhaben und unbegreifbar, daß die Menschen sich unter die Flügel seiner Geschöpfe gerettet haben, die sie irgendwie noch verstehen können.

Je niedriger, je näher uns eine Gottheit steht, wie der freundliche Bes, die sanfte Ta-uret, die vergöttlichten Weisen Im-hotep und Ptah-hotep oder der Sohn des Hapu, um so breiter ist ihre Verehrung im Volk. Anûb oder Hôr, Amûn, Mut, Hat-Hôr oder Maat, die Jungen Götter oder gar die Regierenden, sind bereits vorwiegend Götter der Oberschicht, und die Verehrung der Ur-alten, Atum, Nut und Geb, Schû und Tefnut ist mittlerweile fast alleinige Sache der Priesterschaften. *Die Gott der Götter* schließlich ist im Volk so gut wie vergessen, nur noch wenigen sogenannten Eingeweihten ein Begriff.«

»Ich stolpere sprachlich immer wieder über die Bezeichnung: *Die Gott*«, meldete ich mich nun zu Wort.

»Seit Urzeiten nennen wir Gott in Ägypten *Die Gott der Götter*«, erklärte der Hohepriester geduldig. »Als unsere Vorfahren vor Jahrtausenden in das Tal des Stromes einwanderten, waren sie umherstreifende Jäger und bestenfalls Viehzüchter. Kulturen dieser Art neigen dazu, Gott männliche Züge zu geben, ihn als einen starken, strengen, oft kriegerischen, zeugungskräftigen Vater zu sehen, Eigenschaften, die in ihrem Leben eine wesentliche Rolle spielen. Als sie dann seßhafte Bauern wurden, stieg das Ansehen der Frau empor als Mittelpunkt und Erhalterin von Hof, Herd und Haus. In Bauernkulturen hat Gott entsprechend meist weibliche Züge, wird als nährende, erhaltende, schützende, empfangende und gebärende Mutter gesehen.

Ägypten hat hier, vielleicht als einziges Land das wir kennen, stets versucht einen Ausgleich zu schaffen, eine Balance herzustellen. Ohne Frage herrscht über Ägypten der König, also der väterliche Mann, doch das Erbrecht auf seine Herrschaft bezieht er allein aus dem Recht seiner Mutter oder manchmal auch seiner Gattin. Nicht, daß Amûn-hotep Neb-Maat-Râ Ihr Vater war, hat Sie, Prinz Mose, beispielsweise zum Wahren und einzigen Hôr-im-Nest gemacht, sondern daß Ihre Mutter Sat-Amûn im

Rang über Königin Teje oder gar der Mutter von Prinz Nacht-Min stand!

Diese Balance zwischen den Geschlechtern hat es Ägypten wohl auch als einziger Kultur ermöglicht, Gott richtig zu sehen: nicht als Mann oder Frau, Vater oder Mutter, sondern als beides in einem, als allumfassendes, allmächtiges, allewiges Sein!

Die Gott der Götter, Die-Der, das mag sprachlich nicht besonders schön sein, doch ich wüßte keine Formulierung, die das Wesen Gottes besser auszudrücken vermöchte. Außer seinem Namen.«

»Der Name Gottes?« fragte Mose atemlos. »Wie ist der Name Gottes?«

»Sein Name ist: ›Ich-Bin‹!«

FÜNFTE
BUCHROLLE

IM
SCHATTEN
DEINER
FLÜGEL

König Tut-anch-Amûn Neb-cheperu-Râ
9. Regierungsjahr bis
König Eje Cheper-cheperu-Râ
1. Regierungsjahr

Ich, Hund, einst Sohn von Niemand, nunmehr ehrerbietiger und
dankbarer Adoptivsohn der weisen Beket-Ernûte und des starken Necht, schreibe dies nach dem Diktat meines Herrn, des
Feldmarschalls Amûn-hotep, Sohn des Neby, Chef des Generalstabs des ägyptischen Heeres, Oberbefehlshaber aller Streitwagen Seiner Majestät, ehemaliger Befehlshaber der Garden
und Fächerträger zur Rechten der Großen Königsgemahlinnen
Sat-Amûn Usîre und Teje Usîre, Fächerträger zur Rechten
des Königs Tut-anch-Amûn Neb-cheperu-Râ, Tapferer Seiner
Majestät, achtmal ausgezeichnet mit dem Gold der Belohnung,
Erster Erzieher der Kadetten in der Militärakademie zu Men-
nôfer, Eingeweihter in die hohen Mysterien zu Chemenu, Men-
nôfer und Onû.
Ich beginne dies zu schreiben am 6. Tag des 3. Monats der Überschwemmung im 9. Regierungsjahr unseres Königs Tut-anch-
Amûn Neb-cheperu-Râ* auf der Fahrt den Strom aufwärts
von Teku im Gau ›Östliche Harpune‹ nach Uêset.
Und dies ist es, was mein Herr, Feldmarschall Amûn-hotep, Sohn
des Neby, mir zu schreiben befiehlt:

* 21. August 1341 v. Chr.

1. Papyrus

DER BERG

König Tut-anch-Amûn
9. Regierungsjahr

Ich könnte Oberst Chanî mit Lust in der stinkendsten Fäkalien-
grube von Uêset ersäufen! Vom ersten Augenblick an war er mir
widerwärtig gewesen – und genau deshalb gebot mir mein An-
stand, ihm immer noch einmal eine Chance einzuräumen. Spätestens damals, als er sich von Semench-Ka-Râ zum Oberbefehlshaber aller ägyptischen Truppen hatte ernennen lassen, offenbarte
er sich als das, was er immer war und immer sein wird: ein gewissenloser Opportunist! Ich hätte ihn im Gefängnis, in das ihn
König Akh-en-Aton nach dem ominösen ›Feldzug‹ durch Achet-
Aton gesteckt hatte, verfaulen lassen sollen!

Doch es hat keinen Sinn zu toben und zu klagen. Besser ist es, wenn ich die Ereignisse in der richtigen Reihenfolge erzähle.

Sechs glückliche Jahre haben uns die Götter geschenkt.

Unter Krummstab und Geißel von König Tut-anch-Amûn Neb-cheperu-Râ schlossen sich nach und nach die Wunden, die der Ketzer von Achet-Aton dem Land geschlagen hatte, begann Ägypten wieder aufzublühen.

Ihm unmittelbar zur Seite standen die Klugheit und Erfahrung Prinz Nacht-Mins als Ministerpräsident sowie die unbeugsame Härte und Durchsetzungskraft Marschall Hôr-em-Hebs als Reichsverweser.

Kurz nach der Rückkehr aus Kanaan hatte der König die Gunst der Stunde genützt und Menna, den glitschigen Generalgouverneur von Unterägypten, aus seinem Amt geworfen und dafür User-Mont eingesetzt, einen kurzbeinigen, kurzatmigen, rotgesichtigen, beständig fürchterlich schwitzenden Mann, der sich mit unermüdlichem Fleiß und sprichwörtlicher Unbestechlichkeit vom einfachen Schreiber durch die Ränge der Beamtenhierarchien nach oben gearbeitet hatte.

Oberägypten wurde nach wie vor von meinem Vater Neby als Generalgouverneur geleitet.

Sutan verwaltete die Staatsfinanzen ebenso mustergültig wie Panhasa die Landwirtschaft, und Maja dirigierte die Wirtschaft mit so brillanter Hand, daß man ihm nachsagte, wenn er ein Stück Holz in den Strom werfe, so komme es als Goldstück zu ihm zurückgeschwommen.

Vizekönig Huja regierte in Wawat und Kusch mit der bereits seit langem von ihm gewohnten Umsicht.

Einen Mann, den Mose und ich ebenfalls ganz gerne aus seinem Amt entfernt hätten, war der Polizeipräfekt Mahû. Als wir eine entsprechende Bemerkung machten, starrte uns Hôr-em-Heb entgeistert an.

»Außer seiner gelegentlich übertriebenen Härte ist der Mann über jeden Zweifel erhaben! Es gab niemals auch nur die Andeutung eines Gerüchtes wegen Bestechlichkeit oder Amtsmißbrauch. Er mag nicht übermäßig klug sein, dafür hält sich auch sein Ehrgeiz in vernünftigen Grenzen, und er hat niemals auch nur einen Augenblick gezögert, einen Befehl des Herrschers umgehend auszuführen.

Was habt ihr also gegen Mahû? Der Mann ist ein tadelloses Werkzeug der königlichen Macht wie – eine gut geschmiedete Axt oder ein sauber geschliffenes Messer.«

Aber genau das war es, was wir an ihm nicht mochten …

Als Mereru-Ka das Amt des Außenministers aus Alters- und Gesundheitsgründen vor drei Jahren endgültig aufgegeben hatte, hatte er meine Tochter-Gemahlin Merit-Ptah für die Nachfolge vorgeschlagen. Wir waren verblüfft, gaben ihr aber die Chance. Seither geisterte Merit-Ptah durch die Gänge und Kanzleien des Außenministeriums, stets mißmutig und gereizt, putzte angeblich säumige Beamte herunter, giftete ausländische Gesandte und Delegationen an, und hatte damit erreicht, daß Tribute und Geschenke so reich in unsere Kassen flossen, wie dies seit den glanzvollsten Tagen König Amûn-hotep Neb-Maat-Râs nicht mehr der Fall gewesen war.

Gestützt auf Je-schua und Râ-mose hatte ich das Heer vollständig neu durchorganisiert, so daß dem König nunmehr jederzeit 80 000 tadellos ausgebildete und bewaffnete Soldaten zur Verfügung standen.

Bek, der Unverwüstliche, begann in Uêset mit der Errichtung eines gewaltigen Torturm-Paares in der Südmauer des Reichstempelbezirkes, dort wo die Allee aus Widdersphinxen zum Tempel der Mut hinüberführt. Tut-anch-Amûn Neb-cheperu-Râ hatte angeordnet, für den Bau die Steinquadern aus dem gigantisch geplanten, nie vollendeten Aton-Tempel seines Vaters zu verwenden.

Speckstein-mose, der sich mit seiner Werkstatt im Norden von Men-nôfer angesiedelt hatte, meißelte unterdessen eifrig an den Statuen des Königs, die in den verschiedenen Tempeln des Landes aufgerichtet wurden, glücklich darüber, daß die Tage der »wahren Schreckenskunst«, wie er sich ausdrückte, ein Ende gefunden hatten.

Das Staudammprojekt bei Abu, unmittelbar nach dem Regierungsantritt von Akh-en-Aton Ua-en-Râ zugunsten seiner gigantischen Tempelpläne und dem Bau von Achet-Aton aufgegeben, wurde neu belebt.

Anchesen-pa-Amûn schließlich spielte in diesen Jahren eine seltsame Doppelrolle. Einerseits war nach einer zweiten Fehlgeburt ihre Ehe mit dem König endgültig und unwiderruflich am Ende. Wenn sie mit ihrem Gemahl allein war, überschüttete sie Tuti mit von Haß triefenden Angriffen, nannte ihn einen lächerlichen Versager, jämmerlichen Schlappschwanz und unfähigen Regenten, der lediglich der Spielball seiner Minister sei, und verpaßte dabei keine Gelegenheit, ihn mit Prinz Mose zu vergleichen, der in ihren Augen offenbar immer mehr als Mann, rechtmäßiger Herrscher und auch in sonst jedweder denkbaren Beziehung zu einer alles überstrahlenden Idealgestalt wurde. Im übrigen spielte sie mit ihren Kobras, war viel auf Reisen, besuchte häufig ihren Großvater Eje auf dessen Gütern in Ipu, und man sagte ihr nach, daß sie ihre Nächte, ähnlich wie ihre Mutter Nofret-ête, mit zahllosen, schnell wechselnden Liebhabern verbringe.

Andererseits war der Glanz der Hohen Federn stark genug, daß sie keine Gelegenheit ausließ, um überall in der Öffentlichkeit die liebende, hingebungsvolle Große Königsgemahlin zu spielen.

Als Prinz Nacht-Min dem König vorschlug, sich von Anchesen-pa-Amûn scheiden zu lassen, lehnte dieser jedoch ab. So lange seine Gemahlin ihre Rolle nach außenhin untadelig spiele, wolle er den ohnehin angeschlagenen Ruf des Königshauses nicht durch einen weiteren Skandal belasten.

Wie angekündigt verbrachte der König die Wintermonate in Uêset und war auf Reisen durch das Land, weihte restaurierte Tempel ein, saß in schwierigen Fällen zu Gericht, überprüfte die Verwaltung, vor allem aber hatte er stets ein offenes Ohr für die Nöte und Ängste auch der einfachsten Bauern, Handwerker und Tagelöhner. Seit den frühen Tagen Amûn-hotep Neb-Maat-Râs, seit also fast einem halben Jahrhundert, hatten Millionen von Ägyptern keinen König mehr aus der Nähe gesehen. Tut-anch-

Amûn Neb-cheperu-Râ gab den Leuten wieder das Gefühl, daß ihr Herrscher nicht irgendwo, allem Menschlichen weit entrückt, in unerreichbaren Höhen thronte, sondern daß er sich als ein zwar strenger, aber liebevoller Herr um ihre Anliegen kümmere.

Und wie um die Regentschaft des Königs zu bestätigen, stieg Hapi in diesen Jahren Sommer für Sommer auf 17 Ellen, die Marke für ›Überfluß‹, doch keinen Fingerbreit weiter, was Gefahr oder gar Zerstörung bedeutet hätte.

Das Volk aber liebte und ehrte und segnete den König, auf dem so offensichtlich das Wohlwollen der Götter ruhte.

Persönlich waren Beket-Amûn und ich wunschlos glücklich.

Wenn uns am frühen Morgen das Zwitschern der Vögel weckte, dann stiegen wir oft hinauf auf die Dachterrasse und beobachteten, wie sich die ersten Sonnenstrahlen in der goldenen Spitze der Pyramide des Chnum-kufu Medjedu fingen und wie Segensstrahlen auf das Land herabfunkelten. Dieses Schauspiel erfüllte uns immer wieder mit tiefer Ehrfurcht und Freude, so daß wir seiner niemals müde wurden.

Den Tag über waren wir entweder in Men-nôfer – Beket-Amûn im Hat-Ka-Ptah und ich im Stabshauptquartier – oder wir befaßten uns mit der Verwaltung unseres Gutes.

An den Abenden saßen wir, oft lange bis in die Nacht, auf der großen Terrasse, plauderten oder bewirteten unsere Freunde. Mose, Merit-Râ und Je-schua samt Moses Tochter Sat-Râ waren regelmäßige Gäste, aber auch Pentû, der nun als königlicher Leibarzt über die Gesundheit Tutis wachte, oder Sutan mit seiner Gemahlin Tia und seinem Sohn Râ-mose. Wenn Speckstein-mose mit seinen fünf Frauen, Âmhet, Bat, Mâa, Senehem und Tschet, kam, dann hallte der Garten wider von unserem Lachen. Selbst der privat so scheue Prinz Nacht-Min fand mehrfach den Weg zu uns, doch als wir uns endlich zum vertraulichen Du durchrangen, waren wir beide so sturzbetrunken, daß wir es am nächsten Morgen dann doch bei der bisherigen Regelung mit Sie, doch ohne Titel beließen. Dennoch war Nacht-Min ein echter Freund, während das Verhältnis zu Hôr-em-Heb, der zusammen mit seiner Gemahlin Mut-nodjemet durchaus regelmäßig unser Gast war, bei aller gegenseitiger Wertschätzung stets ein wenig steif und förmlich blieb.

Die Nächte schließlich waren erfüllt von unserer Liebe. Manchmal loderte sie auf in heftiger, ja, wilder Leidenschaft, doch selbst wenn wir, erschöpft von den Anstrengungen des Tages, nur ganz still nebeneinander einschliefen, hüllte sie uns ein in ihre großen, sanften Schwingen, schenkte uns Ruhe, Geborgenheit und tiefstes Glück im Bewußtsein der Nähe des anderen.

Außerdem reisten wir viel in diesen Jahren.

Onû lag zum Glück ja nur eineinhalb Fahrstunden auf dem Großen Strom entfernt, so daß wir regelmäßig den Hat-Benben aufsuchen konnten, um immer weiter und tiefer in das Wissen um *Die Gott der Götter* einzudringen. Wir besuchten aber auch mehrfach meinen Freund Nun in Hat-uaret, Graf Nacht-Upuaût in Sioûti, meinen Vater in ›Weide der Rinder des Amûn‹ oder in Uêset, wo er nun seinen offiziellen Amtssitz hatte, Vizekönig Huja in Meha, oder ganz einfach die Sehenswürdigkeiten kreuz und quer im ganzen Land. Beket-Amûn, getrieben von einer unstillbaren Neugier, liebte es zu reisen, doch stets waren wir ebenso glücklich, wenn wir in die Geborgenheit von Hat-Chnum-kufu zurückkehren durften.

Der einzige Schatten, der in dieser Zeit auf unser Leben fiel, war der Tod Sels vor drei Jahren. Sie hatte wohl schon eine ganze Weile zuvor harte Knoten in ihrer Brust bemerkt, ihnen jedoch keine Beachtung geschenkt. Als sie sich endlich doch Ern anvertraute, die sofort Mose und Pentû hinzurief, war es für jede Hilfe zu spät. Hund wendete den letzten Kupferring seines im Verlauf der Jahre recht beachtlich angewachsenen Vermögens auf, um Sel einbalsamieren zu lassen und ihr Grab mit allem auszustatten, dessen sie auf ihrer Reise durch das Duat bedürfen mochte. Unsere finanzielle Hilfe lehnte er strikt ab, nur unsere persönlichen Beziehungen nützte er gerne, um Sel einen Platz in dem Gräberfeld zu Füßen der Pyramide des Chnum-kufu zu sichern.

Eines Tages besuchte uns Herit-tep-kau, der Hohepriester der

Utô in Per-Uzôjet, dem vierten und, wie man sagte, geheimnisvollsten Einweihungszentrum Ägyptens. Beket-Amûn, Mose, der gerade bei uns weilte, und ich hatten eigentlich erwartet, daß dieser Besuch bedeuten würde, Herit-tep-kau werde uns nun nach Per-Uzôjet rufen. Doch der Hohepriester der Utô war gekommen, um eine Erklärung abzugeben:

»Es ist nicht notwendig, alle Einweihungen in jedem Leben neu zu durchlaufen. Sie, Prinzessin, Sie, Hôr-im-Nest, und auch Sie, Feldmarschall, haben schon vor langer Zeit die Mysterien von Per-Uzôjet durchschritten – den Weg in Ihr wahres Selbst und den Weg zu den Göttern. Wenn Sie mich darum bitten, ich würde Ihnen selbstverständlich die Einweihung nicht verweigern, doch glauben Sie mir, Sie würden nichts aus ihr erfahren, was Sie nicht ohnehin längst in Ihrem Innersten wissen!«

Beket-Amûn und ich akzeptierten die Worte des Hohenpriesters Herit-tep-kau. Mose, der trotzdem darum bat, auch diesen Weg nochmals gehen zu dürfen, bestätigte sie später.

»Das einzige, was mir wirklich neu war«, erzählte er uns, »das war, Tuti, den Herit-tep-kau zur gleichen Zeit nach Per-Uzôjet berufen hatte, das Schlangendiadem des Eingeweihten aufs Haupt setzen zu dürfen.«

Nicht besorgt, eher mit einer gewissen Verwunderung, verfolgten wir Moses Weg in diesen Jahren.

Seinen Pflichten als Hôr-im-Nest kam er gewissenhaft nach, auch wenn sie ihm, wie wir sehr wohl wußten, oft lästig waren.

Mit großem Ernst erfüllte er seine Aufgabe als engster Berater des Königs. Da er die Übernahme jedes Amtes ablehnte, hatten viele erwartet, er wolle sich, ähnlich wie einst der ›Gottvater‹ Eje, als allmächtiger Schatten hinter dem Thron etablieren. Sie sahen sich getäuscht. Macht bedeutete ihm offensichtlich nichts, und wenn er Tut-anch-Amûn Neb-cheperu-Râ einen Ratschlag gab, so geschah dies ausschließlich, um seinem Freund und Ägypten zu nützen, nicht aber um sich selber in irgendeiner Form einen Vorteil zu verschaffen.

Er galt als einer der besten Ärzte des Landes. Menschen kamen von weither, um sich von ihm behandeln zu lassen, und wenn er von Zeit zu Zeit eine Reihe Vorträge im Haus allen Wissens zu Chemenu abhielt, dann konnte der Schrein des vergöttlichten Arztes Im-hotep die Zuhörer kaum fassen.

Zusammen mit Nacht-Min reformierte er einen wesentlichen Teil der Gesetzgebung. Im Laufe der Jahrhunderte war das einst sehr klar und präzis abgefaßte ägyptische Strafgesetz zu einem fast undurchschaubaren Dschungel an Zusatzgesetzen und Hilfs-bestimmungen, an Präzedenzfällen und Urteilssammlungen ver-kommen.

Im 7. Regierungsjahr Seiner Majestät erging schließlich fol-gender Erlaß:

> »Die Richter in ganz Ägypten sollen alles Volk zusammen-rufen, und so sollen sie zu ihm sprechen:
> Verflucht sei, wer die Götter lästert! Und das ganze Volk soll antworten: ›So sei es!‹
> Verflucht sei, wer den Namen der Götter mißbraucht und leichtfertig mit ihnen umgeht! Und das ganze Volk soll antworten: ›So sei es!‹
> Verflucht sei, wer einen Tempel schändet oder die Güter eines Gottes raubt! Und das ganze Volk soll antworten: ›So sei es!‹
> Verflucht sei, wer seinen Nächsten verflucht! Und das ganze Volk soll antworten: ›So sei es!‹
> Verflucht sei, wer seinem Nächsten mit Zauber und Magie Schaden zufügt! Und das ganze Volk soll antworten: ›So sei es!‹
> Verflucht sei, wer seinen Vater oder seine Mutter ver-wünscht! Und das ganze Volk soll antworten: ›So sei es!‹
> Verflucht sei, wer einen Blinden auf dem Weg in die Irre führt! Und das ganze Volk soll antworten: ›So sei es!‹
> Verflucht sei, wer das Recht des Fremdlings, der Waise und der Witwe beugt! Und das ganze Volk soll antworten: ›So sei es!‹
> Verflucht sei, wer seinen Nächsten heimlich totschlägt! Nur

wer in Notwehr handelt, der gelte als schuldlos. Und das
ganze Volk soll antworten: ›So sei es!‹

Verflucht sei, wer für Bestechungsgeld Blut vergießt! Und
das ganze Volk soll antworten: ›So sei es!‹

Verflucht sei, wer ein Kind aussetzt! Und das ganze Volk soll
antworten: ›So sei es!‹

Verflucht sei, wer ein Tier quält oder es nutzlos tötet! Und
das ganze Volk soll antworten: ›So sei es!‹

Verflucht sei, wer dem Weibe seines Vaters beiwohnt! Und
das ganze Volk soll antworten: ›So sei es!‹

Verflucht sei, wer einer Frau oder Jungfrau wider ihren
Willen beiwohnt! Und das ganze Volk soll antworten:
›So sei es!‹

Verflucht sei, wer der Frau seines Bruders oder seines Nachbarn beiwohnt und die Ehe bricht! Und das ganze Volk
soll antworten: ›So sei es!‹

Verflucht sei, wer mit einer Person des eigenen Geschlechtes
Unzucht treibt! Und das ganze Volk soll antworten:
›So sei es!‹

Verflucht sei, wer irgendeinem Tier beiwohnt! Und das
ganze Volk soll antworten: ›So sei es!‹

Verflucht sei, wer stiehlt und raubt! Und das ganze Volk soll
antworten: ›So sei es!‹

Verflucht sei, wer das Haus und das Gut, die Frau, die Tochter, den Knecht oder die Magd seines Nächsten begehrt!
Und das ganze Volk soll antworten: ›So sei es!‹

Verflucht sei, wer die Grenze seines Nachbarn verschiebt!
Und das ganze Volk soll antworten: ›So sei es!‹

Verflucht sei, wer das Wasser eines Brunnens mit Absicht
verschmutzt oder den Damm eines Kanals mutwillig
beschädigt! Und das ganze Volk soll antworten: ›So
sei es!‹

Verflucht sei, wer Feuer wirft in das Haus seines Nachbarn!
Und das ganze Volk soll antworten: ›So sei es!‹

Verflucht sei, wer einen Beamten besticht, um sich unge-
rechte Vorteile zu verschaffen! Und das ganze Volk soll
antworten: ›So sei es!‹

Verflucht sei, wer solch eine Bestechung annimmt! Und das
  ganze Volk soll antworten: ›So sei es!‹

Verflucht sei, wer dem Bauern, dem Handwerker oder dem
  Tagelöhner seinen gerechten Lohn vorenthält! Und das
  ganze Volk soll antworten: ›So sei es!‹

Verflucht sei, wer Böses und Schändliches wider seinen
  Nächsten redet! Und das ganze Volk soll antworten:
  ›So sei es!‹

Verflucht sei, wer falsches Zeugnis gibt wider seinen Nächsten! Und das ganze Volk soll antworten: ›So sei es!‹

Verflucht sei, wer einen falschen Eid leistet und so den
  Namen der Götter beleidigt! Und das ganze Volk soll antworten: ›So sei es!‹

Verflucht sei, wer den Worten dieses Gesetzes nicht durch
  ihre Erfüllung Geltung verschafft! Und das ganze Volk soll
  antworten: ›So sei es!‹«*

Auch Mose war viel auf Reisen, hielt sich vor allem Jahr um Jahr
zwei, mitunter auch drei Monate in Meha auf. Offiziell unterstützte er dann Vizekönig Huja, mit dessen Gesundheit es nach
einem schweren Herzanfall nicht mehr zum allerbesten stand,
bei der Verwaltung von Wawat und Kusch. Spitze Zungen behaupteten freilich, es sei Tae-muad-jsi, die schöne Gemahlin Hujas, die ihn immer wieder nach Meha locke und dort festhalte.
Und in der Tat war eine Frau für die ausgedehnten Besuche in
Meha verantwortlich, allerdings nicht Tae-muad-jsi, sondern
seine langjährige Geliebte, die Große Königswitwe Merit-Râ, die
sich vom Hof nach Meha zurückgezogen hatte und mit der er
sich dort in aller Stille traf.

Den bedeutendsten Teil seiner Zeit verbrachte Mose jedoch im
Hat-Benben zu Onû, wo er den Worten des Großen Sehers und
Hohenpriesters Neter-duai lauschte oder nächtelang uralte Papyri
studierte. Viel Zeit verbrachte er auch in Hat-uaret, wo er tage-
lange Gespräche mit Aram, dem alten, weisen Vater Nuns führte.

---

* Diese Gesetze fanden in den »10 Geboten« und an zahlreichen anderen Stellen des
  Pentateuch teilweise wörtlich ihren Niederschlag.

»Sein Leben ist geprägt vom Glauben an einen alleinzigen, allmächtigen, allewigen Gott!« erklärte mir einmal Neter-duai. »Er lernte ihn kennen in seiner Kindheit bei den Benê-Jisrael, die stets nur einen einzigen Gott anbeteten, dem die Elohim, Geistwesen vergleichbar unseren Göttern, deutlich untergeordnet sind. Später erlebte er dann den entsetzlichen Irrtum des Ketzers von Achet-Aton – und fand *Die Gott der Götter* wieder hier in Onû. Auch mir, dem Großen Seher, hat Gott nicht geoffenbart, wohin Mose dieser Weg führen wird. Eines weiß ich allerdings mit Gewißheit, er wird diesen Weg konsequent bis zum Ende gehen!«

Schon früher hatte sich Mose nach Art der Priester stets den Schädel kahl geschoren, nun trug er zusätzlich immer häufiger das weiße Gewand und das Leopardenfell eines Priesters. Als freilich Hy-sebaû, der Hohepriester der Dreiheit von Men-nôfer, starb und die Priesterschaft des Tempels den Prinzen einstimmig bat, das hohe Amt zu übernehmen, lehnte er ab. So wurde denn Ptah-em-Het-Ty, bislang Erzpriester und Zweiter Prophet der Dreiheit, zum neuen Hohenpriester geweiht.

»So lange ich meine wahre Bestimmung nicht kenne, will ich mich nicht binden!« erklärte Mose Beket-Amûn und mir. »Ich höre den Ruf einer gewaltigen Stimme in mir – nur die Worte dieses Rufes vermag ich noch nicht zu verstehen.«

Ein schwefelgelber Blitz zuckte durch die schwarzblauen Wolken, die wie eine massive Wand seit dem späten Nachmittag von Nordwesten heraufgezogen waren. Der Donner rumpelte wie die Räder von tausend Streitwagen.

Ich sah Beket-Amûns Schnellruderer von der Dachterrasse unseres Hauses den Maati-Kanal heraufeilen und hinkte ihr hastig zur Anlegestelle an unserem Garten entgegen.

Ich bewunderte die Männer an den Riemen. Wie hielten sie das aus?

Schon das kurze Stück vom Haus zur Anlegestelle trieb mir den Schweiß aus allen Poren und ließ ihn mir in Bächen an meinen Körper hinunterrinnen, veranlaßte mich, keuchend nach Luft zu japsen.

Die Schwüle, die erstickende Hitze war in den letzten drei Tagen unerträglich gewesen. Die Luft schien bei jedem Atemzug die Lungen verbrennen oder sie durch ihre Feuchtigkeit ertränken zu wollen. Myriaden von Fliegen und Stechmücken waren aus den Schilf- und Papyrusdickichten entlang der sich ins Delta verzweigenden Arme des Stromes aufgestiegen, waren gnadenlos über Menschen und Tiere hergefallen.

Bauern, Pächter und Knechte waren samt ihren Familien auf die Wiesen und Weiden hinausgeeilt. Binnen Minuten von Schweiß überströmt, hatten die Männer sich sogar ihre knappen Lendenschurze heruntergerissen, und ihre Frauen, Töchter und Mägde waren nach kurzem Zögern dem Beispiel gefolgt. Nackt wie von Chnum geschaffen, versuchten sie die hilflos muhenden Rinder, die verzweifelt meckernden Ziegen, die verstört umher rennenden Schafe einzufangen und zu beruhigen.

Kaum daß der Schnellruderer anlegte, half ich Beket-Amûn aus dem Boot, schloß sie in meine Arme.

Ich hatte gespürt daß sie kommen würde, obwohl sie ihre Pflichten die letzten drei Monate fast ständig in Onû festgehalten hatten. Als man Neter-duai eines Morgens friedlich für immer eingeschlafen in seinem Bette fand, hatte die Priesterschaft Beket-Amûn zu seiner Nachfolgerin im Amt des Hohenpriesters und Großen Sehers berufen und gesalbt.

Erste heftige Windstöße wirbelten uns Sand und Staub ins Gesicht, als wir zum Haus zurückeilten. Die Wolkenwand hatte längst die Sonne verschluckt und bedeckte nun fast den gesamten Himmel bis auf einen schmalen hellen Streifen im Osten. Wir durchquerten das Haus und stiegen auf die Dachterrasse hinauf. Wieder zuckten Blitze. Wieder rollte der Donner und fand ein kleines Echo im Knurren und Fauchen Mâ-aus, die uns vorsichtig geduckt, aber mutig gefolgt war.

Dann standen wir auf dem Dach, eng aneinandergeschmiegt und starrten in den Himmel und durch die wirbelnden Staubschwaden zu den Pyramiden des Chnum-kufu und Ka-ef-Râ hinüber, deren Flanken nun fast schwarz aussahen und deren goldene Spitzen bei jedem Blitz so grell auffunkelten, als wollten sie selber Blitze schleudern.

Das Unwetter stand jetzt direkt über uns. Grellblaue, rosa, schwefelgelbe, grünliche und weiße Feuergarben schossen über den Himmel, zerfetzten das Dunkel, das sich über dem Land ausgebreitet hatte. Der Donner polterte, krachte und grollte ohne Unterbrechung.

Ein grellweißer Blitz!

Eine blendende Feuersäule zwischen der Spitze der Pyramide des Chnum-kufu und dem schwarzen Himmel!

Ein ohrenbetäubender Knall! Er traf mich wie der Hieb einer Beilkeule.

Ein vielstimmiger Aufschrei. Das Haus unter unseren Füßen erbebte.

Dann tiefste Dunkelheit, während der Lichtblitz als Widerschein in meinen Augen waberte.

Mit dem Brausen, der Wucht von hundert Stromschnellen setzte im nächsten Augenblick der Regen ein, stürzte auf uns nieder mit der Gewalt einer zerbrochenen Schleuse. Die herunter prasselnde Wasserwand hieb auf uns ein, schloß sich um uns.

»Nein! Nein! Bitte, *bitte* nein!!« schrie Beket-Amûn mit vor Entsetzen geweiteten Augen.

Ich zog Beket-Amûn in die Sicherheit des Hauses.

Ern, Serâu und Hund eilten mit weichen Tüchern herbei, um uns abzutrocknen.

Dann saßen wir, eingehüllt in warme Decken, im großen Wohnraum, Mâ-au dicht an unsere Beine gedrückt, während das Unwetter grollend und rumpelnd schnell nach Osten abzog, der Wolkenbruch, fast ebenso rasch wie er losgebrochen war, endete, in ein leichtes Nieseln überging, das wenig später ebenfalls aufhörte.

»Das ist das Ende! Das Ende der glücklichen Jahre!« flüsterte Beket-Amûn mit noch immer bebenden Lippen.

»Regen und gar Gewitter«, suchte sie Ern zu beruhigen, »gelten in unserem Land als schlechte Vorzeichen, aber doch nur, weil sie hier so selten, so ungewöhnlich sind. Es gibt Länder weiter im Norden oder auch tief im Süden, wo es viele Tage im Jahr regnet, ohne daß diese Gegenden von beständigem Unheil heimgesucht würden.«

Doch Beket-Amûn schüttelte den Kopf:

»Die Götter haben uns die Gnade von sieben reichen, glücklichen Jahren geschenkt. Sie sind zu Ende! Ich *weiß* es!«

Als am nächsten Morgen die Sonne über der östlichen Wüste heraufstieg, deutete nichts darauf hin, daß sich die düstere Prophezeiung Beket-Amûns bewahrheiten könnte. Im Gegenteil: der Wolkenbruch hatte den allgegenwärtigen Staub der Wüste von der Landschaft abgewaschen, die Bäume, Felder und Gärten glänzten in frischem, sattem Grün. Die drückende Schwüle der letzten Tage war verschwunden und mit ihr die Fliegen und Stechmücken. Die Luft war rein und sauber und der Himmel von einem so tiefen, klaren Blau wie selten. Das Wasser des Stromes und der unzähligen Kanäle blinkte silbern, das vom Regen niedergedrückte Korn auf den Feldern richtete sich wieder auf, Rinder, Schafe und Ziegen kehrten auf ihre Weiden zurück, und schon um die Mittagszeit erinnerte nichts mehr an den Spuk der vergangenen Nacht.

Wäre es nicht eben Beket-Amûn gewesen, die jene unheilvolle Prophezeiung ausgesprochen hatte, auch ich hätte sie am Mittag längst vergessen gehabt – so freilich hinterließen ihre Worte in mir eine beklemmende Unruhe.

Doch was sollte eigentlich, so fragte ich mich, schon geschehen? König Tut-anch-Amûn Neb-cheperu-Râ saß sicher auf seinem Thron, und das Volk liebte ihn aufrichtig. Die Staatsverwaltung funktionierte wieder so gut wie in den besten Tagen Amûn-hotep Neb-Maat-Râs. Die Kornspeicher waren von den Ernten der letzten Jahre übervoll, und für die Ernte dieses Jahres würde man sogar weitere Speicher bauen müssen. Die Viehherden waren zahlreich und gesund. Handel und Handwerk blühten, Schiffe und Karawanen schleppten die seltensten Luxusgüter aus aller Welt auf unsere Märkte. Unsere Nachbarvölker hielten respektvollen Frieden. Was also sollte Schreckliches geschehen? Ein paar Jahre der Dürre? Dank unserer übervollen Speicher würden wir sie problemlos überstehen. Eine verheerende Überschwemmung? Darauf waren wir immer vorbereitet. Ein Erdbeben? Gewiß das Schlimmste, was ich mir vorstellen konnte, aber wir würden damit fertig werden.

Dürre oder Überschwemmung würden sich erst in zwei bis drei Monaten offenbaren, und wenn wir auf ein Erdbeben warten wollten, so konnten wir damit auch Jahre verbringen.

So brachen Beket-Amûn und ich drei Wochen später zusammen mit Mose und Je-schua auf nach Biau. Serâu als Beket-Amûns Leibdienerin und Hund begleiteten uns.

Mose war mehrfach, in den letzten Jahren ausgesprochen oft, in Biau gewesen, hatte zweimal sogar Expeditionen geleitet, die in den Bergen nach Kupfer und Türkisen schürften, und dabei das gute Verhältnis zu Jetro, dem Priester-Fürsten der Midianiter, aufgefrischt, dessen offizieller Einladung wir nun folgten.

Die Hauptperson dieser Reise waren freilich Sat-Râ, Moses Tochter, und Oberst Râ-mose, der Sohn des Finanzministers Sutan. Vor allem Sat-Râ war es wohl, der Mose ›sein‹ Biau zeigen wollte. Es war sein ganz persönliches Geschenk zu ihrer Hochzeit, denn die jetzt gerade Zwölfjährige hatte allen Widerständen und Bedenken zum Trotz ihre Heirat mit dem neunzehn Jahre älteren Râ-mose durchgesetzt.

Sat-Râ betete ihren Gemahl buchstäblich an, schwelgte in den strahlendsten Zukunftsvisionen.

»Es wird der Tag kommen«, erklärte sie immer wieder, »an dem Râ-mose auf den Beiden Thronen sitzen wird! Nach ihm wird unser Sohn, den ich Sety nennen werde, die beiden Kronen tragen. Unser Enkel aber, der wiederum den Namen Râ-mose tragen soll, wird der größte und bekannteste Herr der Beiden Länder werden!«

Alle hatten über diese kindlichen Träume gelächelt.

Nur Mose hatte nicht gelächelt. Als er dann sah, daß auch Beket-Amûn nicht lächelte, und auch ich nicht, eingedenk dessen, was mir die kleine Beket-Amûn einst vorhergesagt hatte, da hatte er in die Heirat seiner Tochter mit dem unbestreitbar äußerst tapferen, zweifellos auch tüchtigen, ansonsten bislang freilich eher farblosen Oberst eingewilligt.

Was Râ-mose von diesen Prophezeiungen hielt, das blieb sein persönliches Geheimnis. Daß ihm der Sprung auf der gesellschaftlichen Leiter durch die Heirat mit der Tochter des Wahren und einzigen Hôr-im-Nest höchst willkommen war, verhehlte er nicht. Und der hingebungsvollen, begeisterten, bedingungslosen Liebe, die Sat-Râ ihrem Gemahl entgegenbrachte, hätte sich nicht einmal ein Stein zu entziehen vermocht!

Doch noch war es nicht ganz so weit, daß wir endlich aufbrechen konnten.

König Tut-anch-Amûn Neb-cheperu-Râ hatte es sich zur Gewohnheit gemacht, jedes Jahr, ehe er seine Residenz für ein paar Monate von Men-nôfer nach Uêset verlegte, für seine Freunde und engen Mitarbeiter samt deren Gemahlinnen ein zwangloses Essen zu geben. Es war wohl unvermeidlich, daß es zwischen den Interessen der verschiedenen Ministerien immer wieder einmal zu Spannungen kam. Sutan, der Finanzminister, nannte das Militär einen »Krug ohne Boden«, was Hôr-em-Heb mit Bemerkungen zu beantworten pflegte, von denen »schäbiger Geizkragen« noch die mildeste war. Maja, der dicke Wirtschaftsminister, wollte unbedingt den Mittelstand der Handwerker und freien Bauern zu Ungunsten der Tempel stärken, was vor allem Ptah-em-Het-Ty, den Hohenpriester der Dreiheit zu Men-nôfer in Rage brachte. Und Panhasa, der Landwirtschaftsminister, nahm mittlerweile zu dem Staudamm zwischen Abu und Ilak, dem Lieblingsprojekt des Prinzen Nacht-Min, eine fast ebenso kritische Haltung ein wie einst sein Vorgänger Cha-em-hêt. Dieses Essen nun führte die Kontrahenten bei reichlich Speise und noch reichlicher Trank außerhalb ihrer amtlichen Funktionen zusammen, baute Brücken und ließ oftmals gegensätzliche Standpunkte in milderem Licht erscheinen.

Es war ungewöhnlich spät geworden in diesem Jahr, Ende des 2. Erntemonats. Gewöhnlich reiste der König schon im Verlauf des 2. Monats der Aussaat nach Uêset und kehrte im 1. Monat der Ernte nach Men-nôfer zurück. Dieses Jahr hatte er auf Anraten Pentûs wegen einer zwar eigentlich harmlosen, jedoch hartnäckigen Entzündung der Luftwege bislang die Reise verschoben.

Nun aber saß Tuti, wieder völlig auskuriert, angeregt plaudernd mit Oberst Râ-mose, Wirtschaftsminister Maja, Prinzessin Sat-Râ und seiner Halbschwester Nefer-nefru-Râ, von der man munkelte, daß sie neuerdings auch sein Bett teile, beisammen. User-Mont, der wie üblich fürchterlich schwitzende und leider entsprechend riechende Generalgouverneur von Unterägyptern suchte nicht allzu erfolgreich Anschluß bei Reichsverweser Hôr-em-Heb und seiner Gemahlin Mut-nodjemet, die in einem so züchtigen Kleid erschienen war, daß es beinahe ihr Geschlecht verbarg. Oberst Schut und der königliche Leibarzt Pentû waren mit Prinz Nacht-Min in ein angeregtes Gespräch vertieft; Jeschua brachte mit seinen ebenso intelligenten wie bissigen Bemerkungen sogar meine sauertöpfische Außenminister-Tochter-Gemahlin Merit-Ptah zum Lächeln; Speckstein-mose spielte, unterstützt von seinen fünf Frauen, den Spaßmacher; Panhasa bemühte sich redlich, wenn auch hoffnungslos linkisch, Beket-Amûn zu unterhalten; Mose war der heftig umschwärmte Mittelpunkt etlicher Gemahlinnen und Töchter der Großen des Reiches, bis es ihm gelang, sich mit dem Hohenpriester Ptah-em-Het-Ty ein wenig abzusondern; und ich selber war in eine tiefschürfende Debatte mit Ipu-Ka, dem Bewahrer der Kroninsignien, dem Ersten Baumeister des König Bek und Eje über Kunst verwickelt.

Noch immer zwar lehnte der ›Gottvater‹ jedes offizielle Amt ab, noch immer mißtrauten ihm Mose, Beket-Amûn und ich insgeheim, doch es war nicht zu übersehen, daß er zunehmend an Einfluß gewann. Daß er den geplanten Hochverrat seiner Tochter Nofret-ête aufgedeckt, daß er den siegreichen Feldzug nach Kanaan unterstützt, ja, überhaupt erst ermöglicht hatte, waren der Grundstock gewesen. Seine klugen, durchdachten Einschätzungen und Empfehlungen hatten ihn nach und nach zu einem der bedeutendsten und zuverlässigsten Ratgeber des Königs werden lassen. Nach wie vor zwar ohne offizielle Ämter, nahm er inzwischen eine Stellung ein, die einst der des Sohnes des Hapu durchaus vergleichbar war.

So freundschaftlich unbeschwert der Abend begonnen hatte, mit einem so schrillen Mißklang endete er.

Anchesen-pa-Amûn war schon von Anfang an ziemlich unerträglich gewesen und hatte entschieden zu schnell und zu viel getrunken. Dann hatte sie mehrfach versucht, sich Mose an den Hals zu werfen und, als dieser sie höflich aber unmißverständlich abwies, damit begonnen, andere Gäste zu beleidigen, nannte Tiê, die königliche Hebamme und Gemahlin Ejes, ein »verschrumpeltes Huhn«, User-Mont einen »Stinkbatzen«, Hôr-em-Heb einen »Emporkömmling« und ihre Schwester Nefer-nefru-Râ eine »Ehebrecherin«.

Als Tut-anch-Amûn versuchte, Anchesen-pa-Amûn zu beruhigen, sie in ihre Schranken zu verweisen, kreischte sie ihn an: »Halt den Mund!«, beschimpfte ihn als »lächerlichen Versager« und »zeugungsunfähigen Schlappschwanz«.

»Ich will endlich einen richtigen König neben mir auf dem Thron«, schrie sie, »und einen richtigen Mann in meinem Bett! Ich will Mose haben – und ich werde ihn auch bekommen!«

Tut-anch-Amûn war aschfahl im Gesicht, als er vor seine Große Königsgemahlin hintrat:

»Das reicht! Ich habe dir dein Betragen immer wieder nachgesehen, solange du nach außen hin die Form gewahrt hast. Aber am heutigen Abend bist du entschieden zu weit gegangen! Oberst Schut wird dich jetzt in deine Räume geleiten, und dort wirst du bleiben bis zu unserer Abreise nach Uêset. Dann wirst du uns auf der Fahrt nach Süden begleiten, allerdings nur bis zum ehemaligen Achet-Aton. Dort wirst du dich zu deiner Mutter in den Nördlichen Palast begeben, und du wirst diesen Palast erst wieder verlassen, wenn ich es dir erlauben sollte.«

»Ich bin die Große Königsgemahlin!« schrie Anchesen-pa-

Amûn entsetzt auf, »Mose! Hilf mir! Sag ihm, daß er das mit mir nicht machen kann!«

Mose war neben Tut-anch-Amûn getreten.

»Er *kann* es«, widersprach er Anchesen kalt, »denn er ist der König! Danke ihm lieber dafür, daß er nicht die uralten Worte der Scheidung ausgesprochen und dir die Krone, die du doch so sehr liebst, weggenommen hat! Und jetzt tätest du besser daran, zu schweigen und zu gehorchen!«

Doch auch als Anchesen-pa-Amûn, von Oberst Schut begleitet, verschwunden war, wollte keine rechte Stimmung mehr aufkommen, so daß wir den Abend ziemlich bald beendeten.

Zwei Tage danach reiste der König mit dem Großteil seines Hofstaates ab nach Süden, und eine gute Woche später waren Mose und wir anderen auf dem Weg nach Biau.

»Wenn mir die Götter die Wahl ließen, über welches Land ich herrschen wolle, ich würde die Krone von Biau wählen«, strahlte Mose und deutete mit seinem Schlangenstab hinaus in die Weite.

Wir standen vor dem Per-Sopdu hnâ Hat-Hôr, dem Tempel des Sopdu und der Hat-Hôr, der hoch oben über den Türkisminen thronte. Wie alt die in den Fels gehauene Grotte des Sopdu ist, der als mit Mond und Sonne gekrönter Pavian erscheint, weiß niemand, doch wird er dort schon seit undenklichen Zeiten von den Schôs verehrt. König Se-en-Userhet Cheper-Ka-Râ hatte vor gut 600 Jahren daneben eine Grotte für Hat-Hôr, die ›Herrin der Türkise‹, aushauen und den Tempel errichten lassen, dessen Höfe inzwischen mit unzähligen Stelen aus rosa Sandstein gefüllt sind, Weihegaben ebenso vieler Expeditionen zu den Türkis- und Kupferminen.

Unser Blick schweifte hinaus in die Weite über die Täler und Höhenzüge von Biau, die sich in der Ferne in zartem Graublau verloren. Einst mußte dies ein riesiges Hochplateau gewesen sein. Heute war es kreuz und quer von tiefen Wadis und von steilen Schluchten zerrissen, zwischen denen bizarr geformte Felsentürme stehengeblieben waren. Wie lange wohl hatten die

Wasser der hier nur alle paar Jahre fallenden Regenschauer gebraucht, um diese Formen auszuschleifen, die weiten Täler zwischen den Gebirgsstöcken mit dem Schutt teilweise wieder aufzufüllen? Hunderttausend Jahre? Eine Million? Oder noch länger?

Sat-Râ schien meine Gedanken aufgefangen zu haben, als sie sagte:

»Ein irdisches Menschenleben ist wohl kaum mehr als ein einziger Herzschlag eines Gottes …«

»Setech, der Herr der roten Erde, der Wüste, schuf sich einen Garten, so farbenprächtig, wie immer ein Garten zu sein vermag. Er aber schuf sich seinen Garten aus Felsen, Steinen und Sand.«

So oder so ähnlich könnte eine Legende über die Entstehung von Biau beginnen.

Wie wohl jeder Ägypter habe ich ein ebenso tiefes wie kompliziertes Verhältnis zur Wüste. Ich fürchte sie – aber ich achte, ich ehre, ich bewundere sie gleichzeitig fast ebensosehr.

Gerade deshalb verstand ich, verstanden wir alle, die Beziehung Moses zu Biau so gut.

Wir hatten von Teku im Gau ›Falkenmumie‹ aus unsere Expedition angetreten. Wir waren, zugegeben, als wir entlang der Bitterseen nach Süden reisten – rechter Hand ein sehr blaues Meer, linker Hand in einiger Entfernung ockergraue Berge –, zunächst nur mäßig beeindruckt gewesen. 22 Iteru südlich von Teku waren wir dann nach Osten in das Gebirge, in das eigentliche Biau, abgebogen – und vor uns hatte sich Setechs Garten geöffnet in all seiner Pracht.

Daß die Wüste alle Farben aufweist vom weichen Hellgelb und blassen Hellgrau über sämtliche Schattierungen von Ocker bis zu sattem Braun und Schiefergrau haben wir alle tausendfach gesehen. Hier jedoch erblühen Felsen, ja, ganze Täler in feurigem Gelborange, durchzogen mit Streifen von tiefstem Braun. Ein nächstes Tal ist weiß, so als sei es mit Weizenmehl überpudert. Dazwischen Steine vom zarten Blau eines Morgenhimmels bis zum wolkigen Dunkelblau von Lapislazuli und Felsen in Rosa, mattem Orange, Rostrot und Blutrot bis hinunter zu Malvenfarbe und tiefem Violett. Dann plötzlich ein grünes Tal, doch nicht grün von Pflanzen, sondern vom Grün der Steine. Ein sonnengelber Sandhügel, auf seiner Spitze ein pechschwarzer Steinblock und der Sand ringsum übersät mit Tausenden von schwarzen Steinen.

Doch dann auch, völlig überraschend zwischen Felsen, aufragenden Bergschroffen, Sand und Steinen, ein wahrhaft grünes Tal mit blühenden Dornbüschen, Akazien, dichtem, hartlaubigem Unterholz und breit ausfächernden Palmen, dazwischen einige Zelte und vermummte Männer, die sich, die Waffen in den Fäusten, um den Brunnen scharen.

Wenn Mose dann auf sie zutrat und seine rudimentären Sprachkenntnisse mit um so beredteren Gesten unterstrich, dann verschwanden sehr schnell die Waffen, zumal der Name Jetro geradezu magische Wirkung auszuüben schien. Hatte man ihr erstes Mißtrauen überwunden, dann waren die Schôs von Biau ein stolzes, jedoch höfliches, hilfsbereites und auch humorvolles Volk, dem die Gastfreundschaft heilig war.

Die Sonne war noch nicht aufgegangen, als Hund uns weckte:
»Jetro, der Fürst der Midianiter, ist im Anmarsch!«
Nach einem Opfer im Tempel des Sopdu und der Hat-Hôr hatten Beket-Amûn, Mose, Sat-Râ, Râ-mose, Je-schua, Serâu und ich die Nacht in einem der kleinen Häuser der beiden Priester und des Aufsehers verbracht, die oben in Per Sopdu hnâ Hat-Hôr mit ein paar Soldaten das ganze Jahr über Wache halten, denn die Bergwerksexpeditionen pflegen wegen der Hitze nur in den Wintermonaten hierherzukommen. Dann entstehen auf dem Hochplateau und drunten im Wadi ganze Zeltstädte für die bis zu 1400 Bergarbeiter samt Köchen, Schreibern, Ärzten, Dolmetschern, Priestern und Schmieden und die bis zu 500 Packesel mit ihren Treibern. Jetzt aber, im Sommer, waren die Lagerplätze verlassen, und so hatten Hund und unsere kleine

Eskorte aus zehn Wolfsmännern und vier Bediensteten die Nacht im Freien geschlafen.

»Willkommen! Von ganzem Herzen willkommen!« rief uns Jetro schon von weitem entgegen, als wir aus dem Häuschen traten.

Der Priester-Fürst der Midianiter war ein großer, sehniger Mann mit langen Armen und Beinen. Sein von der Sonne tief gebräuntes, von einem gepflegten, schwarzen Bart eingerahmtes Gesicht wurde beherrscht von zwei dunklen, leuchtenden, weit auseinander stehenden Augen, einer kühn gebogenen Nase und einem breiten Mund, dem man ansah, daß er gerne und viel lachte. Während er mit weit ausholenden Schritten auf uns zukam, wehte sein langer, weinroter, reich mit Borten und Stickereien geschmückter Mantel hinter ihm drein.

Jetro verneigte sich ehrerbietig, wenn auch nicht allzu tief, vor uns, der Druck seiner Hände war fest und selbstbewußt, die Begrüßung für Mose und Je-schua voll aufrichtiger Herzlichkeit.

Dann wandte er sich um und winkte seinen Begleiter heran, der mit ihm heraufgestiegen war:

»Erlaubt, daß ich Euch meine kleine Tochter Zippora vorstelle.«

Die ›kleine Tochter‹ des Midianiterfürsten war fast so groß wie ihr Vater, und als sie das Tuch, das sie nach Gewohnheit vieler Wüstenstämme halb vor das Gesicht gezogen hatte, über die Schulter zurückwarf, enthüllte sie Züge, die unverkennbar an ihren Vater erinnerten. Im landläufigen Sinne war Zippora mit ihren großen auseinanderstehenden Augen, dem breiten Mund, der gebogenen Nase, auch wenn diese feiner, zarter gezeichnet waren als bei Jetro, nicht unbedingt hübsch zu nennen – doch für mein persönliches Empfinden war sie eine ausgesprochen schöne junge Frau!

Tief verneigte sie sich vor Beket-Amûn, Sat-Râ, Râ-mose, Je-schua und mir. Und dann fiel sie vor Mose auf die Knie, berührte mit der Stirn den Boden.

»Sie ist verrückt!« bemerkte Jetro trocken, aber nicht unfreundlich. »Zippora ist jetzt 17 Jahre und sollte längst verheiratet sein. Eine Reihe bedeutender Männer, darunter die Fürsten der Elamiter und der Amalekiter, haben um ihre Hand angehalten. Sie aber besteht darauf, keinen anderen als den Hôr-im-Nest Mose heiraten zu wollen, und sei es als die geringste der Konkubinen in seinem Harem!«

Während Jetro noch sprach hatten Mose und Sat-Râ Zippora aufgehoben, und ich hörte, wie Sat-Râ ihr ins Ohr raunte:

»Recht hast du! Ich habe es ganz genauso gemacht!«

Eine gute Stunde später hatten wir uns von den beiden Priestern und Wächtern des Per-Sopdu hnâ Hat-Hôr verabschiedet und kletterten durch die steile Felsschlucht, die das Hochplateau mit den Tempeln und dem weiten Talgrund verbindet, hinab. Immer wieder kamen wir an Zeichen vorüber, die frühere Expeditionen hinterlassen hatten. Auf einer grauen Felsplatte waren sogar etliche Schiffe eingekratzt. Ich hatte die Inschriften, in denen sich längst verstorbene Expeditionsleiter ihrer Taten rühmten, kaum eines Blickes gewürdigt, als Je-schua aufschrie:

»Da ist es! Schaut diese Inschrift an! Das ist genial!«

Wir hielten inne, betrachteten die Inschrift, auf die Je-schua mit ausgestrecktem Arm und sichtlicher Aufregung deutete.

Ich konnte nichts Besonderes daran erkennen. Es war eine etwas eigenwillige Variante der hieroglyphischen Buchstabenschrift, die Bildzeichen bis zur Abstraktion vereinfacht. Der ›Kopf des Stieres‹ wurde nur mehr durch ein Oval symbolisiert, mit einem Bogen darüber für die Hörner. Das Bildzeichen ›Tür‹ war eben noch ein Dreieck, ein ›Auge‹ ein kleiner Kreis. Von den Buchstabensymbolen waren kaum mehr als zwei Dutzend primitiver Zeichen übriggeblieben.

Ich warf einen fragenden Blick zu Je-schua. Was erregte ihn so an dieser Verhunzung jedweder Schreibkunst?

»Es sind Lautzeichen, aus denen man jedes beliebige Wort zusammensetzen kann!« ereiferte er sich.

»Solche Zeichen kennen wir doch mindestens seit den Tagen von König Meneji Hôr-Aha«, stellte Râ-mose ein wenig herablassend fest, »und in der hieratischen Schrift eine vereinfachte Kurzform.«

»Die aber viel zu kompliziert ist!« wandte Je-schua sofort ein. »Oder weshalb sonst müssen sich unsere Diplomaten mit Akkadisch und babylonischer Keilschrift herumschlagen, wenn sie sich außerhalb Ägyptens verständlich machen wollen? Da schaut her: das bedeutet B*iau* – ein Haus für B, die Hand für I, der Stierkopf für *A* und der Haken für U oder *W*.«

Râ-mose kauerte sich nieder, strich mit der Hand eine sandige Stelle glatt und schrieb mit dem Finger B*iau* in hieroglyphischer Lautschrift – ein Fuß für B, eine Feder für I, ein Geier für *A* und ein Vogel für U, und darunter das Ganze nochmals in hieratischer Schrift.

Je-schua nickte, kauerte sich daneben und begann ebenfalls zu schreiben: ein Schlagstock Bi, ein Geier *A*, ein Vogel U.

»Natürlich könnte man den Geier für *A* auch weglassen, denn den Schlagstock kann man auch als B*ia* lesen. Man könnte ihn auch gegen einen Hund oder eine hohe Schale auswechseln, die ebenfalls B*ia* bedeuten. Oder man könnte auch den Vogel für U gegen eine Spirale austauschen ...«

Langsam wurde uns klar, worauf Je-schua hinauswollte. Der fuhr inzwischen fort:

»In dieser Inschrift dort gibt es nur ein einziges Zeichen für B, das Haus, ein Zeichen für I, die Hand, und so weiter. Wir dagegen haben ein Zeichen für B, den Fuß, zwei Zeichen für B*a*, eine Gans und ein kleines Gefäß, eine Säule für B*as*, der Schlagstock kann Bi, B*ia* oder B*h* gelesen werden, für B*ia* gibt es zudem noch den Hund und die Schale, eine Biene für Bit und einen Fisch für Bu, B*w* oder B*s*. Und B ist noch einer der harmloseren Laute! Für S mit all den Varianten wie S*a*, Sin, S*m*, Ssch, St, S*k* und so fort gibt es nicht weniger als 77 Zeichen – ich habe sie einmal nachgezählt!«

Je-schua hatte sich wieder erhoben:

»Diese Schrift da mag primitiv sein, aber genau darin liegt ihre Genialität! In dieser Schrift kann man jede beliebige Sprache schreiben, jeder kann sie erlernen und verstehen, und deshalb sage ich Euch, auch ohne ausgebildeter Prophet zu sein: das ist die Schrift der Zukunft!«

Auch Râ-mose war inzwischen aufgestanden und legte nun

freundschaftlich die Hand auf Je-schuas Schulter: »Eine scheuß-
liche Vorstellung – aber vermutlich hast du sogar recht!«

Nach einer gut einstündigen Kletterei hatten wir den Talgrund
erreicht, wo uns Jetros Leute schon erwarteten. Es mochten gut
hundert Menschen sein, die Mitglieder seines engsten Clans.
Seine Frauen, seine Töchter und Söhne, Brüder, Schwestern, Vettern, Basen, Neffen, Nichten und seine treuesten Gefolgsleute
mitsamt ihren Familien. Sie hatten ein Dutzend große und etliche
kleinere Zelte aufgeschlagen, zwischen denen Scharen braungebrannter Kinder, struppiger Hunde, blökender Schafe und
meckernder Ziegen herumliefen. In schnell errichteten Koppeln
standen geduldige Esel und, zu Je-schuas sichtlichem Mißver-
gnügen, drei Dutzend Kamele.

Der Empfang war von überschäumender Herzlichkeit. Die
bei den Schôs ohnehin sprichwörtliche Gastfreundschaft überschlug sich geradezu. Das Festmahl, das uns zu Ehren abgehalten
wurde, zog sich vom hohen Mittag bis tief in die Nachtstunden
hinein, und unsere Gastgeschenke wurden mit ebenso großzügigen Gegengaben erwidert.

Als wir uns schließlich müde, übersättigt und auch nicht
mehr völlig nüchtern in die kleineren Zelte zurückzuziehen begannen, die man eigens für uns hergerichtet hatte, gab es allerdings Probleme.

Daß Sat-Râ und Râ-mose, die frisch Verheirateten, auch die
Nacht gemeinsam verbringen wollten, verstand der Fürst der
Midianiter.

Nicht verstand er, daß auch ich keine Neigung zeigte, mir
eine seiner Frauen oder Töchter für die Nacht auszusuchen, denn
das bedeutete, daß auch er Beket-Amûn nicht für sein Bett gewinnen konnte. Es war klar, daß in einer relativ kleinen Gemeinschaft wie einem Stamm der Schôs, in der nahezu jeder mit jedem verwandt war, frisches Blut nicht nur willkommen, sondern
sogar erforderlich war. Doch so hübsch und durchaus reizvoll
einige der Frauen und Töchter Jetros waren, niemals hätte ich

eine von ihnen, sei es auch nur für eine Nacht, gegen meine Beket-Amûn eintauschen mögen!

Jetro war sichtlich enttäuscht, doch er bewahrte Haltung. Wenn mir denn keine seiner Frauen und Töchter gefalle – oder wünsche ich zwei oder drei gleichzeitig? Nein? –, dann stehe mir selbstverständlich die Wahl offen unter allen anderen Frauen seiner Sippe, deren Väter, Ehemänner und Brüder beglückt wären, wenn …

Die Situation wurde ausgesprochen peinlich! Ein großzügiges Geschenk nicht anzunehmen ist eine Beleidigung des Schenkenden. Es nicht ebenso großzügig zu erwidern zeugt von schäbiger Gesinnung.

Selbst wenn Jetro, wie ich in seinen Augen las, langsam das Besondere der Beziehung zwischen Beket-Amûn und mir zu begreifen begann, er hatte das Angebot in aller Öffentlichkeit gemacht und konnte es jetzt nicht zurückziehen, ohne sein und auch mein Ansehen schwer zu beschädigen.

In dieser verfahrenen Lage rettete unser aller Ehre Serâu.

Sie sank dem Midianiterfürsten zu Füßen, berührte mit ihrer Stirn den Boden und bat mit leiser Stimme um die große Ehre, heute nacht sein Lager mit ihm teilen zu dürfen. Bald darauf verschwand Jetro mit ihr in seinem Zelt, hoch beglückt über die doch noch ehrenvolle Lösung des Problems, nicht minder freilich über seine Gefährtin für diese und wohl auch noch mehr Nächte, denn Serâu hatte mit ihren inzwischen 43 Lebensjahren durchaus den Verstand einer reifen Frau, doch mit ihrer zierlichen, gepflegten Erscheinung nahm sie es immer noch mit vielen Fünfundzwanzigjährigen auf.

Nicht allzuviel später war das Lager in nächtlicher Ruhe versunken, und die Feuer verglimmten, während einige der Männer mit fast unhörbarem Schritt in weitem Bogen als Wachen die Zelte umkreisten.

Beket-Amûn und ich standen noch lange Arm in Arm draußen und schauten in den tiefschwarzen Himmel hinauf, von dem Millionen von Sternen mit einer Klarheit und Leuchtkraft herabstrahlten, wie man sie im Tal des Stromes durch Dunst und Staub nur selten zu sehen bekommt.

Soeben wollten auch wir uns in unser Zelt zurückziehen, als wir aus den Augenwinkeln eine schlanke, hochgewachsene Gestalt in jenes Zelt schlüpfen sahen, in dem Mose schlief.

»Zippora?« fragte ich leise.

»Ohne jeden Zweifel Zippora!« antwortete Beket-Amûn lächelnd.

Den nächsten Tag verbrachten wir geruhsam im Lager, erholten uns ein wenig von den Strapazen der bisherigen Reise. Am Abend saßen wir dann gemütlich plaudernd mit Jetro und einigen seiner nächsten Verwandten am Feuer zusammen. Es war kurz vor Mitternacht.

Da fiel der Stern vom Himmel!

Grell aufleuchtend schoß er nieder auf den südwestlichen Horizont.

Zog einen Flammenschweif hinter sich her.

Erleuchtete das Lager für Augenblicke fast taghell.

Zerbrach in mehre Teile.

Und erlosch, während wir Grollen wie von einem Donner vernahmen.

Wir waren aufgesprungen, starrten atemlos nach Südwesten. Ich weiß nicht, was wir in diesem Augenblicken erwarteten. Eine Feuersäule? Ein unbeschreibliches Krachen? Ein Erdbeben, wenn der Stern aufschlug? Doch nichts geschah. Die Nacht war friedlich und, außer dem gelegentlichen Grunzen eines Kamels, dem Bellen eines Hundes und dem ewigen Flüstern und Singen des Windes um die Felstürme und in den Schluchten der Wüste, still, wie sie vorher gewesen war.

Als unser Schreck allmählich von uns abfiel, bemerkte ich, daß Beket-Amûn am ganzen Leib zitterte.

»Es ist geschehen!« flüsterte sie. »Was sich mit dem Blitzschlag über der Pyramide des Chnum-kufu angekündigt hatte, ist geschehen!«

»Was?« fragte ich.

Beket-Amûn schüttelte den Kopf:

»Ich – weiß es nicht …«

Jetro, auch er bestürzt, doch äußerlich gefaßt, starrte sie mit großen Augen an. Daß eine Frau zutiefst erschrak bei einem Ereignis, das auch die tapfersten Männer erbeben ließ, war nur zu verständlich. Doch Beket-Amûn war nicht nur irgendeine Frau, sie war die Große Seherin und Erste Prophetin Ägyptens! Wenn sie so sehr erschrak, dann mußte das tiefere Gründe haben!

Jetro rang sich offenkundig nur höchst ungern dazu durch, doch sein Verantwortungsgefühl zwang ihn zu der Frage:

»Prinzessin, möchten Sie morgen früh lieber nach Ägypten zurückkehren?«

Doch Beket-Amûn schüttelte erneut den Kopf:

»Nein. Es ist geschehen. Was immer wir vielleicht hätten tun können, jetzt ist es dafür zu spät.«

Es war der 3. Tag des 1. Monats der Überschwemmung.

Am nächsten Morgen befahl Fürst Jetro das Lager abzubrechen. Der Hausrat wurde mit geübten Griffen verpackt, das Gezelt niedergelegt, zusammengerollt und alles samt Kindern und Frauen auf die Rücken der Esel verladen. Ein paar Halbwüchsige trieben die Schafe und Ziegen zusammen, welche die Festmähler überlebt hatten. Wir hüllten uns inzwischen in die weiten Mäntel der Wüstenreiter, dann halfen uns die Männer Jetros in die hohen Sättel der Kamele, zeigten uns, wie wir ein Bein um das vordere Sattelhorn schlingen mußten, um sicher und bequem zu sitzen, und wie wir das Tier mit Zügel und Stock lenken konnten.

Bei Sonnenaufgang setzte sich unsere kleine Karawane, Fürst Jetro an der Spitze, in Bewegung, tiefer hinein in die Bergwildnis von Biau und die steinerne Pracht von Setechs Garten.

Nur drei Reiter schlugen die entgegengesetzte Richtung ein. Hund hatte gebeten, nach Teku zurückreiten zu dürfen, um Erkundigungen einzuziehen, ob jener fallende Stern, der uns alle in der Nacht so erschreckt hatte, tatsächlich irgendein Unheil in der Heimat angezeigt habe. Jetro hatte ihm zwei seiner Neffen

als Begleiter und Führer mitgegeben, und während wir gemächlich nun zunächst der aufgehenden Sonne entgegenzogen, entschwanden die drei in scharfem Trab nach Westen. Bald schon
waren sie nur noch drei winzige dunkle Punkte, hinter denen
eine zarte Staubwolke herschwebte.

Zwei Wochen später stieß Hund mit seinen Begleitern wieder
zu uns.

»Nichts!« meldete er. »Kein Erdbeben, keine Heuschrecken
oder eine sonstige Katastrophe, und wenn es auch für eine endgültige Aussage noch zu früh im Jahr ist, der Strom steigt im
Rahmen der erwünschten Pegelstände, weder zu stark noch zu
schwach. General Teka-her läßt euch grüßen und rät euch, die
Zeit in Biau aus vollem Herzen zu genießen.«

Das taten wir dann auch. Während wir tiefer und tiefer in die
Bergwildnis des südlichen Biau eindrangen, setzte Jetro seinen
Ehrgeiz darein, uns die bizarrsten Berge und Felsentürme, far-
benprächtigsten Schluchten, die grünsten, verborgenen Oasen-
täler zu zeigen. Wenn wir auf andere Gruppen seines Stammes
stießen, wurden wir mit größtem Respekt, der sprichwörtlich
offenen Herzlichkeit der Schôs und üppigen, lärmenden Festen
empfangen. Die Frauen hatten Beket-Amûn, schon immer eine
begeisterte Tänzerin, einige der Stammestänze beigebracht.
Wenn sie dann abends an den Lagerfeuern, die kleine Handtrommel hoch über ihrem Kopf schlagend oder rhythmisch die Rasseln schwingend, barfuß durch den Sand wirbelte, dann brüllten
die Männer vor Begeisterung.

Seit Serâu das Zelt Jetros teilte, sorgte der Midianiterfürst
auch dafür, daß Beket-Amûn und ich, Sat-Râ und Râ-mose von
nächtlichen Angeboten verschont blieben. Die Mehrzahl der
Unterhäuptlinge, deren Gastfreundschaft wir genossen, mochte
dies durchaus recht sein. So sehr von Zeit zu Zeit frisches Blut in
der Tat überlebenswichtig für diese in der Abgeschiedenheit
lebenden Volksgruppen sein mochte, so streng, ja, eifersüchtig
wachten sie über die Ehre ihrer Frauen, Schwestern und Töchter.
Ehebruch galt als schweres Vergehen, und auch sonstige außer-
eheliche Beziehungen waren verpönt – Ausnahmen wurden nur
in ganz besonderen Fällen gemacht.

So waren wir keineswegs allzu sehr überrascht, als uns eines Tages Channa, die Erste Gemahlin Jetros, eine kluge, resolute, trotzdem warmherzige Frau, um eine Unterredung bat. In einer so kleinen Gemeinschaft war es unvermeidlich, daß inzwischen jedermann wußte, daß Zippora Nacht für Nacht in das Zelt des Hôr-im-Nest schlüpfte.

Doch nachdem Channa, gefolgt von Jetro und Serâu, unser Zelt betreten und sich ehrerbietig verneigt hatte, fiel kein Wort über Mose und ihre älteste Tochter. Vielmehr war es Jetro selber, der Ordnung in sein Familienleben bringen wollte. Der Fürst habe sich unsterblich in Serâu verliebt. Er wisse zwar, daß sie wohl nicht mehr jung genug sei, um ihm noch Kinder zu schenken, doch da seine zweite und dritte Gemahlin vor einigen Jahren verstorben waren, biete er ihr den Rang seiner zweiten Gemahlin an, wenn wir uns bereit finden würden, sie ihm zur Frau zu geben.

»Das können wir nicht«, stellte ich fest.

Während ich sah, wie sich tiefe Enttäuschung auf den Zügen Jetros ausbreitete, eilte die Sängerin und Harfenistin auf mich zu, warf sich mir zu Füßen und neigte den Kopf:

»Herr, ich würde niemals ...«

Mit einer sanften Handbewegung hieß ich sie schweigen, hob sie vom Boden auf.

»Serâu, Tochter der Chetem«, erklärte ich, »hat uns viele Jahre in hingebungsvoller Liebe und Treue gedient, unsere Herzen mit ihrer Musik erfreut. Doch wir sind mit ihr weder blutsverwandt, noch war sie je unsere Sklavin, sondern sie diente uns aus freien Stücken. Serâus Mutter Chetem war als Kriegsgefangene zwar versklavt worden, doch ihre Kinder waren vom Tag der Geburt an freie Bürger – so will es das ägyptische Gesetz. Serâu, obwohl Tochter einer Sklavin, war stets eine freie Frau, die nach unseren Gesetzen das Recht hat, ganz allein über ihr Schicksal zu entscheiden!«

»Ich möchte Sie nicht verlassen, Herr«, sagte Serâu mit tränenerstickter Stimme, »aber ...«

»... es ist besser, wenn du es tust!« gab Beket-Amûn sehr ernst dem Satz eine unvermutete Wendung.

»Sie würden also tatsächlich erlauben ...«, fragte Serâu zitternd.

»Wie Amûn-hotep darlegte, haben wir dir nichts zu erlauben oder zu verbieten«, gab Beket-Amûn lächelnd zurück. »Wenn du uns aber fragst, ob wir dir Glück für diese Ehe wünschen, dann ist unsere Antwort aus ganzem Herzen: ja! Und wenn du es möchtest, so werden Amûn-hotep und ich gerne bei deiner Hochzeit die Rolle der Brauteltern übernehmen, und deine Mitgift wird eine königliche sein.«

Als Serâu, Jetro und Channa strahlend unser Zelt verlassen hatten, um allen die glückliche Neuigkeit zu verkünden, hielt ich Beket-Amûn zurück:

»Du hast gesagt, es sei besser, wenn Serâu hier ein neues Leben findet. Was hast du *gesehen*?«

Lange blickten wir uns tief in die Augen.

»Ich habe dich damals, ehe wir ein Paar wurden, gewarnt, daß ich am Ende unseres gemeinsamen Weges Blut und Gewalt *sehe*«, antwortete Beket-Amûn schließlich.

»Und unser Weg endet jetzt?« fragte ich.

»Noch nicht«, gab Beket-Amûn zurück. »Aber ich bin froh, daß Serâu hier in Sicherheit sein wird, wenn es soweit ist.«

Zwei Monate waren wir nun schon kreuz und quer durch Biau gezogen, als wir schließlich mitten in der Bergwildnis des südlichsten Teiles der Halbinsel das Hauptlager Fürst Jetros erreichten. In dem reich mit Palmen, Akazien und Tamarisken bestandenen Tal gruppierten sich um drei große, ergiebige Brunnen nicht nur gewiß hundert Zelte, sondern sogar etliche Steinhäuser, auch wenn der Ausdruck ›Haus‹ ein wenig übertrieben erscheinen mag angesichts der Tatsache, daß es sich dabei nur um einen ummauerten, offenen Innenhof mit ein oder zwei Schlafkammern auf einer Seite handelte.

Die Herzlichkeit und Begeisterung, mit der wir empfangen wurden, war überwältigend. Serâu, nunmehr stolze zweite Gemahlin Jetros, wurde von den Männern und Frauen des Clans, die sie alle küssen, umarmen und willkommen heißen wollten, schier erdrückt, und das abendliche Fest mit Schmauserei, Tänzen, Gesang, Gelächter und Strömen an Wein und süßem Dattellikör übertraf bei weitem alles, was wir bislang bei den gastfreien Schôs schon erlebt hatten.

Nur in mir mochte die rechte Stimmung nicht aufkommen. Meine *Gabe* war nie so stark wie die Beket-Amûns gewesen und trotz mittlerweile jahrelanger Übung ganz gewiß niemals auch nur annähernd so gründlich ausgebildet worden wie die ihre. Doch seit ich den fallenden Stern in jener zweiten Nacht im Lager Jetros gesehen hatte, hatte sich langsam, aber unerbittlich ein Frösteln in mir ausgebreitet, bohrte die Gewißheit in mir, daß Beket-Amûn mit ihren düsteren Voraussagen nur allzu recht gehabt hatte. Schließlich, vor etwa drei Wochen, war ich dann so weit, daß ich nach Ägypten zurückreisen wollte – selbstverständlich allein, denn ich wollte den anderen keinesfalls die schöne Zeit hier in Biau verkürzen.

Doch Mose widersetzte sich heftig:

»Nicht ehe wir den Horeb gesehen haben! Ich weiß noch nicht genau wie und weshalb, aber ich weiß, daß dieser Berg mein Schicksal sein wird. Ich weiß es, seit ich ihn zum erstenmal gesehen habe. Und ich will, daß auch ihr ihn seht, daß ihr mit mir auf seinem Gipfel den Sonnenaufgang erlebt: du, mein väterlicher Freund, und Beket-Amûn, Je-schua und Zippora, Sat-Râ und auch Râ-mose!«

So blieb ich also und schickte nur Hund nochmals nach Teku.

Jetzt erwartete ich ihn täglich zurück, bangte dem entgegen, was er berichten würde.

»Er wird nicht kommen«, erklärte Mose bestimmt. »Nicht ehe wir auf dem Gipfel des Horeb gestanden haben.«

Am Morgen des dritten Tages nach unserer Ankunft im Hauptlager Jetros standen wir dann auf dem Gipfel des heiligen Berges Horeb: Mose, Beket-Amûn und ich, Zippora, Je-schua, Sat-Râ und Râ-mose.

Wir waren am Spätnachmittag aufgebrochen. Vom Lager aus hatten Vorberge den heiligen Horeb verdeckt, und erst, als wir um eine der Biegungen des in dieser Region nur noch mit vereinzelten, trockenen Dornbüschen bewachsenen Tales kamen, ragte er unvermittelt vor uns auf.

»Die Pyramide des Chnum-kufu!« rief Beket-Amûn aus.

Wie recht sie hatte! Auch wenn die Hänge des Horeb nicht aus weißem Kalk, sondern aus rotem Granit bestanden, die Ähnlichkeit war frappierend, und die Ausstrahlung von unendlicher, heiliger Macht übertraf sogar noch die des größten Heiligtums Ägyptens. Als wir auf die Knie sanken und mit unseren Stirnen den Boden berührten, war dies Ausdruck zutiefst empfundener Verehrung.

Trittsichere Eselchen hatten uns im Abendlicht noch ein gutes Stück nach oben getragen, bis der Weg auch für ihre kleinen Hufe zu schwierig wurde und die Dunkelheit hereinbrach. Nach einer kurzen Pause waren wir dann im Schein eines fast vollen Mondes und unserer mitgebrachten Fackeln weitergeklettert, geführt von Mose, der uns mit einer so traumwandlerischen Sicherheit leitete, als habe er in seinem ganzen Leben nichts anderes getan, als diesen Berg zu besteigen.

Der Mond versank im westlichen Horizont, als wir den Gipfel erreichten, so daß, nachdem wir unsere Fackeln gelöscht hatten, nur noch Millionen Sterne aus einem unendlich tiefschwarzen Himmel auf uns herniederfunkelten.

Erschöpft ließen wir uns auf einigen Steinbrocken nieder, nach Luft ringend, schweißüberströmt von der Anstrengung des Aufstieges, fröstelnd von der Kühle der Bergluft. Wir schluckten gierig das mitgebrachte Wasser. Je-schua, Zippora und Râ-mose legten uns weiche, aus Kamelhaar gesponnene und gewebte Decken um die Schultern, die sie auf ihrem Rücken heraufgeschleppt hatten, und Râ-mose brachte zudem eine Flasche des feurigen, bei den Schôs so beliebten Dattellikörs zum Vorschein, um uns innerlich wieder zu erwärmen.

Am östlichen Horizont schimmerte ein blaugrauer Streifen auf.

»Der neue Tag!« rief Sat-Râ.

Der Ruf ließ alle Anstrengung, alle Müdigkeit, alle Erschöpfung von uns abfallen.

Augenblicke später standen wir in einem Halbkreis beisammen: ganz links ich und Beket-Amûn, dann Râ-mose und Sat-Râ, dann Mose und Zippora, schließlich ganz rechts Je-schua – und plötzlich wußte ich, daß wir nicht zu siebt, sondern zu acht waren, wußte, daß Zippora neues Leben in ihrem Leib trug.

Der blaugraue Streifen im Osten wurde breiter, begann sich in den Himmel hinauf zu schieben, drängte die Dunkelheit zurück, während die Sterne ihre funkelnde Leuchtkraft verloren.

Dann schimmerte es auf in zartem Rosa. Ihm folgte ein blasses Gelb, vor dem sich nun die schwarzen Silhouetten der östlichen Berge wie mit einem Federmesser geschnitten abzeichneten.

Wir standen da, wagten kaum noch zu atmen.

Der Horizont erglühte in leuchtendem Gelb und feurigem Orange.

Ein hell aufleuchtender Punkt!

Ein kleiner strahlender Bogen!

Eine funkelnde Halbscheibe!

Die volle Sonnenscheibe, weißgoldene Strahlen sprühend!

Mose aber hob seine Hände zum Gebet:

»Gott, Du hast alles geschaffen!

Den unendlichen Himmel mit Sonne und Mond und
    all seinen Sternen.

Die Erde hast Du fest gegründet.

Du hast dem Meer seine Schranken gesetzt. Du läßt die
    Flüsse fließen.

Du hast den Menschen erschaffen, daß er Dir diene.

In der Sonne hast Du dein Zelt gebaut.

Deinen Thron hast Du auf die Sterne gestellt.

Die Stürme sind Deine Diener und Feuerflammen
    Deine Boten.

Die Götter werfen sich nieder vor Dir in Ehrfurcht.

Sei uns gnädig, o Gott, und beschütze uns!

Beschirme uns im Schatten Deiner Flügel!
So wird uns kein Unheil widerfahren, weder am Tag
    noch in der Nacht,
Weder am Morgen noch am Abend,
Denn Du, o Gott, bist mit uns!«

Einige Herzschläge standen wir noch schweigend, während die Sonne nun rasch am Himmel emporklomm, die letzten Schatten im Westen vertrieb, die Berge ringsum in strahlendes Gelb, Ocker und Rot tauchte, das in der Ferne blasser wurde und sich schließlich im schwebenden Blau der Höhenzüge am Horizont verlor.

Wir hatten unseren Halbkreis aufgelöst und uns umgewandt, als Beket-Amûn rief: »Die Pyramide!«

Die Sonne warf den Schatten des Horeb auf die Felswand des nächsten, westlichen Berges – und es war unverkennbar der Schatten der großen Pyramide des Chnum-kufu, fast so, als hätte einst König Chnum-kufu Medjedu das gewaltigste Heiligtum Ägyptens auf dem Felsplateau nahe Men-nôfer dem heiligen Berg Horeb nachgebaut.

»Habt Dank!« sagte Mose leise. »Habt Dank, Beket-Amûn und Amûn-hotep, für alles, was ihr getan habt! Habt Dank, Sat-Râ und Râ-mose, für alles, was ihr noch tun werdet!

Habt Dank für das Licht, das Ägypten lange Zeit getragen und bewahrt hat, um es weiter zu geben an jene, die nun den Weg weitergehen werden, den Weg, der einst zu dem wahrhaft Verheißenen, zu dem wahrhaften Fürsten des Friedens und wahrhaften Herrscher des Erdkreises führen wird!

Ihr aber, Je-schua und Zippora, habt Dank, daß ihr bereit seid, diesen neuen Weg zu gehen!«

Schon wollte Râ-mose zu einer Frage ansetzen, doch Mose schüttelte den Kopf:

»Gehen wir, denn diesen Berg wird für lange Zeit nur noch der Fuß dessen berühren dürfen, den Gott selber berufen wird.«

2. Papyrus

DER
GOTTVATER

König Eje Cheper-cheperu-Râ
1. Regierungsjahr

Sehr still und in uns gekehrt waren wir vom Gipfel des heiligen Horeb herabgestiegen, wobei wir diesmal nicht den etwas bequemeren, jedoch auch längeren Pfad benützten, auf dem wir gekommen waren, sondern uns linker Hand hielten und zwischen aufragenden, roten Granitwänden durch eine enge Felsschlucht ins Tal hinunter kletterten.

Wir mochten noch eine gute Stunde Abstieg vor uns haben, als wir drunten im Talgrund Menschen und Kamele entdeckten, die dort wie winzige Ameisen umher eilten. Hund war zurückgekommen, ich *wußte* es.

Kaum daß wir die letzten Felsbrocken am Eingang der Schlucht umrundet hatten und für die Männer im Tal sichtbar wurden, als Hund auch schon mit langen Schritten auf uns zugerannt kam. Ich hatte bislang nur einmal Sorge und Angst in seinem Gesicht gesehen, damals, als Ern und Pentû ihm eröffneten, daß Sel unheilbar krank sei und wohl bald sterben müsse. Jetzt erkannte ich dieselben Zeichen in seinen Zügen wieder.

Kaum bei uns angekommen und vom Laufen noch keuchend, sprudelte er seine Nachricht heraus:

»König Tut-anch-Amûn ist tot!«

Für einen Augenblick waren wir wie gelähmt. Wir hatten Tuti noch kurz vor unserer Abreise nach Biau gesehen. Er war gesund und munter wie ein Fisch im Wasser und steckte voller Tatendrang.

»Ein Unfall?« fragte Râ-mose.

»Kein Unfall! Der König hatte an diesem Tag eine Reihe von Audienzen abgehalten und sich um die dritte Abendstunde zu Bett gelegt. Als kurz vor Mitternacht einer seiner Diener nach ihm sah, um zu fragen, ob er für die Nacht noch etwas wünsche, war er tot.«

»Hatte er sich unwohl gefühlt? War er krank?«

»Er war müde, vielleicht sogar erschöpft, doch offenkundig kerngesund, als er sich zum Schlafen legte.«

»Mord?«

»Keine Anzeichen von äußerer Gewalt, und wenn es Gift war, dann gewiß nicht das sattsam bekannte Gift des Sturmhutes.«

»Was sagt Pentû?«

»Pentû sagt gar nichts. Pentû ist zwei Tage vor dem Tod des Königs verschwunden und seither unauffindbar. Die anderen Ärzte murmeln etwas von plötzlicher Gehirnblutung.«

»Gehirnblutung!« Râ-mose spuckte das Wort förmlich aus.

»Wann ist das geschehen?« fragte jetzt Beket-Amûn.

»Am 3. Tag des 1. Monats der Überschwemmung – just zu dem Zeitpunkt, als wir den Stern fallen sahen!«

»Das ist fast zwei Monate her! Weshalb erfahren wir das erst jetzt? Weshalb erst durch dich?« brachte ich schließlich heraus.

Behutsam schlich sich wieder das schiefe Grinsen auf Hunds Gesicht:

»Oh, man hat Euch schon gesucht. Oberst Chanî wurde ausgeschickt, um Euch zu finden. Da er es jedoch inzwischen gerade einmal bis zu den Heilbädern an der Westküste von Biau geschafft hat, 16 Iteru südlich von Teku, hat ihm Seine Majestät wohl nicht sonderliche Eile anbefohlen …«

»Seine Majestät?« fragte ich verwirrt.

»Seine Majestät, der König von Ober- und Unterägypten, Herr der Beiden Throne und der Beiden Kronen, Starker Stier und so weiter und so weiter – Eje Cheper-cheperu-Râ!«

»Aber die siebzigtägige Trauerzeit …«, stammelte Râ-mose.

»Die dauerte noch nicht einmal eine Woche«, gab Hund Bescheid. »Länger mochte König Eje nicht warten. Er ließ ein Dekret verkünden, daß er es unmöglich mit seinem Gewissen vereinbaren könne, das ›tief zerrüttete, von dem schwächlichen Kindkönig Tut-anch-Amûn und den ihn beherrschenden Priesterschaften des Amûn an den Rand des Abgrunds geführte Land‹ auch nur einen Tag länger in Not, Armut und Elend verkommen zu lassen. Dann heiratete er die Große Königswitwe Anchesen-pa-Amûn, und da König Eje Cheper-cheperu-Râ unverzüglich den Glauben an den alleinzigen, wahren und Leben spendenden Aton als einzig erlaubte Religion ausrufen und die Kulte aller anderen Götter erneut verbieten ließ, verzichtete er auf eine Krönung durch Hôr und Setech, Utô und Nechbet, stülpte sich die Doppelkrone eigenhändig aufs Haupt und ordnete an, daß Achet-Aton sofort mit allen verfügbaren Mitteln und Kräften als Residenzstadt wieder aufgebaut werde, was sogar Vorrang vor der endgültigen Zerstörung jedweder Tempel, Statuen und Namen der Götter habe.«

Wir waren fassungslos! Hätte in diesem Augenblick ein Erdbeben Biau erschüttert, ich wäre vielleicht auf den Beinen geblieben, so aber gaben die Knie einfach unter mir nach, und ich plumpste schwer auf einen Steinblock. Auch Beket-Amûn und Râ-mose hatte es die Sprache verschlagen. Sat-Râ weinte leise vor sich hin, wurde von Zippora in den Arm genommen und getröstet.

»Also war der Kult des Aton doch der ›große Plan‹ Ejes!« stellte Je-schua schließlich fest.

Doch Mose widersprach ihm grimmig:

»Ein Teil! Nur ein Teil!«

Dann drehte er sich um und streckte seinen Schlangenstab dem heiligen Berg Horeb entgegen.

»Gott! Alleinziger! Allewiger! Allherrscher!« brüllte er. »Ich werde diesen Plan zunichte machen, wie ich diesen Stein zerschmettere!«

Das Haupt des Schlangenstabes sauste auf einen Felsen herunter. Der helle Klang, Bronze auf Stein, lief die enge Schlucht hinauf, verwandelte sich in ein bedrohliches Grollen.

Als wir hinsahen, war der Felsen geborsten, doch an der goldenen Schnauze der Schlange war nicht ein einziger Kratzer zu erkennen.

Siebzig Tage liegen zwischen dem Tod eines Menschen und seinem Begräbnis. Siebzig Tage, in denen die Balsamierer ihre Arbeit tun. Siebzig Tage, in denen das Grab und die Grabbeigaben endgültig vorbereitet werden.

Siebenundfünfzig Tage waren seit dem mysteriösen Tod König Tut-anch-Amûn Neb-cheperu-Râs vergangen.

Dreizehn Tage blieben uns also noch, um rechtzeitig zur Beisetzung Uêset zu erreichen.

Als wir in das Lager zurückkehrten, hatte Jetro, dem Hund zuvor schon kurz berichtet hatte, bereits seine schnellsten Kamele und besten Führer bereitgestellt.

Der Abschied war kurz, voller Herzlichkeit, und Fürst Jetro hatte feuchte Augen, als er Beket-Amûn und mich umarmte.

Nur eine knappe Verzögerung gab es noch, als Mose vor Zippora hintrat und sie vor dem versammelten Stamm fragte:

»Willst du meine rechtmäßig angetraute Erste Gemahlin werden?«

»Ja, ich will es, und du weißt, daß ich nie etwas anderes gewollt habe!« antwortete die junge Frau, wobei sie Mose mit hoch erhobenem Haupt in die Augen blickte.

Eine kurze, innige Umarmung, ein Kuß voll zärtlicher Leidenschaft.

Die Schôs jubelten begeistert, und Jetro rief nach einem weiteren Kamel, doch Mose hielt ihn auf:

»Wohin ich jetzt gehe, dahin darf Zippora mich nicht begleiten! Um ihrer eigenen Sicherheit und der Sicherheit«, dabei berührte er für einen Augenblick ihren Leib, »unseres Sohnes willen! Aber ich werde wiederkommen!«

»Ich weiß!« sagte Zippora schlicht, und nach einem Augenblick des Zögerns neigte ihr Vater ebenfalls zustimmend sein Haupt.

Dann saßen wir alle in den hohen Sätteln, und die Kamele trugen uns im weit ausholenden Trab ihrer langen Beine davon. Die Schôs vom Stamm der Midianiter winkten uns hinterdrein. Zippora sah uns nach, bis uns eine Biegung des Tales ihren Blicken entzog. Sie hatte keine Tränen in den Augen, denn sie wußte, ihr Geliebter, ihr erwählter Gemahl würde wiederkommen, und inzwischen trug sie das Unterpfand seiner Liebe unter ihrem Herzen.

Zunächst hetzten wir durch die Berge nach Westen, der Küste zu, dann weiter nach Norden.

So weich der schaukelnde, ausgreifende Trab der Kamele war, bald schmerzte uns jeder Knochen, jede Muskelfaser. Doch wir hielten mit zusammengebissenen Zähnen durch. Selbst Je-schua verkniff sich seine üblichen bissigen Kommentare über diese in der Tat übel stinkenden, dröhnend furzenden, Übelkeit erregend schwankenden Ungeheuer, denn nichts und niemand hätte uns schneller und sicherer nach Teku, dem ersten Zwischenziel unserer Hetzjagd bringen können. Wir schliefen kaum, nützten den letzten Strahl der sommerlich späten Abendsonne und waren beim ersten Morgengrauen schon wieder unterwegs. Die Schôs, selbst wenn sie nicht zum Stamm der Midianiter des Fürsten

Jetro gehörten, versorgten uns freigebig mit Wasser und Essen, wechselten erschöpfte Tiere gegen frische aus.

Nur einen kurzen Aufenthalt leisteten wir uns, mußten ihn uns wohl auch leisten, denn ein paar Soldaten versperrten uns den Weg. Wer wir seien? Wohin wir wollten? Was der Zweck unserer Reise sei? Ob wir etwas gehört hätten von dem Hôr-im-Nest Mose, der Großen Seherin Beket-Amûn oder dem Feldmarschall Amûn-hotep?

»Wir sind die Gesuchten!« schnauzte Mose den Befehlshaber der Soldaten an, einen Korporal mit den Abzeichen der Internationalen Garde, den ich freilich bislang noch nie gesehen hatte.

Ob das wahr sei, das müsse wohl sein Oberst Chanî, Sohn des Merie-Râ, entscheiden, meinte der Korporal bedächtig und verwies uns auf einen Weg, der unmittelbar zur Küste führte.

Die heißen Schwefelquellen der Heilbäder der Könige waren einst berühmt. In der trockenheißen, in den Fuß des Berges eingegrabenen Höhle hatten einst Königin Hat-Schepsut und König Tehuti-mose Men-cheper-Râ ihre Rheumaleiden kuriert, und auch König Amûn-hotep Neb-Maat-Râ hatte Bad und Höhle mehrfach aufgesucht.

Doch seit diesen Zeiten war das Bad übel verkommen. Die einstmals heilenden Schwefelwasser wanden sich als bestialisch stinkende, wie mit Öl begossen in allen Farben schillernde, widerwärtige und nutzlose Rinnsale durch den Sand bis zum Meer hinunter oder bildeten große, schmierige Pfützen. Der Strand war mit Unrat übersät. Doch noch immer gab es die heiße Höhle, aus der nun Râ-mose den Obersten Chanî am Kragen herausschleifte, ehe er ihn mit einem gezielten Tritt in die Kniekehlen vor Mose, Beket-Amûn und mir auf die Knie warf.

Wo hätte er uns denn in der endlosen Bergwüstenei Biaus suchen, gar finden sollen, winselte er.

Es war sinnlos, ihm zu erklären, daß ihm jeder Schaf- oder Ziegenhirte den Weg hätte weisen können; denn daß Feldmarschälle oder gar königliche Prinzen und Prinzessinnen Biau besuchten, waren schließlich nicht gerade alltägliche Ereignisse. Ich hätte in diesem Moment Oberst Chanî mit wahrer Lust mit dem Gesicht in eine der stinkenden Schwefelpfützen stecken mögen. Nicht daß er log, sondern daß er so jämmerlich schlecht log, brachte mich in Rage.

Doch dann erbarmte mich plötzlich dieser elende Wicht, sein gewissenloser Diensteifer, seine winselnde Kriecherei vor allem, sein erbärmliches Verlangen nach irgendeiner Form von Bedeutung!

Daß ich mich einfach wortlos von ihm abwandte, das machte Chanî vermutlich mehr zu meinem erbitterteren Feind, als wenn ich ihm ins Gesicht gespuckt oder in die Hoden getreten hätte.

☥

Sieben Tage hatten wir vom heiligen Berg Horeb bis Teku gebraucht – noch sechs Tage blieben uns bis zur Beisetzung König Tut-anch-Amûn Neb-cheperu-Râs.

General Teka-her, selber längst zu den Totenfeierlichkeiten des verstorbenen Königs unterwegs, hatte uns, für den Fall, daß wir wider alles Erwarten doch noch auftauchen sollten, eine große Schnellruderer-Barke an die Pier von Teku legen lassen. Diese brachte uns zunächst nach Onû und weiter nach Hat-Chnum-kufu, wo wir in fliegender Eile all die Abzeichen unserer Ämter und Würden zusammenkramten, ehe uns die Barke mit peitschenden Riemen weiter in Richtung Uêset trug.

Als wir an Achet-Aton vorüberhasteten, konnten wir in der Stadt hektische Bautätigkeit erkennen, und an den Molen lagen große Transportschiffe, aus denen unter der Bewachung von Soldaten Männer als Fronarbeiter an Land getrieben wurden. Es war ein völlig ungewöhnliches Bild in Ägypten. Zu den großen Tempel- und Staatsbauten waren in den Monaten der Trockenheit und der Überschwemmung, wenn auf den Feldern nicht gearbeitet werden kann, die Männer stets in Scharen herbeigeströmt, um zumindest gegen gute Bezahlung, oft auch von religiöser Überzeugung getrieben, an den Bauten mitzuarbeiten.

Am Abend vor dem Beginn der Beisetzungsfeierlichkeiten erreichten wir schließlich Uêset, und da mein Stadthaus verkauft war und wir nicht im Haus des Freudenfestes Quartier nehmen wollten, steuerten wir ›Weide der Rinder des Amûn‹ an.

Seneb-Ka, der Haushofmeister meines Vaters, empfing uns wie stets unter zahllosen Verbeugungen. Als wir die große Wohnhalle betraten, fanden wir dort nicht nur meinen Vater Neby, sondern fast alle Großen der Regierungszeit König Tut-anch-Amûn Neb-cheperu-Râs vor: Reichsmarschall Hôr-em-Heb und Prinz Nacht-Min, Vizekönig Huja, Wirtschaftsminister Maja, Finanzminister Sutan, Landwirtschaftsminister Panhasa, meine Tochter-Gemahlin Merit-Ptah, General Teka-her, Oberst Schut und User-Mont, den schwitzenden Generalgouverneur von Unterägypten.

Mit raschen Worten wurden wir über die neue Lage aufgeklärt: Die Empörung über die pietätlos schnelle Machtergreifung Ejes war allgemein, und die radikale Rückkehr zum Kult des Aton hatte beträchtliche Verwirrung ausgelöst. Hôr-em-Heb hatte sein Amt als Reichsverweser verloren mit der Begründung, Eje sei schließlich kein kleiner Knabe, der ein Kindermädchen brauche.

Menna, der glitschige, war zum Gouverneur von Achet-Aton ernannt worden, um den Wiederaufbau der Residenz schnellstens voranzutreiben, und die Große Königsgemahlin Anchesen-pa-Amûn – nunmehr wieder Anchesen-pa-Aton – hatte ihre Schwester, die Große Königswitwe Merit-Râ, offiziell noch weiter weg nach Napata im südlichsten Kusch verbannt.

Ansonsten aber hatte der neue König zur allgemeinen Überraschung sämtliche Minister, Gouverneure und Beamten Tut-anch-Amûn Neb-cheperu-Râs in ihren Ämtern bestätigt, auch Nacht-Min als Ministerpräsident, Hôr-em-Heb als Reichsmarschall, meinen Vater Neby als Generalgouverneur von Oberägypten und Merit-Ptah als Außenministerin. Er hatte noch nicht einmal verlangt, daß sie sich zum Glauben an Aton bekennen müßten.

»Trotzdem«, verkündete Prinz Nacht-Min, »haben wir soeben den Beschluß gefaßt, geschlossen zurückzutreten und unsere Ämter zur Verfügung zu stellen!«

»Nein!« rief Mose energisch dazwischen. »Das dürft ihr nicht! Auf keinen Fall!«

»Wenn die Rechtmäßigkeit der Krönung Semench-Ka-Râs einst schon angezweifelt wurde, weil sie nicht nach dem vollen traditionellen Zeremoniell durchgeführt worden war, so ist die

Selbstkrönung Ejes ohne jeden Zweifel gegen jedes Recht!« erklärte Prinz Nacht-Min bestimmt.

»Nur die Tatsache«, fügte General Teka-her hinzu, »daß es Eje verstanden hat, die in Mittelägypten stationierten Regimenter auf seine Seite zu bringen, hindert uns, mit den Truppen aus dem Delta unverzüglich nach Uêset zu marschieren und ihn von seinem angemaßten Thron zu stoßen!«

»Wir dienen keinem Usurpator!« donnerte Hôr-em-Heb.

»Vor allem dient ihr Ägypten!« widersprach Mose. »Bleibt, solange ihr könnt, in euren Ämtern und schützt das Land vor Kreaturen wie einst Pichuru, Janch-Aton und Tutu!«

Es war widerlich!

König Eje Cheper-cheperu-Râ und seine Große Königsgemahlin Anchesen-pa-Aton hatten keinen Augenblick gezögert, unmittelbar nach dem Tod Tut-anch-Amûns die Macht an sich zu reißen, zu heiraten und wider jede Tradition sich noch vor Ablauf der siebzigtägigen Trauerzeit auf den Beiden Thronen von Ober- und Unterägypten zu etablieren.

Schlimmer noch, für uns gab es keinen Zweifel, daß die beiden den jungen König beseitigt hatten, wenn auch erheblich geschickter als seinerzeit Nofret-ête. Das spurlose Verschwinden des königlichen Leibarztes Pentû und der Zeitpunkt des Todes, als nahezu alle, die eine gründliche Untersuchung des Toten hätten veranlassen können in Biau weilten, sprachen nur eine allzu deutliche Sprache.

Jetzt aber, als sich der Trauerzug vom Haus des Freudenfestes in Bewegung setzte, erschienen der König und seine Große Königsgemahlin als die tief betrübten Hauptleidtragenden. Anchesen-pa-Aton hatte sogar ihr Kleid ein wenig zerrissen, preßte Krokodilstränen aus ihren Augen und hatte ein paar Körner Asche auf ihre Krone mit den Hohen Federn gestreut. Selbst daß sich Beket-Amûn, Mose und ich als engste Verwandte uns unmittelbar hinter der Mumie des verstorbenen Königs in die traditionellen ›Zwölf Freunde des Königs‹ einreihten, schien sie nicht zu

stören, erhöhten wir doch damit zusätzlich den Glanz der Feierlichkeiten.

Und überaus glanzvoll war dieser Zug, der sich nun unter den
Blicken des zahllos herbeigeeilten Volkes vom kaum begonnenen
Haus von Millionen Jahren des Königs, das unmittelbar südlich
des Totentempels von Amûn-hotep Neb-Maat-Râ gelegen war,
zum Strom hinunterwand.

Voran schritten drei Abteilungen der Internationalen Garde
zum dumpfem Trommelschlag in feierlichem Paradeschritt.
Dann folgten, Weihrauchgefäße schwingend, an die hundert
Totenpriester aus allen Teilen des Landes, dann mindestens eben-
so viele aus voller Kehle heulende, kreischende und jammernde
Klageweiber.

Der Zug der Träger mit den Gaben, die den toten König ins
Jenseits begleiten sollten, um ihm dort ein angenehmes, sorgen-
freies, luxuriöses Leben zu ermöglichen, wollte überhaupt kein
Ende nehmen.

Eröffnet wurde diese Prozession mit Hunderten von Uscheptis und anderen großen und kleinen Kultgegenständen nebst
zahlreichen Modellen von Schiffen und Götterbarken. Dann folgten sein persönlicher Besitz, Truhen und Kästen, Spieltische,
Schminkzeug, Kleider, Stöcke und Stäbe, Einrichtungsgegen-
stände wie Lampen, Stühle, Prunkliegen, Betten, sogar das zu-
sammenklappbare Feldbett, das er auf dem Feldzug nach Kanaan
benützt hatte, seine Waffen und Streitwagen, seine Bogen vom
kleinen Reflexbogen bis zum mannshohen kuschitischen Langbogen, schließlich sein Schmuck, die Schulterkragen und Armreifen, die Ringe, Pektorale und Halsketten. Die Mehrzahl der
Gegenstände kannte ich, etliche, und gerade die prachtvollsten,
hatte ich allerdings nie in seiner Umgebung gesehen, so einen
goldbeschlagenen, mit Halbedelsteinen und Emailarbeiten verzierten thronartigen Sessel mit einer Darstellung des Königs und
Anchesen-pa-Atons auf der Rückenlehne, oder einen ebenfalls
mit Goldblech überzogenen Schrein, auf dem gewiß ein Dutzend
Szenen aus dem überaus liebevollen Eheleben des Königs und seiner Königin zu bewundern waren. Danach wurden zahllose
Körbe, Krüge und Amphoren, reich gefüllt mit Essen und Trin-

ken, vorgetragen, welche die Ernährung des Toten sicherstellen sollten, dahinter wieder Statuetten und Kultschreine.

Das Zentrum des Zuges wurde eingeleitet von zwei lebensgroßen, reich vergoldeten Holzstatuen des Königs, die später als Wächter den Eingang zu der Grabkammer beschützen sollten. Zwei Priester trugen auf ihren Schultern einen großen, vergoldeten und bemalten Schrein, auf dessen Deckel der Totenführer Anûb in Gestalt eines schwarzen Schakals lag. Ihm folgten die vier aus Alabaster gefertigten Kanopenkrüge, in denen die Eingeweide des Königs verwahrt wurden, gefolgt von dem Kanopenschrein aus Alabaster und wiederum dessen Doppelschrein aus vergoldetem und bemaltem Holz, bekrönt mit einem Kranz von Utô-Schlangen. Man hatte sie auf einen Schlitten gestellt, der von etlichen der Vornehmen des Hofes gezogen wurde. Dahinter kamen, noch in ihre Teile zerlegt, die vier großen, ebenfalls reich verzierten und vergoldeten Schreine, der ›Goldsaal‹ genannt, die den Sarkophag des Königs umschließen würden, der kleinste, innerste in Form des Heiligtums des Nordens, die beiden nächsten in Form des Heiligtums des Südens, und der äußerste, größte in Form des Heiligtums des Heb-Sed-Festes. Ihnen wurde das weite, mit goldenen Sternen besetzte Tuch nachgetragen, das über die Schreine gelegt werden würde.

Auf den Schultern von Priestern und hohen Beamten schwankten die drei Särge des Königs heran, der erste, größte, aus vollständig vergoldetem Holz, der zweite, mittlere, ebenfalls aus vergoldetem Holz, über und über mit Halbedelsteinen und Emailarbeiten eingelegt, und schließlich der dritte, innerste Sarg aus massivem Gold. Sein Gewicht war gewaltig und betrug nicht weniger als 231 Hequat*.

Rote Ochsen zogen auf einem Schlitten einen prachtvollen Katafalk in Form einer Barke. Unter einem mit Utô-Schlangen geschmückten hohen, hölzernen Baldachin ruhte die Mumie des Königs, eingehüllt in ihre Mumienbinden, die von schmalen Goldbändern zusammengehalten wurden, über dem Kopf eine

---

* ca. 1110 Kilogramm. Der Sarg des Tut-anch-Amûn, heute im Ägyptischen Museum, Kairo, ist das größte bislang bekannte Objekt aus Gold, das je von Menschenhand geschaffen wurde.

mit Email und Halbedelsteinen eingelegte Maske aus purem Gold, die zu den schönsten künstlerischen Arbeiten gehörte, die ich je gesehen habe. Priester verspritzten Milch vor den Kufen des Schlittens.

Hinter dem Katafalk schritten die Zwölf Freunde des Königs, einst nannte man so die zwölf Mitglieder des Kronrates der Herrscher des Alten Reiches. Alle trugen weiße Sandalen und weiße Binden um ihre Perücken. Der Hôr-im-Nest Mose führte sie an, dahinter kamen Hôr-em-Heb, der Reichsverweser und Oberbefehlshaber aller Truppen, Beket-Amûn, die Große Seherin und Hohepriesterin des Râ, Nacht-Min, der Ministerpräsident und ich, Feldmarschall und Chef des Generalstabs, sowie die beiden Generalgouverneure Neby und User-Mont, Huja, der Vizekönig von Wawat und Kusch, die Minister Maja, Panhasa, Sutan und Merit-Ptah.

Ich hasse kreischende, berufsmäßig heulende Klageweiber, doch an diesem Tag war ich den drei Dutzend, die den Zwölf Freunden folgten, von Herzen dankbar, schufen sie doch einen gewissen Abstand zu den schwarzen Diamantblicken des neuen Herrscherpaares, das scheinbar gramgebeugt einherschritt und sich zum Zeichen seiner Trauer von Zeit zu Zeit von Dienern mit ein wenig rotem Staub bepudern ließ.

Den Abschluß des Zuges bildeten die Gaufürsten und Gouverneure, die hohen Beamten des Hofes und des Landes sowie die Damen des Harems, die sich ebenfalls darin gefielen, wie die professionellsten Klageweiber zu schluchzen und zu jammern.

Am Ufer des Stromes wurde der Katafalk mit der Mumie des Königs auf eine breite Flußbarke verladen, um, begleitet vom Königspaar, den höchsten Würdenträgern und Priestern die symbolische Pilgerreise zu den vier heiligen Stätten der Uralten Götter anzutreten. Im Alten und Mittleren Reich hatte der tote Herrscher tatsächlich vor seiner Bestattung die vier heiligen Orte im Delta aufgesucht. Heute begnügte man sich mit den beiden Ufern des Stromes und zwei kleiner Flußinseln, wo man entsprechende provisorische Götterschreine errichtet hatte.

Zunächst legte die Barke ein Stück weiter oben wieder am Westufer an, wo Tut-anch-Amûn Neb-cheperu-Râ von Geb, dem

Gott der Erde zu Saû, und seiner Priesterschaft unter Hymnen und dem Versprengen von Wasser, Wein und Milch feierlich unter den Unsterblichen empfangen wurde. Die Zeremonien wiederholten sich auf einer Flußinsel im Norden der Stadt. Dort war es Tefnut, die Göttin der Feuchtigkeit und des Wassers zu Per-Uzôjet, die den verstorbenen Herrscher willkommen hieß. Am Ostufer des Stromes erwartete ihn Schu, der Gott der Luft zu Dêdet, und nach dem Besuch der Nut, der Himmels- aber auch Feuergöttin zu Onû, deren Schrein man im Süden der Stadt auf einer kleinen Insel errichtet hatte, kehrte die Barke zu ihrem Ausgangspunkt zurück, wo der Katafalk wieder entladen und in feierlicher Prozession auf dem gleichen Weg, wie er gekommen war, zum Haus von Millionen Jahren zurückkehrte.

Die Große Pilgerreise hatte den ganzen Tag gedauert, und während die Totenpriester nun die nächtlichen Zeremonien im Haus von Millionen Jahren abhielten und Eje Cheper-cheperu-Râ als neuer König und ›Sohn‹ des Verstorbenen das komplizierte Ritual der Öffnung des Mundes und der Augen durchführte, saßen wir in den weiten Zelten, die man rings um den Tempel aufgeschlagen hatte, nahmen eine Kleinigkeit zu uns, versuchten unauffällig ein wenig zu schlafen.

Mit dem Sonnenaufgang setzte sich der Zug erneut in Bewegung ins Tal der Königsgräber, wo Tut-anch-Amûn Neb-cheperu-Râ jedoch nicht in dem Grab, das er sich selber in einem Seitental hatte anlegen lassen, sondern im Grab des neuen Herrschers Eje Cheper-cheperu-Râ beigesetzt werden sollte, wie Herolde nicht müde wurden, lautstark zu verkünden. Die roten Ochsen hatten wir zurückgelassen, und nun waren wir es, die Zwölf Freunde des Königs, die den Schlitten mit dem Katafalk zogen – symbolisch zogen, sollte ich wohl besser sagen, denn die eigentliche Arbeit verrichteten eine Reihe stämmiger Totenpriester.

»Diese Zurschaustellung all der Kostbarkeiten ist ja geradezu eine Einladung für jeden Grabräuber!« murrte Mose leise, während wir dahinschritten.

»Und bist du dir sicher, daß nicht genau das der Zweck ist?«
fragte ich ebenso leise zurück. »Zunächst freilich ist das vor
allem eine Demonstration für all die Gaffer, wie sehr das neue
Königspaar den toten König verehrt hat!«

»Speziell wenn man diese neuen, eigens für diesen Zweck
hergestellten Sachen anschaut!« mischte sich Beket-Amûn flüsternd ein. »Anchesen-pa-Amûn und Tut-anch-Amûn vorn, hinten und in der Mitte in liebevoller ehelicher Zweisamkeit.
Schlecht könnte einem werden, wenn man weiß, wie Anchesen
tatsächlich zu ihrem Gemahl gestanden hat!«

»Sogar die Sonnenscheibe Aton haben sie auf verschiedene
dieser neuen Gegenstände gemogelt«, erregte sich Mose, »gerade
so, als habe Tuti in Wahrheit immer noch am Glauben seines Vaters gehangen und sei lediglich durch die Priester und Beamten
gezwungen worden, sich offiziell zu Amûn zu bekennen!«

»Womit die Rückkehr Ejes zu Aton also dem geheimen Willen
des allseits beliebten, jung verstorbenen Königs entspräche«, ergänzte ich.

Inzwischen waren aus einer dem Schrein des Nordens nach-
gebauten Hütte die Muu-Tänzer erschienen, Männer, bekleidet
mit einem kurzen Schurz und einem hohen Kopfputz aus Schilf-
rohren, die in einem getragenen, fast schwerfällig anmutenden,
altertümlichen Tanz den toten König zu seiner letzten Ruhestätte
geleiteten.

Gegen Mittag hatten wir dann endlich unser Ziel erreicht.

Während der Trauerzug sich vor dem Grabeingang sammelte
und auf die nachströmenden Massen der Schaulustigen wartete,
liefen Mose und ich schnell in das Grab hinunter, um uns umzusehen. Fünfzehn Stufen führten in einen schmalen, etwa fünfzehn Ellen langen Gang hinunter, von dem aus sich eine fünfzehn mal sieben Ellen messende Vorkammer öffnete mit einem
siebeneinhalb mal fünfeinhalb Ellen großen Nebenraum. Die
eigentliche Grabkammer maß zwölf auf siebeneinhalb Ellen, und
hinter ihr lag nochmals eine etwa halb so große Nebenkammer.
Für das Grab eines Vornehmen durchaus akzeptabel, für das Grab
eines Königs mehr als bescheiden, zumal sein eigenes Grab in
dem westlichen Seitental durchaus geräumiger war – vermutlich

würde Eje Cheper-cheperu-Râ es nun annektieren. Auch fiel uns auf, daß allein die Grabkammer selber ausgemalt war – die Farbe war noch nicht ganz trocken – und dies von einem recht mittelmäßigen Künstler, denn die Figuren hatten alle zu große Köpfe und entschieden zu kurze Beine. Die Wände der anderen Räume waren nackt, all die Gebete aus dem Totenbuch, all die magischen Zeichen, Inschriften und Symbole, die sie eigentlich bedecken müßten, fehlten.

»Schlamperei oder Absicht?« fragte Mose zornig. »Siebzig Tage hätten reichlich genügen müssen, um auch die Räume des Grabes den rituellen Vorschriften gemäß auszustatten, wenn man sich denn schon so viel Mühe gegeben hat mit der Herstellung von Gegenständen, die Tuti in seinem Leben nie gehabt, vermutlich sogar weit von sich gewiesen hätte.«

Ich winkte müde ab:

»Jene Gegenstände mit Anchesen-pa-Amûn oder gar mit Aton, die hatte das Volk jetzt zwei Tage reichlich Zeit zu bewundern. Doch von diesem Volk wird keiner je diese Räume betreten. Weshalb sich also auch noch hier die Mühe und die Kosten aufbürden?«

Die Bezeichnungen, die Mose für unser neues Herrscherpaar fand, waren vor einer Deutlichkeit, die ich dem Schreibrohr Hunds lieber nicht mehr zumuten möchte.

Das Rumpeln des Kanopenschreines durch den Gang herunter und durch den Vorraum, die kurzen Anweisungen Majas, der als Oberaufseher der Arbeiten am Platz der Ewigkeit, den technischen Teil der Bestattungszeremonien dirigierte, teilten uns mit, daß wir oben für die letzten Riten vor der Beisetzung benötigt wurden.

Wir drängten uns vorbei an Priestern und Dienern, die jene Grabbeigaben herunterzuschleppen begannen, die in den beiden Nebenräumen verstaut werden sollten, gefolgt von Männern, welche die Teile der vier großen Schreine, des ›Goldsaales‹, transportierten.

Als wir wieder das Tageslicht erreichten, hatte man die Mumie Tut-anch-Amûn Neb-cheperu-Râs aus dem Katafalk gehoben und stehend aufgerichtet. Priester besprengten sie mit geweihtem Wasser, und die Krone der Rechtfertigung, gewunden aus Olivenblättern, Blütenblättern des blauen Lotus und Kornblumen, wurde um Geier und Kobra auf der Stirn der Goldmaske gewunden.

»Reingewaschen bist du von aller Schuld!« sangen die Priester. »Gerechtfertigt vor den Menschen, den Göttern und Dem, Der über allen Göttern ist!«

Doch ehe König Eje Cheper-cheperu-Râ dann nach dem hakenförmigen Zeremonialgerät greifen konnte, um nochmals den Ritus der Öffnung des Mundes und der Augen durchzuführen, kam ihm Mose zuvor, der über den Abzeichen, die ihn als Hôr-im-Nest und General auswiesen, das priesterliche Leopardenfell angelegt hatte, wie es auch Beket-Amûn und die anderen Hohenpriester trugen. Die uralten Beschwörungsformeln singend, berührte er Mund und Augen der Goldmaske, um so seinem Freund und Neffen den Gebrauch all seiner Sinne in einem zukünftigen Leben zurückzugeben. Eje duldete die Einmischung, wenn auch mit gerunzelten Augenbrauen.

Dann wurde die Mumie, um die sich inzwischen Berge von Blumensträußen türmten, von den Zwölf Freunden des Königs emporgehoben, um sie in die Dunkelheit des Grabes hinabzutragen.

In diesem Augenblick kreischte Anchesen-pa-Aton auf, stürzte vor, klammerte sich an die Beine der Mumie, zeterte die rituellen Abschiedsworte so eindrucksvoll, daß man ihr beinahe hätte Glauben schenken können:

»Ich bin deine Gattin, o Großer, verlasse mich nicht!
Ist es dein Verlangen, o Bruder, daß ich mich von dir entferne?
Wie kommt es, daß ich mich allein entfernen muß?
Ich sage: ›Ich begleite dich‹, o du, der du so gerne mit mir sprachst!
Doch du bleibst stumm! Sprichst nicht mit mir!«

Und die professionellen Klageweiber und der Chor der fast ebenso professionell heulenden Haremsfrauen jammerte:

>>Ach! Ach!
Erhebt Klagen ohne Ende!
Oh, welch Unglück!
Schöner Reisender in das Land der Ewigkeit,
Hier bist du gefangen!
Du, der du viele Menschen hattest,
Du bist in der Erde, welche die Einsamkeit liebt!
Du, der es liebte, sich frei zu bewegen,
Du bist eingewickelt und fest gebunden!
Du, der uns liebte und beglückte,
Bist starr und tot!
Weh! Weh uns,
Die wir nicht mehr bei dir sein dürfen!
Weh! Weh uns,
Die du verlassen hast!<<

Nach diesem letzten, protokollarischen Auftritt als Große Königsgemahlin Tut-anch-Amûn Neb-cheperu-Râs begab sich Anchesen-pa-Aton in das riesige Zelt, in dem der traditionelle Leichen-
schmaus abgehalten werden sollte. Kurz darauf folgte auch ihr
neuer Gemahl und König, Eje Cheper-cheperu-Râ, dorthin, der
ebenfalls keinen Sinn darin erkennen mochte, den endgültigen
Zeremonien der Beisetzung innerhalb des Grabes, verborgen vor
den Augen der breiten Öffentlichkeit, beizuwohnen.

Während droben in dem Zelt für die Prominenten und ringsum
für die Abertausende an Schaulustigen das üppige Totenmahl aufgetragen wurde, während sich Anchesen-pa-Aton und Eje Cheper-cheperu-Râ in dem Vertrauen sonnten, das man allgemein
dem soeben beigesetzten König Tut-anch-Amûn entgegenge-
bracht hatte, erwiesen wir tief unten in dem Felsengrab unserem
Freund die letzten zeremoniellen Dienste.

Von dem ganzen gewaltigen Trauerzug war nur ein winziges Grüppchen übriggeblieben. Die Zwölf Freunde des Königs, die in der Tat seine Freunde gewesen waren, dazu eine Handvoll Totenpriester und etliche Handwerker, deren wir noch bedurften, und droben vor dem Grab ein paar Soldaten der Internationalen Garde unter dem Kommando von Oberst Schut und Je-schua, die jene Grabbeigaben bewachten, die noch nicht sofort heruntergeschafft werden konnten.

Zunächst stapelten wir auf dem mit Schaffellen gepolsterten Boden der Vorkammer die Unterteile der drei Särge ineinander, legten bereits die weiten, roten Leinentücher dazwischen. Dann betteten wir die Mumie des Königs in den innersten Goldsarg, verschlossen ihn und schlugen das rote Tuch darüber. Während die Priester Gebete sangen und kostbare Salböle über den Sarg gossen, wurde ein Blütenkranz auf seine Brust gelegt und eine weitere Krone der Rechtfertigung an seiner Stirn befestigt. Dann verschlossen wir auch den zweiten Sarg, um auch ihn einzuhüllen, zeremoniell zu schmücken und ihn endlich mit dem Oberteil des dritten, äußeren Sarges aus vergoldetem Holz zu verschließen.

Leichte, schnelle Schritte den Gang herab ließen uns einen Augenblick innehalten. Es waren Sat-Râ, Mut-nodjemet und, zu meiner Überraschung, Merit-Râ, die ich tief im Süden im Exil gewähnt hatte.

»Und wenn mich meine liebe Schwester Anchesen-pa-Aton dafür umbringen läßt«, flüsterte sie mir zu, »ich mußte kommen, um von meinem kleinen Bruder Abschied zu nehmen!«

Damit beugte sie sich nieder und küßte das goldene Antlitz auf Mund und Augen.

Für uns kam jetzt der schwierigste Teil, den dreifachen Mumiensarg aus dem Vorraum in die eigentliche Grabkammer zu schaffen und in die Sargwanne aus gelbem Quarzit zu legen, denn alles zusammen wogen sie nun rund 290 Hequat.

Die Handwerker hatten inzwischen den Boden bis zum Steinsarkophag dick mit Schaffellen abgedeckt und neun kräftige, mit Tauen verstärkte Gurte unter dem Mumiensarg durchgezogen. In je zwei Reihen rechts und links traten die kräftigsten Männer an, legten sich die breiten Schlaufen der Gurte über die Schultern. Auch Je-schua und Oberst Schut, die jetzt in das Grab herunter- gekommen waren, ließen es sich nicht nehmen, mit Hand anzu- legen.

Maja hob Aufmerksamkeit heischend die Hand, dann kom- mandierte er:

»Zu-*gleich*!«

Die 18 Männer hoben ihre Last ein wenig an, traten einen knappen Schritt vor und ließen sie wieder sinken. So wurde der Mumiensarg Schritt um Schritt bis neben den Steinsarkophag ge- schleppt, dann Zoll um Zoll hochgehoben, wobei Helfer immer wieder hastig Holzstücke unterlegten, um ihn in der gewonne- nen Höhe zu sichern, bis er mit einer letzten, gewaltigen Kraft- anstrengung über die Steinwanne gehoben und in diese abge- senkt werden konnte.

Während die Totenpriester erneut Gebete und Hymnen an- stimmten, hockten die Männer schweißüberströmt und vor Er- schöpfung keuchend in der Vorkammer, während sich Merit- Ptah unaufgefordert eines der Gefäße mit den kostbaren Salbölen schnappte und damit von den Gurten aufgeschürfte Hände, Arme und Schultern behandelte.

Jetzt, da die sterbliche Hülle König Tut-anch-Amûn Neb-che- peru-Râs, magisch geschützt durch Dutzende von Amuletten, die unter und in den Mumienbinden seinen Körper bedeckten, verwahrt in seinem dreifachen Sarg, seine letzte Ruhestätte ge- funden hatte, war es Zeit, den ›Großen Gesang der Gerechten‹ anzustimmen.

Ein Weihrauchgefäß in den Händen trat Mose an das Kopf- ende des Sarkophags, den Blick nach Osten gerichtet, der aufge- henden Sonne zu, die auch der Verstorbene als erstes erblicken sollte, wenn er sich zu seiner Wiedergeburt erhob. Gleichzeitig traten auf seinen Wink hin Beket-Amûn, Merit-Râ, Sat-Râ und Mut-nodjemet an die vier Ecken des Sarkophags als lebende Ver- treterinnen von Êset, Neith, Nebet-hut und Selket, den Hüterinnen der vier Weltecken, die in den Stein gemeißelt mit ihren Flügeln die Ecken des Sarges beschirmten. Auf den Längsseiten nahmen Hôr-em-Heb als Vertreter des Nordens, Huja als Vertreter des Südens und an der anderen Schmalseite, Mose gegenüber, ich als Vertreter des Ostens Aufstellung.

Begleitet vom Summen der Totenpriester und der Handwerker und Helfer, die sich erhoben hatten und sich nun tief verneigten, sangen wir acht den Großen Gesang der Gerechten:

»Heil dir, Gott, der großer, der Wahrheit-Gerechtigkeit
    Meister,
Du mächtiger Herrscher!
Nun trete ich vor dich! Laß deine strahlende Schönheit
    mich schauen!
Denn ich kenne deinen magischen Namen,
Wie auch die Namen der zweiundvierzig Götter, die dich
    umringen in lichtvollen Räumen!
Siehe, ich bringe in meinem Herzen Wahrheit-Gerechtigkeit,
Denn ausgerissen habe ich das Böse.
Nicht habe ich bewirkt das Leiden der Menschen,
Noch meinen Verwandten Zwang und Gewalt angetan.
Nicht habe ich das Unrecht an die Stelle des Rechtes
    gesetzt,
Noch Verkehr gepflegt mit dem Bösen.
Ich habe kein Verbrechen begangen,
Ließ nicht die anderen sich abmühen über Gebühr.
Nicht habe ich Ränke aus Ehrgeiz geschmiedet.
Meine Diener habe ich nicht mißhandelt.
Die Götter habe ich nicht gelästert.
Dem Bedürftigen habe ich nicht die Nahrung entzogen.
Die von den Göttern verabscheuten Handlungen sind mir
    fremd.
Die Hungersnot habe ich nie verursacht.
Meine Mitmenschen ließ ich nie Tränen vergießen.
Ich habe nicht getötet, noch einen Mord angestiftet.
Ich habe keine Krankheit unter den Menschen verbreitet.
Die Opfergaben in den Tempeln habe ich nicht gestohlen.

Das heilige Brot, den Göttern bestimmt, habe ich nicht
 geraubt.
Die Opfer habe ich nicht den heiligen Geistern entzogen.
Durch den Gebrauch verwerflicher Mittel
Habe ich nicht versucht, mein Eigentum zu vergrößern,
Noch fremde Felder mir anzueignen.
Weder habe ich die Gewichte der Waage gefälscht,
Noch den Waagebalken verschoben.
Die Milch habe ich nicht dem Kindesmunde entzogen,
Mir nicht angeeignet das fremde Vieh auf den Wiesen.
Mit Fischleichnam habe ich nicht die Fische gefangen.
Die Gewässer habe ich nicht versperrt zur Zeit ihres Fließens.
Die Dämme habe ich nicht beschädigt, die für das Fließen
 des Wassers gebaut sind.
Ich habe nicht ausgelöscht ein Feuer, das brennen sollte.
Ich habe die Götter nicht verhindert, sich kund zu tun.
Ich bin rein! Ich bin rein! Ich bin rein!
Gleich dem großen Bennu, dem Phönix, bin ich geläutert.
Denn ich bin des Atems Herr.
Die Eingeweihten versorge ich mit Leben.
Ich habe gelernt in Chemenu die Weisheit der Erde.
Ich habe in Men-nôfer erkannt die Götter und ihre
 Schöpfung.
Ich habe in Onû das göttliche Auge aufsteigen sehen,
Den Sitz und das Zelt Gottes.
Ich bin in Per-Uzôjet in mein Inneres geschritten
Und empor zu den Göttern.
Priester bin ich und Eingeweihter in den Mysterien von
 Per-Uzôjet.
Möge mich also kein Unheil treffen
Im leuchtenden Saale der Wahrheit-Gerechtigkeit!
Denn ich kenne die Namen der Götter,
Welche Maat von allen Seiten umringen,
Die große Göttin der Wahrheit und Gerechtigkeit!«

Als unser Gesang endete, mochte es ein gutes Stück nach Mitternacht sein, und wir alle waren in Schweiß gebadet, todmüde und vom Weihrauch halb erstickt. Alle wichtigen Zeremonien waren abgehalten, alle wichtigen Gebete gesprochen, und so schickte Maja die Frauen und auch alle anderen hinaus, die jetzt nicht mehr unmittelbar benötigt wurden, nicht zuletzt, um Platz zu schaffen für die Handwerker und ihre Helfer. Nur Mose, Beket-Amûn, Hôr-em-Heb und ich blieben zurück.

Ehe sie ging, schlang Merit-Râ einen schönen, mit Fransen besetzten Schal der Statue des Anûb um den Hals und legte eine Schreibplatte aus Elfenbein zwischen seinen Pfoten nieder:

»Tuti und ich haben sie in Chemenu oft gemeinsam benützt, wenn er seine wieder einmal vergessen hatte. Vielleicht hat er sie auch diesmal vergessen und braucht sie«, sagte sie unter Tränen lächelnd.

Es war wohl unsere allgemeine Erschöpfung, die zu einer Reihe von Fehlern und Pannen führte. Die erste davon hatten wir allerdings nicht zu verantworten. Als wir den Deckel auf den Steinsarkophag heben wollten, entdeckten wir, daß der Fußteil des äußersten Mumiensarges ein gutes Stück über den Rand hervorragte.

»Absägen!« befahl Maja entnervt. Selbst der dicke, sonst fast immer heitere Wirtschaftsminister war am Ende seiner Kräfte.

Also griff einer der Handwerker zur Säge und schnitt das überstehende Fußteil ab, damit man den Sarkophag schließen konnte.

Daß den ohnehin noch ausgepumpten starken Männern der schwergewichtige, steinerne Sarkophagdeckel aus den Händen rutschte, hart aufschlug und in zwei Teile zerbrach, mochte ihnen niemand übelnehmen. Maja ließ die beiden Teile des Deckels, gefertigt aus grobem Granit und ohnehin nicht zum feinen Quarzit des Sarkophags passend, einigermaßen ordentlich zusammenschieben, den Riß mit Lehm ausschmieren und mit gelblicher Farbe überstreichen, jener Farbe, mit der man auch dem Rest des Deckels eingelassen hatte, um ihn wenigstens optisch dem Quarzit anzugleichen.

Während nun auch die Mehrzahl der starken Männer das Grab

verließen, traten die Handwerker in Aktion. Mit offensichtlich schon vorher mehrfach geübten Griffen begannen sie die Schreine des Goldsaales rund um den Sarkophag aufzubauen. Sobald die Türen des ersten Schreines geschlossen waren, umwand Maja die Türknäufe mit einer Schnur und sicherte diese dann mit dem großen Siegel der Totenstadt. Dann begannen die Zimmerleute den zweiten Schrein zu errichten, während wir in dem schmalen Zwischenraum nochmals einige persönliche Gegenstände des Königs niederlegen, darunter vier seiner Bogen, auch den, mit dem er das Wettschießen in Meha gewonnen hatte, und zwei der großen Straußenfächer. Maja hatte den zweiten Schrein bereits versiegelt, als wir bemerkten, daß die Türen verkehrt herum eingehängt worden waren. Der Oberaufseher am Platz der Ewigkeit zögerte einen Augenblick, doch dann ließ er weitermachen. Um den dritten Schrein wurde ein leichtes Holzgerüst errichtet, über das wir das weite, mit goldenen Sternen besetzte Tuch breiteten, ehe schließlich der Goldsaal mit dem vierten Schrein vollendet wurde.

Nun verließen auch die Zimmerleute das Grab, und auch für uns war der Augenblick des letzten Abschiedes gekommen. Nur ein paar Priester und Maja würden zurückbleiben, um die Maurer zu überwachen, welche die Öffnung zwischen dem Vorraum und dem Goldsaal bis auf ein winziges Loch verschließen sollten. Morgen würde das Mauerwerk trocken sein, und die Stukkateure und Maler würden durch das Loch nochmals in den Goldsaal kriechen, um Malereien an der Südwand fertigzustellen. Dann würden sie auch diese letzte Öffnung verschließen.

In diesem Moment fragte uns einer der Maurer:

»Sollen wir auch die Tragestangen des Anûb-Schreines absägen?«

Wir sahen uns unschlüssig an. Maja war viel zu dick, um sich zwischen Grab- und Schreinwand hindurchquetschen zu können, also schlüpften Mose und ich nochmals in die Nebenkammer hinter dem Goldsaal. An der Rückwand hatte man den prachtvollen Kanopenschrein aufgebaut, davor einen großen, vergoldeten Stierkopf mit langen Hörnern, und davor wiederum den großen Schrein, auf dessen Deckel Anûb ruhte. Rechts hatte man eine Reihe von Kästen abgestellt nebst allerlei Kleinkram, entlang der linken Wand standen Schreine mit Uscheptis und Kultfiguren, auf denen man etliche der Modellboote und Barken niedergelegt hatte. Dazwischen waren die Gaben seiner nächsten Verwandten und Freunde aufgestellt. Erinnerungen an seine Mutter Kija und seine Großmutter Teje. Ein wunderschöner Leuchter aus Alabaster mit zwei dazu passenden Vasen von Beket-Amûn. Von mir zwei der silbernen Trompeten, die in der Schlacht am Tabor geblasen worden waren und die mir der König geschenkt hatte. Ein massiv goldenes Uschepti Nacht-Mins.

Als Hôr-im-Nest war Mose mit zwei Statuetten vertreten, privat mit einem reich eingelegten Kasten, den er mit seinem offiziellen Siegel verschlossen hatte:

»Tehuti-mose, Sohn des Königs, General der Truppen.«

Wenn ich recht vermutete, so enthielt der Kasten Erinnerungen, vielleicht auch offizielle Kultgegenstände aus der Zeit, in der die beiden gemeinsam die Einweihungen von Per-Uzôjet durchschritten hatten.

Ein sehr persönliches Geschenk Moses war auch ein bemaltes Porträtköpfchen aus mit Stuck überzogenem Holz, das Juti, der persönliche Bildhauer Königin Tejes, unmittelbar nach seiner Ankunft damals in Uêset angefertigt hatte, und das den jungen Hôr-im-Nest zeigt wie Râ, als dieser vor Urbeginn aus einer Lotusblüte zum Himmel aufstieg.

Mose sah mich fragend an. Die Tragestangen des Anûb-Schreines ragten in der Tat fast bis in den Goldsaal hinein. Ich schüttelte den Kopf.

Mose ließ sich daraufhin von draußen einen Tonziegel reichen, versah ihn rasch mit einer Inschrift, legte ihn auf die Schwelle, befestigte eine Fackel aus Schilfrohr darüber und versiegelte so magisch die Tür.

Als wir den Vorraum durch die bereits halb zugemauerte Öffnung wieder betraten, sahen wir, daß auch der vordere Vorraum bereits vermauert war. Unter den vielen Beigaben, die dort untergebracht waren, befand sich eine wunderhübsche Barke aus Alabaster, die Mut-nodjemet bescheiden dort abgestellt hatte, und mit einer gewissen Schadenfreude hatte ich auch bemerkt, daß der Goldschrein mit den vielen Darstellungen des süßen Ehelebens von Tut-anch-Amûn und Anchesen-pa-Aton in dieser Kammer verschwunden war.

Als wir aus dem Grabeingang emporstiegen, graute bereits der Morgen.

Die Mehrzahl der Teilnehmer an dem gewaltigen Bestattungsbankett, das vor dem Grab stattgefunden hatte, war inzwischen ermüdet. Der Boden ringsum war übersät mit zertretenen Blütenkränzen, halb abgenagten Hühner-, Gänse-, Hammel- und Rinderknochen, leeren Krügen und Amphoren, schlafenden oder sinnlos betrunkenen Menschen, zerbrochenem Geschirr, weggeworfenem Obst und verlorenen Abzeichen irgendwelcher Würden. Der Duft der kostbaren Salböle überdeckte nur noch mühsam den ranzigen Geruch der Leiber. Der Sand war rot gefleckt von verschüttetem Wein und gelblich braun von Erbrochenem. In dunkleren Ecken waren noch Männer und Frauen miteinander beschäftigt, die gewiß nicht miteinander verheiratet waren. Aus den Eingangsschächten zu manchen Gräbern stank es penetrant nach Kot und Urin. Die Musik dudelte einfallslos vor sich hin, immer wieder übertönt vom Grölen der Betrunkenen und kreischendem Lachen.

Von den übrigen der Zwölf Freunde des Königs und ihren Familien war nichts mehr zu entdecken.

»Sie haben sich sofort aus dem Staub gemacht«, berichteten Je-schua und Schut, die auf uns gewartet hatten. »Die Schweineherde, die hier feierte und feiert, setzt sich fast ausschließlich aus kleineren und mittleren Beamten und Höflingen zusammen – das einfache Volk, die Bürger aus Uêset und die Bauern der Umgebung, die außerhalb des Tales, draußen bei den Häusern von Millionen Jahren ihr Totenmahl abhielten, haben sich weitaus ordentlicher und würdiger benommen!«

»Hat eigentlich einer von euch die Peitsche, die zu meinen Abzeichen als General gehört, gesehen?« fragte Mose plötzlich.

»Als wir die Mumie des Königs ins Grab hinuntergetragen haben, hattest du sie noch«, erinnerte sich Je-schua. »Vermutlich hast du sie während der Zeremonien, als du für den Weihrauch und anderes die Hände frei haben mußtest, abgelegt. In der Vorkammer oder im Goldsaal wäre sie mir aufgefallen, wahrscheinlich liegt sie also in der Kanopenkammer hinter dem Goldsaal. Soll ich noch einmal hinunter und sie suchen?«

Doch Mose winkte ab:

»Laß sie, wo sie ist.«

Vorsichtig über Unrat und schnarchende Menschen steigend machten wir uns auf den Weg zum Ausgang des Tales. Einen kurzen Blick warfen wir noch hinüber zu dem riesigen, noch immer von Fackeln hell erleuchteten Zelt, in dem das neue Königspaar präsidierte.

Hoch über dem ermatteten Getümmel thronte Eje Cheperchepera-Râ. Stolz, kalt und nüchtern. Sein verächtlicher Blick war auf Anchesen-pa-Aton gerichtet, die schlaff, mit leicht verrutschtem Kopfputz und verschmierter Schminke, neben ihm hockte.

»Was für einen passenden Titel hat er sich doch seinerzeit ausgewählt, ›Gottvater‹!« bemerkte Beket-Amûn leise. »Der Vater des Gottes Aton, denn nun kann wohl kein Zweifel mehr daran bestehen, wer einst hinter der goldenen Sonnenscheibe mit den Strahlenhänden meines armen, dummen Bruders Akh-en-Aton gestanden hat: der ›Gottvater‹ Eje!«

In diesem Augenblick fuhr Mose wie von einem Skorpion gestochen zu uns herum:

»Eje!«

Wir hielten verblüfft inne, und schon sprudelte Mose weiter: »Eje ist in unserer Sprache kein Name, eher ein Ausruf wie ›Ach‹ oder ›Oh‹. Kein Vater gibt seinem Kind solch einen Namen!«

»Vielleicht ein Kose- oder Kindername, der an ihm hängengeblieben ist«, mutmaßte Je-schua.

»Nein!« widersprach Mose aufgeregt gestikulierend. »Diesen Namen muß er sich selber ausgesucht haben!«

»Weshalb?«

Selbst in dem Zwielicht von flackernden Fackeln und erstem Morgengrauen sahen wir, daß Mose kalkweiß geworden war, während auf seinen Wangen hochrote Flecken brannten, daß er am ganzen Körper bebte und seine Augen unnatürlich weit aufgerissen waren.

»Weil er sich nicht nur den *Titel* Gottes zugelegt hat, sondern auch Seinen *Namen!*«

»Ich verstehe kein Wort«, gab ich offen zu.

»Das kannst du auch nicht«, antwortete Mose, »du bist Ägypter. Aber du, Je-schua, müßtest es erkennen! Was bedeutet in der Sprache der Benê-Jisrael ›*eje*‹?«

»›Ich bin …‹«

»*Ich-Bin! – Der Name Gottes!*«

Wir standen viel zu weit weg in der Dunkelheit, als daß uns der König durch den immer noch andauernden Lärm hören oder aus dem hell erleuchteten Zelt heraus hätte sehen können, trotzdem wandte er plötzlich den Kopf und starrte mit ausnahmsweise voll geöffneten, schwarzen Diamantaugen in unsere Richtung.

Noch einmal, gegen Abend des nächsten Tages, kehrten wir zurück.

Allerlei Diener aus den Totentempeln und dem Palast waren mittlerweile damit emsig beschäftigt, den Unrat des nächtlichen Totenmahles zu beseitigen.

Der Rest der Beigaben war inzwischen in das Grab hinuntergebracht und der Zugang vermauert worden. Maja, als Oberaufseher am Platz der Ewigkeit brachte soeben die Siegel an, als wir eintrafen, um die letzten Gebete zu sprechen.

»Du bist ein hoher Eingeweihter, auch wenn du niemals offiziell den Rang eines Priesters bekleidet hast«, sagten Beket-Amûn und Mose zu mir, als sie mich zu sich winkten, um die Beschwörungen für die Ruhe und Sicherheit unseres toten Königs und Freundes zu vollenden.

So stimmten wir, begleitet vom Chor der Totenpriester, zu dritt den Gesang an:

»Weiche von dannen, du,
Der du in unheiliger Absicht diesem Grabe nahst!
Erfahre: Râs Geburtsort sollst du nicht nahen!
Siehe, ich bin Râ! Schrecken verbreite ich!
Weiche vor meines Lichtes Pfeilen, welche dich schmerzen!
Die Göttin Selket schüttet über dich den Kelch der Vernich-
    tung!
Die Göttin Maat weist dich zurück, verbietet den Zutritt!
Wahrlich, den Willen Râs vollbringe ich!
Ich greife dich an und vernichte dich!
Ich tue es für den Frieden des Usîre Tut-anch-Amûn Neb-
    cheperu-Râ!
Ich, Râ, zerschlage dir den Kopf, zerfleische deine Fratze!
Ich reiße auseinander deine Glieder, zerbreche deine Kno-
    chen!
Verdammt bist du vom Löwengott Akeru!
Râs Urbesitz ist dieses Grab!
Usîres Urbesitz ist dieses Grab!
Maats Urbesitz ist dieses Grab!
Anûbs Urbesitz ist dieses Grab!
Die Beisitzer des Totengerichtes und die Dämonen der Unter-
    welt,
Sie bewachen und beschützen dieses Grab!
Flieh Frevler und weiche von dannen!
Denn ich bin Setech, der mächtige,
Der am Himmel die Gewitter auslöst und den Sturm in der
    Wüste.
In deinem Blut dich zu zerfetzen wurde mir von den Göttern
    geboten!
Ich bin es, der den Übelwollenden zurückweist!
Ich bin es, der ihn zurückweist mit der Wüstenflamme!
Ich habe das Gelände in Flammen gesetzt!
Niemand kann es betreten!
Niemand kann sich diesem Grab in schlechter Absicht na-
    hen!
Ich bin es, der die Ruhe des Usîre
Des Königs Tut-anch-Amûn Neb-cheperu-Râ schützt!

Niemand soll seine Ruhe ungestraft stören!
Niemand darf ihn ungestraft berühren!
Ich aber Usîre und Êset, ich Hôr und Setech spreche:
Ich Maat und Anûb und Tehuti spreche:
Ich Êset und Selket, Neith und Nebet-hut spreche:
Ich Ptah und Sachmet spreche:
Ich Schu und Tefnut, Geb und Nut spreche:
Ich Atum, Erstgeschaffener Gottes spreche:
Niemand nahe sich in böser Absicht Tut-anch-Amûn
    Neb-cheperu-Râ!
Niemand verletze die Ruhe seines Grabes in böser Absicht!
So aber einer erhebt seine Hand gegen dieses Siegel,
So aber einer erhebt seine Hand gegen diese Mauer,
Welche das Grab verschließt,
Der sei verflucht zum Tod, geschehe es auch zum Ruhm
Des Usîre Tut-anch-Amûn Neb-cheperu-Râ!
Denn ich bin Râ, der dich verflucht!
Denn ich bin Setech, der dich verbrennt!
Denn ich bin Hôr, der dich erschlägt!
Denn Ich bin Der/Die Herr, Die Gott der Götter, Der/Die
    dich beschirmt!
Ich habe in der Sonne Meinen Thron gebaut!
Ich hülle ein in den Schutz Meiner Flügel jene, die meine
    Kinder sind,
Mögen sie auf Erden leben, oder leben in Meinem Licht!
Denn Ich bin Râ und Atum und alle Götter!
Ich bin alles, und alles ist in Mir!
Ich bin, der Ich war, der Ich bin, der Ich immer sein werde!«

3. Papyrus

DER
ANSCHLAG

König Eje Cheper-cheperu-Râ
1. Regierungsjahr

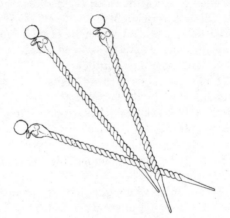

Die nächsten Wochen lebten wir unter einer fast unerträglichen inneren Anspannung.

Wenn irgend etwas Ungewöhnliches geschehen wäre, wenn König Eje Cheper-cheperu-Râ wie einst Akh-en-Aton Ua-en-Râ das Land in Chaos oder wenigstens ernsthaftere Unruhe gestürzt hätte, wir hätten geradezu befreit aufgeatmet.

Doch nichts geschah, außer daß der König umgehend alle Tempel der Götter wieder schließen und den Wiederaufbau von Achet-Aton mit allen Mitteln vorantreiben ließ. Daß Eje Cheper-cheperu-Râ den ›Leben spendenden Aton‹ erneut zum einzig erlaubten Staatsgott hatte ausrufen lassen, war im Volk nicht eben mit Freude zur Kenntnis genommen worden. Doch so lange der einzelne davon nicht betroffen wurde, nahm man die Rückkehr zur Religion des Ketzers von Achet-Aton mit Gelassenheit hin.

Ansonsten erwies sich der König als zwar nicht beliebter, jedoch auch keineswegs als schlechter oder gar verhaßter Herrscher.

Unsere Freunde in den Ministerien gingen unter der Leitung des Ministerpräsidenten Nacht-Min und den beiden Generalgouverneuren Neby und User-Mont ungehindert ihren Amtsgeschäften nach, und bei Hôr-em-Heb und mir im Stabshauptquartier zu Men-nôfer traf lediglich die königliche Anweisung ein, die Garnisonen in Kanaan umgehend wieder zu verstärken.

Selbst Hapi war pünktlich gekommen und bis zu einer Höhe von 16 Ellen, der Marke für ›Glück‹, gestiegen, so daß für das Jahr eine reiche Ernte zu erwarten war.

Und doch, in dem Maße, in dem wir eigentlich keinen Grund zur Besorgnis erkennen konnten, wuchs eben diese in uns.

Beket-Amûn und ich waren nach Hat-Chnum-kufu zurückgekehrt, und Beket-Amûn versah weiterhin ihr Amt als Große Seherin und Hohepriesterin zu Onû ganz so, als habe König Eje Cheper-cheperu-Râ nicht auch diesen Tempel offiziell wieder schließen lassen.

Nach Onû hatte sich auch Mose zurückgezogen und studierte in der großen Tempelbibliothek nächtelang uralte Papyri mit einem Eifer, als müsse er sich das aufgezeichnete Wissen von Jahrhunderten binnen Tagen in den Kopf stopfen.

»Daß Eje sich den Namen Gottes in der Sprache der Benê-Jisrael zugelegt hat, das kann kein Zufall sein!« legte er uns dar.

»Du gehst also davon aus, daß sein großer Plan irgend etwas mit den Benê-Jisrael zu tun hat?« fragte ich.

»Ja, davon gehe ich aus«, erklärte Mose sehr bestimmt und fuhr fort:

»Du erinnerst dich doch an die Geschichte, die uns Aram, der Vater Nuns, seinerzeit erzählte? Die Geschichte von Jo-sêph, der von seinen Brüdern nach Ägypten verkauft wurde, hier zum Reichsverweser aufstieg und schließlich seinen Vater Yakov und seine Brüder nach Ägypten holte und hier ansiedelte?«

»Ich erinnere mich noch sehr gut«, bestätigte ich.

»Dann entsinnst du dich vielleicht auch noch, wie Aram erzählte, dieser Jo-sêph habe die Asenat, die Tochter des Hohenpriesters von Onû namens Potiphera, geheiratet?«

»Einer ihrer Söhne, Ephraim hieß er, wenn ich nicht irre«, fiel mir wieder ein, »ist doch der Vorvater von Aram, Nun und Jeschua.«

Mose nickte:

»Ich habe also in den Aufzeichnungen des Tempels nach diesem Potiphera gesucht.«

»Und da hast ihn gefunden?« fragte Beket-Amûn gespannt.

»Nicht nur ihn – korrekt hieß er übrigens Pot-ef-Râ!« rief Mose triumphierend und schwenkte etliche Papyrusrollen durch die Luft. »Ich habe vor allem auch seine Aufzeichnungen gefunden! Pot-ef-Râ war ein schreibfreudiger Mann und hat die gesamten Stammesüberlieferungen seines Schwiegersohnes aufgezeichnet, von der Erschaffung der Erde durch Gott und die Elohim bis zum Einzug der Söhne Jisraels nach Ägypten.«

Mose hielt einen Augenblick inne, ehe er fortfuhr:

»Pot-ef-Râ war ein fleißiger Mann, doch seine Handschrift war übel, und die vielen Ausdrücke in der Sprache der Chabiru, die er verwendete, machen das Entziffern seiner Aufzeichnungen auch nicht eben einfacher. Ich hätte mir vermutlich erheblich leichter getan, wenn ich gleich Aram gefragt hätte; denn seine mündliche Überlieferung, etwa über die Geschichte des Jo-sêph, deckt sich Wort für Wort mit dem, was Pot-ef-Râ aufgeschrieben hat.«

»Und was hast du herausgefunden?« fragte Beket-Amûn gespannt.

»Der Großteil der Texte ist die Geschichte eines eher recht unbedeutenden Stammes von Schaf- und Ziegenhirten, allerdings gibt es da einige Passagen, die aufmerken lassen. Die Schlüsselfigur ist offensichtlich ein gewisser Abram oder Abraham aus Chaldäa, der in der Tat ein bemerkenswerter Prophet und Seher gewesen sein muß.«

Mose suchte kurz in den Papyri, zitierte dann:

»*Da erschien Abram der Herr und sprach zu ihm:*

›*Ich bin der Höchste Gott! Wandle mit Mir und sei ungeteilt mit Mir! Ich will einen Bund zwischen Mir und dir stiften, und Ich will dich überaus zahlreich machen.*‹

Da fiel Abram auf sein Angesicht nieder, und Gott redete mit ihm und sprach:

›*Siehe, das ist Mein Bund mit dir:*

Du wirst zum Vater einer Völkermenge werden, und sehr fruchtbar will Ich dich machen.

Zu Völkern will Ich dich werden lassen, und Könige werden aus dir hervorgehen.

Errichten will Ich meinen Bund zwischen Mir und dir und deiner Nachkommenschaft in ihren Geschlechtern. Ein immerwährender Bund soll es sein.

Geben will Ich dir und deinen Nachkommen das ganze Land Kanaan, zum dauernden Besitz.«

Zugegeben, ich war nur mäßig beeindruckt. Gott hatte also Abram oder Abraham, dem Stammvater der Benê-Jisrael, zahlreiche Nachkommenschaft versprochen und das Land Kanaan. Mit der ersten Zusage hatte Er zweifellos Wort gehalten, mit der zweiten allerdings nicht – zumindest bislang nicht. Einen Zusammenhang mit Ejes ›großem Plan‹ konnte ich nicht erkennen, und das sagte ich Mose auch.

»Auch ich sehe noch keineswegs klar«, gab dieser sofort zu. »Pot-ef-Râ war nicht nur ein eifriger Schreiber mit einer schlechten Handschrift, sondern leider auch ein sehr unsystematischer. Legendenhafte Überlieferungen, Teile von Hymnen oder Gebeten, Tatsachenberichte, Kultanweisungen, irgendwelche Prophetien, das geht alles ziemlich bunt durcheinander.«

Wieder suchte Mose in den Papyri:

»Aber hört euch das an:

Das Volk, das in Finsternis wandelt, erschaut ein gewaltiges Licht. Ein Kind wird uns geboren, sein Sohn wird uns geschenkt, auf dessen Schultern die Herrschaft ruht. Man nennt ihn: Wunderrat, Erlöser, Gottesheld, Ewigvater, Friedensfürst. Groß ist seine Herrschaft und der Friede ist endlos auf seinem Thron und in seinem Reich; er errichtet und stützt es durch Recht und Gerechtigkeit und Wahrheit von nun an bis in Ewigkeit.«

»Das klingt nach einem Bruchstück aus einem Hymnus an Usîre oder auch an Hôr«, stellte Beket-Amûn fest.

»Oder auch auf Akh-en-Aton Ua-en-Râ!« warf ich ein.

»Diese Zeilen wurden vor weit über 300 Jahren niedergeschrieben!« erinnerte mich Mose. »Doch wenn du den Namen Jisrael wegläßt, dann findet sich auch das tatsächlich fast wörtlich in Lobpreisungen auf den Ketzer von Achet-Aton:

»*Aus Jisraels Stamm wächst ein Reis, ein Schößling bricht aus seinen Wurzeln hervor. Auf ihn läßt sich nieder der Geist des Herrn, der Geist der Weisheit und des Verstandes, der Geist des Rates und der Stärke, der Geist der Erkenntnis und der Gottesfurcht.*«

»Eje kennt diese Schriften also? Und er hat sie benützt für seinen Aton-Glauben und dessen Gesandten, den König Akh-en-Aton Ua-en-Râ?«

Ich stellte dies mehr fest, als ich es fragte.

»Die Stammesgeschichte« grübelte Mose, »hat ihn sicherlich so wenig interessiert wie die Legenden und Mythen, die lediglich Chiffren sind für Dinge, die sich unserer Vorstellungskraft entziehen. Zweifellos glauben die Benê-Jisrael ebenso wenig wörtlich daran, daß Gott und seine Elohim die Welt in sieben Tagen geschaffen haben, wie wir wörtlich daran glauben, daß Chnum Pflanzen, Tiere und Menschen auf einer Töpferscheibe geformt hat.«

»Dafür hat Eje offenbar diese prophetischen Stellen für seinen Aton-Glauben benützt«, meinte Beket-Amûn.

Doch Mose schüttelte langsam den Kopf:

»Nicht benützt. Ich bin eher der Meinung, daß Eje zumindest einige dieser Texte ganz bewußt umgedeutet hat!«

»Umgedeutet?«

»Umgedeutet auf einen Ägypter, denn wenn wir diesen Prophetien Glauben schenken – und das tue ich –, dann wird der ›Verheißene‹ aus dem Stamm der Benê-Jisrael kommen:

Ich schaute, und siehe, mit den Wolken des Himmels kam einer, der aussah wie der Sohn Abrahams, der Sohn Isaaks und der Sohn Jisraels.

Er gelangte vor den Alleinzigen und wurde vor Ihn geführt.

Ihm verlieh man Herrschaft, Würde und Königtum.

Alle Völker, Stämme und Sprachen dienten ihm.

Seine Herrschaft ist eine ewige, unvergängliche Herrschaft, sein Königtum wird nie zerstört.«

Wir schrieben inzwischen Mitte des 2. Monats der Aussaat. Die Fluten Hapis waren längst in das Strombett zurückgekehrt, die Bauern hatten den schwarzen Schlamm in die Felder eingepflügt und die neue Saat ausgebracht, die jetzt bereits gut kniehoch in frischem Grün auf den Feldern stand.

Es war später Nachmittag, als eine Barke den Maati-Kanal heraufgerudert kam und an der kleinen Mole von Hat-Chnum-kufu anlegte. Wenig später schaukelte der Kugelbauch Beks, des Ersten Baumeisters Seiner Majestät, auf unser Haus zu.

Wir empfingen ihn freundlich. Bek hatte zwar nie zu unseren engeren Freunden gezählt, doch er gehörte zum Kreis unserer guten und langjährigen Bekannten, und so geleiteten wir ihn auf die Terrasse, die sich vom Haus zu einem der Teiche zieht, boten ihm Speise und Trank an.

Nachdem der Erste Baumeister seinen Wanst in einem bequemen Sessel deponiert hatte, der unter seinem Gewicht knirschte, und sich einen großen Becher Wein in einem Zug in den Schlund geschüttet hatte, platzte er heraus:

»Ich mache das nicht mit!«

Beket-Amûn und ich zogen fragend unsere Augenbrauen hoch.

»Ich bin Architekt und nicht Sklaventreiber! Und schon gar nicht Sklaventreiber für Männer und Frauen, die keine Sklaven sind!«

Nochmals genehmigte sich Bek einen Becher Wein, dann beugte er sich zu uns vor, was den Stuhl erneut protestierend knacken ließ, und begann zu erklären:

»Ich bin jetzt seit über 30 Jahren im Geschäft. Ich habe für Amûn-hotep Neb-Maat-Râ, für Akh-en-Aton Ua-en-Râ und für Tut-anch-Amûn Neb-cheperu-Râ gearbeitet. Ich kenne die Herren Könige und weiß, daß einst Djoser Netscheri, Chnum-kufu Medjedu oder Hat-Schepsut Maat-Ka-Râ um kein Haar besser waren. Jeder von ihnen wollte seine Pyramide, seinen Tempel, seinen Kanal oder seinen Palast möglichst vorgestern fertig sehen! Jeder von ihnen hat seinem Baumeister, vom vergöttlichten Imhotep bis zu mir, im Nacken gesessen und ihn zur größtmöglichen Eile angetrieben.

Trotzdem hat sich jeder an eine unerschütterliche Regel gehalten: Das ganze Jahr über arbeiten auf einer Baustelle lediglich die berufsmäßigen Steinmetze, Maurer und Zimmerleute, die Bildhauer, Stukkateure und Maler. Aber die Massen der Hilfskräfte, die Ziegel backen und Steine schleppen, werden nur in den Sommermonaten herangezogen. Wenn Mitte des 3. Erntemonats die Felder abgeerntet sind und der Boden zu hart und zu trocken ist, um ihn sogleich neu zu bestellen, dann kommen die Männer mit ihren Familien auf die königlichen Baustellen, und wenn Ende der Überschwemmungszeit die Wasser des Stromes wieder in ihr Flußbett zurückkehren, dann kehren auch sie heim in ihre Dörfer, um wieder nach Pflug und Saatbeutel zu greifen.

Das war so seit bald 2000 Jahren, und so muß es auch sein, denn nur so kann das Wohlergehen aller gesichert werden!«

»Und nun?« erkundigte ich mich gespannt, obwohl ich mir die Antwort schon fast denken konnte.

»König Eje Cheper-cheperu-Râ will Achet-Aton neu erstehen lassen. Und zwar *jetzt* und *sofort!*

Kein Mann, der einen Stein tragen, keine Frau, die einen Ziegel formen, kein Kind, das Stroh hacken oder sich sonst irgendwie nützlich machen kann, darf Achet-Aton verlassen! Der neue Stadtgouverneur Menna, unterstützt von seinen beiden Bütteln, dem Polizeipräfekten Mahû und Oberst Chanî, haben das Gebiet mit einem undurchdringlichen Ring von Soldaten umgeben, die jeden Fluchtversuch vereiteln und gleichzeitig die Arbeiter oft mehr als zwölf Stunden am Tag zu Höchstleistungen antreiben.«

»Soldaten?« fragte ich verblüfft. »Davon müßte ich wissen …«

»Internationale«, berichtete Bek, »die Ihrem Kommando nicht unterstehen, Feldmarschall«, und erklärte gleich weiter:

»Auch nicht jene braven Altgedienten, die der König samt Oberst Seben-hesequ-schut nach Kusch abgeschoben hat, sondern neue Söldner, die Oberst Chanî kürzlich erst in Kanaan unter Moabitern, Elamitern, Amoritern und wie das ganze Gesindel sonst noch heißen mag, angeworben hat.«

Ich atmete innerlich auf.

Bek fuhr unterdessen fort: »Nicht genug damit, daß Seine Majestät Männer und Frauen, die jetzt auf ihren Feldern dringend benötigt würden, in Achet-Aton gewaltsam festhält. Fast täglich werden zusätzlich neue Zwangsarbeiter herangeschafft! Zudem läßt König Eje im ganzen Land Händler, Handwerker und andere Leute von seinen neuen Internationalen zusammenfangen, um sie als Bevölkerung in die Stadt des Lichtortes des Aton schaffen zu lassen.«

Bek genehmigte sich einen weiteren vollen Becher Wein, beugte sich noch ein wenig weiter zu uns vor, was seinen Stuhl erneut zu einem kläglichen Knarzen veranlaßte:

»Ich bin ein Opportunist«, gestand er freimütig. »Ich habe für Akh-en-Aton seine Residenzstadt gebaut mit Palästen, Tempeln, Wohnhäusern, Werkstätten, Geschäften und allem sonstigen Zubehör. Ich habe die Stadt vielleicht nicht allzu solide gebaut. Aber sie war schön!«

»Ja, das war sie!« stimmten wir bei.

»Für Tut-anch-Amûn habe ich die Stadt dann eingerissen – zugegeben, auch nicht allzu gründlich. Und jetzt bin ich gerne bereit, sie für Eje wieder aufzubauen – und für seinen Nachfolger erneut niederzureißen.«

Bek beugte sich noch weiter vor und starrte uns in die Augen:

»Politik interessiert mich nicht, und an Aton habe ich so wenig geglaubt wie an Amûn oder irgendeinen anderen Gott. Wenn es sich um meine Kunst und mein Wohlergehen handelt, dann habe ich ein dehnbares Gewissen. Doch so dehnbar ist es wiederum nicht, daß ich es auf den gekrümmten Rücken und dem Ruin Tausender von Familien und letztlich des ganzen Landes pflege! Wenn, jetzt, gut zwei Monate nach Ende der Überschwemmungszeit, all diese zwangsrekrutierten Männer und Frauen nicht schleunigst auf ihre Felder, in ihre heimischen

Werkstätten und Geschäfte entlassen werden, dann stehen nicht nur sie selber demnächst vor dem finanziellen Nichts, dann wird ganz Ägypten beträchtlichen wirtschaftlichen Schaden leiden! Menna, Mahû und Chanî mögen derlei mit ihrem Gewissen – sofern sie überhaupt so etwas haben sollten – vereinbaren können, ich auf jeden Fall kann es nicht!«

Bek ließ sich in seinen Sessel zurücksinken, was dieser mit einem verzweifelten Knacken beantwortete, stürzte einen weiteren Becher Wein in seinen Schlund und fuhr fort:

»Ich war deshalb in Uêset, doch Seine Majestät, König Eje Cheper-cheperu-Râ, antwortete mir nur, in drei Wochen wünsche er seine Residenz wieder von Uêset in die Stadt des Ketzerkönigs Akh-en-Aton zu verlegen, und bis dahin habe wenigstens der Palast bezugsfertig zu sein! Anschließend und ohne irgendeine Verzögerung seien der große Tempel des Aton und all die anderen staatlichen Bauwerke fertigzustellen! Irgendwelche Rücksichtnahme auf Zukunft und Wohlergehen irgendwelcher von Mahû und Chanî nach Achet-Aton getriebener Zwangsarbeiter sei überflüssig und wider seinen erklärten königlichen Willen. Ich hätte mich um meine Pflicht als Erster Baumeister des Reiches zu kümmern und sonst um gar nichts! Auch wenn Zehntausende dieser Handlanger verkommen oder verrecken würden, dann sei das nicht meine Sache!«

Ein nächster, in einem Zug hinuntergestürzter Becher Wein:

»Da habe ich Seiner Majestät den Krempel vor die Füße geschmissen!«

Jetzt waren wir doch ehrlich verblüfft.

Bek wuchtete inzwischen seine Wampe aus dem jammervoll ächzenden Sessel.

»Ich weiß nicht recht, warum ich hierhergekommen bin und Ihnen das alles erzählt habe«, meinte der jetzt wohl nicht mehr Erste Baumeister Seiner Majestät, rülpste dröhnend – »'tschuldigung!« – und schlug den Weg Richtung Anlegestelle ein.

»Ich glaube zwar nicht daran«, fügte er im Gehen noch an, »aber wenn ich doch einmal vor dem Richterstuhl Usîres stehe, mein Herz gegen die Feder der Maat, der Göttin der Wahrheit und Gerechtigkeit, aufgewogen wird, dann hoffe ich, daß Sie

beide für mich Zeugnis geben, daß ich kein ganz so gewissen-
loses, opportunistisches Arschloch sei, wie ich es ja eigentlich
bin!«

Wenn einst Usîre und Maat, Anûb und Tehuti das Herz Beks
im großen Totengericht wiegen würden, dann würden wir uns
mit aller Kraft und allem Gewicht an die Waagschale mit seinem
Herzen hängen!

Bek hatte seinen mittlerweile bedenklich schwankenden Fuß
bereits auf seine Barke gesetzt, als er sich nochmals mir zu-
wandte und flüsterte:

»Passen Sie auf Prinzessin Beket-Amûn und sich auf – und
ganz besonders auf den Hôr-im-Nest Mose!«

Nachdem Bek fort war, saßen wir noch bis tief in die Nacht hinein auf unserer Terrasse: Beket-Amûn, ich, Hund, Ern und Necht.

Weshalb war Bek zu uns gekommen? Von Amts wegen hatten
weder ich, geschweige Beket-Amûn mit dem Wiederaufbau von
Achet-Aton oder gar der Rekrutierung von Zwangsarbeitern etwas zu tun. Menna, Mahû und Chanî zählten gewiß nicht zu unseren Bekannten, schon gar nicht zu unseren Freunden. Selbst
eine Kontrolle über die Internationale Garde hatte ich nicht. Und
unser Einfluß auf den König, das wußte Bek, war gleich Null.

Weshalb also hatte uns Bek davon erzählt, was da in Achet-
Aton vorging? Erwartete er von uns, daß wir etwas tun sollten?
Und wenn ja, was? Oder hatte er sich nur irgendwo aussprechen
wollen?

Oder wollte er sich nur des Wohlwollens eines Herrschers,
der nach Eje kommen würde, und die damit verbundenen Bau-
aufträge sichern? Oder uns auf etwas ganz Spezielles aufmerksam
machen? Oder uns warnen, worauf der Satz, den er unmittelbar
vor seiner Abfahrt gesagt hatte, schließen ließ?

Oder war das Ganze nur eine wehleidige Geschichte, um zu
vertuschen, daß ihn der König, aus welchen Gründen auch immer, aus seinem Amt als Erster Baumeister entfernt hatte?

Wie dem auch sei, wir kamen schließlich überein, ich würde

meine Kontakte zu meinem Vater Neby, zu Prinz Nacht-Min, Generalgouverneur User-Mont und den Ministern Maja, Panhasa und Sutan nützen, um Näheres zu erfahren, und Hund würde sich wieder einmal auf eine seiner Reisen quer durch das Land begeben, um unauffällig bei Bauern und Wirten von Garküchen, bei kleinen Beamten und Küchenmädchen, Flußschiffern, Tagelöhnern, Huren, Fischverkäufern und Palastdienern all jene Informationen einzuholen, die vielfach so weit aufschlußreicher sind als offizielle Verlautbarungen.

Drei Wochen später waren wir auf dem Weg nach Hat-uaret.

Schon als sich unser Boot der Stadt näherte, waren wir entsetzt. Die Felder lagen brach, und dort, wo jetzt die neue Saat kräftig sprießen sollte, wucherte nur üppiges Unkraut zwischen vertrockneten Stoppeln. Die Wasserräder und Dörfer waren verlassen, und unter den Palmen, Akazien und Sykomoren, wo einst Landarbeiter, Rinder, Esel und Ziegen Schutz vor der Mittagshitze gesucht hatten, streifte allenfalls ein halb verhungerter Hund umher.

Das noch vor kurzer Zeit freundliche, emsige Hat-uaret glich in Teilen einer Geisterstadt, und unser Schritt hallte hohl zwischen den Häusern mit den vernagelten Fenstern und den verschlossenen Türen.

Als wir schließlich – die Abenddämmerung hatte schon eingesetzt – an das Tor zum Anwesen meines Freundes Nun klopften, blieb es zunächst so lange still, daß wir schon fürchteten, daß auch dieses Haus verlassen sei. Doch dann knarrte der Riegelbalken, die Tür öffnete sich einen Spalt, und Ruth, die alte Dienerin, lugte mit ängstlichen Augen hervor.

»Mose! Je-schua! Oberst Amûn-hotep!« schrie sie auf. »Der Herr sei gepriesen!«

Dann öffnete sie die Tür und drängte uns:

»Schnell! Schnell, kommt herein!«

»Der Friede sei mit allen, die in diesem Hause wohnen!« sprachen wir die alte Segensformel, als wir die Schwelle überschritten, während Ruth hinter uns hastig die Tür wieder zuschlug und mit dem Sperrbalken sicherte.

Wir hörten seine tiefe, tragende Stimme schon, ehe wir den Innenhof betraten: »Habt keine Angst! Wie die Stunde vor dem Morgengrauen die dunkelste ist in der Nacht, so ist der Tag der Heimsuchung und der Prüfung der Bote kommenden um so größeren Glücks! Denkt immer an die Verheißung, die Gott unserem Vater Abraham gegeben hat, Er werde seine Nachkommen zu einem großen, zahlreichen Volk machen, und Er werde ihnen das Land Kanaan zum Besitz und Erbe geben!«

»Wir sind zwar ein großes Volk«, widersprach eine helle Kinderstimme, »aber wir leben nicht in Kanaan, sondern in Ägypten, und das seit mehr als 300 Jahren!«

»Was Gott versprochen hat, das wird er halten!« antwortete die tiefe Stimme. »Glaubt mir, der Tag, an dem die Kinder Jisraels ausziehen werden aus Ägypten und heimkehren nach Kanaan, ist nicht mehr fern. Er kann nicht fern sein, denn ich bin alt, und doch sprach der Bote des Herrn zu mir in einem Traumgesicht, daß ich selber noch meine Sandalen schnüren werde und den Wanderstab ergreifen, um aufzubrechen in das Land, das Gott dem Abraham verheißen hat. Ihr aber werdet es mit eigenen Augen sehen!«

Als wir leise den Innenhof betraten, war es, als sei die Zeit stehengeblieben. Unter dem breit ausladenden Feigenbaum saß Aram, der Vater Nuns, einen Becher Bier neben sich und eine Schar von gut 20 kleinen Buben und Mädchen zu seinen Füßen.

»Glaubt mir«, fuhr Aram fort, »derjenige, der die Söhne und Töchter Jisraels herausführen wird aus Ägypten, ist schon mitten unter uns!«

»Wer ist es? Wie ist sein Name?« riefen die Kinder in heller Aufregung durcheinander.

Doch Aram schüttelte den Kopf:

»Sein Name ist ›Sohn‹. Mehr jedoch darf ich euch nicht sagen, ehe Gott selber ihn gerufen hat, Sein Werk zu tun.«

Mit ein paar freundlichen Worten entließ Aram die Kinderschar. Dann erhob er sich, wandte seine inzwischen völlig erblindeten Augen uns zu und streckte seine Arme uns entgegen:

»Der Friede der Herrn sei mit euch und von ganzem Herzen willkommen, Mose, Amûn-hotep und Je-schua, – ich habe euch an eurem Schritt sogleich erkannt. Verfügt über dieses Haus und alle, die in ihm wohnen, auch wenn es derzeit nur Ruth und ich und die Kinder sind.«

»So ist es also wahr, daß alle arbeitsfähigen Männer und Frauen fortgeschafft wurden, um Achet-Aton wiederaufzubauen?« fragte Mose grimmig.

»Oberst Chanî und Polizeipräfekt Mahû kamen wie die Räuber in der Nacht«, berichtete Aram. »Sie drangen mit Gewalt in die Häuser ein und schleppten alle arbeitsfähigen Männer und Frauen fort auf ihre Schiffe. Nur die kleinen Kinder, die schwer Kranken, die Krüppel und Greise ließen sie zurück. Wohin sie die Menschen brachten, weiß ich nicht aus eigener Kenntnis. Ich weiß nur, daß sie nicht allein in Hat-uaret so verfuhren, sondern auch in allen Dörfern, Märkten, Städten und Gemeinden in den Gauen ›Ostmark‹, ›Königsknabe‹, ›Erlesener Fisch‹ und ›Heseb-Stier‹. Und ich weiß, daß sie allein so gegen die Söhne und Töchter Jisraels vorgingen, nicht aber gegen die Ägypter.«

In dieser Nacht kam keiner von uns zum Schlafen.

Ich erzählte von dem Besuch des Ersten Baumeisters Seiner Majestät in Hat-Chnum-kufu.

»Wieviel Bek von all dem gewußt hat«, schloß ich, »das mag dahingestellt bleiben, doch offenbar hatte er uns diesen Wink gegeben, da er um die besondere Beziehung Moses zu den Benê-Jisrael weiß. Bek mag seine Fehler haben, doch er ist ein großer Künstler, und auf dem tiefsten Grunde seines dehnbaren Gewissens ist er ein anständiger Mensch.«

Dann kam ich auf die Versuche meiner Nachforschungen zu sprechen. Je-schua war in meinem Auftrag nach Uêset gehetzt. Das Königspaar, Eje Cheper-cheperu-Râ und Anchesen-pa-Aton, war inzwischen bereits nach Achet-Aton übergesiedelt, doch bis die Ministerien und der Rest der Verwaltung nachzogen, würden noch Monate vergehen.

Was Je-schua aus Uêset zurückbrachte und was ich selber unterdessen in Men-nôfer in Erfahrung bringen konnte, das war mehr als mager. Mein Vater Neby, Reichsmarschall Hôr-em-Heb, Prinz Nacht-Min, die Minister Sutan, Maja und Panhasa wußten von nichts, und ich hatte gewiß keinen Grund, ihnen nicht zu glauben. Was immer Polizeipräfekt Mahû und Oberst Chanî getan hatten, sie hatten in aller Stille und allein im Auftrag des Königs gehandelt. Selbst vor User-Mont, dem Generalgouverneur von Unterägypten, hatten sie Art und Umfang der Aktion geheimgehalten und die Transporte mit den jahreszeitlich üblichen Wanderungen zu den königlichen Baustellen erklärt.

Den entscheidenden Hinweis hatten wir schließlich, wieder einmal, von Hund erhalten und waren daraufhin sofort nach Hatuaret geeilt.

Aram und Ruth berichteten Einzelheiten über die Deportation:

»Am späten Abend sind Polizeipräfekt Mahû und Oberst Chanî mit ihren Soldaten in die Stadt gekommen und haben die Ältesten, die Oberhäupter der 13 Sippen der Benê-Jisrael, in durchaus höflicher Form in das Haus des Bürgermeisters von Hat-uaret gebeten.«

Fast gewohnheitsmäßig verfiel Aram in seinen Erzählstil:

»Yakov, den man auch Jisrael nannte, heiratete die Töchter Labans, seines Verwandten, damals vor langer Zeit, und lange noch bevor er und seine Söhne aufbrachen, um nach Ägypten zu ziehen. Die ältere hieß Lea, die jüngere Rachel. Leas Augen waren matt; Rachel dagegen war schön von Gestalt und eine hübsche Erscheinung. Yakov liebte Rachel und diente für sie ihrem Vater Laban sieben Jahre.

Doch bei der Hochzeit betrog Laban den Yakov und gab ihm zunächst die Lea, wobei er sprach:

»Hier an unserem Ort ist es nicht Brauch, die jüngere Tochter vor der älteren zu verheiraten. Feier die Brautwochen mit dieser zu Ende! Dann wird dir auch Rachel zugeteilt, und zwar für den Dienst, den du mir noch weitere sieben Jahre leisten mußt.«

So geschah es.

Der Herr aber sah, daß Lea weniger geliebt wurde. Deshalb

öffnete er ihren Mutterschoß, während Rachel unfruchtbar blieb.

Lea empfing und gebar einen Sohn. Sie nannte ihn Ru-ben – *siehe ein Sohn* –, indem sie sprach: »Gesehen hat der Herr auf mein Elend; denn jetzt wird mein Mann mich lieben.««

Pallu, der Sohn des Karmi, war der Älteste des Stammes Ruben, der in das Haus des Bürgermeisters ging.

›Lea empfing nochmals und gebar einen Sohn und sprach: »Erhört hat mich der Herr, denn eine Zurückgesetzte war ich! Darum gab er mir auch diesen!« Sie nannte ihn Simeon – *Erhörung*.‹

Für den Stamm Simeon ging Schaul, der Sohn des Zochar, der den Rang eines Ältesten innehat, obwohl er noch jung an Jahren ist.

›Lea empfing wiederum und gebar einen Sohn und sprach: »Jetzt wird mein Mann endlich an mir hängen, denn schon drei Söhne habe ich ihm geboren.« Darum nannte sie ihn Levi – *Anhänger*.‹

Für den Stamm Levi ging Kehat, der Sohn des Levi, der Vater des jungen Aaron und seines Bruders Korach, die mit euch, Mose und Je-schua, aufgewachsen sind.

›Dann empfing sie abermals und gebar einen Sohn und sagte: »Diesmal will ich den Herrn lobpreisen.« Darum nannte sie ihn Juda – *Lobpreis*. Weiterhin bekam sie keine Kinder mehr.‹

Für den Stamm Juda ging Uri, der Sohn des Chur, den man den ›Löwen‹ nennt und der in der Schlacht am Tabor sogar zweifach das Gold der Belohnung für seine Tapferkeit erhalten hatte.

›Rachel sah, daß sie dem Yakov keine Kinder gebar. Sie wurde deshalb auf ihre Schwester eifersüchtig und sagte zu Yakov: »Schaffe mir Kinder, oder ich muß sterben!««

Yakov wurde zornig auf Rachel und sprach: »Stehe ich denn an Gottes Stelle, der dir die Leibesfrucht versagt hat?««

Sie sprach darauf: »Hier hast du meine Leibmagd Bilha! Gehe zu ihr! Sie soll auf meinen Knien gebären, damit auch ich durch sie Kinder bekomme!««

Sie gab ihm ihre Leibmagd Bilha, und Yakov hatte Umgang mit ihr.

Bilha empfing und gebar dem Yakov einen Sohn.

Da sprach Rachel: »Recht hat mir Gott verschafft! Er hat auch meine Stimme erhört und mir einen Sohn geschenkt.« Darum nannte sie ihn Dan – *Gerechtigkeit*.‹

Für den Stamm Dan ging Henoch, der Sohn des Er, in das Haus des Bürgermeisters.

›Jene empfing wiederum, und Rachels Magd Bilha gebar dem Yakov einen zweiten Sohn. Da sprach Rachel: »Gewaltige Kämpfe habe ich mit meiner Schwester ausgefochten!« Darum nannte sie seinen Namen Naph-tali – *gewaltiger Kämpfer*.‹

Für den Stamm Naph-tali ging Jezer, der Sohn des Guni, der Starke, der am Tabor den linken Arm verloren hat und dafür einen Ehrensold erhielt vom König.

›Lea sah, daß sie nicht mehr gebären konnte. Da nahm sie ihre Magd Silpa und gab sie Yakov zum Weibe.

Die Lea-Magd Silpa gebar dem Yakov einen Sohn. Da sprach Lea: »O welch ein Glück!« und nannte ihn Gad – *Glück*.‹

Für den Stamm Gad ging Arodi, der Sohn des Areli, in das Haus des Bürgermeisters.

›Hierauf gebar die Lea-Magd Silpa dem Yakov einen zweiten Sohn. Lea sprach: »O ich Glückselige!«, deshalb nannte sie ihn Aser – *Glückseligkeit*.‹

Für den Stamm Aser ging Aser, der Sohn des Jischwa, den auch die Ägypter den ›Glücklichmacher‹ nennen, denn niemand beglückt die Kühe in diesem und den benachbarten Gauen mit seinen Zuchtstieren so sehr wie er.

›Lea glaubte unfruchtbar geworden zu sein, doch es geschah, daß Yakov sich zu ihr legte und Gott Lea wiederum erhörte. Sie empfing und gebar Yakov einen fünften Sohn. Da sagte Lea: »Gott hat mir den Lohn gegeben dafür, daß ich meine Magd meinem Mann darbot.« Sie nannte ich darum Is-sachar – *Empfänger des Lohnes*.‹

Für den Stamm Is-sachar ging Tola, der Sohn des Tola, der Älteste, taub an Ohren, doch immer noch stark an Geist und Armen.

›Lea empfing wiederum und gebar dem Yakov den sechsten Sohn. Sie sprach: »Gott hat mich mit einem schönen Geschenk bedacht; nunmehr wird mich mein Mann als Gemahlin anerkennen, denn sechs Söhne habe ich ihm geboren.« So nannte sie ihn Sebulun – *Brautgeschenk*.‹

Für den Stamm Sebulun ging Elon, der Sohn des Sebulun, der Bildhauer, der einst bei Speckstein-mose gelernt hatte.

›Gott aber erhörte die Rachel und eröffnete ihren Mutterschoß. Sie empfing und gebar einen Sohn und sprach: »Gott hat die Schmach von mir genommen!« Sie nannte ihn daher Jo-sêph – *Der Herr fügte hinzu*.

Später dann, als Jo-sêph von seinen Brüdern nach Ägypten verkauft worden war, schrie Rachel zum Herrn: »Gebe mir noch einen anderen Sohn, da ich diesen verloren habe!« Der Herr erhörte Rachel, und sie empfing und gebar einen Sohn. Und sie nannte ihn Ben-jamin – *Sohn zu meiner Rechten* –, denn sie liebte ihn, und auch Yakov liebte ihn mehr als seine übrigen Söhne, den Jo-sêph ausgenommen.«

Für den Stamm Ben-jamin ging Bela, der Sohn des Rosch, den man den ›Duftenden‹ nennt, denn keiner führt ein größeres Geschäft in Hat-uaret mit Salbölen, Parfümen und wohlriechenden Essenzen als er.

›Jo-sêph jedoch hatte zwei Söhne mit Asenat, der Tochter des Hohenpriesters von Onû Potiphera. Sein Erstgeborener war Manasse, sein Zweitgeborener Ephraim.

Als Yakov, den man Jisrael nennt, auf seinem Sterbelager lag, da brachte Jo-sêph seine Söhne zu ihm. Da sprach Yakov zu ihm: »Deine beiden Söhne, die dir in Ägypten geboren wurden, sollen mir gehören! Ephraim und Manasse sollen mir so viel gelten wie Ru-ben und Simeon!««

Für den Stamm Manasse ging Schela, der Sohn des Naan-man, der Älteste der Ältesten in das Haus des Bürgermeisters.

›Jisrael streckt jedoch seine Hand aus und legte seine Rechte auf das Haupt Ephraims, obschon dieser der Jüngere war, nur seine Linke aber auf das Haupt Manasses. Jo-sêph wollte die Hände seines Vaters vertauschen, da Manasse ja der Ältere war, doch Jisrael weigerte sich und sprach:

»Auch Manasse wird groß sein und zu einem großen Volk werden. Aber sein jüngerer Bruder wird ihn an Größe übertreffen, denn sein Nachkomme wird es sein, der das Volk in das Land hineinführen wird, das Gott uns einst versprochen hat!«

Für den Stamm Ephraim ging Nun, mein Sohn, dein Vater, Je-schua, der dreifach ausgezeichnet wurde mit dem Gold der Belohnung – einmal für seine Verdienste um die Errettung des Wahren und einzigen Hôr-im-Nest Tehuti-mose, zum zweiten für das Freiwilligen-Korps der Benê-Jisrael beim Feldzug nach Kanaan, und schließlich zum dritten für seine persönliche Tapferkeit in der Schlacht am Fuße des Tabor.«

Aram hielt einen Augenblick inne, ehe er zu Ende berichtete:

»Als die Ältesten im Haus des Bürgermeisters von Hat-uaret versammelt waren, da eröffneten ihnen Mahû, der Polizeipräfekt, und Chanî, der Oberst, das königliche Dekret, daß jeder Mann, jede Frau und jedes Kind über acht Jahren auf unbestimmte Zeit nach Achet-Aton befohlen seien, um dort am Wiederaufbau der Stadt zu arbeiten.

Die Proteste der Ältesten verhallten ungehört.

Oberst Chanî hatte unterdessen aber die Häuser und Viertel der Benê-Jisrael in der Stadt umstellen lassen. Auf seinen Befehl hin drangen die Soldaten ein in die Häuser, und wer nicht schnell genug öffnete, dem schlugen sie die Tür ein. Dann schleppten sie alle fort auf ihre Schiffe, die Ältesten, die Männer, die Frauen und die größeren Kinder, auch Aaron, Korach und Bilha, mit denen du aufgewachsen bist, Je-schua, wie auch deinen Spielgefährten Bezalel, den Sohn des Uri und Enkel des Chur, der wie Elon, der Sohn des Sebulun, bei Speckstein-mose gelernt hat und der mittlerweile der wohl begabteste Künstler unseres Volkes ist. Sogar Elon, den Sohn des Schuni, der in der Schlacht am Tabor beide Beine verloren hat, haben sie mitgenommen und sagten dazu, er habe ja immer noch zwei kräftige Arme, mit denen er den Lehm kneten könne.

In unserer Straße ließen sie nur 23 kleinere Kinder, die seit Jahren bettlägerige Witwe des alten Tola und den von Gott mit Wahnsinn geschlagenen Gera, Sohn des Aschbel, zurück. Dazu mich, da ich die 90 weit überschritten habe und blind bin, und die alte Ruth, um die beiden Kranken, die Kinder und mich zu versorgen.

In den nächsten Tagen und Wochen überfielen Mahû und Chanî in gleicher Weise die Benê-Jisrael in den umliegenden Städten, Märkten, Dörfern und Gehöften. Sie schafften alle fort nach Achet-Aton, so daß im Umkreis von gewiß vier Iteru nicht mehr als hundert Alte, Kranke und kleine Kinder zurückgeblieben sind.

Zunächst hofften wir«, schloß Aram, »daß die Verschleppten zu Beginn der Zeit der Aussaat wieder heimkehren würden, doch keiner von ihnen kehrte heim, so daß ihre Felder und Ställe verwahrlosen, ihre Werkstätten und Geschäfte geschlossen und verwaist bleiben.«

Wir hatten Schlimmes erwartet, doch die Wahrheit übertraf unsere ärgsten Befürchtungen noch bei weitem! König Eje Cheper-cheperu-Râ war dabei, den gesamten Stamm der Benê-Jisrael wirtschaftlich zu ruinieren und, wenn er es konnte, daran gab es jetzt wohl keinen Zweifel mehr, würde er es auch physisch tun mit dieser Zwangsarbeit in Achet-Aton!

»Die Benê-Jisrael haben mich aufgenommen in ihre Häuser, als mein Leben bedroht war! Sie sind meine Freunde und Brüder geworden!« rief Mose mit vor Zorn bebender Stimme. »Ich werde mit dem ersten Sonnenstrahl nach Achet-Aton aufbrechen. Ich werde Rechenschaft von Eje fordern!«

»Nicht du allein!« hatte ich Mose korrigiert. »Wir!«

Am liebsten wäre der Prinz mit dem schnellsten Schnellruderer nach Achet-Aton gehetzt, doch ich bestand darauf, meine große Reisebarke zu benützen, und so waren wir zunächst nach Hat-Chnum-kufu zurückgekehrt.

Auf diese paar Tage kam es nun auch nicht mehr an, und ich wollte unter allen Umständen vermeiden, daß wir verschwitzt, vom Staub der Reise bedeckt und übermüdet in der Stadt des Lichtortes des Aton an Land taumeln würden.

Die Stunden, die wir in Hat-Chnum-kufu verbrachten, waren Stunden stürmischer Auseinandersetzungen.

»Wenn wir auch nur den Hauch einer Chance auf Erfolg haben wollen, dann werden wir nicht nur das volle Gewicht unserer Persönlichkeiten, sondern auch das all unserer Ämter und Würden in die Waagschale werfen!« mußte ich Mose erklären.

Natürlich wollte uns Je-schua unbedingt begleiten. Nur mit einem direkten Befehl als sein militärischer Vorgesetzter konnte ich ihn schließlich daran hindern.

Hôr-em-Heb und User-Mont, denen wir entsprechende Nachrichten hatten zukommen lassen, stürmten entsetzt und empört in unser Haus. Mose und ich hatten reichlich Mühe, die beiden davon abzubringen, uns nach Achet-Aton zu begleiten.

Nur in einem Fall vermochte ich mich nicht durchzusetzen.

In all den Jahren, die wir nun zusammenlebten, hatte es nie einen Streit zwischen Beket-Amûn und mir gegeben – wir hätten gar nicht gewußt, worüber wir uns hätten streiten können! Aber an jenem Abend vor unserem Aufbruch wäre es um ein Haar doch noch dazu gekommen.

»Wenn Ejes ›großer Plan‹ sich auf die Vernichtung des ganzen Volksstammes der Benê-Jisrael richtet, wird er dann vor ein paar Einzelpersonen haltmachen? Wird er davor haltmachen, selbst wenn es sich dabei um königliche Prinzen, Prinzessinnen oder auch nur Feldmarschälle handelt?« brüllte ich.

»Gewiß nicht!« bestätigte mir Beket-Amûn lächelnd. »Deshalb werde ich ja mit dir und Mose nach Achet-Aton reisen!«

»Siehst du nicht, daß wir uns mit dieser Reise in eine höchst reale, körperliche Gefahr begeben?« schrie ich sie verzweifelt an. »Begreifst du denn nicht, daß wir durchaus damit zu rechnen haben, die Stadt des Lichtortes des Aton nicht mehr lebend zu verlassen?«

Während sich Mose diskret zurückzog, schloß mich Beket-Amûn liebevoll in ihre Arme und sagte:

»Hast du vergessen, daß wir zwei Hälften sind auf Chnums Töpferscheibe? Wohin du gehst, dahin werde auch ich gehen! Was dein Schicksal ist, das wird auch meines sein!«

Damit war das Thema für Beket-Amûn endgültig erledigt.

Als wir später droben auf der weiten Dachterrasse, wie einst bei unserer ersten Begegnung in Uêset, unsern alles verzehrenden, alles verbrennenden Höhepunkt im selben Augenblick zu den Göttern über den funkelnden Sternen hinaufschrien, weckten wir mit Sicherheit – und wohl nicht zum erstenmal – das ganze Haus.

Nun saßen wir, nach außen hin lässig, im Innern zum Zerreißen gespannt, auf bequemen Stühlen im Heck meiner Reisebarke, als wir uns der südlichen Mole von Achet-Aton näherten. Die Bootsleute begannen das Segel einzuholen, um die letzten Chet unter Riemen zurückzulegen.

Mose hatte über blütenweißem Leinen den gesamten schweren zeremoniellen Schmuck eines Hôr-im-Nest angelegt und über seine linke Schulter das priesterliche Leopardenfell, das er schon zur Beisetzung von König Tut-anch-Amûn Neb-cheperu-Râ getragen hatte. An seiner Stirn erhob sich drohend die goldene, königliche Utô-Schlange, und in seiner Linken hielt er seinen bronzenen Schlangenstab.

Zu seiner Rechten saß Beket-Amûn, ebenfalls vollkommen in priesterlichem Weiß mit dem Leopardenfell über der Schulter und angetan mit allem Schmuck und allen Abzeichen der Großen Seherin, der Ersten Prophetin der Dreiheit zu Men-nôfer und der Hohenpriesterin zu Onû. Und auch über ihrer Stirn glänzte die Utô-Schlange einer königlichen Prinzessin, und in ihrer Linken lag der lange, schwer goldene Stab der Fürstpriesterin des Râ.

Ihr gegenüber hatte ich selber Platz genommen. Über dem blau emaillierten, goldgefaßten Schuppenpanzer trug ich an Stelle eines Schulterkragens die acht schweren Ketten des Goldes der Belohnung, die mir die Könige Amûn-hotep Neb-Maat-Râ und Tut-anch-Amûn Neb-cheperu-Râ verliehen hatten. Jene sechs Ketten dagegen, die ich aus der Hand König Akh-en-Aton Ua-en-Râs empfangen hatte, trug ich nie. Akh-en-Aton war seinerzeit mit dem Gold der Belohnung allzu großzügig umgegangen, hatte es an allzu viele Unwürdige verliehen, so daß ich seine Ketten nicht als echte Auszeichnung zu empfinden vermochte. In meiner linken Hand und auf meinem linken Unterarm ruhten das große goldene Keulenzepter, der Kommandostab eines Feldmarschalls, und der Ehrenfächer mit der lang wallenden weißen Straußenfeder. An meinem Handgelenk baumelte die Peitsche Sat-Amûns, und an meiner Seite klirrte leise das Sichelschwert mit dem Wolfskopf am Knauf und der Schneide aus Meteoreisen, das mich nun all die Jahre begleitet hatte.

Schon aus der Entfernung war überall in der Stadt hektische Bautätigkeit zu erkennen, die sich in der Gegend des Königspalastes und des Regierungsviertels zu ameisenartiger Betriebsamkeit verdichtete.

Noch war mit dem Wiederaufbau des Tempels nicht begonnen worden, noch war der Großteil des Regierungsviertels jene Ruinenlandschaft, wie sie vor einigen Jahren Bek und seine Abrißkolonnen zurückgelassen hatten, doch der Königspalast erstrahlte bereits weitgehend wieder in alter Pracht. Die südlichen Anlegestellen und die große Königsstraße hatte man ebenfalls wieder hergerichtet, und sei es auch nur, um den raschen Transport von Baumaterialien zu gewährleisten.

Mit einem leisen Rumpeln legte die Reisebarke an. Bootsleute sprangen an Land, verzurrten das Schiff, legten die Laufplanke ans Ufer. Es war die vierte Vormittagsstunde.

Gravitätisch erhoben wir uns, begaben uns sehr gemessenen, würdevollen Schrittes die Laufplanke herunter.

Natürlich war das Herannahen unserer Barke nicht unbemerkt geblieben, dafür hatte ich schon durch unsere unübersehbar am Bug aufgesteckten persönlichen Standarten gesorgt. Auch waren wir langsam genug an der ganzen Stadt entlanggerudert bis zu den südlichen Anlegestellen, so daß inzwischen vom König bis zum letzten Zwangsarbeiter jedermann wußte, daß wir kamen.

Also waren wir keineswegs verwundert, daß eine Empfangsdelegation schon bereit stand – ein Dutzend Soldaten, angeführt von Oberst Chanî.

Dahinter hatten sich schweigend etwa 300 Benê-Jisrael versammelt, verschwitzt, hohläugig, abgezehrt und großteils sichtlich erschöpft, mit Staub und Lehm bedeckt, die Schurze der Männer und die Kleider der Frauen verschmutzt und zerrissen. In ihrer ersten Reihe erkannte ich meinen Freund Nun mit drei anderen der Ältesten, Uri, dem Löwen, dem einarmigen Jezer und Kehat mit seinem Sohn, dem dünnen, wißbegierigen Aaron. Doch so verdreckt, abgerissen und ausgemergelt die Männer und Frauen aussahen, sie standen da mit erhobenen Häuptern, und Nun, Uri, Jezer und manch anderer trug wie zum Trotz die breite Kette des Goldes der Belohnung um den Hals, die er sich durch seine Tapferkeit in der Schlacht am Tabor erworben hatte.

Chanî trat auf uns zu, verneigte sich:

»Hoheiten! Exzellenz! Ich muß Sie auffordern, auf Ihr Schiff zurückzukehren und Achet-Aton zu verlassen. Der Polizeipräfekt Mahû hat angeordnet ...«

Ich ließ ihn nicht weiter sprechen und fragte:

»Haben Sie eigentlich je die Verantwortung für etwas übernommen, das Sie gesagt oder getan haben?«

Chanî glotzte mich dümmlich an.

»Verantwortung«, half ich ihm, »ist etwas, das man übernehmen sollte! Nicht etwas, das man immer wieder auf irgendwelche andere, notfalls auf die Umstände oder gar das Schicksal abschiebt!«

Mit einem schnellen Schritt trat ich auf Chanî zu:

»Sie sind ein mieser, kriecherischer Niemand, ungeeignet und unwürdig für die Position, die Sie schon viel zu lange bekleiden!«

Ich griff zu und riß ihm mit einem kurzen Ruck die Abzeichen eines Oberst herunter, nahm ihm den Kommandostab aus der Hand, zerknackte ihn in zwei Teile, fetzte ihm das Gold der Belohnung, das ihm Semench-Ka-Râ Nefer-cheperu-Râ einst umgelegt hatte, vom Hals und ließ es alles zusammen in den Straßenschmutz fallen:

»Wegen erwiesener Unfähigkeit, Verantwortungslosigkeit und Feigheit verstoße ich Sie, Chanî, Sohn des Merie-Râ, für alle Zeiten in Unehren aus der Armee Ägyptens. Mögen Sie Dreck fressen und die Hunde auf Ihren Namen pissen, solange Sie leben, und wenn Sie gestorben sind, dann möge sich die Große Verschlingerin an Ihrem Fleisch und Ihren Knochen gütlich tun!«

Erst war es ganz leise, unterdrückt, dann lauter und offen,

und dann fielen sogar seine Soldaten in das Gelächter ein, während sich Chanî hastig davonschlich.

Unsere Ankunft war in der Tat nicht unbemerkt geblieben.

Ich war soeben mit Chanî fertig, da sah ich im Galopp zwei prächtige Streitwagen vom Palast die Königsstraße herunter rasseln, in einigem Abstand gefolgt von einem dritten.

Als die ersten beiden Wagen hielten, sprang Cheruef, der sich bis zu diesem Augenblick kreidebleich mit beiden Händen an das Geländer des Fahrzeuges geklammert hatte, ab, eilte die letzten Schritte auf uns zu und warf sich ehrerbietig zu Boden. Mit seiner hellen Eunuchenstimme sprudelte er los:

»Seine Majestät, König Eje Cheper-cheperu-Râ, Herr der Beiden Länder, der Beiden Throne und der Beiden Kronen, ist zutiefst beglückt über Euer Kommen, erhabener, mächtiger, Wahrer und einziger Hôr-im-Nest Mose! Nicht minder erfreut ist Seine Majestät, dem Aton tausend Heb-Sed-Feste schenken möge, über Euer Erscheinen, Eure königliche Hoheit und Große Seherin des Râ zu Onû, Prinzessin Beket-Aton!«

»Amûn!« korrigierte ihn Beket-Amûn scharf.

»*Amûn!* Beket-Amûn!« beeilte sich Cheruef mit schneller Zunge zu versichern, um sofort weiterzureden: »Und auch Ihre Anwesenheit erfreut das Herz Seiner Majestät, des Starken Stieres und Erwählten des Aton, hochgebietender und ehrenerhabener General und Feldmarschall A... – Amûn-hotep, Sohn des verehrungswürdigen Neby!«

Maat, die Göttin der Wahrheit, spaltete nicht den Boden, um so viele dreiste Lügen binnen so weniger Sätze darin versinken zu lassen, und da Cheruef noch immer seinen Kopf zu Boden geneigt hielt, sah er weder die Blicke, die Beket-Amûn, Mose und ich uns zuwarfen, noch das verächtliche Grinsen der Benê-Jisrael.

Ich hatte den kleinen, dürren Eunuchen mit den großen Ohren, den scharfen Augen und der schnellen Zunge einst als Haushofmeister Semench-Ka-Râs kennengelernt. Jetzt spielte er offenkundig eine wichtige Rolle am Hof König Eje Cheper-che-peru-Râs.

»Ist das alles, was Sie uns zu sagen haben?« fragte Mose unterdessen.

»Nein, Eure Hoheit!« versicherte Cheruef hastig. »Wenn Eure Hoheit, allein oder zusammen mit Prinzessin Beket-Amûn und Feldmarschall Amûn-hotep, das Herz Seiner Majestät, welchen der Leben spendende Aton liebt und der allein von der Wahrheit lebt, mit unermeßlichem Glück erfüllen wollt, dann mögt Ihr Seine Majestät um die dritte Nachmittagsstunde aufsuchen.«

»Ich bezweifle, daß wir mit unserem Erscheinen das Herz Eje Cheper-cheperu-Râs mit Freude erfüllen«, gab Mose kühl zurück, »doch Sie mögen ihm ausrichten, daß wir pünktlich sein werden.«

Cheruef berührte mit der Stirn den Boden, krabbelte auf allen vieren eine Elle rückwärts, berührte nochmals mit der Stirn den Boden, kroch nochmals eine Elle zurück, wiederholte die Ehrenbezeugung und meldete:

»Die beiden Wagen stehen, nach Wunsch mit oder ohne Fahrer, zu Eurer Verfügung.«

Dann endlich erhob er sich und hastete zu Fuß in Richtung Palast davon.

Das Laufen schien ihm allerdings eindeutig besser zu behagen als die Fahrt auf einem Streitwagen.

Jetzt endlich fanden wir Zeit, Nun und unsere anderen Benê-Jisrael-Freunde zu begrüßen und zu umarmen.

Es gehe ihnen nicht wirklich schlecht, berichteten Nun, Uri und Kehat, denen sich inzwischen auch die Ältesten Aser, der Glücklichmacher, Pallu vom Stamm Ru-ben, Henoch vom Stamm Dan und Bela, der ›Duftende‹, welcher inzwischen allerdings eher wie ein Aas stank, angeschlossen hatten. Die Fronarbeit sei zwar schwer und mancher, der im Korps der Freiwilligen am Tabor gekämpft und mit dem Gold der Belohnung ausgezeichnet worden war, empfinde sie als herabwürdigend.

»Die Verpflegung ist verhältnismäßig anständig – ein halb verhungerter Arbeiter ist schließlich ein schlechter Arbeiter!« erzählte Kehat, der mit seinen Söhnen Aaron und Korach die Verteilung von Korn, frischem Gemüse und Bier beaufsichtigte.

Uri, der Löwe, aus dem Stamm Juda fügte hinzu, wobei er mit seiner doppelten Goldkette klimperte:

»Von den neu angeworbenen Söldnern der Internationalen Garde hat mancher die Schlacht am Tabor auf der anderen Seite mitgekämpft. So zeigen sie durchaus den wünschenswerten Respekt, wenn einer von uns mit einer Goldkette auftaucht, und lassen zumindest unsere Frauen und Kinder in Ruhe.«

Gewiß, die Arbeit war hart und vielfach schmutzig, doch im Laufe vieler Jahrhunderte hatten sie Millionen von Ägyptern geleistet.

Aus riesigen, angefahrenen Haufen Stroh ziehen halbwüchsige Kinder Büschel um Büschel heraus und hacken sie in knapp daumenlange Stückchen. Diese werden in Körben gesammelt und zu den großen Lehmgruben getragen, wo sie mit Wasser, das Männer vom Strom in Krügen heranschleppen, und Lehm, mitunter zudem auch mit frischen Kuhfladen und Eselsmist vermengt und gründlich durchgestampft werden.

Den zähen Brei streichen meist Frauen dann in hölzerne Formkästen und legen die so entstandenen Rohziegel in die Sonne zum Trocknen, wo Kinder und Halbwüchsige sie von Zeit zu Zeit umdrehen, damit sie vollständig durchtrocknen können.

Die fertigen Ziegel werden sodann von Trägern zu den Baustellen geschleppt, wo die Maurer sie mit dünnen Zwischenlagen aus feuchtem Lehm zu den Wänden von Palästen oder Tempeln aufmauern und, wenn sie ihr Handwerk verstehen, sogar Säulen aus ihnen formen können. Mit Gipsstuck überzogen und farbig bemalt unterscheiden sich diese Bauten äußerlich kaum von Wänden und Säulen aus Stein. Der Unterschied ist nur dieser: Stein, selbst der weiche Sandstein oder der kaum härtere Kalk, sind Materialien für die Ewigkeit, Lehmziegel hingegen sind vergänglich. Doch für ein Gebäude die Steine heranzuschaffen, sie zu bearbeiten und mit recht aufwendigen Vorrichtungen an ihren endgültigen Platz zu heben, das kann viele Jahre dauern.

Ein gleiches Gebäude aus Ziegeln hochzumauern, dazu genügen oft wenige Monate, und auch die Kosten belaufen sich hierbei natürlich nur auf einen Bruchteil dessen, was ein gleiches Gebäude aus Stein an Geld verschlingen würde.

Das, was den Männern und Frauen mittlerweile ernsthafte Sorgen bereitete, das war nicht so sehr ihre gegenwärtige Fronarbeit, das war vielmehr, was aus ihren Äckern und Viehbeständen, aus ihren Werkstätten und Geschäften werden sollte, wenn sie hier noch sehr viel länger festgehalten wurden.

»Die erste Aussaat und Ernte dieses Jahres können wir abschreiben«, stellte Aser, der Glücklichmacher, einer der reichsten Bauern der Benê-Jisrael, fest. »Nun, das werden wir überleben. Aber was ist, wenn wir auch zur Zeit der zweiten Aussaat noch hier festsitzen? Ich selbst bin wohlhabend genug, um auch das ganz gut zu überstehen, aber für Hunderte von Kleinbauern, Schafhirten oder Entenzüchtern geht es dann ums nackte Überleben.«

»Und noch schlimmer sieht es dann bei den Handwerkern aus«, fiel Pallu ein. »Welches Material sollen Weber verarbeiten, Tuchhändler verkaufen, wenn der Flachs nicht geerntet, die Schafe nicht geschoren werden? Wer wird einen neuen Webstuhl oder einen Karren bestellen, wenn er gerade noch das Geld hat, um Korn für das Brot seiner Familie zu kaufen? Und wovon soll der Schmied leben, wenn der Schreiner oder der Wagner mangels Abnehmer keine Webstühle und Karren baut? An wen soll der Feinbäcker seine Kuchen verkaufen, wenn der Weber, der Schmied, der Wagner, der Schreiner und der Tuchhändler kein Geld haben?«

»Das ist es«, ergriff Aser wieder das Wort, »was uns hier wahrhaft Sorgen macht! Nicht die Arbeit hier und heute, mag sie auch schmutzig und lästig sein. Was uns Sorgen macht, das ist das Morgen und das Übermorgen, wenn wir irgendwann, viel zu spät, zurückgeschickt werden und dann verarmt vor den Trümmern dessen stehen, was wir im Laufe von Generationen aufgebaut haben!«

Wahrscheinlich hätten wir uns noch endlos die nur allzu berechtigten Sorgen unserer Benê-Jisrael-Freunde anhören müssen, hätte sich nicht jene nicht mehr ganz schlanke, auch nicht mehr ganz junge, allerdings außerordentlich gepflegte Frau, die vorhin mit dem dritten Wagen herangekommen war, zu Mose durchgedrängt und sehr tief vor ihm verneigt:

»Hoheit«, sagte sie mit leiser, kultivierter Stimme, »erlaubt mir bitte, ein Wort an Euch zu richten. Ich bin An-arp, die Erste Mundschenkin der Witwe König Akh-en-Aton Ua-en-Râ Usîres. Meine Herrin, Nofret-ête, wäre selber zu Euch gekommen, doch seit König Akh-en-Aton Ua-en-Râ sie vor nunmehr vierzehn Jahren in den Nördlichen Palast verbannte, war es ihr nicht mehr gestattet, diesen zu verlassen. So hat sie mich ausgesandt zu Euch, Hoheit, mit der Bitte, daß Ihr sie dort im Nördlichen Palast aufsuchen mögt.«

Noch ehe Mose, in dessen Gesicht sich Abscheu und Empörung zu malen begann, ablehnen konnte, sprach An-arp hastig weiter:

»Sie sagte mir, sie wisse, daß diese Bitte eine Zumutung für Euch sei.«

»Wenn sie es weiß, weshalb bittet sie dann?« fragte Mose kalt.

»Sie sagte: ›Um der Wahrheit willen!‹, Hoheit. Und sie sagte: ›Ich bitte ihn als die Mutter Maket-Atons!‹«

Mose zuckte zusammen, als habe man ihn körperlich geschlagen. Seine Hand krampfte sich um den Schlangenstab. Ich sah in seinem Gesicht, wie er minutenlang einen harten inneren Kampf ausfocht.

Doch dann neigte er langsam den Kopf.

»Ich wollte, ich hätte den Namen Nofret-êtes nie mehr in meinem Leben hören müssen! Doch der Mutter Maket-Atons darf ich diese Bitte nicht abschlagen.«

Mose warf Beket-Amûn und mir einen schnellen Blick zu. Selbstverständlich würden wir ihn begleiten. Dann ein kurzer Blick zur Sonne. Bis zur dritten Nachmittagsstunde, zu der uns König Eje Cheper-cheperu-Râ erwartete, war noch genügend Zeit.

Ohne ein weiteres Wort zu verlieren, bestiegen wir die beiden Wagen, die uns der König zur Verfügung gestellt hatte. Augenblicke später rollten wir hinter dem Wagen von An-arp die Königsstraße entlang, durch den teilweise bereits wieder erstandenen Palastbezirk und unter der neu errichteten Brücke mit dem Fenster der Erscheinung hindurch, vorbei an den Ruinen des großen Aton-Tempels, hinauf zum Nördlichen Palast.

Als einziges Bauwerk in Achet-Aton einst von den Spitzhacken der Abrißkolonnen Beks unberührt erstrahlte der Nördliche Palast in seinem alten Glanz. Nur der weitläufige Park ringsum war ziemlich verwildert. Büsche hatten sich, nicht mehr von Gärtnern zurechtgestutzt, üppig ausgedehnt, Gras überwucherte die Wege, die Blumen waren aus ihren strengen Beeten und Rabatten ausgebrochen, hatten sich bunt unter den anderen Pflanzen ausgebreitet. Die Tiere, die dem widerwärtigen Jagdeifer Semench-Ka-Râs entkommen waren, hatten sich kräftig vermehrt und schienen sich in dieser halben Wildnis durchaus wohl zu fühlen.

Nofret-ête erwartete uns in einem der vielen eleganten Audienzzimmer, dessen weite Tür sich zu dem künstlichen See hin öffnete, welcher das Herzstück des Nördlichen Palastes bildete. Doch die leichten Vorhänge an der Tür waren geschlossen, so daß in dem Raum ein mildes Dämmerlicht herrschte. Meinen geschulten Blicken entging allerdings nicht, daß die Mehrzahl der kostbaren Möbel von einer dünnen Staubschicht bedeckt und die Blumen in einer hohen Bodenvase, die in einer Ecke stand, schon vor langer Zeit verwelkt und vertrocknet waren. Nofret-ête lebte in dem luxuriösesten Gefängnis, das man sich überhaupt nur denken konnte, doch offenkundig mangelte es ihr an Personal, das diesen Luxus instand zu halten willens war.

Als wir den Raum betraten, saß Nofret-ête auf einem hochlehnigen Stuhl, gehüllt in ein krapprotes Gewand aus kuschitischer Baumwolle, eine kostbare Perücke auf dem Kopf und eine leichte Decke über den Knien. Sie hatte mit fast geschlossenen Lidern den Blick zu Boden gerichtet, erhob ihn auch nicht, als wir näher kamen. Früher hatte Nofret-ête nur ein Minimum an Schminke verwendet – oder sie so geschickt eingesetzt, daß man sie für Natur halten mochte. An den feinen, eleganten Strichen an den Augenbrauen und um die Augen, an den zart abgetönten Lidschatten hatte sie auch nichts geändert, doch darunter war die Haut ihres Gesichtes, ja, auch ihrer Arme und Hände von einer so dicken Farbschicht bedeckt, daß ihr etwas fast Maskenhaftes anhaftete. Es war ein vergeblicher Versuch, ihre einst berühmte Schönheit zu retten. Doch die für ihre Familie charakteristischen scharfen Falten, die sich von den Nasenflügeln und den Mundwinkeln abwärts zogen, ließen sich nicht mehr überkleistern. Bei Königin Teje, die im landläufigen Sinne nie eine hübsche Frau gewesen war, hatten diese Linien eigenwillig und apart gewirkt. Nofret-ête machten sie einfach alt.

An-arp kündigte uns an, während sie an die Seite ihrer Herrin eilte.

Sie machte es sehr geschickt, so daß man es fast nicht bemerkte, als sie Nofret-ête beim Aufstehen half.

»Ich danke dir, daß du gekommen bist, Tehuti-mose! Und auch dir, Beket-Amûn, und dir, Amûn-hotep!«

Nofret-ête neigte überraschend tief ihr Haupt, und während An-arp ihr unauffällig wieder beim Niedersetzen half, bat sie auch uns, Platz zu nehmen.

Mose lehnte ab:

»Wir sind nicht gekommen, um zu plaudern. Du hast mich mit dem einzigen Wort, das mich dazu veranlassen konnte, dich noch einmal sehen zu müssen, zu dir gerufen. Hier bin ich. Also sage, was du zu sagen hast!«

Für einen Moment flatterten Nofret-êtes Augenlider, ehe sie sich fast gänzlich wieder über ihren Augen schlossen. Doch wir hatten genug gesehen. Das Schwarz ihrer Diamantaugen war getrübt, von gelblich-grauen Körnern verunstaltet, das Weiß der Augäpfel war dicht von roten Adern durchzogen. Nofret-ête war dabei, an der gefürchteten Augenkrankheit zu erblinden!

»Ich habe dich hierher gebeten um der Wahrheit willen«, begann Nofret-ête, »und um dieser Wahrheit willen sage ich dir ganz offen: Ich bereue nichts von dem, was ich getan habe!

Ich wollte die Macht! Schon als kleines Mädchen habe ich von ihr geträumt. Aber ich wollte die Macht ganz und ohne Einschränkungen! Nicht nur als meist zwar unangefochtene, tatsächlich jedoch rechtlose Königin von Achet-Aton! Nicht einmal nur als Große Königsgemahlin! Ich wollte sie als König wie einst Hat-Schepsut Maat-Ka-Râ!

Ich glaube, ich wäre ein guter König gewesen ...«

Für einen Augenblick lastete das Schweigen schwer in dem Zimmer, ehe Nofret-ête mit zunehmender Leidenschaft in ihrer Stimme weitersprach:

»Für dieses Ziel habe ich eingesetzt, was immer ich einzusetzen hatte!

Ja, ich habe den schönen Körper, den die Gnade der Götter mir schenkten, hingegeben. Ich habe Liebe und Ekstase geheuchelt für einen Mann, vor dessen Berührung mir grauste, den selber berühren zu müssen mich ekelte!

Ja, ich habe diesen Körper Aberdutzenden von Liebhabern zur Verfügung gestellt, um jenen Sohn zu gebären, den mir mein Gemahl verweigerte und für den ich wenigstens als Regentin die Herrschaft hätte ausüben können!

Ja, ich habe Hochverrat begangen! Ja, ich habe versucht Ägypten an die Hatti zu verschachern! Es machte mir nichts aus, meinen Botschafter Hanis und später Chattu-Zitisch, den Gesandten des Königs der Hatti, dafür mit meinem Körper zu bestechen.

Ja, ich habe Leute beseitigt, die mir auf meinem Weg hinderlich wurden! Nicht nur diesen lächerlichen Umu-hanko und manch anderen. Ja, auch den redlichen Râ-mose – deinen Bruder, Amûn-hotep –, der mich allzu genau zu durchschauen begann!

Ja, ich habe Sat-Amûn vergiftet, deine Mutter, Tehuti-mose! Und deine Großmutter Teje! Und deine Halbschwester Kija! Die Hohen Federn der Großen Königsgemahlin, ich mußte sie haben, um an mein Ziel zu gelangen! Also mußte ich Sat-Amûn und Teje die Krone entreißen, mußte dafür Sorge tragen, daß Kija sie nie erhalten würde!

Ja, ich habe den unbeweinten Mitkönig Semench-Ka-Râ durch seinen Haushofmeister Cheruef erwürgen lassen, in der

Hoffnung, Akh-en-Aton würde zu mir zurückkehren, wenn diese seine Verirrung beseitigt war!

Ja, ich hatte das Gift schon gemischt, um meinen Gemahl, König Akh-en-Aton Ua-en-Râ gegebenenfalls zu töten, als du, Tehuti-mose – zu Unrecht – meinen Sturz bewirkt hast!«

Wir waren wie zu Stein erstarrt ob dieser schonungslosen, reuelosen Beichte Nofret-êtes.

»Zu Unrecht?« fragte Mose schließlich fast tonlos.

»Ja, zu Un-recht!« bestätigte Nofret-ête, während ihre Lider erneut über ihren Augen flatterten. Sie versuchte aufzustehen, doch ohne An-arps Hilfe sank sie kraftlos in ihren Stuhl zurück.

»Sieh mich doch an!« fauchte sie bitter. »Ich erblinde! Dieser von deinem Halbbruder Akh-en-Aton geschändete, von zahllosen Liebhabern benützte Körper versagt seinen Dienst! Die Hoffnung auf irgendwelche Macht hast du, Tehuti-mose, mir vor vielen Jahren für immer aus den Händen gerissen! Ich bin gescheitert mit dem, was mein Wunsch und mein Traum war! Weshalb, im Namen Atons oder im Namen der Götter, sollte ich heute noch lügen?«

Wieder lastete das Schweigen über uns.

Endlich fuhr Nofret-ête fort:

»Zwei der Morde, die ich begangen habe, die Morde an Sat-Amûn und Kija, hätten zu meinem Sturz führen können. Der an Teje hätte es eigentlich tun müssen – so ungeschickt, wie er ausgeführt war. Das Gift des Sturmhutes ist zwar unfehlbar tödlich, doch das Ende zieht sich hin, und die Symptome sind auffällig. Vielleicht hätte ich doch besser den Biß einer Kobra verwenden sollen, so wie Anchesen-pa-Aton bei Tut-anch-Amûn. Die Bißwunden sind unauffällig, und der Tod ist schnell und sauber. Nur hat es mir immer vor Schlangen gegraust ...«

Nofret-êtes Stimme war zu einem Murmeln herabgesunken, doch dann ruckte sie empor, riß ihre Augen auf, richtete ihren getrübten, verfleckten Blick auf Mose, fuhr ihn an:

»Weshalb hast du mich angeklagt und gestürzt für den Mord an Maket-Aton? Weshalb für einen Mord, den ich nicht begangen habe? Den niemand begangen hat! Maket-Aton war nicht nur deine Frau, sie war auch meine Tochter! Maket-Aton verblutete nach der Entbindung. Das kommt vor. Das kommt immer wieder vor!«

Nofret-ête schrie jetzt beinahe:

»*Weshalb denn hätte ich sie ermorden sollen?* Weil Akh-en-Aton dich zum Mitkönig und sie zu deiner Großen Königsgemahlin machen wollte, so wie später Semench-Ka-Râ und Merit-Aton? Habe ich etwa Merit-Aton ermordet? Oder habe ich etwa dich vergiftet, Wahrer und einziger Hôr-im-Nest Tehuti-mose? Glaubst du gar, ich hätte nicht gewußt, daß dich dein so schlauer väterlicher Beschützer Amûn-hotep damals bei den Benê-Jisrael versteckt hielt? Meinst du, du wärest später für mein Gift unerreichbar gewesen?«

Jetzt schrie Nofret-ête wirklich:

»Doch weshalb hätte ich dich beseitigen sollen? Mein Ziel war es doch nicht, Königsgemahlin eines lächerlichen Mitregenten zu sein. Ich wollte Große Königsgemahlin des *regierenden* Königs werden, um nach seinem Tod Regentin und schließlich selber König zu werden!«

Nofret-ête taumelte aus ihrem Stuhl hoch. Die Decke fiel zu Boden, enthüllte krankhaft aufgequollene Beine.

»Oder hältst du mich für eine mordlüsterne Bestie, die tötet, weil ihr das eine innere Freude bereitet?«

Ihr Gesicht hatte sich zu einer Fratze des Hasses verzerrt. Die Finger ihrer weit ausgestreckten Hände zielten auf Mose. Wie eine Wahnsinnige kreischte sie ihn an:

»Maket-Aton starb eines natürlichen Todes!

Du hast mir bitteres Unrecht getan!

Ich bin an ihrem Tod schuldlos!

Trotzdem hast du mich vernichtet! Hast meine Träume zerschlagen! Hast mich hier eingesperrt! Schuldlos!

Ich bin schuldlos!«

Mose wandte sich um, verließ mit uns den Raum.

»Ich bin schuldlos! Schuldlos! *Schuldlos* ...«, hallte die Stimme Nofret-êtes hinter uns drein.

»Glaubst du ihr?« fragte ich Mose, während wir in langsamem Trab wieder der Stadtmitte und dem Königspalast zurollten.

Mose ließ sich mit der Anwort Zeit.

Inzwischen ließen wir unsere Blicke schweifen. Die Häuser, die Geschäfte und Werkstätten in der Nordstadt waren ebenso wie in den Stadtvierteln südlich des Palastes seinerzeit von den Abrißkolonnen Beks nicht allzu schlimm in Mitleidenschaft gezogen worden. Die Gärten und die großzügigen öffentlichen Grünanlagen waren natürlich verwildert, die zahlreichen künstlichen Teiche und Seen verschlammt oder ausgetrocknet. Einige der Häuser waren ausgebrannt, doch die Mehrzahl der Gebäude war zumindest nicht mutwillig beschädigt. Allerdings befanden sich fast alle in jenem Zustand trostlosen Verfalls, den leerstehende Häuser merkwürdig schnell anzunehmen pflegen. Da war eine Hausecke so sehr abgesackt, so daß das ganze Gebäude schief stand; der Putz war von den Wänden gefallen oder hatte sich mit großen graugrünen Flecken überzogen; Mauern wölbten sich ohne ersichtlichen Grund nach außen oder innen; Zimmerdecken und ganze Dächer waren heruntergebrochen, Nebengebäude in sich zusammengesackt, Teile der Gartenmauern umgestürzt. Gewiß, der eine oder andere dieser Schäden mag durchaus auch an einem bewohnten Haus auftreten, doch seltsam ist, daß unbewohnte Häuser sehr rasch und sehr oft gleich von drei oder vier dieser Übel befallen werden und daß alle derartigen Gebäude davon betroffen zu sein scheinen. Es ist, als ob die Bewohner die Seele eines Hauses seien. So lange sie in ihm leben, ist das Haus, von kleineren Wehwehchen abgesehen, gesund und kräftig. Ziehen sie aber aus, so stirbt das Haus und beginnt in Verwesung überzugehen …

Und auch das fiel uns auf: So hektisch der König den Palast wieder aufrichten ließ, so wenige andere ehemaligen Bewohner waren bislang nach Achet-Aton zurückgekehrt, hatten ihre alten Häuser, Geschäfte und Werkstätten zu reparieren begonnen. Für mich machten die wenigen, die zu sehen waren, nicht einmal den Eindruck von Menschen, die ihr Hab und Gut instand setzen, um sich eine Zukunft auszubauen, als vielmehr von Maden, die über einen Kadaver kriechen.

»Ja, ich glaube ihr«, sagte Mose plötzlich, und ich hatte einige Herzschläge lang Mühe, mich meiner ursprünglichen Frage zu entsinnen.

»Nofret-ête hat die Morde an Sat-Amûn, an Teje, Kija, Se-mench-Ka-Râ, Umu-hanko und etlichen Ungenannten gestan-den«, fuhr Mose fort, »dazu den Mord an deinem Bruder Râ-mose, dessen wir sie nicht einmal verdächtigt haben. Sogar den schon geplanten Mord an König Akh-en-Aton.

Sie hat unumwunden den Versuch des Hochverrates zuge-geben.

Sie hat sich all dessen geradezu gerühmt!

Weshalb also sollte sie bei Maket-Aton plötzlich gelogen haben?

Nofret-ête hat uns nicht in den Nördlichen Palast gebeten, um irgendeine Schuld zu leugnen oder gar sich zu entschuldigen. O nein!

Sie wollte uns und vor allem mich sehen, um sich bitter und lautstark zu beschweren über das schwere Unrecht, das ich ihr damals angetan habe! Daß sie für etwas bestraft wurde, was sie nicht getan hatte! Daß sie schuldlos ihrer Macht beraubt und in die Verbannung geschickt wurde! Daß ich ihr Lebenswerk, kurz ehe sie es krönen, besser, ehe sie sich krönen konnte, zerschlagen habe! Ihre Wut, ihre Empörung, ihre Verzweiflung, die waren nicht gespielt!«

Mose hatte inzwischen grübelnd den Wagen angehalten.

»Sie hat die Wahrheit gesagt!« entschied er schließlich. »Und ich bin ihr dafür aus tiefstem Herzen dankbar. Der Zorn, die Trauer, die Rachegedanken, die Verzweiflung über den Tod mei-ner Maket-Aton haben all die Jahre niemals aufgehört an meinem Herzen zu nagen und zu fressen. Ich konnte und wollte den Ge-danken, daß sie der Bosheit eines Menschen zum Opfer gefallen war, nicht ertragen! Jetzt, da ich weiß, daß es allein der Wille der Götter, der Ratschluß Gottes war, mich für dieses Leben von Maket-Aton zu trennen, jetzt kann ich Frieden finden.«

Mose richtete sich hoch auf, legte einen Augenblick seine Arme um Beket-Amûn und mich, drückte uns an sich. Dann wandte er sich um und blickte zum Nördlichen Palast zurück:

»Du bist eine Wahnsinnige, Nofret-ête! Ein von Gift und Blut triefendes Monster! Und doch wünsche ich dir für den Rest deiner Tage allen Segen der Götter, denn du hast mir die Freiheit gegeben, deren ich für die Aufgabe bedarf, die Gott mir in diesem Leben gestellt hat!«

Leichtfüßig drehte er sich um, griff nach den Zügeln und ließ die Peitsche schnalzen. In flottem Trab rollten wir die letzten Chet zum Palast hinunter, wo uns Cheruef und die Diener des Königs schon erwarteten, vom Wagen halfen, uns zu einem der kleineren Audienzsäle führten und vor uns mit tiefer Verneigung den Eingang öffneten.

Als die schweren Türflügel hinter uns zuschlugen, waren wir allein in dem leeren Saal.

Einzig vorne auf seinem Thron saß König Eje Cheper-cheperu-Râ, die Doppelkrone auf dem Haupt, Krummstab und Geißel in den Händen, geschmückt mit allen Abzeichen des Herrschers von Ober- und Unterägypten, Herrn der Beiden Länder, der Beiden Throne und der Beiden Kronen.

Langsam schritten wir nach vorne, blieben vor dem Thron stehen. Mose in der Mitte, wir einen halben Schritt hinter ihm, Beket-Amûn zu seiner Rechten, ich zu seiner Linken. Die drei Sessel, die dem Königsthron gegenüber aufgestellt waren, beachteten wir nicht.

Wir verneigten uns leicht, was der König ebenfalls mit einem knappen Senken seines Hauptes beantwortete.

Eine ganze Weile starrten wir uns stumm in die Augen.

Endlich brach König Eje Cheper-cheperu-Râ das Schweigen:

»Ich habe dich erwartet, Wahrer und einziger Hôr-im-Nest Tehuti-mose. Ich war nur erstaunt, daß ich so lange warten mußte.«

»Dann weißt du ja wohl auch, weshalb ich gekommen bin«, erwiderte Mose ruhig.

Für einen Augenblick huschte der Anflug eines Lächelns um die Lippen des Königs:

»Ich weiß das sehr wohl! Doch du selber, so fürchte ich, weißt es noch nicht. Zumindest noch nicht zur Gänze.

Nun, wenn wir dieses Gespräch zur Zufriedenheit aller abschließen, dann wirst du zu dieser Tür hinausgehen, und man wird dich als Helden und Erretter bejubeln.

Doch ich muß dich auch warnen! Solltest du dich meinen Vorschlägen verweigern, dann mag dieses Gespräch anders enden! Dann mögen Dinge zur Sprache kommen, die zu wissen nur *einem* erlaubt, für jeden weiteren jedoch tödlich sind!«

»Du drohst uns?« fragte Beket-Amûn scharf.

Eje Cheper-cheperu-Râ hob abwehrend die Hand:

»Fern sei es von mir zu drohen! Ich warne nur – aus ehrlicher Sorge um euer Leben.«

»Wenn deine Söldner hereinstürmen, um uns niederzumachen, dann werde ich mich gerne deiner Fürsorge entsinnen«, warf Beket-Amûn dem König spöttisch hin.

Eje Cheper-cheperu-Râ verzog angewidert das Gesicht.

»Wie kommst du nur auf solch blutrünstige Gedanken, liebste Nichte? Ich sagte nur, es gibt Dinge, die zu wissen tödlich sein kann!«

»Willst du uns Angst einjagen?« fragte Mose.

»Ich weiß, daß ich das nicht kann«, wehrte der König ab. »Aber deine beiden Begleiter solltest du bitten, den Saal zu verlassen, um nicht auch ihr Leben in Gefahr zu bringen!«

»Wir werden bleiben!« erklärten Beket-Amûn und ich wie aus einem Mund.

»Dann ist dies euer selbstgewähltes Schicksal«, erklärte der König hart.

Mit einer knappen Handbewegung wehrte König Eje Cheper-cheperu-Râ jede weitere Bemerkung ab.

»Wir verzetteln uns mit Nebensächlichkeiten. Sprechen wir von dem, weshalb du gekommen bist, Tehuti-mose.«

»Die Benê-Jisrael ...«

Der König lachte auf. Es war ein hartes, humorloses Lachen:

»Ich hätte sie für ein wenig stolzer, ein wenig härter gehalten. Doch kaum habe ich sie ein bißchen schikaniert, da rennen sie schon flennend zu ihrem großen Beschützer, fordern den Schutz ein, den sie ihm einst in Kindertagen gewährt zu haben glauben!«

»So war es nicht!« widersprach Mose energisch. »Nicht die Benê-Jisrael sind zu mir gekommen! Ich selber habe sie aufgesucht, um festzustellen, daß du sie wider jedes Recht und jede vernünftige Tradition ausbeutest, unterdrückst und in den Ruin zu treiben trachtest.«

»Sie waren zweifellos«, erklärte der König kalt, »ein prächtiges Mittel, um dich hier vor meinen Thron zu bringen.«

»Dazu hätte auch ein schlichter Kurier genügt«, stellte Mose richtig.

»Um dich hierher zu rufen, ja«, gab Eje zu. »Doch gewiß nicht, um dich bereit zu machen, mir wirklich zuzuhören!«

Mose hatte seinen goldblinkenden Schlangenstab vor sich auf den Boden gestemmt und fixierte unverwandt sein Gegenüber. Auch König Eje Cheper-cheperu-Râ konzentrierte sich vollkommen auf den Hôr-im-Nest.

Beket-Amûn und ich waren vergessen.

»Nun denn: Ich höre«, forderte Mose den König heraus.

»Vergiß die Benê-Jisrael«, hob Eje Cheper-cheperu-Râ an. »Das, worüber ich mit dir sprechen will, das ist, was du und deine Freunde meinen ›großen Plan‹ nennen.«

»In dessen Mittelpunkt offenbar vom ersten Tag an die Benê-Jisrael standen!« stellte Mose fest.

»Dieses lächerliche Häuflein Halb-Chabiru«, wehrte der König ab, »für das ein einziges Wort von mir genügte, um sie da draußen brav im Lehm matschen, Stroh hacken und Ziegel schleppen zu lassen, während ihre Äcker verwahrlosen, ihre Hütten und Trödelläden zusammenfallen und ihre Ziegen verrecken?«

Doch Mose ließ sich nicht beirren:

»Es geht um sie! Denn die Benê-Jisrael sind das auserwählte Volk des Herrn, das Volk Dessen, der über allen Göttern thront! Sie sind es, weil Gott ihnen, den Nachkommen Abrahams, Isaaks und Jisraels, die Prophezeiung gab, daß einst aus ihrem Volk der Erlöser aufstehen wird, der allen Menschen seit Anbeginn der Welt verheißen ist!«

»Und was hätte ich damit zu schaffen? Weshalb sollten sie mir so wichtig sein?« fragte Eje.

»Noch weiß ich es nicht«, gab Mose zu. »Doch daß du offenbar sehr viel damit zu schaffen hast, das steht außer Frage! Die Benê-Jisrael glaubten stets an nur einen Gott.

Du hast Aton erschaffen, den Gott, der kein Gott ist, hast ihn zum alleinigen Gott gemacht und hast in seinem Namen Ägypten und, schlimmer noch, Ägyptens Provinzen ins Chaos gestürzt, hast Menschen unterdrücken, quälen und töten lassen!«

»Ich habe Aton sogar«, fügte der König spöttisch hinzu, »mit den Eigenschaften ›Leben spendend‹, ›alleinzig‹, ›allmächtig‹, ›allewig‹ ausgestattet, die in Wahrheit nur Ihm allein zustehen.«

»Den Benê-Jisrael gab Gott sein Wort, daß er aus ihrem Volk den Erlöser aufstehen lassen wird, den Verheißenen, den Friedensfürsten, den Sohn Gottes.«

»Und ich gab ihnen dafür Akh-en-Aton, den Verrückten, der sich mit all diesen Titeln schmückte!«

Eje Cheper-cheperu-Râ lehnte sich auf seinem Thron zurück:

»Deine Folgerungen sind interessant, in gewissem Sinne sogar schlüssig – und jetzt wirst du vermutlich sogar eine Verbindung aufzeigen zwischen mir und den Benê-Jisrael samt ihren Überlieferungen …«

»Du warst«, bestätigte Mose, »in jungen Jahren Priesterschüler im Hat-Benben zu Onû. Du nanntest dich damals noch Nefer-Min, doch der Name deines Vaters Juja, des Großpriesters des Min zu Ipu, hat dich verraten. Du hast dort die Aufzeichnungen Pot-ef-Ras, des Schwiegervaters des Jo-sêph, gelesen. Die Titel deines Gottes Aton und jene seines Gesandten Akh-en-Aton hast du dort gefunden, hast ganze Passagen der Hymnen und Gebete wörtlich abgeschrieben und später auf Aton und seinen ›Sohn‹ umgedeutet.

Endgültig die Augen geöffnet hat mir jedoch dein Name: Eje – Ich bin! Der Name Gottes in der Sprache der Benê-Jisrael zusammen mit deinem Titel ›Gottvater‹, den du ja immer noch unter deinen Königstiteln führst.«

»Du hast dich wahrhaft gründlich vorbereitet«, lobte Eje Cheper-cheperu-Râ, »und ich gestehe, daß mir die Aufzeichnungen Pot-ef-Ras höchst nützlich waren, als ich die Lehre des alleinzigen Gottes Aton und seines ›Sohnes‹ Akh-en-Aton erfand! Ja, es war durchaus befriedigend, die großspurigen Prophezeiungen, die Gott angeblich den Benê-Jisrael gab, zu entlarven und zur Heilslehre des Narren von Achet-Aton zu verdrehen.«

»Du glaubst an keinen Gott?« fragte Mose bestürzt.

»Wenn du mit ›Gott‹ Amûn, Usîre oder Hôr, geschweige Aton meinst – dann: nein!« gestand Eje offen. »Wenn du unter ›Gott‹ eine alles menschliche Begreifen weit übersteigende Wesenheit verstehst, die irgendwann den Himmel mit all seinen Gestirnen, die die Erde mit allem, was auf ihr lebt, erschaffen hat – dann: vielleicht.

Wahrhaft ›Gott‹ ist freilich nur, wer durch seine Mitmenschen zur Göttlichkeit emporgehoben wird wie einst Im-hotep und Ptah-hotep oder in unseren Tagen der Sohn des Hapu!

Doch wenn irgendein ›Gott‹ sich jemals überhaupt um die Belange der Menschen gekümmert, sich je ein Volk auserwählt haben sollte, dann doch zweifellos die Ägypter, die emporgestiegen sind zu einer Höhe des Wissens und der Weisheit wie kein anderes Volk dieser Erde!

Ganz gewiß jedoch nicht eine Horde von Eselstreibern!«

»Und doch sind es die Benê-Jisrael, denen Er sein Wort gab, daß sich einst der Erlöser aller Menschen, der wahre Friedensfürst und gerechte Herrscher über den Erdkreis aus ihrem Volk erheben wird!« widersprach Mose ruhig.

»Aus ihrem Volk?« hakte Eje sofort ein und bohrte im gleichen Atemzug: »Sind die Benê-Jisrael denn ein Volk? Sind sie in Wirklichkeit nicht nur eine lose Menschengruppe, die nicht mehr verbindet als ein paar gemeinsame Ahnen und ein paar vage Überlieferungen? Um überhaupt ein Volk zu sein, bedarf es mehr, als daß sich ältere Männer Bärte wachsen lassen, die Vorliebe für bunt gemusterte Stoffe und einen Dialekt, der sich neben dem Ägyptischen immer mehr verliert. Du hast deine Kindheit bei ihnen verbracht und dabei ihre Sprache so gut gelernt, daß du viele Jahre brauchtest, um zu bemerken, daß *eje* ›ich bin‹ bedeutet!«

Für einen Augenblick ließ der König das Gesagte wirken, ehe er fortfuhr:

»In gewissem Sinne bewundere ich die Benê-Jisrael sogar. Sie sind ein zäher Stamm! Dreihundert Jahre lang haben sie an den Resten ihrer kleinen Barbarentraditionen festgehalten. Aber warte nochmals hundert Jahre, und auch davon wird nichts mehr übrigbleiben – die Benê-Jisrael werden Ägypter sein wie alle anderen Ägypter auch.«

»Du beabsichtigst also, Gott Lügen zu strafen«, erkundigte sich Mose, »indem du sie auszurotten trachtest?«

»Du hast mir nicht genau zugehört!« tadelte der König, »Hätte ich sie ausrotten wollen, ich hätte es längst getan, und Akh-en-Aton wäre auch dafür mein eifriges Werkzeug gewesen. Ich will nur, daß die Benê-Jisrael endgültig das werden, was sie beinahe schon sind: Ägypter.«

»Also«, korrigierte sich Mose, »willst du Ihn Lügen strafen, indem du die Benê-Jisrael endgültig zu Ägyptern machst, ehe sie zu Seinem Volk im Lande Kanaan werden können, wie ihnen vorhergesagt wurde?«

»Gott Lügen zu strafen, das wäre in der Tat eine interessante Lebensaufgabe«, gab Eje zu.

»Die du nie vollenden wirst!« stellte Mose sehr bestimmt fest. »Wenn Gott den Benê-Jisrael versprochen hat, sie zu einem großen Volk in Kanaan zu machen, dann wird Er sein Wort auch einlösen!«

»Und wie? Soll Gott herniederfahren und sie mit Mann und Weib, mit Kind und Vieh auf einer Wolke nach Kanaan tragen? Und selbst wenn er es tun würde – ohne eine gemeinsame Geschichte, ohne eigene Gesetze, ohne staatliche Strukturen, ohne verwurzelte Tradition und Religion würden sie auseinanderlaufen und binnen Kurzem von Amoritern, Jebusitern, Elamitern, Moabitern und all den anderen Stämmen dort aufgesogen werden.«

Mose konnte der Logik des Königs nicht widersprechen, trotzdem war er sich sicher:

»Gott kennt viele Wege, um sein gegebenes Versprechen einzulösen.«

Ein verächtliches Lächeln huschte um die Lippen des Königs:

»Ein paar ihrer Alten glauben wohl, solch einen Weg gefunden zu haben. Neben dem großen Erlöser und Weltenkönig, der irgendwann einst kommen soll, haben sie sich einen ›kleinen Erlöser‹ ausgedacht, einen Mann, der die Söhne und Töchter Jisraels sammeln, aus Ägypten herausführen und zu dem geweissagten Volk machen soll.«

»Was daran sollte so unvorstellbar, so lachhaft sein?« verlangte Mose zu wissen.

König Eje Cheper-cheperu-Râ hatte Krummstab und Geißel beiseite gelegt, beugte sich vor und zählte an den Fingern auf.

Der erste Finger:

»Zuallererst müßte dieser Mann eine Persönlichkeit sein, die genug Macht besitzt, um die Benê-Jisrael überhaupt erst einmal herauszuschaffen aus Ägypten, weg von ihren Äckern und Feldern, ihren Häusern, Werkstätten, Bierschenken und Trödelbuden.«

Der zweite Finger:

»Und er müßte über ein gewaltiges Ansehen verfügen, um diesen wirren Haufen auch auf Dauer im Zaum zu halten! Glaube mir, weder Nun, der Vater deines Freundes Je-schua, noch Uri, den man den Löwen nennt, verfügen auch nur im Ansatz über diese Macht und Ansehen. Allenfalls Je-schua mag in etlichen Jahren zu einer Persönlichkeit heranreifen, welche die Benê-Jisrael als Volk führen könnte. Doch nicht einmal Je-schua vermöchte je sie zu einem Volk zu machen, mag er als General und Feldherr noch so brillant sein!«

Der dritte Finger:

»Derjenige, der die Benê-Jisrael aus Ägypten herausführt, müßte ihnen ein Gesetz geben; denn jedes Volk braucht ein Gesetz, braucht Vorschriften und Regeln, nach denen es sich richten und leben kann. Er müßte also ein hoher Beamter sein, ein Gesetzeskundiger und Richter!«

Der vierte Finger:

»Zudem müßte er ihnen eine Menge Kultur beibringen, die darüber hinausgeht, wie man Lehmziegel backt, Schafe schert oder Bier braut. Er müßte ihnen zeigen, wie man die Jahreszeiten berechnet, wie man Krankheiten heilt, und er müßte auch zumindest die primitivsten Hygieneregeln verbindlich verankern. Er müßte demnach Arzt, Astronom, kurz, Wissenschaftler sein.«

Der fünfte Finger:

»Sodann müßte er ihnen eine allgemeine Tradition, eine gemeinsame Geschichte geben; denn nur diese vermögen die Wurzeln eines Volkes zusammenzuhalten. Mündliche Überlieferungen mögen eine ganze Weile überleben, doch irgendwann wird es notwendig, sie aufzuschreiben. Er müßte somit ein erfahrener Schriftgelehrter sein, daß er eine ihrer Sprache angepaßte Schrift zu erfinden vermöchte.«

Der sechste Finger:

»Weit mehr als alles andere jedoch müßte er ein Mann sein, der Gott kennt! Der eingeweiht ist in die höchsten Mysterien! Denn eben er ist es ja, der den Benê-Jisrael jenen Gott zeigen muß, dessen Volk sie sein sollen! Vor allem also müßte er ein Hoherpriester und Eingeweihter sein!«

Der siebte Finger:

»Zuletzt müßte er über all dies hinaus die Kraft haben, die Benê-Jisrael vielleicht zehn, vielleicht auch zwanzig Jahre zu führen und zu schulen! Der Weg von Ägypten nach Kanaan ist dafür viel zu kurz. Er müßte sie zunächst in die Wüste von Biau hinunterführen und sie dort für lange Zeit zusammenhalten, wenn er aus ihnen das machen will, was sie werden sollen: ein *Volk*!«

Zufrieden lehnte sich König Eje Cheper-cheperu-Râ auf seinem Thron zurück, doch Mose blieb unnachgiebig:

»Wenn Gott es so bestimmt hat, dann wird Er zur rechten Zeit solch einen Mann aus der Mitte des Söhne Jisraels berufen.«

»Niemals!« rief Eje spottend. »Ein Mann von so großer Macht, von so hohem Ansehen, ein Mann, der höchster Eingeweihter und erfahrener Beamter, Arzt, Schriftgelehrter und Wissenschaftler, vielleicht sogar noch General ist, das alles in einem –

solche Männer wachsen selbst aus dem ägyptischen Volk nur alle paar Jahrhunderte hervor und genießen nach ihrem Tod göttliche Ehren wie der Sohn des Hapu! Wenn die Benê-Jisrael nach einem solchen Mann suchen, dann müssen sie schon jemanden nehmen, der tatsächlich seit jeher in all diesen Künsten und Wissenschaften ausgebildet wird.«

»Und wer sollte das sein?« fragte Mose erwartungsvoll.

»Ein König! – Oder ein Hôr-im-Nest!«

Mose entspannte sich sichtlich:

»Falls du befürchten solltest, daß ich die Absicht hege, mich an die Spitze der Benê-Jisrael zu setzen und mit ihnen in die Wüste von Biau zu ziehen, um sie dort zum Volk Gottes zu formen, dann mag dich beruhigen, daß mir noch nicht einmal im Traum dieser Gedanke gekommen ist!«

»Deine Freunde sehen das entschieden anders!« gab König Eje Cheper-cheperu-Râ zu bedenken. »Oder was bist du in ihren Augen?«

»Ein Freund, so hoffe ich.«

»Nicht mehr?«

»Was könnte ich mehr sein?«

Mose war jetzt offenkundig verwirrt, begriff nicht, worauf der König anspielen mochte.

»Du weißt es also wirklich nicht«, stellte Eje verblüfft fest, »daß einige der Ältesten der Benê-Jisrael längst *dich* zu ihrem kommenden Erretter, Erlöser und Volksführer gemacht haben!«

»Unsinn!« fuhr es Mose heraus.

»Keineswegs Unsinn!« korrigierte der König und zog ein Blatt Papyrus hervor. »Oder wie anders willst du erklären, was beispielsweise Aram, der ehrwürdige Großvater deines Freundes Je-schua, da erzählt, und was meine Spione wortgetreu aufgeschrieben haben:

Ein neuer König, der von Jo-sêph nichts mehr wußte, trat über Ägypten die Herrschaft an. Er sprach zu seinem Volk:

›Fürwahr, das Volk der Söhne Jisraels ist groß und stark. Wir müssen uns klug

ihm gegenüber verhalten, damit es nicht noch zahlreicher wird und im Kriegsfall sich unseren Feinden anschließt, gegen uns kämpft und sich des Landes bemächtigt.‹

Also gab der König den Befehl:

›Werft jeden Knaben, der den Benê-Jisrael geboren wird, in den Fluß, alle Töchter aber laßt am Leben!‹ ...«

»Ein Märchen!« warf Mose verächtlich ein, »Ein Märchen, das in ganz ähnlicher Form bereits vor mindestens tausend Jahren in den ›Zwei Brüdern‹, dem ›Redlichen Richter‹ und der ›Tochter des Königs‹ von berufsmäßigen Geschichtenerzählern auf den Märkten zum besten gegeben wurde!«

»Gewiß ein Märchen.« gab König Eje freimütig zu, »Allerdings eines mit erstaunlichen Wendungen!« und las weiter vor:

»Ein Mann aus dem Hause Levi ging hin und nahm eine Tochter Levis zur Frau. Diese empfing und gebar einen Sohn. Sie sah, daß er schön war, und verbarg ihn deshalb drei Monate lang.

Länger aber konnte sie ihn nicht verbergen.

Sie nahm deshalb ein Kästchen aus Binsen und überzog es mit Asphalt und Pech. Dann legte sie das Kind hinein und setzte es im Schilf am Ufer des Flusses aus.

Da kam die Tochter des Königs herab, um im Fluß zu baden.«

»Pfui!« rief Beket-Amûn spontan. »Welche königliche Prinzessin setzt sich denn freiwillig Hakenwürmern und anderen Scheußlichkeiten aus?«

»Und wie schwimmt ein Binsenkörbchen«, flocht ich ein, »von Hat-uaret oder Umgebung mindestens 14 Iteru bis Men-nôfer, wahrscheinlicher fast 80 Iteru bis Uêset dem Strom entgegen, flußaufwärts, um überhaupt in die Nähe einer Königstochter zu gelangen?«

Für einen Augenblick lachten wir alle herzlich. Dann las der König weiter:

»Ihre Dienerinnen gingen am Ufer des Flusses auf und ab. Da sah die Königstochter das Körbchen im Schilf und ließ es durch ihre Leibmagd holen. Sie öffnete es, und siehe da, ein weinendes Knäblein!

Da war sie vom Mitleid gerührt und sprach:

›Dies ist eines der Kinder der Benê-Jisrael.‹

Sie nahm den Knaben an Kindes Statt an und nannte ihn Mose.«

König Eje Cheper-cheperu-Râ hielt einen Augenblick inne, ehe er spöttisch bemerkte:

»Der verehrungswürdige Aram, der beste Geschichtenerzähler der Benê-Jisrael und Großvater deines Freundes Je-schua versucht dich also zu einem Nachkommen Abrahams zu machen!«

»Wäre dies denn so unverständlich? Scheine ich derzeit nicht fast der einzige Freund der Benê-Jisrael zu sein?« fragte Mose, wurde dann aber sachlich: »Gesetzt den Fall, deine Spione haben die Geschichte tatsächlich wortgetreu aufgezeichnet, dann hat Aram ihr allenfalls eine erzählerisch feste Form gegeben, aus der die Wahrheit leicht zu lesen ist: das Binsenkörbchen! Jeder, der die Sprache der Zeichen und Symbole kennt, der weiß, daß das ›Binsenkörbchen‹ die Brücke schlägt von dem Volk, dem ein Mensch körperlich entstammt, zu dem Volk, dem er seiner Berufung und seinem Geist nach zugehört.«

»Um so besser!« rief König Eje Cheper-cheperu-Râ. »Um so begeisterter werden die Benê-Jisrael dich feiern, wenn du es bist, der sie aus meiner Knechtschaft befreit! Um so erfreuter werden sie von dir die Felder und Äcker, die Häuser und neuen Werkstätten annehmen, mit denen du sie fortlockst aus den östlichen Deltagauen und sie verstreust über ganz Ägypten. Um so williger werden sie die Reste ihres Dialektes vergessen, ihre Frauen sich nicht mehr ganz so grellbunt kleiden und ihre Männer sich endgültig ihre Bärte abrasieren, um endlich das zu werden, was ihnen gehörigen Wohlstand, endgültige Rechtssicherheit und allgemeine Zufriedenheit bringt: Ägypter!«

Eine lange Pause trat ein, während der Mose das Gehörte innerlich zu verarbeiteten suchte. Endlich wandte er sich wieder an den König, der ihn zufrieden beobachtet hatte.

»Ich habe diese Führerschaft nie angestrebt«, stellte Mose nochmals klar, »und ich habe bislang auch nie den Ruf verspürt, die Benê-Jisrael aus Ägypten herauszuführen, sei es nach Biau oder nach Kanaan oder sonst irgendwohin.«

Eje atmete sichtlich auf:

»Das ist gut so, sehr gut so! Denn selbst wenn du es wolltest, du könntest es nicht!

Wenn du zu den Söhnen und Töchtern Jisraels gehen würdest, um sie aus Ägypten herauszuführen, um sie zu Seinem Volk zu machen, du müßtest im Namen des alleinzigen Gottes zu ihnen gehen. So du aber in Seinem Namen kommst, werden sie dich hassen und nicht auf dich hören! Wann immer du ihnen von einem einzigen Gott sprichst, dann werden sie an Aton denken, in dessen Namen sie geknechtet und gequält wurden, nicht zuletzt von mir, heute und hier beim Wiederaufbau der Sonnenstadt!

Wenn du ihnen von einem Erlöser und Friedensfürsten sprichst, dann werden sie sich an Akh-en-Aton erinnern, den Verrückten, der das Land in Chaos gestürzt und das Reich verloren hat!

Ein ›einziger Gott‹ und sein ›Erlöser‹, wie immer sie heißen mögen und in welcher Gestalt immer sie kommen mögen, werden für lange, lange Zeit in den Augen der Benê-Jisrael ebenso wie in den Augen der Ägypter Schreckgespenster sein, Ungeheuer und bösartige Dämonen, welche die Menschen knechten, unterdrücken, quälen und töten.

Du siehst«, schloß Eje, »die Benê-Jisrael haben mit dem, was du meinen ›großen Plan‹ nennst, nur insoweit zu tun, als ich sie benutzt habe, um dich zu zwingen, dein ganzes Sinnen und Trachten einzig und allein auf Ägypten zu richten.«

»Und was willst du bezwecken?« fragte Mose voll Mißtrauen. »Was willst du wirklich?«

König Eje Cheper-cheperu-Râ streckte Mose Krummstab und Geißel, die Insignien seiner Macht, entgegen:

»Hier nimm sie, Krummstab und Geißel! Nimm die Kronen von Ober- und Unterägypten! Setze dich auf den Thron!

Ich danke freiwillig ab zu deinen Gunsten!

Du bist der Einzige und wahre Hôr-im-Nest!

Bringe nur endlich den Mut auf, König zu werden!

Dazu mußt du nicht einmal die eitle, machtgierige, dumme, bedeutungslose und geile Anchesen-pa-Aton heiraten. Sie ist zu dieser Stunde auf dem Weg in den Nördlichen Palast, um dort ihrer Mutter auf immer Gesellschaft zu leisten.

Mache Merit-Râ zu deiner Großen Königsgemahlin, und führe mit ihr diese heruntergekommene Dynastie zu neuem Glanz!

Kehre zurück zu den Göttern, deren Tempel ich bislang nicht angerührt habe! Lasse dieses elende Achet-Aton ernsthaft dem Erdboden gleich machen – deine Benê-Jisrael-Freunde werden das mit Begeisterung tun! Du kannst sie dann überall im Land reichlich mit Äckern, Feldern, Häusern und Pfründen für ihre Verluste entschädigen, kannst sie großzügig beschenken, um ihnen für deine Errettung damals angemessen zu danken! Du magst sie sogar unter deinem persönlichen Schutz in ihrem ›verheißenen‹ Kanaan ansiedeln, das ich gegen den ›Friedenskönig‹ Akh-en-Aton, gegen Azirhû, Hatti und Geldnöte für Ägypten bewahrt habe. Was kümmern mich die Benê-Jisrael, dieser wirre Haufe von Eseltreibern und Hammeldieben mit der unbedeutenden Vergangenheit und den großspurigen Prophezeiungen, von denen sie selber kaum mehr eine Ahnung haben? Ich weiß, daß du dich ihnen verpflichtet fühlst, also rette sie – denn sonst werde ich sie ruinieren und ausrotten bis zum letzten plärrenden Säugling!

Nimm die Kronen! Nimm Krummstab und Geißel!

Werde zu dem, wofür du geboren bist: zum König von Ägypten! Zum Herrn der Beiden Länder, der Beiden Kronen und der Beiden Throne! Regiere glücklich und in Frieden für ungezählte Jubiläen, damit das Volk dich preisen kann und ihre Nachkommen einst deinen Namen in Ehrfurcht nennen!«

Mose schwieg, doch seine Mundwinkel hatten sich verächtlich herabgebogen. In diesem Augenblick erinnerte mich sein Gesichtsausdruck stark an seine Großmutter Teje.

»Weshalb willst du mir nicht glauben, daß ich Ägypten wahrhaft und von ganzem Herzen liebe?« erregte sich König Eje. »Bedenke: Sobald sich die Doppelkrone von Ober- und Unterägypten auf dein Haupt niedersenkt, hat das Land einen würdigen, klugen und tatkräftigen König. Es hat einen König, der wie zu den Zeiten der großen Pyramidenbauer in seiner Person die Spitze des Beamtentums ebenso wie die Weisheit des höchsten Eingeweihten vereinigt! Seit langer, sehr langer Zeit würde Ägypten wieder einen König haben, wie ihn sich die Gründer unseres Reiches vorgestellt haben!«

König Ejes Stimme wurde leidenschaftlich, ja heftig, als er weitersprach:

»Dieses Land, dieses Königsgeschlecht liegen am Boden! Seit dem Tod der edlen Königin Hat-Schepsut Maat-Ka-Râ ging es steil bergab. Tehuti-mose Men-cheper-Râ, der große Feldherr, verwickelte Ägypten in unsinnige Kriege, blutete es aus. Seine beiden Nachfolger waren schwach. Amûn-hotep Neb-Maat-Râ, der ›Prächtige‹, erhielt, nicht zuletzt dank des Sohnes des Hapu, den äußeren Glanz, doch innerlich war das Reich morsch und hohl geworden, so daß es der Revolution des Aton-Glaubens nicht einmal bedurft hätte, um es unter Akh-en-Aton Ua-en-Râ zusammenbrechen zu lassen! Er und Semench-Ka-Râ besiegelten nur, was ohnehin unvermeidlich war. Und Tut-anch-Amûn Neb-cheperu-Râ wäre, hätte er länger gelebt, zwar ein guter König geworden, niemals aber jener wahrhaft große König, dessen Ägypten bedarf!«

Eje Cheper-cheperu-Râ hatte seine Rechte erhoben, deutete mit dem Krummstab auf Mose:

»Du und nur du bist es, Tehuti-mose, der die Kraft und die Weisheit hat, um Ägypten wieder empor zu führen ins Licht, der fähig ist, diesem Herrscherhaus neuen Glanz zu verleihen!

In deinen Händen, Tehuti-mose, liegt es allein, Ägypten für die nächsten tausend Jahre in einem Maße sein Siegel aufzudrükken, wie es nur einst die Könige Djoser Netscheri und Chnumkufu Medjedu getan haben!

Die Throne von Ober- und Unterägypten sind es, welche die Götter … welche Gott für dich bereitet hat!«

»Und das also soll dein großes Ziel gewesen sein? Dein ›großer Plan‹, König Eje Cheper-cheperu-Râ?« Die Stimme Moses troff von Ironie. »Dein ›Plan‹, für den du den Leben spendenden Aton erfunden hast? Für den du Ägypten in ein unsägliches Chaos gestürzt und Zehntausende in unseren Provinzen in Elend und Tod getrieben hast? Für den du deine Tochter und deine Große Königsgemahlin hast ermorden lassen?

Du hast dies alles nur getan, um mich auf den Thron zu bringen? Hast dieses Ziel bereits verfolgt, lang ehe ich überhaupt geboren wurde?

Du solltest mir wenigstens genug Respekt erweisen, um mich nicht für so einfältig zu halten!«

König Eje schüttelte langsam den Kopf:

»Ich lüge dich nicht an! Es ist nicht nötig, daß du alle Gründe kennst, die mich zu diesem Schritt veranlaßt haben. Doch glaube mir: Um das, was du meinen ›großen Plan‹ nennst, zu erfüllen, dafür genügt es vollauf, wenn du als König auf den Beiden Thronen sitzt. Die Dankbarkeit des Volkes wird dann den Rest tun.«

»Welchen ›Rest‹?« fragte Mose sofort nach.

Eje Cheper-cheperu-Râ hob warnend die Hand, während sich seine Augen zu schmalen Schlitzen verengten:

»Vorsicht! Ich sagte dir schon, es gibt Dinge, die zu wissen tödlich sein kann!«

»Und doch muß ich die volle Wahrheit kennen«, beharrte Mose, »wenn ich deinen Vorschlag auch nur in Erwägung ziehen soll!«

»Was also ist dein ›großer Plan‹? Was ist dein Ziel?«

Noch zögerte Eje Cheper-cheperu-Râ einen Augenblick, doch dann brach es aus ihm heraus:

»Die Unsterblichkeit nach meinem Tod!«

Mose und auch wir waren ehrlich verblüfft.

»Die Seele eines jeden Menschen …«, hob Mose an, doch König Eje unterbrach ihn heftig:

»Wenn du an all den Unsinn glaubst wie den Weg durch die Unterwelt, das Totengericht Usîres, das Wiegen des Herzens auf der Waage Anûbs gegen die Feder der Maat, die Wiedergeburt aus dem Schoße Êsets, dann bist du ein noch größerer Narr als Akh-en-Aton!

Nein! Unsterblich sind nur Götter – genau gesagt, nur jene

Menschen, die zu Göttern werden wie Im-hotep, Ptah-hotep oder der Sohn des Hapu! Deshalb habe ich damals auch meinen Namen in ›Ich-bin‹ geändert, denn ein Gott kann schließlich nicht den Namen eines anderen Gottes tragen.«

»Und dafür, daß du mich zum König machst, soll ich dich nach deinem Tod zum Gott erheben? Ist das dein ›großer Plan‹?«

Der König sah plötzlich müde und alt aus, als er zugab: »Der Rest des Planes – mein fast letzter Ausweg …«

Einen Augenblick lang schwieg Eje, dann erklärte er:

»Einst als junger Mann im Hat-Benben zu Onû entdeckte ich die Schriften Pot-ef-Râs und erkannte die Möglichkeiten, aus ihnen eine neue Religion zu formen – den Kult des Aton und seines Erlösers und Friedensfürsten. Als der Große Seher Neter-duai dem Prinzen Amûn-hotep die Einweihung verweigerte und dieser beleidigt den Tempel verließ, ging ich mit ihm. Es war nicht schwer, dem Prinzen den Glauben an Aton einzublasen. Es glückte fast zu gut, denn bald schon war er felsenfest davon überzeugt, nicht ich hätte ihm seinen Gott gezeigt, sondern Aton habe sich selber seinem ›Sohn‹ geoffenbart.

Mit Hilfe der tödlichen Prahlsucht des damaligen Hôr-im-Nest Tehuti-mose und des maßlosen Ehrgeizes Königin Tejes brachte ich den Prinzen, der sich nun Akh-en-Aton nannte, auf den Thron, veranlaßte ihn, Aton zum alleinigen Staatsgott auszurufen.

Damit schien ich fast am Ziel; denn als Vater des einzigen Gottes – ›Gottvater‹ – war mir nach meinem Tod die Erhebung zum Gott und damit die Unsterblichkeit gewiß!

Selbst die schlechte Gesundheit Akh-en-Atons schien für mich von Vorteil, da ich nach seinem Tod wieder als Schöpfer Atons in den Vordergrund treten konnte. So hielt ich mein waches Auge und meine schützende Hand über die drei möglichen Nachfolger des Königs, Semench-Ka-Râ, Tut-anch-Aton und ganz besonders dich, Tehuti-mose!«

Der König hielt kurz inne, ehe er fortfuhr:

»Doch dann begannen sich die Dinge in die falsche Richtung zu entwickeln. Daß der Glaube an Aton im Volk kaum Wurzeln fassen konnte, wäre nicht weiter schlimm gewesen, wenn Akh-

en-Aton nicht gleichzeitig das Reich in jeder Beziehung her-
untergewirtschaftet und so die Lehre allgemein in Mißkredit gebracht hätte.

Ich mußte meinen Plan also grundlegend ändern. Hatte ich
mich bislang gegen die ärgsten Narrheiten Akh-en-Atons gestemmt, bestärkte ich ihn nun darin. Daß du, Tehuti-mose, nach
dem Tod deiner Frau dem König die Insignien des Hôr-im-Nest
vor die Füße warfst, war ein besonderer Glücksfall, denn damit
konnte ich Semench-Ka-Râ auf den Thron setzen. Ich war mir zunächst nicht ganz sicher, wie das Militär reagieren würde, da er
es durch seinen ›Feldzug‹ der Lächerlichkeit preisgegeben hatte.
Doch als mir klar wurde, daß man dem König unverbrüchlich
die Treue halten würde, sah ich mich in meinem Plan bestärkt.

Zwei oder drei Jahre Alleinherrschaft dieses Menschen hätten
ausreichen müssen, um Ägypten endgültig in einen Zustand zu
versetzen, daß mich jedermann von Hôr-em-Heb und Nacht-
Min bis zum dümmsten Schlammbauern begeistert als Retter des
Landes gefeiert hätte, wenn ich ihn stürzte und beseitigte.

Nofret-ête durchkreuzte meine Absichten, indem sie Semench-
Ka-Râ aus kleinlicher Rachsucht ermorden ließ.«

Wir waren fassungslos, doch Eje war noch nicht am Ende.

»Noch blieb mir jene Rolle des allweisen, alles beherrschenden Beraters eines guten Königs offen, die der vergöttlichte Sohn
des Hapu einst gespielt hatte, um mein Ziel zu erreichen. Ich
wußte, nach allem, was geschehen war, und zumal sich Tut-anch-
Aton wieder zu den alten Göttern bekannte, würde es nicht
leicht sein, das Vertrauen des jungen Königs und, wichtiger
noch, das Vertrauen von dir, Tehuti-mose, und das deiner
Freunde wie Feldmarschall Amûn-hotep, Prinz Nacht-Min oder
Reichsmarschall Hôr-em-Heb wiederzugewinnen. So zettelte ich
die Verschwörung meiner Tochter Nofret-ête an, um diese im
rechten Augenblick aufzudecken und im daraufhin notwendigen Feldzug nach Kanaan eine entsprechende Rolle spielen zu
können.

Behutsam verstand ich es im Lauf der Jahre unentbehrlich zu
werden, und schon näherte ich mich deutlich meinem Ziel, als
diese wahnsinnige Anchesen-pa-Aton den König ermorden ließ!

Ich war verzweifelt! Ratlos! Mit beiden Händen griff ich schließlich nach der Krone, versuchte zu meinem ursprünglichen Plan als ›Vater‹ Atons zurückkehren, freilich eines Aton, der unter meinem Zepter tatsächlich zum Segen für das ganze Land werden sollte!«

Schwer atmend saß der König auf seinem Thron, dann bekannte er leise:

»Aber die Zeit zerrinnt mir unter den Fingern. Hätte ich noch zehn oder zwölf Jahre, mein Plan würde gelingen, doch ich bin alt, und meine Ärzte geben mir nicht einmal mehr die Hälfte dieser Zeit …

So bist du also meine letzte Hoffnung, Tehuti-mose!«

König Eje Cheper-cheperu-Râ erhob sich von seinem Thron. Mit festem Griff nahm er die Doppelkrone von seinem Haupt, streckte sie zusammen mit Krummstab und Geißel Mose entgegen:

»Tehuti-mose, Wahrer und einziger Hôr-im-Nest!

Nimm dein Erbe und werde endlich zu dem, was dir vom Tag deiner Geburt an bestimmt war: König von Ägypten, Herr der Beiden Länder und der Beiden Throne!

Nimm Krummstab und Geißel, nimm die Kronen – und gib mir dafür die Unsterblichkeit!«

Mose starrte den König voll fassungslosem Abscheu an. Dann wandte er sich wortlos um und schritt dem Ausgang des Saales zu.

Wir folgten ihm.

Mose hatte die Tür fast erreicht, als Eje ihm nachrief:

»Warte!«

Moses Schritt verharrte.

»Ich habe dich davor gewarnt, die volle Wahrheit zu erfragen! Doch du hast dir die Einweihung erzwungen, die einem Menschen nur dann zu kennen gestattet ist, wenn er sich ihr unterwirft! Jetzt gibt es kein Zurück!

Wenn du diese Tür öffnest, ohne die Kronen von Ober- und

Unterägypten auf deinem Haupt zu tragen, ohne Krummstab und Geißel in deinen Händen, dann wartet jenseits dieser Tür auf dich der Tod! Auf dich, auf deine Freunde und auf die Benê-Jisrael!«

Mose wandte sich nicht um, als er antwortete:

»Wenn Der, Der über allen Göttern thront in unnahbarem Licht, die Benê-Jirsael oder mich wirklich erwählt haben sollte, um Sein Werk zu tun, dann wird er uns auch beschirmen im Schatten Seiner Flügel!«

Damit öffnete er weit die Tür und schritt hinaus.

»Wenn du dich weigerst, mich zum unsterblichen Gott zu machen«, hallte uns die Stimme des Königs nach, »dann werde ich mich als allerletzten Ausweg selbst zum Dämon machen. Auch Dämonen sind unsterblich!«

Mit ruhigem Schritt durchquerten Mose, Beket-Amûn und ich die Gänge, Säle und Höfe des Palastes.

Niemand hielt uns auf. Niemand kam uns nahe. Die wenigen Diener und Höflinge, die uns begegneten, wichen hastig, ja, scheu mit einer tiefen Verbeugung vor uns zur Seite.

Als wir auf die Königsstraße hinaustraten, war es Nacht geworden. Von den Wagen war nichts zu sehen. Also machten wir uns zu Fuß auf nach Süden zur Anlegestelle unseres Schiffes.

Im Halblicht einer schmalen Mondsichel und einiger Lagerfeuer, um welche die Zwangsarbeiter der Benê-Jisrael hockten, schritten wir die Königsstraße entlang.

Erst vereinzelt, doch je näher wir der Anlegestelle kamen, um so mehr Männer und Frauen versammelten sich still am Straßenrand.

Auch hier trat niemand auf uns zu. Niemand sprach uns an. Es war, als umgebe uns drei ein unsichtbares Feuer, dem sich keiner zu nahen wagte, das niemand zu durchdringen vermochte. Ich erkannte Nun, Uri, Aaron und einige andere, doch auch sie rührten sich nicht, standen stumm, und nur ihre Augen verfolgten unseren Weg.

Erst an der Anlegestelle, wo uns Mahû mit etlichen Soldaten erwartete, brach der Bann.

Mit einer tiefen Verneigung trat der Polizeipräfekt auf Mose zu und fragte:

»Eure Hoheit wünschen den Lichtort des Aton zu verlassen?«

»So ist es«, bestätigte Mose.

In diesem Augenblick sah ich die Hand Mahûs mit einem langen Dolch, den er hinter seinem Rücken verborgen hatte, hervorschnellen, während sich der stämmige Polizeipräfekt auf Mose stürzte.

Doch ehe ich noch einen Warnschrei ausstoßen konnte, schien es, als würde die goldene Schlange in Moses Hand mit einem Male lebendig.

Mit ihrem Schwanz traf sie den Polizeipräfekten an der Hüfte, brachte ihn ins Straucheln. Im nächsten Augenblick fuhr ihr Maul wie zum Biß in seinen Nacken.

Mahû war tot, ehe sein Körper auf der Straße aufschlug und reglos, mit seltsam verdrehtem Kopf liegenblieb. Nur sein Dolch schlitterte noch ein paar Ellen davon, bis auch er zur Ruhe kam.

Die Soldaten, die im Moment von Mahûs Angriff ebenfalls ihre Waffen gezückt hatten, ließen diese hastig mit entsetztem Blick wieder sinken.

Aus den Reihen der Benê-Jisrael, die alles mit verfolgt hatten, stieg leises, ehrfürchtiges Murmeln auf.

Ruhig, als ob nichts geschehen wäre, legte Mose die letzten Schritte bis zu unserem Schiff zurück, stieg die Laufplanke hinauf und ließ sich im Heck auf seinem Sessel nieder.

Wenige Minuten später, als auch Beket-Amûn und ich unsere Sessel eingenommen hatten, legte die Reisebarke ab und steuerte, von kräftigen Riemenschlägen getrieben, in den Strom hinaus.

Fast eine Stunde hatten wir schweigend zusammengesessen, uns nur an den Händen gehalten, während die Barke, nun wieder unter Segel, den Strom hinabtrieb.

Endlich ergriff Mose das Wort.

»Ich werde unverzüglich ...«, begann er, doch Beket-Amûn vollendete seinen Satz:

»... Ägypten verlassen!«

Bevor Mose widersprechen konnte, fuhr Beket-Amûn fort. Sie sprach ruhig, fast leise, doch in ihrer Stimme lag die Macht der Hohenpriesterin, der Ersten Prophetin des Reiches und Großen Seherin:

»Du hast die letzte Prüfung bestanden, die letzte Einweihung, die Ägypten dir geben konnte, durchlaufen. Du kannst hier nichts mehr tun, nichts mehr erfahren, nur noch sinnlos dein Leben aufs Spiel setzen. Dein nächster Schritt führt dich zurück zum heiligen Berg Horeb. Dort wird Er Selbst, der über allen Göttern thront, dir deinen weiteren Weg weisen!«

Dann wurde Beket-Amûn wieder ganz praktisch:

»Noch vor dem Morgengrauen werden wir Dehnet im Gau ›Hund‹ passieren. An einer der Inseln, die dort den Strom teilen, wartet eine Schnellruderer-Barke mit zwölf Wolfsmännern an den Riemen und Je-schua am Steuerruder. Sie werden dich nach Teku bringen, wo deiner bereits ein paar der Vettern und Neffen Fürst Jetros harren, um dich sicher durch Biau zu seinem Lager zu geleiten.«

»Du hast das alles schon gewußt, vorhergesehen, organisiert?« fragte ich ehrlich verblüfft.

Beket-Amûn streichelte mir sanft über die Wange:

»Auch du hättest es sehen und wissen können, wenn du dein Sehen in den letzten Wochen nicht mit deiner inneren Unruhe übertönt hättest!«

»Du hast immer nur von mir gesprochen, Beket-Amûn«, warf Mose jetzt hastig ein. »Aber ihr kommt doch mit nach Biau?«

Beket-Amûn schüttelte lächelnd den Kopf:

»Du weißt es doch, seit wir gemeinsam auf dem Gipfel des heiligen Horeb standen! Gott schenkte uns die Gnade, ein langes Stück gemeinsam gehen zu dürfen, doch in wenigen Stunden müssen sich unsere Wege für dieses Leben trennen.«

»Du meinst«, stammelte Mose, während sich seine Augen mit Tränen füllten, »daß ich euch nie mehr sehen werde ...«

Beket-Amûn legte ihm sanft den Arm um die Schulter, zog ihn an sich, schloß dann auch mich in die Umarmung ein:

»Das, was an uns wahr und ewig ist, unsere Seelen, werden sich nicht trennen, allenfalls unsere Körper.«

»Und was werdet ihr tun?« fragte Mose, als wir uns schließlich wieder voneinander lösten.

»Wir werden nach Hat-Chnum-kufu zurückkehren. Wir haben dort noch eine Aufgabe zu erfüllen.«

»Aber in Hat-Chnum-kufu seid ihr fast schutzlos Anschlägen König Ejes ausgesetzt!« sorgte sich Mose.

Anstatt ihm zu antworten, begann Beket-Amûn leise eine uralte Hymne zu singen, in die zunächst ich, dann auch Mose einfielen:

»Der Du wohnst im Schutz des Höchsten,
Im Schatten des Allmächtigen,
Du sprichst zum Herrn:
›Du bist meine Zuflucht und meine Burg,
Du bist mein Gott, dem ich vertraue!
Mit deinen Fittichen schirmst Du mich,
Unter deinen Flügeln finde ich Zuflucht!
Nicht bange ich vor dem Schrecken der Nacht!
Nicht vor dem Pfeil, der am Tage daherfliegt!‹«

4. Papyrus

DER MORD

König Eje Cheper-cheperu-Râ
1. Regierungsjahr

Und ich, Hund, ehrerbietiger und dankbarer *Adoptivsohn* der
verehrungswürdigen Beket-Ernûte und des starken Necht,
schreibe dies nach dem Diktat meines Herrn, des Feldmarschalls Amûn-hotep, Sohn des Neby, Chef des Generalstabes des ägyptischen Heeres, Oberbefehlshaber aller Streitwagen Seiner Majestät, Befehlshaber der Garden und
Fächerträger zur Rechten der Großen Königsgemahlinnen
Sat-*Amûn* Usîre und Teje Usîre, Fächerträger zur Rechten des
Königs Tut-anch-*Amûn* Neb-cheperu-Râ Usîre, Peitschen-
träger zur Rechten der Großen Königsgemahlin Sat-*Amûn*

Usîre, Tapferer Seiner Majestät, achtmal ausgezeichnet mit
dem Gold der Belohnung, Erster Erzieher der Kadetten in der
Militärakademie zu Men-nôfer, Eingeweihter in die hohen
Mysterien von Chemenu, Men-nôfer und Onû.
Und es ist, wie mein Herr, der Feldmarschall Amûn-hotep sagt,
das letzte, was ich nach seinem Diktat schreiben werde:

Mein Wahrer und einziger Hôr-im-Nest!

Wir sind wieder in unserem Landhaus Hat-Chnum-kufu am
Fuße der Pyramiden. Ich liege auf der Gartenveranda, atme den
süßen, ein bißchen modrigen Duft der Seerosen in unseren Teichen, höre das Piepsen und Tschilpen der Vögel, lasse meinen
Blick schweifen über die orangenen und feuerroten Blüten der
Granatapfelbäume hinüber zu der gewaltigen, weißen Steinmasse
der Pyramiden des Chnum-kufu mit seiner goldenen Spitze, dem
daneben steiler, scheinbar höher aufragenden Bau des Ka-ef-Râ.

Unterdessen ziehen die Jahre in meinem Geist an mir vorbei.

Ich erinnere mich an die verschiedenen Male, als ich diese
mächtigen Bauten der Frühzeit Ägyptens sah:

Zum erstenmal als zwölfjähriger Kadett der Militärakademie,
restlos überwältigt und erschlagen!

Viel später, als ich nach dem Feldzug in Kanaan hier stand, zusammen mit König Tut-anch-Amûn Neb-cheperu-Râ Usîre –
Tuti –, mit Beket-Amûn, meiner ewig Geliebten, und mit dir,
mein Wahrer und einziger Hôr-im-Nest Mose, dem Sohn meines
Geistes und meines Herzens, von dem ich niemals wissen werde,
ob er nicht sogar der Sohn meines Samens ist.

Ich erinnere mich, wie ich mich schließlich hier mit meiner
Prinzessin im ›Haus des Chnum-kufu‹ angesiedelt habe, im
schier übermächtigen Schatten der drei großen Pyramiden, und
ich danke aus tiefstem Herzen den Göttern für die friedlichen,
glücklichen Jahre, die ich hier zusammen mit ihr und zeitweilig
auch mit dir verbringen durfte.

Jetzt wird sich der Kreis meines Lebens hier schließen, zusammen mit meiner Beket-Amûn. Hier wird sich die Prophezeiung erfüllen, die sie mir einst gegeben hat, ehe wir mehr als ein

Liebespaar, als wir wieder zu dem *Ich-Du-Wir* auf Chnums Töpfer-scheibe wurden.

Als wir uns in Dehnet trennten, da war unsere Lebensauf-gabe, dich zu schützen und zu leiten, erfüllt. Die Aufgabe, die uns noch bleibt und von der Beket-Amûn sprach, besteht nun darin, Ägypten zu helfen, diesen Albtraum zu beenden. Ich bete darum, daß eine königliche Prinzessin und Hohepriesterin, daß zudem ein Feldmarschall hochrangig genug sind, daß das Zei-chen in ganz Ägypten gesehen und verstanden wird!

Die Männer Ejes wurden heute vormittag in Men-nôfer gese-hen. So habe ich all unsere Diener und Dienerinnen entlassen. Jene, die nicht frei oder völlig frei waren, in die Selbständig-keit. Die Papyri, die ich ihnen ausfertigte, werden die Gerichte anerkennen, und der König wird es nicht wagen, die Gerichts-beschlüsse umzuwerfen – nicht um solch einer Kleinigkeit willen.

Nur drei haben sich geweigert zu gehen: Die alte, getreue Ern, die nun im Haus herumhantiert und, wie immer, vorzüg-lich für unser leibliches Wohl sorgt. Dann Necht, der, brum-mig wie stets, auf einen Stab gestützt irgendwelchen Beschäf-tigungen nachschlurft, deren Sinn allein ihm bekannt sind.

Und endlich Hund. Doch dieser wird nicht bleiben. Ihn werde ich mit diesen letzten Papyri zu dir, dem immer noch Wahren und einzigen Hôr-im-Nest, schicken, denn nur Hund ist zuverlässig und schlau genug, diesen letzten meiner Befehle getreulich auszuführen.

Der Abend ist angebrochen, die Sonne in der westlichen Wü-ste versunken. Langsam verfliegt die glühende Hitze des Tages, während sich der Himmel gelbgrau, orange, amethystfarben und schließlich graublau verfärbt und die Grillen und Zikaden ihr schrilles Lied beginnen.

Beket-Amûn ist aus dem Haus getreten, läßt sich auf die Liege neben meiner nieder. Sie ist in hauchzartes, feinstes Byssoslinnen gekleidet, elegant geschminkt, trägt ihren kostbarsten Schmuck und auf der Brust die schweren, blitzenden Pektorale der Ersten Prophetin von Men-nôfer und der Hohenpriesterin und Großen Seherin von Onû.

Ich habe sie selten so schön gesehen wie heute!

Mit einem warmen Lächeln streicheln ihre Blicke über mich, stellen befriedigt fest, daß auch ich meine besten Schmuckstücke, all die Ketten des Goldes der Belohnung nebst den Insignien meiner zahlreichen Ämter und Würden angelegt habe.

Mâ-au ist wie immer ihrer Herrin gefolgt, läßt sich jetzt vorsichtig und ein wenig steif zwischen unseren Prunkliegen nieder.

Und plötzlich sehe ich das ergraute Fell zwischen ihren Schnurrhaaren, durchschaue die Behutsamkeit ihrer Bewegungen und begreife: Mâ-au ist alt! Weit älter vermutlich als fast alle anderen ihrer Rasse!

Mein Leben war so sehr erfüllt von Kämpfen, Niederlagen und Siegen, von Bangen und Gewißheit, von Enttäuschungen und Erfüllung, von ohnmächtigem Zorn, von herzlichem Lachen und von höchster Erkenntnis in den Einweihungen, von der Gnade wahrer Freundschaften, von der wilden Leidenschaft Sat-Amûns, der bedingungslosen Hingabe Serâus, von der wahren, zur Einheit verschmelzenden Liebe Beket-Amûns, vor allem aber von meiner alles beherrschenden Verpflichtung, dich zu schützen, dir den Weg zu bereiten, mein Sohn Mose – wie immer du den Begriff ›Sohn‹ auslegen magst –, daß ich über all dem die Zeit vergessen habe.

Erst heute sehe ich es: Unsere so eigenwillige, beträchtliche Teile unseres Bettes beanspruchende, grundlos fauchende, hingebungsvoll treue Mâ-au ist alt geworden!

Und, ja, auch ich bin alt geworden! Ich humple, und die schmerzhafte Steifheit meines Rückens schiebe ich gerne auf Kriegsverletzungen. Meine grauen Haare verstecke ich unter der Perücke, und meine schlaffer gewordenen Muskeln kaschiere ich damit, daß ich statt eines Langbogens allenfalls noch einen Reflexbogen spanne.

Selbst meine Beket-Amûn ist älter geworden und ein wenig rundlicher um die Mitte. Doch wie alle wahrhaft gütigen und weisen Menschen haben sie die Jahre nicht entstellt. Im Gegenteil, sie haben ihrem Gesicht und ihrer Erscheinung jene edle Klarheit und von innen heraus strahlende Schönheit verliehen, die nur die Reife des Geistes zu schenken vermag.

Inzwischen trägt Ern eine Karaffe jenes schweren, dunkelroten *Stierblutes* heraus, von dem mir Königin Teje einst drei Amphoren schenkte. Schwere, goldene Becher stellt die Treue auf den kleinen Tisch neben uns, schenkt die Becher so randvoll, daß einige rote Tropfen wie echtes Blut an den Seiten herabrinnen.

»Ich hoffe, Du bestätigst, daß Prinzessin Beket-Amûn und ich ein würdiges Paar sind!« necke ich Hund, der sich mit ausgestreckten Händen und bewunderndem Blick vor uns niederwirft und mit der Stirn ehrerbietig den Boden berührt.

Doch genug. Während Ern auf der Veranda und im Garten mehr als fünf Dutzend Öllampen entzündet, muß ich endgültig zum Schluß kommen:

Mein großer, aus tiefstem Herzen geliebter und verehrter Tehuti-mose – Mose –, mein Wahrer und einziger Hôr-im-Nest!

Zunächst ich allein, später dann Beket-Amûn und ich gemeinsam, haben versucht nach unserem bestem Wissen und Gewissen deine Schritte zu lenken. Und doch warst du es, der unsere Schritte lenkte!

Sei es denn so!

Gehe deinen Weg, wohin immer er dich führen mag!

Woran immer du glaubst – wir glauben an *dich*!

Der Frieden der Götter und des Einen, der über allen Göttern ist, sei allezeit mit dir!

Deine Schwester und mütterliche Freundin Beket-Amûn
und
Dein väterlicher Freund Amûn-hotep.

Und dies füge ich, Hund, ehrerbietiger und dankbarer Adoptiv-
sohn der verehrungswürdigen Beket-Ernûte und des starken
Necht, hinzu, auf daß der erhabene Hôr-im-Nest alles
erfahre, was geschehen ist:

Ich sah alles und kann alles bezeugen; denn entgegen dem Befehl meines Herrn, des großen Feldmarschalls Amûn-hotep, hatte ich Hat-Chnum-kufu, das Landgut am Fuß der Pyramiden, nicht wirklich verlassen, sondern hatte mich zurückgeschlichen und mich im Garten gut versteckt. Und wenn ich auch so den Anweisungen meines Herrn, des großen Feldmarschalls Amûn-hotep, zuwider handelte, so bin ich mir dennoch sicher, ich tat nur das, was mein Herr, der große Feldmarschall Amûn-hotep, wußte, daß ich es tun würde und tun mußte.

Sie kamen kurz nach Mitternacht. Ich zählte drei Dutzend Söldner – es können auch mehr gewesen sein –, angeführt von Chanî, dem Sohn des Merie-Râ. Sie kamen auf leisen Sohlen gleichzeitig durch den Garten, über das Dach und durch die Terrassentür zum Haus. Zu hören war nur ein kurzer, wütender Ruf Erns und das Klappern des Stockes von Necht, als dieser auf die Kalksteinfliesen fiel.

Die Männer Chanîs hatten sich als Wüstenräuber der Schôs verkleidet, doch ich erkannte etliche, die derzeit in der neuen Internationalen Garde des Königs ihren Dienst tun. Sie trugen Speere, Äxte, Keulen und vor allem Bogen mit bereits aufgelegten Pfeilen.

Prinzessin Beket-Amûn und Feldmarschall Amûn-hotep, die bislang plaudernd nebeneinander auf ihren Prunkliegen geruht hatten, wandten nicht einmal den Kopf. Statt dessen hoben sie ihre goldenen Becher, sahen sich lange in die Augen, tranken einander lächelnd zu.

Als er seinen Becher wieder abstellte, meinte Feldmarschall Amûn-hotep, noch immer ohne den Kopf zu wenden, trocken:

»Du siehst endlich aus wie das, was du immer gewesen bist, Chanî. Allerdings beleidigt die Art deiner Verkleidung das stolze, freiheitsliebende Volk der Schôs!«

Prinzessin Beket-Amûn hatte ihre langen Beine von der Liege herabgeschwungen, stand auf und trat Chanî und seiner Bande gelassen drei Schritte entgegen:

»Du glaubst wirklich, den nötigen Mut aufzubringen, um den Enkel des Königs Tehuti-mose Usîre, den Feldmarschall und Chef des Generalstabes aller ägyptischen Heere, Befehlshaber der Streitwagen und der Leibgarden der Großen Königsgemahlinnen Sat-Amûn und Teje, vielfach ausgezeichnet mit dem Gold der Belohnung, zu ermorden?

Und schlimmer noch: eine königliche Prinzessin, Tochter des Königs Amûn-hotep Usîre mit seiner Großen Königsgemahlin Teje, Schwester der Könige Akh-en-Aton, Semench-Ka-Râ und Tut-anch-Amûn Usîre, Erste Prophetin der Dreiheit in Men-nô-fer, Hohenpriesterin und Große Seherin des Râ in Onû und Erste Prophetin des Reiches?«

Chanî war vor dem Blick Prinzessin Beket-Amûns zurückgewichen, hatte gleichwohl seinen Bogen gespannt:

»Onû! Men-nôfer!« zischte er verächtlich. »Es gibt nur einen Gott, den Leben spendenden Aton!«

»An den du so wenig glaubst wie der Mann, der sich im Augenblick Thron und Kronen Ägyptens angemaßt hat!« hielt ihm Feldmarschall Amûn-hotep entgegen, wobei er dicht neben Prinzessin Beket-Amûn trat.

Chanîs Gesicht verzerrte sich zu einer Fratze.

In diesem Augenblick sah ich Mâ-au, die sich langsam erhoben hatte, wild fauchend und mit gefletschten Zähnen auf die Männer losstürmen.

Von vier Pfeilen getroffen, stürzte Mâ-au zu Füßen ihrer Herrin zu Boden.

Mit einem halb klagenden, halb zornigen Aufschrei kniete sich Prinzessin Beket-Amûn neben der Gepardendame nieder, strich ihr sanft über den Kopf, doch Mâ-au war schon tot.

Als sich die Prinzessin erhob, ihre blutbefleckte Hand anklagend gegen Chanî ausstreckte, ließ dieser die Sehne seines Bogens schwirren.

Sein Pfeil traf Prinzessin Beket-Amûn so wuchtig in die rechte Schulter, daß seine Spitze an ihrem Rücken wieder hervortrat.

Prinzessin Beket-Amûn schnappte einen Augenblick nach Luft, während Feldmarschall Amûn-hotep sie auffing und in seine Arme zog.

Dann ging ein wahrer Hagel von Pfeilen auf das Paar nieder.

Sechs, sieben Herzschläge lang standen Prinzessin Beket-Amûn und Feldmarschall Amûn-hotep, von gut drei Dutzend Pfeilen durchbohrt, noch aufrecht inmitten des hellen Scheines der Öllampen und sahen sich in die Augen. Dann sanken sie langsam zu Boden.

Chanî und seine Leute schüttelten die Erstarrung über ihre ungeheuerliche Tat schließlich ab, stürmten an den Toten vorbei in das Haus, rafften hastig alles an Wertgegenständen zusammen, was sie finden konnten, setzten das Haus in Flammen und verschwanden eiligst in der Nacht.

Ich weiß nicht, wie lange ich zu Füßen der Toten gekniet habe, doch der Feuerschein muß Reichsmarschall Hôr-em-Heb rasch alarmiert haben. Mir kam es vor, als sei er mit seiner starken Truppe an Streitwagenkämpfern von Men-nôfer nach Hat-Chnum-kufu geflogen.

Doch bis die Männer mit gezückten Waffen in den Garten stürmten, war das Haus bereits bis auf die Grundmauern niedergebrannt.

Als mich Reichsmarschall Hôr-em-Heb fand, mag er erstaunt gewesen sein, weil meine Wangen keine Träne netzte. Doch ein Blick auf die beiden Toten, die noch immer eng umschlungen im Gras des Gartens lagen, die treue Mâ-au zu ihren Füßen, ließ ihn begreifen:

Die Gesichter von Prinzessin Beket-Amûn und Feldmarschall Amûn-hotep, ihre sanft geschlossenen Augen, ihre lächelnden Münder, strahlten, trotz all der Pfeile, die ihre Körper durchbohrt hatten, einen tiefen Frieden, ein von keiner irdischen Macht zerstörbares Glück aus.

Und Reichsmarschall Hôr-em-Heb sank vor ihnen auf die Knie, streckte seine Arme aus und berührte ehrfurchtsvoll mit seiner Stirn den Boden.

Später befahl der Reichsmarschall, die Toten nach Uêset zu überführen und gemeinsam in dem Grab beizusetzen, das die Große Königsgemahlin Sat-Amûn vor vielen Jahren Feldmarschall Amûn-hotep im Tal der Wildstiere geschenkt hatte. Auch die sorgsam einbalsamierte Mumie der treuen Mâ-au würde dort ihre letzte Ruhestätte finden. Und Reichsmarschall Hôr-em-Heb versprach, das Grab so zu verschließen, daß niemand es jemals finden würde.

Ich aber, Hund, berichtete ihm genau, was sich in jener Nacht zugetragen hatte und schrieb dies auf, damit Ihr, Herr, Wahrer und einziger Hôr-im-Nest Tehuti-mose, erfahren mögt, was geschehen ist nach dem letzten Diktat meines Herrn, des großen Feldmarschalls Amûn-hotep, dem Sohn des Neby und der Prinzessin Apuya.

Gemäß seiner Weisung werde ich nun aufbrechen, Euch zu suchen, um Euch zu übergeben, was mein Herr, der große Feldmarschall Amûn-hotep, mir für Euch zu schreiben befahl.

Und dies habe ich, Hund, ehrerbietiger und dankbarer Adoptivsohn der verehrungswürdigen Beket-Ernûte und des starken Necht, geschrieben, und ich schwöre, daß jedes Wort wahr ist von dem, was ich geschrieben und dem letzten Diktat meines Herrn, des großen Feldmarschalls Amûn-hotep, hinzugefügt habe!

Epilog

» I C H   B I N «

König Eje Cheper-cheperu-Râ
3. Regierungsjahr

»Mose! *Mose!*«

Die Stimme ist nicht laut, kaum lauter als das ewige Flüstern des Windes in der Wüste. Und doch hat sie die Gewalt von tausend Donnern!

Mose bleibt wie erstarrt stehen.

»Hier bin ich«, bringt er schließlich heraus.

»Tritt nicht näher heran!« befiehlt die Stimme. »Ziehe deine Schuhe von deinen Füßen, denn der Ort, auf dem du stehst, ist heiliger Boden.«

Hastig gehorcht Mose. Die Stimme aber spricht weiter:

»Ich bin Gott! Ich bin der Gott Abrahams, der Gott Isaaks, der Gott Jisraels.«

Beim ersten Ruf hatte das Herz Moses gerast, als wolle es zerspringen, seine Lungen waren unfähig gewesen, Luft zu holen, sein ganzer Körper war gelähmt, selbst seine Gedanken wie erstarrt. Es ist wie eine hauchzarte Berührung, die sein Herz wieder normal schlagen, seine Lungen wieder Luft schöpfen läßt, die seine Muskeln entspannt und seinen Geist klärt.

Indessen spricht die Stimme:

»Und nun höre: Das Wehgeschrei der Kinder Jisraels ist zu mir gedrungen, und gesehen habe ich die Drangsal, mit welcher der König der Ägypter sie bedrängt.

Gehe also hin und führe mein Volk, die Kinder Jisraels, aus Ägypten heraus! Geleite sie durch das Meer und die Wüste! Führe sie in das Land Kanaan, das ich ihren Vorvätern versprochen habe, das Land, das von Milch und Honig fließt!«

Die hohen Einweihungen, die vielen Jahre geistiger und körperlicher Übungen hätten Mose durchaus befähigt, auch einem so mächtigen Geistwesen wie Amûn gegenüberzutreten, selbst wenn dieser mit Donner und Blitz, mit Sturm und Erdbeben daherfuhr.

Es ist die Sanftheit der Stimme, der liebevoll behutsame Umgang mit einem kleinen Menschlein, der lächelnde Verzicht auf jedes imposante Wundergepränge, welche Mose die Gewißheit geben, daß Der, mit dem er spricht, sternenhoch über allen Göttern thront.

Und er weiß, daß Er hineinsieht bis auf den Grund seiner Seele, hinein in die verborgensten Winkel. Schon seit Jahren weiß er, daß dieser Ruf kommen würde. Doch jetzt, da er wirklich ergeht, bricht alles in ihm hervor an Angst und Entsetzen und hilflosem Zorn seines bisherigen Lebens. Den Tod Maket-Atons betrauert er noch immer, doch heute ist es eine stille, friedvolle Trauer. Aber da sind die anderen: Seine Mutter Sat-Amûn und seine Halbschwester Kija. Seine Großmutter Teje und sein Neffe und Freund Tut-anch-Amûn. Auch der fehlgeleitete und mißbrauchte Akh-en-Aton. Auch der redliche Râ-mose und Umu-hanko. Sogar Semench-Ka-Râ. Und vor knapp drei Jahren erst die Menschen, denen er sich am innigsten verbunden gefühlt hatte, die weise, herzliche Beket-Amûn und Amûn-hotep, der vielleicht sogar sein leiblicher Vater gewesen war, die kluge Ern, der treue Necht und die liebe, fauchende Mâ-au.

Er hat keine Angst um sein Leben. Er war kalten Blutes in die Schlacht am Tabor gefahren, und als Mahû sich mit gezücktem Dolch auf ihn stürzte, da hatte er reagiert, wie Necht es tausendmal mit ihm geübt hatte.

Angst hat er, die ihm gestellte Aufgabe nicht vollenden zu können! Zu versagen gegenüber dem erbarmungslosen Durchsetzungswillen, dem selbstübersteigerten Wahnsinn eines Königs, der sich selber den Namen Gottes gegeben hatte!

Diese Angst ist es, die Mose fragen läßt:

»Wenn ich hintrete vor die Kinder Jisraels und vor den König und sage: ›Der Gott Abrahams, Isaaks und Jisraels hat mich gesandt‹, und sie mir nicht glauben, was soll ich tun?«

Die Stimme antwortet:

»Stecke deine Hand unter deinen Mantel. Wenn du sie herausziehst, dann wird sie weiß sein von Aussatz. Dann stecke sie noch einmal unter deinen Mantel, und sie wird wieder sein wie dein übriges Fleisch.«

Mose tut es, und siehe, zuerst ist seine Hand bedeckt mit widerwärtigem Aussatz, beim zweitenmal jedoch wieder völlig gesund.

Doch er zweifelt. Ähnliches hat er schon Taschenspieler auf den großen Märkten vollbringen sehen.

Die Stimme weist ihn weiter an:

»Nimm Wasser und gieße es auf den trockenen Boden aus. Das Wasser wird auf dem trockenen Boden zu Blut werden.«

Mose öffnet den Wasserbeutel, die er wie jeder Wüstenbewohner am Gürtel hängen hat, gießt den Inhalt auf den Boden. Was kristallklar aus der Öffnung sprudelt, verfärbt sich auf dem Boden augenblicklich in dunkles Rot. Er bückt sich, taucht den Finger in die rote Flüssigkeit, probiert mit der Zunge. Es schmeckt salzig, kupfrig. Es sieht nicht nur aus wie Blut, offensichtlich ist es tatsächlich Blut. Dies ist mehr als der Trick eines Jahrmarktzauberers.

Doch immer noch ist er nicht ganz zufrieden.

Die Stimme ist geduldig, fragt:

»Was ist das in deiner Hand?«

»Ein Stab. Ein Stab, den ich mir vor vielen, vielen Jahren anfertigen ließ und den ich seither ständig mit mir herumtrage.«

»Wirf ihn zu Boden.«

Mose wirft seinen bronzenen Schlangenstab in den Kies vor seinen Füßen.

Im nächsten Augenblick ringelt sich die bronzene Schlange ein, richtet ihren Vorderleib auf, bläht ihren Hals. Ihr Maul öffnet sich, so daß die langen, gebogenen Giftzähne sichtbar werden, die gespaltene Zunge schießt züngelnd vor, und die Schlange stößt ein scharfes Zischen aus.

»Strecke deine Hand aus und nimm sie wieder.«

Mose ergreift die Kobra. Für einen Herzschlag lang spürt er noch das lebendige Reptil in seiner Hand, dann streckt sich die Schlange, erstarrt und ist wieder der bronzene Stab wie immer.

Die Stimme aber fährt fort:

»Wenn sie dir auf das erste Zeichen hin nicht glauben, dann auf das zweite Zeichen hin. Und wenn sie dir dann noch nicht glauben, dann auf das dritte Zeichen. Doch wenn der König auf diese Zeichen hin die Kinder Jisraels nicht ziehen läßt, und er wird es nicht tun, dann werde Ich Meine Hand ausstrecken und ihn schlagen mit all Meinen Wundertaten, die Ich in eurer Mitte wirken werde. Dann wirst du das Volk der Kinder Jisraels herausführen aus Ägypten mit starker Hand und es führen in das verheißene Land Kanaan, das Land, das von Milch und Honig fließt, denn Ich bin bei dir.«

Noch eine letzte Frage hat Mose:

»Wenn ich zu den Kindern Jisraels gehe und spreche: ›Der Gott eurer Väter hat mich zu euch gesandt.‹ Und sie mich fragen werden: ›Wie heißt er?‹, was soll ich ihnen dann antworten?«

Und die Stimme spricht:

»Ich bin der *Ich-Bin!*

So sollst du sprechen: ›Der *Ich-Bin* hat mich zu euch gesandt. Der Gott eurer Väter. Denn dies ist Mein Name von immer für immer. Dies ist der Name, mit dem ihr Mich rufen sollt.‹

Denn Ich bin der Allmächtige, der die Himmel geschaffen hat und die Erde, die Menschen und die Götter.

Ich bin der Alleinzige, denn niemand ist neben Mir oder Mir gleich.

Ich bin der Allewige, denn Ich habe keinen Anfang und kein Ende, Ich war immer, Ich bin, Ich werde immer sein.«

Mose ist auf die Knie gefallen, berührt den Boden mit seiner Stirn:

»Wenn Du mich leitest, dann werde ich tun, wozu Du mich berufen hast, wozu Du mich aussendest. Dein Wille geschehe!«

»Dann steh auf, nimm deinen Stab und gehe, um zu tun, was Ich dir aufgetragen habe. Ich aber werde mit dir sein alle Zeit bis an das Ende der Welt!«

ANHANG

Wer war Mose?

Zweifellos ist es recht ungewöhnlich, einem Roman einen, wenn auch sehr kurzen, wissenschaftlichen Anhang folgen zu lassen.

Doch dieser Roman ist eben kein Roman wie viele andere, deren Inhalt, mag er noch so fesselnd erzählt, noch so historisch exakt recherchiert sein, letztlich für unser Leben ohne konkrete Bedeutung ist.

Durchaus konkrete Bedeutung mag freilich haben, wenn ich behaupte, Mose sei nicht Jude, sondern Ägypter gewesen. Nicht im religiös-ethischen Sinne – wohl aber im Sinne unseres Verständnisses der Bibel, jenes Buches, auf dem die Religionen von Juden, Christen und Moslem fußen; mag sich dadurch einiges verändern, erweist sich dadurch doch so manches, was uns als »göttliche Offenbarung« gelehrt wurde in Wahrheit als Adaption aus heidnisch-ägyptischer Zeit.

BIBEL UND GESCHICHTE

Zunächst muß gesagt werden, daß die »Fünf Bücher Mose« keinesfalls von Mose, sondern erst 200 bis 300 Jahre später schriftlich aufgezeichnet wurden, wobei sie sich aus mehreren Quellen speisten. Ob diese Quellen teilweise schon schriftlich waren, läßt sich bis heute nicht mit Gewißheit sagen, im wesentlichen aber fußten sie zweifellos auf mündlichen Erzähltratitionen. So erstaunlich stabil solche Traditionen auch sein mögen, wie man an vielen Beispielen feststellen kann, auch in der Bibel ist nicht zu übersehen, daß, je zeitlich entfernter ein Ereignis von seiner schriftlichen Niederlegung ist, um so legendenhafter, mythischer wird es, auch wenn sich darunter durchaus noch immer konkrete historische Ereignisse ausgraben lassen.

Während die Erschaffung der Welt und die darauf folgenden Ereignisse fast vollkommen im Mythischen verharren, beginnt die eigentliche Erzähltradition der Benê-Jisrael mit dem Urvater Abraham. Daß Abraham, Isaak, Yakov und auch Jo-sêph historische Persönlichkeiten waren, steht wohl außer Frage; zu genau, zu detailliert, in immerhin manchen Punkten überprüfbar und in einigen Vorkommnissen auch peinlich sind die Berichte, als daß es sich nur um aus der Luft gegriffene Märchen handeln könnte.

DER EINZUG NACH ÄGYPTEN

In unserem Zusammenhang wichtig ist zunächst der Einzug der Söhne Jisraels nach Ägypten. Alle Historiker und Ägyptologen sind sich einig, daß dies zur Zeit der Fremdherrschaft der Chabiru (griechisch Hyksos) in der Zeit zwischen etwa 1700 und 1552 v. Chr. geschehen sein muß. Die Chabiru, ein vorderasiatischer Volksstamm, hatten um 1700 Ägypten überrannt und erobert, waren aber immer nur eine kleine Oberschicht geblieben, deren reale Herrschaft sich auf das Delta und einen Teil Mittelägyptens erstreckte. Sie stellten die Könige der 15. und 16. Dynastie und ihre Hauptstadt war Hat-uaret (griechisch Tanis) im nordöstlichen Delta, dort, wo auch die Benê-Jisrael angesiedelt wurden. Von den Ägyptern niemals assimiliert oder auch nur anerkannt, mußte den Chabiru-Königen jeder Nachzug von Stammesverwandten willkommen sein, und wenn sich unter diesen ein wahrhaft genialer Organisator befand – und Jo-sêph scheint dies ganz eindeutig gewesen zu sein –, dann stand seinem Weg an die Spitze der Verwaltungshierarchie nichts im Wege.

Daß keinerlei Dokumente hierüber, keine Erwähnung seines

Namens oder seines Stammes in dem doch so schreibfreudigen Ägypten existiert, kann leicht damit erklärt werden, daß nach der Vertreibung der Chabiru ihre Dokumente und sonstigen Hinterlassenschaften in so großem Stil vernichtet wurden, daß wir heute noch nicht einmal annähernd gesichert die Namen der etwa 30 Chabiru-Könige kennen.

Als die Chabiru schließlich von den Fürsten von Uêset, den ersten Königen der 18. Dynastie, um 1553 vertrieben wurden – »Ein neuer König, der von Jo-sêph nichts mehr wußte, trat über Ägypten die Herrschaft an.« (2.Mose 1,8) –, schlugen sich viele ihrer Vasallen auf die Seite der neuen Machthaber, teils zweifellos aus Opportunismus, teils aber auch, weil sie längst weitgehend ägyptisiert waren wie etwa die Stämme der Jo-sêph-Söhne Ephraim und Manasse; denn schon Jo-sêph war mit der Tochter des Hohenpriesters von Onû, Potiphera (ägyptisch Pot-ef-Râ) verheiratet. Diese »Mischehen« dürften in der Folge sogar noch zugenommen haben, wurden von höchster Stelle vermutlich sogar gefördert, wie dies Eroberer fast stets zu tun pflegten. So ist beispielsweise »Nun« ein ausgesprochen ägyptischer Name, der »Jüngling« oder »Sohn einer Gottheit« bedeutet. Jenen Hauptmann Nun aus der persönlichen Leibgarde Königin Sat-Amûns mit Nun, dem Vater Je-schuas, Moses Generalstabschef und Nachfolger, zu identifizieren ist zwar Freiheit des Romans, doch keineswegs allzu weit hergeholt, war doch auch Je-schua ohne jeden Zweifel an der elitären Militärakademie in Men-nôfer ausgebildeter Offizier.

Wie weit die Benê-Jisrael aktiv bei der Vertreibung ihrer Chabiru-Verwandten mithalfen, ist unbekannt. Auf jeden Fall bekannten sie sich deutlich genug zu den neuen Machthabern, daß sie unbehelligt weiterhin in den östlichen Deltagauen wohnen bleiben durften.

DER AUSZUG AUS ÄGYPTEN

Für den Auszug der Benê-Jisrael aus Ägypten, der für die Israeliten eine so ungeheuer wichtige Rolle spielt, gibt es in Ägypten nicht ein einziges Dokument.

Die Historiker und Bibelforscher stützen sich bislang hierzu auf zwei Quellen:

Einmal die Stelle in der Bibel: »Sie mußten Städte für den Pharao bauen, nämlich Pitom und Ramses.« (2.Mose 1,11).

Zum anderen ein Gedenkstein aus dem Totentempel des Königs Mer-en-Ptah, der heute im Museum in Kairo steht mit der Inschrift: »Erbeutet ist Kanaan. Das Volk Jisrael ist trostlos, es hat keinen Nachwuchs; Kanaan wurde zur Witwe für Ägypten.«

So gilt König Râ-mose (Ramses II.), oft auch sein Enkel Mer-en-Ptah, allgemein als »König des Auszuges«.

Nun, König Mer-en-Ptah kann es unmöglich gewesen sein. Seine Stele besagt unmißverständlich, daß das »Volk Jisrael« in Kanaan restlos besiegt sei, was voraussetzt, daß die Israeliten zu diesem Zeitpunkt (etwa 1215 v. Chr.) überhaupt ein in Kanaan ansässiges Volk waren.

Und sein Großvater Râ-mose? Unbestritten von allen Historikern ist, daß der Auszug aus Ägypten der Kinder Jisraels Ende der 18. oder in der frühen 19. ägyptischen Dynastie stattgefunden haben muß. Die Bemerkung in der Bibel über die Zwangsarbeit an den Städten Pitom und Ramses scheint einen deutlichen Hinweis zu geben, doch kann dieser auch anders gedeutet werden, wie ich noch darlegen werde.

Werfen wir also zunächst einen Blick auf die Quellenlage und die politischen Gegebenheiten dieser Epoche.

Wie schon gesagt, wurde bis heute kein einziges Dokument gefunden, das einen Hinweis auf den Auszug der Kinder Jisraels aus Ägypten gibt. Allein dies gibt zu denken, denn der Auszug einer größeren Volksgruppe müßte doch irgendwo erwähnt sein! Bedenken wir dabei, daß die Ägypter wahrlich schreibfreudig waren, daß uns Tausende von Dokumenten über die lächerlichsten Kleinigkeiten vorliegen und daß diese Dokumente ja nicht nur die höchstoffiziellen Inschriften auf Tempeln und Gedenksteinen umfassen, sondern vor allem unzählige Berichte von Gouverneuren, Gerichtsprotokolle, Eigentumsüberschreibungen, Briefe von und an ausländische Mächte und Stapel an Privatkorrespondenzen.

Man hat damit argumentiert, daß die Benê-Jisrael bei ihrem

Auszug allenfalls ein paar hundert Menschen gewesen seien, deren Verschwinden niemand für erwähnenswert gehalten habe. Wenn dem so war, dann müßten sich die Benê-Jisrael auf ihrem Zug durch den Sinai in einem Maße vermehrt haben, das jedes Karnickel vor Neid erblassen ließe; denn nicht allzuviel später erobern sie nicht nur das schwer befestigte Jericho, sondern bringen immerhin so umfangreiche Teile von Kanaan unter ihre Herrschaft, daß die Stele Mer-en-Ptahs von einem »Volk« spricht, womit nach ägyptischer Beamtensprache nicht nur ein paar hundert Leutchen gemeint sind, die irgendwo versprengt hausen. Selbst wenn die in der Bibel genannten Zahlen zweifellos übertrieben sind, etliche Tausend Menschen müssen es schon gewesen sein, die unter der Führung Moses Ägypten verlassen haben. Und die hätten, wenn schon höchstamtlich nicht erwähnt, zumindest im Wirtschaftsgefüge um Hat-uaret so empfindliche Lücken gerissen, daß dies zumindest von den Gouverneuren der Gaue ›Erlesener Fisch‹, ›Ostmark‹, ›Hinterer Königsknabe‹ und ›Heseb-Stier‹ hätte bemerkt werden, in den Jahresberichten des Generalgouverneurs von Unterägypten hätte einen Niederschlag finden oder zuallermindest dem Finanzamt (damals so penetrant wie heute) hätte auffallen müssen.

Wer die Gepflogenheiten und die Bürokratie des alten Ägypten kennt, für den bleibt für dieses vollständige Schweigen der Dokumente nur eine Erklärung: Diese Akten müssen irgendeiner der verschiedenen Vernichtungsaktionen zum Opfer gefallen sein, und deren gab es gerade Ende der 18. und zu Beginn der 19. Dynastie etliche.

Einerseits wurden zur Zeit Akh-en-Atons, vor allem aber unter seinen Nachfolgern Tut-anch-Amûn und Eje, in oft gewaltigem Ausmaß Akten vernichtet. Bezeichnend ist, daß in Achet-Aton Tausende von Tontafeln mit der gesamten Auslandskorrespondenz Akh-en-Atons und teilweise noch Amûn-hoteps III. zurückblieben. Eine große Menge Material dürfte auch verschwunden sein, als Hôr-em-Heb scharf gegen Bestechlichkeit und die sonstigen Übelstände in der Beamtenschaft durchzugreifen begann. In der Tat kann das vollständige Stillschweigen, das die ägyptischen Dokumente dem Auszug der Benê-Jisrael gegen-

über bewahren, fast nur damit erklärt werden, daß auch dieser
Bericht – denn einen solchen gab es zunächst mit Sicherheit –
einer dieser offiziellen oder inoffiziellen Vernichtungsaktionen
aus politischen, religiösen oder privaten Gründen zum Opfer fiel.

Andererseits steht historisch fest, daß es in der Zeit Râ-moses II. keine derartigen Aktionen gab!

DAS GELOBTE LAND

Weit entscheidender freilich ist noch eine andere Überlegung für
die Bestimmung des Zeitpunkts, wann die Kinder Jisraels Ägypten verlassen haben müssen:

Mose wollte aus den Benê-Jisrael ein freies, selbständiges
Volk machen, gleichberechtigt und unabhängig von Ägypten.

Das aber wäre unsinnig gewesen, hätte er sie nur aus Ägypten
herausgeführt, um sie wieder als ägyptische Untertanen in einer
ägyptischen Provinz anzusiedeln!

Der zwingende Schluß hieraus ist, daß Kanaan zum Zeitpunkt
des Auszuges keine ägyptische Provinz gewesen sein kann!

Daß dem tatsächlich so war, wird indirekt auch durch die
Bibel bestätigt, denn beim Einzug in das »Gelobte Land« unter
Je-schua wird zwar viel von Kämpfen mit Kanaanitern, Amori-
tern und anderen Völkerschaften berichtet, niemals jedoch von
Kämpfen mit ägyptischen Garnisonen, welche, solange sich Ka-
naan in ägyptischer Hand befand, in Jericho und allen größeren
Ansiedlungen stationiert waren.

Dies grenzt nun den Zeitraum des Auszuges sehr exakt ein.
Bis zum 6. Regierungsjahr König Akh-en-Atons ist Kanaan fest in
ägyptischer Hand. Von da an beginnt dank der konsequenten
»Friedenspolitik« des Königs die ägyptische Herrschaft zunächst
in To-nuter (Libanon), dann in Kanaan zusammenzubrechen
und ist etwa ab seinem 12. Regierungsjahr nicht mehr existent.
König Tut-anch-Amûn führt zwar einen kurzen, siegreichen
Feldzug in Kanaan, doch hatte sich offensichtlich die Auffassung
durchgesetzt, diese Provinz auf Dauer aufzugeben. Dies blieb so
bis zum Ende der Herrschaft Hôr-em-Hebs und auch unter der
Regierungszeit seines Nachfolgers und Gründers der 19. Dynastie

Râ-mose I., Sohn des Finanzministers Sutan. Erst dessen Sohn Sety I. begann Kanaan zurückzuerobern, und unter Râ-mose II. war zwar nach wie vor To-nuter umkämpft, Kanaan jedoch unbestritten wieder ägyptische Provinz.

Dies schränkt den fraglichen Zeitraum auf rund 45 Jahre ein, und auch von diesen dürfte man die ersten 10 Jahre streichen, da Mose zweifellos sein Volk, das er eben erst geschaffen hatte und das noch alles andere als gefestigt war, nicht in den erbitterten Kämpfen zwischen Hatti, Amoritern, Elamitern und den anderen Stämmen aufreiben lassen wollte. Erst unter der Regierung König Ejes hatte sich die Lage so weit geklärt, daß die berechtigte Aussicht für die Benê-Jisrael bestand, das »Gelobte Land« tatsächlich in absehbarer Zeit in Besitz nehmen zu können.

DER ZUG DURCH DIE WÜSTE

Einbezogen in diese Überlegungen muß selbstverständlich auch die Zeit werden, die Mose die Benê-Jisrael durch die Wüste führte. Die Bibel nennt dafür den Zeitraum von 40 Jahren. Solche biblischen Zeitangaben sind freilich mit Vorsicht zu betrachten, handelt es sich dabei doch nicht um reale, sondern um mystische Zeitangaben. 40 Jahre, das ist der Zyklus für eine in sich abgeschlossene Zeit der Prüfung und Entwicklung, und in diesem Sinne ist auch das biblische »Alter« des Mose zu verstehen, denn laut biblischer Angabe führt er das Volk Jisraels im Alter von 40 Jahren aus Ägypten heraus, führt sie dann 40 Jahre durch die Wüste und stirbt, unmittelbar vor dem Einzug in das Gelobte Land im Alter von 120 (!) Jahren. In Real-Jahren eine etwas seltsame Rechnung, in mystischen Jahren jedoch völlig korrekt, denn dreimal der 40-Jahre-Zyklus der Entwicklung ergibt das Alter der »geistigen Vollendung« von eben 120 Jahren.

Allerdings, eine gewisse Zeitspanne müssen wir für jene Wüstenwanderung schon einsetzen: 10 Jahre gewiß, wahrscheinlicher sogar 20. Eine lockere Gruppe etlicher Großfamilien, denen nicht viel mehr gemeinsam war als ein paar Ahnen und eine gewisse mündliche Tradition, religiös und sittlich zu belehren, sie zu einer tatsächlichen Volks- und Schicksalsgemeinschaft zusammenzuschweißen, das bedurfte durchaus Zeit, in der sie, straff zusammengehalten, möglichst wenig mit anderen Völkern und Kulturen in Berührung kommen durften! Die Idee, so lange zu warten, bis die Mehrzahl der Menschen, die einst aus Ägypten auszogen, gestorben und eine junge, in Moses Geist geformte Generation herangewachsen war (wie in 4.Mose 14,26-32 angedeutet), dürfte dabei durchaus auf historischen Tatsachen beruhen.

Der Auszug aus Ägypten muß demnach also zwischen der zweiten Regierungshälfte König Tut-anch-Amûns und dem Ende der Regierungszeit König Ejes gelegen haben, keinesfalls jedoch in der Regierungszeit Râ-moses II.

DER SONNENHYMNUS UND DER PSALM

Ist diese zeitliche These richtig, dann muß Mose als junger Mann die Aton-Ketzerei König Akh-en-Atons gekannt und miterlebt haben.

Und daß er dies tatsächlich getan hat, dafür gibt es in der Bibel einen unwiderlegbaren Beweis: Den 104. (103.) Psalm, der in weiten Passagen vielfach wörtlich identisch ist mit dem »großen Sonnenhymnus« Akh-en-Atons (Seite 251 ff.)!

Daß die Psalmendichter sich recht großzügig im reichen Schatz ägyptischer Hymnen bedient haben, ist bekannt. Diese eine, spezielle Hymne jedoch wurde nicht viele Jahrhunderte lang in Tempeln oder bei sonstigen religiösen Feiern gesungen wie all die anderen, sondern war ausschließlich in den Regierungsjahren Akh-en-Atons zu hören. Danach gehörte sie, mit Ausnahme der wenigen Jahre Ejes, zu dem verpönten und verbotenen Gedankengut des Ketzers von Achet-Aton! Wer diese Hymne kannte, sie offenbar sogar auswendig konnte, der muß in diesen Jahren in Achet-Aton gelebt haben; denn wie in dem Roman beschrieben und von zahlreichen historischen Quellen bezeugt, war der Aton-Glaube außerhalb dieser Stadt praktisch so gut wie nicht existent.

Gegen diese zeitliche Einordnung spricht allein die Bibel in
2.Mose 1,11: »Sie [die Israeliten] mußten Städte für den Pharao
bauen, nämlich Pitom und Ramses.«

Pitom, auch Pithom oder Phitom geschrieben, ist das ägyptische Teku im Gau ›Östliche Harpune‹, nahe den Bitterseen gelegen. Teku war nicht nur die südlichste der Grenzfestungen Richtung Asien, es beherbergte vor allem das zweifellos bedeutendste
Sonnenheiligtum der Deltagaue neben Onû. Für eine Datierung
des Auszuges ist mit dieser Angabe freilich wenig anzufangen,
denn Pitom-Teku existierte schon seit dem Mittleren Reich.

Tatsächlich wichtig erscheint in diesem Zusammenhang die
Nennung der Stadt »Ramses«, jener Handelsstadt, die König Râ-
mose II. im nordöstlichen Delta buchstäblich aus dem Boden
stampfen ließ.

Diese Angabe scheint einen klaren Zeitpunkt, wenn schon
nicht für den Auszug, so zumindest für die »Fronarbeit« der
Kinder Jisraels zu geben: Die Regierungszeit des Königs Râ-mose II. Daran haben sich bislang auch alle einschlägigen Forscher
und Historiker gehalten, selbst wenn sonst jede Logik und sämtliche aus der Zeit erhaltenen Dokumente wider diese Datierung
sprachen.

Allerdings sollte man dabei nicht vergessen, daß die »Fünf
Bücher Moses« eben erst mindestens 200 Jahre nach dem Auszug
aus Ägypten aufgeschrieben wurden, zu einer Zeit also, als auch
Achet-Aton seit über 200 Jahren zerstört und vergessen war, sowohl in Ägypten als noch viel mehr bei jenen, die den Pentateuch aufzeichneten. Wenn man jedoch Pitom als Synonym für
die Stadt eines bedeutenden Sonnenkultes und Ramses als Synonym für eine aus dem Boden gestampfte Königsstadt nimmt,
dann mag Pitom-Ramses ursprünglich durchaus Achet-Aton gewesen sein, die »auf Befehl des Königs erbaute Sonnenstadt«,
von der man damals bereits noch weniger wußte als heute von
Atlantis und Vineta.

Natürlich schildert das Buch Exodus in seinen ersten Kapiteln die »Zwangsarbeit« der Benê-Jisrael in Ägypten in den finstersten Farben – das gehört sich so für einen guten Erzähler, um die spätere Errettung in um so strahlenderem Lichte darstellen zu können. So gar fürchterlich kann diese Zwangsarbeit freilich nicht gewesen sein, denn zahlreiche spätere Passagen des Pentateuch berichten vom Murren des Volkes und den stets bitteren Klagen wider Moses, der sie von »den Fleischtöpfen Ägyptens« weggelockt habe.

Ohne Zweifel waren auch die Kinder Jisraels in den Jahrhunderten, die sie in Ägypten lebten, eingebunden gewesen in das ägyptische Steuer- und Sozialsystem, das zunächst nach der Ernte einen Teil der Erträge als Steuern abschöpfte, um damit die eben Besteuerten in der Zeit der extremen Trockenheit im Sommer und während der Überschwemmung zu bezahlen bzw. zu ernähren und ihnen den Rest am Ende der Überschwemmung als Saatgut wieder auszuhändigen. Und da man von der Finanzierung von Arbeitslosigkeit in Ägypten nichts hielt, wurden die Leute eben in den Monaten, in denen sie auf ihren Äckern nicht arbeiten konnten, als Gegenleistung für die staatliche Versorgung als Hilfskräfte bei königlichen Bauten herangezogen; mit Hilfe dieses Systems wurden die Pyramiden, die großen Tempel und auch Städte wie Achet-Aton errichtet.

Doch wie in allen Legenden und Überlieferungen, mögen sie noch so literarisch ausgeschmückt sein, findet sich auch hier ein Körnchen Wahrheit. Es gab am Ende der 18. Dynastie nämlich tatsächlich einen König, der sich nicht an das seit fast zwei Jahrtausenden eingespielte System hielt: Eje Cheper-cheperu-Râ! Sein Wunsch, das unter Tut-anch-Amûn geschleifte Achet-Aton binnen kürzester Zeit wieder in vormaligem Glanz erstrahlen zu lassen, führte dazu, daß der überwiegende Teil der Hilfskräfte weit über die sonst übliche Zeit in Achet-Aton für die Bauarbeiten festgehalten wurde, während der Rest die zusätzliche Arbeit für seine in Achet-Aton zurückgehaltenen Nachbarn auf den Feldern zu erledigen hatte.

Die Passage »Die Ägypter aber quälten die Israeliten mit Zwangsarbeit; sie verbitterten ihnen das Leben bei harter Fron mit Lehm-, Ziegel- und allerlei Feldarbeit und mit anderen Diensten, die sie jene im Frondienst verrichten ließen.« (2.Mose 1,13.14) mag durchaus als Erinnerung an jene de-facto-»Zwangsarbeit« beim Wiederaufbau von Achet-Aton unter König Eje gedeutet werden.

Dies wäre dann allerdings auch ein sehr deutlicher, weiterer Hinweis auf Eje als »König des Auszuges«.

MOSE DER ÄGYPTER

Es würde hier zu weit führen, nun all die Argumente und Beweise einzeln zu untersuchen, die sehr klar Zeugnis davon ablegen, daß Mose bis ins Innerste seines Wesens von ägyptischem Gedankengut durchdrungen war.

Als Stichworte mögen nur nochmals beispielhaft die Reinheits- und Hygiene-Gesetze aufgeführt werden, die mit jenen in Chemenu gelehrten faktisch identisch sind. Oder auch die bürgerlichen Gesetze, die ebenfalls zu einem erheblichen Teil wortwörtlich von ägyptischen Gesetzen übernommen wurden und von denen die »10 Gebote« eine Kurzfassung darstellen.

Man könnte diese Liste noch beträchtlich verlängern, doch dies alles ließe sich durchaus auch mit Moses »ägyptischer Jugend«, die von der Bibel ja keineswegs bestritten wird, erklären.

Ganz anders sieht das aus bei der Beschneidung. In unserem ja eben von der Bibel geprägten Bewußtsein ist die Beschneidung eine typisch israelitische Sitte, mit der sich diese von allen anderen Völkern unterschieden. Nur ist dem nicht so! Die Beschneidung stammt aus Ägypten und ist in etlichen Darstellungen schon aus dem Alten Reich belegt, also gut 1000 Jahre, ehe Abraham aus Chaldäa auszog. Da sie traditionell mit Steinmessern durchgeführt wurde, liegt die Vermutung nahe, daß diese Sitte in Ägypten sogar noch sehr viel älter ist – ob einst aus religiösen oder hygienischen Anfängen stammend, ist dabei ungeklärt. Während der Fremdherrschaft der Chabiru, welche die Beschneidung nicht kannten – was damit zweifellos auch für die Benê-Jisrael zutraf –, verfiel dieser Brauch in Ägypten und wurde im Neuen Reich schließlich nur noch bei Priestern vollzogen.

Weshalb also zwang Mose den Benê-Jisrael dieses ja nicht eben angenehme Ritual auf?

Ägypten war damals das religiös, sittlich und kulturell höchststehende Volk der bekannten Welt, daran führt kein Weg vorbei. Es ist den Ägyptern daher auch kein wirklicher Vorwurf daraus zu machen, daß sie aus diesem Grund alle auf einer niedrigeren Kulturstufe stehenden Nachbarvölker als »Menschen zweiter Klasse« betrachteten.

Offenkundig wollte Mose mit dem ägyptischen Priesterritual der Beschneidung die Benê-Jisrael zu einem priesterlichen, den Ägypter angeglichenen, ja gleichgestellten Volk »erster Klasse« machen – denn welch anderen Sinn könnte dieses Ritual sonst gehabt haben? Ein dergearteter Gedankengang ist jedoch ausschließlich dann erklärbar, wenn Mose reiner Ägypter gewesen ist – samt der kulturellen Hochnäsigkeit seines Volkes! Ein psychisch gesunder Mensch mag das Volk seiner Abstammung für zu klein, für unterdrückt, in seinem wahren Wert für unterschätzt halten, niemals jedoch für zweitklassig oder minderwertig – Millionen von Juden oder auch Bindestrich-Amerikanern legen beispielsweise dafür ein höchst beredtes Zeugnis ab.

DAS BINSENKÖRBCHEN

Wenn man sich ein wenig mit der Chiffren- und Bildersprache vergangener Zeiten, speziell der Bibel beschäftigt hat, dann fällt auf, daß auch die Bibel der rein ägyptischen Abstammung Moses in Wirklichkeit gar nicht widerspricht. Gewiß, da wird eine rührend naive Geschichte erzählt, so rührend und naiv, daß sie auch für frühere Zeiten hoffnungslos unglaubwürdig war.

Da ist zunächst einmal die Legende von dem Mordbefehl für alle Knaben und den braven Hebammen (2.Mose 1,15-21) – fast wörtlich nachzulesen in verschiedenen ägyptischen Märchen.

Dann schwimmt ein Binsenkörbchen von Hat-uaret im äußersten Nordosten des Deltas flußaufwärts (!) rund 860 Kilometer nach Uêset oder 460 Kilometer nach Achet-Aton oder, im günstigsten Fall, nur 190 Kilometer bis nach Men-nôfer, um überhaupt in die Nähe einer königlichen Residenz zu gelangen. Und dort ist just im rechten Augenblick eine Königstochter zur Stelle, weil sie gerade im Nil baden will – was eine Königstochter gewiß nie getan hat, wenn sie sich nicht gerade eine Bilharziose-Infektion oder ein paar andere Scheußlichkeiten holen wollte –, um das Kind zu retten und zu adoptieren.

Damals, vor rund 40 Jahren, waren es diese offensichtlichen Ungereimtheiten, die mich auf die Spur von »Mose dem Ägypter« brachten.

Wenig später stellte ich dann fest, daß Mose auch nicht das Urheberrecht auf das Binsenkörbchen hat. Dieses fällt rund 1000 Jahre früher Sargon, dem mächtigen König von Akkad, nach eigenen Aussagen Sohn einer Tempeldirne und eines unbekannten Vaters, zu. Auch Nachahmer gab es. Die berühmtesten, wenn auch keineswegs einzigen, sind zweifellos Romulus und Remus, die Gründer Roms.

Was bei all diesen Geschichten gravierend auffällt, ist, daß das Binsenkörbchen stets in Aktion tritt, wenn sich jemand bei einem Volk zu legitimieren wünscht, zu dem er seiner Geburt nach nicht gehört! Das Binsenkörbchen ist also offenkundig ein traditionelles Bild, eine uralte Chiffre, um leibliche und geistige Geburt in Einklang zu bringen, in vielen Sagen und Halbmythen ebenso wie eben auch in der Bibel.

WEISSE FLECKEN

Ohne jeden Zweifel ist Moses neben den Urvätern Abraham, Isaak und Yakov die wichtigste Persönlichkeit in der Geschichte der Israeliten. Gemessen an dieser herausragenden Stellung gibt es freilich verblüffend viele »weiße Flecken« in seiner biblischen wie traditionell überlieferten Biographie.

Bemerkenswert mag in diesem Zusammenhang zunächst sein, daß die Bibel niemals einen Namen von Moses Eltern nennt – ganz im Gegensatz etwa zu Je-schua oder Aaron, den beiden anderen Protagonisten des Auszuges aus Ägypten und der Eroberung des »Gelobten Landes«.

Dann wird zwar Moses Ehe mit Zippora, der Tochter des Jetro, Priester-Fürst der Midianiter, geschildert (2.Mose 2,16-22; 4,24-28; 18,1-4), doch danach ist weder von Zippora noch von ihren Söhnen mit Moses, Gerschom und Eli-eser, jemals wieder die Rede.

Am auffälligsten freilich ist sein verschwundenes Grab. Eigentlich sollte man doch annehmen, daß Moses Grab zu einem nationalen Wallfahrtsort hätte werden müssen wie etwa das Grab Abrahams in Hebron. Aber nachdem Mose auf dem Berg Nebo gestorben war, meldet die Bibel lediglich trocken: »Man begrub ihn im Tal, im Lande Moab, gegenüber von Bet Peor; aber niemand kennt sein Grab bis heute.« (5.Mose 34,6).

Ein ähnliches Schicksal wurde auch Je-schua zuteil; denn auch sein Grab ist verschollen, obwohl er schließlich der Mann war, der die Benê-Jisrael ins »gelobte Land« hinein führte, ihnen den Weg freikämpfte zum Erbe Abrahams, Isaaks und Yakovs.

Wie immer man die Sache wenden mag, kann es dafür nur eine Erklärung geben: Bei allen Verdiensten, die sich insbesondere Moses, aber auch Je-schua um die Kinder Jisraels erworben haben mochten, die israelitischen Nationalisten, die den Pentateuch schließlich aufzeichneten, wollten nichts mehr zu tun haben mit dem Halbägypter Je-schua, und schon gar nichts mit dem Ägypter Mose!

DER HÔR-IM-NEST

Waren die Ägypter jener Tage schon hochnäsig all ihren Nachbarn gegenüber, dann um so mehr die Mitglieder des Königshauses. Ist die Adoption eines fremden Kindes durch eine Tochter des Königs schon recht unwahrscheinlich, so ganz bestimmt der Umfang der Ausbildung, die Mose jedoch ohne jeden Zweifel genossen hat.

Mose war Wissenschaftler mit höchst gründlichen medizinischen Kenntnissen, wie das an vielen Stellen im Pentateuch deutlich wird.

Er war hochrangiger Priester, denn er war schließlich derjenige, der den Benê-Jisrael nicht nur ihren Gott zeigte, sondern auch ihren Katechismus nebst allen kultischen Ritualen bis ins Detail festlegte.

Er war geschulter und erfahrener Beamter und Richter, der ihnen ein Gesetz gab und die Regeln ihres gesellschaftlichen Zusammenlebens aufstellte.

Lediglich militärische Aktionen – sieht man von der Vernichtung der ägyptischen Verfolger im Tidenland des Roten Meeres ab – überließ Mose vorzugsweise seinem »Generalstabschef« Jeschua, der spätestens bei der Eroberung von Jericho bewies, daß er in jungen Jahren Absolvent der Militärakademie in Men-nôfer gewesen sein dürfte.

Diese umfassende Ausbildung – Wissenschaftler, Priester, Beamter und Militär – wurde aber ausschließlich jenen königlichen Prinzen zuteil, die in der unmittelbaren Thronfolge standen!

Dank umfangreicher Harems der Könige gab es zeitweilig eine ganze Menge Söhne Seiner Majestät aus Nebenehen. Doch ihnen allen war der Weg klar unterschieden vorgezeichnet: entweder sie beschritten, ähnlich wie Fürstensöhne im Mittelalter, die weltliche Laufbahn, wurden hohe Beamte und Militärs, oder sie gingen in die geistliche Richtung als Priester und/oder Wissenschaftler. Beispielhaft seien hier die Halbbrüder König Amûnhotep Neb-Maat-Râs erwähnt, Prinz Ptah-hotep, der Fürstpriester des Amûn zu Uêset wurde, oder Prinz Nacht-Min, der lange Jahre als Ministerpräsident und Oberster Richter amtete, sogar den Rang eines Generals innehatte, auch wenn er von diesem Rang kaum Gebrauch machte.

Auf den ersten Blick scheint dem Amûn-hotep, der Sohn des Hapu, zu widersprechen, der tatsächlich Beamter, Priester und höchster Militär in einem war. Doch der Sohn des Hapu war kein königlicher Prinz, sondern der Sohn eines Bauern, den nicht seine ursprüngliche Ausbildung, sondern allein seine persönliche überwältigende geistige Qualifikation im Verlauf von über 80 Jahren schließlich zu dem machte, was er war.

Die volle Palette der Ausbildungen jedoch, dies sei nochmals betont, war einzig und allein jenen königlichen Prinzen vorbehalten, von denen man annahm, daß sie wahrscheinlicherweise einmal das Land als Könige regieren und deshalb auch von allem etwas verstehen müßten. Wäre Mose ausschließlich weltlicher Gesetzgeber oder ausschließlich religiöser Führer gewesen, eine Adoption durch eine königliche Prinzessin wäre zwar unwahrscheinlich, jedoch nicht auszuschließen. Doch einen Fremden, zumal einen Nichtägypter zum Kronprinzen, zum Hôr-im-Nest, zum möglicherweise zukünftigen König ausbilden zu lassen, das lag eindeutig außerhalb jeder Denkmöglichkeit auch der exzentrischsten Königstochter der 18. Dynastie!

SPUREN

Wenn Mose ein Hôr-im-Nest und seine biblische »Adoptivmutter« in Wahrheit seine tatsächliche Mutter war, der Auszug der Benê-Jisrael in etwa auf die Regierungszeit Ejes fiel und ich davon ausging, daß Mose zu diesem Zeitpunkt gewiß älter als 25 gewesen sein muß – anders hätte er kaum die notwendige Autorität und persönliche Überzeugungskraft besessen –, so mußte er in den letzten Regierungsjahren Amûn-hoteps III. oder in den ersten Jahren der Regierung Akh-en-Atons geboren worden sein, hätte also zumindest die späten Jahre der Aton-Ketzerei in Achet-Aton und die Regierungszeit Tut-anch-Amûns als junger Mann erlebt.

Dann mußte er bei seiner herausragenden Stellung aber notwendigerweise auch irgendwelche Spuren hinterlassen haben.

Was die Suche erleichterte, war die Tatsache, daß in dieser Epoche überhaupt nur zwei königliche Prinzen erwähnt werden, Semench-Ka-Râ und Tut-anch-Aton bzw. Tut-anch-Amûn, wie er sich später nannte. Selbst Prinzen aus Nebenehen Akh-en-Atons gab es offensichtlich keine, und die entsprechenden Söhne Amûn-hoteps III. waren zu alt. Wenn es also gelang, einen dritten königlichen Prinzen am Hof Akh-en-Atons oder Tut-anch-Amûns zu finden, so konnte dies eigentlich nur Mose sein.

DER TOD MAKET-ATONS

Der erste, sehr deutliche und kaum zu übersehende Hinweis findet sich in den Gräbern in Tell-el-Amarna, wie das ehemalige

Achet-Aton heute heißt: Die Darstellung des Todes der Kronprinzessin Maket-Aton.

Obwohl das Relief teilweise stark beschädigt wurde, geht aus ihm eindeutig hervor, daß Maket-Aton bei der Geburt eines Kindes starb, wobei deutlich zu erkennen ist, daß das Kind offensichtlich gesund und munter von einer Amme weggetragen wird, während sich Akh-en-Aton und Nofret-ête jammernd über die Leiche ihrer Tochter beugen.

Aber wo ist der zugehörige Gemahl Maket-Atons und Vater des Kindes? Ist es jener Mann, der gestützt auf zwei Höflinge in der rechten unteren Bildhälfte Zentrum einer Gruppe klagender Menschen ist? Vermutlich, denn an Größe, d. h. Bedeutung, dem König gleich, ragt er beträchtlich über die umgebenden Höflinge hinaus. Und ein höchst bedeutender Mann muß er in der Tat gewesen sein, denn so freizügig und revolutionär man sich in Achet-Aton auch gab: daß die Kronprinzessin nicht einen Niemand heiratete oder von irgendwem ein Kind bekam – immerhin hatte der Mann mit dieser Heirat einen unmittelbaren Anspruch auf den Thron –, darauf hatte man ohne jeden Zweifel geachtet. Theoretisch käme zwar auch Semench-Ka-Râ als Ehemann in Frage, doch dieser war bereits mit ihrer jüngeren Schwester Merit-Aton verheiratet, eine Ehe mit einer zweiten Akh-en-Aton-Tochter hätte also keinen Sinn gemacht, und Tutanch-Aton war erst etwa sieben Jahre alt.

Als einzig logische Schlußfolgerung bleibt also nur ein königlicher Prinz, der freilich in den bislang aufgefundenen Dokumenten nicht genannt wird und der kein Sohn Akh-en-Atons gewesen sein kann, also ein Sohn Amûn-hoteps III. gewesen sein muß.

Dank der unbestrittenen Übermacht Nofret-êtes, die ja ausschließlich Töchter zur Welt brachte, spielten männliche Mitglieder des Königshauses, so auch Tut-anch-Aton, lange Zeit keine Rolle. Auffallend ist allerdings doch, daß keiner der beiden allgemein bekannten Prinzen, weder Semench-Ka-Râ noch Tut-anch-Aton, den Titel eines Hôr-im-Nest, also eines Kronprinzen trugen. So bleibt also als weiteres Indiz nur der Schluß, daß dieser Titel bereits vergeben war.

Als nächstes erhielt dieser Prinz ein eigenes, unverwechselbares Gesicht.

Im Ägyptischen Museum, Stiftung Preußischer Kulturbesitz, in Berlin-Charlottenburg gibt es zwei Porträtköpfe aus der Werkstatt des Bildhauers Tehuti-mose, »Speckstein-mose«, in Amarna, die im Museum unter der Bezeichnung »Unbekannter Prinz der Amarna-Epoche« laufen (Inventar-Nr. 21340 und 21355). Bei diesem eindeutig königlichen, d. h. aus einer Hauptehe des Königs stammenden, Prinzen handelt es sich unzweifelhaft weder um Tut-anch-Amûn noch um Semench-Ka-Râ. Es kann sich hier also wiederum nur um jenen schriftlich bislang nicht dokumentierten, aber offenkundig existierenden dritten Prinzen handeln!

Neuerdings werden diese beiden Porträts im Museum als »Porträtkopf eines Königs« geführt, obwohl die Gesichtszüge mit keinem der vier Amarna-Könige auch nur im Ansatz identisch sind. Zu dieser Bezeichnung kamen sie offensichtlich, da sich in der Tat über ihrer Stirn der Ansatz einer Krone erhebt! Zu erklären wäre dies durchaus damit, daß »Speckstein-mose« zum Zeitpunkt, als er die Porträts schuf, felsenfest davon ausging, den zukünftigen König zu porträtieren und er dieses Detail, vorgreifend, schon einmal angefügt hat. Dieser »dritte Prinz« war also offenkundig zu jenem Zeitpunkt der unumstrittene Thronfolger.

DIE PEITSCHE

Und dann bekam der Unbekannte einen Namen: »Der Sohn des Königs, Tehuti-mose, Befehlshaber der Truppen, der lebt«. Diese Inschrift befindet sich auf einer Peitsche und wurde im Grab Tut-anch-Amûns in der sogenannten »Kanopen-« oder »Schatzkammer« gefunden (Fundstück Nr. 333).

Man hat einiges spekuliert, wer dieser Tehuti-mose gewesen sein mag. »Sohn des Königs« definiert ihn eindeutig als Prinzen aus einer Hauptehe des Königs. Dafür spricht auch ganz eindeutig der Name »Tehuti-mose«, und der Zusatz »der lebt« schließt eine Verbindung zu Tehuti-mose, dem längst verstorbenen ältesten Sohn Amûn-hoteps III. und somit Onkel Tut-anch-Amûns, eindeutig aus.

Wie zu allen Zeiten waren die Namen der Könige im Volk außerordentlich beliebt – Amûn-hotep, Sohn des Neby; Amûnhotep, Sohn des Hapu; der Künstler Tehuti-mose, genannt Speckstein-mose; usw. –, doch in der Königsfamilie waren diese Namen ausschließlich Prinzen in der unmittelbaren Thronfolge vorbehalten, während die anderen Prinzen Namen wie etwa Semench-Ka-Râ, Tut-anch-Aton oder Nacht-Min führten.

Dieser königliche Prinz Tehuti-mose muß also entweder ein älterer Bruder Tut-anch-Amûns aus der Ehe des Königs Akhen-Aton mit Kija gewesen sein oder der jüngste Sohn Amûn-hoteps III., in welchem dieser den Namen des verstorbenen Hôrim-Nest Tehuti-mose wieder aufleben ließ.

Abgesehen von der zeitlichen Möglichkeit spricht jedoch alles gegen Akh-en-Aton. Die Namen all seiner eindeutig eigenen Kinder wurden mit »Aton« zusammengesetzt – Maket-Aton, MeritAton, Anchesen-pa-Aton und Tut-anch-Aton; dazu kam Nefernefru-Aton, deren Vaterschaft nicht geklärt ist. Jene Töchter Nofret-êtes, deren Vater der König eindeutig nicht sein konnte, auch wenn er sie offiziell legitimitierte, erhielten die »Râ«-Namen Nefer-nefru-Râ und Sepet-en-Râ. Wie auch immer, waren die Namen der Kinder Akh-en-Atons alle auf einen Sonnengott ausgerichtet.

Bei dem Eifer, ja, Fanatismus, mit dem Akh-en-Aton seine Lehre vertrat, der ihn nicht einmal davor zurückschrecken ließ, den Namen seines eigenen Vaters auf Bauten und Dokumenten austilgen zu lassen, weil dieser mit dem Götternamen »Amûn« zusammengesetzt war, ist es absolut unvorstellbar, daß er seinem erstgeborenen Sohn einen Namen gegeben haben könnte, der den Götternamen »Tehuti« enthielt! Derlei zu tun wäre ein derart entsetzliches Sakrileg an seinem ›Vater‹ Aton gewesen, daß es außerhalb der Vorstellungskraft Akh-en-Atons liegen mußte, mochte der Name Tehuti-mose auch noch so traditionsreich in seiner Familie sein.

Der Vater Prinz Tehuti-moses kann folglich also nur Amûn-hotep III. gewesen sein.

DAS GRAB TUT-ANCH-AMÛNS

In diesem Zusammenhang muß auf eine Merkwürdigkeit im Grab Tut-anch-Amûns hingewiesen werden. So sehr bekanntlich die Ägypter Wert auf die Nennung der Namen ihrer Eltern, Groß-eltern, Brüder, Schwestern und sonstigen verwickelten Verwandtschaft legten, im Grab Tut-anch-Amûns war von alledem nahezu nichts zu finden. Eine kleine Statuette aus Gold von Amûn-hotep III. (Nr. 320 c), eine Locke Königin Tejes in einem Miniatursarkophag (Nr. 320 b und d), ein Schreibzeug Merit-Atons (Nr. 271), der abgerissene (!) Deckel eines Kästchens mit dem Namenszug Nefer-nefru-Atons (Nr. 54 hh) und die Peitsche Tehuti-moses (Nr. 333). Das sind, von den Darstellungen Anche-sen-pa-Atons natürlich abgesehen, die nahezu einzigen Hinweise auf die engere Familie des Königs. Es existiert nicht einmal ein Hinweis auf seine Eltern!

Und es gibt noch eine weitere Merkwürdigkeit in diesem Grab:

Zweimal drangen nachweislich Grabräuber ein, wühlten sich durch bis in den hintersten Winkel der Kanopenkammer, ließen einerseits wertvollsten Schmuck liegen, schleppten andererseits ein mit Stuck überzogenes, hölzernes Köpfchen, das sich aus einem Lotos erhebt (Nr. 8), mit, ehe sie ihm ein vielleicht aus Goldblech gefertigtes Krönchen herunterrissen und es im Zu-gang zum Grab wegwarfen. Vor allem aber vergriffen sie sich nicht an der Mumie des Königs selber, versuchten nicht einmal die Schreine des »Goldsaales« aufzubrechen, obwohl dort, wie sie sehr wohl wissen mußten, eine gute Tonne massiven Goldes nebst zahllosen kostbarsten Schmuckstücken lagerte!

Dieses schlicht widernatürliche Verhalten der Grabräuber könnte nur dann einen Sinn ergeben, wenn es sich dabei eben nicht um normale Grabräuber gehandelt hätte, sondern um Leute, die in zwar höchst geheimem, jedoch offiziellem, d. h. kö-niglichem, Auftrag handelten, und die nicht Schätze, sondern

»Beweismaterial« suchen und entfernen sollten, möglicherweise sogar mit einer genauen Liste jener Dinge ausgerüstet waren, die sie verschwinden lassen sollten. Und natürlich fehlten auf dieser Liste ebenso offenbar spontane Gaben wie die Schreibplatte Merit-Atons wie Gegenstände, die einfach »vergessen« worden waren wie die Peitsche Tehuti-moses, die zwar durchaus zu den Rangabzeichen eines Generals – »Befehlshaber der Truppen« – gehören mochte, jedoch keineswegs kostbar oder wichtig genug war, um eine offizielle Grabbeigabe zu sein.

DIE REGIERUNGSZEIT HÔR-EM-HEBS

Und noch einen sehr deutlichen, wenn auch indirekten Hinweis gibt es: die Regierungszeit König Hôr-em-Hebs.

Die Rechnung der Regierungsjahre Hôr-em-Hebs ist äußerst verworren. Nach manchen Dokumenten beginnt sie mit dem Tod Ejes, nach anderen mit dem Tod Tut-anch-Amûns, nach anderen sogar mit dem Tod Amûn-hoteps III., wobei dann die Ketzerkönige Akh-en-Aton und Eje, mitunter sogar Tut-anch-Amûn einfach ausgeklammert wurden. Wie dem auch sei, tatsächlich regierte Hôr-em-Heb nach dem Tod Ejes 24 Jahre, doch erst im 19. Jahr seiner Regierung ließ er sich offiziell zum König ausrufen und krönen. Eigentlich wäre dies verblüffend, denn Hôr-em-Heb war bereits von Akh-en-Aton zum Reichsverweser ernannt worden, und nach allem, was man von ihm weiß, war er ein vielleicht nicht sonderlich kunstsinniger, dafür um so mehr zielbewußter, tüchtiger und tatkräftiger Mann, der, erst einmal an die Macht gekommen, sehr schnell und sehr gründlich Ordnung in Ägypten zu schaffen wußte.

Weshalb, der vollen Unterstützung seiner Minister, allen voran Sutans, des Finanzministers, der gesamten Priesterschaften der alten Götter und nicht zuletzt des Militärs sicher, legitimiert durch seine Gemahlin Mut-nodjemet, zögerte Hôr-em-Heb 19 Jahre lang, sich die Krone offiziell aufs Haupt zu setzen?

Für dieses Verhalten gibt es nur eine einzige Erklärung: Hôr-em-Heb hatte einen Eid geschworen. Einen Eid, der ihn unter jedweden Umständen an das Herrscherhaus der 18. Dynastie band; und wie immer die Ägyptologen diesen Mann beurteilten, an seiner Integrität hat keiner je zu zweifeln gewagt.

Bis zum Jahr 19 der Regierung Hôr-em-Hebs gab es also offensichtlich ein Mitglied des Herrscherhauses, das einen berechtigten Thronanspruch hatte, auch wenn diese Person, zugegeben, in keinem einzigen Dokument der Zeit auch nur mit einer Silbe erwähnt wird. Weshalb? Weil dieses Mitglied des Herrscherhauses kein Interesse daran hatte, sein legitimes Erbe einzufordern? Weil es vorzog, mit der kleinen Volksgruppe der Benê-Jisrael durch die Wüste von Biau zu ziehen?

Auf jeden Fall kann aus dem Verhalten Hôr-em-Hebs nur ein einziger Schluß gezogen werden: Erst im Jahr 19 seiner »Regierung« war auch rechtlich der Weg frei, um nach der Krone zu greifen.

Anders ausgedrückt: Im Jahr 19 Hôr-em-Hebs starb das letzte thronberechtigte Mitglied der 18. ägyptischen Königsdynastie.

DAS ATTENTAT

Schließlich berichtet die Bibel eine Episode, die sich bei näherem Zusehen als durchaus aufschlußreich für Moses Rang und Familie erweist.

In 2.Mose 2,11-15 wird die Geschichte von Mose erzählt, der zu seinen Brüdern ging, um ihnen bei der Zwangsarbeit zuzuschauen, dabei einen bösen Ägypter totschlägt und deshalb von seinen eigenen Leuten heftig attackiert wird. Wörtlich heißt es weiter: »Der Pharao hörte von diesem Vorfall. Er suchte Moses umzubringen. Daher floh Moses vor dem Pharao und ließ sich im Land Midian nieder.« Wenig später freilich erscheint Moses dann jedoch völlig unbehelligt vor eben diesem Pharao, um ihn mit den berühmten ägyptischen Plagen in ärgste Verlegenheiten zu bringen.

Klingt die Geschichte als solche schon einigermaßen wirr, so ist das Verhalten des Königs, als Mose aus Midian zurückkehrt, nicht nur unlogisch, sondern schlicht dumm! Ägypten war ein in manchen Teilen durchaus modern anmutender Rechtsstaat, und auf Mord stand allemal die Todesstrafe. Dies könnte zweifellos Moses Flucht nach Midian erklären.

Doch wenn gegen Moses eine Mordklage vorlag, weshalb griff der Pharao, als Mose erneut in Ägypten erschien und anfing, massiv Ärger zu machen, nicht auf diese Mordklage zurück, um sich seiner sehr schnell und elegant für immer zu entledigen?

Weil dieser Mord gar kein Mord war, sondern Totschlag in Notwehr und damit auch nach ägyptischem Gesetz unbedingt straffrei?

Wenn man die Geschichte des schmückenden Rankenwerks entblättert, das den Vorfall zu einer Guttat für die Israeliten zu stilisieren versucht, so bleibt die Tatsache, daß Mose einen Ägypter in Notwehr erschlug, und der Satz: »Er [der Pharao] suchte Moses umzubringen.« So klingt das nüchtern zusammengefaßt allerdings ganz entschieden nach einem mißglückten Attentat, und in diesem Fall hätte der König durchaus weise gehandelt, wenn er die Sache später nicht mehr aufrührte!

Könige lassen Attentate jedoch gemeinhin nur auf Leute verüben, die ihnen politisch höchst gefährlich werden können; anders ausgedrückt, die einen berechtigten, vielleicht sogar berechtigteren Anspruch auf ihre Krone haben als sie selber – was den biblischen Moses wiederum eindeutig als einen Hôr-im-Nest aus dem Königshaus der 18. Dynastie ausweisen würde, dessen Thronanspruch auf jeden Fall weit gewichtiger war als der der Nachfolger Tut-anch-Amûns.

PHARAO

Einer kurzen Erwähnung bedarf wohl die Bezeichnung »Pharao«, jener Titel, den nach allgemeinem Bewußtsein die ägyptischen Könige trugen, der jedoch in dem Roman niemals erwähnt wird.

Das Wort leitet sich ab von *Per-aa*. Übersetzt heißt das ›Hohes Haus‹, war ursprünglich die Bezeichnung für den alten Königspalast in Uêset und wurde etwa ab der Zeit von Râ-mose II. allgemein für den König gebräuchlich, ähnlich wie seit dem 17. Jahrhundert ›Hohe Pforte‹ für den türkischen Sultan. Zur Zeit der 18. Dynastie jedoch war »Pharao« als Bezeichnung für den König noch unbekannt, weshalb ich im Roman auch stets den korrekten

Titel »König« verwendet habe – ägyptisch »Nesut-Biti«: »Ne-
sut« – geschrieben mit dem Zeichen für eine Art Wüstengras mit
einem Brotlaib darunter – für den König von Oberägypten und
»Biti« – geschrieben mit dem Zeichen für Biene und ebenfalls
einem Brotlaib – für den König von Unterägypten.

NOFRET-ÊTE

Ausgehend von all diesen Fakten war es leicht, die näheren Fami-
lienumstände des Prinzen Tehuti-mose zu ermitteln.

Er gehörte unbezweifelbar zum engsten Kreis des Königshauses der späten 18. Dynastie, mußte ein Sohn Amûn-hoteps III.
sein und ein enger Verwandter von Akh-en-Aton, Semench-Ka-
Râ, Tut-anch-Amûn, Kija, Beket-Amûn und zumindest den ältesten drei Töchtern Akh-en-Atons, aber auch von Teje, Eje und
Nofret-ête.

Im Zusammenhang mit dem Stammbaum habe ich versucht,
die gesamten, für unsere heutigen Verhältnisse wahrhaft mehr
als verwickelten Verwandtschaftsverhältnisse wenigstens ein bißchen zu entwirren, so daß wir hier allenfalls einen kurzen Blick
auf Nofret-ête werfen sollten – obwohl sie keinesfalls die Mutter
Tehuti-moses gewesen sein kann; denn abgesehen von seinem
Namen, wie schon erwähnt, betrieb Nofre-ête einen derartigen
Kult um ihre sechs Töchter, daß sie einen noch viel größeren Kult
um einen Sohn betrieben hätte, hätte sie denn je einen gehabt.

Was manche Leser des Romans erschrecken, ja entsetzen mag,
ist, daß die berühmt schöne Nofret-ête eine Serienmörderin gewesen sein soll.

Nun, der Fall Umu-hanko ist, genauso wie im Roman geschildert, dokumentarisch verbürgt, und der überraschende Tod
des Ministerpräsidenten Râ-mose, Sohn des Neby, just in dem
Augenblick, als er sich offenbar gegen Nofret-ête zu stellen begann, gibt immerhin zu denken. Und daß ihr jedes, aber auch
wirklich jedes Mittel recht war, um an die Macht der Hohen Federn zu gelangen, das beweist ihr ebenfalls historisch belegter
Versuch, nach dem Tod Akh-en-Atons Ägypten an die Hatti zu
verschachern.

Weit schwerer wiegen jedoch die Todesfälle in der engeren Familie:

Königin Teje war zwar nicht mehr jung, doch offensichtlich höchst aktiv, als sie nach Achet-Aton kam, um das Chaos, das ihr Sohn-Gemahl unter dem Einfluß Nofret-êtes angerichtet hatte, in Ordnung zu bringen. Ein paar Wochen später war sie tot.

Die Umstände, unter denen Semench-Ka-Râ ums Leben kam, sind historisch ungeklärt und da er, soviel steht wohl fest, eine eher unerfreuliche Gestalt war, ließ sein Tod wohl niemanden in Tränen ausbrechen. Das stärkste und in diesem Fall sogar durchaus verständliche Motiv, ihn zu beseitigen, hatte freilich ohne Zweifel Nofret-ête, der er nicht nur den Gemahl und die Hohen Federn weggeschnappt hatte, sondern sogar ihren Ehrentitel »Nefer-nefru-Aton« – ›Schönste der Schönen in Aton‹.

Sat-Amûn, Kija und Maket-Aton schließlich waren alle drei junge Frauen. Aber alle drei standen, wie auch Teje, der schönen Nofret-ête im Weg, blockierten ihren Aufstieg zur Großen Königsgemahlin, die sie in Achet-Aton zwar de facto, niemals jedoch de jure war. Und alle drei starben! Maket-Aton nachweislich bei der Geburt eines Kindes, die beiden anderen unter historisch nicht ganz geklärten Umständen, vermutlich aber ebenfalls im Kindbett.

Alles schierer Zufall?

Kein Kriminalist dieser Welt würde eine derartige Häufung von »Zufällen« noch akzeptieren, zumal nicht in einem Land, dessen medizinischer Standart so hoch war wie in Ägypten, in dem der Tod im Kindbett, selbst bei einfachsten Bauersfrauen, nicht wesentlich häufiger vorkam als heute.

Selbst der Nofret-ête offenkundig sexuell und auch sonst hörige Akh-en-Aton muß von ihrer Schuld überzeugt gewesen sein, anderenfalls hätte er sie kaum in die Verbannung im Nördlichen Palast von Achet-Aton geschickt. Weshalb ihr Akh-en-Aton aus Gründen der Staatsraison unter gar keinen Umständen den Prozeß machen konnte, wurde im Roman bereits geschildert.

Doch kehren wir zu Prinz Tehuti-mose zurück, um zu versuchen, seine leiblichen Eltern zu ermitteln.

Wie schon gesagt, als Tehuti-mose im Jahr 12 der Regierung Akh-en-Atons Maket-Aton heiratete, kann er kaum älter als 14 Jahre gewesen sein, aber wohl auch nicht sehr viel jünger als 12, für Ägypten dieser Zeit durchaus normal. Damit müßte er also in den letzten Regierungsjahren des Königs Amûn-hotep Neb-Maat-Râ geboren worden sein.

Als möglicher Vater kommt somit aus erwähnten Gründen nur Amûn-hotep Neb-Maat-Râ in Frage, als Mütter Teje und Sat-Amûn.

Wenn Königin Teje als Mutter angenommen wird, so müßte dies im 32. oder 33. Regierungsjahr Amûn-hoteps gewesen sein. Königin Teje war damals fast 40. Auch heute ist dies ziemlich alt für eine nochmalige Mutterschaft; für das damalige Ägypten sogar sehr alt, doch immerhin nicht auszuschließen. Gegen diese Annahme sprechen die Abbildungen aus dem Grab ihres Haushofmeisters Heje, wo zusammen mit Teje zwar mehrfach ihre jüngste Tochter Beket-Amûn dargestellt wurde, niemals jedoch ein kleiner Sohn.

Bliebe als Mutter also Sat-Amûn. Daß und aus welchen Gründen König Amûn-hotep ungeheuer Wert darauf legte, von dieser seiner Tochter-Gemahlin nochmals ein Kind zu bekommen, wurde im Roman ausführlich geschildert.

Auch daß ein Kind aus dieser Verbindung trotz seines dynastischen Ranges nach dem frühen Tod seiner Mutter lange Zeit weder am Hof in Uêset noch am Hof in Achet-Aton eine Rolle spielte, ist durchaus verständlich, war es doch für Akh-en-Aton ein direkter Konkurrent um den Thron und für Teje die Erinnerung an eine eher unerfreuliche Episode in ihrem Leben.

Natürlich ist die Flucht des Kindes zu den Benê-Jisrael historisch nicht nachweisbar, doch kann man sehr wohl davon ausgehen, das sein Leben am Königshof akut bedroht war. Die Bibel spricht zudem von einer »hebräischen Amme« Moses, und irgendwann in seinem frühen Leben muß Mose in intensiven

Kontakt zu den Benê-Jisrael gekommen sein; denn anders wäre sonst kaum zu erklären weshalb er sich gerade diese Volksgruppe aussuchte, um sie zum »auserwählten Volk Gottes« zu machen.

Wenn also Königin Sat-Amûn seine Mutter war, dann wäre demnach Prinz Tehuti-mose im 34. oder 35. Jahr der Regierung seines Vaters Amûn-hotep Neb-Maat-Râ zur Welt gekommen. Bei seiner Heirat mit Kronprinzessin Maket-Aton wäre er 13 gewesen, beim Tod Akh-en-Atons 19, beim Tod Tut-anch-Amûns 28 und wäre schließlich im Alter von etwa 50 gestorben.

TEHUTI-MOSE

Ehe wir den letzten Schritt vollziehen und den biblischen Moses mit Prinz Tehuti-mose zu identifizieren versuchen, sollten wir uns kurz noch einmal das ins Gedächtnis rufen, was wir über Tehuti-mose wissen:

Wenn auch in den zeitgenössischen Dokumenten nicht erwähnt, gab es in Amarna neben Tut-anch-Amûn und Semench-Ka-Râ einen weiteren Prinzen rein königlicher Abstammung, also nicht aus einer Nebenehe, sondern aus einer Hauptehe des Königs.

Von ihm existieren mindestens zwei Porträtköpfe aus der Werkstatt Tehuti-moses (»Speckstein-moses«), die heute in Berlin ausgestellt sind. Nach Aussehen dieser Köpfe muß er zumindest gegen Ende der Regierung Akh-en-Atons ein erwachsener Mann gewesen sein, wobei »erwachsen« nach den damaligen Begriffen ein Alter über 14 bedeutet. Das Köpfchen (Nr. 8) aus dem Grab Tut-anch-Amûns könnte ein Jugendporträt sein.

Seine Eltern waren König Amûn-hotep (III.) Neb-Maat-Râ und aller Wahrscheinlichkeit nach Königin Sat-Amûn.

Eindeutig älter als Tut-anch-Amûn und höherrangig als Semench-Ka-Râ, war er offenbar der Gemahl der im Jahr 12 Akh-en-Atons im Kindbett verstorbenen Kronprinzessin Maket-Aton und Vater ihres Kindes.

Da es nachweislich zum Zeitpunkt des Todes von Tut-anch-Amûn keinen anderen »lebenden Sohn des Königs« gab, muß diesem Prinzen die Peitsche (Nr. 333) aus dem Grab Tut-anch-Amûns gehört haben, was seinen Namen als »Tehuti-mose« festlegt.

In Ermangelung eines anderen thronberechtigten Prinzen aus dem Königshaus der 18. Dynastie kann auch nur er es gewesen sein, dessen Tod Reichsmarschall Hôr-em-Heb, gebunden durch seinen Eid, abwarten mußte, ehe er sich zum König krönen ließ, was den Tod des Prinzen auf etwa das Jahr 19 Hôr-em-Hebs festlegen würde.

DER THRONVERZICHT

Höchst merkwürdig freilich ist, daß Prinz Tehuti-mose, obwohl offenbar höherrangig als Semench-Ka-Râ und Tut-anch-Amûn, weder nach dem Tod Akh-en-Atons noch nach dem Tod Tut-anch-Amûns, noch spätestens nach dem Tod Ejes die Macht ergriff.

»Regierungsunfähigkeit« kann kein Grund sein; denn die Geschichte, auch die ägyptische, kennt genug Beispiele für regierungsunfähige Könige, die trotzdem gekrönt wurden, auch wenn die tatsächliche Macht dann von einem Regenten verwaltet wurde.

Daß König Akh-en-Aton nicht Tehuti-mose, sondern Prinz Semench-Ka-Râ zu seinem Mitkönig machte, hatte zweifellos sehr persönliche Motive, unter denen sexuelle den Ausschlag gegeben haben dürften – worauf nicht nur sämtliche Darstellungen der beiden schließen lassen, sondern auch die Verleihung des Titels ›Schönste[r] der Schönen in Aton‹, den Nofret-ête bis dahin getragen hatte, und schließlich sogar des Titels einer Großen Königsgemahlin nebst offizieller Heirat.

Nehmen wir, rein theoretisch, sogar einmal an, Prinz Tehuti-mose sei zum Zeitpunkt des Todes von Tut-anch-Amûn bereits schwer krank und beim Tod Ejes bereits verstorben gewesen, so bleibt immer noch die Frage offen: Weshalb wurde nicht er nach dem Tod Akh-en-Atons König, sondern Tut-anch-Amûn? Tehuti-mose war zu diesem Zeitpunkt etwa 19, also ein erwachsener Mann, in dessen Händen das Schicksal des arg zerrütteten Reiches zweifellos besser aufgehoben gewesen wäre als in den Händen des damals elfjährigen Tut-anch-Amûn, obwohl dieser in

der Folge sehr schnell zu einem offenbar höchst fähigen Herrscher heranreifte. Daß der noch sehr junge Tut-anch-Amûn einigen mächtigen Leuten am Hof – Hôr-em-Heb? Eje? den Priesterschaften der alten Götter, die freilich gar keinen Zutritt zum Hof
in Achet-Aton hatten? – lenkbarer erschien als der erwachsene
Tehuti-mose, mag vordergründig ein brauchbares Argument
sein. Doch wenn diese Leute die Durchsetzungskraft Tehuti-moses so fürchteten, wie soll es ihnen dann gelungen sein, ihn überhaupt an der Thronbesteigung zu hindern?

Nein, dafür daß Prinz Tehuti-mose nach dem Tod Akh-en-
Atons nicht den Thron bestieg, gibt es nur eine vernünftige Erklärung:

Er *wollte* nicht König werden – aus welchen Gründen auch
immer.

MOSES

Und was wissen wir gesichert über Moses, korrekt eigentlich
»Mose«?

Der Auszug der Benê-Jisrael aus Ägypten muß in der End-
phase der 18. Dynastie erfolgt sein. Die mehrfache Erwähnung
der »Zwangsarbeit« an einer königlichen Sonnenstadt (Pitom-
Ramses) deutet recht klar auf die Regierungszeit Ejes hin.

Er muß reiner Ägypter gewesen sein; denn nur so läßt sich
neben anderem vor allem das Zeremoniell der Beschneidung erklären, das er den Benê-Jisrael aufzwang, um sie zu einem Volk
»erster Klasse«, den Ägyptern gleichgestellt, zu machen.

Das Binsenkörbchen ist eindeutig eine Chiffre, um eine
Brücke zu schlagen zwischen körperlicher und geistiger Geburt.

Moses ist am Königshof aufgewachsen und galt als Sohn einer
Königstochter.

Er war »gelehrt in aller Weisheit der Ägypter«. Genau gesagt
hatte er eine umfassende Ausbildung als Priester, Verwaltungs-
beamter und Richter sowie als Wissenschaftler und, zumindest
rudimentär, zweifellos auch als Militär, wie die Bibel während
des Zuges durch die Wüste mehrfach erwähnt. Dies aber war
über jeden Zweifel erhaben eine Ausbildung, die allein thronbe-

rechtigen Prinzen in der unmittelbaren dynastischen Folge zuteil wurde.

Er kannte den großen Sonnenhymnus des Akh-en-Aton, muß also zumindest zeitweise an dessen Hof gelebt haben.

Er war überzeugter Monotheist, allerdings nicht in der materialistischen Form des Aton-Kultes, sondern griff zurück auf die Lehre von »Der Gott der Götter«, wie sie von der Frühzeit Ägyptens an in Men-nôfer und vor allem Onû gelehrt wurde.

Es wurde ein offensichtlich politisch motiviertes Attentat auf ihn verübt, das ihn zunächst zur Flucht nach Midian zwang.

Beim Auszug der Benê-Jisrael muß er um die 30 gewesen sein.

Nach dem Auszug aus Ägypten führte er die Benê-Jisrael eine beträchtliche Anzahl von Jahren durch die Wüste, um sie zu belehren und zu einer Volks- und Schicksalsgemeinschaft zusammenzuschweißen.

Er starb unmittelbar vor dem Einzug ins »gelobte Land«.

Die israelitisch-nationalistischen Aufzeichner des Pentateuch nennen weder die Namen seiner – angeblich aus dem Haus Levi stammenden – Eltern, noch vermelden sie das weitere Schicksal seiner Frau Zippora oder seiner Söhne Gerschom und Eli-eser.

Sein Grab galt schon damals als verschollen.

DER NAME

Daß »Mose« ein ägyptischer Name ist, bestreitet nicht einmal die Bibel. »Mose« bedeutet »Sohn«, geschrieben »Ms«, was man »Mes«, »Mos«, »Mese«, »Meso«, »Moso« oder »Mose« lesen mag, da es im Ägyptischen keine Zeichen für die Vokale e und o gab.

Tehuti-mose heißt übersetzt »Sohn des Tehuti«, also Sohn des ibis- oder pavianköpfigen Tehuti (griechisch Thot), des Gottes allen Wissens, Herr von Chemenu, den die Griechen später mit dem Hermes Trismegistos gleichsetzten.

In der Zeit des Aton-Kults, als die alten Götternamen verboten waren, änderten zwar etliche Opportunisten ihre Namen von Nacht-Min (Kraft des Min), Amûn-hotep (Friede des Amûn),

Ptah-mose (Sohn des Ptah), Merit-Sachmet (Geliebte der Sachmet) oder Beket-Maat (Dienerin der Maat) in mit Aton oder Râ zusammengesetzte Namen wie Nacht-Aton, Râ-hotep, Râ-mose, Merit-Aton oder Beket-Aton um. Die Mehrzahl freilich ließ, wie im Buch geschildert, einfach den Götternamen weg und wurde einfach zu »Nacht«, »Hotep«, »Mose«, »Merit« oder »Beket«.

Daß jene, die die »Bücher Mose« in eine geschriebene Form brachten, keinen Namen dulden wollten, in dem eine ägyptische Gottheit vorkam, ist verständlich. Es ist allerdings auch sehr wohl denkbar, daß sie den vollen Namen Prinz Tehuti-moses auch gar nicht kannten, wenn dieser zu stolz gewesen war, um seinen traditionsreichen Namen zur Zeit Akh-en-Atons in Aton-mose oder Râ-mose zu ändern, aber wie manch anderer auch nach dem Sturz des Aton-Kultes die gekürzte Form seines Namens im täglichen Umgang beibehalten hatte.

TEHUTI-MOSE = MOSES

Was ist nun dem biblischen Moses mit dem ägyptischen Prinzen Tehuti-mose so sehr gemein, daß man mit historisch gutem Gewissen behaupten kann, diese beiden seien tatsächlich ein und dieselbe Person?

Als erstes springt natürlich die Namensgleichheit ins Auge.

Und als nächstes nicht nur die Gleichheit der Epoche, sondern daß die beiden faktisch gleichaltrig gewesen sein müssen, wenn man davon ausgeht, daß Moses beim Auszug der Kinder Jisraels um die 30 gewesen sein müßte, und Tehuti-mose im Jahr 4 der Regierung Ejes tatsächlich 31 war. Wenn Tehuti-mose und Moses identisch sind, dann wären sie/er nach rund 20 Jahren Wüstenwanderung im 19. Jahr Hôr-em-Hebs im Alter von 50 Jahren gestorben, ein Alter, das knapp über dem Durchschnitt der Könige der 18. Dynastie liegt und damit durchaus glaubhaft ist.

Die Jugend Tehuti-moses war von einer monotheistischen Lehre geprägt, und Moses war unbedingter und überzeugter Monotheist, wenn auch nicht in der Form des Aton-Kultes.

Beide kannten ohne Zweifel den großen Sonnenhymnus Akhen-Atons und konnten ihn auswendig.

Beide waren königliche Prinzen aus dem innersten Kreis der Königsfamilie mit einem offenkundig unmittelbaren Anspruch auf den Thron.

Doch Tehuti-mose verzichtete auf den Thron!

Weshalb?

Dies war die Frage, die mich rund 40 Jahre alle irgendwie auffindbaren Quellen durchforschen, auch den abwegigsten Theorien nachgehen ließ, schließlich ihren Niederschlag in diesem Buch gefunden hat und letztendlich nur noch eine einzige logische und sinnvolle Antwort zuließ:

Der Hôr-im-Nest Tehuti-mose ist identisch mit dem biblischen Moses!

Was mich an diesem Thema faszinierte, mich durch all die Jahre nicht zur Ruhe kommen ließ, war die sozusagen »weltliche«, die psychologische Seite der Person Moses. Anders ausgedrückt, die Frage: Wie kommt ein junger Mann, dem alle Möglichkeiten der Macht offenstehen, dazu, die Krone des mächtigsten Herrschers der damals bekannten Welt auszuschlagen, um sich die kleine, unbedeutende Volksgruppe der Benê-Jisrael zu erwählen und sie zu seinem »Gottesvolk« zu formen?

Die andere, ich möchte sie »spirituelle« Seite nennen, habe ich bewußt weitgehend in meinem Buch ausgeklammert. Ich glaube zwar zutiefst an solche spirituellen Erfahrungen und Erlebnisse, doch sind diese so ungemein persönlicher Natur, daß sie für einen Dritten nahezu unmöglich nachzuvollziehen, geschweige zu beschreiben sind.

»Ägypten ist in Frieden dahingegangen«, schreibt der große Ägyptologe Kurt Lange, »als es seine Aufgabe erfüllt hatte, die Fackel der Verheißung weiterzugeben an das Volk, aus dem der Erlöser geboren werden sollte.«

Wir aber sollten nicht vergessen, was Ägypten für das Volk Jisraels getan hat und was es ihm gegeben hat. Es ist gewiß kein Zufall, daß der größte »Jude« – von Christus abgesehen – ein Ägypter aus dem mächtigsten Königshaus der ägyptischen Geschichte war und daß der größte Ägypter, dessen Werk die Jahrtausende lebend überdauert hat, Jude geworden ist: MOSE.

Chronologie

Vorgeschichte (6000–3000 v. Chr.)

Im Süden *Tasa*-Kultur, dann *Nekâde* 1- oder *Amra*-Kultur, dann *Nekâde* 2- oder *Gerze*-Kultur. Im Norden *Badâri*-Kultur, dann *Maâdi*- und *Heliopolis*-Kultur. Entwicklung zweier Reiche mit Saû (*Sais*)* als Hauptstadt im Norden und Nakâda im Süden.

Thinitenzeit (3000–2778 v. Chr.)

1. Dynastie
   Meneji Hôr-Aha (*Menes*), Reichsgründung durch Vereinigung der Beiden Länder mit Men-nôfer (*Memphis*) als Hauptstadt. 6 weitere Könige.

2. Dynastie
   8 Könige, während der Regierung der letzten beiden Könige unterägyptische Nebendynastie mit 4 Königen.

Altes Reich (2778–2263 v. Chr.)

3. Dynastie
   Djoser Netscheri-Chet, Bau der ersten Pyramide bei *Saqqâra*. 5 weitere Könige.

4. Dynastie
   Chnum-kufu Medjedu (*Cheops*), Ka-ef-Râ User-Ib (*Chephren*),

* Griechische bzw. heute gebräuchliche Bezeichnungen kursiv und in Klammern.

Men-kau-Râ Ka-Chet (*Mykerinos*), Erbauer der drei großen
Pyramiden von Gîza.
3 weitere Könige.

5. Dynastie
8 Könige.

6. Dynastie
Pepy Merie-Râ (*Pepy I.*), offizieller Gründer von Men-nôfer.
3 weitere Könige.
Pepy Netcheri-Kau (*Pepy II.*) und Königin Neith-aqer (*Nito-kris*), Zusammenbruch des Reiches.

Erste Zwischenzeit (2263–2133 v. Chr.)

7. Dynastie und

8. Dynastie
Etwa 20 Könige, die von Men-nôfer aus Unterägypten
regierten.

9. Dynastie und

10. Dynastie
Etwa 12 Könige, die von Hat-nen-nesu (*Herakleopolis*, heute
Ihnâsya el Madîna) aus Teile von Unter- und Mittelägypten
regierten. Der Süden wird von unabhängigen Gaufürsten
beherrscht.

Mittleres Reich (2133–1786 v. Chr.)

11. Dynastie
Mentu-hotep Neb-hepet-Râ (*Mentuhotep II.*), Wiederbegründer
des Reiches. Etwa 12 weitere Könige.

12. Dynastie
Se-en-Userhet Cha-Kau-Râ (*Sesostris III.*), Bau des großen

Kanals. 6 weitere bedeutende Könige, darunter Amûn-em-Hat Ni-Maat-Râ (*Amenemhet III.*) und Amûn-em-Hat Maa-Cheru-Râ (*Amenemhet IV.*). Königin Sobek-nefru-Râ, Zerfall des Reiches.

Zweite Zwischenzeit (1786–? v. Chr.)

13. Dynastie
Zahlreiche Könige in schnellem Wechsel.

14. Dynastie
Etwa 30 Könige die im westlichen Delta regieren.

Hyksos-Zeit (?–1552 v. Chr.)

15. Dynastie
Sewoseren-Râ Chîan, Chabiru-Fürst, erobert Unterägypten und Teile Mittelägyptens. Residenz in Hat-uaret (*Tanis*). Etwa 34 weitere Könige.

16. Dynastie
Etwa 30 Könige. Jo-sêph, Sohn des Jisrael, Ministerpräsident, Einwanderung der Benê-Jisrael in Ägypten.

17. Dynastie
Etwa 30 Gaufürsten von Uêset (*Theben*; heute *Karnak/Luxor*) und Teilen Oberägyptens. Seken-en-Râ und Ka-mose, Beginn des Aufstandes gegen die Chabiru-Fremdherr-schaft.

Neues Reich (1523–1090 v. Chr.)

18. Dynastie
Ach-mose Pehty-Râ (*Ahmes*), Vertreibung der Chabiru (*Hyksos*), Wiederbegründer des Reiches (1523–1498 v. Chr.). Amûn-hotep Djoser-Ka-Râ (*Amenophis I.*), Eroberung Süd-kanaans (1498–1477 v. Chr.).

Tehuti-mose Aa-cheper-Ka-Râ (*Thutmosis I.*), Eroberung
von Wawat und Kanaan (1477–1465 v. Chr.).
Tehuti-mose Aa-cheper-Ka-Râ Nefer-Khau (*Thutmosis II.*)
(1465–1461 v. Chr.).
Hat-Schepsut Maat-Ka-Râ (*Hatschepsut*), Königin,
regiert an Stelle ihres Bruders/Gemahls Tehuti-mose (III).
Expedition nach Punt, kulturelle Hochblüte
(1461–1439 v. Chr.).
Tehuti-mose Men-cheper-Râ (*Thutmosis III.*),
17 erfolgreiche Feldzüge, Eroberung von Kusch
und To-nuter, größte Ausdehnung des Reiches
(1461–1407 v. Chr.).
Amûn-hotep Aa-cheperu-Râ (*Amenophis II.*),
(1409/07–1383 v. Chr.).
Tehuti-mose Men-cherperu-Râ (*Thutmosis IV.*),
(1383–1373 v. Chr.).
Amûn-hotep Neb-Maat-Râ (*Amenophis III.*), der »Prächtige«.
Scheitelpunkt der ägyptischen Kultur (1373–1335 v. Chr.).
Amûn-hotep Nefer-cheperu-Râ (*Amenophis IV.*) = Akh-en-Aton
Ua-en-Râ (*Echnaton*), Aton-Monotheismus als Staatsreligion,
innen- und außenpolitisches Chaos, Verlust von Kanaan und
To-nuter (1337–1320 v. Chr.).
Semench-Ka-Râ Anch-cheperu-Râ, Mitkönig
(1316–1319 v. Chr.).
Tut-anch-Aton Neb-cheperu-Râ, später Tut-anch-Amûn
Neb-cheperu-Râ. Abschaffung des Aton-Monotheismus,
Konsolidierung der Politik. Bislang einziger fast vollständiger
Grabfund! (1320–1311 v. Chr.).
Eje Cheper-cheperu-Râ, erneut Aton-Monotheismus als
Staatsreligion. Auszug der Benê-Jisrael aus Ägypten
(1311–1307 v. Chr.).
Hôr-em-Heb Djoser-cheperu-Râ, endgültige Abschaffung
des Aton-Monotheismus und Rückkehr zur alten Ordnung
(1307–1282 v. Chr.)

19. *Dynastie*
Râ-mose Men-Pehty-Râ (*Ramses I.*), Sety Men-Maat-Râ

(*Sethos I.*). Râ-mose User-Maat-Râ (*Ramses II.*), Rückeroberung
von Kanaan und To-nuter, gewaltige Bautätigkeit im
Verlauf von fast 70 Regierungsjahren. Mer-en-Ptah Ba-en-Râ
(*Merenptah*).
3 weitere Könige.

20. Dynastie

Râ-mose User-Maat-Râ (*Ramses III.*) bis Râ-mose Men-Maat-
Râ (*Ramses XI.*), »*Ramessiden*«. Danach Ende der volksmäßig
ägyptischen Königshäuser.

Dritte Zwischenzeit (1085–715 v. Chr.)

21. Dynastie

8 Könige, die von Uêset aus regieren.
Gleichzeitig 6 Könige, die von Hat-uaret (*Tanis*) aus
regieren.

22. Dynastie

Erste libysche Dynastie. 8 Könige die von Per-Bast (*Bubastis*)
aus regieren, »*Bubastiden*«.

23. Dynastie

Zweite libysche Dynastie. 6 Könige, die von Per-Bast aus
regieren.

24. Dynastie

Gleichzeitig Erste Dynastie von Sais. 2 Könige die von Saû
(*Sais*) aus regieren.

Spätzeit (715–332 v. Chr.)

25. Dynastie

Kuschitische Dynastie. Pije Seneferu-Râ (*Pianchi*). 5 weitere
Könige, letztmals Gesamtherrschaft über Ägypten, Wawat
und Kusch.

26. Dynastie
Zweite Dynastie von Sais. 5 Könige. Psametik Wah-ib-Râ
(*Psammetich III.*), letzter König von Ober- und Unterägypten.

27. Dynastie
Erste Perserzeit. Kurusch (*Kyros*), Dârajavahusch (*Dareios I.*),
Chschajarscha (*Xerxes I.*), weitere 3 Könige. Ägypten persische
Provinz.

28. Dynastie und

29. Dynastie und

30. Dynastie
9 Könige, bei denen es sich wohl nur um mächtige Gau-
fürstenfamilien handelt, die mit oder auch gegen die Perser
zu regieren versuchen.

31. Dynastie
Zweite Perserzeit. Dârajavahusch Kodoman (*Dareios III.*),
letzter Großkönig der Perser.

Griechische Zeit (332–30 v. Chr.)

Alexandros der Große.
Eroberung Ägyptens, läßt sich als König und Sohn des Zeus-
Amon feiern.

Ptolemaier-Dynastie.
Ptolemaios Soter, geht aus den Diadochenkriegen nach dem
Tod Alexandros' als König von Ägypten hervor. 13 weitere
Könige. Kleopatra (*VII.*), letzte Königin in Ägypten.

Eroberung durch Julius Caesar.
Danach Ägypten römische Provinz.

Tehuti-mose (IV.) Men-cheperu-Râ (ca. 1383 v. Chr.)

4. Jahr: Geburt des Hôr-im-Nest Amûn-hotep (Neb-Maat-Râ).

5. Jahr: Amûn-hotep, Sohn des Hapu, wird Ministerpräsident und Generalgouverneur von Ober- und Unterägypten.

6. Jahr: Geburt Tejes, Vater Min-Priester Juja.

10. Jahr: Tod des Königs Tehuti-mose Men-cheperu-Râ.

Amûn-hotep (III.) Neb-Maat-Râ (ca. 1373 v. Chr.)

1. Jahr: Regierungsantritt 7. Juni, Mutter Mut-em-weja führt die Staatsgeschäfte.

3. Jahr: Heirat mit Teje.

4. Jahr: Teje wird Große Königsgemahlin.

7. Jahr: Geburt Ejes, Vater Min-Priester Juja (*Jahr?*)*.

11. Jahr: Baubeginn des neuen Palastes »Haus des Freuden-festes« am Westufer des Flusses bei Uêset.

13. Jahr: Geburt des Hôr-im-Nest Tehuti-mose, Mutter Teje (*Jahr?*).

15. Jahr: Verlegung der Residenz in das »Haus des Freuden-festes«. Bau des künstlichen Sees zwischen Palast und Fluß.

16. Jahr: Geburt des Prinzen Amûn-hotep (später Akh-en-Aton), Mutter Teje (*Jahr?*).

---

* Daten und Fakten, die nicht durch aufgefundene Dokumente gesichert sind, sondern sich aus logischen Schlußfolgerungen ergeben, sind kursiv geschrieben.

17. Jahr: Geburt der Kronprinzessin Kija, Mutter Teje (Jahr ?).

20. Jahr: Geburt der Prinzessin Sat-Amûn, Mutter Teje (Jahr ?). Heirat Ejes mit Tiê (Jahr ?).

21. Jahr: Geburt Nofret-êtes, Vater Eje (Jahr ?).

24. Jahr: Tuschratta König von Mitanni.

25. Jahr: Schuppiluliuma, König der Hatti, errichtet ein Großreich in Anatolien.

29. Jahr: Heirat des Hôr-im-Nest Tehuti-mose mit Kronprinzessin Kija (Jahr ?).

30. Jahr: Erstes Heb-Sed-Fest. Geburt der Prinzessin Beket-Amûn, Mutter Teje (Jahr ?).

32. Jahr: Geburt des Prinzen Semench-Ka-Râ, *Eltern Hôr-im-Nest Tehuti-mose und Kronprinzessin Kija (nach anderer Meinung Mutter Teje).* Tod des Hôr-im-Nest Tehuti-mose. Prinz Amûn-hotep (Akh-en-Aton) wird Hôr-im-Nest und heiratet Kronprinzessin Kija.

33. Jahr: Zweites Heb-Sed-Fest. Zerwürfnis des Königs mit Teje. Heirat mit Prinzessin Sat-Amûn, die Große Königsgemahlin wird. Der Hôr-im-Nest Amûn-hotep (Akh-en-Aton) heiratet Nofret-ête in Nebenehe.

34. Jahr: *Geburt des Wahren und Einzigen Hôr-im-Nest Tehuti-mose (Mose), Mutter Sat-Amûn.* Tod Sat-Amûns. Der König, schwer krank, heiratet Taduchepa, Tochter Tuschrattas von Mitanni, in Nebenehe. Geburt der 1. Tochter Amûn-hoteps (Akh-en-Aton) Prinzessin Maket-Aton, Mutter Nofret-ête. Tod Amûn-hoteps, Sohn des Hapu, im Alter von 104 Jahren.

36. Jahr: Drittes Heb-Sed-Fest. Aussöhnung mit Teje.

Amûn-hotep Neb-Maat-Râ und Amûn-hotep (IV.) Nefer-Cheperu-Râ
(Akh-en-Aton) (ca. 1337 v. Chr.)

36. (1.) Jahr: Krönung Amûn-hotep Nefer-Cheperu-Râs (Akh-en-Aton) zum Mitkönig. Geburt seiner 2. Tochter Prinzessin Merit-Aton, Mutter Nofret-ête.

37. (2.) Jahr: Tod des Königs Amûn-hotep Neb-Maat-Râ im Juli.

Amûn-hotep (IV.) Nefer-Cheperu-Râ (Akh-en-Aton) (ca. 1335 v. Chr.)

2. Jahr: Alleinregierung ab Juli. Heirat mit seiner Mutter Teje, die Große Königsgemahlin bleibt. Bau des großen Aton-Tempels in Uêset. Geburt der 3. Tochter Prinzessin Anchesen-pa-Aton, Mutter Nofret-ête. Rascher Wechsel von Ministerpräsidenten: Prinz Nacht-Min, Râ-mose, schließlich Pichuru.

4. Jahr: Gründung von Achet-Aton. Geburt der 4. Tochter Prinzessin Nefer-nefru-Aton, Mutter Nofret-ête, Vater unklar. Wichtige Staatsämter außer Militär in Händen der Anhänger des Aton-Kultes.

Akh-en-Aton Ua-en-Râ

5. Jahr: Offizielle Namensänderung. Aton-Kult alleinige Staatsreligion. Der König durch Krankheit endgültig impotent.

6. Jahr: Verlegung der Residenz nach Achet-Aton. Zerwürfnis mit Königin Teje, die in Uêset bleibt. Verbot aller Götterkulte, Schließung der Tempel, Austilgung aller Götternamen. Geburt seines Sohnes Prinz Tut-anch-Aton, Mutter Prinzessin Kija. Tod Kijas. Geburt seiner 5. Tochter Prinzessin Nefer-nefru-Râ, Mutter Nofret-ête, Vater keinesfalls der König.

9. Jahr: Fest zur Vollendung von Achet-Aton. Geburt seiner 6. Tochter Prinzessin Setepen-Râ, Mutter Nofret-ête, Vater keinesfalls der König. Azirhû, König von Amurru, erobert

mit Hilfe der Hatti große Teile von Kanaan und dem südlichen To-nuter, während die Hatti den Norden To-nuters
besetzen. Der König als »Friedensfürst« unterbindet jede
wirksame Gegenwehr. Unruhen in Wawat und Kusch.

12. Jahr: Königin Teje kommt mit Hôr-im-Nest Mose (Tehuti-mose)
und Prinz Semench-Ka-Râ nach Achet-Aton, um Ordnung zu
schaffen. Der Hôr-im-Nest Mose heiratet die Kronprinzessin Maket-Aton.
Prinz Semench-Ka-Râ heiratet Prinzessin Merit-Aton. Ende
der Unruhen in Wawat und Kusch durch Vizekönig Huja.
Der letzte treue Vasall in Kanaan, Rib-Addi, wird vom König
abgewiesen (Jahr?).

13. Jahr: Tod der Großen Königsgemahlin Teje. Geburt der Prinzessin Sat-Râ, Tochter des Hôr-im-Nest Mose und der Kronprinzessin Maket-Aton. Tod Maket-Atons im Kindbett. Zerwürfnis
des Königs mit Nofret-ête. Sturz Nofret-êtes und Verbannung in den Nördlichen Palast.

Akh-en-Aton Ua-en-Râ und Semench-Ka-Râ Anch-cheperu-Râ

14. Jahr (1.): Krönung Semench-Ka-Râs zum Mitkönig, Prinzessin Merit-Aton Große Königsgemahlin.

15. Jahr (2.): König Akh-en-Aton heiratet seinen Mitkönig Semench-Ka-Râ und ernennt ihn zur Großen Königsgemahlin.
Feldmarschall Hôr-em-Heb verhindert eine Militärrevolte.

16. Jahr (3.): König Akh-en-Aton heiratet Prinzessin Anchesen-pa-
Aton und ernennt auch sie zur Großen Königsgemahlin. Feldzug König Semench-Ka-Râs (Jahr?). Azirhû von Amurru wird
als Anhänger des Aton-Glaubens von den Königen hoch geehrt. Endgültiger Zusammenbruch des ägyptischen Einflusses
in Kanaan und To-nuter. Mitanni wird Vasallenstaat der Hatti.

17. Jahr (4.): Tod des Königs Semench-Ka-Râ im November.
König Akh-en-Aton ernennt Feldmarschall Hôr-em-Heb zum

Reichsverweser. Tod des Königs Akh-en-Aton Ua-en-Râ im
Februar.

Tut-anch-Aton Neb-cheperu-Râ *(ca. 1320 v. Chr.*)*

1. Jahr: *Thronverzicht des Hôr-im-Nest Mose* (Tehuti-mose). Krönung
   Tut-anch-Atons zum König im April und Heirat mit der
   Großen Königsgemahlin Anchesen-pa-Aton. Duldung der
   alten Götterkulte.

2. Jahr: Feldzug nach Wawat, das sich kampflos wieder unterwirft. Verschwörung und Umsturzversuch Nofret-êtes schei-
   tert. Siegreicher Feldzug nach Kanaan, danach jedoch lang-
   samer Rückzug aus To-nuter und Kanaan *(Jahr ?)*.
   Wiedereinsetzung der alten Götterkulte und Rückgabe der
   Tempelvermögen.

Tut-anch-Amûn Neb-cheperu-Râ

4. Jahr: Offizielle Namensänderung in Tut-anch-Amûn Neb-
   cheperu-Râ. Rückverlegung der Residenz nach Uêset, verbot
   des Aton-Kultes und Zerstörung von Achet-Aton *(Jahr ?)*.

7. Jahr: Scharfer Notenwechsel mit dem König der Hatti
   Schuppiluliuma. Danach wieder normale außenpolitische
   Zustände. Wirtschaftliche Blüte in Ägypten.

9. Jahr: Tod des Königs Tut-anch-Amûn Neb-cheperu-Râ im Juni.

Eje Cheper-cheperu-Râ *(ca. 1311 v. Chr.)*

1. Jahr: Krönung im Juni oder Anfang Juli und Heirat mit der
   Großen Königsgemahlin Anchesen-pa-Aton, die bald darauf

---

* Das Jahr 1320 v. Chr. ist nicht völlig exakt feststellbar, lag jedoch in der zweiten Hälfte
der Regierungszeit Akh-en-Atons oder der Regierungszeit Tut-anch-Amûns; die Angaben
von Jahreszahlen »v. Chr.« dürfen also nur als Näherungswerte betrachtet werden. Siehe
hierzu auch »Kalender«.

verschwindet, Große Königsgemahlin wird Tiê, die bisherige Gemahlin Ejes. Sofortige Rückkehr zum Aton-Kult als alleiniger Staatsreligion und erneute Schließung aller anderen Tempel. Wiederaufbau von Achet-Aton.

2. Jahr: Verlegung der Residenz nach Achet-Aton. Erneuter Zusammenbruch der Außenpolitik. Innenpolitisch gewaltige Steigerung der Steuern und Zwangsarbeit zum Wiederaufbau von Achet-Aton. *Mordanschlag auf den Hôr-im-Nest Mose und dessen Flucht nach Biau.*

3. Jahr: Beginn des trojanischen Krieges (Jahr ?). *Moses Berufung am »brennenden Dornbusch«.*

4. Jahr: *Rückkehr Moses nach Ägypten. Auszug der Benê-Jisrael.* Tod des Königs Eje Cheper-cheperu-Râ.

Hôr-em-Heb Djoser-cheperu-Râ (ca. 1307 v. Chr.)

1. – 18. Jahr: Offiziell als Regierungszeit gezählt, obwohl Hôr-em-Heb nicht gekrönter König ist, sondern das Land lediglich als Reichsverweser verwaltet. Rückkehr zu den alten Götterkulten, endgültiges Verbot des Aton-Kults und Zerstörung von Achet-Aton. Wiederherstellung der alten Ordnung und Machtstellung Ägyptens, allerdings ohne sich wieder in Kanaan oder To-nuter einzumischen.

19. Jahr: *Tod Moses.* Krönung Hôr-em-Hebs zum König, Große Königsgemahlin wird Mut-nodjemet (Jahr ?). Sehr tatkräftige Herrschaft. Hinterläßt keine Nachkommen.

24. Jahr: Tod des Königs Hôr-em-Heb Djoser-cheperu-Râ.

Râ-mose (I.) Men-pehti-Râ (1282 v. Chr.)

1. Jahr: Krönung wahrscheinlich im September. Große Königsgemahlin Sat-Râ. Gründer der 19. Dynastie.

Stammbaum
und Erbfolge

Dank nicht nur Nebenehen, sondern vor allem Heiraten innerhalb der engsten Familie, ist das Aufstellen eines ägyptischen
Stammbaums das wohl verzwickteste, was einem Historiker passieren kann. Vor allem aber muß leider jeder Versuch, solch einen
Stammbaum wirklich eindeutig übersichtlich zu gestalten, schei-
tern, und dafür bitte ich um Verständnis.

Anhand des Stammbaumes mag es interessant sein, noch einmal einen kurzen Blick auf die Legitimität und den Erbrang einiger der wichtigsten Personen zu werfen. Erinnern wir uns: Die
Königsmacht wurde zwar in aller Regel von einem Mann ausgeübt, der Anspruch darauf lief aber über die weibliche Linie,
also seine Mutter und eventuell seine Gemahlin.

Bei Amûn-hotep III. ist dies, beispielsweise, völlig unum-
streitbar: er war der Sohn von König Tehuti-mose IV. und dessen
Großer Königsgemahlin Mut-em-weja.

Auch bei Amûn-hotep IV. Akh-en-Aton ist zunächst alles klar:
er war der Sohn des Königs Amûn-hotep III. und der Großen
Königsgemahlin Teje, und nach dem Tod seines älteren Bruders
Tehuti-mose und verheiratet mit dessen Witwe, seiner Schwester
Kija, also eindeutig Thronfolger.

Dies änderte sich grundlegend, als Amûn-hotep III. Teje ver-
stieß und seine Tochter Sat-Amûn heiratete, denn Sat-Amûn als
Tochter des Königs und der Großen Königsgemahlin, also doppelt königlicher Abkunft, stand somit eindeutig im Rang über
Teje, der Tochter des Min-Priesters Juja und dessen Gemahlin
Thuja. Sat-Amûns Kind, Mose, mit ihrem Vater/Gemahl war also
sozusagen dreifach königlicher Abstammung und damit ohne
jede Frage ranghöchster Thronprätendent vor allen Kindern Tejes. Nach dem Tod Amûn-hoteps III. hätte er eigentlich König
werden müssen.

Daß Amûn-hotep III. zunächst jedoch Amûn-hotep IV. (Akh-en-Aton) zum Mitregenten und zu seinem Nachfolger machte, hatte wohl ganz praktische Gründe, da Mose zu diesem Zeitpunkt noch ein Kleinkind war, unfähig sich gegen die Machtansprüche seines Halbbruders und der – wieder – Großen Königsgemahlin Teje, durchzusetzen. Allerdings hat Amûn-hotep IV. (Akh-en-Aton) zweifellos bei seiner Thronbesteigung ein Dokument unterzeichnen müssen, Mose als seinen Nachfolger anzuerkennen.

Weshalb er dies nicht getan hat, darüber mag spekuliert werden, denn beim Tod Akh-en-Atons war Mose eindeutig erwachsen, regierungsfähig und offenbar Witwer der Kronprinzessin Maket-Aton.

Statt seiner wurden Semench-Ka-Râ und dann Tut-anch-Aton König. Semench-Ka-Râ war entweder der Sohn des verstorbenen Hôr-im-Nest Tehuti-mose mit der ältesten Tochter Amûn-hoteps III., Kija (oder, nach anderer Lesart, der jüngste Sohn Tejes). Tut-anch-Aton war der Sohn Akh-en-Atons mit Kija, welche dieser nach dem Tod seines Bruders geheiratet hatte. Im Erbrang waren die beiden in etwa gleich, standen aber eindeutig unter Mose.

An dieser Stelle muß nun nochmals ein genauer Blick auf Nofret-ête geworfen werden, denn kaum eine Gestalt jener Epoche ist derart von Sagen und Mißverständnissen umrankt wie sie.

Der wichtigste, immer wieder zu lesende Fehler ist, daß Nofret-ête als »Königin«, manchmal sogar als Große Königsgemahlin bezeichnet wird. Das war sie nie! Akh-en-Atons Erste Gemahlin war nach dem Tod seines Bruders dessen Witwe, seine Schwester Kija, die allerdings während seiner Mitregentschaft nicht den Titel Große Königsgemahlin erhielt, da es traditionell nur eine einzige Große Königsgemahlin gab, und das war zu dieser Zeit noch Teje. Nach dem Tod Amûn-hoteps III. heiratete Teje dann ihren Sohn Akh-en-Aton, nicht zuletzt wohl, um Große Königsgemahlin zu bleiben. Nofret-êtes Rang war in dieser ganzen Zeit allein der einer Nebengemahlin, mochte sie real auch noch so einflußreich und mächtig sein – immerhin mächtig genug, daß sie sich in Achet-Aton auf vereinzelten Monumenten tatsächlich sogar als »Königin« zu bezeichnen wagte.

Doch daß sie es nicht war, zeigt auch deutlich ihr berühmter blauer Hut, den sie auf den allermeisten ihrer Darstellungen trägt. Dieser Hut, im Ansatz der Roten Krone des Nordens nachempfunden, ist eindeutig keinerlei offizielle Krone, denn weder vorher noch nachher taucht er in irgendeiner Form bei irgendeiner anderen ägyptischen Königin auf! Ganz eindeutig handelt es sich bei diesem blauen, kronenartigen Hut um eine höchst persönliche Erfindung Nofret-êtes, der darüber hinwegtäuschen sollte, daß sie eben keine Krone tragen durfte, daß sie also niemals Königin war.

Erst nach dem Tod Tejes im 12. Regierungsjahr Akh-en-Atons hätte für Nofret-ête die Möglichkeit bestanden, Große Königsgemahlin zu werden. Doch just zu diesem Moment trennte sich Akh-en-Aton von ihr und verbannte sie in den Nördlichen Palast.

Auch über ihre Abkunft ist allerlei Unsinniges spekuliert worden, obwohl die Tatsachen recht eindeutig sind. Nofret-ête war die Tochter Ejes, eines Bruders der Großen Königsgemahlin Teje. Daß sie identisch sei mit der Mitanni-Prinzessin Taduchepa, muß eindeutig ins Reich der Fabel verwiesen werden. Die beiden wichtigsten Argumente gegen diese Theorie sind zum einen der Titel ihres Vaters Eje und zum anderen ihre Schwester Mut-nodjemet. Als Teje Große Königsgemahlin Amûn-hoteps III. und Mutter des Thronfolgers wird, verleiht der König ihrem Vater Juja den Titel »Gottvater«, offenbar ein Höflichkeitstitel für den ja bürgerlichen Min-Priester, dessen nunmehr engste familiäre Beziehung zum Königshaus dadurch signalisiert werden sollte. Der gleiche Titel, »Gottvater«, wurde Eje von Akh-en-Aton verliehen, dessen Tochter Nofret-ête juristisch zwar niemals etwas anderes als eine Nebenfrau des Königs war, jedoch zweifellos die bestimmende Macht in Achet-Aton. Andererseits wird Mutnodjemet eindeutig als »Schwester« Nofret-êtes bezeichnet. Wenn man die erhaltene Korrespondenz Amûn-hoteps III. mit Tuschratta von Mitanni liest, das Gezerre um Mitgift und Brautpreis bis Taduchepa schließlich nach Ägypten kommt, so ist es völlig undenkbar, daß Tuschratta plötzlich in einem Anfall von Großzügigkeit gleich noch eine zweite Tochter mitgeliefert haben sollte, um diese dann auch noch mit dem damals politisch ebenso wie familiär restlos unbedeutenden Hauptmann oder allenfalls Obristen Hôr-em-Heb zu verheiraten!

Dynastische Bedeutung fällt Nofret-ête allein dadurch zu, daß Akh-en-Aton insgesamt nur vier leibliche Kinder hat, Tut-anch-Aton von Kija, und die Töchter Maket-Aton, Merit-Aton und Anchesen-pa-Aton von Nofret-ête. In Ermangelung anderer weiblicher Familienmitglieder ging das Erbrecht auf sie über. Die drei jüngeren Töchter Nefer-nefru-Aton, Nefer-nefru-Râ und Setepen-Râ wurden von Akh-en-Aton zwar offiziell legitimiert, spielten danach aber nie wieder in irgendeiner Form eine Rolle, so daß angesichts der Krankheit Akh-en-Atons, die ihn etwa im Jahr 4, spätestens im Jahr 5 seiner Regierung endgültig zeugungsunfähig machte, diese Töchter Nofret-êtes real andere Väter haben müssen.

Von Semench-Ka-Râ und Tut-anch-Amûn war schon die Rede. Ihr Kronanspruch gründete sich juristisch auf den ihrer Gemahlinnen Maket-Aton und Anchesen-pa-Aton.

Nach dem Tod Tut-anch-Amûns wird dann dieser weibliche Erbanspruch unübersehbar:

Dadurch, daß er seine Enkelin, die Große Königsgemahlin Anchesen-pa-Aton heiratet, verschaffte sich Eje seine Legitimation auf die Krone. Eje wird häufig als »Usurpator« bezeichnet. Praktisch war er dies wohl auch, doch rechtlich war durch seine Ehe mit Anchesen-pa-Aton alles in bester Ordnung. Er scheint sich Anchesen-pa-Atons übrigens sehr schnell entledigt zu haben, denn in seinem Grab wird nicht sie, sondern seine frühere Gemahlin Tiê als Große Königsgemahlin bezeichnet.

Auf diesem Weg erhielt schließlich auch Hôr-em-Heb seinen legitimen Thronanspruch, denn seine Gemahlin Mut-nodjemet war ja nun Tochter eines Königs und dessen Großer Königsgemahlin, Ejes und Tiês.

Bliebe noch ein Blick auf den Gründer der 19. Dynastie, Râmose (Ramses) I. Tatsache ist, daß die Eltern Râ-moses, Sutan und Tia, bürgerlicher Herkunft waren und mit dem Königshaus familiär nichts zu tun hatten. Tatsache ist weiter, daß seine Große Königsgemahlin den Namen Sat-Râ trug. Andererseits starb die Kronprinzessin Maket-Aton im Kindbett, und die entsprechende

Darstellung zeigt auch ganz deutlich, daß das Kind die Geburt gesund überlebt hat. Nun legte man, wie mehrfach betont, in Ägypten größten Wert auf zumindest noch einen Hauch von Legitimität, so daß man eigentlich mit Sicherheit darauf schließen kann, daß Sat-Râ in irgendeiner Form mit dem erlöschenden Königshaus der 18. Dynastie verwandt war. Da sich Râ-mose I. diesen Hauch auch durch die Heirat mit einer der drei jüngeren Akh-en-Aton-Töchter hätte verschaffen können, muß der Erbanspruch Sat-Râs also erheblich besser gewesen sein. So liegt die Vermutung wohl nicht allzu fern, auch wenn derzeit jeder konkrete Beweis fehlt, daß es sich bei Sat-Râ um die Tochter Maket-Atons handelte, wobei dann auch die Namensähnlichkeit zu Sat-Amûn wohl kaum zufällig gewesen wäre.

Es mag für manche Ohren schon kühn genug klingen, daß Mose reiner Ägypter war und ein wichtiges Mitglied der durch Akh-en-Aton, Tut-anch-Amûn und Nofret-ête wohl bekanntesten ägyptischen Königsdynastie. Doch so, wie sich die historische Sachlage nun einmal darstellt, müssen wir in ihm wohl auch noch einen der Stammväter der 19. Dynastie sehen, dessen Urenkel Râ-mose (Ramses) II. war, jener König, der in den fast 70 Jahren seiner Regierung das Niltal derart mit monumentalen Bauwerken füllte, daß wohl bei jedem Ägyptenbesucher der Eindruck entsteht, mindestens die Hälfte aller Tempel, Statuen usw. sei von ihm errichtet worden, und der damit ebenfalls zu den prominentesten Herrschern Ägyptens zählt.

Kalender

Die ägyptische Zeitrechnung wirft für uns einige Probleme auf.

Die größte Schwierigkeit bei Datierungen ist, daß es in Ägypten keinen chronologischen Fixpunkt gab wie »seit Gründung der Stadt« bei den Römern, oder »vor« bzw. »nach Christi Geburt« in unserer Zeitrechnung. Vielmehr begann man die Zeitzählung jeweils mit Regierungsantritt jedes Königs neu bei Jahr 1.

Dies ergibt, gerade für die späte 18. Dynastie, eine Reihe beträchtlicher Unsicherheitsfaktoren, etwa durch die Doppelregierungen von Amûn-hotep Neb-Maat-Râ und Akh-en-Aton, oder Akh-en-Aton und Semench-Ka-Râ, von denen sehr schwer zu bestimmen ist, wie lange sie dauerten. Das 2. Heb-Sed-Fest König Amûn-hoteps im Jahr 33 seiner Regierung beispielsweise beschwor das Zerwürfnis mit Königin Teje und die Heirat des Königs mit Sat-Amûn herauf. Bei seinem 3. Heb-Sed-Fest im Jahr 36 fungierte Teje wieder als große Königsgemahlin, Sat-Amûn war tot, und der Streit, bei dem es um die Mitregentschaft Akh-en-Atons ging, war beigelegt. Akh-en-Aton wurde demnach frühestens im Jahr 34 seines Vaters und spätestens in dessen Jahr 36 Mitkönig – immerhin ist das eine Differenz von zwei Jahren. Noch gravierender wird das Problem bei der Regierungszeit Semench-Ka-Râs. Daß er 4 Jahre regierte, steht fest. Doch war er, wie einige Ägyptologen meinen, zur Regierungszeit Akh-en-Atons nur Große Königsgemahlin und schlossen seine Jahre als König sich denen Akh-en-Atons an? Oder, worauf die meisten und zuverlässigsten Quellen hindeuten, starb er noch vor dem Ableben Akh-en-Atons, wodurch die 4 (Mit-)Regierungsjahre für eine objektive Zeitzählung irrelevant wären?

In diesem Licht müssen also die oft recht beträchtlich divergierenden Angaben von Jahreszahlen der verschiedenen Ägyptologen gesehen werden.

Ein anderes Problem wirft der ägyptische Jahreskalender auf. Eigentlich war er ungeheuer logisch aufgebaut: 365 Tage, 3 Jahreszeiten – »Überschwemmung«, »Aussaat« und »Ernte« – mit je 4 Monaten zu gleichbleibend 30 Tagen, die in jeweils 3 10-Tage-Wochen untergliedert wurden. Die verbleibenden 5 Tage wurden am Jahresende angehängt.

Überschwemmung	Aussaat	Ernte
1. Monat 15.6.–14.7.	1. Monat 13.10.–11.11.	1. Monat 10.2.–11.3.
2. Monat 15.7.–13.8.	2. Monat 12.11.–11.12.	2. Monat 12.3.–10.4.
3. Monat 14.8.–12.9.	3. Monat 12.12.–10.1.	3. Monat 11.4.–10.5.
4. Monat 13.9.–12.10.	4. Monat 11.1.–9.2.	4. Monat 11.5.–9.6.
		Ausgleichstage 10.6.–14.6.

Der Beginn des Jahres war auf den 15. Juni festgelegt, dem Tag, an dem gewöhnlich der Nil zu steigen anfängt. Die Schwierigkeit war nur, daß zumindest der offizielle »behördliche« Kalender kein Schaltjahr kannte, sich der Beginn des Kalenderjahres also alle vier Jahre um einen Tag zurück verschob – das machte in 100 Jahren bereits 25 Tage, also fast einen Monat aus, und nach 600 Jahren lag der »1. Tag der Überschwemmung« dann mitten im Winter. Lediglich alle 1460 Jahre traf dieser Tag wieder vier Jahre lang tatsächlich auf den 15. Juni.

Für astronomische Berechnungen war dieser Kalender selbstverständlich unbrauchbar. So richteten sich der »astronomische« Kalender nach dem Tag aus, an dem der Fixstern Septsch (Sirius) gleichzeitig mit der Sonne im Osten aufgeht, dem 1. August, und dieser Kalender war nun so präzis, daß er von Astronomen noch im 18. Jahrhundert verwendet wurde!

Nicht eindeutig geklärt, jedoch von etlichen Ägyptologen, darunter auch dem Autor, vermutet, gab es schließlich noch einen inoffiziellen »bürgerlichen« Kalender, der sich an den »astronomischen« Kalender, also an die realen Gegebenheiten der Jahreszeiten hielt.

Für die Datumsangaben in diesem Buch spielen die Differenzen zwischen »behördlichem«, »astronomischem« und eventuell

»bürgerlichem« Kalender keine Rolle, denn im Jahr 1320 v. Chr. war der »1. Tag der Überschwemmung« tatsächlich wieder einmal auf den 15. Juni gefallen, so daß sich zwischen den verschiedenen Kalenderrechnungen zur Zeit der Könige Amûn-hotep, Akh-en-Aton und Tut-anch-Amûn keine wirklich nennenswerten Unterschiede ergaben.

Schließlich war der Tag in 12 Stunden und die Nacht in 12 Stunden eingeteilt. Da der Tag jedoch von Sonnenaufgang bis Sonnenuntergang, die Nacht von Sonnenuntergang bis Sonnenaufgang berechnet wurde, variierte die Länge der Stunden je nach Jahreszeit. Für uns, die wir mit Präzisions- und Stechuhren leben, mag diese Stundenzählung ein wenig vage erscheinen, für eine Kultur, die noch mit der Natur und ihrer Umwelt lebte, war sie durchaus hinreichend. Und wer den Orient bereist, der wird sehr schnell feststellen, daß sich daran bis zum heutigen Tag nicht allzuviel geändert hat, obwohl auch dort grobe Unpünktlichkeit als äußerst unhöflich gilt.

Maße
und Gewichte

Maße und Gewichte schwankten im Lauf der ägyptischen Geschichte vermutlich beträchtlich, auch gab es eine Reihe von Untermaßen. Ich beschränke mich hier im wesentlichen auf jene ägyptischen Maßangaben, die auch im Buch vorkommen.

Längenmaße

1 Iteru = 20 000 Ellen = ca. 10,5 Kilometer
1 Chet = 100 Ellen = 52,5 Meter
1 Elle = 52,5 Zentimeter
1 Handbreit = ¹/6 Elle = 8,75 Zentimeter

Flächenmaße

1 Chata = 10 Atschat = 100 Quadratellen = 27 565 Quadratmeter = 2,75 Hektar
1 Atschat = 10 Quadratellen = 2756,5 Quadratmeter
1 Quadratelle = ca. 2,75 Quadratmeter

Hohlmaße

1 Char = 10 Heqat = 48 Liter
1 Heqat = 10 Hinu = 4,8 Liter
1 Hinu = 0,48 Liter

Gewichte

1 Char = 10 Hequat = 48 Kilogramm (48 Liter Wasser)
1 Heqat = 4,8 Kilogramm (4,8 Liter Wasser)
1 Deben = 10 Kite = 91 Gramm
1 Kite = 9,1 Gramm

Wertmaß

1 Schenoti = ¹/12 Deben = 7,6 Gramm Silber

Zahlungsmittel

Seit alters wurden in Ägypten Steuern und Abgaben, aber auch der Wert von Häusern und Grundstücken in »Korn« berechnet, gelegentlich auch in »Rindern«, »Schafen« oder »Enten«, und nur ausländische Tribute in der Regel in Gold. Das ist verständlich, denn als diese Bewertungsgrundlagen unter den Königen der 1. und 2. Dynastie festgelegt wurden, war Ägypten ein fast reines Agrarland. Daß man es auch später dabei beließ, als im Neuen Reich zumindest in den Städten längst eine »Industrialisierung« Platz gegriffen hatte, das mag am Beharrungsvermögen der Behörden gelegen haben, einer Eigenheit, die schließlich nicht nur altägyptisch ist.

Auf jeden Fall hat dies die überwiegende Mehrzahl der Ägyptologen, so sie denn überhaupt einmal dieses Thema erwähnen, zu der allgemein vertretenen Behauptung veranlaßt, in Ägypten habe seinerzeit eine schlichte und reine »Naturalwirtschaft« geherrscht.

Im wirklich noch bäuerlichen Alten Reich mag das funktioniert haben – vielleicht. Aber im Neuen Reich? Etwa gar in einer Riesenstadt wie Uêset?

Soll man wirklich glauben, daß beispielsweise Oberst Amûnhotep stets ein paar Pfund Getreide mit sich herumschleppte, um bezahlen zu können, wenn er auf dem Weg durch Uêset Durst bekam und einen Becher Bier in einer Stehkneipe trinken wollte? Und die Frauen Speckstein-moses müßten dann wohl jeweils mit einem ganzen Karren voll Getreide losgezogen sein, wenn sie auf dem Markt ihre Wocheneinkäufe an Gemüse, Obst, Fleisch, Fisch, Wein und Öl machten, denn zu ihrem Haushalt gehörte ja nicht nur die Familie im engeren Sinne, sondern auch noch eine ganze Menge an Gesellen und Hilfskräften, die schließlich ebenfalls verpflegt sein wollten.

Oder bedeutet »Naturalwirtschaft« nur, daß eben mit Naturalien bezahlt wurde – die Ägyptologen drücken sich da nicht so präzise aus –, etwa in der Art: ›Ich brauchte drei Stangen Lauch. Darf ich mit fünf Rüben bezahlen?‹. Die Tageskasse des Stehkneipenwirtes hätte dann vielleicht so ausgesehen: zwei Brote, eineinhalb Fische, ein Viertel einer Melone, sechs Zwiebeln, ein halbes Pfund Hammelfleisch, eine Schilfsandale …

Nein, so kann das einfach nicht funktioniert haben!

Auch wenn es für das alte Ägypten bislang kaum konkrete Hinweise gibt, irgendeine bequem zu handhabende, allgemein akzeptierte Währung muß eine funktionierende Wirtschaft haben, und wenn es Kaorimuscheln sind.

Auf die richtige Spur kam ich schließlich durch das Wertmaß Schenoti = 7,6 Gramm Silber und einige schmucklose Ringe im Ägyptischem Museum in Kairo von genau diesem Gewicht. Ringe lassen sich bequem auf eine Schnur fädeln und bei sich tragen, und 7,6 Gramm Silber bildet eine brauchbare »Währungseinheit« für den täglichen Gebrauch, vermutlich mit schwereren Silber- und sogar Goldringen als größere Einheiten und Kupferringen als untergeordnete »Münzen« – und dies würde sowohl einige bislang »ungeklärte« Textstellen ebenso erklären wie einige Funde solcher Ringe, mit denen man bislang nicht recht etwas anzufangen wußte.

Weshalb ich dieses nebensächliche Detail so ausführlich erzähle? Weil ich einmal zeigen möchte, daß ein historisch wirklich gewissenhafter Romanautor manchmal sehr viel gründlicher sein muß als viele Wissenschaftler. Der Ägyptologe, der eine Abhandlung über Nofret-ête schreibt, kann verächtlich über das Problem, womit Oberst Amûn-hotep sein Bier bezahlt hat, hinweggehen – der Romanautor kann es, in diesem wie in unzähligen anderen Fällen, eben nicht. Und es sind fast immer die kleinen Dinge des Alltags, die dann tagelanges Wühlen in Aberdutzenden von Büchern erforderlich machen, bis man irgendwo tatsächlich einen entsprechenden Vermerk, einen Hinweis oder eine Quelle entdeckt.

Literaturverzeichnis

Ägyptisches Museum Kairo. Hg. C. L. Ragghianti. Vaduz 1978.

[Ägyptisches Museum Kairo.] Guide to the Egyptian Museum — A brief Description of the principal Monument. Kairo 1964.

Ägyptisches Totenbuch. Hg. Gregoire Kolpaktchy. München 1955.

Aldred, Cyril: Akhenaten — Pharao of Egypt. A New Study. Warminster 1968.

Aldred, Cyril: Akhenaten and Nefertiti. London 1973.

Aldred, Cyril: Akhenaten King of Egypt. London 1988.

Aldred, Cyril: Die Juwelen der Pharaonen. München 1972.

Aldred, Cyril: Echnaton. Gott und Pharao Ägyptens. Bergisch Gladbach 1968.

Altes Testament. Hg. Hamp, Vinzenz, und Meinrad Stenzel. Aschaffenburg 1964.

Altes Testament. Übers. Martin Luther. Berlin 1861.

Ambros, Eva: Ägypten. Nelles-Guide. München 1997.

Anderson, J., und W. E. de Winton: Zoology of Egypt: Mammalia. London 1902.

Arnold, Dieter: Wandrelief und Raumfunktion in ägyptischen Tempeln des Neuen Reiches. Berlin 1962.

Assmann, J.: Ägypten. Theologie und Frömmigkeit einer frühen Hochkultur. Stuttgart 1984.

Assmann, J.: Ägyptische Hymnen und Gebete. Zürich, München 1975.

Beckerath, Jürgen von: Abriß der Geschichte des alten Ägypten. München 1971.

Beckerath, Jürgen von: Untersuchungen zur politischen Geschichte der zweiten Zwischenzeit in Ägypten. Glückstadt 1965.

Beltz, W.: Die Mythen der Ägypter. Düsseldorf 1982.

Bille-De Mont, Eléonore: Die Revolution des Pharao Echnaton. München 1965.

Bindel, Ernst: Die Ägyptischen Pyramiden. Stuttgart 1957.

Bischof, Erich: *Die Kabbalah*. Frankfurt/M. 1904.

Bischof, Erich: *Kritische Geschichte der Talmud-Übersetzungen aller Zeiten und Zungen*. Frankfurt/M. 1899.

Bischof, Erich: *Talmud-Katechismus*. Frankfurt/M. 1901.

Bissing, Friedrich Wilhelm von: *Altägyptische Lebensweisheit*. Zürich 1955.

Blackman, Aylward: *Das Hunderttorige Theben*. Leipzig 1926.

Bock, Emil: *Moses und sein Zeitalter*. Das Alte Testament und die Geistesgeschichte der Menschheit. Stuttgart 1961.

Boessneck, J.: *Die Tierwelt des Alten Ägypten, untersucht anhand kulturgeschichtlicher und zoologischer Quellen*. München 1988.

Bonnet, Hans: *Reallexikon der ägyptischen Religion*. Berlin 1983.

Borchardt, Ludwig, und Herbert Ricke: *Die Wohnhäuser in Tell-el-Amarna*. Berlin 1980.

Borchardt, Ludwig: *Portraits der Königin Nofretete*. Berlin 1923.

Böttcher, Helmut: *Wunderdrogen*. Köln 1959.

Breasted, James Henry: *Ancient Records of Egypt*. 5 Bde. Chicago 1906–07.

Breasted, James Henry: *Die Geburt des Gewissens*. Die Entwicklung des moralischen Verhaltens im kulturgeschichtlichen Verlauf Alt-Ägyptens. Zürich 1950.

Breasted, James Henry: *Geschichte Ägyptens*. Stuttgart.

Brunner, Hellmut: *Grundzüge der ägyptischen Religion*. Darmstadt 1983.

Brunner-Traut, Emma: *Altägyptische Märchen, Mythen und andere volkstümliche Erzählungen*. München 1990.

Brunner-Traut, Emma: *Altägyptische Märchen*. Düsseldorf und Köln 1963.

Campell, Edward Fay: *The Chronology of the Amarna-Letters*. Baltimore 1964.

Carter, Howard: *The Tomb of Tut-Ankh-Amen*. 3 Bde. London 1923-33.

Champollion, J. F.: *Monuments de l'Egypte et de la Nubie*. 4 Bde. Paris 1835–45.

Cooney, J. D.: *Amarna Reliefs from Hermopolis in American Collections*. Mainz 1965.

Curto, Silvio: *Nubien*. München 1966.

Curto, Silvio: *The Military Art Of The Ancient Egyptians*. Turin 1971.

David, A. Rosalie: *The Egyptian Kingdoms*. Lausanne 1975.

Desroches-Noblecourt, Christiane: *Ägyptische Tempel- und Grabmalereien*. München 1963.

Desroches-Noblecourt, Christiane: *Tut-anch-Amun. Leben und Tod eines Pharao.* Frankfurt/M., Berlin 1963.

Edwards, I. E. S.: *The Treasures of Tutanhkamun*. Harmondsworth/Middlesex 1872.

Eggebrecht, A.: *Das Alte Ägypten.* München 1984.

Emery, Walter Bryan: *Archaic Egypt*. Harmondsworth 1961.

Erman, Adolf: *Die Religion der Ägypter.* Berlin, Leipzig 1934.

Erman, Adolf: *Kurzer Abriss der Aegyptischen Grammatik*. Darmstadt 1969.

Fleg, Edmond: *Moses.* Kuppenheim/Murgtal 1948.

Frankfort, H.: *The Mural Painting of El-Amarneh.* London 1929.

Freud, Sigmund: *Moses and Monotheism.* New York 1939.

Friedell, Egon: *Kulturgeschichte Ägyptens und des Alten Orients.* London 1947.

Gedge, Pauline: *Pharao.* Reinbeck b. Hamburg 1988.

Giles, Fredrick John: *Ikhnaton: Legend and History.* London 1970.

Gottschalk, Gisela: *Die großen Pharaonen. Ihr Leben, Ihre Zeit, Ihre Kunstwerke.* Herrsching 1984.

Grapow, Hermann: *Ägyptisches Handwörterbuch.* Berlin 1921.

Grapow, Hermann: *Wie die alten Ägypter sich anredeten, wie sie sich grüßten und sprachen.* Berlin 1960.

Greulich, Else: *Die Kelten und Skythen. Im Urlicht der Vergangenheit.* Frankfurt/M. 1991.

Habachi, L.: *Die unsterblichen Obelisken Ägyptens.* Mainz 1982.

Haich, Elisabeth: *Einweihung.* München 1972.

Hancock, Graham: *Die Wächter des heiligen Siegels. Auf der Suche nach der verschollenen Bundeslade.* Bergisch Gladbach 1992.

Hanke, Rainer: *Amarna-Reliefs aus Hermopolis.* Hildesheim 1978.

Hannig, Rainer: *Die Sprache der Pharaonen. Großes Handwörterbuch Ägyptisch-Deutsch.* Mainz 1995.

Hartel, Klaus D.: *Rauschgift-Lexikon.* München 1971.

Heidrich, Richard: *Planimetrische Hydrocephalus-Studien.* Halle 1955.

Helck, Wolfgang: *Die Beziehungen Ägyptens zu Vorderasien im 3. und 2. Jahrtausend vor Christus.* Wiesbaden 1962.

Helck, Wolfgang: *Historische Inschriften Amenophis' III.* Berlin 1957.

Helck, Wolfgang: Inschriften der Könige von Amenophis III. bis Haremheb. Berlin 1958.

Helck, Wolfgang: Inschriften von Zeitgenossen Amenophis' III. Berlin 1958.

Helck, Wolfgang: Urkunden des ägyptischen Altertums. Urkunden der 18. Dynastie. Berlin 1961.

Hoenn, Karl: Altägyptische Lebensweisheit. Zürich 1955.

Hornung, Erich: Der Eine und die Vielen. Darmstadt 1971.

Hornung, Erich: Meisterwerke ägyptischer Dichtung. Zürich, München 1979.

Hornung, Erik: Ägyptische Unterweltsbücher. Zürich, München 1972.

Hornung, Erik: Tal der Könige. Die Ruhestätte der Pharaonen. Augsburg 1996.

Hornung, Erik: Untersuchungen zur Chronologie und Geschichte des Neuen Reiches. Wiesbaden 1964.

Janssen, R. und J.: Egyptian Household Animals. Aylesbury 1989.

Kákosy, L.: Zauberei im alten Ägypten. Leipzig 1989.

Karger-Decker, Bernt: Gifte, Hexensalben, Liebestränke. Leipzig 1967.

Kees, Hermann: Das Alte Ägypten. Eine Landeskunde. Berlin 1958.

Kees, Hermann: Der Götterglaube im alten Ägypten. Berlin 1956.

Kees, Hermann: Totenglauben und Jenseitsvorstellungen der alten Ägypter. Berlin, Darmstadt 1983.

Kehrer, Hans E.: Der Hydrocephalus internus und externus. Basel, New York 1955.

Keller, O.: Die antike Tierwelt. Leipzig 1909.

Keller, Werner: Und die Bibel hat doch recht. Düsseldorf 1955.

Knudtzon, J.A.: Die El-Amarna-Tafeln. Leipzig 1907–1915.

Kühne, Cord: Die Chronologie der Internationalen Korrespondenz von El-Amarna. Neukirchen 1973.

Labib, P.: Die Herrschaft der Hyksos in Ägypten und ihr Sturz. Hamburg 1936.

Landström, Björn: Buch der frühen Entdeckungsreisen. Gütersloh 1964.

Landström, Björn: Die Schiffe der Pharaonen. Altägyptische Schiffsbaukunst von 4000 bis 600 v. Chr. München, Gütersloh, Wien 1974.

Lange, Kurt, und Max Hirmer: Ägypten. Architektur, Plastik, Malerei in drei Jahrtausenden. München 1967.

Lange, Kurt: *Ägyptische Kunst*. Zürich 1939.

Lange, Kurt: *König Echnaton und die Armarna-Zeit*. Die Geschichte eines Gottkünders. München 1951.

Lange, Kurt: *Pyramiden, Sphinxe, Pharaonen*. München 1952.

Lange, Kurt: *Sesostris*. München 1954.

Leca, A.: *Die Mumien*. Frankfurt/M. 1984.

Lewin, Louis: *Die Gifte in der Weltgeschichte*. Berlin 1929.

Löhr, Beatrix: *Zur Jati(Aton)-Verehrung in Memphis*. München 1971.

Lurker, Manfred: *Götter und Symbole der alten Ägypter*. Bern, München, Wien 1974.

Lurker, Manfred: *Symbole der Alten Ägypter*. Weilheim/Obb. 1964.

Malket, Jaromir: *The Cat in Ancient Egypt*. London 1993.

Manniche, L.: *Liebe und Sexualität im alten Ägypten*. München, Zürich 1988.

Margulies, Heinrich: *Der Pharao Josephs*. Herranalp 1963.

Mercer, Samuel A.B.: *The Tell El-Amarna Tablets*. Toronto 1939.

Morenz, Siegfried: *Ägypten und das Berliner Ägyptische Museum*. Berlin 1953.

Morenz, Siegfried: *Gott und Mensch im alten Ägypten*. Heidelberg 1965.

Moursi, Hanifa: *Die Heilpflanzen im Land der Pharaonen*. Ägyptisch-Nubische Volksmedizin. Kairo 1992.

Müller, Hans Wolfgang: *Die Ägyptische Sammlung des Bayerischen Staates*. München 1966.

Murray, Margaret A.: *The Splendor that was Egypt*. A General Survey of Aegyptian Culture and Civilisation. New York 1949.

Noth, Martin: *Das Alte Testament*. Band 5. Das zweite Buch Mose: Exodus. Göttingen 1959.

Otto, Eberhard: *Osiris und Amun*. Kult und heilige Stätten. München 1966.

Ozaniec, Naomi: *Ägyptische Mysterien*. Braunschweig 1995.

Peet, Thomas E.: *Akhenaten, Ty, Nefertete and Mutnezemt*. Liverpool 1923.

Peet, Thomas E.: *Egypt and the Old Testament*. Liverpool 1922.

Polunin, Oleg, und Huxley, Anthony: *Flowers of the Mediterranean*. London 1965.

Porter, Berta, und Moss, Rosalind: *Topographical Bibliography of Ancient Egyptian Hieroglyphic Texts, Reliefs and Paintings*. 7 Bde. Oxford 1927–1951.

Posener, Georges: *Lexikon der ägyptischen Kultur*. Wiesbaden 1960.

Rachewiltz, Boris de, und Valentí Gómez i Oliver: *Das Auge des Pharao*. Reinbeck b. Hamburg 1994.

Rad, Gerhard von: *Das Alte Testament*. Band 2. Das erste Buch Mose, Kap. 1–12/9. Göttingen 1956.

Rad, Gerhard von: *Das Alte Testament*. Band 3. Das erste Buch Mose, Kap. 12/10–25/18. Göttingen 1956.

Rad, Gerhard von: *Das Alte Testament*. Band 4. Das erste Buch Mose, Kap. 25/19–50/26. Göttingen 1958.

Reeves, Nicholas: *Tutankhamun*. The King, The Tomb, The Royal Treasure. London 1990.

Riefstahl, Elizabeth: *Thebes in the Time of Amunhotep III*. Oklahoma 1964.

Roeder, Günther: *Altägyptische Erzählungen und Märchen*. Jena 1927.

Roeder, Günther: *Aus dem Leben vornehmer Ägypter*. Leipzig 1912.

Roeder, Günther: *Die Ägyptische Götterwelt*. Zürich 1959.

Roeder, Günther: *Kulte, Orakel und Naturdienst im alten Ägypten*. Zürich 1959.

Roeder, Günther: *Mythen und Legenden um ägyptische Gottheiten und Pharaonen*. Zürich 1960.

Roeder, Günther: *Praktische Einführung in die Hieroglyphen und die ägyptische Sprache*. München 1926.

Roeder, Günther: *Volksglaube im Pharaonenreich*. Stuttgart 1952.

Sameh, Waley-el-dine: *Alltag im alten Ägypten*. München 1963.

Samson, Julia: *Amarna*. City of Akhenaten and Nefertiti. London 1972.

Säve-Söderbergh, T.: *The Navy of the Eighteenth Egyptian Dynasty*. Uppsala 1946.

Saxtorph, Niels M.: *Krigsvolk gennem Tiden*. Kopenhagen 1971.

Schäfer, Heinrich: *Amarna in Religion und Kunst*. Berlin 1931.

Schäfer, Heinrich: *Die Religion und Kunst von El-Amarna*. 3 Bde. Berlin 1923.

Scharff, Alexander: *Ägyptische Sonnenlieder*. Berlin 1922.

Schmidt, N.: *Sinai und Rotes Meer*. Köln 1988.

Schoske, Sylvia, Barbara Kreißl und Renate Germer: »Anch« – Blumen für das Leben. Pflanzen im alten Ägypten. München 1992.

Schoske, Sylvia, Grimm, Alfred, und Kreißl, Barbara: *Schönheit, Ab-*

glanz der Göttlichkeit. Kosmetik im Alten Ägypten. München 1990.

Schott, Erika: *Die Namen der Pharaonen.* Göttingen 1989.

Schott, Siegfried: *Altägyptische Liebeslieder.* Zürich 1950.

Sellin, Ernst: *Mose und seine Bedeutung für die Israelitisch-Jüdische Religions-geschichte.* Leipzig 1922.

Sethe, Kurt: *Amun und die acht Urgötter von Hermopolis.* Berlin 1929.

Seton-Williams, M. V.: Tutanchamun. Der Pharao, Das Grab, Der Goldschatz. Frankfurt/M. 1978.

Settgast, Jürgen: *Nofretete – Echnaton. Ägyptisches Museum.* Berlin 1980.

Settgast, Jürgen: *Tutanchamun.* Mainz 1980.

Silverberg, Robert: *Akhnaten, the Rebel Pharaoh.* Philadelphia, New York 1964.

Simonis, Werner-Christian: *Taschenbuch der Heil- und Gewürzkräuter.* Frankfurt/M. 1967.

Spiegel, Joachim: *Soziale und weltanschauliche Reformbewegungen im alten Ägypten.* Heidelberg 1950.

Staatliche Museen Berlin. *Führer durch das Berliner ägyptische Museum.* Berlin 1961.

Steindorf, Georg: *Die ägyptischen Gaue und ihre politische Entwicklung.* Leipzig 1909.

Steindorf, Georg: *Die Blütezeit des Pharaonenreiches.* Bielefeld, Leipzig 1926.

Stephan, Rudolf: *Musik.* Frankfurt a.M. 1957.

Stewart, H. M.: *Egyptian Stelae, Reliefs and Paintings.* Warminster o. J.

Stier, Hans, und Ernst Kirsten: *Westermanns Atlas zur Weltgeschichte.* Teil I: Vorzeit und Altertum. Berlin, Hamburg, München, Kiel, Darmstadt 1956.

Stierlin, Henri: *Das Gold der Pharaonen.* Paris 1993.

Stoll, H. W.: *Die Götter und Heroen des classischen Alterthums.* Leipzig 1879.

Strelocke, Hans: *Ägypten und Sinai. DuMont Kunst-Reiseführer,* Köln 1976.

Teichmann, Frank: *Der Mensch und seine Tempel: Ägypten.* Stuttgart 1978.

Vandenberg, Philipp: *Der Fluch der Pharaonen. Moderne Wissenschaft enträtselt einen jahrtausendealten Mythos.* Bern, München 1973.

Vandenberg, Philipp: *Nofretete, Echnaton und ihre Zeit*. Die glanzvollste Epoche Ägyptens in Bildern, Berichten und Dokumenten. Bern, München 1976.

Vandenberg, Philipp: *Nofretete*. Bern, München 1975.

Velikovsky, Immanuel: *Ödipus und Echnaton*. Zürich 1966.

Wallis Budge, E. A.: *Egyptian Language*. London, New York 1966.

Weingall, Arthur: *Echnaton, König von Ägypten, und seine Zeit*. Basel 1923.

Wells, Evelyn: *Nefertiti*. London 1964.

Westendorf, W.: *Das Alte Ägypten*. Baden-Baden 1968.

Wildung, D.: *Sesostris und Amenemhet*. Ägypten im Mittleren Reich. München 1984.

Winlock, H. E.: *Models of Daily Life in Ancient Egypt*. Cambridge/Mass. 1955.

Woldering, Irmgard: *Ägypten*. Baden-Baden 1964.

Woldering, Irmgard: *Götter und Pharaonen*. Die Kultur Ägyptens im Wandel der Geschichte. München 1967.

Wolf, Walter: *Das schöne Fest von Opet*. Leipzig 1931.

Wolf, Walter: *Die Bewaffnung des altägyptischen Heeres*. Leipzig 1926.

Woolley, Charles Leonard: *The City of Akhenaten*. London 1923.

Wreszinski, W.: *Atlas zur altaegyptischen Kulturgeschichte*. 3 Bde. Leipzig 1923–38.

Danksagung

Es waren fast 40 Jahre, die ich an diesem Buch recherchiert habe, und es waren viele Dutzende von Menschen, denen ich Hilfen, Gedankenanstöße und konkrete Hinweise auf die verschiedensten Details verdanke. So wenig es möglich ist, sie hier alle namentlich anzuführen, so herzlich möchte ich ihnen allen an dieser Stelle danken! Die wenigen, die ich besonders hervorheben darf, mögen für sie alle stehen:

Der erste Platz gebührt ohne jede Frage meiner Mutter, der leider bereits 1982 verstorbenen Prinzessin Eugénie zu Löwenstein-Wertheim-Freudenberg. Sie hat mir, als studierte Ägyptologin und Religionswissenschaftlerin, weit die Türen aufgestoßen zum Verständnis für das alte Ägypten und hat meine eigenen Nachforschungen mit akribischen Detailinformationen unterstützt. Ohne sie hätte dieses Buch wohl nie entstehen können. In *Apuya* durfte ich ein wenig von ihr anklingen lassen.

An zweiter Stelle ist unbedingt meine Frau, Prinzessin Barbara, zu nennen. Nicht nur ihr Einfühlungsvermögen, ihre Geduld, ihr Humor und ihre Liebe, vor allem auch ihr umfassendes spirituelles Wissen haben mich mit sicherer Hand durch das Manuskript und besonders durch die Kapitel der »Einweihungen« geführt. Wenn die Prinzessin und Hohepriesterin *Beket-Amûn* an sie erinnert, so ist dies keineswegs ein Zufall.

Der dritte ist mein Sohn, Prinz Wolfram Michael. Mit seinem scharfen, beweglichen Verstand, seiner wohlwollenden Ironie, seinem unbestechlichen, doch nie bösartigen Scharfblick war er ein ebenso unentbehrlicher erster Kritiker wie ein zuverlässiger Chefstratege – in *Je-schua* mag er Teile von sich wiederfinden.

Selbst in einem Buch vom Umfang des vorliegenden ist es unmöglich, alle Charaktere bis in ihre Feinheiten zu schildern. So mögen mir all jene für die Grobheit ihrer Portraits vergeben, die ich hier in der einen oder anderen Form nachgezeichnet habe: Gaby de Winter als *Sat-Amûn*, meine Freunde Peter Holz – obwohl der gar keinen Kugelbauch hat – als *Bek* und Heinz Gruber als *Nun*, mein Schulgefährte Wolfgang Schiessl als *Huja* und seine Frau Eva als *Tae-muad-jsi* zählen zu ihnen, um nur die Allerwichtigsten zu nennen. Johannes K. Soyener, mein Mitautor des Romans »Der Meister des siebten Siegels«, mag in *Hôr-em-Heb* den einen oder anderen Zug von sich wiedererkennen.

Mein ganz besonderer Dank gilt natürlich auch Dr. Hans Wolfgang Müller, Professor der Ägyptologie an der Universität München, bei dem ich einst hören durfte, und Dr. Jürgen von Beckerath, der mich lehrte, die heiligen Hieroglyphen zu lesen.

Danken möchte ich auch all den Leitern und wissenschaftlichen Mitarbeitern in den ägyptologischen Museen und Instituten in Deutschland, Ägypten, Europa und den USA, von denen ich im Laufe der vielen Jahre wahre Gebirge an Material erhalten habe. Ein herzlicher Dank gilt auch Dr. Peter Römer und insbesondere meinem Freund Dr. Fritz Baumann, die mich mit so kenntnisreichen Informationen über Gifte beliefert haben, daß ich mühelos die Gesamtbevölkerung von Achet-Aton hätte ausrotten können.

Nicht vergessen sei auch der Dank an unsere ägyptischen Fahrer Omar und Selim, ohne die wir – meine Frau Barbara, mein Sohn Wolfram Michael und ich – im Herbst 1997 so manches Ziel wie Hat-uaret (Tanis) und Achet-Aton (Tell-el-Amarna) sonst niemals erreicht hätten. Ebenso gedankt sei unseren Führern und Beduinen-Gastgebern im Sinai: »Geschirrtuch« Achmed, Amr, Hassan, und »Zahnstocher« Sharif.

Und schließlich, wieder einmal, sei meinem Freund und Lektor, Dr. Helmut W. Pesch, von Herzen gedankt für die einfühlsame Sorgfalt, mit der er den Finger auf sprachliche, logische und psychologische Schwachstellen legte und so das Manuskript zur endgültigen Druckreife gebracht hat.

Hofhegnenberg, im Herbst 1998
Wolfram zu Mondfeld

Personen

Amûn-hotep Neb-Maat-Râ · (Amenophis III.) König
von Ober- und Unterägypten

Teje · Große Königsgemahlin, Tochter des Min-Priesters Juja mit Tuja

Amûn-hotep · (auch: *Akh-en-Aton*) Hôr-im-Nest, Sohn
Amûn-hotep Neb-Maat-Râs mit Teje

Kija · Prinzessin, 1. Tochter Amûn-hotep Neb-Maat-
Râs mit Teje
1. Ehe mit Hôr-im-Nest Tehuti-mose Usîre
2. Ehe mit Hôr-im-Nest Amûn-hotep (Akh-en-
Athon)

Sat-Amûn · Prinzessin, 2. Tochter Amûn-hotep Neb-
Maat-Râs mit Teje

Semench-Ka-Râ · Prinz, Sohn des Hôr-im-Nest
Tehuti-mose mit Kija

Beket-Amûn · Prinzessin, 3. Tochter Amûn-hotep
Neb-Maat-Râs mit Teje

Tehuti-mose · Wahrer und einziger Hôr-im-Nest,
Sohn Amûn-hotep Neb-Maat-Râs mit Sat-Amûn

Nacht-Min · Prinz, Sohn Amûn-hotep Neb-Maat-Râs
aus Nebenehe

Ptah-hotep · Prinz, Fürstpriester, Sohn Amûn-hotep
Neb-Maat-Râs aus Nebenehe

KÖNIGIN
TEJES FAMILIE
———

Aanen · Priester des Amûn und des Min, Älterer
Bruder Tejes
Eje · ›Gottvater‹, Jüngerer Bruder Tejes
Nofret-ête · Zweite Gemahlin des Hôr-im-Nest
Amûn-hotep ta-scherit, 1. Tochter Ejes mit Tiê
Mut-nodjemet · 2. Tochter Ejes mit Tiê

KÖNIG
AKH-EN-ATON UA-EN-RÂ
———

Akh-en-Aton Ua-en-Râ · (Amenophis IV./Echnaton)
König von Ober- und Unterägypten
Teje · Große Königsgemahlin
Kija · Prinzessin, zweite Gemahlin Akh-en-Aton
Ua-en-Râs
Nofret-ête · Dritte Gemahlin Akh-en-Aton Ua-en-Râs
Tut-anch-Aton · Prinz, Sohn Akh-en-Aton Ua-en-Râs
mit Kija
Maket-Aton · Prinzessin, 1. Tochter Akh-en-Aton
Ua-en-Râs mit Nofret-ête
Tehuti-mose · genannt Mose, Wahrer und einziger
Hôr-im-Nest, Gemahl Maket-Atons
Sat-Râ · Prinzessin, Tochter Tehuti-moses mit
Maket-Aton
Merit-Aton · Prinzessin, 2. Tochter Akh-en-Aton
Ua-en-Râs mit Nofret-ête
Semench-Ka-Râ · Prinz, Gemahl Merit-Atons
Anchesen-pa-Aton · Prinzessin, 3. Tochter Akh-en-
Aton Ua-en-Râs mit Nofret-ête

KÖNIG
SEMENCH-KA-RÂ ANCH-CHEPERU-RÂ

Semench-Ka-Râ Anch-cheperu-Râ · König von Ober-
und Unterägypten und Große Königsgemahlin
Akh-en-Aton Ua-en-Râs
Merit-Aton · Große Königsgemahlin

KÖNIG
TUT-ANCH-ATON
NEB-CHEPERU-RÂ

Tut-anch-Aton (später: **Tut-anch-Amûn**) **Neb-cheperu-
Râ** · König von Ober- und Unterägypten
Anchesen-pa-Aton · (später: Anchesen-pa-Amûn) Große
Königsgemahlin
Merit-Aton · (später: Merit-Râ) Große Königswitwe,
Geliebte Tut-anch-Amûn Neb-cheperu-Râs

KÖNIG
EJE CHEPER-CHEPERU-RÂ

Eje Cheper-cheperu-Râ · König von Ober- und Unterägypten
Anchesen-pa-Aton · Große Königsgemahlin

AMÛN-HOTEP,
SOHN DES NEBY
(ERZÄHLER)

Neby · Tempelbeamter und königlicher Beamter,
Sohn des Grafen Rechme-Râ von Nechab
Apuya · Prinzessin, Gemahlin Nebys, Halbschwester
König Amûn-hotep Neb-Maat-Râs

Râ-mose · Oberrichter, Generalgouverneur,
  Ministerpräsident, Älterer Sohn Nebys mit
  Apuya
Amûn-hotep · Oberst der Garde, General, Feld-
  marschall, Jüngerer Sohn Nebys mit Apuya
May · Erste Gemahlin Amûn-hoteps
Merit-Ptah · Tochter Amûn-hoteps mit May
  1. Ehe mit Râ-mose
  2. Ehe mit Amûn-hotep

DIENER
AMÛN-HOTEPS
———

Beket-Ernûte · genannt Ern, Heilkräuterkundige
Necht · Ehemaliger Wolfsmann
›Hund‹ · Diener, Schreiber, später Adoptivsohn von
  Beket-Ernûte und Necht
Serâu · Sängerin und Harfenistin
Sel · Dienerin

BEAMTE UNTER
KÖNIG AMÛN-HOTEP
NEB-MAAT-RÂ
———

Amûn-hotep · genannt Sohn des Hapu oder
  Alter Pavian, Ministerpräsident, Oberkomman-
  dierender des Heeres usw., der fast allmächtige
  Minister des Königs
Nacht-Min · Prinz, Ministerpräsident
Nacht-Upuaût · Graf von Sioûti
Huja · Vizekönig von Wawat und Kusch
Maja · Finanzminister
Cha-em-hêt · Landwirtschaftsminister
Mereru-Ka · Außenminister
Ipu-Ka · Bewahrer der Kroninsignien

Men · Erster Baumeister des Königs
Mahû · Polizeipräfekt der Madjai (Wüstenpolizei)
Pentû · Königlicher Leibarzt
Heje · Haushofmeister Tejes
Tehuti-mose · genannt Speckstein-mose, Bildhauer

BEAMTE UNTER
KÖNIG AKH-EN-ATON UA-EN-RÂ
UND
SEMENCH-KA-RÂ
ANCH-CHEPERU-RÂ
———

Pichuru · Ministerpräsident, Oberkommandierender
des Heeres
Pane-hesi · Generalgouverneur von Oberägypten
Menna · Generalgouverneur von Unterägypten
Huja · Vizekönig von Wawat und Kusch
Tae-muad-jsi · Gemahlin Hujas
Nacht-Min · Prinz, Oberrichter der Oberrichter
Janch-Aton · Finanzminister
Sutan · Finanzminister, Nachfolger Janch-Atons
Panhasa · Landwirtschaftsminister
Tutu · Außenminister
Ipu-Ka · Bewahrer der Kroninsignien
Umu-hanko · Zeremonienmeister
Bek · Erster Baumeister des Königs
Tehuti-mose · genannt Speckstein-mose, Bildhauer
Mahû · Polizeipräfekt der Madjai (Wüstenpolizei)
Pentû · Königlicher Leibarzt
Rib-Addi · Statthalter von Gubla

Nacht-Min · Prinz, Ministerpräsident

Hôr-em-Heb · Reichsmarschall und Reichsverweser

Mut-nodjemet · zweite Tochter Ejes, Gemahlin Hôr-em-Hebs

Neby · Generalgouverneur von Oberägypten

Menna · Generalgouverneur von Unterägypten, später Stadtgouverneur von Achet-Aton

Huja · Vizekönig von Wawat und Kusch

Tae-muad-jsi · Gemahlin Hujas

Mose · Wahrer und Einziger Hôr-im-Nest, Oberrichter der Oberrichter

Maja · Wirtschaftsminister

Sutan · Finanzminister

Râ-mose · Offizier, Sohn Sutans mit Tia

Panhasa · Landwirtschaftsminister

Mereru-Ka · Außenminister

Merit-Ptah · Außenminister, Nachfolgerin Mereru-Kas

Ipu-Ka · Bewahrer der Kroninsignien

Bek · Erster Baumeister des Königs

Tehuti-mose · genannt Speckstein-mose, Bildhauer

Mahû · Polizeipräfekt

Pentû · Königlicher Leibarzt

PRIESTER
———

Ptah-hotep · Prinz, Fürstpriester des Amûn-Reichstempels in Uêset

Amûn-em-Hat · Großpriester des Amûn-Reichstempels, Nachfolger Ptah-hoteps

Aanen · Priester des Amûn und des Min
Satet-hotep · Erzpriester des Tehuti in Chemenu, Vorsteher im Haus allen Wissens
Neter-duai · Hoherpriester des Râ in Onû, Erster Seher des Reiches
Beket-Amûn · Prinzessin, Hohepriesterin des Râ in Onû, Erste Seherin des Reiches, Nachfolgerin Neter-duais
Hy-sebaû · Hoherpriester der Dreiheit in Men-nôfer
Merie-Râ · Großpriester des Aton in Achet-Aton
Chanî · Offizier, Sohn Merie-Râs

OFFIZIERE

Mei · General der Garde, Oberkommandierender des Heeres
Pichuru · Ministerpräsident, Oberkommandierender des Heeres, Nachfolger Meis
Hôr-em-Heb · Hauptmann der Garde, General, Reichsmarschall, Nachfolger Pichurus
Mut-nodjemet · seine Gemahlin, zweite Tochter Ejes
Teka-her · General der Grenztruppen
Heri-tjerut · Oberst, General der schwarzen Bogenschützen
Paatem-em-Heb · General der Internationalen Garde
Seben-hesequ-schut · genannt Schut, Oberst der Internationalen Garde
Chanî · Oberst, Sohn des Großpriesters des Aton Merie-Râ
Nun · Hauptmann der Garde, Sohn des Aram
Je-schua · Leutnant, Hauptmann, Oberst, Sohn Nuns
Râ-mose · Hauptmann, Oberst, Sohn des Finanzministers Sutan
Men-kau-Hôr · Leutnant der Wolfsmänner von Sioûti

Nun · Hauptmann der Garde, Ältester des Stammes
  Ephraim
Aram · Vater Nuns
Je-schua · Leutnant, Hauptmann, Oberst, Sohn Nuns
Kehat · Ältester des Stammes Levi
Aaron und Korach · Jugendfreunde Moses und
  Je-schuas, Söhne Kehats

AUSLÄNDER

Nestor · König von Pylos, Achaier
Azirhû · König von Amurru
Lupak-kisch · Feldherr der Hatti
Teschub-Zalmasch · Feldherr der Hatti
Jetro · Fürst der Schôs vom Stamm der Midianiter
Zippora · Tochter Jetros

STAMMBAUM DES HÔR-IM-NEST
TEHUTI-MOSE

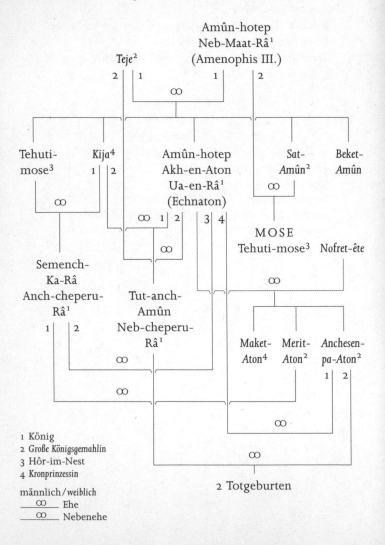

Amûn-hotep
Neb-Maat-Râ[1]
(Amenophis III.)

Teje[2]

Tehuti-mose[3]   Kija[4]

Amûn-hotep
Akh-en-Aton
Ua-en-Râ[1]
(Echnaton)

Sat-Amûn[2]   Beket-Amûn

MOSE
Tehuti-mose[3]   Nofret-ête

Semench-Ka-Râ
Anch-cheperu-Râ[1]

Tut-anch-Amûn
Neb-cheperu-Râ[1]

Maket-Aton[4]   Merit-Aton[2]   Anchesen-pa-Aton[2]

1 König
2 Große Königsgemahlin
3 Hôr-im-Nest
4 Kronprinzessin

männlich / weiblich
∞ Ehe
∞ Nebenehe

2 Totgeburten

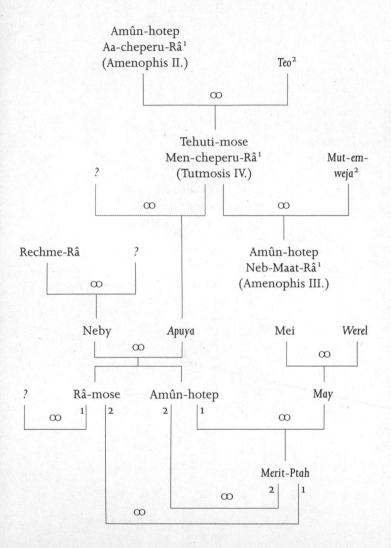

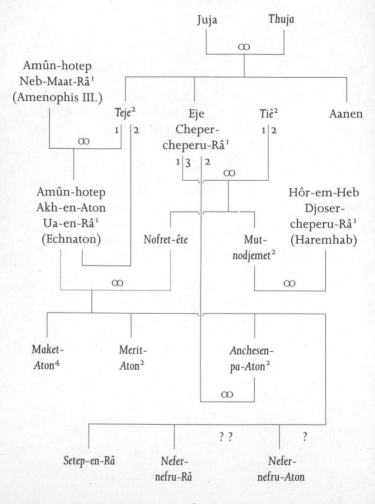

STAMMBAUM
DER NACHKOMMEN MOSES

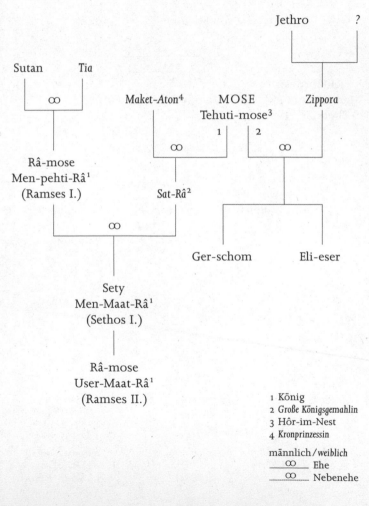

Jethro   ?

Sutan   Tia

∞

Maket-Aton[4]   MOSE   Zippora
Tehuti-mose[3]
1   2

∞   ∞

Râ-mose
Men-pehti-Râ[1]
(Ramses I.)

Sat-Râ[2]

∞

Ger-schom   Eli-eser

Sety
Men-Maat-Râ[1]
(Sethos I.)

Râ-mose
User-Maat-Râ[1]
(Ramses II.)

1 König
2 *Große Königsgemahlin*
3 Hôr-im-Nest
4 *Kronprinzessin*

männlich / *weiblich*
___∞___ Ehe
‒‒‒∞‒‒‒ Nebenehe

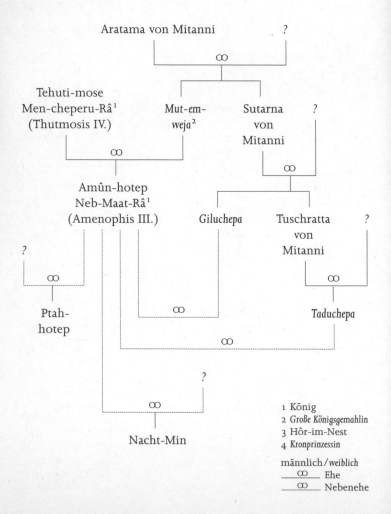

Aratama von Mitanni   ?

Tehuti-mose
Men-cheperu-Râ[1]
(Thutmosis IV.)

Mut-em-weja[2]

Sutarna
von
Mitanni   ?

Amûn-hotep
Neb-Maat-Râ[1]
(Amenophis III.)

Giluchepa

Tuschratta
von
Mitanni   ?

?

Ptah-
hotep

Taduchepa

?

Nacht-Min

1 König
2 *Große Königsgemahlin*
3 *Hôr-im-Nest*
4 *Kronprinzessin*

männlich / *weiblich*
∞   Ehe
∞   Nebenehe

Über
die Abbildungen

Seite 3: Der »Hôr-im-Nest«. Der königliche Jungfalke mit Krummstab und Geißel seiner zukünftigen Würde, Sohn und Nachfolger des »Goldenen Hôr«, wie der ägyptische König auch genannt wurde.

Seite 9: Der brennende Dornbusch mit dem Auge Gottes.

Seite 12: Amûn-hotep, Sohn des Neby. Oberst, später General und Feldmarschall. In der Hand hält er die Abzeichen seiner Ämter, den Kommandostab, die Peitsche und den Ehrenfächer, um den Hals trägt er vierfach das Gold der Belohnung.

Seite 13: Zeugung Moses. Unter den Flügeln Râs mit dem Anch, dem Zeichen für Leben, sitzen König Amûn-hotep Neb-Maat-Râ und Königin Sat-Amûn als irdische Vertreter der Götter Amûn und Mut, weshalb auch der König die Krone des Amûn mit den hohen Federn trägt. Sie reichen sich die Hände und kreuzen die Beine, die ägyptische Chiffre für Zeugung. Unterstützt werden sie dabei von Utô und Nechbet, den Schutzgöttinnen von Ober- und Unterägypten.

Seite 16: Das »Gold der Belohnung« in Form einer Doppelkette.

Seite 48: Die Namenskartusche des Königs Amûn-hotep Neb-Maat-Râ.

Seite 79: Die Rote Krone Unterägyptens und der Weiße Helm Oberägyptens als Doppelkrone der Herrscher von Ägypten.

Seite 119: Anch, das Zeichen für ewiges Leben.

Seite 128: Der neugeborene Hôr-im-Nest auf den Armen seiner Amme. Die Größe des Kindes signalisiert seine dynastische Bedeutung, die Prinzenlocke und große Fächer zeigen seinen königlichen Rang an.

Seite 160: Êset-Schleife, das Zeichen für Schutz.

Seite 170: Die Große Königsgemahlin Teje. Sie trägt die Hohen Federn und die kleine, gebogene Geißel der Königinnen.

Seite 171: König Akh-en-Aton Ua-en-Râ opfert seinem ›Vater‹ Aton. Hinter ihm, rangmäßig entsprechend kleiner dargestellt, Nofret-ête. Die geradezu groteske Überzeichnung der Figuren ist typisch für den Stil der ›Wahrheit‹ Akh-en-Atons.

Seite 174: Ehrenfächer und Kommandostab, sogenanntes Keulenzepter.

Seite 189: Das Wappen des ägyptischen Reiches: Links die Lilie von Oberägypten, rechts der Papyrus von Unterägypten.

Seite 201: Klagefrauen, die berufsmäßig lautstark den Schmerz der Hinterbliebenen hinausheulten.

Seite 615: Zwei Trompeten. Die etwa einen Meter langen, aus Bronze oder Silber gefertigten Instrumente wurden vor allem militärisch verwendet; ähnlich gestaltete, jedoch erheblich längere Posaunen wurden bei Tempelzeremonien geblasen.

Seite 637: Ägyptische Waffen: Sichelschwert, Axt, Dolche und Beilkeule.

Seite 669: »Im Schatten Deiner Flügel« – Râ, die geflügelte Sonne mit dem Anch und den königlichen Kobras.

Seite 690: König Eje Cheper-cheperu-Râ. Er trägt den Blauen Helm, die Kriegskrone der ägyptischen Könige.

Seite 691: Zwangsarbeit der Benê-Jisrael. Von unten nach oben: Lehm wird gestampft und in vorgefertigte Formen gefüllt; Frauen hacken Stroh, das dem Lehm untergemischt wird und ein Aufseher verprügelt einen säumigen Arbeiter; die Ziegel werden zur Baustelle geschleppt; Frauen lösen die getrockneten Ziegel aus ihren Formkästen und ein Maurer bei der Arbeit unter den strengen Blicken eines weiteren Aufsehers.

Seite 694: Sinai-Schriftzeichen, die Anfänge der von uns heute verwendeten Schrift.

Seite 729: Namenskartusche des Königs Tut-anch-Amûn Neb-cheperu-Râ

Seite 758: Moses Schlangenstab. Derartige Schlangenstäbe wurden von den hohen Priestern verschiedener Tempel als Würdenstäbe geführt (siehe hierzu auch 2.Mose 7,10-12).

Seite 815: Ägyptischer Bogenschütze mit Langbogen.

Seite 825: Der brennende Dornbusch mit dem Auge Gottes.

Sämtliche Abbildungen wurden nach
altägyptischen Vorlagen
gestaltet.